Theoretische Physik
Band 11
Walter Greiner/Joachim Maruhn
Kernmodelle

Walter Greiner
Theoretische Physik

Band 1: Mechanik, Teil 1
Band 2: Mechanik, Teil 2
Band 3: Elektrodynamik
Band 4: Quantenmechanik, Teil 1: Einführung
Band 5: Quantenmechanik, Teil 2: Symmetrien
Band 6: Relativistische Quantenmechanik, Wellengleichungen
Band 7: Quantenelektrodynamik
Band 8: Eichtheorie der schwachen Wechselwirkung
Band 9: Thermodynamik und Statistische Mechanik
Band 10: Quantenchromodynamik
Band 11: Kernmodelle

Ergänzungsbände

Band 2A: Hydrodynamik
Band 3A: Spezielle Relativitätstheorie
Band 4A: Quantentheorie, Spezielle Kapitel
Band 7A: Feldquantisierung

In Vorbereitung:

Physik der Elementarteilchen, Theoretische Grundlagen
Modelle der Elementarteilchen
Quantenstatistik
Allgemeine Relativitätstheorie und Gravitation

Theoretische Physik
Band 11

Walter Greiner
Joachim Maruhn

Kern-modelle

Ein Lehr- und Übungsbuch

Mit zahlreichen Abbildungen, Beispielen und Aufgaben mit ausführlichen Lösungen

Verlag Harri Deutsch

Professor Dr. rer. nat Dr. h. c. mult. Walter Greiner ist Direktor des Instituts für Theoretische Physik der Universität Frankfurt am Main.

Professor Dr. phil. nat. Joachim A. Maruhn ist Professor am Institut für Theoretische Physik der Universität Frankfurt am Main.

Die Deutsche Bibliothek - CIP-Einheitsaufnahme

Theoretische Physik: ein Lehr- und Übungsbuch. - Thun ;
Frankfurt am Main : Deutsch

Bd. 11. Greiner, Walter: Kernmodelle. - 1995

Greiner, Walter:
Kernmodelle : ein Lehr- und Übungsbuch ;
mit zahlreichen Beispielen und Aufgaben mit ausführlichen Lösungen
/ Walter Greiner ; Joachim Maruhn. - Thun ; Frankfurt am Main :
Deutsch, 1995
(Theoretische Phsyik ; Bd. 11)
ISBN 3-87144-977-6
NE: Maruhn, Joachim:

ISBN 3-87144-977-6

1. Auflage, 1995

Druck: Fuldaer Verlagsanstalt, Fulda

Vorwort

Die Theoretische Physik ist eine umfangreiche, breit gefächerte Wissenschaft geworden. Es ist für den jungen Studenten schwer, vor der Fülle des zu Erlernenden nicht zurückzuschrecken und sich vielmehr systematisch einen Überblick über das weite Feld von der Mechanik über die Elektrodynamik, die Quantentheorie, Feldtheorie, Kern- und Schwerionenphysik, Thermodynamik und statistische Mechanik, Festkörperphysik bis hin zur Physik der Elementarteilchen zu verschaffen.

Dies alles soll außerdem in acht bis zehn Semestern einschließlich einer ordentlichen Diplomarbeit geschafft werden. Dies ist nur möglich, wenn die akademischen Lehrer mithelfen, die Studenten frühzeitig in die neuen Disziplinen einzuweihen, Interesse und Begeisterung zu wecken, wodurch wichtige zusätzliche Energien frei werden.

An der Johann Wolfgang Goethe-Universität zu Frankfurt am Main haben wir daher schon seit 1965 die Theoretische Physik in das 1. Studiensemester vorverlegt. Darum werden die Mechanik 1 und 2, die Elektrodynamik und die Einführung in die Quantentheorie in einem Grundkurs vor dem Vordiplom in Verbindung mit vielen mathematischen Erläuterungen und Ergänzungen gelehrt. Nach dem 4. Semester sind Quantentheorie 2, Thermodynamik und Statistische Physik, Relativistische Quantentheorie und Quantenelektrodynamik (Einführung in die Quantenfeldtheorie) Pflichtvorlesungen. Neben diesem Grundkurs durch die Theoretische Physik werden eine ganze Reihe Ergänzungen und Spezialvorlesungen regelmäßig angeboten. Dazu gehören beispielsweise die Hydrodynamik, klassische Feldtheorie, Theoretische Optik, Theorie der Streuprozesse, Allgemeine Relativitätstheorie, Theorie der schwachen Wechselwirkung, Theorie der Elementarteilchen usw. Einige davon wie z. B. die zweisemestrigen Vorlesungen über Theoretische Kernphysik bzw. Theoretische Festkörperphysik gehören auch zu den Pflichten für das Diplom in Physik.

In dem vorliegenden Band wird die Theorie der Kernmodelle behandelt, die zusammen mit der der Kernreaktionen einen zweisemestrigen Zyklus bildet. Für dieses Gebiet erschien es uns besonders wichtig, ein kurzes zur Begleitung einer Vorlesung geeignetes Buch zusammenzustellen, da es zwar hervorragende und umfassende Darstellungen der Kernmodelle gibt, diese jedoch durch ihre überwältigende Materialfülle jedoch für die Studenten zunächst sehr unübersichtlich wirken. In diesem Zusammenhang sind besonders das dreibändige Werk von Eisenberg und Greiner[1], auf dem unsere Darstellung in vielen Punkten beruht, sowie der Band von Ring und Schuck[2], der mehr Gewicht auf die Vielteilchenmethoden legt.

Ein Buch zur Vorlesung muß sich jedoch auf die wichtigsten Punkte beschränken, den Schwerpunkt auf die Erklärung der Ideen und Methoden legen und dafür auf die Präsentation einer Fülle von Einzelergebnissen verzichten, die sich für die Vorlesung sowieso nicht eignen, wenn diese nicht zu einer Diapositiv-Vorführung entarten soll. Die Theorie der Kernmodelle unterscheidet sich natürlich vom klassischen Kanon der

[1] J. M. Eisenberg and W. Greiner, *Nuclear Theory*, 3 Volumes, Third Edition (North Holland, Amsterdam 1973–1987).

[2] P. Ring and P. Schuck, *The Nuclear Many-Body Problem* (Springer-Verlag, New York 1980).

Theoretischen Physik auch dadurch, daß sehr wenige Beispiele vollständig ausgerechnet werden können, ohne Computer zu verwenden.

Aus diesen Gründen steht die Diskussion der wichtigsten Typen von Modellen nebst den zugehörigen mathematischen Methoden im Vordergrund. Da die Erfahrung zeigt, daß die Studenten die für Kernmodelle wichtigen Methoden der Drehimpulskopplung und der zweiten Quantisierung meist nur unsicher beherrschen, haben wir diese Themen nicht in einen Anhang relegiert, sondern an den Anfang gestellt — ggf. kann darauf natürlich verzichtet werden. Auch hierbei wurde darauf geachtet, den Stoff auf das für das Folgende Notwendige zu beschränken. Daran schließt sich eine kurze Diskussion der gruppentheoretischen Methoden an, die etwa für das IBA-Modell wichtig sind.

Das fünfte Kapitel behandelt die Theorie des Strahlungsfeldes bis zu den Definitionen der Übergangswahrscheinlichkeiten. Dabei wurde, wieder im Hinblick auf Straffung des Stoffes, die Diskussion der magnetischen Übergänge nur allgemein behandelt. Das anschließende sechste Kapitel stellt die klassischen Kollektivmodelle vor, die wegen ihres didaktischen Wertes und ihrer grundlegenden Bedeutung für die Begriffsbildung den Schwerpunkt des Buches darstellen. Einer kurzen Darstellung der phänomenologischen Eigenschaften der Kernmaterie folgt die Behandlung des geometrischen Kollektivmodells (Oberflächenschwingungen, Rotations-Vibrations-Modell usw.) in den verschiedenen Grenzfällen, das IBA-Modell und die kollektive Theorie der Riesenresonanzen.

Kaum geringeren Raum nimmt die Theorie der mikroskopischen Modelle in Kapitel 7 ein. Hier werden die wichtigsten Themen, von der Hartree–Fock-Theorie über phänomenologische Einteilchenmodelle bis hin zur modernen relativistischen Mesonenfeldtheorie eingeführt. Der nächste Abschnitt behandelt die Kombination von Einteilchen- und Kollektivbewegung, einmal in Form des Teilchen-plus-Core-Konzeptes sowie im Hinblick auf die mikroskopische Beschreibung kollektiver Schwingungen.

Im abschließenden Kapitel über Kollektivbewegungen großer Amplitude schließlich werden einige Verfahren zur Behandlung der Spaltung und ähnlicher Prozesse erläutert. Dazu gehören Zweizentrenmodelle, die allgemeine Problematik der Massenparameter, zeitabhängiges Hartree–Fock und die Generatorkoordinatenmethode, denen sich noch ein elementarer Überblick über Hochspinzustände anschließt.

Das Buch enthält neben dem klassischen und heute noch zum Grundwissen des theoretischen Kernphysikers gehörenden Kanon von Kernmodellen immer wieder auch Themen von aktuellem Interesse — so zu den überschweren Elementen, kalter Spaltung und kalter Fusion, Clusterradioaktivitäten, Hochspinzuständen oder zur relativistischen Mesonenfeldtheorie —, die jungen Physikern die bleibende Faszination an der Kernstrukturphysik vermitteln. Gleichzeitig sollte auch an vielen Stellen zu spüren sein, daß das Buch auf wiederholten Vorlesungen beruht und in vielen Details bei den Erklärungen typische Fragen der Studenten aufgreift und erklärt.

Wir bedanken uns herzlich bei unseren Mitarbeitern Dr. Dirk Troltenier, Christian Spieles, Klemens Rutz und Michael Bender für ihre Mithilfe bei der Erstellung, Formatierung, Übersetzung und Bearbeitung des Textes sowie bei Frau Astrid Steidl für Unterstützung bei der Erstellung einiger Grafiken.

Schließlich möchten wir die Hoffnung aussprechen, daß auch diese Vorlesung viele Freunde finde.

Frankfurt am Main, Mai 1995

Joachim Maruhn

Walter Greiner

Inhaltsverzeichnis

Aufgaben und Beispiele

Kapitel 1

Einleitung

1.1 Kernstrukturphysik

Die in diesem Buch besprochenen Kernmodelle gehören zum Gebiet der *Kernstrukturtheorie.* Im heutigen Sprachgebrauch widmet sich die Kernstrukturphysik dem Studium der Eigenschaften von Kernen bei niedrigen Anregungsenergien, für die einzelne Energieniveaus aufgelöst werden können. Das bedeutet, daß typischerweise Quanteneffekte bestimmend sind und daß die Zustände des Kerns eine sehr komplizierte Struktur besitzen, die von den detailierten Wechselbeziehungen der vielen beteiligten Nukleonen abhängt.

Im Gegensatz dazu wird bei höheren Energien und besonders bei Schwerionenreaktionen die Quantenmechanik weniger wichtig, und die Methoden der statistischen Mechanik nehmen stattdessen die herausragende Stellung ein. Die Theorien beschäftigen sich dann typischerweise mit den kollektiven Eigenschaften von Kernmaterie wie der Zustandsgleichung oder den Reibungskoeffizienten, oder sie basieren sogar auf rein klassischer Vielteilchenphysik wie die Kaskadenmodelle.

Natürlich kann man unmöglich genaue Energiegrenzen zwischen diesen Theorien angeben. Die hier vorgestellten Theorien jedoch finden typischerweise ihre Anwendung für Anregungsenergien bis zu 2–3 MeV. Gewöhnlich können nur die niedrigsten paar Energieniveaus gut durch ein theoretisches Modell beschrieben werden, und die Zahl der Niveaus nimmt oberhalb dieses Energiebereichs so rasch zu, daß ein sinnvoller Vergleich mit dem Experiment unmöglich wird (bei Kernen mit einer ungeraden Zahl von Neutronen oder Protonen oder beiden ist das sogar noch dramatischer — die meisten Kernmodelle bevorzugen gerade–gerade–Kerne mit ihren relativ einfachen Spektren). Auch sollte man sich vergegenwärtigen, daß in experimentellen Spektren nur eine relativ kleine Zahl von Zuständen bezüglich Spin und Isospin identifiziert werden können und daß für den echten Test eines Modells Übergänge, d. h. im wesentlichen Überlappintegrale zwischen Wellenfunktionen, benötigt werden, welche wiederum oft nicht einmal für die interessantesten Zustände bekannt sind.

Es ist also nicht überraschend, daß die in diesem Buch vorgestellten Modelle gewöhnlich eine relativ geringe Zahl von niedrigliegenden Zuständen und nur mit bescheidener Genauigkeit erklären, was aber immer noch einen bemerkenswerten Erfolg darstellt. Um das einschätzen zu können, sei daran erinnert, daß wir uns mit einem System von Teilchen beschäftigen, deren Zahl weder klein genug ist, um eine direkte Lösung zu erlauben, noch groß genug, um statistische Methoden genau genug werden zu lassen, und die über eine Wechselwirkung miteinander in Beziehung stehen, die immer noch nicht in eine endgültige Form gebracht werden konnte. Es ist diese außergewöhnliche Schwierigkeit und die Freiheit, mit der Methoden und Konzepte aus vielen anderen Zweigen der Physik hier angewandt werden, was die Kernstrukturphysik so faszinierend macht und mit Leben erfüllt.

1.2 Die grundlegende Gleichung

Um den geeigneten theoretischen Startpunkt zu finden, müssen noch ein paar Grobabschätzungen der relevanten physikalischen Größen eingeführt werden. Zuerst sollen einige Zahlen aus der elementaren experimentellen Kernphysik in Erinnerung gerufen werden.

Die zur Zeit bekannten Elemente haben Kerne, bestehend aus $Z = 1, \ldots 111$, Protonen und $N = 0, \ldots, 161$ Neutronen, was eine Gesamtzahl von A Nukleonen ergibt. Die Radien der Kerne folgen dem empirischen Gesetz

$$R(A) = r_0 A^{1/3} \tag{1.1}$$

mit $r_0 \approx 1.2$ fm. Kernradien reichen also bis etwa 7.5 fm. Die Formel beinhaltet auch, daß das Kernvolumen proportional zur Zahl der Teilchen im Kern ist, was die annähernde Inkompressibilität von Kernmaterie anzeigt (das wahre, mit Elektronenstreuung beobachtete Dichteprofil ist etwas komplizierter). Das am wenigsten gebundene Nukleon hat eine Bindungsenergie von der Ordnung 8 MeV und eine kinetische Energie nahe 40 MeV.

Diese Information reicht schon aus, um einige grobe Vorstellungen darüber zu bekommen, was das Wesentliche in den Theorien sein wird. Da ein Nukleon eine Masse von $mc^2 \approx 938$ MeV hat, ist die kinetische Energie im Vergleich ziemlich vernachlässigbar, so daß ein *nichtrelativistischer* Ansatz recht befriedigend zu sein verspricht, und diese Annahme wird in der überwältigenden Mehrheit von Kernstrukturmodellen gemacht. In jüngster Zeit gewannen jedoch relativistische Zugänge an Bedeutung — dieses Thema wird in Abschnitt 7.4 in Verbindung mit dem relativistischen Mean–Field–Modell aufgenommen, und es wird dort auch erklärt, warum relativistische Effekte trotz der oben angegebenen einfachen Abschätzung wichtig sein können.

Die Geschwindigkeit eines Nukleons mit einer kinetischen Energie von $T = 40$ MeV ist durch

$$v = \sqrt{\frac{2T}{m}} = c\sqrt{\frac{2T}{mc^2}} \approx 0.3c \tag{1.2}$$

gegeben und die zugehörige de–Broglie–Wellenlänge durch

$$\lambda = \frac{2\pi\hbar}{mv} = \frac{2\pi(\hbar c)}{(mc^2)(v/c)} \approx 4.5 \text{ fm.} \tag{1.3}$$

Hier wurde die nützliche Konstante $\hbar c \approx 197.32$ MeV fm verwendet. Das Ergebnis zeigt, daß Quanteneffekte sicherlich nicht vernachlässigt werden können, da λ in keiner Weise klein im Vergleich zum Kernradius ist. Das verstärkt sich sogar noch bei tiefer gebundenen Nukleonen, die eine geringere kinetische Energie besitzen.

Berücksichtigt man diese Überlegungen, so sollte der Startpunkt für eine Theorie der Eigenzustände von Kernen eine stationäre Schrödingergleichung sein, die sehr allgemein durch

$$\hat{H}\psi = E\psi \tag{1.4}$$

gegeben ist. Der Rest dieses Buchs behandelt die Frage, was für $\hat{H}$ zu schreiben ist und welche Freiheitsgrade in den Wellenfunktionen verwendet werden sollten.

1.3 Mikroskopische vs. kollektive Modelle

Die natürlichste Wahl der Freiheitsgrade besteht sicherlich in der Verwendung der nukleonischen, d. h. den A Sätzen von Positionen $\boldsymbol{r}_i$, Spins $\boldsymbol{s}_i$ und Isospins $\boldsymbol{\tau}_i$. Die Wellenfunktion nimmt dann die allgemeine Gestalt

$$\psi(\boldsymbol{r}_1, \boldsymbol{s}_1, \boldsymbol{\tau}_1, \boldsymbol{r}_2, \boldsymbol{s}_2, \boldsymbol{\tau}_2, \ldots, \boldsymbol{r}_A, \boldsymbol{s}_A, \boldsymbol{\tau}_A) \tag{1.5}$$

an, während man für den Hamiltonoperator den natürlichen Ausdruck

$$\hat{H} = \sum_{i=1}^{A} -\frac{\hbar^2}{2m}\nabla^2 + \frac{1}{2}\sum_{i,j} v(i,j) \tag{1.6}$$

ausprobieren würde. Dies ist der grundsätzliche Startpunkt für *mikroskopische Modelle*, in denen die Freiheitsgrade jene der Teilchen sind, aus denen der Kern zusammengesetzt ist. Hier ist $v(i,j)$ die Nukleon–Nukleon–Wechselwirkung, die von allen Freiheitsgraden eines Paares von Nukleonen abhängen kann. Es ist klar, daß man selbst mit modernen Computern unmöglich die Vielteilchen–Schrödingergleichung für A größer als drei oder vier direkt lösen kann, so daß die Suche nach geeigneten Näherungen die vorrangigste Sorge bei diesem Typ von Modellen sein wird.

Es ist eine der wichtigsten Eigenarten der Theorie des Kerns, *daß es für $v(i,k)$ keine Theorie a priori gibt.* Statt dessen benutzt man verschiedene Parametrisierungen, die für unterschiedliche Zwecke gut sind — eine kann angemessen sein, um Nukleon–Nukleon–Streuung zu beschreiben und eine andere für Hartree–Fock–Rechnungen für schwere Kerne. Es besteht nicht einmal Klarheit darüber, wie wichtig Dreikörperkräfte sein könnten, die nicht in dem oben angegebenen Hamiltonoperator enhalten sind. Bis die Nukleon–Nukleon–Wechselwirkung aus einer tieferliegenden Theorie wie der Quantenchromodynamik abgeleitet sein wird, wird man mit dieser Situation leben müssen. Man beachte den Unterschied zur Lage in der Atomphysik, wo die fundamentale Theorie der Wechselwirkung — die QED — sehr gut bekannt ist und es „nur“ eine Frage der Näherungsmethoden ist, Lösungen für das Problem zu finden.

Ein typisches mikroskopisches Modell hängt also von der Nukleon–Nukleon–Wechselwirkung ab, welche notwendigerweise Parameter enthält, die angepaßt sind, einige experimentelle Daten zu reproduzieren. Dies rechtfertigt die Bezeichnung „Modell“ selbst für mikroskopische Zugänge: Das fehlende Wissen über die fundamentale Wechselwirkung wird durch den Vorschlag einer vernünftigen funktionalen Form mit einer begrenzten Zahl von Parametern ersetzt, die nicht aus der zugrundeliegenden Theorie bestimmt werden können.

Der Vorschlag geeigneter funktionaler Formen für die Nukleon–Nukleon–Wechselwirkung hängt in großem Ausmaß von Symmetrieargumenten ab. Diese Überlegungen und eine Übersicht über einige in der Praxis verwendete Wechselwirkungen sind Inhalt von Abschnitt 7.1.

Eine komplementäre und bedeutende Rolle spielen auch *kollektive Modelle.* Diese basieren auf Freiheitsgraden, die nicht zu einzelnen Nukleonen gehören, sondern statt dessen einige der kollektiven Eigenschaften des Kerns als Ganzem anzeigen. Einfache, aber triviale Beispiele für *kollektive Koordinaten* sind der Schwerpunktsvektor des Kerns und das Quadrupolmoment,

$$\boldsymbol{R} = \frac{1}{A}\sum_{i=1}^{A}\boldsymbol{r}_i, \qquad Q_{20} = \sum_{i=1}^{A} r_i^2 Y_{2\mu}(\Omega_i). \tag{1.7}$$

Man beachte, daß es in diesen Fällen möglich ist, die kollektiven Koordinaten durch die mikroskopischen auszudrücken, so daß man zumindest theoretisch in der Lage sein müßte, von der einen zur anderen Beschreibung überzugehen. In der Praxis jedoch führt man oft Koordinaten ein, die ohne Bezug zur mikroskopischen Physik sind, z. B. durch Entwickeln der Kernoberfläche nach den Kugelflächenfunktionen und Verwenden der Koeffizienten als Koordinaten; im folgenden soll ein Eindruck der dabei auftretenden Fragen verschafft werden, während für Details auf Abschnitt 6 verwiesen sei.

In einem speziellen Fall des geometrischen Modells ist die Kernoberfläche in Kugelkoordinaten durch

$$R(\Omega) = R_0\,(1 + \alpha(t)Y_{20}(\Omega)) \tag{1.8}$$

gegeben. Man wird sehen, daß so Kernformen ähnlich Ellipsoiden mit nicht zu großer Deformation α beschrieben werden können. Ein zeitabhängiges $\alpha(t)$ beschreibt dann Oszillationen in der Kernform, und falls der Kern im Grundzustand eine Kugel ist, scheint es natürlich, harmonische Vibrationen um $\alpha = 0$ anzunehmen, was auf die klassische Lagrangefunktion

$$L = \tfrac{1}{2}B\dot{\alpha}^2 - \tfrac{1}{2}C\alpha^2 \tag{1.9}$$

mit einem *Massenparameter* B und einem *Steifigkeitsparameter* C führt, die bislang unbestimmt sind. Um das zu entwickeln und als ausgereiftes Modell auszunutzen, kann man die folgenden Schritte vornehmen:

1. Quantisiere die Lagrangefunktion. Beim harmonischen Oszillator ist das einfach, aber falls die kollektive Koordinate in einer komplizierteren Weise definiert wurde, kann das zu einem Problem führen. Ein Beispiel wird mit dem Rotations–Vibrations–Modell in Abschnitt 6.5 besprochen.

2. Bestimme die Eigenzustände — größtenteils eine Frage der mathematischen Fertigkeiten.

3. Stelle Ausdrücke für andere Observable auf. Es genügt nicht, das Energiespektrum zu bestimmen; die Berechnung von Übergangswahrscheinlichkeiten erfordert auch Operatoren wie den Quadrupoloperator, der als Ausdruck in den kollektiven Koordinaten gegeben sein muß. Wiederum muß ein physikalisches Modell angesetzt werden, um solche Ausdrücke zu finden.

4. Vergleiche mit dem Experiment. Da die Modelle stets einige unbestimmte Parameter beinhalten, sollte man sich auf die *charakteristische Struktur* konzentrieren. Beim harmonischen Oszillator, z. B., würden wir ein Spektrum mit Niveaus gleichen Abstands erwarten (im realistischen Fall findet man tatsächlich ein äquidistantes Spektrum, dem aber eine üppige Drehimpulsstruktur überlagert ist). Wenn ein experimentelles Spektrum diesem nahe kommt, bestimmt der Abstand zwischen den Niveaus die Oszillatorfrequenz $\omega = \sqrt{C/B}$, und es stellt sich heraus, daß eine einzige Übergangswahrscheinlichkeit ausreicht, um B und C unabhängig voneinander zu bestimmen. Dadurch wird dieses einfache Modell vollständig definiert, und jede weitere Größe, in der das Experiment mit dem Modell gut übereinstimmt, unterstützt das Modell als eine vernünftige Interpretation der Daten. Auf dieser Stufe könnte man behaupten, über die Struktur eines bestimmten Kerns „Verständnis erlangt" zu haben.

5. Schließlich sollte, falls möglich, überprüft werden, ob die Parameter B und C von einer etwas tieferliegenden Beschreibung der Physik aus verstanden werden können; z. B. könnte der Massenparameter B in einem Modell der Bewegung von Materie im Kern während einer Oberflächenschwingung berechnet werden.

Das endgültige Ziel in diesem Zusammenhang besteht darin, mikroskopische und kollektive Modelle zu vereinigen, indem letztere durch erstere ausgedrückt und erklärt werden: Kollektive Modelle würden verwendet, um Spektren zu klassifizieren und ihre Struktur zu erklären, während mikroskopische Modelle erklären sollten, warum kollektive Koordinaten eines bestimmten Typs zu einem gültigen Modell führen.

1.4 Die Rolle von Symmetrien

Wie in diesem Kapitel besprochen, sind viele der Grundlagen der Kernstrukturtheorie immer noch unklar. In dieser Situation ist es sehr wichtig, Symmetrieargumente zu verwenden, um die Freiheit einzuschränken, die der Konstruktion neuer Modelle für die Nukleon–Nukleon–Wechselwirkung, den kollektiven Hamiltonoperator usw., inhärent ist. Ein tiefes Verständnis der Symmetrieargumente in der Quantenphysik ist daher wesentlich für jeden an Kernphysik Interessierten. Die wichtigsten Teile dieses Themas werden im nächsten Kapitel wiederholt, wobei nur soweit ins Detail gegangen wird, wie es für dieses Buch tatsächlich nötig ist. Aktives Arbeiten in der Kernstrukturtheorie erfordert viel mehr, als im zur Verfügung stehenden Platz vorgestellt werden kann, und geeignete Werke über Drehimpulstheorie sollten dazu herangezogen werden.

Kapitel 2

Symmetrien

2.1 Generelle Bemerkungen

In diesem Kapitel sollen die grundlegenden, für die Kernphysik interessanten Symmetrien und ihre mathematische Behandlung vorgestellt werden. Wie wichtig ein gutes Verständnis dieser mathematischen Entwicklungen ist, kann nicht überschätzt werden; viele sehr nützliche Konzepte wie der Isospin werden unverständlich, wenn man die formalen Analogien — in diesem Fall zum Drehimpuls — nicht erkennt.

Symmetrieoperationen entsprechen grundsätzlich einer mathematischen *Gruppe*, d. h., sie haben die folgenden vier Eigenschaften:

1. Wenn $\hat{S}$ und $\hat{S}'$ zwei Symmetrieoperationen sind, so kann immer ein *Produkt* $\hat{T} = \hat{S} \cdot \hat{S}'$ definiert werden, so daß $\hat{T}$ ebenfalls eine Symmetrieoperation der gleichen Art ist, d. h. zur selben Gruppe gehört. Allgemein definiert man das Produkt als die Anwendung von $\hat{S}$ und danach von $\hat{S}'$ auf ein physikalisches System. Zum Beispiel bedeutet diese Gruppeneigenschaft bei Drehungen, daß man das Ergebnis von zwei hintereinander ausgeführten Drehungen durch eine einzige ersetzen kann.

2. Die Multiplikation ist assoziativ, d.h. für alle $\hat{S}$, $\hat{S}'$ und $\hat{S}''$ gilt:

   $$\hat{S} \cdot (\hat{S}' \cdot \hat{S}'') = (\hat{S} \cdot \hat{S}') \cdot \hat{S}'' . \tag{2.1}$$

3. Es gibt eine Identitätsoperation $\mathbb{1}$ mit der Eigenschaft

   $$\mathbb{1} \cdot \hat{S} = \hat{S} , \quad \hat{S} \cdot \mathbb{1} = \hat{S} . \tag{2.2}$$

   Im allgemeinen bedeutet diese Operation „nichts tun", z. B. die Drehung um einen Winkel 0.

4. Für jedes $\hat{S}$ gibt es ein *inverses* $\hat{S}^{-1}$, so daß

   $$\hat{S}\hat{S}^{-1} = 1 , \quad \hat{S}^{-1}\hat{S} = 1 . \tag{2.3}$$

   Zum Beispiel ist das Inverse einer Drehung um eine bestimmte Achse um einen Winkel ϕ eine Drehung um dieselbe Achse um einen Winkel von $-\phi$.

Die für uns interessanten Gruppen können in zwei recht unterschiedliche Arten eingeteilt werden: Gruppen, deren Elemente von einem kontinuierlichen Parameter abhängen, wie die Translations- und die Drehgruppe, die durch den Verschiebungsvektor bzw. den Drehwinkel parametrisiert werden, und Gruppen, die aus diskreten Operationen bestehen, wie z. B. Raumspiegelung oder Zeitumkehr.

2.2 Translation

2.2.1 Der Operator der Translation

Translationsinvarianz liefert eine in der Kernphysik nicht besonders hilfreiche Symmetrie, die aber einen sehr einfachen Fall darstellt, um viele der Methoden vorzuführen, die für den schwierigeren Fall der Rotationsgruppe gebraucht werden. Translationsinvarianz kann normalerweise auf recht einfache Weise einbezogen werden, doch es gibt einige Fälle in der Kernphysik, bei denen sie eine kompliziertere Rolle spielt; z. B. verletzt ein phänomenologisches Einteilchenmodell mit äußerem Potential die Translationsinvarianz, weil das Potential sich an einer festen Position im Raum befindet und Korrekturen hierfür einbezogen werden müssen.

Die Translation eines Punktteilchens am Ort $\boldsymbol{r}$ mit Impuls $\boldsymbol{p}$ und Spin $\boldsymbol{s}$ ist definiert durch die Operation

$$\boldsymbol{r} \rightarrow \boldsymbol{r}' = \boldsymbol{r} + \boldsymbol{a} \;, \quad \boldsymbol{p} \rightarrow \boldsymbol{p}' = \boldsymbol{p} \;, \quad \boldsymbol{s} \rightarrow \boldsymbol{s}' = \boldsymbol{s} \tag{2.4}$$

(Hier und im folgenden wird die Transformation des Spins aus Gründen der Vollständigkeit mit einbezogen, obwohl der Spin erst im Abschnitt über den Drehimpuls formal eingeführt werden wird). $\boldsymbol{a}$ ist ein konstanter Vektor, um den das Teilchen verschoben wird. Dies ist die *aktive* Sichtweise der Transformation; die *passive* wird dagegen durch Verschiebung des Koordinatensystems erreicht, was einer Bewegung des Teilchens um $-\boldsymbol{a}$ entspricht. Diese beiden Formulierungen der Translation sind äquivalent, können aber zu unterschiedlichen Vorzeichen in den Formeln führen. In diesem Buch wird durchweg die aktive Sichtweise benutzt.

Wenn das Teilchen durch eine Wellenfunktion $\psi(\boldsymbol{r}, \boldsymbol{p}, \boldsymbol{s})$ beschrieben wird, so kann die verschobene Wellenfunktion ψ' einfach dadurch definiert werden, daß man ihren Wert mit dem Teilchen laufen läßt, d. h., ihr Wert am neuen Ort $\boldsymbol{r}'$ ist der gleiche wie der der ursprünglichen Wellenfunktion am Ort $\boldsymbol{r}$:

$$\psi'(\boldsymbol{r}') = \psi'(\boldsymbol{r} + \boldsymbol{a}) = \psi(\boldsymbol{r}) \;. \tag{2.5}$$

Den Wert am Ort $\boldsymbol{r}$ erhält man dann, indem man beide Punkte um $-\boldsymbol{a}$ verschiebt:

$$\psi'(\boldsymbol{r}) = \psi(\boldsymbol{r} - \boldsymbol{a}) \;. \tag{2.6}$$

In der Quantenmechanik muß sich die Wirkung der Transformation von $\psi(\boldsymbol{r})$ nach $\psi'(\boldsymbol{r})$ durch einen Operator $\hat{U}(\boldsymbol{a})$ ausdrücken lassen. Dies kann durch Entwicklung von (2.6) in eine Taylorreihe geschehen:

$$\begin{aligned} \psi'(\boldsymbol{r}) &= \psi(\boldsymbol{r}) - \boldsymbol{a}\cdot\nabla\psi(\boldsymbol{r}) + \tfrac{1}{2!}(-\boldsymbol{a}\cdot\nabla)^2\psi(\boldsymbol{r}) - \ldots \\ &= \sum_{n=0}^{\infty} \frac{(-\boldsymbol{a}\cdot\nabla)^n}{n!}\psi(\boldsymbol{r}) \;. \end{aligned} \tag{2.7}$$

Formal kann die Summe als Exponentialfunktion geschrieben werden, und der Operator $\boldsymbol{\nabla}$ darf durch den Impulsoperator $\hat{\boldsymbol{p}} = -\mathrm{i}\hbar\nabla$ ausgedrückt werden, so daß

$$\psi'(\boldsymbol{r}) = \exp\left(-\boldsymbol{a}\cdot\boldsymbol{\nabla}\right)\psi(\boldsymbol{r}) = \exp\left(-\tfrac{\mathrm{i}}{\hbar}\boldsymbol{a}\cdot\hat{\boldsymbol{p}}\right)\psi(\boldsymbol{r}) \ . \tag{2.8}$$

Folglich ist der Impulsoperator direkt mit der Translation verknüpft; in der Tat liefert eine Entwicklung für kleine Verschiebungen

$$\psi'(\boldsymbol{r}) \approx \left(1 - \tfrac{\mathrm{i}}{\hbar}\boldsymbol{a}\cdot\hat{\boldsymbol{p}}\right)\psi(\boldsymbol{r}) \ , \tag{2.9}$$

so daß man $\hat{\boldsymbol{p}}$ den *Operator* oder auch den *Generator* für *infinitesimale* Translationen nennen kann.

Wir haben also den Operator für Translationen

$$\hat{U}(\boldsymbol{a}) = \exp\left(-\tfrac{\mathrm{i}}{\hbar}\boldsymbol{a}\cdot\hat{\boldsymbol{p}}\right) \tag{2.10}$$

erhalten, der die Wellenfunktionen gemäß

$$\psi'(\boldsymbol{r}) = \psi(\boldsymbol{r}-\boldsymbol{a}) = \hat{U}(\boldsymbol{a})\psi(\boldsymbol{r}) \tag{2.11}$$

transformiert.

Um herauszufinden, wie ortsabhängige Operatoren $\hat{A}(\boldsymbol{r})$ transformiert werden, muß man nur im Gedächtnis behalten, daß sich $\hat{A}(\boldsymbol{r})\psi(\boldsymbol{r})$ wie eine Wellenfunktion transformieren muß, so daß

$$\begin{aligned}\hat{A}'(\boldsymbol{r})\psi'(\boldsymbol{r}) &= \hat{A}(\boldsymbol{r}-\boldsymbol{a})\psi(\boldsymbol{r}-\boldsymbol{a})\\ &= \hat{U}(\boldsymbol{a})\left(\hat{A}(\boldsymbol{r})\psi(\boldsymbol{r})\right)\\ &= \hat{U}(\boldsymbol{a})\hat{A}(\boldsymbol{r})\hat{U}^{-1}(\boldsymbol{a})\hat{U}(\boldsymbol{a})\psi(\boldsymbol{r}) \ .\end{aligned} \tag{2.12}$$

Also werden Operatoren folgendermaßen transformiert:

$$\hat{A}' = \hat{U}(\boldsymbol{a})\hat{A}\hat{U}^{-1}(\boldsymbol{a}) \ , \tag{2.13}$$

und offensichtlich ist dies ein allgemeines Ergebnis, das analog für jede Transformationsgruppe gilt.

Mit Hilfe der Potenzreihenentwicklung sieht man sofort, daß für die Exponentialfunktion eines Operators gilt

$$\exp\left(\hat{T}\right)^{+} = \exp\left(\hat{T}^{+}\right) \ , \quad \exp\left(\hat{T}\right)^{-1} = \exp\left(-\hat{T}\right) \ . \tag{2.14}$$

Da $\hat{\boldsymbol{p}}$ ein hermitescher Operator ist, wechselt sein Produkt mit einer imaginären Zahl bei hermitescher Konjugation das Vorzeichen, und wir erhalten

$$\hat{U}(\boldsymbol{a})^{+} = \hat{U}(\boldsymbol{a})^{-1} = \hat{U}(-\boldsymbol{a}) \ . \tag{2.15}$$

Folglich ist der Operator $\hat{U}(\boldsymbol{a})$ *unitär*, so daß er sowohl die Norm von Wellenfunktionen als auch die Matrixelemente zwischen ihnen erhält. Daß die inverse Translation dasselbe wie eine Translation um $-\boldsymbol{a}$ ist, gibt formal wieder, was intuitiv klar ist.

2.2.2 Translationsinvarianz

Die bisherigen Entwicklungen sind noch auf beliebige Einteilchensysteme anwendbar; die hergeleiteten Formeln drücken einfach die Wirkung einer Translation auf Wellenfunktionen aus, ohne irgendeine Invarianzeigenschaft vorauszusetzen. Ein physikalisches System ist *translationsinvariant*, wenn der Hamiltonoperator sich unter Translationen nicht ändert (man beachte, daß alle anderen Argumente von $\hat{H}$ wie Spin und Impuls der Einfachheit halber unterdrückt werden): für beliebiges $\boldsymbol{a}$ muß gelten

$$\hat{H}'(\boldsymbol{r}) = \hat{H}(\boldsymbol{r} - \boldsymbol{a}) = \hat{H}(\boldsymbol{r}) \; . \tag{2.16}$$

Daraus ergibt sich

$$\hat{H}(\boldsymbol{r}) = \hat{U}(\boldsymbol{a})\hat{H}(\boldsymbol{r})\hat{U}(\boldsymbol{a})^{-1} \tag{2.17}$$

oder durch Multiplikation mit $\hat{U}(\boldsymbol{a})$ von rechts

$$\hat{H}(\boldsymbol{r})\hat{U}(\boldsymbol{a}) = \hat{U}(\boldsymbol{a})\hat{H}(\boldsymbol{r}) \; , \tag{2.18}$$

d. h.

$$[\hat{H}(\boldsymbol{r}), \hat{U}(\boldsymbol{a})] = 0 \; , \tag{2.19}$$

so daß der Hamiltonoperator für beliebiges $\boldsymbol{a}$ mit dem Operator der Translation kommutiert. Hier ist es vorteilhaft (2.10) zu benutzen: unabhängig von der Verschiebung $\boldsymbol{a}$ wird $\hat{U}(\boldsymbol{a})$ sicher mit $\hat{H}$ kommutieren, wenn der Impulsoperator dies tut. Das führt zu der einfacheren Bedingung

$$[\hat{H}, \hat{\boldsymbol{p}}] = 0 \; . \tag{2.20}$$

Fassen wir auch die früheren Entwicklungen zusammen, so können wir schließen, daß *die Eigenschaften eines physikalischen Systems in bezug auf die Translation sich vollständig durch den Impulsoperator ausgedrücken lassen.*

2.2.3 Vielteilchensysteme

Die Translation eines Vielteilchensystems führt naturgemäß zum Konzept des Gesamtimpulses. So erhalten wir wieder eine einfache Einführung in das, was sich beim Drehimpuls als schwieriger herausstellen wird. Die Translation eines N-Teilchensystems um die Verschiebung $\boldsymbol{a}$ wird ausgedrückt durch

$$(\boldsymbol{r}_1, \boldsymbol{r}_2, \ldots, \boldsymbol{r}_N) \rightarrow (\boldsymbol{r}_1 + \boldsymbol{a}, \boldsymbol{r}_2 + \boldsymbol{a}, \ldots, \boldsymbol{r}_N + \boldsymbol{a}) \tag{2.21}$$

(wiederum sind Impuls und Spin nicht betroffen). Für die Vielkörper–Wellenfunktion ist die Transformation durch

$$\psi'(\boldsymbol{r}_1, \boldsymbol{r}_2, \ldots, \boldsymbol{r}_N) = \psi(\boldsymbol{r}_1 - \boldsymbol{a}, \boldsymbol{r}_2 - \boldsymbol{a}, \ldots, \boldsymbol{r}_N - \boldsymbol{a}) \, , \tag{2.22}$$

gegeben, und man kann die Translationsoperatoren auf jede Koordinate getrennt anwenden. Da sie sich auf verschiedene Freiheitsgrade beziehen, kommutieren diese Operatoren, und man darf eine beliebige Ordnung wählen:

$$\psi'(\boldsymbol{r}_1, \boldsymbol{r}_2, \ldots, \boldsymbol{r}_N) = \hat{U}_1(\boldsymbol{a})\hat{U}_2(\boldsymbol{a}) \ldots \hat{U}_N(\boldsymbol{a})\psi(\boldsymbol{r}_1, \boldsymbol{r}_2, \ldots, \boldsymbol{r}_N) \, . \tag{2.23}$$

Hier wirkt $\hat{U}_i(\boldsymbol{a})$ auf die Koordinate mit dem Index i:

$$\hat{U}_i(\boldsymbol{a}) = \exp\left(-\boldsymbol{a}\cdot\boldsymbol{\nabla}_i\right) = \exp\left(-\tfrac{\mathrm{i}}{\hbar}\boldsymbol{a}\cdot\hat{\boldsymbol{p}}_i\right) \, . \tag{2.24}$$

Weil die $\hat{\boldsymbol{p}}_i$ kommutieren, dürfen die Argumente der Exponentialfunktionen wieder zusammengezogen werden, und es resultiert

$$\psi'(\boldsymbol{r}_1, \boldsymbol{r}_2, \ldots, \boldsymbol{r}_N) = \exp\left(-\tfrac{\mathrm{i}}{\hbar}\boldsymbol{a}\cdot\hat{\boldsymbol{P}}\right)\psi(\boldsymbol{r}_1, \boldsymbol{r}_2, \ldots, \boldsymbol{r}_N) \tag{2.25}$$

mit dem Operator $\hat{\boldsymbol{P}}$ des *Gesamtimpulses*:

$$\hat{\boldsymbol{P}} = \sum_{i=1}^{N} \hat{\boldsymbol{p}}_i \, . \tag{2.26}$$

Folglich erscheint der Operator des Gesamtimpulses als der Operator für eine gleichzeitige infinitesimale Verschiebung aller Teilchen.

Das macht es auch einfach zu verstehen, was Translationsinvarianz eines Vielteilchensystems in der Praxis beinhaltet: Der Hamiltonoperator sollte invariant unter *gleichzeitiger* Verschiebung *aller* Teilchen sein. Zum Beispiel wird ein Hamiltonoperator mit dem herkömmlichen Ansatz für Zweikörper-Wechselwirkungen

$$\hat{H} = \sum_{i=1}^{N} \frac{\hat{\boldsymbol{p}}_i^2}{2m_i} + \frac{1}{2} \sum_{\substack{i,j=1 \\ i \neq j}}^{N} V(\boldsymbol{r}_i, \boldsymbol{r}_j) \tag{2.27}$$

invariant sein, falls das Potential nur von den Abständen $\boldsymbol{r}_i - \boldsymbol{r}_j$ abhängt.

Die zum Gesamtimpuls kanonisch konjugierte Koordinate ist der Schwerpunktsvektor

$$\boldsymbol{R} = \frac{\sum_{i=1}^{N} m_i \boldsymbol{r}_i}{\sum_{i=1}^{N} m_i} \, . \tag{2.28}$$

Dies kann leicht bewiesen werden, indem man nachprüft, daß für $\hat{R}_k$ und $\hat{P}_{k'}$

$$[\hat{R}_k, \hat{P}_{k'}] = \mathrm{i}\hbar\delta_{kk'} \tag{2.29}$$

gilt.

2.3 Drehungen

2.3.1 Die Drehimpulsoperatoren

Für den Fall der Drehungen werden wir genauso vorgehen wie bei der Translation, soweit es für diesen komplizierteren Fall möglich ist. Ein paar allgemeine Bemerkungen seinen vorher jedoch gegeben. In diesem Buch werden nur die fundamentalen Definitionen und Methoden diskutiert. Aktives Forschen in der theoretischen Kernphysik erfordert viel tiefere Kenntnisse der Theorie des Drehimpulses, wofür eine Reihe von Lehrbüchern empfohlen werden kann [Ro57, Ed60, Br68c]. Diese sollten auch zu Rate gezogen werden bei möglichen Abweichungen in den Definitionen, welche Vorzeichen, Schreibweise und sogar zusätzliche Faktoren, z. B. im Wigner–Eckart–Theorem, betreffen können.

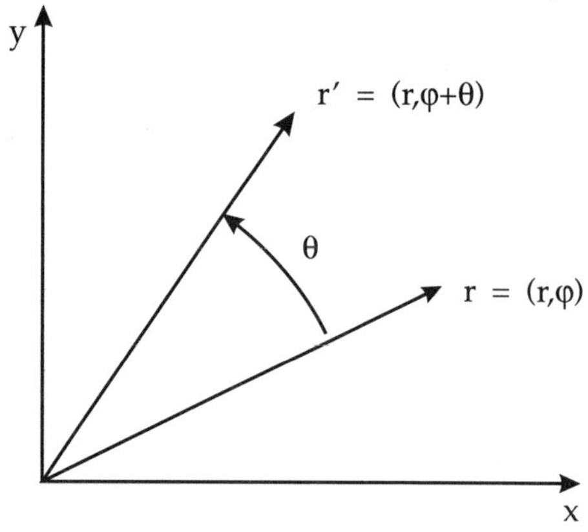

Abb. 2.1: Eine Drehung in der Ebene um den Winkel θ, die den Vektor r in r' überführt

Die zitierten Lehrbücher verwenden alle den Satz von Definitionen, der in der Kerntheorie heutzutage allgemein anerkannt zu sein scheint, aber der Leser sollte stets sorgsam prüfen welche Konventionen benutzt werden, speziell bei der Lektüre älterer Artikel. Eine verständliche moderne Sammlung von Drehimpulsformeln ist im Buch von Varshalovich et al. [Va88] gegeben.

Um die einführenden Entwicklungen zu vereinfachen, betrachten wir zuerst eine zweidimensionale Drehung in Polarkoordinaten (siehe Abb. 2.1). Der Punkt $\boldsymbol{r} = (r, \phi)$ wird durch eine Drehung um den Winkel θ in $\boldsymbol{r}' = (r, \phi + \theta)$ überführt. Die Drehung bezeichnen wir als $\mathcal{R}(\theta)$. Ähnlich wie bei Translationen können wir die gedrehte Wellenfunktion ψ' durch

$$\psi'(\boldsymbol{r}') = \psi(\boldsymbol{r}) \tag{2.30}$$

definieren, und ihr Wert bei $\boldsymbol{r}$ wird durch den Wert von ψ an dem Punkt festgelegt, der durch die Drehung

$$\mathcal{R}(\theta)\psi(r, \phi) = \psi'(r, \phi) = \psi(r, \phi - \theta) \; . \tag{2.31}$$

nach $\boldsymbol{r}$ überführt wird.

Die Änderung in ϕ kann auch durch eine Taylor–Entwicklung ausgedrückt werden :

$$\begin{aligned}
\psi'(r,\phi) &= \sum_{n=0}^{\infty}\frac{(-\theta)^n}{n!}\frac{\partial^n}{\partial\phi^n}\psi(r,\phi) \\
&= \exp\left(-\theta\frac{\partial}{\partial\phi}\right)\psi(r,\phi) \\
&= \exp\left(-\tfrac{\mathrm{i}}{\hbar}\theta\hat{J}_z\right)\psi(r,\phi)\ .
\end{aligned} \qquad (2.32)$$

Der Operator $\hat{J}_z$ für infinitesimale Drehungen kann auch in kartesischen Koordinaten geschrieben werden:

$$\hat{J}_z = -\mathrm{i}\hbar\frac{\partial}{\partial\phi} = -\mathrm{i}i\hbar\left(x\frac{\partial}{\partial y} - y\frac{\partial}{\partial x}\right) \qquad (2.33)$$

und ist identisch mit dem Drehimpulsoperator.

2.1 Aufgabe: Die kartesische Form des Drehimpulsoperators J_z

Leiten sie die kartesische Form des Drehimpulsoperators $\hat{J}_z$ ab.

Lösung:

Ein Weg ist, den Ausdruck einfach von Zylinder- in kartesische Koordinaten zu transformieren. Es ist jedoch aufschlußreicher, zur Definition der gedrehten Wellenfunktion zurückzugehen. Eine Drehung um einen Winkel θ ist durch

$$y \to y\cos\theta - x\sin\theta\ , \quad x \to x\cos\theta + y\sin\theta \qquad \underline{1}$$

gegeben, so daß

$$\mathcal{R}(\theta)\psi(x,y) = \psi(x\cos\theta + y\sin\theta, y\cos\theta - x\sin\theta)\ . \qquad \underline{2}$$

Dieser Ausdruck vereinfacht sich für kleine θ zu

$$\begin{aligned}
\mathcal{R}(\theta)\psi(x,y) &\approx \psi(x+y\theta, y-x\theta) \\
&= \left(1 + y\frac{\partial}{\partial x} - x\frac{\partial}{\partial y}\right)\psi(x,y)\ .
\end{aligned} \qquad \underline{3}$$

Vergleicht man dies mit dem entsprechenden Ergebnis aus (2.32) für kleine Winkel

$$\mathcal{R}(\theta) = \exp\left(-\tfrac{\mathrm{i}}{\hbar}\theta\hat{J}_z\right) \approx \left(1 - \tfrac{\mathrm{i}}{\hbar}\theta\hat{J}_z\right)\ , \qquad \underline{4}$$

so erhält man sofort das obige Ergebnis für $\hat{J}_z$.

Die Drehung des Vektors $\boldsymbol{r}$ selbst in kartesischen Koordinaten kann in Matrixform geschrieben werden als

$$\begin{pmatrix} x' \\ y' \end{pmatrix} = \begin{pmatrix} \cos\theta & -\sin\theta \\ \sin\theta & \cos\theta \end{pmatrix} \begin{pmatrix} x \\ y \end{pmatrix} . \tag{2.34}$$

Entwickelt man die Drehmatrix in erster Ordnung für kleine θ, so erhält man auch die *Matrixdarstellung* von $\hat{J}_z$:

$$\begin{pmatrix} x' \\ y' \end{pmatrix} \approx \begin{pmatrix} 1 & -\theta \\ \theta & 1 \end{pmatrix} \begin{pmatrix} x \\ y \end{pmatrix} = \left[1 - \theta \begin{pmatrix} 0 & 1 \\ -1 & 0 \end{pmatrix}\right] \begin{pmatrix} x \\ y \end{pmatrix} , \tag{2.35}$$

so daß

$$J_z = -\mathrm{i}\hbar \begin{pmatrix} 0 & 1 \\ -1 & 0 \end{pmatrix} . \tag{2.36}$$

Wir zeigen jetzt, wie man die endliche Drehung aus dieser Matrix herleiten kann. Diese Entwicklung der Exponentialfunktion einer Matrix allein ist schon lehrreich, da der hier verwendete Trick in solchen Fällen immer benutzt wird: Er kann angewendet werden, wenn eine Potenz der Matrix im Exponenten ein Vielfaches der Einheitsmatrix ist. In unserem Fall ergibt das

$$\begin{aligned} \exp\left(-\tfrac{\mathrm{i}}{\hbar}\theta J_z\right) &= \sum_{n=0}^{\infty} \frac{(-\theta)^n}{n!} \begin{pmatrix} 0 & 1 \\ -1 & 0 \end{pmatrix}^n \\ &= \sum_{n=0}^{\infty} \frac{(-\theta)^{2n}}{(2n)!} \begin{pmatrix} 0 & 1 \\ -1 & 0 \end{pmatrix}^{2n} + \sum_{n=0}^{\infty} \frac{(-\theta)^{2n+1}}{(2n+1)!} \begin{pmatrix} 0 & 1 \\ -1 & 0 \end{pmatrix}^{2n+1} \\ &= \begin{pmatrix} 1 & 0 \\ 0 & 1 \end{pmatrix} \sum_{n=0}^{\infty} \frac{(-1)^n \theta^{2n}}{(2n)!} - \begin{pmatrix} 0 & 1 \\ -1 & 0 \end{pmatrix} \sum_{n=0}^{\infty} \frac{(-1)^n \theta^{2n+1}}{(2n+1)!} \\ &= \cos\theta \begin{pmatrix} 1 & 0 \\ 0 & 1 \end{pmatrix} - \sin\theta \begin{pmatrix} 0 & 1 \\ -1 & 0 \end{pmatrix} \\ &= \begin{pmatrix} \cos\theta & -\sin\theta \\ \sin\theta & \cos\theta \end{pmatrix} , \end{aligned} \tag{2.37}$$

wobei

$$\begin{pmatrix} 0 & 1 \\ -1 & 0 \end{pmatrix}^2 = -\begin{pmatrix} 1 & 0 \\ 0 & 1 \end{pmatrix} \tag{2.38}$$

benutzt wurde, so daß sich allgemein

$$\begin{pmatrix} 0 & 1 \\ -1 & 0 \end{pmatrix}^{2n} = (-1)^n \begin{pmatrix} 1 & 0 \\ 0 & 1 \end{pmatrix} \tag{2.39}$$

für gerade und

$$\begin{pmatrix} 0 & 1 \\ -1 & 0 \end{pmatrix}^{2n+1} = (-1)^n \begin{pmatrix} 0 & 1 \\ -1 & 0 \end{pmatrix} \tag{2.40}$$

für ungerade Potenzen ergibt. Dies erlaubte es uns, die Matrizen aus der Summe herauszuziehen und die Summen durch trigonometrische Funktionen zu ersetzen.

Die Darstellung endlicher Transformationen durch die Exponentialfunktion des Operators für infinitesimale Transformationen, die entweder als Differentialoperatoren oder als Matrix ausgedrückt werden können, nennt man die *Exponentialdarstellung.*

Ein anderer Weg, um Drehungen durch den Drehimpulsoperator abzuleiten, führt über die Ableitungen endlicher Drehungen. Sowohl für die Matrix- als auch für die Differentialoperatorversion können wir schreiben:

$$\hat{J}_z = \mathrm{i}\hbar \left. \frac{\partial \mathcal{R}(\theta)}{\partial \theta} \right|_{\theta=0} , \tag{2.41}$$

was einfach aus der Definition von $\hat{J}_z$ als Koeffizient erster Ordnung in der Taylorentwicklung folgt.

Im Fall von drei Dimensionen gibt es drei Freiheitsgrade für Drehungen. Die Untersuchung von Drehungen um die drei kartesischen Achsen führt zu einer einfachen Verallgemeinerung der Ergebnisse für zwei Dimensionen. Für Drehungen um die z–Achse gilt

$$\begin{pmatrix} x' \\ y' \\ z' \end{pmatrix} = \begin{pmatrix} \cos\theta_z & -\sin\theta_z & 0 \\ \sin\theta_z & \cos\theta_z & 0 \\ 0 & 0 & 1 \end{pmatrix} \begin{pmatrix} x \\ y \\ z \end{pmatrix} , \tag{2.42}$$

so daß die Drehimpulsmatrix entsprechend (2.41)

$$J_z = -\mathrm{i}\hbar \begin{pmatrix} 0 & 1 & 0 \\ -1 & 0 & 0 \\ 0 & 0 & 0 \end{pmatrix} \tag{2.43}$$

lautet. Drehungen um die y–Achse sehen ähnlich aus:

$$\begin{pmatrix} x' \\ y' \\ z' \end{pmatrix} = \begin{pmatrix} \cos\theta_y & 0 & \sin\theta_y \\ 0 & 1 & 0 \\ -\sin\theta_y & 0 & \cos\theta_y \end{pmatrix} \begin{pmatrix} x \\ y \\ z \end{pmatrix} . \tag{2.44}$$

Die Vorzeichen in der Matrix drücken die Tatsache aus, daß eine positive Drehung um die y–Achse die x–Achse in die *negative* z–Richtung dreht. Die zugehörige Drehimpulsmatrix ist

$$J_y = -\mathrm{i}\hbar \begin{pmatrix} 0 & 0 & -1 \\ 0 & 0 & 0 \\ 1 & 0 & 0 \end{pmatrix} . \tag{2.45}$$

Schließlich gilt für eine Drehung um die x-Achse:

$$\begin{pmatrix} x' \\ y' \\ z' \end{pmatrix} = \begin{pmatrix} 1 & 0 & 0 \\ 0 & \cos\theta_x & -\sin\theta_x \\ 0 & \sin\theta_x & \cos\theta_x \end{pmatrix} \begin{pmatrix} x \\ y \\ z \end{pmatrix} \tag{2.46}$$

und

$$J_x = -\mathrm{i}\hbar \begin{pmatrix} 0 & 0 & 0 \\ 0 & 0 & 1 \\ 0 & -1 & 0 \end{pmatrix} . \tag{2.47}$$

Die Drehimpulsmatrizen erfüllen die bekannten Vertauschungsrelationen für den Drehimpuls

$$[J_x, J_y] = \mathrm{i}\hbar J_z \quad , \quad [J_y, J_z] = \mathrm{i}\hbar J_x \quad , \quad [J_z, J_x] = \mathrm{i}\hbar J_y \ . \tag{2.48}$$

Die selben Vertauschungsrelationen gelten für die Darstellung der Drehimpulse als Differentialoperatoren:

$$\begin{aligned} \hat{J}_x &= -\mathrm{i}\hbar \left(y\frac{\partial}{\partial z} - z\frac{\partial}{\partial y} \right) \\ \hat{J}_y &= -\mathrm{i}\hbar \left(z\frac{\partial}{\partial x} - x\frac{\partial}{\partial z} \right) \\ \hat{J}_z &= -\mathrm{i}\hbar \left(x\frac{\partial}{\partial y} - y\frac{\partial}{\partial x} \right) \quad . \end{aligned} \tag{2.49}$$

Die Drehimpulsoperatoren bilden eine *Lie–Algebra*, deren Eigenschaften durch die Vertauschungsrelationen festgelegt werden. Wir werden sehen, daß diese Vertauschungsrelationen allein die Eigenschaften endlicher Drehungen in großem Maße bestimmen, und es ist für gewöhnlich mathematisch einfacher, sich mit der Lie–Algebra als mit der Rotationsgruppe selbst zu beschäftigen. Formal ist eine Lie–Algebra eine Menge von Operatoren, die bezüglich ihrer Linearkombination und ihrer Vertauschungsrelationen abgeschlossen ist: Ein Kommutator zweier Elemente der Lie–Algebra muß sich als Linearkombination von Elementen der Algebra ausdrücken lassen. Die Kommutatorrelationen des Drehimpulses haben offensichtlich diese Eigenschaft.

Endliche Drehungen um eine dieser Achsen können in der Exponentialdarstellung als

$$\mathcal{R}(\theta_k) = \exp\left(-\tfrac{\mathrm{i}}{\hbar}\theta_k \hat{J}_k\right) \quad , \quad k \in \{x, y, z\} \tag{2.50}$$

geschrieben werden. Allerdings ist es schwierig, beliebige Drehungen zu beschreiben, da Drehungen um verschiedene Achsen nicht vertauschen. Hat man eine zusammengesetzte Drehung, formal bezeichnet mit $\boldsymbol{\theta} = (\theta_x, \theta_y, \theta_z)$, so muß exakt festgelegt werden, in welcher Reihenfolge die Drehungen um die drei Koordinatenachsen ausgeführt werden sollen. Weiterhin ist es nicht klar, ob eine endliche Drehung durch ein

$\boldsymbol{\theta}$ *eindeutig* parametrisiert werden kann, und wie man eine solche Parametrisierung in der Praxis erhält. Wie wir später sehen werden, ist es für diesen Zweck besser, die *Euler–Winkel* statt der Drehungen um die drei Koordinatenachsen zu benutzen. Aus diesem Grund wollen wir für die formalen Entwicklungen nur annehmen, daß endliche Drehungen $\mathcal{R}(\boldsymbol{\theta})$ auf irgendeine Weise eindeutig definiert werden können.

Eine abschließende Bemerkung zur Gruppen–Terminologie: Drehungen in drei Dimensionen werden durch 3×3–Matrizen dargestellt und erhalten das Skalarprodukt zwischen Vektoren. Die Bedingung

$$\boldsymbol{a} \cdot \boldsymbol{b} = \boldsymbol{a}' \cdot \boldsymbol{b}' = (\mathcal{R}(\boldsymbol{\theta})\boldsymbol{a}) \cdot (\mathcal{R}(\boldsymbol{\theta})\boldsymbol{b}) \tag{2.51}$$

lautet in Matrixschreibweise

$$a^{\mathrm{T}} b = (\mathcal{R}(\boldsymbol{\theta})a)^{\mathrm{T}} \mathcal{R}(\boldsymbol{\theta}) b = a^{\mathrm{T}} \mathcal{R}(\boldsymbol{\theta})^{\mathrm{T}} \mathcal{R}(\boldsymbol{\theta}) b \ , \tag{2.52}$$

so daß die Matrix für $\mathcal{R}(\boldsymbol{\theta})$ die Orthogonalitätsbedingung

$$\mathcal{R}(\boldsymbol{\theta})^{\mathrm{T}} \mathcal{R}(\boldsymbol{\theta}) = \mathbb{1} \tag{2.53}$$

erfüllt. Wegen

$$\det(\mathcal{R}(\boldsymbol{\theta})^{\mathrm{T}}) = \det(\mathcal{R}(\boldsymbol{\theta})) \tag{2.54}$$

folgt daraus auch, daß die Determinante einer orthogonalen Matrix entweder $+1$ oder -1 sein kann. Diejenigen mit negativer Determinante sollen ausgeschlossen werden, da sie die Händigkeit des Koordinatensystems ändern und deshalb keine echten Drehungen sind (sie sind Drehungen kombiniert mit einer Raumspiegelung).

Also dürfen wir schließen, daß Drehungen in drei Dimensionen durch Matrizen dargestellt werden, die zur *speziellen orthogonalen Gruppe* SO(3) gehören. Diese Gruppe wird durch alle 3×3–Matrizen $\mathcal{R}$ gebildet, die die Bedingungen

$$\mathcal{R}^{\mathrm{T}} \mathcal{R} = \mathbb{1} \quad , \quad \det \mathcal{R} = 1 \tag{2.55}$$

erfüllen.

2.3.2 Darstellungen der Drehgruppe

Wir haben gesehen, daß Drehimpulsoperatoren durch Matrizen dargestellt werden können. Auf dieselbe Weise kann jede abstrakte Drehung $\mathcal{R}(\boldsymbol{\theta})$, die auf eine Wellenfunktion wirkt, mittels einer Basisentwicklung durch Matrizen dargestellt werden. Entwickelt man

$$\psi'(\boldsymbol{r}) = \mathcal{R}(\boldsymbol{\theta})\psi(\boldsymbol{r}) \tag{2.56}$$

nach einer vollständigen orthonormalen Basis $\phi_i(\boldsymbol{r})$ und berechnet man den Überlapp mit ϕ_i auf beiden Seiten, erhält man

$$\begin{aligned} \langle\phi_i|\psi'\rangle &= \langle\phi_i|\mathcal{R}(\boldsymbol{\theta})|\psi\rangle \\ &= \sum_j \langle\phi_i|\mathcal{R}(\boldsymbol{\theta})|\phi_j\rangle\langle\phi_j|\psi\rangle \ . \end{aligned} \tag{2.57}$$

Die abstrakte Drehung $\mathcal{R}(\boldsymbol{\theta})$ wird also durch die Matrix mit den Elementen

$$R_{ij}(\boldsymbol{\theta}) = \langle\phi_i|\mathcal{R}(\boldsymbol{\theta})|\phi_j\rangle \tag{2.58}$$

„dargestellt", und natürlich muß die Darstellung die Struktur der Gruppe in dem Sinne reproduzieren, daß Produkte und Inverse in der Gruppe durch Produkte und Inverse von Matrizen dargestellt werden:

$$\mathcal{R}(\boldsymbol{\theta}'') = \mathcal{R}(\boldsymbol{\theta})\mathcal{R}(\boldsymbol{\theta}') \quad \rightarrow \quad R_{ij}(\boldsymbol{\theta}'') = \sum_k R_{ik}(\boldsymbol{\theta})R_{kj}(\boldsymbol{\theta}') \tag{2.59}$$

$$\mathcal{R}(\boldsymbol{\theta}') = \mathcal{R}(\boldsymbol{\theta})^{-1} \quad \rightarrow \quad R_{ij}(\boldsymbol{\theta}') = {R^{-1}}_{ij}(\boldsymbol{\theta}) \ . \tag{2.60}$$

Die Menge der Matrizen wird *Darstellung* der Drehgruppe genannt. Sie braucht nicht treu zu sein, d. h., verschiedene Drehungen dürfen durch dieselbe Matrix dargestellt werden — ein einfaches Beispiel ist eine skalare Wellenfunktion, für die alle Drehungen die Identitätstransformation bedeuten. Die Anzahl der Basisfunktionen ϕ_i, die gleichzeitig die Dimension der Matrizen ist, wird *Dimension der Darstellung* genannt.

In vielen Fällen können Darstellungen zu einfacheren reduziert werden. Der gesamte Raum von Wellenfunktionen sei zum Beispiel in zwei invariante Unterräume zerlegbar, so daß bei einer Drehung die Wellenfunktionen jedes Unterraumes nur untereinander mischen. Mit einer passenden Wahl der Basis nehmen dann alle Matrizen der Darstellung die Form

$$R_{ij}(\boldsymbol{\theta}) = \left(\begin{array}{c|c} R_{ij}^{(1)}(\boldsymbol{\theta}) & 0 \\ \hline 0 & R_{ij}^{(2)}(\boldsymbol{\theta}) \end{array}\right) \tag{2.61}$$

an, wobei sowohl $R_{ij}^{(1)}(\boldsymbol{\theta})$ als auch $R_{ij}^{(2)}(\boldsymbol{\theta})$ Darstellungen mit einer niedrigeren Dimension sind. Von besonderem Interesse sind die *irreduziblen* Darstellungen, die auf diese Weise nicht weiter zerlegt werden können. Für die Drehgruppe kann gezeigt werden, daß alle Darstellungen aus endlich–dimensionalen irreduziblen Darstellungen gebildet werden können.

In der Praxis ist es für gewöhnlich viel leichter, die Darstellungen der Lie–Algebra zu konstruieren, was der Suche nach Matrizen mit den richtigen Vertauschungseigenschaften entspricht, und daraus über die Exponentialformel (2.50) die Darstellung der Gruppe zu gewinnen. Für die Drehgruppe heißt das, daß wir nur die die drei Operatoren $\hat{J}_x$, $\hat{J}_y$ und $\hat{J}_z$ darstellenden Matrizen bestimmen müssen. Da alle diese Operatoren, und damit alle Drehungen, mit $\hat{J}^2$ vertauschen, kann sich der Eigenwert von $\hat{J}^2$ unter beliebigen Drehungen nicht ändern und muß deshalb innerhalb einer irreduziblen Darstellung der gleiche sein. Die Komponenten des Drehimpulsvektors vertauschen nicht untereinander, deshalb kann nur einer von ihnen zusätzlich zu $\hat{J}^2$ diagonal gewählt werden.

Lassen Sie uns nun versuchen, eine Basis zu benutzen, die sowohl in $\hat{J}^2$ als auch in $\hat{J}_z$ diagonal ist,

$$\hat{J}^2|jm\rangle = \hbar^2\Lambda_j|jm\rangle \quad , \quad \hat{J}_z|jm\rangle = \hbar m|jm\rangle \ , \tag{2.62}$$

wobei j konstant ist und m innerhalb eines Bereichs variiert, dessen Grenzen noch bestimmt werden müssen (aus der elementaren Quantenmechanik wissen wir, daß, während der Eigenwert von $\hat{J}_z$ sich als $\hbar m$ heraustellen wird, der von $\hat{J}^2$ weniger einfach ist, weshalb wir versuchsweise Λ_j schreiben). Da $\hat{J}_x$ und $\hat{J}_y$ nicht mit $\hat{J}_z$ vertauschen, können sie nicht ebenfalls diagonal gewählt werden. Anstatt die Wirkung von $\hat{J}_x$ und $\hat{J}_y$ auf diese Wellenfunktionen zu betrachten, ist es einfacher, sie durch *Schiebeoperatoren*

$$\hat{J}_+ = \hat{J}_x + \mathrm{i}\hat{J}_y \quad , \quad \hat{J}_- = \hat{J}_x - \mathrm{i}\hat{J}_y \tag{2.63}$$

zu ersetzen. Die Bedeutung des Ausdrucks „Schiebeoperatoren“ wird durch die Vertauschungsrelationen

$$[\hat{J}_z, \hat{J}_\pm] = \pm\hbar\hat{J}_\pm \tag{2.64}$$

klar, die es uns erlauben, die Wirkung von $\hat{J}_\pm$ zu berechnen:

$$\begin{aligned} \hat{J}_z(\hat{J}_\pm|jm\rangle) &= \hat{J}_\pm\hat{J}_z|jm\rangle - [\hat{J}_\pm, \hat{J}_z]|jm\rangle \\ &= \hbar(m \pm 1)|jm\rangle \ . \end{aligned} \tag{2.65}$$

Dies zeigt, daß $\hat{J}_\pm$ den Eigenwert von $\hat{J}_z$ um $\pm\hbar$ bzw. den Wert vom m um ± 1 „verschiebt“.

Die zugrundeliegende Idee, die in diesem Buch noch mehrere Male benutzt wird, ist folgende: Haben zwei Operatoren A und B eine Vertauschungsrelation

$$[A, B] = \beta B \tag{2.66}$$

mit einer Zahl β, so zeigt dieselbe Rechnung wie oben, daß B den Eigenwert von A um β verschiebt.

Ist ein bestimmter Basiszustand $|jm\rangle$ gegeben, können wir durch Anwendung der Operatoren $\hat{J}_\pm$ sukzessive die Zustände $|jm \pm 1\rangle$, $|jm \pm 2\rangle$ usw. konstruieren. Dieser Prozeß muß irgendwo enden, da wir nach einer Darstellung mit endlicher Dimension suchen. (Tatsächlich kann gezeigt werden, daß „alle irreduziblen unitären Darstellungen einer einfach zusammenhängenden kompakten Gruppe“ endlich–dimensional sind — Einzelheiten hierzu findet man in Büchern zur Gruppentheorie. Lassen Sie uns an dieser Stelle nur anmerken, daß dieses Theorem für die Drehgruppe gilt.) Wir schreiben μ für den größten Wert, den m annehmen kann. Dann muß

$$\hat{J}_+|j\mu\rangle = 0 \tag{2.67}$$

sein, da alles andere die Existenz eines Vektors mit dem Eigenwert $\mu + 1$ bedeuten würde. Zur Berechnung der Wirkung von $\hat{J}^2$ auf $|j\mu\rangle$ benutzen wir

$$\hat{J}^2 = \tfrac{1}{2}(\hat{J}_+\hat{J}_- + \hat{J}_-\hat{J}_+) + \hat{J}_z^2 \ . \tag{2.68}$$

Dies kann mit der Vertauschungsrelation

$$[\hat{J}_+, \hat{J}_-] = 2\hbar\hat{J}_z \tag{2.69}$$

umgeschrieben werden in

$$\hat{J}^2 = \hat{J}_-\hat{J}_+ + \hat{J}_z^2 + \hbar\hat{J}_z \ , \tag{2.70}$$

und der erste Term auf der rechten Seite liefert bei Anwendung auf $|j\mu\rangle$ den Wert 0, während $\hat{J}_z$ den Eigenwert $\hbar\mu$ hat, so daß wir aus

$$\hat{J}^2|j\mu\rangle = \hbar^2\mu(\mu + 1)|j\mu\rangle \tag{2.71}$$

den Eigenwert von $\hat{J}^2$ erhalten:

$$\Lambda_j = \hbar^2\mu(\mu + 1). \tag{2.72}$$

Bis jetzt hatte j noch keine direkte physikalische Bedeutung; es numerierte nur die Eigenwerte von $\hat{J}^2$ durch. Die vorangegangene Gleichung legt es nahe, statt dessen den maximalen Eigenwert von $\hat{J}_z$ zu benutzen. Wir identifizieren also j mit μ und benutzen fortan den Namen j. Dann erfüllen die Zustände der Darstellung

$$\hat{J}^2|jm\rangle = \hbar^2 j(j + 1)|jm\rangle \ , \quad \hat{J}_z|jm\rangle = \hbar m|jm\rangle \ , \tag{2.73}$$

und der Zustand mit dem größten Eigenwert von $\hat{J}_z$ ist $|jj\rangle$.

Dieselbe Überlegung läßt sich auf den kleinsten möglichen Eigenwert von m anwenden. Angenommen, für eine positive Zahl n gilt

$$\hat{J}_-|j, j-n\rangle = 0 \,, \tag{2.74}$$

was die Erzeugung weiterer Zustände am unteren Ende verhindert. Das Quadrat des Drehimpulses aus (2.68) kann auch durch

$$\hat{J}^2 = \hat{J}_+\hat{J}_- + \hat{J}_z^2 - \hat{J}_z \tag{2.75}$$

ausgedrückt werden, und wieder liefert der erste Term 0, so daß

$$\hat{J}^2|j, j-n\rangle = \hbar^2((j-n)^2 - j + n)|j, j-n\rangle \,. \tag{2.76}$$

Da der Eigenwert von $\hat{J}^2$ gleichbleiben muß, gilt

$$j(j+1) = (j-n)^2 - (j-n) \,, \tag{2.77}$$

was eine quadratische Gleichung für n mit der einzigen positiven Lösung $n = 2j$ ist. Damit ist die kleinste Projektion $-j$.

Die von uns konstruierte Darstellung hat also die $2j+1$ Basiszustände

$$|jm\rangle \,, \quad m = j, j-1, \ldots - j \,, \tag{2.78}$$

die gemäß

$$\hat{J}^2|jm\rangle = \hbar^2 j(j+1)|jm\rangle \,, \quad \hat{J}_z|jm\rangle = \hbar m|jm\rangle \tag{2.79}$$

Eigenzustände des Quadrats und der z–Projektion des Drehimpulses sind.

Bei der Erzeugung der Basis mittels Schiebeoperatoren wurden die Zustände nicht explizit normiert, doch kann dies auf einfache Weise geschehen, wenn man beachtet, daß $\hat{J}_+$ gerade das hermitesch Konjugierte von $\hat{J}_-$ ist. Die Norm des Zustandes $\hat{J}_\pm|jm\rangle$ ist dann gegeben durch

$$\begin{aligned} \langle jm|\hat{J}_\mp\hat{J}_\pm|jm\rangle &= \langle jm|\hat{J}^2 - \hat{J}_z^2 \mp \hat{J}_z|jm\rangle \\ &= \hbar^2(j(j+1) - m^2 \mp m) \\ &= \hbar^2(j \pm m + 1)(j \mp m) \,, \end{aligned} \tag{2.80}$$

und die reziproke Wurzel dieses Ausdrucks ist der Normierungsfaktor für den Zustand $|j, m \pm 1\rangle$. Für die Matrixelemente der Schiebeoperatoren erhält man so

$$\langle j, m \pm 1|\hat{J}_\pm|jm\rangle = \hbar\sqrt{(j \pm m + 1)(j \mp m)} \,. \tag{2.81}$$

Diese Matrixelemente definieren die Matrixdarstellung der Schiebeoperatoren und folglich über

$$\hat{J}_x = \tfrac{1}{2}(\hat{J}_+ + \hat{J}_-) \;, \quad \hat{J}_y = -\tfrac{i}{2}(\hat{J}_+ - \hat{J}_-) \tag{2.82}$$

die der Operatoren $\hat{J}_x$ und $\hat{J}_y$:

$$\begin{aligned}\langle jm'|\hat{J}_x|jm\rangle &= \tfrac{\hbar}{2}\Big(\sqrt{(j+m+1)(j-m)}\delta_{m',m+1} \\ &\quad +\sqrt{(j-m+1)(j+m)}\delta_{m',m-1}\Big) &(2.83)\\ \langle jm'|\hat{J}_y|jm\rangle &= -\tfrac{i\hbar}{2}\Big(\sqrt{(j+m+1)(j-m)}\delta_{m',m+1} \\ &\quad -\sqrt{(j-m+1)(j+m)}\delta_{m',m-1}\Big) &(2.84)\\ \langle jm'|\hat{J}_z|jm\rangle &= \hbar m\delta_{m'm} \;, &(2.85)\end{aligned}$$

wobei der Vollständigkeit halber auch die Matrixelemente von $\hat{J}_z$ angegeben sind. Wir haben also die vollständige Lie–Algebra durch $(2j+1)\times(2j+1)$–Matrizen dargestellt. Die Phase der Matrixelemente kann frei gewählt werden, da die Multiplikation mit einem beliebigen Phasenfaktor nichts an den Überlegungen zur Normierung ändern würde. Wir haben die übliche, die *Condon–Shortley–Phase* gewählt. Eine andere Phasenwahl wird im BCS–Modell für Pairing benutzt werden (siehe Abschnitt 7.5).

2.3.3 Die Drehmatrizen

Endliche Drehungen sind schon entwas komplizierter. Es ist wichtig, eine eindeutige Parametrisierung für sie zu finden, die sie als in einer festen Reihenfolge ausgeführte Drehungen um bestimmte Achsen beschreibt. Die Reihenfolge ist wichtig, weil Drehungen um verschiedene Achsen im allgemeinen nicht vertauschen. Die bekannteste Folge von Winkeln sind die *Euler–Winkel* $\boldsymbol{\theta} = (\theta_1, \theta_2, \theta_3)$, die folgendermaßen definiert sind (alle Drehungen werden entgegen dem Uhrzeigersinn ausgeführt):

1. Drehe das System um einen Winkel θ_1 um die z–Achse, wodurch man die neuen Achsen x', y', und z' erhält.

2. Die zweite Drehung um den Winkel θ_2 wird um die *neue* y–Achse, d. h. die y'–Achse ausgeführt. Dies liefert (x'', y'', z'').

3. Schließlich drehe um θ_3 um die *neue* z''–Achse, die aus den beiden vorigen Schritten hervorgegangen ist.

Was ist der Vorteil, den die Benutzung der Euler–Winkel bringt, verglichen mit den Drehungen um die drei kartesischen Achsen, mit denen wir es bis jetzt zu tun hatten? Es ist viel einfacher, die Euler–Winkel zu bestimmen, die man benötigt, um einen Körper eindeutig im Raum zu orientieren, indem man die ersten beiden Winkel dazu benutzt, seine körperfeste z–Achse auszurichten und ihn dann um diese Achse in die richtige Position zu drehen. Außerdem enthalten die Euler–Winkel zwei Drehungen um z–Achsen, die wegen der diagonalen Form von $\hat{J}_z$ besonders einfach sind. Andererseits sind sie für infinitesimale Drehungen nutzlos, da, wenn $\theta_2 \approx 0$, θ_1 und θ_3 Drehungen um dieselbe Achse darstellen und nicht zu unabhängigen Drehimpulsoperatoren führen.

Um diese Drehungen durch Drehimpulsoperatoren auszudrücken, müssen wir $\hat{J}_{y'}$, den Operator für infinitesimale Drehungen um die rotierte y'–Achse und $\hat{J}_{z''}$ für Drehungen um die endgültige z''–Achse definieren, mit denen Drehungen um θ_2 bzw. θ_3 ausgeführt werden. Der Drehoperator ist dann gegeben durch

$$\mathcal{R}(\boldsymbol{\theta}) = \exp\left(-\tfrac{\mathrm{i}}{\hbar}\theta_3\hat{J}_{z''}\right)\exp\left(-\tfrac{\mathrm{i}}{\hbar}\theta_2\hat{J}_{y'}\right)\exp\left(-\tfrac{\mathrm{i}}{\hbar}\theta_1\hat{J}_z\right) \tag{2.86}$$

So kann er allerdings nur schwer verwendet werden; man kann ihn aber in eine Form bringen, in der nur Drehungen um feste Achsen vorkommen. Anstatt um die y'–Achse zu rotieren, können wir natürlich zuerst zu den ursprünglichen Achsen zurückgehen, hier um die y–Achse drehen und wieder in das gestrichene Koordinatensystem transformieren. Um dies durch Operatoren auszudrücken, muß man diesen Teil des Drehoperators durch

$$\exp\left(-\tfrac{\mathrm{i}}{\hbar}\theta_2\hat{J}_{y'}\right) = \exp\left(-\tfrac{\mathrm{i}}{\hbar}\theta_1\hat{J}_z\right)\exp\left(-\tfrac{\mathrm{i}}{\hbar}\theta_2\hat{J}_y\right)\exp\left(\tfrac{\mathrm{i}}{\hbar}\theta_1\hat{J}_z\right) \tag{2.87}$$

erstezen und ein ähnliches Argument, angewendet auf θ_3, ergibt

$$\begin{aligned}\exp\left(-\tfrac{\mathrm{i}}{\hbar}\theta_3\hat{J}_{z''}\right) &= \exp\left(-\tfrac{\mathrm{i}}{\hbar}\theta_2\hat{J}_{y'}\right)\exp\left(-\tfrac{\mathrm{i}}{\hbar}\theta_1\hat{J}_z\right) \\ &\quad\times\exp\left(-\tfrac{\mathrm{i}}{\hbar}\theta_3\hat{J}_z\right)\exp\left(\tfrac{\mathrm{i}}{\hbar}\theta_1\hat{J}_z\right)\exp\left(\tfrac{\mathrm{i}}{\hbar}\theta_2\hat{J}_{y'}\right) ,\end{aligned} \tag{2.88}$$

bei dem die zwei anderen Drehungen aufgehoben und dann wieder angewendet werden. Setzt man dieses Ergebnis in (2.86) ein, vereinfacht soweit wie möglich und benutzt (2.87) für den übrigbleibenden $\hat{J}_{y'}$–Term, erhält man schließlich

$$\mathcal{R}(\boldsymbol{\theta}) = \exp\left(-\tfrac{\mathrm{i}}{\hbar}\theta_1\hat{J}_z\right)\exp\left(-\tfrac{\mathrm{i}}{\hbar}\theta_2\hat{J}_y\right)\exp\left(-\tfrac{\mathrm{i}}{\hbar}\theta_3\hat{J}_z\right) , \tag{2.89}$$

worin sich die interessante Tatsache ausdrückt, daß man dieselbe Drehung erhält, wenn man in umgekehrter Reihenfolge der Euler–Winkel um die *ursprünglichen festen Achsen* dreht.

Die Matrizen für diese Drehungen in der irreduziblen Darstellung mit dem Drehimpuls j sind definiert durch

$$\mathcal{D}^{(j)}_{m'm}(\boldsymbol{\theta}) = \langle jm'|\mathcal{R}(\boldsymbol{\theta})|jm\rangle , \tag{2.90}$$

wobei vorausgesetzt ist, daß sich ein Zustand $|jm\rangle$ in

$$|jm\rangle' = \sum_{m'} |jm'\rangle\mathcal{D}^{(j)}_{m'm}(\boldsymbol{\theta}) \tag{2.91}$$

transformiert. Wir werden nicht viele explizite Eigenschaften der Matrizen $\mathcal{D}^{(j)}_{m'm}(\boldsymbol{\theta})$ benötigen, deshalb geben wir spezielle Formen an, wenn sie gebraucht werden. Trotzdem ist es nützlich, die Matrix in eine einfachere Form zu bringen. Wenn man ausnutzt, daß in (2.89) der erste und der letzte Operator in der Basis $|jm\rangle$ diagonal ist, kann die Matrix zu

$$\mathcal{D}^{(j)}_{m'm}(\boldsymbol{\theta}) = \exp\left(-\tfrac{\mathrm{i}}{\hbar}(\theta_1 m' + \theta_3 m)\right) d^{(j)}_{m'm}(\theta_2) \tag{2.92}$$

vereinfacht werden. Auf diese Weise wird die Abhängigkeit von zwei der Winkel trivial, und die einzige komplizierte Funktion ist die *reduzierte Drehmatrix* $d^{(j)}_{m'm}(\theta_2)$.

2.3.4 SU(2) und Spin

Um auf die Frage zurückzukommen, welche Werte j annehmen kann, lassen Sie uns festhalten, daß die Konstruktion der Darstellungen der Drehimpulsalgebra zu der Bedingung geführt hat, daß $2j$ als Konsequenz von (2.77) eine ganze Zahl sein muß. Das etwas überraschende Ergebnis ist also: j darf ganz- oder halbzahlige Werte annehmen, und letzteres führt zum natürlichen Auftreten des Spins. Die Darstellungen mit halbzahligem Drehimpuls können nicht zu normalen Drehungen klassischer Objekte gehören. Um dies einzusehen, lassen Sie uns einfach eine Drehung um 2π betrachten. Diese ist zum Beispiel für die z–Achse gegeben durch

$$\mathcal{R}(\theta_z = 2\pi) = \exp\left(-2\pi \tfrac{\mathrm{i}}{\hbar} \hat{J}_z\right) , \tag{2.93}$$

und ein Zustand mit einer Drehimpulsprojektion von $\frac{1}{2}$ wird mit einem Faktor $\exp(-\pi\mathrm{i}) = -1$ multipliziert. Für Wellenfunktionen ist das nicht weiter schlimm, da alle Observablen wie z. B. Matrixelemente diesen Faktor im Quadrat enthalten, aber klassische Objekte wie Vektoren sollten durch eine Drehung um 2π immer in sich selbst überführt werden. Sicherlich hat die Gruppe SO(3), mit der wir begonnen haben, die Eigenschaft, daß alle Drehungen um 2π zur Einheitsmatrix werden, wie kann es daher sein, daß ihre Darstellungen allgemein diese Eigenschaft nicht haben? Die Antwort ist, daß die halbzahligen Darstellungen keine Darstellungen der SO(3) sind.

Erinnern wir uns daran, daß wir die Darstellungen aus den Drehimpulsoperatoren konstruiert haben. Diese Operatoren legen zusammen mit ihren Vertauschungsregeln die Lie–Algebra fest, die die Lie–Gruppe der Drehungen beinhaltet, indem sie die infinitesimalen Drehungen beschreibt. Jetzt stellt sich heraus, daß die Lie–Algebra die zugehörige Lie–Gruppe nicht vollständig festlegt, und in diesem speziellen Fall haben die Gruppen SO(3) und SU(2) dieselbe Lie–Algebra. Da das Verständnis der SU(2) und ihrer Beziehung zum Spin sehr wichtig für weitere Anwendungen wie den Isospin ist, lohnt es sich, auf die SU(2) detaillierter einzugehen.

Die Gruppe SU(2) ist die *spezielle unitäre* Gruppe aller unitären 2×2–Matrizen mit der Determinante eins, d. h. aller Matrizen U, die

$$U^+U = \mathbb{1} , \quad \det U = 1 \tag{2.94}$$

erfüllen. Ihre Beziehung zu Drehungen wurde bereits in der klassischen Mechanik im Zusammenhang mit den *Cayley–Klein*–Parametern verwendet, und wir wollen kurz deren Ableitung skizzieren. Wir untersuchen eine allgemeine, komplexe 2×2–Matrix

$$U = \begin{pmatrix} a & b \\ c & d \end{pmatrix} . \tag{2.95}$$

Fordert man eine Determinante von eins, erhält man die Bedingung

$$ad - bc = 1 , \tag{2.96}$$

und die Unitaritätsbedingung lautet

$$\begin{pmatrix} a^* & c^* \\ b^* & d^* \end{pmatrix} \begin{pmatrix} a & b \\ c & d \end{pmatrix} = \begin{pmatrix} 1 & 0 \\ 0 & 1 \end{pmatrix} , \tag{2.97}$$

oder explizit

$$a^*a + c^*c = 1 \tag{2.98}$$

$$b^*b + d^*d = 1 \tag{2.99}$$

$$a^*b + c^*d = 0 \tag{2.100}$$

$$b^*a + d^*c = 0 . \tag{2.101}$$

(2.101) ist einfach das komplex konjugierte von (2.100) und kann deshalb weggelassen werden. Diese Bedingungen erlauben es, die Zahl der Freiheitsgrade in den Matrizen zu reduzieren. Aus (2.100) folgt

$$d = -\frac{a^*b}{c^*} , \tag{2.102}$$

und durch Einsetzten in (2.96) erhält man

$$1 = -\frac{a^*ab}{c^*} - cb = -\left(a^*a + c^*c\right)\frac{b}{c^*} = -\frac{b}{c^*} , \tag{2.103}$$

worin der Ausdruck in Klammern wegen (2.98) gleich eins war. Deshalb muß $b = -c^*$ sein und wieder in (2.102) eingesetzt auch $d = a^*$. (2.99) ist dann automatisch erfüllt, und die Matrix kann in der spezielleren Form

$$U = \begin{pmatrix} a & b \\ -b^* & a^* \end{pmatrix} \tag{2.104}$$

mit der Nebenbedingung

$$a^*a + b^*b = 1 \tag{2.105}$$

geschrieben werden. Von den vier komplexen Zahlen sind nur zwei übrig geblieben und wegen der Nebenbedingung bleiben letztlich drei Freiheitsgrade, die der Anzahl der Freiheitsgrade bei Drehungen in drei Dimensionen entsprechen.

Um die Beziehung zu diesen Drehungen zu sehen, ordnen wir einem Vektor $\boldsymbol{r} = (x, y, z)$ eine Matrix

$$P(\boldsymbol{r}) = \begin{pmatrix} z & x - \mathrm{i}y \\ x + \mathrm{i}y & -z \end{pmatrix} \tag{2.106}$$

zu. Diese Matrix ist hermitesch und hat die Spur 0. Andererseits definiert jede hermitesche 2×2–Matrix mit Spur 0 einen Vektor in drei Dimensionen, den man erhält, indem man einfach die Real- und Imaginärteile der Matrixelemente als Komponenten des Vektors gemäß (2.106) auffaßt. Untersuchen wir nun Transformationen der Form

$$P' = UPU^+ \tag{2.107}$$

mit einer beliebigen Matrix U aus SU(2). Beschreibt dies die Drehung des zugehörigen Vektors? Die Matrix P' ist wegen

$$P'^+ = (UPU^+)^+ = UP^+U^+ = UPU^+ = P' \tag{2.108}$$

ebenfalls hermitesch und hat die Spur 0. Um letzteres zu sehen, schreiben wir die Spur eines Produktes von Matrizen in Komponentenschreibweise und prüfen nach, daß bei zyklischer Vertauschung der Matrizen die Spur erhalten bleibt:

$$\begin{aligned} \mathrm{Sp}(ABC\ldots Z) &= \sum_{ijkl\ldots n} A_{ij}B_{jk}C_{kl}\ldots Z_{ni} \\ &= \sum_{jkl\ldots ni} B_{jk}C_{kl}\ldots Z_{ni}A_{ij} \\ &= \mathrm{Sp}(BC\ldots ZA)\ . \end{aligned} \tag{2.109}$$

Wendet man dies auf unsere Transformationsformel an, ergibt sich

$$\mathrm{Sp}P' = \mathrm{Sp}(UPU^+) = \mathrm{Sp}(PU^+U) = \mathrm{Sp}P = 0\ , \tag{2.110}$$

da $U^+U = \mathbb{1}$ ist. P' definiert also einen Vektor $\boldsymbol{r}'$, und um zu zeigen, daß man diesen aus $\boldsymbol{r}$ durch eine Drehung erhält, müssen wir nur seine Länge überprüfen, die durch die Determinante gegeben ist:

$$\det P = -z^2 - (x - \mathrm{i}y)(x + \mathrm{i}y) = -(x^2 + y^2 + z^2) = -r^2\ . \tag{2.111}$$

Die Determinante eines Produktes von Matrizen ist gleich dem Produkt der einzelnen Determinanten, so daß

$$\det P' = \det(UPU^+) = \det U \det P \det U^+ = \det P \tag{2.112}$$

und $r'^2 = r^2$. Eine lineare Transformation aber, die die Länge aller Vektoren erhält, muß eine Drehung sein, möglicherweise kombiniert mit Spiegelungen.

Um die Überlegungen zu vervollständigen, müssen wir noch die Drehungen um die drei Koordinatenachsen in dieser Darstellung konstruieren (siehe Aufgabe 2.2). Das Ergebnis ist

$$U(\theta_z) = \begin{pmatrix} e^{-i\theta_z/2} & 0 \\ 0 & e^{i\theta_z/2} \end{pmatrix} \tag{2.113}$$

für Drehungen um die z–Achse,

$$U(\theta_x) = \begin{pmatrix} \cos(\theta_x/2) & -i\sin(\theta_x/2) \\ -i\sin(\theta_x/2) & \cos(\theta_x/2) \end{pmatrix} \tag{2.114}$$

für Drehungen um die x–Achse und schließlich

$$U(\theta_y) = \begin{pmatrix} \cos(\theta_y/2) & \sin(\theta_y/2) \\ -\sin(\theta_y/2) & \cos(\theta_y/2) \end{pmatrix} \tag{2.115}$$

für Drehungen um die y–Achse. Die Form dieser Ausdrücke erlaubt zwei wichtige Schlüsse: Erstens erscheinen die halbierten Winkel in den Argumenten der trigonometrischen Funktionen, und all diese Matrizen reduzieren sich für einen Winkel von 2π auf das *negative* der Einheitsmatrix. Das bringt in diesem Fall keine Probleme mit sich, da im Drehgesetz (2.107) U zweimal auftaucht und die Vorzeichen sich aufheben. Zweitens erhält man durch Entwicklung der Drehmatrizen für kleine Winkel gerade die Drehimpulsoperatoren

$$\hat{J}_x = \tfrac{1}{2}\begin{pmatrix} 0 & 1 \\ 1 & 0 \end{pmatrix} , \quad \hat{J}_y = \tfrac{1}{2}\begin{pmatrix} 0 & -i \\ i & 0 \end{pmatrix} , \quad \hat{J}_z = \tfrac{1}{2}\begin{pmatrix} 1 & 0 \\ 0 & -1 \end{pmatrix} , \tag{2.116}$$

die auch durch die Pauli–Matrizen ausgedrückt werden können:

$$\hat{\boldsymbol{J}} = \tfrac{1}{2}\boldsymbol{\sigma} , \tag{2.117}$$

wobei

$$\sigma_x = \begin{pmatrix} 0 & 1 \\ 1 & 0 \end{pmatrix} , \quad \sigma_y = \begin{pmatrix} 0 & -i \\ i & 0 \end{pmatrix} , \quad \sigma_z = \begin{pmatrix} 1 & 0 \\ 0 & -1 \end{pmatrix} . \tag{2.118}$$

Außerdem erfüllen sie die gewöhnlichen Vertauschungsrelationen des Drehimpulses. Dies zeigt, daß SU(2) und SO(3) dieselben Lie–Algebren besitzen.

Während, wie gesagt, die Cayley–Klein–Formulierung in diesem Buch nicht weiter benutzt werden wird, sollte ihre Diskussion die enge Verbindung zwischen SU(2) und den Drehungen offensichtlich gemacht haben. Da die SU(2) beliebige unitäre Transformationen mit der Determinante eins in einem zweidimensionalen Raum von Wellenfunktionen beschreibt, können die Methoden für den Drehimpuls in *mathematischer Analogie* immer dann benutzt werden, wenn man es mit Symmetrien in einem solchen Raum zu tun hat. Die wichtigste Anwendung dieser Idee wird der Isospin sein.

2.2 Aufgabe: Drehmatrix in der Cayley–Klein–Darstellung

Leiten Sie die Transformationsmatrix für Drehungen um die z–Achse in der Cayley–Klein–Darstellung her.

Lösung:

Da die Rechnungen etwas langwierig sind, werden wir den Lösungsweg hier nur skizzieren. Wir müssen die übliche Transformation

$$x' = x\cos\theta - y\sin\theta\ , \quad y' = x\sin\theta + y\cos\theta\ , \quad z' = z \tag{1}$$

mit der in (2.107) vergleichen. Schreibt man die Matrix in der Form wie in (2.104), erhält man die Matrixgleichung

$$\begin{pmatrix} z' & x' - \mathrm{i}y' \\ x' + \mathrm{i}y' & -z' \end{pmatrix} = \begin{pmatrix} a & b \\ -b^* & a^* \end{pmatrix} \begin{pmatrix} z & x - \mathrm{i}y \\ x + \mathrm{i}y & -z \end{pmatrix} \begin{pmatrix} a^* & -b \\ b^* & a \end{pmatrix} . \tag{2}$$

Ausführen der Matrixmultiplikationen und Einsetzen der Ausdrücke für die gestrichenen Koordinaten liefert vier komplexe Gleichungen, in denen die Koeffizienten von x, y und z separat verglichen werden können. In der Diagonalen müssen die Koeffizienten von x und y null und der von z gleich eins oder minus eins sein, was auf

$$ab^* = a^*b = 0\ , \quad a^*a - b^*b = 1 \tag{3}$$

führt. In den nichtdiagonalen Termen muß der Koeffizient von z verschwinden, daher ist $ab = 0$. Jetzt wird die Gleichung für die unteren, nicht diagonalen Komponenten in Real- und Imaginärteil aufgespalten. Definiert man $a = a_\mathrm{r} + \mathrm{i}a_\mathrm{i}$ und $b = b_\mathrm{r} + \mathrm{i}b_\mathrm{i}$, erhält man

$$\cos\theta = -a_\mathrm{i}^2 + a_\mathrm{r}^2 + b_\mathrm{i}^2 - b_\mathrm{r}^2 - \sin\theta = 2a_\mathrm{i}a_\mathrm{r} + 2b_\mathrm{i}b_\mathrm{r} \tag{4}$$

$$\cos\theta = -a_\mathrm{i}^2 + a_\mathrm{r}^2 + b_\mathrm{i}^2 - b_\mathrm{r}^2 \sin\theta = -2a_\mathrm{i}a_\mathrm{r} + 2b_\mathrm{i}b_\mathrm{r}\ , \tag{5}$$

woraus $b_\mathrm{i} = b_\mathrm{r} = 0$, d. h. $b = 0$ und

$$2a_\mathrm{i}a_\mathrm{r} = -\sin\theta\ , \quad a_\mathrm{r}^2 - a_\mathrm{i}^2 = \cos\theta \tag{6}$$

folgt, was durch

$$a_\mathrm{r} = -\cos\frac{\theta}{2}\ , \quad a_\mathrm{i} = -\sin\frac{\theta}{2}\ , \quad a = \exp\left(-\mathrm{i}\frac{\theta}{2}\right) \tag{7}$$

gelöst wird. Damit ist die Konstruktion der Matrix vollständig bestimmt.

2.3.5 Drehimpulskopplung

In einem System von zwei Teilchen gibt es für jedes der Teilchen einen Drehimpulsoperator, der es infinitesimal um den Ursprung des Koordinatensystems dreht. Lassen Sie uns diese Operatoren als $\hat{\boldsymbol{J}}_1$ und $\hat{\boldsymbol{J}}_2$ bezeichnen. Wenn die Teilchen wechselwirken, wird die Energie des Systems bei Drehung nur eines Teilchens nicht invariant sein, wenn aber beide gleichzeitig gedreht werden, wird ihre relative Position, ihre relative Spinorientierung usw. nicht geändert, und die Physik sollte die gleiche bleiben. Deshalb ist es sinnvoll, den Operator für eine gemeinsame infinitesimale Drehung beider Teilchen zu betrachten, den *Gesamtdrehimpulsoperator*

$$\hat{\boldsymbol{J}} = \hat{\boldsymbol{J}}_1 + \hat{\boldsymbol{J}}_2 \tag{2.119}$$

(vgl. die Konstruktion des Gesamtimpulses in Abschnitt 2.2.3), und wir müssen für das Zweiteilchensystem die Eigenfunktionen von $\hat{J}^2$ and $\hat{J}_z$ suchen. Üblicherweise erhält man diese aus den Produkten der Eigenfunktionen zu den getrennten Drehimpulsen durch *Drehimpulskopplung.*

Es seien zwei Sätze von Eigenfunktionen $|j_1m_1\rangle$ und $|j_2m_2\rangle$ gegeben, so daß

$$\hat{J}_1^2|j_1m_1\rangle = \hbar^2 j_1(j_1+1)|j_1m_1\rangle\ , \quad \hat{J}_{1z}|j_1m_1\rangle = \hbar m_1|j_1m_1\rangle \tag{2.120}$$
$$\hat{J}_2^2|j_2m_2\rangle = \hbar^2 j_2(j_2+1)|j_2m_2\rangle\ , \quad \hat{J}_{2z}|j_2m_2\rangle = \hbar m_2|j_2m_2\rangle\ . \tag{2.121}$$

Eine Basis des Zweikörpersystems kann dann aus den Produkten dieser Zustände gebildet werden, und man erhält die sogenannte ungekoppelte Basis

$$|j_1m_1j_2m_2\rangle = |j_1m_1\rangle|j_2m_2\rangle\ . \tag{2.122}$$

Wie man sofort sieht, ist ein solcher Zustand Eigenzustand der z–Komponente des Gesamtdrehimpulses mit dem Eigenwert m_1+m_2, da

$$\hat{J}_z|j_1m_1j_2m_2\rangle = (\hat{J}_{1z}+\hat{J}_{2z})|j_1m_1j_2m_2\rangle = \hbar(m_1+m_2)|j_1m_1j_2m_2\rangle\ . \tag{2.123}$$

Eigenzustand von $\hat{J}^2$ kann er jedoch im allgemeinen nicht sein, und um dies zu sehen, müssen wir die Vertauschungsrelationen der verschiedenen Drehimpulse untersuchen.

Lassen Sie uns als erstes feststellen, daß alle Komponenten von $\hat{\boldsymbol{J}}_1$ mit allen Komponenten von $\hat{\boldsymbol{J}}_2$ vertauschen, da sie sich auf verschiedene Teilchen beziehen. Wir erhalten also damit

$$[\hat{J}_z, \hat{J}_1^2] = [\hat{J}_z, \hat{J}_2^2] = [\hat{J}^2, \hat{J}_1^2] = [\hat{J}^2, \hat{J}_2^2] = 0 \tag{2.124}$$

und

$$[\hat{J}_z, \hat{J}_{1z}] = [\hat{J}_z, \hat{J}_{2z}] = 0\ . \tag{2.125}$$

Dagegen vertauscht das Quadrat des Gesamtdrehimpulses nicht mit den z–Projektionen der Einzeldrehimpulse, z. B.

$$[\hat{J}^2, \hat{J}_{1z}] = [\hat{J}_1^2, \hat{J}_{1z}] + [\hat{J}_2^2, \hat{J}_{1z}] + [2\hat{\boldsymbol{J}}_1 \cdot \hat{\boldsymbol{J}}_2, \hat{J}_{1z}] \; . \tag{2.126}$$

Während die ersten beiden Kommutatoren auf der rechten Seite verschwinden, liefert der dritte einen Beitrag, und das Ergebnis ist

$$[\hat{J}^2, \hat{J}_{1z}] = 2\mathrm{i}\hbar(\hat{J}_{2y}\hat{J}_{1x} - \hat{J}_{2x}\hat{J}_{1y}) \; . \tag{2.127}$$

Ein vollständig kommutierender Satz von Operatoren ist also durch $\hat{J}^2$, $\hat{J}_z$, $\hat{J}_1^2$ und $\hat{J}_2^2$ gegeben, und Drehimpulskopplung besteht im Grunde darin, die Quantenzahlen m_1 und m_2 durch j und m zu ersetzen. Die neuen Basisvektoren können als $|jmj_1j_2\rangle$ geschrieben werden, und die unitäre Matrix, die auf diese Basis führt, ist einfach durch

$$|jmj_1j_2\rangle = \sum_{m_1m_2} |j_1m_1j_2m_2\rangle\langle j_1m_1j_2m_2|jmj_1j_2\rangle \tag{2.128}$$

definiert. Offensichtlich ist die Wiederholung von j_1 und j_2 auf beiden Seiten des Matrixelements für eine zweckmäßige Schreibweise überflüssig, so daß man die Transformationskoeffizienten kurz definiert als

$$(j_1j_2j|m_1m_2m) = \langle j_1m_1j_2m_2|jmj_1j_2\rangle \; . \tag{2.129}$$

Dies sind die *Clebsch–Gordan–Koeffizienten.* Die Transformation wird dann geschrieben als

$$|jmj_1j_2\rangle = \sum_{m_1m_2} |j_1m_1j_2m_2\rangle(j_1j_2j|m_1m_2m) \; . \tag{2.130}$$

Folgende Eigenschaften der Clebsch–Gordan–Koeffizienten werden in diesem Buch benutzt (ihre Ableitung findet sich in Büchern über den Drehimpuls):

1. *Auswahlregeln*: Der Koeffizient ist null, wenn die Quantenzahlen nicht die beiden Bedingungen

   $$m_1 + m_2 = m \tag{2.131}$$

   und

   $$|j_1 - j_2| \le j \le j_1 + j_2 \tag{2.132}$$

   erfüllen. Die erste wiederholt nur, was wir oben über den Eigenwert von $\hat{J}_z$ gesagt haben, während letztere als „Dreiecksregel“ bekannt ist: Die Größe des Gesamtdrehimpulses ist auf die Werte beschränkt, die durch die Regeln der Vektoraddition zugelassen werden, wenn die Vektoren $\hat{\boldsymbol{J}}_1$, $\hat{\boldsymbol{J}}_2$ und $\hat{\boldsymbol{J}}$ ein Dreieck bilden.

2. *Die Koeffizienten sind reell.* Dies ist keine allgemeine Aussage, da die Phasen der Basiszustände im Prinzip willkürlich gewählt werden können. Sie gilt aber für die übliche Wahl von Basiszuständen nach *Condon und Shortley.* Beachten Sie, daß eine reelle Transformationsmatrix orthogonal ist, so daß die inverse Transformation der transponierten Matrix entspricht:

$$\langle j_1 m_1 j_2 m_2 | j m j_1 j_2 \rangle = \langle j m j_1 j_2 | j_1 m_1 j_2 m_2 \rangle = (j_1 j_2 j | m_1 m_2 m) \ . \tag{2.133}$$

Für die Transformation zurück zur ungekoppelten Basis werden also dieselben Koeffizienten gebraucht, nur die Summation wird über andere Indizes ausgeführt:

$$|j_1 m_1 j_2 m_2\rangle = \sum_{jm} |j m j_1 j_2\rangle (j_1 j_2 j | m_1 m_2 m) \ . \tag{2.134}$$

3. In der Sprache der Darstellung von Gruppen entspricht die Drehimpulskopplung einer Reduktion des Produktes zweier Darstellungen:

$$\mathcal{D}^{(j_1)} \times \mathcal{D}^{(j_2)} = \mathcal{D}^{(j_1+j_2)} + \mathcal{D}^{(j_1+j_2-1)} + \ldots + \mathcal{D}^{(|j_1-j_2|)} \ . \tag{2.135}$$

Die Dimensionen der auf beiden Seiten enthaltenen Basen stimmen überein, d. h.

$$(2j_1+1)(2j_2+1) = \sum_{j=|j_1-j_2|}^{j_1+j_2} (2j+1) \ , \tag{2.136}$$

was leicht durch Nachrechnen überprüft werden kann.

4. *Spezielle Formeln* für Clebsch–Gordan–Koeffizienten findet man in Büchern über den Drehimpuls und in speziellen Tabellenwerken. Die in diesem Buch benötigten werden wir immer explizit aufführen; sie sind auch im Anhang zusammengefaßt.

2.3.6 Intrinsischer Drehimpuls

Bis jetzt hatten wir Rotationsinvarianz für die Abhängigkeit der Ortskoordinaten der Wellenfunktionen benutzt, was zum *Bahndrehimpuls* führte. Es gibt aber auch Felder, die einen *intrinsischen Drehimpuls* haben, z. B. Vektorfelder. Abb. 2.2 zeigt, was in diesem Fall geschieht. Eine Drehung bringt das Feld nicht nur an einen anderen Punkt $\boldsymbol{r}'$ im Raum, sondern dreht auch das Vektorfeld selbst. Deshalb muß gelten

$$\boldsymbol{A}'(\boldsymbol{r}') = \mathcal{R}\boldsymbol{A}(\boldsymbol{r}) \ , \tag{2.137}$$

wobei $\mathcal{R}$ die entsprechende Drehmatrix für einen Vektor in drei Dimensionen ist, z. B.

$$\mathcal{R}(\theta_z) = \begin{pmatrix} \cos\theta_z & -\sin\theta_z & 0 \\ \sin\theta_z & \cos\theta_z & 0 \\ 0 & 0 & 1 \end{pmatrix} \tag{2.138}$$

für eine Drehung um die z–Achse. Das gedrehte Feld am Ort $\boldsymbol{r}$ ist dann gegeben durch

$$\boldsymbol{A}'(\boldsymbol{r}) = \mathcal{R}\boldsymbol{A}(\mathcal{R}^{-1}\boldsymbol{r}) \ . \tag{2.139}$$

Aus diesem Ausdruck läßt sich leicht die infinitesimale Drehung ableiten: Für die Abhängigkeit von den Koordinaten haben wir die üblichen Drehimpulsoperatoren, und für die Drehung des Vektorfeldes selbst muß die Matrix $\mathcal{R}$ in den Winkeln entwickelt werden. Für eine Drehung um die z–Achse ergibt dies

$$\mathcal{R}(\theta_z) \approx \begin{pmatrix} 1 & -\theta_z & 0 \\ \theta_z & 1 & 0 \\ 0 & 0 & 0 \end{pmatrix} = 1 - \tfrac{\mathrm{i}}{\hbar}\theta_z \hat{S}_z \ , \tag{2.140}$$

wobei $\hat{S}_z$ die Matrix

$$\hat{S}_z = \hbar \begin{pmatrix} 0 & -\mathrm{i} & 0 \\ \mathrm{i} & 0 & 0 \\ 0 & 0 & 0 \end{pmatrix} \tag{2.141}$$

ist. Damit haben wir eine Komponente des Operators des *intrinsischen* Drehimpulses, der üblicherweise als Spin bezeichnet wird, auch wenn er sich nicht auf halbzahligen Drehimpuls bezieht. In diesem Fall, also für ein Vektorfeld, ist der Drehimpuls eins, was einer dreidimensionalen Darstellung mit $j = 1$ entspricht. Ein Beispiel für eine solche Art von Feld ist das Photon.

Die restlichen Drehimpulskomponenten erhält man auf die gleiche Weise:

$$\hat{S}_y = \hbar \begin{pmatrix} 0 & 0 & \mathrm{i} \\ 0 & 0 & 0 \\ -\mathrm{i} & 0 & 0 \end{pmatrix} \ , \quad \hat{S}_x = \hbar \begin{pmatrix} 0 & 0 & 0 \\ 0 & 0 & -\mathrm{i} \\ 0 & \mathrm{i} & 0 \end{pmatrix} \ . \tag{2.142}$$

Diese Matrizen erfüllen, wie es sein muß, die Vertauschungsregeln des Drehimpulses.

Für das Feld $\boldsymbol{A}(\boldsymbol{r})$ ist die infinitesimale Drehung durch

$$\boldsymbol{A}'(\boldsymbol{r}) = \left(1 - \tfrac{\mathrm{i}}{\hbar}\theta_z(\hat{L}_z + \hat{S}_z)\right) \boldsymbol{A}(\boldsymbol{r}) \tag{2.143}$$

gegeben. Wir haben hier den Bahndrehimpuls $\hat{L}$ genannt, um den Buchstaben J für den Gesamtdrehimpuls

$$\hat{\boldsymbol{J}} = \hat{\boldsymbol{L}} + \hat{\boldsymbol{S}} \tag{2.144}$$

aufzuheben. Offensichtlich erzeugt $\hat{\boldsymbol{J}}$ Drehungen für das Vektorfeld, und die Eigenzustände von $\hat{J}^2$ und $\hat{J}_z$ müssen mittels Drehimpulskopplung konstruiert werden.
Jedoch ist das für den Vektor verwendete Koordinatensystem bei der Kopplung nicht vorteilhaft. Wie aus der Form der Matrix $\hat{S}_z$ ersichtlich, ist diese in kartesischen Koordinaten nicht diagonal, und man muß zu *sphärischen Koordinaten* übergehen, um Spineigenzustände zu erhalten. Formal müssen wir Vektoren $\boldsymbol{e}_\mu$ konstruieren, die $\hat{S}_z\boldsymbol{e}_\mu = \hbar\mu\boldsymbol{e}_\mu$ erfüllen, oder, wenn man die Komponenten a, b, c für den unbekannten Eigenvektor annimmt,

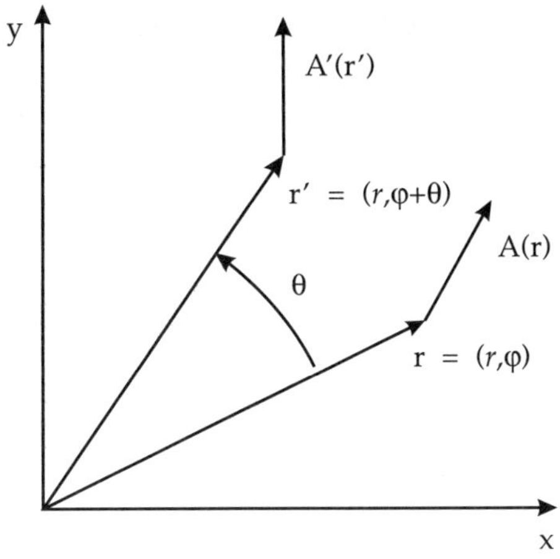

Abb. 2.2: Drehung eines Vektorfeldes. Zusätzlich zum Raumpunkt wird auch das Feld selbst gedreht

$$\begin{pmatrix} 0 & -\mathrm{i} & 0 \\ \mathrm{i} & 0 & 0 \\ 0 & 0 & 0 \end{pmatrix} \begin{pmatrix} a \\ b \\ c \end{pmatrix} = \hbar\mu \begin{pmatrix} a \\ b \\ c \end{pmatrix} . \tag{2.145}$$

Diese Gleichung kann nur Lösungen haben, wenn die Determinante $\det(\hat{S}_z - \hbar\mu)$ verschwindet, was zu der Bedingung

$$\mu(\mu^2 - 1) = 0 \tag{2.146}$$

führt, mit den Lösungen $\mu = -1, 0, 1$, wie man es für die drei Projektionen des Drehimpulses eins erwartet. Einsetzen dieser Eigenwerte in die Gleichung, Berechnung des Zusammenhangs zwischen a, b und c und Normierung der resultierenden Vektoren führt auf

$$\begin{aligned} \boldsymbol{e}_{+1} &= -\tfrac{1}{\sqrt{2}}(\boldsymbol{e}_x + \mathrm{i}\boldsymbol{e}_y) \\ \boldsymbol{e}_0 &= \boldsymbol{e}_z \\ \boldsymbol{e}_{-1} &= \tfrac{1}{\sqrt{2}}(\boldsymbol{e}_x - \mathrm{i}\boldsymbol{e}_y) . \end{aligned} \tag{2.147}$$

Diese komplexen Vektoren können im Prinzip noch mit einem beliebigen Phasenfaktor multipliziert werden, ohne ihre Eigenschaften als Eigenvektoren zu beeinflussen, und die spezielle Wahl, die hier getroffen wird, ist teils Konvention, aber auch so gewählt, daß die allgemeine Eigenschaft

$$\boldsymbol{e}_\mu^* = (-1)^\mu \boldsymbol{e}_{-\mu} \tag{2.148}$$

erfüllt ist. Dies geschieht analog zu den Kugelflächenfunktionen und entspricht der *Condon–Shortley–Phasenwahl* bei den Eigenzuständen des Drehimpulses.

Lassen Sie uns einige Eigenschaften der sphärischen Koordinaten angeben. Die Basisvektoren aus (2.147) sind in einer verallgemeinerten Fassung für komplexe Vektoren orthogonal:

$$\boldsymbol{e}_\mu^* \boldsymbol{e}_{\mu'} = \delta_{\mu\mu'} , \tag{2.149}$$

und wenn die sphärischen Komponenten a_μ , $\mu = -1, 0, 1$ eines Vektors $\boldsymbol{a}$ über

$$\sum_\mu a_\mu^* \boldsymbol{e}_\mu = \boldsymbol{a} , \tag{2.150}$$

definiert werden, hängen diese über

$$a_{\pm 1} = \mp \tfrac{1}{\sqrt{2}}(a_x \pm \mathrm{i} a_y) , \quad a_0 = a_z \tag{2.151}$$

mit den kartesischen Komponenten zusammen.

Um die physikalische Bedeutung der sphärischen Komponenten zu verstehen, betrachten wir den Fall von ebenen Wellen des elektromagnetischen Feldes mit einem Polarisationsvektor, der durch einen der sphärischen Basisvektoren gegeben ist:

$$\begin{aligned} \boldsymbol{A}(\boldsymbol{r}, t) &= \boldsymbol{e}_1 \exp(\mathrm{i}\boldsymbol{k}\cdot\boldsymbol{r} - \mathrm{i}\omega t) \\ &= -\tfrac{1}{\sqrt{2}}\left((\boldsymbol{e}_x \cos(\boldsymbol{k}\cdot\boldsymbol{r} - \omega t) - \boldsymbol{e}_y \sin(\boldsymbol{k}\cdot\boldsymbol{r} - \omega t)\right) \\ &\quad - \tfrac{\mathrm{i}}{\sqrt{2}}\left(\boldsymbol{e}_x \sin(\boldsymbol{k}\cdot\boldsymbol{r} - \omega t) + \boldsymbol{e}_y \cos(\boldsymbol{k}\cdot\boldsymbol{r} - \omega t)\right) . \end{aligned} \tag{2.152}$$

Der reelle Teil hiervon, der dem physikalischen Feld entspricht, ist — der Einfachheit halber für $\boldsymbol{r} = 0$ —

$$\mathrm{Re}\boldsymbol{A}(0, t) = -\tfrac{1}{\sqrt{2}}(\boldsymbol{e}_x \cos\omega t + \boldsymbol{e}_y \sin\omega t) \tag{2.153}$$

und beschreibt ein Feld zirkularer Polarisation, das in mathematisch positivem Sinn um die z–Achse rotiert. Dies stimmt gut mit der Idee eines positiven intrinsischen Drehimpulses um diese Achse überein.

Der zweite wichtige Fall von innerem Drehimpuls ist der des *Spinfeldes*. Hier hat die Wellenfunktion an jedem Raumpunkt zwei Komponenten, die sich bei Drehungen gemäß der Darstellung der Drehgruppe mit dem Drehimpuls $j = \frac{1}{2}$ transformieren. Es gibt kein klassisches Analogon hierzu, und in diesem Fall brauchen wir uns keine Sorgen über die Auswahl der Basis zu machen: Da es keinen vordefinierten physikalischen Satz von Basisfunktionen gibt, können wir gleich die Eigenzustände des Drehimpulses $\hat{s}_z$ benutzen. Wir nennen die beiden Basiszustände $|\frac{1}{2}\rangle$ und $|-\frac{1}{2}\rangle$ mit

$$\hat{s}_z |\pm\tfrac{1}{2}\rangle = \pm\tfrac{1}{2}\hbar |\pm\tfrac{1}{2}\rangle \tag{2.154}$$

und schreiben für den Spinoperator den kleinen Buchstaben s, um ihn vom Fall des intrinsischen Drehimpulses eins zu unterscheiden, indem man gewöhnlich ein großes S benutzt. Seine Komponenten sind durch

$$\hat{\boldsymbol{s}} = \tfrac{1}{2}\hbar\hat{\boldsymbol{\sigma}} \tag{2.155}$$

gegeben mit den Pauli–Matrizen, wie sie in (2.118) definiert sind. Für beide Operatoren $\hat{\boldsymbol{S}}$ und $\hat{\boldsymbol{s}}$ stimmt dies mit der in Abschnitt 2.3.2 konstruierten Darstellung überein. Dies kann nachgeprüft werden, indem man die Matrixelemente von $\hat{J}_z$ und $\hat{J}_\pm$, die dort für diese Fälle angegeben sind, berechnet und dann aus diesen $\hat{J}_x$ und $\hat{J}_y$ erhält.

2.3.7 Tensoroperatoren

Bis jetzt haben wir nur die Transformation von Wellenfunktionen bei Drehungen untersucht. Bevor wir Operatoren an sich genauer betrachten, wollen wir die verschiedenen Arten von Transformationseigenschaften vorstellen. Ein *Skalar* ist eine Größe, die sich bei Drehungen nicht verändert, während ein *Vektor* oder *Tensor erster Stufe* ein Objekt mit drei Komponenten ist, das sich wie der Ortsvektor $\boldsymbol{r}$ transformiert. Wie im vorigen Abschnitt besprochen, entspricht dies dem Drehimpuls eins.

Tensoren höherer Stufe können auf zwei Arten konstruiert werden, was analog zur Wahl einer Basis mit gekoppeltem oder ungekoppeltem Drehimpuls ist. Ein *kartesischer Tensor n–ter Stufe* hat Komponenten mit n Indizes, von denen jeder von -1 bis $+1$ läuft (d. h., es werden sphärische Komponenten angenommen, aber kartesische können genausogut verwendet werden) und sich entsprechend der Darstellung für den Drehimpuls eins transformiert:

$$a'_{m_1 m_2 \ldots m_n} = \sum_{m'_1 m'_2 \ldots m'_n} a_{m'_1 m'_2 \ldots m'_n} \mathcal{D}^{(1)}_{m'_1 m_1} \mathcal{D}^{(1)}_{m'_2 m_2} \cdots \mathcal{D}^{(1)}_{m'_n m_n} \; . \tag{2.156}$$

Im einfachsten Fall eines Tensors zweiter Stufe heißt das

$$a'_{ij} = \sum_{i'j'} a_{i'j'} \mathcal{D}^{(1)}_{i'i} \mathcal{D}^{(1)}_{j'j} \; , \tag{2.157}$$

was im Grunde dieselbe Formel ist wie für die Drehung einer ungekoppelten Basis, die aus zwei Drehimpulsen der Länge eins gebildet wird. Ein solcher kartesischer Tensor hat 3^n Komponenten.

Genauso können auch die — für die Kernstruktur meist nützlicheren — sphärischen Tensoren (genauer: *irreduziblen sphärischen Tensoren*) verwendet werden, womit man Objekte bezeichnet, die sich bei Drehungen wie Wellenfunktionen mit gutem Drehimpuls transformieren. Ein solcher irreduzibler Tensor mit Drehimpuls $\hat{T}^k$ besteht aus Komponenten $\hat{T}^k_q$, $q = -k, \ldots, +k$, welche bei Drehungen der Transformation

$$\hat{T}'^k_q = \sum_{q'=-k}^{k} \hat{T}^k_{q'} \mathcal{D}^{(k)}_{q'q}(\boldsymbol{\theta}) \tag{2.158}$$

gehorchen. Die nützlichste Anwendung ist natürlich die Kopplung solcher Tensoren, bei der alle Überlegungen, die für Wellenfunktionen angestellt wurden, ihre Gültigkeit behalten. Zwei Tensoren $\hat{R}^k$ und $\hat{S}^{k'}$ mit den Drehimpulsen k bzw. k' seien zum Gesamtdrehimpuls K gekoppelt:

$$\hat{T}^K_Q = \sum_{qq'}(kk'K|qq'Q)\hat{R}^k_q\hat{S}^{k'}_{q'} , \quad Q = -K, \dots K . \tag{2.159}$$

Diese Art der Drehimpulskopplung ist so wichtig, daß wir eine kürzere Schreibweise dafür einführen:

$$\hat{T}^K_Q = [\hat{R}^k \times \hat{S}^{k'}]^K{}_Q \qquad \text{oder} \qquad \hat{T}^K = [\hat{R}^k \times \hat{S}^{k'}]^K . \tag{2.160}$$

Die letzte Variante wird benutzt, wenn man nicht an den Projektionen interessiert ist.

2.3 Aufgabe: Kopplung zweier Vektoren zu gutem Gesamtdrehimpuls

Wie lauten die möglichen Kopplungen zweier Vektoren a und b zu einem gutem Gesamtdrehimpuls?

Lösung:

Gemäß der Dreiecksregel entspricht die Kopplung zweier Vektoren der von zwei Tensoren mit Drehimpuls eins zu einem resultierenden mit Drehimpuls $K = 0, 1, 2$. Mit den sphärischen Komponenten der Vektoren lautet die allgemeine Formel dafür

$$T^K_Q = \sum_q (11K|q\; Q-q\; Q)a_q b_{Q-q} . \qquad \underline{1}$$

Für $K = 0$ können wir die Beziehung $(110|q - q0) = -(-1)^q/\sqrt{3}$ benutzen und erhalten

$$\begin{aligned} T^0_0 &= -\tfrac{1}{\sqrt{3}}(a_0b_0 - a_1b_{-1} - a_{-1}b_1) \\ &= -\tfrac{1}{\sqrt{3}}(a_zb_z + \tfrac{1}{2}(a_x + \mathrm{i}a_y)(b_x - \mathrm{i}b_y) + \tfrac{1}{2}(a_x - \mathrm{i}a_y)(b_x + \mathrm{i}b_y)) \\ &= -\tfrac{1}{\sqrt{3}}(a_xb_x + a_yb_y + a_zb_z) = -\tfrac{1}{\sqrt{3}}\boldsymbol{a}\cdot\boldsymbol{b} , \end{aligned} \qquad \underline{2}$$

also das nicht sehr überraschende Ergebnis, daß der aus den beiden Vektoren gebildete Skalar, abgesehen von einem Vorfaktor, gerade das Skalarprodukt ist.

Für $K = 1$ wollen wir nur eine Komponente explizit berechnen, und zwar die mit $Q = 1$. Hier gilt $(111|101) = -(111|011) = 1/\sqrt{2}$, und es wird

$$\begin{aligned} T^1_1 &= \tfrac{1}{\sqrt{2}}(-a_0b_1 + a_1b_0) \\ &= \tfrac{1}{2}[a_z(b_x + \mathrm{i}b_y) - b_z(a_x + \mathrm{i}a_y)] \\ &= -\mathrm{i}\tfrac{1}{2}[(a_yb_z - a_zb_y) + \mathrm{i}(a_zb_x - a_xb_z)] \\ &= \tfrac{\mathrm{i}}{\sqrt{2}}(\boldsymbol{a} \times \boldsymbol{b})_{+1} , \end{aligned} \qquad \underline{3}$$

die sphärische Komponente des Vektorproduktes. Die anderen Komponenten ergeben sich in ähnlicher Weise, und allgemein kann man schreiben:

$$[a \times b]^1{}_Q = \frac{\mathrm{i}}{\sqrt{2}}(\boldsymbol{a} \times \boldsymbol{b})_Q \; . \qquad \underline{4}$$

Auch dieses Ergebnis ist anschaulich klar. Für $K = 2$ schließlich geben wir die ersten drei Komponenten explizit an:

$$T_2^2 = a_1 b_1 = \tfrac{1}{2}(a_x b_x - a_y b_y + 2\mathrm{i} a_x b_y) \qquad \underline{5}$$

$$T_1^2 = \tfrac{1}{\sqrt{2}}(a_1 b_0 + a_0 b_1) = -\tfrac{1}{2}(a_x b_z + a_z b_x + \mathrm{i}(a_y b_z + a_z b_y)) \qquad \underline{6}$$

$$T_0^2 = \tfrac{1}{\sqrt{6}}(a_1 b_{-1} + a_{-1} b_1) + \sqrt{\tfrac{2}{3}} a_0 b_0 = -\tfrac{1}{\sqrt{6}}(a_x b_x + a_y b_y) + \sqrt{\tfrac{2}{3}} a_z b_z \; . \qquad \underline{7}$$

Die Komponenten für negatives Q erhält man daraus mit Hilfe der Regel $T^K_{-Q} = (-1)^Q T^{*K}_Q$.

Alle Ergebnisse dieser Aufgabe zusammen können auch als Zerlegung des kartesischen Tensorproduktes

$$\begin{pmatrix} a_x b_x & a_x b_y & a_x b_z \\ a_y b_x & a_y b_y & a_y b_z \\ a_z b_x & a_z b_y & a_z b_z \end{pmatrix} \qquad \underline{8}$$

in einen Skalar $\boldsymbol{a} \cdot \boldsymbol{b}$, einen Vektor $\boldsymbol{a} \times \boldsymbol{b}$ und einen symmetrischen Tensor T_Q^2 mit Komponenten der Art $a_x b_y + a_y b_x$ aufgefaßt werden.

Ein *irreduzibler sphärischer Tensoroperator* ist nun einfach ein irreduzibler sphärischer Tensor, dessen Komponenten Operatoren sind. Dies führt auf eine neue Bedingung, da ein Operator $\hat{T}_q^k$ entweder unter Benutzung von (2.158) transformiert werden kann oder mit Hilfe der allgemeinen Formel

$$\hat{T}'^k_q = \mathcal{D}(\boldsymbol{\theta}) \hat{T}_q^k \mathcal{D}^{-1}(\boldsymbol{\theta}) \; , \qquad (2.161)$$

wobei $\mathcal{D}(\boldsymbol{\theta})$ ein geeigneter Operator zur Drehung von Wellenfunktionen ist (dies können für Wellenfunktionen mit gutem Drehimpuls wieder die Drehmatrizen sein, wenn auch möglicherweise zu einem anderen Drehimpuls als zu k). Was bedeuten nun diese beide Transformationsgesetze? Während (2.161) für jeden Operator gilt und im Grunde genommen besagt, daß der gedrehte Operator angewendet werden kann, indem man zuerst die Wellenfunktion zurückdreht, dann den ursprünglichen Operator anwendet und schließlich die resultierende Wellenfunktion wieder in die gewünschte Position dreht, ist (2.158) *nur* für irreduzible sphärische Tensoroperatoren gültig. Dazu ist es nötig, daß ein Satz von Operatoren, die den sphärischen Tensor bilden, sich bei Drehungen wie ein Satz sphärischer Komponenten gemäß (2.158) transformieren.

2.4 Beispiel: Der Ortsoperator als irreduzibler sphärischer Tensoroperator

Die drei Operatoren x, y und z, die die Wellenfunktion mit dem Wert der entsprechenden Koordinate multiplizieren, können so kombiniert werden, daß sie einen irreduziblen sphärischen Tensoroperator r_q mit Drehimpuls eins ergeben. Scine Komponenten gehorchen dcr üblichen Definition sphärischer Komponenten:

$$r_0 = z\ , \qquad r_{+1} = -\tfrac{1}{\sqrt{2}}(x + \mathrm{i}y)\ , \qquad r_{-1} = \tfrac{1}{\sqrt{2}}(x - \mathrm{i}y)\ . \qquad \underline{1}$$

Bei der Behandlung von Vektorfeldern sollte klar geworden sein, daß r_q sich wirklich gemäß (2.158) mit $k = 1$ transformiert.

Vergleicht man die beiden Möglichkeiten, irreduzible Tensoroperatoren zu transformieren, so sollte man erwarten, daß die Betrachtung infinitesimaler Drehungen gewisse Bedingungen für die Vertauschung von $\hat{T}^k$ mit dem Drehimpulsoperator ergibt. (2.161) kann bei Annahme einer infinitesimalen Drehung um die α–Achse in erster Ordnung als

$$\begin{aligned} \hat{T}'^k_q &\approx (1 - \tfrac{\mathrm{i}}{\hbar}\theta_\alpha \hat{J}_\alpha)\hat{T}^k_q(1 + \tfrac{\mathrm{i}}{\hbar}\theta_\alpha \hat{J}_\alpha) \\ &\approx \hat{T}^k_q - \tfrac{\mathrm{i}}{\hbar}\theta_\alpha[\hat{J}_\alpha, \hat{T}^k_q] \end{aligned} \qquad (2.162)$$

geschrieben werden. Andererseits kann für infinitesimale Drehungen aber auch das Drehmatrixelement in (2.158) vereinfacht werden:

$$\mathcal{D}^{(k)}_{q'q}(\theta_\alpha) \approx \langle kq'|1 - \tfrac{\mathrm{i}}{\hbar}\theta_\alpha \hat{J}_\alpha|kq\rangle = \delta_{qq'} - \tfrac{\mathrm{i}}{\hbar}\theta_\alpha\langle kq'|\hat{J}_\alpha|kq\rangle\ , \qquad (2.163)$$

so daß ein Vergleich dieser beiden Methoden

$$[\hat{J}_\alpha, \hat{T}^k_q] = \sum_{q'} \hat{T}^k_{q'}\langle kq'|\hat{J}_\alpha|kq\rangle \qquad (2.164)$$

liefert. Benutzt man die am Ende von Abschnitt 2.3.2 angegebenen Matrixelemente der Drehimpulsoperatoren, erhält man

$$[\hat{J}_z, \hat{T}^k_q] = q\hat{T}^k_q\ , \qquad [\hat{J}_\pm, \hat{T}^k_q] = \hbar\sqrt{(k \pm q + 1)(k \mp q)}\hat{T}^k_{q\pm1}\ . \qquad (2.165)$$

Dieses Ergebnis bedeutet im Grunde, daß die Drehimpulsoperatoren auf die Komponenten eines irreduziblen sphärischen Tensors genauso wirken wie auf Wellenfunktionen. Bei einem Operator muß nur das Produkt durch einen Kommutator ersetzt werden, weil $\hat{J}$ ebenfalls „durchgereicht“ werden muß, um auf die Wellenfunktion zu wirken.

2.5 Beispiel: Vertauschungsrelationen des Ortsoperators

Der Operator des Ortsvektors, $\boldsymbol{r}$, sollte die Relationen

$$\begin{array}{lllllll} [\hat{J}_z, \hat{r}_0] & = & 0\,, & [\hat{J}_z, \hat{r}_{\pm 1}] & = & \pm\hbar\hat{r}_{\pm 1}\,, & & & \\ [\hat{J}_\pm, \hat{r}_0] & = & \sqrt{2}\hbar\hat{r}_{\pm 1}\,, & [\hat{J}_+, \hat{r}_{+1}] & = & 0\,, & [\hat{J}_-, \hat{r}_{-1}] & = & 0\,, \\ [\hat{J}_+, \hat{r}_{-1}] & = & \sqrt{2}\hbar\hat{r}_0\,, & [\hat{J}_-, \hat{r}_{+1}] & = & \sqrt{2}\hbar\hat{r}_0 & & & \end{array} \qquad \underline{1}$$

erfüllen, was unter Verwendung der Definition von $\hat{\boldsymbol{J}}$ mittels Differentialoperatoren leicht überprüft werden kann. Der Drehimpulsoperator selbst ist ebenfalls ein sphärischer Tensor mit Drehimpuls eins, doch ist es wichtig, sich klar zu machen, daß die *Komponenten nicht identisch mit den Schiebeoperatoren* sind. Die sphärischen Komponenten werden mit den Indizes $+1$ und -1 bezeichnet und sind durch

$$\hat{J}_0 = \hat{J}_z\,, \qquad \underline{2}$$

$$\hat{J}_{+1} = -\frac{1}{\sqrt{2}}(\hat{J}_x + \mathrm{i}\hat{J}_y) = -\frac{1}{\sqrt{2}}\hat{J}_+\,, \qquad \underline{3}$$

$$\hat{J}_{-1} = \frac{1}{\sqrt{2}}(\hat{J}_x - \mathrm{i}\hat{J}_y) = \frac{1}{\sqrt{2}}\hat{J}_- \qquad \underline{4}$$

gegeben. Allgemein kann jeder Vektoroperator mit Hilfe von sphärischen Komponenten als sphärischer Tensoroperator mit Drehimpuls eins geschrieben werden.

Die Anwendung von Tensoroperatoren beschäftigt sich hauptsächlich mit der Möglichkeit, sie zu koppeln, und zwar

- mit Wellenfunktionen: Eine neue Wellenfunktion mit gutem Drehimpuls kann durch

$$|\beta K M\rangle = \sum_{qm} (jkK|mqM)\hat{T}^k_q|\alpha j m\rangle \qquad (2.166)$$

  konstruiert werden, wobei α und β für alle übrigen Quantenzahlen stehen, auf die der Operator wirkt. Die resultierenden Drehimpulse werden durch die aus den Clebsch–Gordan–Koeffizienten folgenden Auswahlregeln festgelegt.

- mit anderen Operatoren: Dies geschieht ähnlich wie in (2.160). Natürlich muß bei Operatoren auf die Reihenfolge geachtet werden, da sie möglicherweise nicht vertauschen. Auf diese Weise können die Skalar- und Vektorprodukte wie oben als Kopplung zu Drehimpuls null oder eins definiert werden.

Die Unterscheidung zwischen Operatoren und Feldern ist für einige Überlegungen entscheidend und der „gleiche“ mathematische Ausdruck muß, je nachdem, wie er benutzt wird, unterschiedlich behandelt werden. Wir werden diesen Umstand anhand des Ortsvektors erläutern. Wenn er auf Wellenfunktionen wirkt, besteht $\boldsymbol{r}$ tatsächlich aus den drei Komponenten x, y und z, die, wie bereits beschrieben, zum sphärischen irreduziblen Tensoroperator r_μ, $\mu = -1, 0, 1$ zusammengesetzt werden können. Dessen Anwendung auf eine Wellenfunktion generiert drei neue Funktionen $r_\mu \Psi(\boldsymbol{r})$, von dehnen jede mit dem Drehoperator gedreht werden kann:

$$\begin{aligned} (r_\mu \psi(\boldsymbol{r}))' &= \left(r''_\mu \psi(\boldsymbol{r}'') \right)_{(\boldsymbol{r}''=\mathcal{D}^{-1}(\boldsymbol{\theta}))} \\ &= \mathcal{D}(\boldsymbol{\theta}) \left(r_\mu \psi(\boldsymbol{r}) \right) . \end{aligned} \tag{2.167}$$

Da $\boldsymbol{r}$ ein sphärischer Tensoroperator ist, können wir aber auch schreiben:

$$\begin{aligned} (r_\mu \psi(\boldsymbol{r}))' &= \Big(\sum_{\mu'} r_{\mu'} \mathcal{D}^{(1)}_{\mu'\mu} \Big) \mathcal{D}(\boldsymbol{\theta}) \psi(\boldsymbol{r}) \\ &= \Big(\sum_{\mu'} r_{\mu'} \mathcal{D}^{(1)}_{\mu'\mu} \Big) \psi(\mathcal{D}^{-1}(\boldsymbol{\theta}) \boldsymbol{r}) . \end{aligned} \tag{2.168}$$

Die letzte Schreibweise für Drehungen macht verständlich, wie diese funktioniert: Der sphärische Operator $\boldsymbol{r}$ wird an einem festen Punkt gedreht und multipliziert deshalb die Wellenfunktion mit dem Wert, der zum Ort $\mathcal{D}^{-1}(\boldsymbol{\theta})\boldsymbol{r}$ gehört.

Eine andere Situation tritt auf, wenn $\boldsymbol{r}$ als *Vektorfeld* mit einem intrinsischen Drehimpuls von eins aufgefaßt wird. Dann nämlich haben wir eine Vektorfunktion $\boldsymbol{r}(x, y, z)$, und eine Drehung wirkt sowohl auf ihre Abhängigkeit von den Koordinaten als auch auf ihre Richtung an einem festen Punkt. Tatsächlich kann sie als

$$\boldsymbol{r} = -\sqrt{3} \sum_{\mu=-1}^{+1} (110|\mu - \mu 0) r_\mu \boldsymbol{e}_{-\mu} \tag{2.169}$$

geschrieben werden und erscheint damit explizit als Skalar. Dies stimmt mit der Anschauung überein, da das Feld $\boldsymbol{r}$ offensichtlich sphärisch symmetrisch ist. Formal tragen die ortsunabhängigen Basisvektoren $\boldsymbol{e}_\mu$ den intrinsischen Drehimpuls und die Koeffizienten r_μ den Bahndrehimpuls, die in diesem Fall einfach zum Gesamtdrehimpuls null koppeln.

2.3.8 Das Wigner–Eckart–Theorem

Da Zustände mit verschiedenen Projektionen, die zu einem Multiplett mit festem Drehimpuls gehören, durch Anwendung der Operatoren $\hat{J}_+$ oder $\hat{J}_-$ in gewisser Weise trivial miteinander zusammenhängen, sollte man erwarten, daß Matrixelemente ebenfalls „trivial" von den vorkommenden Projektionen abhängen, d. h. über Beziehungen verknüpft sind, die mit der Rotationsgruppe und ihren Darstellungen zu tun haben. Tatsächlich ist dies der Inhalt des *Wigner–Eckart–Theorems*, welches wir nun ableiten werden.

Betrachten wir ein Matrixelement eines irreduziblen sphärischen Tensoroperators $\hat{T}^k_q$ zwischen Drehimpulszuständen der Form $|\alpha j m\rangle$. Da der Operator auch Quantenzahlen verändern könnte, die nichts mit dem Drehimpuls zu tun haben, werden diese explizit durch α und β dargestellt. Das uns interessierende Matrixelement lautet

$$\langle \beta j' m' | \hat{T}^k_q | \alpha j m \rangle . \tag{2.170}$$

Die Idee wird nun sein, den Zustand rechts mit dem Tensoroperator zu gutem Drehimpuls zu koppeln und dann die Orthogonalität mit dem Zustand auf der linken Seite auszunutzen. Die Kopplung liefert Zwischenzustände

$$|\gamma j''m''\rangle = \sum_{mq} (jkj''|mqm'')\hat{T}^k_q|\alpha jm\rangle \ , \tag{2.171}$$

wobei j'' und m'' alle erlaubten Werte annehmen. Diese Kopplung kann gemäß Abschnitt 2.3.5 invertiert werden, was

$$\hat{T}^k_q|\alpha jm\rangle = \sum_{j''m''} (jkj''|mqm'')|\gamma j''m''\rangle \tag{2.172}$$

ergibt. Nimmt man nun den Überlapp mit $|\beta j'm'\rangle$, erhält man

$$\begin{aligned} \langle\beta j'm'|\hat{T}^k_q|\alpha jm\rangle &= \sum_{j''m''} (jkj''|mqm'')\langle\beta j'm'|\gamma j''m''\rangle \\ &= (jkj'|mqm')\langle\beta j'm'|\gamma j'm'\rangle \ . \end{aligned} \tag{2.173}$$

Das zweite Matrixelement auf der rechten Seite hängt nicht von m' ab, was klar wird, wenn man den Ausdruck

$$\begin{aligned} \langle\beta j\; m{+}1|\gamma jm+1\rangle &= \frac{\langle\beta jm|\hat{J}_-\hat{J}_+|\gamma jm\rangle}{\sqrt{\langle\beta jm|\hat{J}_-\hat{J}_+|\beta jm\rangle\langle\gamma jm|\hat{J}_-\hat{J}_+|\gamma jm\rangle}} \\ &= \langle\beta jm|\gamma jm\rangle \end{aligned} \tag{2.174}$$

untersucht, bei dem die Operatorkombination $\hat{J}_-\hat{J}_+$ diagonal und ihr Eigenwert unabhängig von jeder zusätzlichen Quantenzahl ist — tatsächlich wurde dieser Ausdruck in Abschnitt 2.3.2 benutzt, um die Matrixelemente von $\hat{J}_+$ abzuleiten. Dasselbe Argument kann natürlich angewendet werden, um die Projektion zu erniedrigen.

Das Ergebnis ist also, daß das Matrixelement in einen Clebsch–Gordan–Koeffizienten, der die gesamte Information über die Abhängigkeit von der Projektion enthält, und ein bis jetzt unbekanntes Matrixelement $\langle\beta j'm'|\gamma j'm'\rangle$ aufgespalten werden kann, das die Physik des Operators $\hat{T}^k_q$ beschreibt. Um diese Tatsache klar zu machen, definieren wir ein *reduziertes Matrixelement*, indem wir schreiben:

$$\langle\beta j'm'|\hat{T}^k_q|\alpha jm\rangle = (-1)^{2k}\langle\beta j'||\hat{T}^k||\alpha j\rangle(jkj'|mqm') \ . \tag{2.175}$$

Das reduzierte Matrixelement $\langle\beta j'||\hat{T}^k||\alpha j\rangle$ wird implizit bestimmt: Sein Wert ergibt sich, indem man die linke Seite von (2.175) für irgendeine passende Kombination von m, m' und q, für die sie nicht verschwindet, errechnet und die Gleichung dann benutzt, um das reduzierte Matrixelement selbst zu erhalten. Der Vorteil liegt darin, daß danach alle Kombinationen von Projektionen leicht berechnet werden können und das so definierte reduzierte Matrixelement keine Projektion explizit enthält. Damit liefert es eine allgemeinere Charakterisierung der Wirkung des Operators. Der Phasenfaktor $(-1)^{2k}$ ist Konvention, und verschiedene Autoren benutzen unterschiedliche Definitionen des reduzierten Matrixelements.

2.3.9 Die $6j$– und $9j$–Symbole

Die Kopplung von drei oder vier Drehimpulsen führt zur Definition der $6j$– und $9j$–Symbole, deren wichtigste Anwendung die Zerlegung von reduzierten Matrixelementen ist. Da sie in diesem Buch nicht oft verwendet werden, geben wir hier nur einen kurzen Überblick und verweisen, was deren Eigenschaften und Ableitung anbelangt, auf Bücher über die Theorie des Drehimpulses [Ro57, Ed60, Br68c, Va88].

Betrachten wir eine ungekoppelte Basis, die durch die einzelnen Quantenzahlen des Drehimpulses gemäß $|j_1 m_1, j_2 m_2, j_3 m_3\rangle$ gegeben ist. Der Gesamtdrehimpuls ist $\hat{J} = \hat{\boldsymbol{\jmath}}_1 + \hat{\boldsymbol{\jmath}}_2 + \hat{\boldsymbol{\jmath}}_3$ und sowohl sein Quadrat als auch die z–Komponente liefern gute Quantenzahlen. Weitere Quantenzahlen ergeben sich aus den Quadraten der Einzeldrehimpulse, und alle diese Operatoren kommutieren zusätzlich mit den Quadraten der Summe von zwei Drehimpulsen wie etwa $\hat{J}_{12}^2 = (\hat{\boldsymbol{\jmath}}_1 + \hat{\boldsymbol{\jmath}}_2)^2$. Auf jeden Fall aber gilt $[\hat{J}_{12}, \hat{J}_{23}] \neq 0$, so daß höchstens einer dieser Operatoren einer Zwischenkopplung diagonal sein kann. Wenn $\hat{J}_{12}^2$ diagonal gewählt wird, setzt sich die Konstruktion fort, indem zuerst $\hat{\boldsymbol{\jmath}}_1$ and $\hat{\boldsymbol{\jmath}}_2$ nach der Standardmethode gekoppelt werden:

$$|j_1 j_2 J_{12} M_{12}\rangle = \sum_{m_1 m_2} (j_1 j_2 J_{12}|m_1 m_2 M_{12})|j_1 m_1\rangle|j_2 m_2\rangle \tag{2.176}$$

und danach die zusätzliche Kopplung

$$|JM, (j_1 j_2) J_{12} j_3\rangle = \sum_{M_{12} m_3} (J_{12} j_3 J|M_{12} m_3 M)|j_1 j_2 J_{12} M_{12}\rangle|j_3 m_3\rangle \tag{2.177}$$

durchgeführt wird. Alternativ können auch zuerst $\hat{\boldsymbol{\jmath}}_2$ und $\hat{\boldsymbol{\jmath}}_3$ gekoppelt werden, was zur folgenden Konstruktion führt:

$$|j_2 j_3 J_{23} M_{23}\rangle = \sum_{m_2 m_3} (j_2 j_3 J_{23}|m_2 m_3 M_{23})|j_2 m_2\rangle|j_3 m_3\rangle \tag{2.178}$$

$$|JM, j_1(j_2 j_3) J_{23}\rangle = \sum_{M_{23} m_1} (j_1 J_{23} J|m_1 M_{23} M)|j_1 m_1\rangle|j_2 j_3 J_{23} M_{23}\rangle\ . \tag{2.179}$$

Es gibt also zwei verschiedene Sätze von Basiszuständen für das System dreier gekoppelter Drehimpulse, die über eine Transformation zusammenhängen müssen. Für die Koeffizienten dieser Transformation werden üblicherweise zwei Definitionen benutzt. Eine ist der *Racah–Koeffizient* W, der durch

$$W(j_1 j_2 J j_3; J_{12} J_{23}) = \sqrt{(2J_{12}+1)(2J_{23}+1)}\langle J, (j_1 j_2) J_{12} j_3|J, j_1(j_2 j_3) J_{23}\rangle \tag{2.180}$$

gegeben ist. Man beachte, daß in den Wellenfunktionen M weggelassen wurde, da sich W als unabhängig von M herausstellt. Der Normierungsfaktor ist nützlich, um W in eine symmetrischere Form zu bringen. Die Transformation lautet

$$|JM, (j_1 j_2) J_{12} j_3\rangle = \sum_{J_{23}} \sqrt{(2J_{12}+1)(2J_{23}+1)}W(j_1 j_2 J j_3; J_{12} J_{23})|JM, j_1(j_2 j_3) J_{23}\rangle\ . \tag{2.181}$$

Ein noch höherer Grad an Symmetrie wird von den $6j$–*Symbolen* erreicht, die als

$$\begin{Bmatrix} j_1 & j_2 & J_{12} \\ j_3 & J & J_{23} \end{Bmatrix} = (-1)^{j_1+j_2+J+j_3} W(j_1 j_2 J j_3; J_{12} J_{23}) \tag{2.182}$$

definiert sind.

Im Fall von vier Drehimpulsen geht man recht ähnlich vor. Man kann zum Beispiel j_1 und j_2 zu J_{12} sowie j_3 und j_4 zu J_{34} koppeln, um diese dann zum Gesamtdrehimpuls J zu vereinigen, andererseits erhält man J aus der Kopplung von J_{13} und J_{24}. Die Transformation zwischen diesen verschiedenen Arten der Kopplung ist durch die $9j$–*Symbole* gegeben, die als

$$\begin{aligned} &\langle J, (j_1 j_2) J_{12} (j_3 j_4) J_{34} | J, (j_1 j_3) J_{13} (j_2 j_4) J_{24} \rangle = \\ &\qquad \sqrt{(2J_{12}+1)(2J_{34}+1)(2J_{13}+1)(2J_{24}+1)} \begin{Bmatrix} j_1 & j_2 & J_{12} \\ j_3 & j_4 & J_{34} \\ J_{13} & J_{24} & J \end{Bmatrix} \end{aligned} \tag{2.183}$$

definiert sind. Man beachte, daß jede Spalte oder Zeile eine Drehimpulskopplung beschreibt. Das $9j$–Symbol ist auch unter dem Namen *Fano–X-Koeffizient* bekannt und wird dann $X(j_1 j_2 J_{12}, j_3 j_4 J_{34}, J_{13} J_{24} J)$ geschrieben.

Wie schon erwähnt, sind diese Symbole bei der Zerlegung von Matrixelementen von Tensoroperatoren sehr nützlich, was wir nun kurz diskutieren wollen.

Oft hat man es mit Wellenfunktionen und Tensoroperatoren zu tun, die sich auf verschiedene Teilsysteme beziehen. Zum Beispiel kann die Wellenfunktion aus einem Bahn- und einem Spinanteil bestehen, und auch der Operator kann eine Kopplung von Bahn- und Spinbeitrag sein. Ein anderes Beispiel sind zwei Teilchen, deren Drehimpuls gekoppelt wird und ein Operator, der aus dem Produkt zweier Operatoren besteht, von denen jeder nur auf ein Teilchen wirkt. Wir müssen dann Matrixelemente der Form $\langle j_1 j_2 J || \hat{T}^k || j_1' j_2' J' \rangle$ betrachten, wobei

$$\hat{T}^k = [\hat{R}^{k_1} \times \hat{S}^{k_2}]^k \tag{2.184}$$

und $\hat{R}$ auf Teilchen 1 mit j_1 und j_1' wirkt, während $\hat{S}$ sich auf Teilchen 2 bezieht, das durch j_2 und j_2' charakterisiert ist. Die folgende Formel erlaubt es, das Gesamtmatrixelement als Produkt von Matrixelementen der Teilsysteme auszudrücken:

$$\begin{aligned} \langle j_1 j_2 J || \hat{T}^k || j_1' j_2' J' \rangle &= \sqrt{(2J'+1)(2k+1)(2j_1+1)(2j_2+1)} \\ &\quad \times \begin{Bmatrix} J & J' & k \\ j_1 & j_1' & k_1 \\ j_2 & j_2' & k_2 \end{Bmatrix} \langle j_1 || \hat{R}^{k_1} || j_1' \rangle \langle j_2 || \hat{S}^{k_2} || j_2' \rangle \ . \end{aligned} \tag{2.185}$$

Im Spezialfall, daß einer der Operatoren die Identität ist, so daß z. B. $\hat{T} = \hat{S}$, muß das Matrixelement für Teilchen 2 diagonal sein, aber das Ergebnis hängt immer noch von der Drehimpulskopplung in den Wellenfunktionen ab. Der Ausdruck lautet dann

$$\begin{aligned} &\langle j_1 j_2 J || \hat{R}^k || j_1' j_2' J' \rangle = \\ &\qquad (-1)^{J+j_1'-k-j_2} \sqrt{(2J'+1)(2j_1+1)} W(j_1 j_1' J J'; k j_2) \langle j_1 || \hat{R}^k || j_1' \rangle \delta_{j_2 j_2'} \ . \end{aligned} \tag{2.186}$$

2.4 Der Isospin

Wie in Abschnitt 2.3.4 gezeigt wurde, hängen die Spinoperatoren eng mit den Generatoren der SU(2) zusammen, die unitäre Transformationen (mit Determinante +1) in einem zweidimensionalen Raum von Wellenfunktionen beschreibt. Deshalb ist es nicht überraschend, daß die Gruppe SU(2) und die Darstellungen des Spins eine Rolle spielen, wann immer man es — unabhängig von der physikalischen Interpretation — mit einem solchen Raum zu tun hat.

In der Kernphysik ist die interessanteste Anwendung die des *Isospins*. Proton und Neutron scheinen zwei Zustände desselben Teilchens zu sein, die im Rahmen der starken Wechselwirkung ununterscheidbar sind. Wenn vorerst als Näherung die Coulombkraft vernachlässigt wird, sollte deshalb die Physik der Kerne invariant unter Transformationen sein, die Protonen- und Neutronenzustände ineinander überführen. Mathematisch schreiben wir die Basiszustände „Proton" $|\mathrm{p}\rangle$ und „Neutron" $|\mathrm{n}\rangle$ als Basiszustände eines zweidimensionalen Raumes:

$$|\mathrm{p}\rangle = \begin{pmatrix} 1 \\ 0 \end{pmatrix} , \qquad |\mathrm{n}\rangle = \begin{pmatrix} 0 \\ 1 \end{pmatrix} . \tag{2.187}$$

Eine Transformation der SU(2) wird dann Protonen- und Neutronenzustände mischen, und weil die Struktur der Gruppe die gleiche ist, können wir alle Ergebnisse der Theorie des Drehimpulses übernehmen. Der Begriff „Isospin" wurde gewählt, um sowohl seine mathematische Verwandschaft als auch den Unterschied in der physikalischen Bedeutung zu dokumentieren (der Ausdruck ist von „Isotopen"-Spin abgeleitet).

Die Generatoren der Gruppe sind die *Isospinoperatoren* $\hat{\boldsymbol{t}} = \frac{1}{2}\hat{\boldsymbol{\tau}}$, wobei $\hat{\boldsymbol{\tau}}$ ein mit dem Paulivektor $\hat{\boldsymbol{\sigma}}$ identischer Matrizenvektor ist, für den nur eine andere Schreibweise gewählt wurde, um darauf hinzuweisen, daß es sich um verschiedene physikalische Freiheitsgrade handelt. Proton und Neutron müssen Eigenzustände von $\hat{t}_z$ in der zweidimensionalen Darstellung sein, die zum Isospin $\frac{1}{2}$ gehört. Dabei steht es einem frei, ob man für das Proton oder das Neutron den positiven Eigenwert wählt. In diesem Buch erhält das Proton — wie in den meisten kernphysikalischen Publikationen — die positive Isospinprojektion, so daß

$$\hat{t}_z|\mathrm{p}\rangle = \tfrac{1}{2}|\mathrm{p}\rangle , \qquad \hat{t}_z|\mathrm{n}\rangle = -\tfrac{1}{2}|\mathrm{n}\rangle . \tag{2.188}$$

Der Operator $\hat{t}^2$ hat die Eigenwerte $\frac{1}{2}(\frac{1}{2}+1) = \frac{3}{4}$, und $\hat{t}_x$ und $\hat{t}_y$ transformieren Protonen- in Neutronenzustände und umgekehrt, z. B.

$$\hat{t}_x|\mathrm{p}\rangle = \tfrac{1}{2}\begin{pmatrix} 0 & 1 \\ 1 & 0 \end{pmatrix}\begin{pmatrix} 1 \\ 0 \end{pmatrix} = \tfrac{1}{2}\begin{pmatrix} 0 \\ 1 \end{pmatrix} = \tfrac{1}{2}|\mathrm{n}\rangle . \tag{2.189}$$

Ein Hamiltonoperator ist isospininvariant, wenn er mit dem Operator $\hat{\boldsymbol{t}}$ kommutiert. Dies ist sogar noch etwas allgemeiner als bei der anfänglichen Überlegung: Der Hamiltonoperator wird dann invariant unter *jeder* endlichen Drehung im Isospinraum sein, so daß auch jede Mischung von Protonen- und Neutronenzuständen vorkommt, während in der Natur nur die Eigenzustände von $\hat{t}_z$, also das Proton und das Neutron auftreten. Trotzdem ist die Forderung nach dieser allgemeineren Invarianz recht erfolgreich, und es gibt keinen Grund, spezielle Transformationen zu betrachten, die Proton und Neutron nur *vertauschen*. Da der Isospin kein Drehimpuls ist, ist der Dimensionsfaktor $\hbar$ nicht erforderlich, so daß er in keiner Formel auftaucht.

Natürlich wäre der Isospinformalismus ziemlich unnütz, würde man nur diese eine Darstellung für Isospin $\frac{1}{2}$ betrachten. Es gibt aber eine brauchbare Erweiterung des Konzepts der Drehimpulskopplung auf den Isospin. Mathematisch geht man auf genau dieselbe Weise vor, indem man die gleichen Clebsch–Gordan–Koeffizienten verwendet. Wenn ein System aus A Nukleonen besteht, ist der *Gesamtisospin* definiert als

$$\hat{\boldsymbol{T}} = \sum_{i=1}^{A} \hat{\boldsymbol{t}}_i \ . \tag{2.190}$$

Isospininvarianz des Hamiltonoperators heißt, daß er mit $\hat{\boldsymbol{T}}$ kommutiert, seine Eigenzustände sich also nach Darstellungen analog zu $\mathcal{D}^j$ klassifizieren lassen, wenn man j durch t ersetzt. Wenn λ für alle übrigen Quantenzahlen des Kerns steht, erfüllen seine Eigenzustände

$$\hat{T}^2|tt_z\lambda\rangle = t(t+1)|tt_z\lambda\rangle \ , \qquad \hat{T}_z|tt_z\lambda\rangle = t_z|tt_z\lambda\rangle \ . \tag{2.191}$$

Wie beim Drehimpuls ist der Eigenwert der Projektion einfach die Summe der Projektionen für die einzelnen Nukleonen. Da jede mit $+\frac{1}{2}$ (Proton) oder $-\frac{1}{2}$ (Neutron) beiträgt, ist sie

$$t_z = \tfrac{1}{2}(Z - N) \ . \tag{2.192}$$

Die Eigenzustände zu unterschiedlichen t_z entsprechen deshalb Kernen mit derselben Nukleonenzahl, aber verschiedenen Verhältnissen von Protonen zu Neutronen. Wenn der Hamiltonoperator isospininvariant ist, müssen diese dieselbe Energie haben, da die Isospin–Schiebeoperatoren mit $\hat{H}$ kommutieren, und wir erhalten die Vorhersage, daß in einer Kette isobarer Kerne *analoge Zustände* mit der gleichen internen Struktur existieren sollten. Solche Zustände findet man tatsächlich in leichten Kernen, bei denen Coulombeffekte vernachlässigbar sind. Sie sind als *isobare Analogzustände* bekannt.

Zu welcher Art von Multiplett ein solcher Zustand gehört, hängt von den Werten von Z und N des Kerns ab. Ein symmetrischer Kern zum Beispiel hat eine Isospinprojektion von null und kann deshalb zu jedem Isospinmultiplett gehören. Das einfachste ist das Singlett mit Isospin null, für welches es keine analogen Zustände in benachbarten Isobaren gibt. Allgemein benötigt ein Zustand in einem Kern (Z, N) einen Isospin von

$$t \geq t_z = \tfrac{1}{2}(Z - N) \ . \tag{2.193}$$

Ein weiterer Vorteil des Isospin–Formalismus ist, daß alle Nukleonen in derselben Weise behandelt werden können. Wenn Protonen und Neutronen getrennt gehalten würden, müßte man die Wellenfunktionen für jede Art von Teilchen getrennt antisymmetrisieren, wobei für den Austausch eines Protons mit einem Neutron keine Antisymmetrie angenommen werden dürfte, da es sich um unterschiedliche Teilchen handelt. Der Isospin jedoch erlaubt es uns, sie als gleiche Teilchen zu behandeln, wenn die Bedingung hinzugefügt wird, daß die Wellenfunktion, Isospinabhängigkeit inklusive, antisymmetrisch sein soll.

2.6 Beispiel: Das Zwei–Nukleonen–System

Für den Isospinanteil der Wellenfunktion besteht die ungekoppelte Basis aus den vier Zuständen

$$|p_1\rangle|p_2\rangle\ , \qquad |p_1\rangle|n_2\rangle\ , \qquad |n_1\rangle|p_2\rangle\ , \qquad |n_1\rangle|n_2\rangle\ , \tag{1}$$

wobei sich die Indizes 1 und 2 auf die beiden Teilchen beziehen. Durch Anwendung der Ergebnisse für den Drehimpuls erhält man die gekoppelte Basis

$$|t=0,t_z=0\rangle = \tfrac{1}{\sqrt{2}}(|p_1\rangle|n_2\rangle - |n_1\rangle|p_2\rangle) \tag{2}$$

$$|t=1,t_z=0\rangle = \tfrac{1}{\sqrt{2}}(|p_1\rangle|n_2\rangle + |n_1\rangle|p_2\rangle) \tag{3}$$

$$|t=1,t_z=1\rangle = |p_1\rangle|p_2\rangle \tag{4}$$

$$|t=1,t_z=-1\rangle = |n_1\rangle|n_2\rangle\ . \tag{5}$$

Die Zustände mit Gesamtisospin $t=1$ sind offensichtlich symmetrisch bezüglich des Austauschs zweier Teilchen, während Zustände mit Isospin $t=0$ antisymmetrisch sind. Folglich müssen der Spin– und der Bahnanteil entgegengesetzte Symmetrie haben, damit die Gesamtwellenfunktion antisymmetrisch wird. Die Isospininvarianz der starken Wechselwirkung bedeutet, daß letztere nicht von der Isospinprojektion abhängen darf, so daß die Systeme p–p und n–n ein ähnliches Verhalten zeigen sollten. Beim p–n–System müßte sich zwar die symmetrische Komponente genauso verhalten, aber die antisymmetrische mit Isospin 0 kann gänzlich andere Streueigenschaften haben. Also sagt Isospininvarianz *nicht* voraus, daß das p–n–System sich genauso verhält wie p–p– und n–n–Systeme (Änderungen aufgrund von Coulombeffekten wurden bei dieser Diskussion ohnehin vernachlässigt).

Zum Schluß sollten wir noch die nützliche Formel erwähnen, die die Ladung von Nukleonen oder von Kernen in Abhängigkeit vom Isospin angibt. Da das Proton die Ladung $+e$ und das Neutron die Ladung null hat, erhält man sie, indem einfach $\frac{1}{2}$ zum Eigenwert der Isospinprojektion addiert und mit e multipliziert wird, so daß der Ladungsoperator für ein Nukleon

$$\hat{q} = e(\hat{t}_z + \tfrac{1}{2}) \tag{2.194}$$

lautet und analog für einen Kern

$$\hat{Q} = e(\hat{T}_z + \tfrac{1}{2}A)\ . \tag{2.195}$$

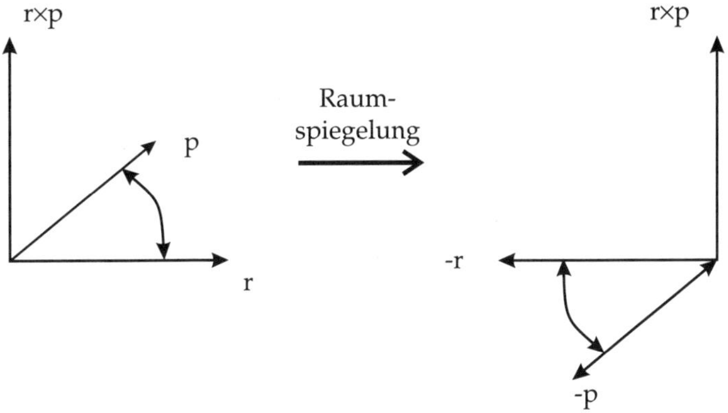

Abb. 2.3: Verhalten eines axialen Vektors bei einer Raumspiegelung: Das Vektorprodukt $r \times p$ bleibt unverändert, wenn sowohl r als auch p invertiert werden.

2.5 Die Parität

2.5.1 Definition

Die Operation der Rauminversion ist durch die Vorschriften

$$\boldsymbol{r} \to -\boldsymbol{r} \ , \qquad \boldsymbol{p} \to -\boldsymbol{p} \ , \qquad \boldsymbol{s} \to \boldsymbol{s} \ , \qquad t \to t \tag{2.196}$$

definiert. Der Grund, den Spinvektor nicht zu invertieren, ist, daß er als Drehimpuls einem Vektorprodukt entspricht. Wenn die beiden Vektoren, aus denen das Vektorprodukt gebildet wird, invertiert werden, zeigt der resultierende Vektor wegen der Rechte–Hand–Regel wieder in dieselbe Richtung wie zuvor (s. Abb. 2.3). Es gibt also zwei Arten von Vektoren: elementare wie $\boldsymbol{r}$ und $\boldsymbol{p}$, die *polare Vektoren* genannt werden, und *axiale Vektoren* wie die Drehimpulse, die als Drehung oder als Vektorprodukt definiert sind und ihr Vorzeichen bei einer Raumspiegelung nicht ändern. Bezeichnet man den Operator der Raumspiegelung als $\hat{P}$, so können wir (2.196) auch als

$$\hat{P}\boldsymbol{r} = -\boldsymbol{r} \ , \qquad \hat{P}\boldsymbol{p} = -\boldsymbol{p} \ , \qquad \hat{P}\boldsymbol{s} = \boldsymbol{s} \ , \qquad \hat{P}t = t \tag{2.197}$$

schreiben. Der Operator $\hat{P}$ wirkt in ähnlicher Weise auf Wellenfunktionen wie die kontinuierlichen Transformationen des vorigen Abschnitts: Die transformierte Wellenfunktion am neuen Punkt nimmt denselben Wert an wie die alte Wellenfunktion am alten Punkt:

$$(\hat{P}\psi)(\hat{P}\boldsymbol{r}) = \psi(\boldsymbol{r}) \ , \tag{2.198}$$

und da $\hat{P}$ sein eigenes Inverses sein muß ($\hat{P}^2$ ist einfach 1), gilt auch

$$\hat{P}\psi(\boldsymbol{r}) = \psi(-\boldsymbol{r}) \ . \tag{2.199}$$

Wie bei Translationen und Drehungen muß der Hamiltonoperator wieder mit $\hat{P}$ kommutieren, wenn er invariant unter Raumspiegelung ist, und die Wellenfunktion kann als Eigenzustand sowohl von $\hat{H}$ als auch von $\hat{P}$ gewählt werden. Wenn wir den Eigenwert von $\hat{P}$ mit π bezeichnen, können wir schreiben

$$\psi(-\boldsymbol{r}) = \hat{P}\psi(\boldsymbol{r}) = \pi\psi(\boldsymbol{r}) \, , \tag{2.200}$$

und bei nochmaliger Anwendung von $\hat{P}$ ergibt sich

$$\psi(\boldsymbol{r}) = \hat{P}^2\psi(\boldsymbol{r}) = \pi^2\psi(\boldsymbol{r}) \, . \tag{2.201}$$

Die *Paritätsquantenzahl* kann also nur die Werte ± 1 annehmen.

2.5.2 Vektorfelder

Ähnlich wie im Fall des Drehimpulses muß die Definition der Parität für Vektorfelder eingehender untersucht werden. Wenn wir es mit einem einzigen Vektor, wie dem Orts- oder dem Impulsvektor zu tun haben, ist klar, daß dieser invertiert wird, wenn es sich um einen polaren Vektor handelt, während ein axialer Vektor gleich bleibt. Bei einem Vektorfeld gilt dasselbe *an jedem Punkt*, und zusätzlich muß seine Abhängigkeit von den Koordinaten untersucht werden.

Damit zum Beispiel ein polares Vektorfeld $\boldsymbol{A}(\boldsymbol{r})$ gute Parität hat, müssen alle Komponenten

$$A_x(\boldsymbol{r}) = \pi_r A_x(-\boldsymbol{r}) \, , \qquad A_y(\boldsymbol{r}) = \pi_r A_y(-\boldsymbol{r}) \, , \qquad A_z(\boldsymbol{r}) = \pi_r A_z(-\boldsymbol{r}) \tag{2.202}$$

erfüllen, wobei π_r die *äußere Parität* ist, während die Gesamtparität noch den zusätzlichen Faktor -1 enthält, der die *innere Parität* des polaren Vektorfeldes beschreibt. Dessen Gesamtparität π ist dann durch $-\pi_r$ gegeben und die eines axialen Vektorfeldes durch π_r, so daß man ein polares Feld mit Hilfe der Bedingung

$$-\boldsymbol{A} = \boldsymbol{A}(-\boldsymbol{r}) \tag{2.203}$$

definieren kann und ein axiales Vektorfeld über

$$\boldsymbol{A} = \boldsymbol{A}(-\boldsymbol{r}) \, . \tag{2.204}$$

Als Beispiel betrachten wir das Ortsvektorfeld $\hat{r}$. Seine Komponenten $x(\boldsymbol{r})$, $y(\boldsymbol{r})$ und $z(\boldsymbol{r})$ haben eine negative äußere Parität, so daß wegen der zusätzlichen negativen Parität aufgrund des polaren Charakters des Vektors $\boldsymbol{r}$ die Gesamtparität $+1$ beträgt. Dies stimmt mit dem reflexionsinvarianten Charakter des Feldes überein, den man feststellt, wenn man es aufzeichnet. Das Beispiel zeigt auch, daß die Unterscheidung einzelner Vektoren von Vektorfeldern sehr wichtig ist: Der Vektor $\boldsymbol{r}$ selbst hat nur die innere Parität −1. Man denke an die analoge Betrachtung in Abschnitt 2.3.7, bei der es um den Drehimpuls des Feldes $\boldsymbol{r}$ ging.

Manche Autoren benutzen π_r als Gesamtparität, was bei physikalischen Berechnungen natürlich auf dasselbe Endergebnis führt, wenn man konsistent bei dieser Wahl bleibt. Meistens wird nur die Parität von Skalarprodukten gebraucht, und wenn die Vektorfelder von gleichem Typ sind, werden sich ihre inneren Paritäten gegenseitig aufheben, so daß die Parität des Produktes sowieso nur von der äußeren Parität bestimmt wird.

2.6 Die Zeitumkehr

Obwohl sowohl die Coulomb- als auch die starke Wechselwirkung invariant unter Zeitumkehr sind, spielt diese Symmetrie in der Kernstrukturphysik nur eine untergeordnete Rolle (für Reaktionen ist sie sehr viel wichtiger, da hier die Prozesse mit umgekehrter Zeitrichtung von grundlegendem Interesse sind). Die Zeitumkehr ist durch

$$\boldsymbol{r} \to \boldsymbol{r}\,, \qquad \boldsymbol{p} \to -\boldsymbol{p}\,, \qquad \boldsymbol{s} \to -\boldsymbol{s}\,, \qquad t \to -t \tag{2.205}$$

definiert. Eine Anwendung ist, die funktionale Form von Hamiltonoperatoren einzuschränken. Zum Beispiel darf ein Term wie $\boldsymbol{r}\cdot\boldsymbol{p}$ nicht vorkommen. In diesem Buch jedoch wird die Zeitumkehr hauptsächlich in der Theorie des Pairing (Abschnitt 7.5) angewendet, so daß der Leser diesen Abschnitt bis dahin zurückstellen kann.

Die Zeitumkehr hat, verglichen mit den übrigen besprochenen Symmetrien, ungewöhnliche Eigenschaften. Der Kommutator zwischen Ort und Impuls sollte sich bei Benutzung der Definition (2.205) gemäß

$$\mathrm{i}\hbar = [x, p_x] \to [x, -p_x] = -\mathrm{i}\hbar \tag{2.206}$$

transformieren. Das heißt aber, die Konstante $\mathrm{i}\hbar$ ändert bei Zeitumkehr ihr Vorzeichen! Die einzige Möglichkeit, dies zu erreichen ist, anzunehmen, daß die Zeitumkehr komplexe Konjugation beinhaltet. Dies erscheint auch bei Betrachtung der zeitabhängigen Schrödingergleichung

$$\mathrm{i}\hbar\frac{\partial}{\partial t}\psi(\boldsymbol{r},t) = \hat{H}\psi(\boldsymbol{r},t) \tag{2.207}$$

vernünftig. Da $\hat{H}$ sich bei Zeitumkehr nicht ändern darf, behält die Gleichung ihre Form, wenn die Vorzeichenänderung von t durch die Änderung des Vorzeichens von $\mathrm{i}\hbar$ ausgeglichen wird.

Als Folge davon kann der Zeitumkehroperator $\hat{\mathcal{T}}$ nicht unitär sein, da er nicht einmal ein linearer Operator ist. Ein linearer Operator kommutiert mit einer beliebigen c–Zahl, so daß man

$$\hat{\mathcal{T}}\mathrm{i}\hbar\hat{\mathcal{T}}^{-1} = \mathrm{i}\hbar\hat{\mathcal{T}}\hat{\mathcal{T}}^{-1} = \mathrm{i}\hbar \tag{2.208}$$

erhalten sollte, was nicht die notwendige komplexe Konjugation gestatten würde. Operatoren mit der Eigenschaft $\hat{\mathcal{T}}\alpha = \alpha^*\hat{\mathcal{T}}$ heißen *antilineare Operatoren.*

Bei der Konstruktion der Eigenzustände von $\hat{\mathcal{T}}$ muß man sehr vorsichtig sein, weil viele der sonst benutzten Operatoreigenschaften nicht gelten. Nehmen wir an, daß $|A\rangle$ ein Eigenzustand von $\hat{\mathcal{T}}$ mit dem Eigenwert A ist. Anwendung von $\hat{\mathcal{T}}^2$ liefert dann

$$\hat{\mathcal{T}}^2|A\rangle = \hat{\mathcal{T}}A|A\rangle = A^*\hat{\mathcal{T}}|A\rangle = |A|^2|A\rangle \ , \tag{2.209}$$

und da die Definition der Zeitumkehr zeigt, daß noch immer $\hat{\mathcal{T}}^2 = 1$ erfüllt ist, muß es einen Winkel ϕ_A geben, so daß

$$A = \exp \mathrm{i}\phi_A \ . \tag{2.210}$$

Der Winkel hängt von der für den Eigenzustand gewählten Phase ab. Wenn $|A\rangle$ durch einen neuen Zustand

$$|A'\rangle = \mathrm{e}^{\frac{1}{2}\mathrm{i}\phi_A}|A\rangle \ , \tag{2.211}$$

ersetzt wird, ändert sich auch der Eigenwert:

$$\hat{\mathcal{T}}|A'\rangle = \hat{\mathcal{T}}\mathrm{e}^{\frac{1}{2}\mathrm{i}\phi_A}|A\rangle = \mathrm{e}^{-\frac{1}{2}\mathrm{i}\phi_A}\hat{\mathcal{T}}|A\rangle = \mathrm{e}^{-\frac{1}{2}\mathrm{i}\phi_A}\mathrm{e}^{\mathrm{i}\phi_A}|A\rangle = |A'\rangle \ . \tag{2.212}$$

Es ist also möglich, durch Änderung der Phase den Eigenwert von $\hat{\mathcal{T}}$ gleich eins zu machen, und man sollte sich merken, daß die Eigenschaften der Zeitumkehr sehr eng mit der Phase von Wellenfunktionen verknüpft sind.

Für die Kernphysik ist die Beziehung von Drehimpuls und Zeitumkehr interessant. Da $\hat{\mathcal{T}}$ des Vorzeichen von $\hat{\boldsymbol{J}}$ ändert, kommutiert er mit $\hat{J}^2$, aber nicht mit $\hat{J}_z$. Wenn er mit einer Drehung $\mathcal{R}$ kombiniert wird, die die Richtung der z–Achse umdreht, vertauscht er mit beiden:

$$[\mathcal{R}\hat{\mathcal{T}}, \hat{J}^2] = 0 \ , \qquad [\mathcal{R}\hat{\mathcal{T}}, \hat{J}_z] = 0 \ , \tag{2.213}$$

und $\mathcal{R}\hat{\mathcal{T}}$ kann in der üblichen Drehimpulsbasis diagonalisiert werden. Die möglichen Eigenwerte müssen mit demselben Argument wie für $\hat{\mathcal{T}}$ die Form $\mathrm{e}^{\mathrm{i}\phi_A}$ haben und können wieder durch Änderung der Phase der Wellenfunktion gleich eins gemacht werden. Bezeichnen wir alle übrigen Quantenzahlen mit α, so können wir ein System von Eigenfunktionen $|\alpha JM\rangle$ annehmen, so daß zusätzlich zu den üblichen Beziehungen für die Drehimpulseigenwerte

$$\mathcal{R}\hat{\mathcal{T}}|\alpha JM\rangle = |\alpha JM\rangle \tag{2.214}$$

gilt. Dazu ist eine spezielle Wahl für die Phase der Basisfunktionen nötig.

Die Drehung $\mathcal{R}$ ist beliebig, bis auf die Bedingung, daß sie die z–Achse invertiert. Gewöhnlich wählt man eine Drehung um den Winkel π um die y–Achse: $\mathcal{R} = R_y(\pi)$. Die Wirkung von $R_y(\pi)$ auf die Wellenfunktion kann aus den Drehmatrizen gewonnen werden:

$$\langle \alpha' JM' | R_y(\pi) | \alpha JM \rangle = d^J_{M'M}(\pi)\delta_{\alpha\alpha'} = (-1)^{J-M}\delta_{M-M'}\delta_{\alpha\alpha'} \ , \tag{2.215}$$

so daß

$$R_y(\pi)^{-1} | \alpha JM \rangle = (-1)^{J-M} | \alpha J - M \rangle \ , \tag{2.216}$$

und da $\mathcal{R}\hat{\mathcal{T}}$ den Eigenwert 1 hat, folgt daraus

$$\hat{\mathcal{T}} | \alpha JM \rangle = R_y(\pi)^{-1} (\mathcal{R}\hat{\mathcal{T}} | \alpha JM \rangle = (-1)^{J-M} | \alpha J - M \rangle \ . \tag{2.217}$$

Wir wollen nun die Wirkung von $(\mathcal{R}\hat{\mathcal{T}})^2$ untersuchen. Einerseits gilt, da sein Eigenwert eins ist,

$$(\mathcal{R}\hat{\mathcal{T}})^2 | \alpha JM \rangle = | \alpha JM \rangle \ . \tag{2.218}$$

Andererseits kommutiert $\mathcal{R}$ mit $\hat{\mathcal{T}}$, weil die endliche Drehung $R_y(\pi)$ durch $\exp(\mathrm{i}\pi \hat{J}_y)$ gegeben ist und $\hat{\mathcal{T}}$ sowohl das Vorzeichen von $\hat{J}_y$ als auch das des imaginären Faktors $\mathrm{i}\pi$ umdreht. Wir können also schreiben:

$$(\mathcal{R}\hat{\mathcal{T}})^2 | \alpha JM \rangle = \mathcal{R}^2 \hat{\mathcal{T}}^2 | \alpha JM \rangle = R_y(2\pi) \hat{\mathcal{T}}^2 | \alpha JM \rangle \ . \tag{2.219}$$

$R_y(2\pi)$ ist nun $+1$ für Teilchen mit ganzzahligem und -1 für Teilchen mit halbzahligem Spin. Deshalb muß gelten

$$\hat{\mathcal{T}}^2 = \begin{cases} +1 & \text{für ganzzahligen Spin.} \\ -1 & \text{für halbzahligen Spin.} \end{cases} \tag{2.220}$$

$\hat{\mathcal{T}}^2$ kann aber nur den Eigenwert $+1$ haben, da aus den Eigenwerten von $\hat{\mathcal{T}}$ folgt, daß, wenn $\hat{\mathcal{T}} | A \rangle = \mathrm{e}^{\mathrm{i}\phi_A} | A \rangle$ ist, auch

$$\hat{\mathcal{T}}^2 | A \rangle = \hat{\mathcal{T}} \mathrm{e}^{\mathrm{i}\phi_A} | A \rangle = \mathrm{e}^{-\mathrm{i}\phi_A} \hat{\mathcal{T}} | A \rangle = | A \rangle \tag{2.221}$$

sein muß. Bei ganzzahligem Spin ergibt sich also kein Problem: Beide Argumente zeigen, daß für Eigenvektoren von $\hat{\mathcal{T}}$ der Eigenwert von $\hat{\mathcal{T}}^2$ gleich $+1$ ist. Bei halbzahligem Spin allerdings tritt ein Vorzeichenkonflikt auf. Die Lösung dieses Problems ist, daß es in diesem Fall keine Eigenvektoren von $\hat{\mathcal{T}}$ gibt, oder, anders ausgedrückt, $\hat{\mathcal{T}} | A \rangle$ immer linear unabhängig von $| A \rangle$ ist. Da der Hamiltonoperator zeitumkehrinvariant ist und deshalb mit $\hat{\mathcal{T}}$ kommutiert, sind $| A \rangle$ und $\hat{\mathcal{T}} | A \rangle$ zwei linear unabhängige, aber entartete Eigenzustände von $\hat{H}$.

Dieses allgemeine Ergebnis kann folgendermaßen umformuliert werden: Wenn der Hamiltonoperator eines aus einer ungeraden Anzahl von Fermionen bestehenden Systems (das deshalb halbzahligen Spin hat) zeitumkehrinvariant ist, sind seine Eigenzustände immer zweifach entartet, und die beiden Zustände gehen durch Zeitumkehr auseinander hervor. Dies nennt man *Kramers–Entartung*. Eine typische Anwendung dafür sind mikroskopische Kernmodelle, bei denen es immer zwei entartete Einteilchenwellenfunktionen mit entgegengesetzten Werten der Drehimpulsprojektion gibt.

2.7 Aufgabe: Der Zeitumkehroperator für Spinoren mit Spin $\frac{1}{2}$

Wie lautet die explizite Form des Zeitumkehroperators für Spinoren mit Spin $\frac{1}{2}$?

Lösung:

Entsprechend (2.217) wirkt die Zeitumkehr auf einen Spinor $|\sigma\rangle$ mit $\sigma = \pm\frac{1}{2}$ als

$$\hat{T}|\sigma\rangle = (-1)^{(\frac{1}{2}-\sigma)}|-\sigma\rangle \qquad \underline{1}$$

oder

$$\hat{T}|\tfrac{1}{2}\rangle = |-\tfrac{1}{2}\rangle\,, \qquad \hat{T}|-\tfrac{1}{2}\rangle = -|\tfrac{1}{2}\rangle\;. \qquad \underline{2}$$

Dies kann einfach als Matrixoperator umformuliert werden:

$$\hat{T} = \begin{pmatrix} 0 & -1 \\ 1 & 0 \end{pmatrix} = -\mathrm{i}\sigma_y\;. \qquad \underline{3}$$

Angesichts der Definition der Phasen mit Hilfe von Drehungen um die y–Achse ist es nicht überraschend, daß die Paulimatrix σ_y im Ergebnis auftaucht.

Kapitel 3

Die zweite Quantisierung

3.1 Allgemeiner Formalismus

3.1.1 Motivation

Der Apparat der zweiten Quantisierung bietet große Vorteile bei der Behandlung von Vielkörpersystemen. Obwohl in der Kernphysik die Gesamtzahl der Teilchen meist konstant ist (in der Niederenergiekernphysik sind die wichtigsten Teilchen, die erzeugt oder vernichtet werden können, die Photonen und — wenn man den Begriff „Teilchen“ weiter faßt, die Phononen), bietet der Formalismus doch eine elegantere Berücksichtigung der Austauschsymmetrien und erlaubt auch die Formulierung des sehr nützlichen *Teilchen–Loch–Bildes* für Anregungszustände.

In diesem Abschnitt werden zunächst die mathematischen Strukturen motiviert, indem wir uns überlegen, welche Operatoren man zum Erzeugen oder Vernichten von Teilchen braucht; dann werden die geeigneten Vertauschungsrelationen entwickelt und schließlich der Formalismus so weit ausgebaut, wie für dieses Buch nötig.

Der einfachste Ausgangspunkt ist ein System nichtwechselwirkender Teilchen. „Nichtwechselwirkend“ bedeutet, daß der Hamiltonoperator des Gesamtsystems eine Summe von Hamiltonoperatoren für die einzelnen Teilchen ist: Es gibt keine Wechselwirkungsterme, die von den Koordinaten mehr als eines Teilchens abhängen. Für einen solchen Hamiltonoperator

$$\hat{H} = \sum_{i=1}^{A} \hat{h}(\boldsymbol{r}_i, \hat{p}_i) \tag{3.1}$$

kann man einen Eigenzustand leicht als Produkt von Einteilchenzuständen angeben. Wenn wir eine Menge von Einteilchenwellenfunktionen $\psi_k(\boldsymbol{r})$ kennen, die $\hat{h}(\boldsymbol{r}, \hat{p})\psi_k(\boldsymbol{r}) = \epsilon_k \psi_k(\boldsymbol{r})$ erfüllen, dann ist ein Produktzustand von der Form

$$\Psi(\boldsymbol{r}_1, \ldots \boldsymbol{r}_A) = \psi_{k_1}(\boldsymbol{r}_1) \cdots \psi_{k_A}(\boldsymbol{r}_A) \tag{3.2}$$

ein Eigenzustand von $\hat{H}$ mit

$$\hat{H}\Psi = E\Psi \ , \qquad E = \sum_{k=1}^{A} \epsilon_k \ . \tag{3.3}$$

Das ist aber noch nicht die physikalisch korrekte Lösung, weil diese Vielteilchenwellenfunktion immer noch symmetrisiert (für Bosonen) bzw. antisymmetrisiert werden muß (für Fermionen), um sicherzustellen, daß sich die Wellenfunktionen bei Austausch zweier Teilchen höchstens im Vorzeichen ändert. Damit ergibt sich für A Fermionen die *Slater–Determinante*

$$\Psi(\boldsymbol{r}_1, \boldsymbol{r}_2, \ldots \boldsymbol{r}_A) = \frac{1}{\sqrt{A!}} \sum_\pi (-1)^\pi \prod_{k=1}^{A} \psi_k(\boldsymbol{r}_{k_\pi}) \,, \tag{3.4}$$

wobei π eine Permutation der Indizes $i = 1, \ldots, A$ und $(-1)^\pi$ deren Vorzeichen ist, d. h. $+1$ für gerade und -1 für ungerade Permutationen. Die Permutation verändert den Index i in i_π. Für Bosonen wird dieses Vorzeichen weggelassen. Die Summe läuft über alle Permutationen der A Indizes, und der Normierungsfaktor resultiert einfach aus der Anzahl auftretender Terme, von denen jeder einzelne normiert ist. Offensichtlich ist der direkte Umgang mit Wellenfunktionen dieser Form relativ aufwendig.

Andererseits ist aber auch klar, daß in diesen Ausdrücken eine Menge überflüssiger Information steckt. In der Quantenmechanik ist die Information darüber, welches Teilchen in welchem Zustand sitzt, wegen der Ununterscheidbarkeit bedeutungslos, so daß ein besserer Formalismus diese Information gar nicht mehr explizit benutzen sollte. Die *einzige* sinnvolle Information ist, wie viele Teilchen in jedem der Einteilchenzustände $\psi_i(\boldsymbol{r})$ sitzen. Wenn wir dies die *Besetzungszahl* n_i nennen, so können wir den Vielteilchenzustand eindeutig als abstrakten Vektor im *Besetzungszahlraum* gemäß

$$|\Psi\rangle = |n_1, n_2, \ldots, n_A\rangle \tag{3.5}$$

angeben. Der Raum dieser abstrakten Vektoren heißt *Fock–Raum*. Jede der Besetzungszahlen n_i kann die Werte 0 und 1 für Fermionen bzw. $0 \ldots \infty$ für Bosonen annehmen.

Betrachten wir nun als einfachsten Fall den einer einzigen Einteilchenwellenfunktion, die zur Besetzung freisteht. Damit sind die Vielteilchenzustände nur durch eine einzige Besetzungszahl n charakterisiert, und die entsprechenden Zustände können einfach mit $|n\rangle$ bezeichnet werden. Als nächstes werden Operatoren zur Änderung von n gebraucht; versuchen wir erst einmal die einfache Definition

$$|n-1\rangle = \hat{c}|n\rangle \,. \tag{3.6}$$

Die Normierung der Zustände verlangt dann

$$1 = \langle n-1|n-1\rangle = \langle n|\hat{c}^+\hat{c}|n\rangle \tag{3.7}$$

und zeigt gleichzeitig, daß der Operator $\hat{c}^+\hat{c}$ nur diagonal nichtverschwindende Matrixelemente besitzt, die auch noch alle gleich eins sein müssen. Dies sieht zwar vielversprechend einfach aus, bringt aber Probleme bei $n = 0$, denn wenn man den

Operator $\hat{c}$ auf $|0\rangle$ anwendet, erhält man einen normierten Zustand $|-1\rangle$ mit negativer Besetzungszahl, was physikalisch offensichtlich unsinnig ist. Vernünftig wäre es dagegen, wenn man $\hat{c}|0\rangle = 0$ verlangte, so daß die Konstruktion von Zuständen mit abnehmender Besetzungszahl bei $n = 0$ aufhört. Dann müßte aber $\hat{c}^+\hat{c}$ für den Zustand $|0\rangle$ den Eigenwert 0 haben, und die vorläufige Definition des Operators $\hat{c}$ ist so nicht befriedigend.

Einen natürlichen Ausweg aus diesem Dilemma bietet die Annahme, daß der Eigenwert von $\hat{c}^+\hat{c}$ nicht eins, sondern n ist, so daß die obige Schwierigkeit behoben ist (und gleichzeitig ein einfacher Operator für die Besetzungszahl gewonnen wurde). Dann kann aber der Zustand $\hat{c}|n\rangle$ nicht mehr normiert sein, und man erhält stattdessen

$$\langle n|\hat{c}^+\hat{c}|n\rangle = n \ , \tag{3.8}$$

so daß die neue Definition des Operators

$$\hat{c}|n\rangle = \sqrt{n}|n-1\rangle \tag{3.9}$$

sein muß. Als Matrixelement geschrieben ist das

$$\langle n-1|\hat{c}|n\rangle = \sqrt{n} \ , \tag{3.10}$$

wobei stillschweigend angenommen wurde, daß alle anderen Matrixelemente verschwinden.

Für den hermitisch konjugierten Operator gilt dann

$$\langle n|\hat{c}^+|n-1\rangle = \sqrt{n} \ , \tag{3.11}$$

und offensichtlich erhöht $\hat{c}^+$ die Teilchenzahl um eins, während $\hat{c}$ sie um eins erniedrigt. Zur Vervollständigung müssen nur noch die Vertauschungsrelation zwischen $\hat{c}$ und $\hat{c}^+$ angegeben werden. Für beliebige n muß gelten

$$\begin{aligned} \langle n|[\hat{c},\hat{c}^+]|n\rangle &= \langle n|\hat{c}\hat{c}^+|n\rangle - \langle n|\hat{c}^+\hat{c}|n\rangle \\ &= (n+1) - n \\ &= 1 \ , \end{aligned} \tag{3.12}$$

so daß die Vertauschungsrelationen lauten müssen

$$[\hat{c},\hat{c}^+] = 1 \ , \qquad [\hat{c},\hat{c}] = 0 \ , \qquad [\hat{c}+,\hat{c}+] = 0 \ . \tag{3.13}$$

Die beiden letzteren Relationen sind natürlich trivial, aber mit Blick auf das Kommende hinzugefügt.

Verlassen wir jetzt den Fall eines einzigen Einteilchenzustandes und nehmen wieder einen Satz von Einteilchenwellenfunktionen $\psi_k(\boldsymbol{r})$ an. Die Operatoren zur Manipulation der Besetzungszahl müssen dann auch diesen Index erhalten, so daß $\hat{c}_k$ die Anzahl der Teilchen im Zustand $\psi_k(\boldsymbol{r})$ um eins absenkt. Für Bosonen ist die Reihenfolge, in der die Teilchen in die Zustände gepackt werden, unwichtig, so daß Operatoren mit unterschiedlichem Index kommutieren müssen. Damit gilt

$$[\hat{c}_i, \hat{c}_j^+] = \delta_{ij} \; , \qquad [\hat{c}_i, \hat{c}_j] = 0 \; , \qquad [\hat{c}_i^+, \hat{c}_j^+] = 0 \; . \tag{3.14}$$

Bisher erscheint es, als ob man dieselben Operatoren für Fermionen wie für Bosonen verwenden könne, wenigstens im Fall eines Einteilchenzustandes. Das stimmt aber nicht, denn so wie bisher angesetzt, würde der Operator $\hat{c}^+$ es erlauben, beliebig viele Teilchen in denselben Einteilchenzustand zu setzen, während das Pauliprinzip für Fermionen nur die Werte 0 und 1 zuläßt, so daß die Konstruktion in Richtung steigender Besetzungszahl genauso abbrechen muß wie bei $|0\rangle$:

$$0 = \hat{c}^+|1\rangle = \hat{c}^+\hat{c}^+|0\rangle \; . \tag{3.15}$$

Offensichtlich muß also jede Potenz höher als eins von $\hat{c}^+$ verschwinden, und dies kann erreicht werden, indem man $\hat{c}^{+2} = 0$ fordert. Genauso muß aber $\hat{c}^2 = 0$ sein, da ja höchstens ein Teilchen vorhanden sein kann. Schließlich würde man noch erwarten, daß das Produkt zweier Operatoren bei Vertauschen das Vorzeichen wechselt, da ja die Wellenfunktion das bei Vertauschen zweier Teilchen tut:

$$\hat{c}_i^+ \hat{c}_j^+ = -\hat{c}_j^+ \hat{c}_i^+ \; . \tag{3.16}$$

Alle diese Bedingungen zusammengefaßt ergeben die *Antikommutatorbeziehungen* (hierbei wird die übliche Schreibweise für den Antikommutator $\{\hat{A}, \hat{B}\} = \hat{A}\hat{B} + \hat{B}\hat{A}$ verwendet):

$$\{\hat{c}_i, \hat{c}_j^+\} = \delta_{ij} \; , \qquad \{\hat{c}_i, \hat{c}_j\} = 0 \; , \qquad \{\hat{c}_i^+, \hat{c}_j^+\} = 0 \; . \tag{3.17}$$

Für die erste dieser Beziehungen sollte man noch nachprüfen, ob wirklich das Gewünschte erreicht wird. Für $i = j$ sind die einzigen Matrixelemente

$$\langle 0|\hat{c}\hat{c}^+ + \hat{c}^+\hat{c}|0\rangle = \langle 0|\hat{c}c^+|0\rangle = 1 \tag{3.18}$$

und

$$\langle 1|\hat{c}c^+ + \hat{c}^+\hat{c}|1\rangle = \langle 1|\hat{c}^+\hat{c}|1\rangle = 1 \tag{3.19}$$

wegen $\hat{c}|0\rangle = 0$ und $\hat{c}^+|1\rangle = 0$, so daß auch in dieser einzigen nichttrivialen Kombination alles vernünftig ist.

Damit sind die Kommutations- bzw. Antikommutationsregeln der zweiten Quantisierung hinreichend motiviert, so daß im nächsten Abschnitt der Formalismus selbst weiter entwickelt werden kann.

3.1.2 Zweite Quantisierung für Bosonen

Wie im letzten Abschnitt versuchsweise eingeführt, werden zwei zueinander hermitisch konjugierte Operatoren definiert, denen wir jetzt ihren gewohnten Namen geben können: der *Vernichtungsoperator* $\hat{a}$ und der *Erzeugungsoperator* $\hat{a}^+$, die die Vernichtung bzw. Erzeugung eines Teilchens in einem Einteilchenzustand beschreiben. Für Bosonen müssen sie die Vertauschungsrelationen

$$[\hat{a}, \hat{a}] = 0 \;, \qquad [\hat{a}^+, \hat{a}^+] = 0 \;, \quad [\hat{a}, \hat{a}^+] = 1 \tag{3.20}$$

erfüllen. Zusätzlich definiert man den *Teilchenzahloperator* oder *Anzahloperator* $\hat{n}$ als

$$\hat{n} = \hat{a}^+\hat{a} \;. \tag{3.21}$$

Seine Vertauschungsregeln mit $\hat{a}$ und $\hat{a}^+$ sind

$$[\hat{a}, \hat{n}] = [\hat{a}, \hat{a}^+\hat{a}] = \hat{a}\hat{a}^+\hat{a} - \hat{a}^+\hat{a}\hat{a} = [\hat{a}, \hat{a}^+]\hat{a} = \hat{a} \tag{3.22}$$

und

$$[\hat{a}^+, \hat{n}] = [\hat{a}^+, \hat{a}^+\hat{a}] = \hat{a}^+\hat{a}^+\hat{a} - \hat{a}^+\hat{a}\hat{a}^+ = \hat{a}^+[\hat{a}^+, \hat{a}] = -\hat{a}^+ \;. \tag{3.23}$$

Dies sind Schiebeoperator–Vertauschungsregeln, wie sie für die Drehimpulsoperatoren in Abschnitt 2.3.2 diskutiert wurden. Wir können also unmittelbar schließen, daß $\hat{a}$ und $\hat{a}^+$ den Eigenwert von $\hat{n}$ um eins senken bzw. erhöhen. Wenn man eine Basis aus Eigenwerten von $\hat{n}$ annimmt, d. h.

$$\hat{n}|n\rangle = n|n\rangle \;, \tag{3.24}$$

erhält man wie im vorhergehenden Abschnitt

$$\hat{a}|n\rangle = \sqrt{n}|n-1\rangle \qquad \hat{a}^+|n\rangle = \sqrt{n+1}|n+1\rangle \;. \tag{3.25}$$

Welche Werte kann n annehmen? Weil der Ausdruck

$$n = \langle n|\hat{n}|n\rangle = \langle n|\hat{a}^+\hat{a}|n\rangle \tag{3.26}$$

das Quadrat der Norm des Zustandes $\hat{a}|n\rangle$ angibt, muß er positiv sein. Wenn man $\hat{a}$ wiederholt auf den Zustand anwendet, muß entweder der Eigenwert irgendwann negativ werden, was einen Widerspruch ergibt, oder die Konstruktion bricht ab. Letzteres passiert offensichtlich bei $n = 0$, dem *Vakuumzustand*, für den

$$a|0\rangle = 0 \tag{3.27}$$

gilt. Diese Beziehung kann auch als Definition des Vakuums gelten.

Nun kann man andererseits alle Zustände aus dem Vakuumzustand durch wiederholte Anwendung von $\hat{a}^+$ erzeugen. Unter Berücksichtigung des Normierungsfaktors von (3.25) ergibt dies

$$|n\rangle = \frac{1}{\sqrt{n!}}(\hat{a}^+)^n|0\rangle \ . \tag{3.28}$$

Für den Fall mehrerer Einteilchenzustände, die von Bosonen besetzt werden können, müssen die Operatoren mit dem Index i des betroffenen Zustandes versehen werden, und die Vertauschungsregeln werden zu

$$[\hat{a}_i, \hat{a}_j] = 0 \ , \qquad [\hat{a}_i^+, \hat{a}_j^+] = 0 \ , \qquad [\hat{a}_i, \hat{a}_j^+] = \delta_{ij} \ . \tag{3.29}$$

Entsprechend gibt es jetzt auch einen Anzahloperator für jeden Einteilchenzustand

$$\hat{n}_i = \hat{a}_i^+ \hat{a}_i \tag{3.30}$$

sowie einen für die Gesamtzahl von Teilchen

$$\hat{n} = \sum_i \hat{n}_i = \sum_i \hat{a}_i^+ \hat{a}_i \ . \tag{3.31}$$

Die Zustände des Systems werden durch die Gesamtheit der *Besetzungszahlen* charakterisiert:

$$\hat{n}_i|n_1, n_2, \ldots, n_i, \ldots\rangle = n_i|n_1, n_2, \ldots, n_i, \ldots\rangle \tag{3.32}$$

und können durch den Vakuumzustand über

$$|n_1, n_2, \ldots, n_i, \ldots\rangle = \prod_i \frac{(\hat{a}_i^+)^{n_i}}{\sqrt{n_i!}}|0\rangle \tag{3.33}$$

ausgedrückt werden, wobei gewöhnlich statt des korrekten, aber länglichen $|0, 0, \ldots 0\rangle$ mit einer Null für jede einzelne Besetzungszahl einfach $|0\rangle$ geschrieben wird. Man beachte, daß die Reihenfolge der Erzeugungsoperatoren unwichtig ist, da alle kommutieren; für Fermionen wird das etwas komplizierter werden.

Die Wirkung der Operatoren $\hat{a}_i$ and $\hat{a}_i^+$ ist einfach gegeben durch

$$\hat{a}_i|n_1, n_2, \ldots, n_i, \ldots\rangle = \sqrt{n_i}|n_1, n_2, \ldots, n_i - 1, \ldots\rangle \tag{3.34}$$

$$\hat{a}_i^+|n_1, n_2, \ldots, n_i, \ldots\rangle = \sqrt{n_i + 1}|n_1, n_2, \ldots, n_i + 1, \ldots\rangle \ . \tag{3.35}$$

In diesem Buch wird der Formalismus der zweiten Quantisierung für Bosonen seine Anwendung bei den Photonen des Strahlungsfeldes und den verschiedenen Arten von phononähnlichen Schwingungsquanten des Kollektivmodells finden.

3.1.3 Zweite Quantisierung für Fermionen

Im Falle der Fermionen sind die grundlegenden *Anti*kommutationsregeln — wieder zunächst für den Fall eines einzelnen Einteilchenzustandes —

$$\{\hat{a}, \hat{a}\} = 0 \, , \qquad \{\hat{a}^+, \hat{a}^+\} = 0 \, , \qquad \{\hat{a}, \hat{a}^+\} = 1 \, . \tag{3.36}$$

Viele der Folgerungen sind jetzt formal analog zu denen für Bosonen, aber die kleinen Unterschiede im mathematischen Detail erzeugen große Unterschiede in der Physik. Der Teilchenzahloperator wird genauso definiert

$$\hat{n} = \hat{a}^+ \hat{a} \, , \tag{3.37}$$

und die Schiebeoperator-Vertauschungsregeln gelten ebenso wie vorher:

$$\begin{aligned} [\hat{a}, \hat{n}] &= [\hat{a}, \hat{a}^+\hat{a}] = \hat{a}\hat{a}^+\hat{a} - \hat{a}^+\hat{a}\hat{a} = \hat{a}\hat{a}^+\hat{a} + \hat{a}^+\hat{a}\hat{a} \\ &= \{\hat{a}, \hat{a}^+\}\hat{a} = \hat{a} \, . \end{aligned} \tag{3.38}$$

Die Vorzeichenumkehr, die in der letzten Gleichung der ersten Zeile vorliegt, beruht auf der Antikommutation zweier $\hat{a}$'s (in Wirklichkeit ist dieses Produkt ja sogar Null). Wir können also wie vorher wieder Eigenzustände von $\hat{n}$ einführen, deren Eigenwert n von den Operatoren um eins erhöht bzw. gesenkt wird. Daß nur zwei verschiedene Eigenwerte überhaupt möglich sind, kann man aus $\hat{a}^+\hat{a}^+ = \hat{a}\hat{a} = 0$ schließen, was zu

$$\hat{n}^2 = \hat{a}^+\hat{a}\hat{a}^+\hat{a} = \hat{a}^+(\{\hat{a}, \hat{a}^+\} - \hat{a}^+\hat{a})\hat{a} = \hat{a}^+\hat{a} - \hat{a}^+\hat{a}^+\hat{a}\hat{a} = \hat{a}^+\hat{a} = \hat{n} \tag{3.39}$$

führt, so daß $\hat{n}$ nur die Eigenwerte 0 und 1 besitzen kann. Es gibt also nur zwei Eigenzustände, den Vakuumzustand $|0\rangle$ und den Zustand mit der Besetzungszahl 1, $|1\rangle$, auf die die Operatoren gemäß

$$\begin{aligned} &\hat{n}|0\rangle = 0 \, , \qquad \hat{a}^+|0\rangle = |1\rangle \, , \qquad \hat{a}|0\rangle = 0 \\ &\hat{n}|1\rangle = |1\rangle \, , \qquad \hat{a}^+|1\rangle = 0 \, , \qquad \hat{a}|1\rangle = |0\rangle \end{aligned} \tag{3.40}$$

wirken. Die Matrixelemente der Operatoren sind dabei genauso ausgerechnet worden wie im Bosonenfall, reduzieren sich aber auf die trivialen Werte Null oder eins. Man kann beide Ergebnisse elegant zusammenfassen, indem man

$$\hat{n}|n\rangle = n|n\rangle \, , \qquad \hat{a}^+|n\rangle = (1-n)|n+1\rangle \, , \qquad a|n\rangle = n|n-1\rangle \tag{3.41}$$

schreibt.

Für Systeme mit mehr als einem Einteilchenzustand beginnt alles ähnlich wie bei den Bosonen. Wir haben jetzt viele Operatoren $\hat{a}_i$ und $\hat{a}_i^+$ mit den Antikommutatorbeziehungen

$$\{\hat{a}_i, \hat{a}_j\} = 0 \, , \qquad \{\hat{a}_i^+, \hat{a}_j^+\} = 0 \, , \qquad \{\hat{a}_i, \hat{a}_j^+\} = \delta_{ij} \, , \tag{3.42}$$

und wieder sind die Zustände durch die Besetzungszahlen eindeutig charakterisiert:

$$\hat{n}_i = \hat{a}_i^+ \hat{a}_i \ , \qquad \hat{n}_i|n_1, n_2, \ldots, n_i, \ldots\rangle = n_i|n_1, n_2, \ldots, n_i, \ldots\rangle \ , \tag{3.43}$$

wenn auch jetzt die n_i alle auf die Werte 0 und 1 beschränkt sind. Jetzt taucht aber das neue Problem auf, daß die Reihenfolge der Operatoren für das Vorzeichen der Wellenfunktion Bedeutung hat, wenn man sie wieder mit Hilfe von Erzeugungsoperatoren aus dem Vakuum generiert. Wir verwenden die Konvention

$$|n_1, n_2, \ldots, n_i, \ldots\rangle = (\hat{a}_1^+)^{n_1} (\hat{a}_2^+)^{n_2} \ldots (\hat{a}_i^+)^{n_i} \ldots |0\rangle \ , \tag{3.44}$$

d. h., die Operatoren werden in derselben Anordnung aufgeschrieben wie die Quantenzahlen im Zustandsvektor. Ein Normierungsfaktor taucht nicht auf, da ja alle Besetzungszahlen nur 0 oder 1 sind.

Wenn man auf einen solchen Zustand (3.44) den Operator $\hat{a}_i$ oder $\hat{a}_j$ anwendet, dann hängt das Vorzeichen des Ergebnisses von der exakten Anordnung der Erzeugungsoperatoren ab. Man betrachte z. B. den Operator $\hat{a}_i$. Wenn der Zustand $n_i = 0$ hat, muß die Anwendung des Vernichtungsoperators sowieso Null ergeben. Wenn aber $n_i = 1$ ist, dann bedeutet das, daß (3.44) irgendwo den Operator $\hat{a}_i^+$ enthält. Wenn man nun $\hat{a}_i$ sukzessive mit allen Operatoren (anti-)vertauscht, die vor $\hat{a}_i^+$ stehen, erhält man jedesmal eine Vorzeichenänderung, und es wird

$$\hat{a}_i (\hat{a}_1^+)^{n_1} \ldots (\hat{a}_{i-1}^+)^{n_{i-1}} \hat{a}_i^+ \ldots |0\rangle = \sigma_i (\hat{a}_1^+)^{n_1} \ldots (\hat{a}_{i-1}^+)^{n_{i-1}} \hat{a}_i \hat{a}_i^+ \ldots |0\rangle \ , \tag{3.45}$$

wobei der Vorzeichenfaktor σ_i abzählt, wie viele andere Erzeugungsoperatoren vor $\hat{a}_i^+$ stehen und somit durch

$$\sigma_i = (-1)^{\sum_{j=1}^{i-1} n_j} \tag{3.46}$$

gegeben ist.

Als nächstes können wir nun das Produkt $\hat{a}_i \hat{a}_i^+$ mit allen Erzeugungsoperatoren vertauschen, die noch dahinter stehen; das ändert nichts mehr, weil alle diese mit jedem der beiden antikommutieren, und sich somit der Vorzeichenwechsel jeweils aufhebt. Schließlich hat man dann nach (3.41)

$$\hat{a}_i \hat{a}_i^+ |0\rangle = |0\rangle \ , \tag{3.47}$$

so daß

$$\begin{aligned} \hat{a}_i (\hat{a}_1^+)^{n_1} \ldots (\hat{a}_{i-1}^+)^{n_{i-1}} \hat{a}_i^+ \ldots |0\rangle &= \sigma_i (\hat{a}_1^+)^{n_1} \ldots (\hat{a}_{i-1}^+)^{n_{i-1}} (\hat{a}_{i+1}^+)^{n_{i+1}} |0\rangle \\ &= \sigma_i |n_1, n_2, \ldots, n_{i-1}\, 0\, n_{i+1}, \ldots\rangle \ . \end{aligned} \tag{3.48}$$

Mit denselben Überlegungen für die Wirkung von $\hat{a}_i^+$ kann man die Ergebnisse wie folgt zusammenstellen:

$$\hat{a}_i |n_1, \ldots, n_i, \ldots\rangle = \sigma_i (1 - n_i) |n_1, \ldots, n_i - 1, \ldots\rangle \tag{3.49}$$

$$\hat{a}_i^+ |n_1, \ldots, n_i, \ldots\rangle = \sigma_i n_i |n_1, \ldots, n_i + 1, \ldots\rangle \ . \tag{3.50}$$

3.2 Darstellung von Operatoren

3.2.1 Einteilchenoperatoren

Die bisherigen Entwicklungen haben dazu gedient, Wellenfunktionen in die *Besetzungszahlendarstellung* umzuschreiben. Um diese Darstellung zu vervollständigen, muß auch angegeben werden, wie Operatoren in ihr zu formulieren sind. Die in diesem Buch vorkommenden Operatoren sind entweder *Einteilchenoperatoren*, die nur von den Koordinaten eines Teilchens abhängen, oder *Zweiteilchenoperatoren*, die entsprechend die Koordinaten zweier Teilchen enthalten. Ein typischer Einteilchenoperator ist der der kinetischen Energie, während der uns am meisten beschäftigende Zweiteilchenoperator die Wechselwirkung zweier Nukleonen beschreibt. Um die Operatoren auf die Sprache der zweiten Quantisierung umzuschreiben, muß man ihre Matrixelemente zwischen Slaterdeterminanten ausrechnen und dann einen Ausdruck mit Erzeugungs- und Vernichtungsoperatoren konstruieren, der genau dieselben Matrixelemente zwischen Zuständen in der Besetzungszahlendarstellung ergibt. Diese Ableitung gibt auch einen guten Eindruck davon, wieviel vorteilhafter die Besetzungszahlendarstellung ist.

Wie schon durch dem Ausdruck „Slaterdeterminante“ angedeutet, wird hier nur der Fermionenfall behandelt; für Bosonen läßt sich alles ähnlich konstruieren, in diesem Buch werden aber davon nur triviale Versionen gebraucht.

Ein Einteilchenoperator hat die allgemeine Form $\hat{f}(\boldsymbol{r}_k)$, wobei in der Koordinate $\boldsymbol{r}_k$ des k–ten Teilchens gegebenenfalls auch Spin, Impuls und etwaige weitere Freiheitsgrade implizit enthalten sein sollen. In einem System ununterscheidbarer Teilchen macht es keinen Sinn, nach den Eigenschaften eines speziellen Teilchens zu fragen; sinnvoll sind nur Größen, die bei einer beliebigen Permutation der Teilchen unverändert bleiben. Die vernünftige Definition eines Einteilchenoperators ist demnach

$$\hat{f} = \sum_{k=1}^{A} \hat{f}(\boldsymbol{r}_k) \, . \tag{3.51}$$

Wie sehen seine Matrixelemente aus? Betrachten wir einen der Terme in der Summe zwischen zwei Slaterdeterminanten

$$\Psi(\boldsymbol{r}_1 \ldots \boldsymbol{r}_A) = \frac{1}{\sqrt{A!}} \sum_{\pi} (-1)^{\pi} \prod_{i \in O} \psi_{i_\pi}(\boldsymbol{r}_i) \tag{3.52}$$

und

$$\Psi'(\boldsymbol{r}_1 \ldots \boldsymbol{r}_A) = \frac{1}{\sqrt{A!}} \sum_{\pi'} (-1)^{\pi'} \prod_{i' \in O'} \psi_{i'_{\pi'}}(\boldsymbol{r}_{i'}) \, . \tag{3.53}$$

Man beachte, daß die Indizes i' und i aus der Indexmenge O' bzw. O genommen werden, die zwei verschiedenen Auswahlen von jeweils A besetzten Einteilchenzuständen aus dem vollständigen orthonormalen Satz $\psi_k(\boldsymbol{r})$, $k = 1, \ldots, \infty$, entsprechen. Das Matrixelement wird zu

$$\langle\Psi|\hat{f}|\Psi'\rangle = \sum_{k=1}^{A} \frac{1}{A!} \int d^3r_1 \ldots \int d^3r_A \sum_{\pi\pi'} (-1)^{\pi+\pi'} \left(\prod_{i\subset O} \psi^*_{i_\pi}(\boldsymbol{r}_i) \right) \hat{f}(\boldsymbol{r}_k) \left(\prod_{i'\in O'} \psi_{i'_{\pi'}}(\boldsymbol{r}_{i'}) \right) . \tag{3.54}$$

Die Produkte können in A Einteilchenmatrixelemente aufgespalten werden. In einem von diesen kommt der Operator $\hat{f}(\boldsymbol{r}_k)$ vor:

$$\int d^3\, r_k \psi^*_{k_\pi}(\boldsymbol{r}_k) \hat{f}(\boldsymbol{r}_k) \psi_{k_{\pi'}}(\boldsymbol{r}_k) = f_{k_\pi k_{\pi'}} , \tag{3.55}$$

während die anderen wegen der Orthonormalität zu Kroneckersymbolen werden:

$$\int d^3\, r_k \psi^*_{i_\pi}(\boldsymbol{r}_i) \psi_{i'_{\pi'}}(\boldsymbol{r}_i) = \delta_{i_\pi i'_{\pi'}} . \tag{3.56}$$

Damit wird das gesamte Matrixelement zu

$$\langle\Psi|\hat{f}|\Psi'\rangle = \sum_k \frac{1}{A!} \sum_{\pi\pi'} (-1)^{\pi+\pi'} f_{k_\pi k_{\pi'}} \prod_{\substack{i\in O, i'\in O' \\ i\neq k, i'\neq k}}^{A} \delta_{i_\pi i'_{\pi'}} . \tag{3.57}$$

An dieser Stelle ist es nützlich, ein paar Konsequenzen dieser Formel festzuhalten:

1. Wegen der Kroneckersymbole kann das Matrixelement nur dann nicht verschwinden, wenn in Ψ und Ψ' dieselben Einteilchenzustände besetzt sind mit einer einzigen Ausnahme. Ein Einteilchenoperator besetzt also genau ein Teilchen um.

2. Um ein nichtverschwindendes Matrixelement zu erhalten, muß man für feste Permutation π die eindeutig festgelegte Permutation π' finden, die die Einteilchenzustände in Ψ' korrekt mit denen in Ψ paart. Statt einer Doppelsumme über Permutationen reicht dann eine einzige Summe aus; man muß nur auf das Vorzeichen achten. Weil π und π' die Permutationen sind, die die mit i bzw. i' numerierten Zustände aus ihrer ursprünglichen Anordnung in dieselbe Reihenfolge bringen (mit den Indizes k_π und $k_{\pi'}$ auch in derselben Position), gibt der Faktor $\sigma = (-1)^{\pi+\pi'}$ an, ob eine gerade oder ungerade Permutation dazu gebraucht wird, die ursprünglichen Anordnungen ineinander zu permutieren, und er hängt nicht von π oder π' ab.

3. Die Summe über die Permutationen π läuft also effektiv nur über die verschiedenen Anordnungen der $A - 1$ Zustände, die sowohl in Ψ und Ψ' besetzt sind.

Das Matrixelement hängt somit gar nicht von der Permutation ab: Es enthält nur den Faktor σ und das Einteilchenmatrixelement $f_{k_\pi k_{\pi'}}$ bekommt in Wirklichkeit immer dieselben beiden Indizes, nämlich die der beiden Einteilchenzustände, die in Ψ und Ψ' unterschiedlich besetzt sind. Nennen wir diese beiden Zustände j und j'! Das Matrixelement wird nun zu

$$\langle\Psi|\hat{f}|\Psi'\rangle = \sum_{k=1}^{A} \tfrac{1}{A!}\sigma f_{jj'} \sum_{\pi,j \text{ fest}} 1 = \tfrac{1}{A!}\sigma A f_{jj'}(A-1)! = \sigma f_{jj'} \; . \tag{3.58}$$

Wie würde ein äquivalenter Operator in der zweiten Quantisierung aussehen? Er muß ein Teilchen aus dem Zustand j' entfernen und es in den Zustand j befördern, ohne sonst irgendetwas zu ändern; der resultierende Wert sollte $f_{jj'}$ sein. Ein natürlicher Ansatz ist

$$\hat{f} = \sum_{jj'} f_{jj'} \hat{a}_j^+ \hat{a}_{j'} \; . \tag{3.59}$$

Die Summe muß hereingenommen werden, weil das für alle möglichen Zustände j und j' funktionieren sollte. Da der Wert des Matrixelementes offensichtlich richtig ist, bleibt nur das Vorzeichen zu überprüfen. In der zweiten Quantisierung sind die Zustände

$$|\Psi\rangle = \hat{a}_{i_1}^+ \dots \hat{a}_{i_A}^+ |0\rangle \; , \qquad |\Psi'\rangle = \hat{a}_{i'_1}^+ \dots \hat{a}_{i'_A}^+ |0\rangle \; , \tag{3.60}$$

und das Matrixelement

$$\langle\Psi|\hat{f}|\Psi'\rangle = \sum_{jj'} f_{jj'} \langle 0|\hat{a}_{i_A} \dots \hat{a}_{i_1} \hat{a}_j^+ \hat{a}_{j'} \hat{a}_{i'_1}^+ \dots \hat{a}_{i'_A}^+ |0\rangle \; . \tag{3.61}$$

Es ist klar, daß wiederum die Indizes i dieselben Zustände bezeichnen müssen wie die i', mit der Ausnahme, daß j' durch j ersetzt wird. Man permutiert jetzt die i' so, daß sie in derselben Reihenfolge stehen wie die i (und j' am selben Platz wie j). Damit resultiert derselbe Vorzeichenfaktor σ wie oben. Wenn man das Operatorduo $\hat{a}_j^+ \hat{a}_{j'}$ vor $\hat{a}_{j'}^+$ bringt, ändert sich das Vorzeichen nicht, und man erhält

$$\langle\Psi|\hat{f}|\Psi'\rangle = \sum_{jj'} f_{jj'} \langle 0|\hat{a}_{i_A} \dots \hat{a}_{i_1} \hat{a}_{i'_1}^+ \dots \hat{a}_j^+ \hat{a}_{j'} \hat{a}_{j'}^+ \dots \hat{a}_{i_A}^+ |0\rangle \; . \tag{3.62}$$

Hierin liefern alle Kombinationen der Form $\hat{a}_i^+ \hat{a}_{i'}$ den Faktor eins, so daß

$$\langle\Psi|\hat{a}|\Psi'\rangle = \sigma f_{jj'} \tag{3.63}$$

verbleibt. Dies stimmt mit dem vorherigen Ergebnis überein.

Die allgemeine Regel für die Transkription eines Einteilchenoperators in zweitquantisierte Form ist also

$$\hat{f} = \sum_{k=1}^{A} \hat{f}(\boldsymbol{r}_k) \to \hat{f} = \sum_{jj'} f_{jj'} \hat{a}_j^+ \hat{a}_{j'} \; , \tag{3.64}$$

wobei die Einteilchenmatrixelemente $f_{jj'}$ durch (3.55) gegeben sind.

3.2.2 Zweiteilchenoperatoren

Für *Zweiteilchenoperatoren* wie die potentielle Energie

$$\hat{V} = \frac{1}{2} \sum_{k \neq k'} \hat{v}(\boldsymbol{r}_k, \boldsymbol{r}_{k'}) \tag{3.65}$$

kann ein entsprechendes Ergebnis auf analoge Art, aber natürlich mit sehr viel größerem Aufwand, abgeleitet werden. Aus diesem Grund wird hier nur das Ergebnis angegeben; Aufgabe 3.1 erlaubt die Überprüfung in einem einfachen Fall.

In zweiter Quantisierung wird der Operator zu

$$\hat{V} = \frac{1}{2} \sum_{ijkl} v_{ijkl} \hat{a}_i^+ \hat{a}_j^+ \hat{a}_l \hat{a}_k \ , \tag{3.66}$$

wobei das Zweiteilchenmatrixelement als

$$v_{ijkl} = \int \mathrm{d}^3 r \int \mathrm{d}^3 r' \psi_i^*(\boldsymbol{r}) \psi_j^*(\boldsymbol{r}') v(\boldsymbol{r}, \boldsymbol{r}') \psi_k(\boldsymbol{r}) \psi_l(\boldsymbol{r}') \tag{3.67}$$

definiert wird. Es ist nicht überraschend, daß der Operator jetzt den Zustand von zwei Teilchen verändert; wichtig ist aber die Tatsache, daß die Indizes der letzten beiden Vernichtungsoperatoren gegenüber dem Matrixelement in umgekehrter Reihenfolge erscheinen.

Bei vielen Rechnungen taucht im Ergebnis eine spezielle antisymmetrische Kombination auf, die deswegen eine gängige Abkürzung erhält:

$$\bar{v}_{ijkl} = v_{ijkl} - v_{ijlk} \ . \tag{3.68}$$

Wichtig ist gelegentlich auch die Symmetrie der Matrixelemente unter Austausch der beiden Indexpaare:

$$v_{ijkl} = v_{klij} \ . \tag{3.69}$$

3.1 Aufgabe: Zweiteilchenoperator in der zweiten Quantisierung

Leiten Sie die Form des Zweiteilchenoperators in der zweiten Quantisierung für den Spezialfall von Zweiteilchenwellenfunktionen ab.

Lösung:

Die antisymmetrischen Wellenfuntionen sind

$$\Psi_{ij}(\boldsymbol{r}, \boldsymbol{r}') = \frac{1}{\sqrt{2}} (\psi_i(\boldsymbol{r}) \psi_j(\boldsymbol{r}') - \psi_i(\boldsymbol{r}') \psi_j(\boldsymbol{r})) \tag{1}$$

und

$$\Psi_{kl}(\boldsymbol{r},\boldsymbol{r}') = \tfrac{1}{\sqrt{2}}(\psi_k(\boldsymbol{r})\psi_l(\boldsymbol{r}') - \psi_k(\boldsymbol{r}')\psi_l(\boldsymbol{r})) \;, \qquad \underline{2}$$

so daß das Matrixelement sich wie folgt berechnet:

$$\begin{aligned}\langle\Psi_{ij}|\hat{V}|\Psi_{kl}\rangle &= \tfrac{1}{2}\int d^3r \int d^3r' \psi_i^*(\boldsymbol{r})\psi_j^*(\boldsymbol{r}')\hat{v}(\boldsymbol{r},\boldsymbol{r}')\psi_k(\boldsymbol{r})\psi_l(\boldsymbol{r}') \\ &\quad -\tfrac{1}{2}\int d^3r \int d^3r' \psi_i^*(\boldsymbol{r}')\psi_j^*(\boldsymbol{r})\hat{v}(\boldsymbol{r},\boldsymbol{r}')\psi_k(\boldsymbol{r})\psi_l(\boldsymbol{r}') \\ &\quad -\tfrac{1}{2}\int d^3r \int d^3r' \psi_i^*(\boldsymbol{r})\psi_j^*(\boldsymbol{r}')\hat{v}(\boldsymbol{r},\boldsymbol{r}')\psi_k(\boldsymbol{r}')\psi_l(\boldsymbol{r}) \\ &\quad +\tfrac{1}{2}\int d^3r \int d^3r' \psi_i^*(\boldsymbol{r}')\psi_j^*(\boldsymbol{r})\hat{v}(\boldsymbol{r},\boldsymbol{r}')\psi_k(\boldsymbol{r}')\psi_l(\boldsymbol{r}) \;. \qquad \underline{3}\end{aligned}$$

Mit der Definition (3.67) und wegen der Symmetrie von $\hat{v}(\boldsymbol{r},\boldsymbol{r}') = \hat{v}(\boldsymbol{r}',\boldsymbol{r})$ kann dies umgeschrieben werden zu

$$\begin{aligned}\langle\Psi_{ij}|\hat{V}|\Psi_{kl}\rangle &= \tfrac{1}{2}(v_{ijkl} - v_{ijlk} - v_{ijlk} + v_{ijkl}) \\ &= v_{ijkl} - v_{ijlk} \\ &= \bar{v}_{ijkl} \;. \qquad \underline{4}\end{aligned}$$

Jetzt dieselbe Rechnung in zweiter Quantisierung: Die beiden Zustände sind

$$|\Psi_{ij}\rangle = \hat{a}_i^+\hat{a}_j^+|0\rangle \qquad \underline{5}$$

und

$$|\Psi_{kl}\rangle = \hat{a}_k^+\hat{a}_l^+|0\rangle \;, \qquad \underline{6}$$

so daß das Matrixelement zu

$$\langle\Psi_{ij}|\hat{V}|\Psi_{kl}\rangle = \tfrac{1}{2}\sum_{i'j'k'l'} v_{i'j'k'l'}\langle 0|\hat{a}_j\hat{a}_i\hat{a}_{i'}^+\hat{a}_{j'}^+\hat{a}_{l'}\hat{a}_{k'}\hat{a}_k^+\hat{a}_l^+|0\rangle \qquad \underline{7}$$

wird. Mit den Methoden von Abschnitt 3.2.3 erhält man daraus

$$\begin{aligned}\langle\Psi_{ij}|\hat{V}|\Psi_{kl}\rangle &= \tfrac{1}{2}\sum_{i'j'k'l'} v_{i'j'k'l'}(\delta_{i'i}\delta_{j'j}\delta_{k'k}\delta_{l'l} - \delta_{i'j}\delta_{j'i}\delta_{k'k}\delta_{l'l} \\ &\quad -\delta_{i'i}\delta_{j'j}\delta_{k'l}\delta_{l'k} + \delta_{i'j}\delta_{j'j}\delta_{k'l}\delta_{l'k}) \\ &= \tfrac{1}{2}(v_{ijkl} - v_{jikl} - v_{ijlk} + v_{jilk}) \\ &= v_{ijkl} - v_{ijlk} \\ &= \bar{v}_{ijkl} \;. \qquad \underline{8}\end{aligned}$$

Im letzten Schritt wurde die Symmetrie des Matrixelementes ausgenutzt.

Aus dieser Ableitung wird deutlich, warum die Reihenfolge der letzten beiden Indizes für Matrixelement und Operatorprodukt unterschiedlich ist: Damit wird die Umkehrung der beiden Operatoren beim Übergang vom *ket*– zum *bra*–Vektor kompensiert.

3.2.3 Auswertung von Matrixelementen für Fermionen

Das häufigste Rechenproblem in der Theorie der mikroskopischen Kernmodelle ist die Auswertung von Matrixelementen eines Produktes fermionischer Erzeugungs- und Vernichtungsoperatoren. Der einfachste Fall ist der Erwartungswert eines solchen Produktes im Vakuumzustand, und wir erläutern das allgemeine Vorgehen an dem Beispiel von

$$M = \langle 0|\hat{a}_i\hat{a}_j\hat{a}_k^+\hat{a}_l\hat{a}_m^+\hat{a}_n^+|0\rangle \ . \tag{3.70}$$

Das Matrixelement kann nur dann nicht verschwinden, wenn es gleich viele Erzeugungs- wie Vernichtungsoperatoren enthält, da nach Anwendung aller Operatoren auf den Vakuumzustand rechts wieder der Vakuumzustand herauskommen muß, d. h., alle erzeugten Teilchen müssen auch wieder vernichtet werden. Wenn es zu viele Vernichter gibt, produziert deren Wirkung auf das Vakuum natürlich sowieso eine Null.

Wenn ein Vernichter am rechten Ende des Produktes steht oder ein Erzeuger am linken, verschwindet das Matrixelement wegen

$$\hat{a}_i|0\rangle = 0 \ , \qquad \langle 0|\hat{a}_i^+ = 0 \ . \tag{3.71}$$

Genau diese Tatsache wird jetzt ausgenutzt, um das Matrixelement auszuwerten. Es werden systematisch die Vernichtungsoperatoren nach rechts durchkommutiert, womit natürlich auch die Erzeugungsoperatoren nach links gebracht werden.

Für die praktische Anwendung kann man die Antikommutationsregeln in zwei einfachen Regeln zusammenfassen:

1. Die Vertauschung zweier gleichartiger Operatoren (beide Erzeuger oder beide Vernichter) ändert nur das Vorzeichen.

2. Die Vertauschung zweier Operatoren verschiedenen Typs gibt einen Zusatzterm mit einem Kroneckersymbol gemäß

$$\hat{a}_i^+\hat{a}_j = -\hat{a}_j\hat{a}_i^+ + \delta_{ij} \ , \qquad \hat{a}_i\hat{a}_j^+ = -\hat{a}_j^+\hat{a}_i + \delta_{ij} \ . \tag{3.72}$$

Also gibt es in jedem Schritt entweder nur einen Vorzeichenwechsel oder zusätzlich einen Term mit einem Kroneckersymbol anstelle der beiden Operatoren. In allen so entstandenen Terme wird weiter kommutiert. Als Endergebnis bleiben dann nur aus Kroneckersymbolen bestehende Terme übrig, da alle Operatorprodukte schließlich so weit kommutiert sind, daß sie Matrixelement Null ergeben.

Wenden wir diese Ideen auf das Beispielmatrixelement an! Eine Möglichkeit zum Start ist, $\hat{a}_l$ nach rechts zu kommutieren. Nach dem ersten Schritt, der Vertauschung mit $\hat{a}_m^+$, erhält man

$$M = -\langle 0|\hat{a}_i\hat{a}_j\hat{a}_k^+\hat{a}_m^+\hat{a}_l\hat{a}_n^+|0\rangle + \delta_{lm}\langle 0|\hat{a}_i\hat{a}_j\hat{a}_k^+\hat{a}_n^+|0\rangle \ . \tag{3.73}$$

Im ersten Matrixelement auf der rechten Seite muß weiter mit $\hat{a}_n^+$ kommutiert werden, während man im zweiten Term damit beginnen kann, $\hat{a}_j$ nach rechts durchzuschieben. Das Resultat ist

$$\begin{aligned} M &= \langle 0|\hat{a}_i\hat{a}_j\hat{a}_k^+\hat{a}_m^+\hat{a}_n^+\hat{a}_l|0\rangle - \delta_{ln}\langle 0|\hat{a}_i\hat{a}_j\hat{a}_k^+\hat{a}_m^+|0\rangle \\ &\quad -\delta_{lm}\langle 0|\hat{a}_i\hat{a}_k^+\hat{a}_j\hat{a}_n^+|0\rangle + \delta_{lm}\delta_{jk}\langle 0|\hat{a}_i\hat{a}_n^+|0\rangle \ . \end{aligned} \tag{3.74}$$

Das erste Matrixelement zur Rechten verschwindet, weil $\hat{a}_l$ direkt auf das Vakuum wirkt. Im zweiten und dritten kommutiert man weiter nach rechts durch, während im letzten nur noch eine letzte Vertauschung nötig ist. Es bleibt

$$\begin{aligned} M &= \delta_{ln}\langle 0|\hat{a}_i\hat{a}_k^+\hat{a}_j\hat{a}_m^+|0\rangle - \delta_{ln}\delta_{jk}\langle 0|\hat{a}_i\hat{a}_m^+|0\rangle \\ &\quad -\delta_{lm}\delta_{jn}\langle 0|\hat{a}_i\hat{a}_k^+|0\rangle + \delta_{lm}\delta_{jk}\delta_{in} \ . \end{aligned} \tag{3.75}$$

Es ist nützlich, sich zu merken, daß

$$\langle 0|\hat{a}_i\hat{a}_j^+|0\rangle = \delta_{ij} \ . \tag{3.76}$$

Das bedeutet, daß die Erzeugung eines Teilchens aus dem Vakuum und seine sofortige Vernichtung einen Faktor von eins ergeben. Damit werden zwei der drei verbleibenden Matrixelemente trivial; im letzten wird weiter kommutiert:

$$\begin{aligned} M &= \delta_{ln}\delta_{jm}\langle 0|\hat{a}_i\hat{a}_k^+|0\rangle - \delta_{ln}\delta_{jk}\delta_{im} - \delta_{lm}\delta_{jn}\delta_{ik} + \delta_{lm}\delta_{jk}\delta_{in} \\ &= \delta_{ln}\delta_{jm}\delta_{ik} - \delta_{ln}\delta_{jk}\delta_{im} - \delta_{lm}\delta_{jn}\delta_{ik} + \delta_{lm}\delta_{jk}\delta_{in} \ . \end{aligned} \tag{3.77}$$

Die zukünftigen Rechnungen können sehr viel schneller durchgeführt werden, wenn man noch einmal rekapituliert, wie dieses Ergebnis zustande kam:

- Das Matrixelement wird zu einer Summe von Produkten aus Kroneckersymbolen reduziert, wobei die Vorzeichen die Antisymmetrie wiedergeben.

- Die Indexpaare an den Kroneckersymbolen geben alle möglichen Kombinationen aus jeweils einem Index eines Erzeugungs- und eines Vernichtungsoperators wieder, *wobei aber der Vernichter jeweils im ursprünglichen Matrixelement vor dem Erzeuger gestanden haben muß*. In genau diesen Fällen entsteht ein solches Kroneckersymbol beim Durchkommutieren.

- Das Vorzeichen eines Terms im Endergebnis läßt sich wie folgt erhalten: Man ordnet die Operatoren so um, daß die zu einem Kroneckersymbol zu kombinierenden beieinander stehen (Vernichter vor Erzeuger). Dabei brauchen nur die Vorzeichen, nicht die Vertauschungsreste, berücksichtigt zu werden, so daß sie insgesamt das gewünschte Vorzeichen ergeben. Die Reihenfolge der Paare ist unwichtig, da Paare bei diesem Prozeß schon mit einzelnen Operatoren ohne Vorzeichenänderung vertauscht werden dürfen.

Im Beispielmatrixelement können die Indizes i und j einerseits mit k, m und n, andererseits frei abgepaart werden, während l nur mit m und n kombiniert werden darf, da $\hat{a}_l$ rechts von $\hat{a}_k^+$ steht. Das ergibt die Kombinationen $\delta_{ln}\delta_{jm}\delta_{ik}$, $\delta_{ln}\delta_{jk}\delta_{im}$, $\delta_{lm}\delta_{jn}\delta_{ik}$ und $\delta_{lm}\delta_{jk}\delta_{in}$, wie sie auch im obigen Ergebnis auftreten. Das Vorzeichen z. B. des zweiten Terms kommt dadurch zustande, daß man zum Übergang von $\hat{a}_i\hat{a}_j\hat{a}_k^+\hat{a}_l\hat{a}_m^+\hat{a}_n^+$ zu $\hat{a}_j\hat{a}_k^+\hat{a}_i\hat{a}_m^+\hat{a}_l\hat{a}_n^+$ drei Vertauschungen braucht, so daß ein Minuszeichen resultiert.

Die hier demonstrierte Methode ist in Wirklichkeit ein einfacher Fall des *Theorems von Wick*, das auch allgemeinere Matrixelemente behandelt. Für dieses Buch sind aber die obigen Ausführungen ausreichend.

Die Methode muß nur leicht verallgemeinert werden, wenn der Erwartungswert in einem anderen als dem Vakuumzustand verlangt ist. Dies ist das Thema des nächsten Abschnitts.

3.3 Das Teilchen-Loch-Bild

Erwartungswerte im Vakuumzustand spielen in der theoretischen Kernmodellen eine geringere Rolle. Häufiger interessiert man sich für Matrixelemente im Grundzustand des Kerns, der im Einteilchenmodell dadurch gegeben ist, daß die energetisch niedrigsten Einteilchenzustände mit den A Nukleonen besetzt sind. Wenn diese Zustände so angeordnet sind, daß die Energie mit dem Index anwächst, d. h.

$$\epsilon_1 < \epsilon_2 < \ldots \epsilon_A < \epsilon_{A+1} < \ldots \ , \tag{3.78}$$

dann ist der niedrigste Zustand des A-Nukleonensystems

$$|\Psi_0\rangle = \prod_{i=1}^{A} \hat{a}_i^+ |0\rangle \tag{3.79}$$

mit der Energie

$$E_0 = \sum_{i=1}^{A} \epsilon_i \ . \tag{3.80}$$

Der höchste besetzte Zustand ist das Ferminiveau mit Energie ϵ_A. Der Erwartungswert eines Operators $\hat{O}$ im Grundzustand wird dann zu

$$\langle\Psi_0|\hat{O}|\Psi_0\rangle = \langle 0|\hat{a}_A \ldots \hat{a}_1 \hat{O} \hat{a}_1^+ \ldots \hat{a}_A^+|0\rangle \ , \tag{3.81}$$

und das entspricht dem Vakuumerwartungswert des viel komplizierteren Operators im Matrixelement rechts. In diesem Sinne lassen sich alle solchen Erwartungswerte auf Vakuumerwartungswerte zurückführen, die man im Prinzip mit den oben entwickelten Methoden berechnen könnte, wobei allerdings eine kaum zu handhabende Anzahl von Operatoren auftritt. Es gibt aber einen Weg zur Vereinfachung, wenn man sich daran erinnert, daß der Grundzustand eine mathematische Eigenschaft hat, die dem Vakuum ähnelt. Während im Vakuum

$$\hat{a}_i|0\rangle = 0 \text{ für alle } i \tag{3.82}$$

gilt, erfüllt der Grundzustand

$$\hat{a}_i|0\rangle = 0\,, \qquad i > A \tag{3.83}$$
$$\hat{a}_i^+|0\rangle = 0\,, \qquad i \leq A\,. \tag{3.84}$$

Das erlaubt die Verwendung ähnlicher Methoden bei der Auswertung der Matrixelemente, *wenn die Indizes oberhalb und unterhalb des Ferminiveaus verschieden behandelt werden.* Dies kann formal auf zwei verschiedene Arten geschehen:

- man behält die bisher verwendete Notation bei und vermerkt explizit in den Formeln, welcher Index über welchen Wertebereich läuft, oder
- man definiert die Operatoren so um, daß der Grundzustand die Rolle des Vakuums übernimmt.

Sehen wir uns einmal an, wie Matrixelemente und die angeregten Zustände des Systems in beiden Schreibweisen aussehen!

Die einfachsten Anregungszustände des Systems entstehen dadurch, daß ein Teilchen aus einem besetzten Zustand in eine unbesetzten hochgehoben wird. Sie können also formuliert werden als

$$|\Psi_{mi}\rangle = \hat{a}_m^+\hat{a}_i|\Psi_0\rangle, \quad m > A, \quad i \leq A\,, \tag{3.85}$$

und die zugehörige Anregungsenergie ist

$$E_{mi} - E_0 = \epsilon_m - \epsilon_i\,. \tag{3.86}$$

Der Zustand $|\Psi_{mi}\rangle$ hat einen unbesetzten Zustand i unterhalb des Ferminiveaus, ein *Loch*, und ein Teilchen im Zustand m oberhalb des Ferminiveaus. Deswegen bezeichnet man ihn als einen *Teilchen–Loch–Zustand* oder genauer *Ein–Teilchen–ein–Loch–Zustand*, abgekürzt 1p1h–Zustand (für 1 particle – 1 hole). Die nächstkompliziertere Anregungsart sind die Zwei–Teilchen–zwei–Loch–Zustände (2p2h) wie etwa

$$|\Psi_{mnij}\rangle = \hat{a}_m^+\hat{a}_n^+\hat{a}_i\hat{a}_j|\Psi_0\rangle \tag{3.87}$$

mit der Anregungsenergie

$$E_{mnij} = \epsilon_m + \epsilon_n - \epsilon_i - \epsilon_j\,. \tag{3.88}$$

Wenn wir nun den Erwartungswert eines Einteilchenoperators wie

$$\langle \Psi_0 | \sum_{ij=1}^{\infty} t_{ij} \hat{a}_i^+ \hat{a}_j | \Psi_0 \rangle = \sum_{ij=1}^{\infty} t_{ij} \langle \Psi_0 | \hat{a}_i^+ \hat{a}_j | \Psi_0 \rangle \tag{3.89}$$

betrachten, so ist zunächst klar, daß die Beiträge für $j > A$ verschwinden. Für $j \leq A$ kann man die Operatoren kommutieren und erhält

$$\langle \Psi_0 | \hat{a}_i^+ \hat{a}_j | \Psi_0 \rangle = \delta_{ij} - \langle \Psi_0 | \hat{a}_j \hat{a}_i^+ | \Psi_0 \rangle \; , \tag{3.90}$$

wobei nun der zweite Term auf der rechten Seite verschwindet. Eine nützliche Schreibweise für dieses Ergebnis ist

$$\langle \Psi_0 | \hat{a}_i^+ \hat{a}_j | \Psi_0 \rangle = \delta_{ij} \theta_{iA} \; . \tag{3.91}$$

Das Symbol θ_{kl} ist als Analogon zur θ-Funktion anzusehen und genauer wie folgt definiert:

$$\theta_{iA} = \begin{cases} 1 & , \text{wenn } i \leq A \\ 0 & , \text{wenn } i > A \end{cases} \; . \tag{3.92}$$

Seine Funktion ist, Summationen über den Index i auf den Bereich $1 \ldots A$ einzuschränken. Damit wird nun das Matrixelement zu

$$\begin{aligned} \langle \Psi_0 | \sum_{ij=1}^{\infty} t_{ij} \hat{a}_i^+ \hat{a}_j | \Psi_0 \rangle &= \sum_{ij=1}^{\infty} t_{ij} \delta_{ij} \theta_{iA} \\ &= \sum_{i=1}^{A} t_{ii} \; , \end{aligned} \tag{3.93}$$

d. h. einfach zu einer Summe über die besetzten Zustände.

In diesem Buch wird die eben besprochene Schreibweise verwendet werden. Eine Alternative besteht darin, die Operatoren umzudefinieren. Man führt neue Erzeugungs- und Vernichtungsoperatoren $\hat{\beta}_i^+$ und $\hat{\beta}_i$ ein, die mit den üblichen über

$$\hat{\beta}_i^+ = \begin{cases} \hat{a}_i^+, & i > A \\ \hat{a}_i, & i \leq A \end{cases} \; , \qquad \hat{\beta}_i = \begin{cases} \hat{a}_i, & i > A \\ \hat{a}_i^+, & i \leq A \end{cases} \tag{3.94}$$

zusammenhängen. Für diese Operatoren ist der Grundzustand des Kerns der Vakuumzustand:

$$\hat{\beta}_i | \Psi_o \rangle = 0 \quad \text{für alle } i \; , \tag{3.95}$$

und die Operatoren $\hat{\beta}_i^+$, $i \leq A$, beschreiben die Erzeugung von Löchern durch die Vernichtung der Teilchen im gegebenen Zustand.

In dieser Schreibweise sind die 1p1h–Zustände durch

$$|\Psi_{mi}\rangle = \hat{\beta}_m^+ \hat{\beta}_i^+ |\Psi_0\rangle, \qquad m > A \; , \quad i \leq A \tag{3.96}$$

gegeben und die 2p2h–Zustände durch

$$|\Psi_{mnij}\rangle = \hat{\beta}_m^+ \hat{\beta}_n^+ \hat{\beta}_i^+ \hat{\beta}_j^+ |\Psi_0\rangle \; , \qquad m, n > A \; , \quad i, j \leq A \; . \tag{3.97}$$

Das obige Matrixelement kann nun auch in dieser Schreibweise berechnet werden, indem die Operatoren umgeschrieben werden:

$$\begin{aligned} \sum_{i,j=1}^{\infty} t_{ij} \hat{a}_i^+ \hat{a}_j &= \sum_{i=1}^{A} \sum_{j=1}^{A} t_{ij} \hat{\beta}_i \hat{\beta}_j^+ + \sum_{i=A+1}^{\infty} \sum_{j=1}^{A} t_{ij} \hat{\beta}_i^+ \hat{\beta}_j^+ \\ &+ \sum_{i=1}^{A} \sum_{j=A+1}^{\infty} t_{ij} \hat{\beta}_i \hat{\beta}_j + \sum_{i=A+1}^{\infty} \sum_{j=A+1}^{\infty} t_{ij} \hat{\beta}_i^+ \hat{\beta}_j \; . \end{aligned} \tag{3.98}$$

Da für diese Operatoren $|\Psi_0\rangle$ das Vakuum darstellt, sieht man sofort, daß der zweite bis letzte Term den Erwartungswert Null haben, während der erste zum bekannten Ergebnis führt.

Es ist klar, daß die zweite diskutierte Methode für die Auswertung von Matrixelementen keine direkten Vorteile bietet: In beiden Fällen muß der Indexbereich in besetzte und unbesetzte Zustände aufgeteilt werden. Seinen wahren Nutzen zeigt das Teilchen–Loch–Bild dagegen in Situationen, in denen Löcher analog zu Teilchen behandelt werden können, z. B. kann ein Loch in einer abgeschlossenen Schale im Kern fast äquivalent einem Teilchen im nächsten leeren Zustand angesehen werden. Beispiele werden vor allem im Abschnitt 7.5 im Zusammenhang mit der Paarkraft auftreten.

Noch ein paar Worte dazu, wie die Quantenzahlen eines Loches mit denen des zugehörigen Teilchenzustandes zusammenhängen. Da ein Loch durch Vernichtung eines Teilchens entsteht, müssen alle seine additiven Quantenzahlen das umgekehrte Vorzeichen gegenüber denen des Teilchens haben. Damit muß die Transformation auf das Teilchen–Loch–Bild gemäß (3.94) für solche Quantenzahlen modifiziert werden. Wenn z. B. die Zustände gute Drehimpulsprojektion haben, gibt es Multipletts von Operatoren $\hat{a}_{jm}^+$, $m = -j, \ldots j$. In diesem Fall sollte der Erzeugungsoperator für ein Loch über

$$\hat{\beta}_{jm}^+ = (-1)^m \hat{a}_{j-m} \tag{3.99}$$

definiert werden, wobei der Phasenfaktor zur Erfüllung der *Condon–Shortley–Phasenwahl* dient (siehe Abschnitt 2.3.2).

Kapitel 4

Gruppentheorie in der theoretischen Kernphysik

4.1 Lie-Gruppen und Lie-Algebren

In Abschnitt 2.1 wurde schon der Begriff *Gruppe* diskutiert und dort auf das Studium der Drehungen angewendet. In diesem Kapitel wird die Behandlung der Gruppentheorie in ausreichendem Maße ausgeweitet, um die mathematischen Grundlagen etwa des „Interacting Boson Model" diskutieren zu können.

Eine *kontinuierliche Gruppe* G ist eine Gruppe, deren Elemente g stetig von r Parametern α_i $(i = 1, 2, \ldots, r)$ abhängen, so daß sie als Funktionen $g(\alpha_1, \alpha_2, \ldots, \alpha_r)$ geschrieben werden können. Um die Schreibweise zu vereinfachen, ersetzen wir das r-Tupel von Zahlen α_i durch den Vektor $\boldsymbol{\alpha}$, so daß Gruppenelemente als $g(\boldsymbol{\alpha})$ geschrieben werden (zur Vermeidung von Vieldeutigkeiten werden die Gruppenparameter ab jetzt immer mit griechischen Buchstaben bezeichnet). r ist die *Ordnung* der kontinuierlichen Gruppe G. Wenn die Parameterwerte $(\alpha_1, \alpha_2, \ldots, \alpha_r)$ eine beschränkte und abgeschlossenene Menge im r-dimensionalen Raum bilden, ist G eine kompakte Gruppe.

Eine *Lie-Gruppe* ist eine kontinuierliche Gruppe, in der zusätzlich die Verknüpfungsoperationen der Gruppe stetig bzw. differenzierbar sind; da in den hier interessierenden physikalischen Anwendungen keine Probleme damit auftreten, kann man von den Details absehen und annehmen, daß man es immer mit Lie-Gruppen zu tun hat und daß alle mit ihrer mathematischen Struktur zusammenhängenden Funktionen beliebig oft differenzierbar sind.

Gewöhnlich braucht man Lie-Gruppen, deren Elemente als Transformationen auf einen mehrdimensionalen Vektorraum wirken. Ein Beispiel ist die dreidimensionale Drehgruppe $SO(3)$, deren Elemente die Vektoren des gewöhnlichen Raumes drehen. Ein abstrakteres Beispiel ist die Gruppe $SU(2)$ von unitären Transformationen in zwei Dimensionen, die die beiden Isospinkomponenten in den Wellenfunktionen miteinander mischt.

Die Anwendung eines Gruppenelementes $g(\boldsymbol{\alpha})$ auf einen Vektor $\boldsymbol{x} = (x_1, x_2, \ldots, x_N)$ im N-dimensionalen Raum kann geschrieben werden als

$$\boldsymbol{x}' = g(\boldsymbol{\alpha})\boldsymbol{x} = \boldsymbol{f}(\boldsymbol{x}, \boldsymbol{\alpha}) \,, \tag{4.1}$$

wobei $\boldsymbol{f}(\boldsymbol{x}, \boldsymbol{\alpha})$ eine noch zu bestimmende Vektorfunktion ist. In diesem Formalismus schreiben wir die Gruppenmultiplikation als

$$[g(\boldsymbol{\alpha}) \cdot g(\boldsymbol{\beta})]\boldsymbol{x} = \boldsymbol{f}(\boldsymbol{f}(\boldsymbol{x}, \boldsymbol{\beta}), \boldsymbol{\alpha}) = \boldsymbol{f}(\boldsymbol{x}, \boldsymbol{\gamma}), \tag{4.2}$$

wenn γ der Parametersatz ist, der $g(\boldsymbol{\alpha}) \cdot g(\boldsymbol{\beta}) = g(\boldsymbol{\gamma})$ erfüllt. Diese Beziehung gibt das Multiplikationsgesetz in der Gruppe wieder; es kann sehr kompliziert sein und ist oft nicht analytisch angebbar.

Als Beispiel diene die Translationsgruppe T_2 in zwei Dimensionen, deren Wirkung auf die Vektoren durch

$$g(\alpha, \beta)\boldsymbol{x} = g(\alpha, \beta)(x, y) = (x + \alpha, y + \beta) \tag{4.3}$$

gegeben ist, wobei α und β relle Zahlen (die Verschiebungen) sind. T_2 ist nicht kompakt, da die Parameterwerte (α, β) eine nichtkompakte Menge bilden (beide können beliebig groß werden). Sowohl Ordnung wie auch Dimension dieser Gruppe sind zwei. Die fundamentalen Gruppeneigenschaften lassen sich leicht nachprüfen:

- Vollständigkeit:

$$\begin{aligned}[g(\alpha, \beta) \cdot g(\gamma, \delta)](x, y) &= g(\alpha, \beta)(x + \gamma, y + \delta) \\ &= (x + \alpha + \gamma, y + \beta + \delta)) = g(\alpha + \gamma, \beta + \delta)(x, y) \ ,\end{aligned} \tag{4.4}$$

  was gleichzeitig zeigt, daß die Gruppenmultiplikation der Addition der Parameter entspricht.

- Assoziativität:

$$\begin{aligned}[g(\alpha, \beta) \cdot (g(\gamma, \delta) \cdot g(\epsilon, \zeta))](x, y) &= (x + \alpha + (\gamma + \epsilon), y + \beta + (\delta + \zeta)) \\ &= (x + (\alpha + \gamma) + \epsilon), y + (\beta + \delta) + \zeta) \\ &= [(g(\alpha, \beta) \cdot g(\gamma, \delta)) \cdot g(\epsilon, \zeta)](x, y).\end{aligned} \tag{4.5}$$

- Einselement: dies ist offensichtlich $g(0, 0)$.

- Inverses Element:

$$g(\alpha, \beta)^{-1} = g(-\alpha, -\beta). \tag{4.6}$$

In Verallgemeinerung der Diskussion von Abschnitt 2.2.1 führen wir jetzt die *Generatoren* einer kontinuierlichen Gruppe ein, die durch die Elemente in der Nähe des Einselementes bestimmt werden. Üblicherweise wird angenommnen, daß das Einselement durch die Parameterwerte Null, $\boldsymbol{\alpha} = \mathbf{o}$, gegeben ist. Betrachten wir die Transformation

$$\boldsymbol{x} \rightarrow \boldsymbol{x}' = \boldsymbol{f}(\boldsymbol{x}, \boldsymbol{\alpha}) \tag{4.7}$$

und entwickeln $\boldsymbol{f}(\boldsymbol{x},\boldsymbol{\alpha})$ in eine Taylorreihe für kleine $\boldsymbol{\alpha}$:

$$\boldsymbol{f}(\boldsymbol{x},\boldsymbol{\alpha}) = \boldsymbol{f}(\boldsymbol{x},\mathbf{o}) + \boldsymbol{\alpha}\cdot\nabla_\alpha \boldsymbol{f}(\boldsymbol{x},\boldsymbol{\alpha})\big|_{\alpha=0} + \ldots \tag{4.8}$$

mit ∇_α dem Gradientenoperator im r-dimensionalen Parameterraum. Wenn man

$$\boldsymbol{x}' = \boldsymbol{x} + \mathrm{d}\boldsymbol{x} \tag{4.9}$$

setzt, erhält man für kleine Werte von $\boldsymbol{\alpha}$, d. h, $\boldsymbol{\alpha} \to \mathrm{d}\boldsymbol{\alpha}$

$$\begin{aligned} \mathrm{d}\boldsymbol{x} &= \mathrm{d}\boldsymbol{\alpha}\cdot\nabla_\alpha \boldsymbol{f}(\boldsymbol{x},\boldsymbol{\alpha})\big|_{\boldsymbol{\alpha}=0} \\ &= \sum_{i=1}^{r} \mathrm{d}\alpha_i \frac{\partial}{\partial\alpha_i}\boldsymbol{f}(\boldsymbol{x},\boldsymbol{\alpha})\bigg|_{\boldsymbol{\alpha}=0} . \end{aligned} \tag{4.10}$$

In Komponenten geschrieben wird das zu

$$\mathrm{d}x_k = \sum_{i=1}^{r} \mathrm{d}\alpha_i U_i^k , \tag{4.11}$$

mit der Definition

$$U_i^k = \frac{\partial}{\partial\alpha_i} f_k(\boldsymbol{x},\boldsymbol{\alpha})\bigg|_{\boldsymbol{\alpha}=0} . \tag{4.12}$$

Im folgenden untersuchen wir die Änderung einer beliebigen skalaren Funktion $F(\boldsymbol{x})$, wenn ihr Argument $\boldsymbol{x}$ mit einer infinitesimalen Transformation, d. h. mit einem Gruppenelement nahe der Eins, verändert wird. Das totale Differential von $F(\boldsymbol{x})$ ist

$$\begin{aligned} \mathrm{d}F(\boldsymbol{x}) &= \sum_{k=1}^{N} \frac{\partial F(x_1,\ldots,x_N)}{\partial x_k}\mathrm{d}x^k \\ &= \sum_{k=1}^{N} \frac{\partial F(\boldsymbol{x})}{\partial x_k} \sum_{i=1}^{r} \mathrm{d}\alpha_i U_i^k \\ &= \sum_{i=1}^{r} \mathrm{d}\alpha_i \hat{G}_i F(\boldsymbol{x}), \end{aligned} \tag{4.13}$$

mit der Definition

$$\hat{G}_i = \sum_{k=1}^{N} U_i^k \frac{\partial}{\partial x_k} . \tag{4.14}$$

Die Größen $\hat{G}_i$ sind die *Generatoren* der Gruppe G, da sie die infinitesimalen Veränderungen einer Funktion durch die Transformation beschreiben.

Als Beispiel diene die Gruppe $SO(2)$, die Gruppe orthogonaler Transformationen in zwei Dimensionen von der Form

$$\begin{aligned} x' &\equiv f_x(x,y) = x\cos\phi - y\sin\phi \\ y' &\equiv f_y(x,y) = x\sin\phi + y\cos\phi. \end{aligned} \tag{4.15}$$

Offensichtlich hat $SO(2)$ die Ordnung eins, da sie nur einen Parameter besitzt, nämlich den Drehwinkel ϕ. Die Funktionen U_i^k werden mit den Substitutionen $(i \equiv \phi)$, $(k \equiv x, y)$ zu

$$U_\phi^x = \left.\frac{\partial f_x}{\partial \phi}\right|_{\phi=0} = -y, \qquad U_\phi^y = \left.\frac{\partial f_y}{\partial \phi}\right|_{\phi=0} = +x, \tag{4.16}$$

und der Generator $\hat{G}_\phi$ ist

$$\hat{G}_\phi = U_\phi^x \frac{\partial}{\partial x} + U_\phi^y \frac{\partial}{\partial y} = x\frac{\partial}{\partial y} - y\frac{\partial}{\partial x} = -\frac{i}{\hbar}\hat{L}_z, \tag{4.17}$$

also bis auf einen Faktor die z-Komponente des Drehimpulses.

Eine *Lie–Algebra* ist ein Vektorraum mit einer zusätzlichen antisymmetrischen Verknüpfung, die durch den Kommutator gegeben ist. Die Generatoren einer Lie-Gruppe bilden eine Lie-Algebra, weil sie addiert und mit Skalaren multipliziert werden können und, wie man zeigen kann, auch unter der Kommutation eine abgeschlossene Menge bilden:

$$[\hat{G}_\mu, \hat{G}_\nu] = \sum_{\lambda=1}^{r} C_{\mu\nu}^\lambda \hat{G}_\lambda \; . \tag{4.18}$$

Dabei sind die $C_{\mu\nu}^\lambda$ die *Strukturkonstanten.* Der Kommutator erfüllt formal folgende Eigenschaften:

- Definition:

$$[\hat{G}_\mu, \hat{G}_\nu] = \hat{G}_\mu \hat{G}_\nu - \hat{G}_\nu \hat{G}_\mu. \tag{4.19}$$

- Antisymmetrie:

$$[\hat{G}_\mu, \hat{G}_\nu] = -[\hat{G}_\nu, \hat{G}_\mu]. \tag{4.20}$$

- Jacobi–Identität:

$$[[\hat{G}_\mu, \hat{G}_\nu], \hat{G}_\tau] = [[\hat{G}_\tau, \hat{G}_\mu], \hat{G}_\nu] = [[\hat{G}_\nu, \hat{G}_\tau], \hat{G}_\mu]. \tag{4.21}$$

Eine direkte Konsequenz dieser Bedingungen für die Generatoren ist, daß die Strukturkonstanten selbst antisymmetrisch sein müssen, $C_{\mu\nu}^\lambda = -C_{\nu\mu}^\lambda$, und die Jacobi-Identität erfüllen müssen:

$$\sum_\sigma (C_{\alpha\beta}^\sigma C_{\sigma\gamma}^\rho + C_{\beta\gamma}^\sigma C_{\sigma\alpha}^\rho + C_{\gamma\alpha}^\sigma C_{\sigma\beta}^\rho) = 0. \tag{4.22}$$

Umgekehrt kann man auch zeigen, daß, wenn die Strukturkonstanten diese beiden Eigenschaften haben, die zugehörigen Generatoren auch eine Lie-Algebra bilden.

4.1 Aufgabe: Die Lie–Algebra der Drehimpulsoperatoren

Zeigen Sie, daß die Drehimpulsoperatoren eine Lie-Algebra bilden.

Lösung:

In Kapitel 2 wurden die Drehimpulsoperatoren $\hat{L}_i$ als Generatoren für Drehungen um die drei Koordinatenachsen konstruiert (man beachte, daß die Parametrisierung in Eulerwinkeln für diesen Zweck nicht verwendet werden kann, da die Eulerwinkel für kleine Drehungen nicht unabhängig sind: θ_1 und θ_3 haben beide $\hat{L}_z$ als Generator). Sie gehorchen den Vertauschungsregeln

$$[\hat{L}_i, \hat{L}_k] = i\hbar\varepsilon_{ijk}\hat{L}_k. \qquad \underline{1}$$

Also sind die Strukturkonstanten der zur $SO(3)$ gehörenden Algebra durch den antisymmetrischen Tensor ε_{ijk} gegeben. Die Antisymmetrie ist offenbar erfüllt, weil $\varepsilon_{jik} = -\varepsilon_{ijk}$, während die Jacobi-Identität aus

$$\begin{aligned} &\sum_\sigma(\varepsilon_{\alpha\beta\sigma}\varepsilon_{\sigma\gamma\rho} + \varepsilon_{\beta\gamma\sigma}\varepsilon_{\sigma\alpha\rho} + \varepsilon_{\gamma\alpha\sigma}\varepsilon_{\sigma\beta\rho}) \qquad \underline{2} \\ = &\sum_\sigma(\varepsilon_{\alpha\beta\sigma}\varepsilon_{\gamma\rho\sigma} + \varepsilon_{\beta\gamma\sigma}\varepsilon_{\alpha\rho\sigma} + \varepsilon_{\gamma\alpha\sigma}\varepsilon_{\beta\rho\sigma}) \\ = &\ \delta_{\alpha\gamma}\delta_{\beta\rho} - \delta_{\alpha\rho}\delta_{\beta\gamma} + \delta_{\beta\alpha}\delta_{\gamma\rho} - \delta_{\beta\rho}\delta_{\gamma\alpha} + \delta_{\gamma\beta}\delta_{\alpha\rho} - \delta_{\gamma\rho}\delta_{\alpha\beta} \\ = &\ 0 \end{aligned}$$

folgt.

Von zentraler Bedeutung für die Anwendung der Lie-Gruppen sind die Casimir-Operatoren $\hat{C}_\lambda$, d. h. die Operatoren, die mit allen Elementen der Lie-Algebra vertauschen:

$$\left[\hat{C}_\lambda, \hat{G}_i\right] = 0. \tag{4.23}$$

Für eine gegebene Gruppe existieren i. allg. mehrere unabhängige Casimiroperatoren, und ihre explizite Form ist nicht eindeutig: Wenn $\hat{C}_\lambda$ and $\hat{C}_\sigma$ Casimiroperatoren sind, sind es auch $\hat{C}_\lambda - \hat{C}_\sigma$, $\hat{C}_\lambda + \hat{C}_\sigma$, $\hat{C}_\lambda\hat{C}_\sigma$, usw.

Im allgemeinen ist es sehr schwierig, alle Casimiroperatoren für eine gegebene Algebra zu finden, aber es gibt eine einfache Regel, die immer wenigstens einen Casimiroperator aus den Generatoren konstruiert, nämlich

$$\hat{C}_\lambda = \sum_{\mu,\nu} g_{\mu\nu}\hat{G}_\mu\hat{G}_\nu. \tag{4.24}$$

Der Tensor $g_{\mu\nu}$ ist der *metrische Tensor* der Algebra und durch

$$g_{\mu\nu} = \sum_{\tau\rho} C^\rho_{\mu\tau}C^\tau_{\nu\rho} \tag{4.25}$$

gegeben.

4.2 Aufgabe: Der Casimiroperator der Drehimpulsalgebra

Konstruieren Sie den Casimiroperator der Drehimpulsalgebra mit Hilfe von (4.24).

Lösung:

Mit den Strukturkonstanten $C_{ij}^k = \varepsilon_{ijk}$ erhält man den metrischen Tensor

$$\begin{aligned} g_{\mu\nu} &= \sum_{\tau\rho} C^{\rho}_{\mu\tau} C^{\tau}_{\nu\rho} \\ &= \sum_{\tau\sigma} \varepsilon_{\mu\tau\rho}\varepsilon_{\nu\rho\tau} \\ &= -\sum_{\tau\sigma} \varepsilon_{\mu\tau\rho}\varepsilon_{\nu\tau\rho} \\ &= -2\delta_{\mu\nu}, \end{aligned} \qquad \underline{1}$$

und der Casimiroperator wird zu

$$\begin{aligned} \hat{C}_{SO(3)} &= \sum_{\mu\nu} g_{\mu\nu}\hat{L}_\mu\hat{L}_\nu = -2\sum_{\mu\nu}\delta_{\mu\nu}\hat{L}_\mu\hat{L}_\nu \\ &= -2\boldsymbol{J}^2. \end{aligned} \qquad \underline{2}$$

Dies gibt also nur das altbekannte Resultat wieder, daß der $\hat{\boldsymbol{J}}^2$-Operator der Casimiroperator der Drehimpulsalgebra ist und mit allen Drehimpulsoperatoren $\hat{\boldsymbol{J}}_i$ kommutiert. Er ist in diesem Fall auch der einzige Casimiroperator der Algebra.

Schließlich soll noch der Begriff „Darstellung" präzisiert werden. Sei G eine Gruppe mit Elementen g_m. Wenn eine Abbildung von den Elementen g_m auf Matrizen $D(g_m)$ existiert, so daß immer, wenn $g_1 \cdot g_2 = g_3$ auch $D(g_1) \cdot D(g_2) = D(g_3)$ gilt, dann bilden die Matrizen $D(g_m)$ eine *Darstellung* der Gruppe G. Ein Beispiel sind die Drehmatrizen von Abschnitt 2.3.3.

Im allgemeinen Fall erhalten wir eine Darstellung, wenn wir betrachten, wie die Gruppenelemente gemäß ihrer Definition auf den n-dimensionalen Vektorraum wirken. Wenn $|\phi_i>$ $(i = 1, \ldots, n)$ eine Basis für diesen Vektorraum ist, so kann die Wirkung eines Gruppenelementes auf einen Basisvektor entwickelt werden als

$$g_m|\phi_j\rangle = \sum_{i=1}^{n} D_{ji}^m|\phi_i\rangle, \qquad (4.26)$$

mit

$$D(g_m)_{ji} = \langle\phi_i|g_m|\phi_j\rangle. \qquad (4.27)$$

Die c-Zahlen $D(g_m)_{ji}$ bilden die Matrixelemente der Darstellungsmatrix $D(g_m)$, und die $D(g)$ ihrerseits bilden eine Matrixgruppe, die die gewünschte Darstellungseigenschaft erfüllt:

$$\begin{aligned} (D(g_1) \cdot D(g_2))_{ik} &= \sum_{j=1}^{n} D(g_1)_{ij} D(g_2)_{jk} \\ &= \sum_{j=1}^{n} \langle \phi_i | g_1 | \phi_j \rangle \langle \phi_j | g_2 | \phi_k \rangle \\ &= \langle i | g_1 g_2 | k \rangle = D(g_1 g_2)_{ik}. \end{aligned} \tag{4.28}$$

Wie dieses Beispiel zeigt, ist es leicht, eine spezielle Darstellung zu konstruieren; die wichtigere und schwierigere Aufgabe ist es aber, *alle* möglichen Darstellungen zu bestimmen, und zwar durch Konstruktion aller irreduziblen Darstellungen als Bausteine. Für die Drehgruppe wurde das in Abschnitt 2.3.2 durchgeführt.

4.3 Aufgabe: Die Lie–Algebra für die Gruppe $SO(n)$

Bestimmen Sie die Lie-Algebra für die Gruppe $SO(n)$, d. h. die Gruppe der orthogonalen Transformationen der Dimension n mit Determinante 1, ausgehend von der Matrixdarstellung.

Lösung:

Es wurde schon erwähnt, daß die Algebra einer Lie-Gruppe vollständig durch die Eigenschaften der Gruppenelemente nahe dem Einselement bestimmt sind, wo alle Gruppenparameter infinitesimal klein sind. Wir benötigen also die Elemente der $SO(n)$ in Matrixdarstellung, die sich infinitesimal von der Einheitsmatrix unterscheiden. Die definierende Eigenschaft der orthogonalen Transformationen ist, daß sie die Norm der Vektoren invariant lassen. Das bedeutet, daß wenn man einen Vektor gemäß $\boldsymbol{x}' = A\boldsymbol{x}$ mit $A \in SO(n)$ transformiert, die Gleichung

$$(\boldsymbol{x}')^T \boldsymbol{x}' = \boldsymbol{x}^T \boldsymbol{x} \tag{1}$$

erfüllt sein muß. Betrachten wir jetzt eine infinitesimale Transformation der Form

$$\boldsymbol{x}' = (1 + \delta A)\boldsymbol{x}, \tag{2}$$

wobei „1“ für die Einheitsmatrix steht. In erster Ordnung in δA bedingt das

$$\begin{aligned} (\boldsymbol{x}')^T \boldsymbol{x}' &= (\boldsymbol{x})^T (1 + \delta A^T)(1 + \delta A)\boldsymbol{x} \\ &\approx (\boldsymbol{x})^T (1 + \delta A + \delta A^T)\boldsymbol{x}, \end{aligned} \tag{3}$$

so daß die Matrizen A antisymmetrisch sein müssen:

$$\delta A^T = -\delta A. \tag{4}$$

Als Gruppenparameter kann man also die unabhängigen Matrixelemente einer antisymmetrischen Matrix wählen. Für Dimension n ist ihre Anzahl $n(n-1)/2$ (das ist die Zahl der Matrixelemente über der Diagonale — die Hälfte der Gesamtanzahl ohne Diagonalelemente), so daß die Ordnung der Gruppe $SO(n)$ zu $n(n-1)/2$

wird. Jedes dieser Elemente kann durch ein Indexpaar (i,j) mit $i<j$ charakterisiert werden, und man kann die Gruppenparameter etwa mit r_{ij} bezeichnen. Eine beliebige infinitesimale Transformation ist somit gegeben durch

$$\delta A(r_{ij}) = r_{ij}\left(E^{(ij)} - E^{(ji)}\right), \tag{5}$$

wobei $E^{(ij)}$ eine Matrix mit einer eins in der i'ten Zeile und der j'ten Spalte und allen anderen Elementen gleich Null ist. Die Matrixform der Generatoren ist jetzt einfach abzulesen:

$$G_{ij} = E^{(ij)} - E^{(ji)}. \tag{6}$$

Jetzt kann auch noch leicht eine Realisierung der Generatoren $\hat{G}_{ij}$ der $SO(n)$ mit den Definitionen (1–2) angegeben werden:

$$\begin{aligned}\hat{G}_{ij} &= \sum_k U_{ij}^k \frac{\partial}{\partial x_j} \\ &= \sum_k \frac{\partial}{\partial r_{ij}}\left(\sum_l \delta A(r_{ij})_{kl} x_l\right)\frac{\partial}{\partial x_k} \\ &= \sum_{kl}\left(\delta_{ik}\delta_{jl} - \delta_{il}\delta_{jk}\right) x_l \frac{\partial}{\partial x_k} \\ &= x_i\frac{\partial}{\partial x_j} - x_j\frac{\partial}{\partial x_i}.\end{aligned} \tag{7}$$

Die Vertauschungsregeln der Generatoren, d. h. die eigentliche Struktur der Lie-Algebra, ergeben sich zu

$$\begin{aligned}\left[\hat{G}_{ij}, \hat{G}_{km}\right] &= \left(x_i\frac{\partial}{\partial x_j} - x_j\frac{\partial}{\partial x_i}\right)\left(x_k\frac{\partial}{\partial x_m} - x_m\frac{\partial}{\partial x_k}\right) \\ &- \left(x_k\frac{\partial}{\partial x_m} - x_m\frac{\partial}{\partial x_k}\right)\left(x_i\frac{\partial}{\partial x_j} - x_j\frac{\partial}{\partial x_i}\right) \\ &= \delta_{jk}\hat{G}_{im} + \delta_{im}\hat{G}_{jk} + \delta_{jm}\hat{G}_{ki} + \delta_{ki}\hat{G}_{mj}\end{aligned} \tag{8}$$

Für den Fall $n=3$ erhält man daraus die gewöhnliche Drehimpulsalgebra mit der Identifikation

$$\hat{L}_x = i\hat{G}_{23}, \qquad \hat{L}_y = i\hat{G}_{31}, \qquad \hat{L}_z = i\hat{G}_{12}. \tag{9}$$

4.2 Gruppenketten

Zur Konstruktion der Darstellungen komplizierterer Gruppen wird oft eine Methode verwendet, die auf *Ketten von Untergruppen* und ihren Casimiroperatoren basiert. Im IBA-Modell (Abschnitt 6.8) wird sie eine große Rolle spielen, aber das einfachste Beispiel ist wieder die Ableitung der Darstellungen der Drehgruppe, und wir werden daran kurz die wesentlichen Ideen erklären.

In Abschnitt 2.3.2 wurden die Operatoren $\hat{J}^2$, $\hat{J}_\pm$ und $\hat{J}_z$ verwendet. Die gruppentheoretische Rolle ist dabei nur für $\hat{J}^2$ offensichtlich: Er ist der Casimiroperator der Drehgruppe und unterscheidet deswegen die verschiedenen irreduziblen Darstellungen gemäß dem Lemma von Schur. Welche Rolle spielt $\hat{J}_z$? Es ist der Generator der Drehungen um die z-Achse, die eine Untergruppe der vollen Drehgruppe bilden.

Die zweidimensionale Drehgruppe $SO(2)$ besteht aus Matrizen der Form

$$\begin{pmatrix} \cos\theta & -\sin\theta \\ \sin\theta & \cos\theta \end{pmatrix}, \tag{4.29}$$

die eineindeutig auf die komplexen Phasenfaktoren $e^{i\theta}$ abbildbar sind, so daß die Gruppe $SO(2)$ isomorph zur Gruppe $U(1)$ ist. Weil es nur einen Gruppenparameter θ gibt, existiert auch nur ein Generator $\hat{J}_z$, der trivialerweise auch Casimiroperator ist. Die irreduziblen Darstellungen sind also alle eindimensional und werden durch den Eigenwert $\hbar m$ von $\hat{J}_z$ charakterisiert.

Was in Abschnitt 2.3.2 passierte, wird jetzt auf einem allgemeineren Niveau klar: Die Darstellungen der $SU(2)$ bzw. $SO(3)$ wurden in Darstellungen der Untergruppe $U(1)$ oder $SO(2)$ zerlegt. Unterräume mit fester Projektion m sind nur noch unter der $SO(2)$, d. h. den Drehungen um die z-Achse, invariant, während die zusätzlichen Generatoren $\hat{J}_\pm$ bzw. $\hat{J}_x$ und $\hat{J}_y$ die verschiedenen Projektionen mischen. Formal schreibt man die Beziehungen zwischen Gruppe, Casimiroperatoren und Eigenwerten so:

$$\begin{array}{ccc} SO(3) & \supset & SO(2) \\ \hat{J}^2 & & \hat{J}_z \\ \hbar^2 j(j+1) & & \hbar m \end{array} \tag{4.30}$$

Das ist natürlich ein extrem einfaches Beispiel. Im IBA-Modell wird die Gruppenkette z. B.

$$U(6) \supset U(5) \supset O(5) \supset O(3) \supset O(2). \tag{4.31}$$

Es ist immer wünschenswert, eine Kette zu finden, die am Schluß $O(3)$ und $O(2)$ enthält, weil dann die Drehimpulseigenwerte auftauchen und die Darstellungen physikalisch nützlicher werden.

Jede Darstellung wird durch die Eigenwerte des ersten Casimiroperators der ersten Gruppe in der Kette charakterisiert, der Darstellungsraum wird dann in Unterräume zerlegt, die unter der nächsten Gruppe invariant sind und durch den Eigenwert des nächsten Casimiroperators charakterisiert werden, usw. Auf diese Art erhält man einen Satz Quantenzahlen und sogar eine volle Lösung des Eigenwertproblems, falls der Hamiltonoperator durch die Casimiroperatoren ausgedrückt werden kann. Man beachte auch, daß bei jeder Stufe der Zerlegung auch mehr als ein Casimiroperator auftauchen kann.

Wenn der Hamiltonoperator invariant unter der Gruppe ist, muß er mit allen Generatoren der Gruppe kommutieren und selbst ein Casimiroperator sein. Zum Beispiel steckt die Winkelabhängigkeit des Hamiltonoperators für ein sphärisch symmetrisches System im Raum nur im Zentrifugalterm, der zu $\hat{J}^2$ proportional ist. In diesem Fall können die Winkelabhängigkeit der Wellenfunktion und die damit verbundenen Quantenzahlen rein gruppentheoretisch bestimmt werden; die radiale Abhängigkeit verlangt aber eine kompliziertere Behandlung, die allerdings in manchen Fällen auch auf eine abstrakte Symmetriegruppe führt und gruppentheoretischen Methoden zugänglich ist.

4.2.1 Lie-Algebren in zweiter Quantisierung

Die Generatoren von Lie-Algebren erscheinen oft in der Form von Operatoren der zweiten Quantisierung. Der mathematische Grund dafür ist ganz einfach: Wenn ein Teilchen in einem n-dimensionalen Raum von Einteilchen-Wellenfunktionen erzeugt wird, kann es durch irgendeine Linearkombination der Basiswellenfunktionen beschrieben werden. Eine lineare Transformation, die seine Wellenfunktion auf irgendeine andere Linearkombination der Basisfunktionen abändert, entspricht einer Matrix der Gruppe $U(n)$. Alternativ kann man aber dieselbe Umverteilung der Wellenfunktion durch eine geeignete Linearkombination von Produkten der Form $\hat{a}_j^+ \hat{a}_k$ bewirken, die das Teilchen aus einem Zustand in einen anderen umbesetzt. Das einfachste Beispiel ist natürlich wieder die uns überall begegnende Drehgruppe, diesmal in ihrer Inkarnation als $SU(2)$.

Man betrachte ein Fermion, das in zwei Zuständen existieren kann. In bezug auf den Isospin nenne man sie $|p\rangle$ und $|n\rangle$; diese werden erzeugt über die Operatoren $\hat{a}_p^+$ und $\hat{a}_n^+$, so daß

$$|p\rangle = \hat{a}_p^+|0\rangle \ , \quad |n\rangle = \hat{a}_n^+|0\rangle . \tag{4.32}$$

Eine Veränderung des Teilchenzustandes kann dann durch die Operatoren $\hat{a}_n^+\hat{a}_p$ bzw. $\hat{a}_p^+\hat{a}_n$ vermittelt werden. Das erinnert schon an die „Schiebeoperatoren" der Drehimpulstheorie. Wenn man dem Zustand $|p\rangle$ die Projektion $\frac{1}{2}$ und $|n\rangle$ die Projektion $-\frac{1}{2}$ zuordnet, können „Drehimpulsoperatoren"

$$\hat{J}_+ = \hat{a}_p^+\hat{a}_n \ , \quad \hat{J}_- = \hat{a}_n^+\hat{a}_p \tag{4.33}$$

definiert werden. Außerdem liegt es nahe, der z-Projektion des Drehimpulses den Ausdruck

$$\hat{J}_z = \tfrac{1}{2}(\hat{a}_p^+\hat{a}_p - \hat{a}_n^+\hat{a}_n) \tag{4.34}$$

zuzuordnen, der offensichtlich die gewünschten Eigenwerte $\pm\frac{1}{2}$ für die zwei Zustände hat.

Ob das tatsächlich die korrekte Lie-Algebra der Drehimpulsoperatoren ergibt, kann leicht nachgeprüft werden. Weil $\hat{a}_n$ nach hinten durchkommutiert werden kann, hat man

$$[\hat{a}_p^+\hat{a}_p, \hat{a}_p^+\hat{a}_n] = [\hat{a}_p^+\hat{a}_p, \hat{a}_p^+]\hat{a}_n = \hat{a}_p^+\hat{a}_n, \tag{4.35}$$

und mit einer ähnlichen Rechnung für den Operator $\hat{a}_n^+\hat{a}_n$ erhält man

$$[\tfrac{1}{2}(\hat{a}_p^+\hat{a}_p - \hat{a}_n^+\hat{a}_n), \hat{a}_p^+\hat{a}_m] = \hat{a}_p^+\hat{a}_n \tag{4.36}$$

oder

$$[\hat{J}_z, \hat{J}_+] = \hat{J}_+, \tag{4.37}$$

genau wie es für die Drehimpuls-Schiebeoperatoren sein sollte. Ähnlich folgen alle anderen Vertauschungsregeln. Damit ist die volle Lie-Algebra der $SU(2)$ durch Operatoren der zweiten Quantisierung ausgedrückt.

Auf ähnliche Art kann man die Generatoren der $SO(n)$ einfach aus der Matrixdarstellung von ($\underline{6}$) ersehen. Jede Matrix $E^{(ij)}$ entspricht einem Operatorpaar $\hat{a}_i^+\hat{a}_j$, so daß die Form in zweiter Quantisierung zu

$$\hat{G}_{ij} = \hat{a}_i^+\hat{a}_j - \hat{a}_j^+\hat{a}_i \tag{4.38}$$

wird.

Diese Methodologie wird im Rahmen des IBA-Modelles (Abschnitt 6.8) auf den Fall des sechsdimensionalen Wellenfunktionsraumes angewandt werden. Es gibt aber auch eine interessante Anwendung der Drehimpulsalgebra in einer Situation, die nicht so trivial mit der Gruppe $SU(2)$ zusammenhängt: das Quasispinmodell von Abschnitt 7.5.3.

Kapitel 5

Elektromagnetische Momente und Übergänge

5.1 Allgemeines

Die wichtigste Quelle experimenteller Infomationen über den Atomkern ist die Wechselwirkung mit elektromagnetischer Strahlung. Gammastrahlen können vom Kern sowohl absorbiert wie auch emittiert werden und ergeben Information nicht nur durch ihre Energie und Drehimpuls, sondern auch über die zugehörigen Übergangswahrscheinlichkeiten. Aus diesen können Rückschlüsse über die Drehimpulse, Paritäten, Anregungsenergien und Übergangsmatrixelemente der stationären Zustände des Kerns gezogen werden. Manchmal kann die Information auch durch einfachere Größen wie die elektromagnetischen Multipolmomente, z. B. das Quadrupolmoment, zusammengefaßt werden, die direkter mit der Ladungsverteilung im Kern in bezug gesetzt werden können.

Der Zweck dieses Kapitels ist die Entwicklung der Formeln, mit denen aus Kernmodellen die elektromagnetischen Übergangswahrscheinlichkeiten und Multipolmomente berechnet werden können. Dazu muß das elektromagnetische Feld zunächst quantisiert und in Komponenten guten Drehimpulses und guter Parität zerlegt werden. Anschließend muß die Wechselwirkung des Feldes mit der Ladungs- und Stromverteilung im Kern so formuliert werden, daß später aus Kernmodellen berechnete eingesetzt werden können. Diese Schritte sind das Thema der nächsten Abschnitte.

5.2 Quantisierung des Feldes

Die Quantisierung soll hier nicht im Detail entwickelt, sondern im wesentlichen fertig angegeben werden, da sie für dieses Buch nur Hilfsmittel und nicht Zweck ist; insbesondere werden die feldtheoretischen Details nicht behandelt. Betrachten wir das Vektorpotential $\boldsymbol{A}(\boldsymbol{r}, t)$ als das grundlegende dynamische Feld und verwenden die Coulomb- oder transversale Eichung , so erfüllt das Feld

$$\nabla \cdot \boldsymbol{A} = 0 \tag{5.1}$$

und in Abwesenheit von Ladungen oder Strömen auch die Wellengleichung

$$\left(\frac{\partial^2}{c^2 \partial t^2} - \nabla^2 \right) \boldsymbol{A} = 0. \tag{5.2}$$

Die elektromagnetischen Felder selbst sind durch $\boldsymbol{A}$ gegeben über

$$\boldsymbol{E} = -\frac{1}{c}\frac{\partial}{\partial t}\boldsymbol{A}, \quad \boldsymbol{H} = \nabla \times \boldsymbol{A}, \tag{5.3}$$

und die Energiedichte des Feldes wird

$$\epsilon_{\text{em}} = \frac{1}{8\pi}(|E|^2 + |H|^2). \tag{5.4}$$

Mit einer ebenen Welle für das Vektorpotential gemäß

$$\boldsymbol{A}_{\boldsymbol{k}}(\boldsymbol{r}, t) = \boldsymbol{A}_0 \cos(\boldsymbol{k} \cdot \boldsymbol{r} - \omega t) \tag{5.5}$$

wird daraus (mit $\omega = ck = c|\boldsymbol{k}|$, was direkt aus der Wellengleichung folgt)

$$\boldsymbol{E}_{\boldsymbol{k}} = -k\boldsymbol{A}_0 \sin(\boldsymbol{k} \cdot \boldsymbol{r} - \omega t), \quad \boldsymbol{H}_{\boldsymbol{k}} = -\boldsymbol{k} \times \boldsymbol{A}_0 \sin(\boldsymbol{k} \cdot \boldsymbol{r} - \omega t), \tag{5.6}$$

und die Energiedichte wird zu

$$\epsilon_{\text{em}} = \frac{1}{8\pi}k^2|A_0|^2. \tag{5.7}$$

Für ein Feld, das einem einzelnen Photon entspricht, sollte dies gleich $\hbar\omega/V$ sein, mit V dem Volumen des Systems, so daß die zugehörige Amplitude

$$A_0 = \sqrt{\frac{8\pi\hbar\omega}{k^2 V}} = \sqrt{\frac{8\pi\hbar c^2}{\omega V}} \tag{5.8}$$

sein muß. Der entsprechende komplexe Ausdruck mit derselben gemittelten Energiedichte ist

$$\boldsymbol{A}_{\text{em}}(\boldsymbol{r}, t) = \boldsymbol{\epsilon}\sqrt{\frac{2\pi\hbar c^2}{\omega V}}\left(a_0 \exp(i\boldsymbol{k} \cdot \boldsymbol{r} - i\omega t) + a_0^* \exp(-i\boldsymbol{k} \cdot \boldsymbol{r} + i\omega t)\right), \tag{5.9}$$

wobei a_0 eine komplexe Zahl mit Betrag eins ist, die die Phase der Welle angibt, und $\boldsymbol{\epsilon}$ der Polarisations-Einheitsvektor. Wegen der Transversalität der elektromagnetischen Wellen gibt es zwei unabhängige Polarisationsrichtungen $\boldsymbol{\epsilon}_l$, $l = 1, 2$, die beide $\boldsymbol{\epsilon}_l \cdot \boldsymbol{k} = 0$ erfüllen.

Jetzt können wir die quantisierte Form dieses Vektorpotentials plausibel machen. Der Wechselwirkungsoperator mit Materie ist die quantisierte Form der klassischen Wechselwirkungsenergie

$$\epsilon_{\text{int}} = -\frac{1}{c}\boldsymbol{j}(\boldsymbol{r}) \cdot \boldsymbol{A}(\boldsymbol{r}), \tag{5.10}$$

mit $\boldsymbol{j}$ der Stromdichteverteilung. Dies sollte die Emission und Absorption von Photonen beschreiben und zu typischen Übergangs-Matrixelementen zwischen Kernzuständen Ψ_i und Ψ_f von der Form

$$\int d^3r \langle \Psi_f, \text{ein Photon}| -\tfrac{1}{c}\boldsymbol{j}\cdot\boldsymbol{A}|\Psi_i, \text{kein Photon}\rangle \tag{5.11}$$

für die Emission eines Photons und dem dazu hermitisch Konjugierten für die Absorption führen. Der Feldoperator sollte also zwei zueinander adjungierte Teile haben, in denen jeweils Erzeugungs- bzw. Vernichtungsoperatoren für Photonen stehen, so daß es naheliegt, einfach die Amplituden a_0 und a_0^* durch $\hat{\beta}^+$ und $\hat{\beta}$, die Erzeugungs- und Vernichtungsoperatoren für Photonen zu ersetzen. Es bleibt noch zu klären, welche Sorte Operator in welchem Term steht, aber das wird klar aus der Energieerhaltung: Im obigen Matrixelement für Emission ist die gesamte zeitabhängige Phase

$$\tfrac{\mathrm{i}}{\hbar}(E_f - E_i)t + \mathrm{i}\phi \tag{5.12}$$

mit ϕ der unbekannten Phase, die den Erzeugungsoperator im Strahlungsfeld begleitet. Gesamtenergieerhaltung erfordert $E_f = E_i - \hbar\omega$, so daß $\phi = \omega t$ gefordert werden muß. Es ist auch vernünftig, daß die Erzeugungs- und Vernichtungsoperatoren mit ebenen Wellen einander entgegengesetzten Impulses assoziiert sind, da die Impulserhaltung die entsprechende Änderung im Gesamtimpuls verlangt. Der Normierungsfaktor schließlich stellt sicher, daß die Feldenergie korrekt durch die Photonenzahl gegeben ist; um das zu sehen, berechne man nur die Feldenergie wie oben und subtrahiere die Nullpunktsenergie wie beim harmonischen Oszillator.

Für die endgültige Formulierung des Strahlungsfeldes müssen die Operatoren noch mit Indizes versehen werden, die den Schwingungsmodus des Feldes (bestimmt durch Wellenvektor $\boldsymbol{k}$ und Polarisationsindex μ) angeben. Im folgenden steht ω immer für ck. Damit wird der Feldoperator, summiert über alle Moden $(\boldsymbol{k}, \mu)$, zu

$$\hat{\boldsymbol{A}}(\boldsymbol{r},t) = \sum_{\boldsymbol{k}\mu} \sqrt{\frac{2\pi\hbar c^2}{\omega V}} \left(\hat{\beta}_{\boldsymbol{k}\mu}\boldsymbol{\epsilon}_\mu^* e^{\mathrm{i}\boldsymbol{k}\cdot\boldsymbol{r}-\mathrm{i}\omega t} + \hat{\beta}_{\boldsymbol{k}\mu}^+ \boldsymbol{\epsilon}_\mu e^{-\mathrm{i}\boldsymbol{k}\cdot\boldsymbol{r}+\mathrm{i}\omega t}\right) \tag{5.13}$$

(die Auswahl von ϵ_μ bzw. seinem komplex Konjugierten berücksichtigt, daß zum sphärischen Basisvektor ϵ_μ mit Drehimpulsprojektion μ der *Erzeugungsoperator* für diese Projektion gehört).

Der Operator für die Gesamtenergie des Feldes, integriert über das Systemvolumen V, ist

$$\hat{H} = \sum_{\boldsymbol{k}\mu} \hbar\omega_k(\hat{\beta}_{\boldsymbol{k}\mu}^+ \hat{\beta}_{\boldsymbol{k}\mu} + \tfrac{1}{2}), \tag{5.14}$$

und der Gesamtimpuls

$$\hat{P} = \sum_{\boldsymbol{k}\mu} \hbar\boldsymbol{k}\hat{\beta}_{\boldsymbol{k}\mu}^+ \hat{\beta}_{\boldsymbol{k}\mu}. \tag{5.15}$$

Die bis jetzt benutzten photonischen Zustände sind Eigenzustände des Impulses. Für ihre Wechselwirkung mit dem Atomkern ist es aber sehr vorteilhaft, Zustände guten Drehimpulses zu verwenden, die im nächsten Abschnitt konstruiert werden.

5.3 Strahlungsfelder guten Drehimpulses

5.3.1 Lösungen der skalaren Helmholtzgleichung

Wie in Abschnitt 2.3.6 gezeigt wurde, hat das Vektorfeld des Photons einen intrinsischen Drehimpuls von eins mit den sphärischen Einheitsvektoren $\boldsymbol{e}_\mu$, $\mu = -1, 0, 1$ als Basiszuständen. Um Zustände guten Gesamtdrehimpulses zu konstruieren, müssen diese mit skalaren Funktionen $\Phi_{\lambda\mu}(\boldsymbol{r})$ guten Bahndrehimpulses gekoppelt werden, wozu noch die übliche harmonische Zeitabhängigkeit kommt:

$$\boldsymbol{A}_{lm,\lambda}(\boldsymbol{r}, t) = \sum_{\mu\mu'} (\lambda 1 l|\mu\mu' m)\, \Phi_{\lambda\mu}(\boldsymbol{r}) \boldsymbol{e}_{\mu'} e^{-\mathrm{i}\omega t}. \tag{5.16}$$

Der Bahndrehimpuls λ bleibt gute Quantenzahl auch für das gekoppelte Feld. Mit $\omega = ck$ reduziert sich die Wellengleichung zur Helmholtzgleichung für die $\Phi_{\lambda\mu}$:

$$(\Delta + k^2)\, \Phi_{\lambda\mu}(\boldsymbol{r}) = 0. \tag{5.17}$$

Die Randbedingung ist das Verschwinden der Funktion im Unendlichen. Lösungen dieses Problems sind von der elementaren Streutheorie her vertraut. Sie sind

$$\Phi_{\lambda\mu}(\boldsymbol{r}) = j_\lambda(kr) Y_{\lambda\mu}(\Omega), \tag{5.18}$$

wobei $j_\lambda(kr)$ die sphärische Besselfunktion bezeichnet.

Es ist nützlich, ein paar Eigenschaften der sphärischen Besselfunktionen aufzuführen, die im folgenden gebraucht werden:

1. Definition über die Besselfunktionen erster Art:

$$j_l(x) = \sqrt{\frac{\pi}{2x}} J_{l+\frac{1}{2}}(x), l = 0, \pm 1, \pm 2, \ldots \tag{5.19}$$

2. Näherung für kleine Argumente:

$$j_l(x) \approx \frac{x^l}{(2l+1)!!} \text{ für } x \to 0. \tag{5.20}$$

3. Näherung für große Argumente:

$$j_l(x) \approx \frac{1}{x} \sin(x - \tfrac{1}{2} l\pi) \text{ für } x \to \infty. \tag{5.21}$$

4. Differentialgleichung:

$$\left(\frac{\mathrm{d}^2}{\mathrm{d}x^2} + \frac{2}{x}\frac{\mathrm{d}}{\mathrm{d}x} + 1 - \frac{l(l+1)}{x^2} \right) j_l(x) = 0. \tag{5.22}$$

Die Lösungen $\Phi_{\lambda\mu}(\boldsymbol{r})$ haben offensichtlich Drehimpuls λ und Projektion μ. Ihre Parität folgt aus der der Kugelfunktionen zu $(-1)^\lambda$.

5.3.2 Lösungen der Vektor–Helmholtzgleichung

Vektorielle Lösungen der Helmholtzgleichung können jetzt wie angekündigt mit Hilfe der Drehimpulskopplung konstruiert werden. Sie sind gegeben durch

$$\boldsymbol{A}_{lm,\lambda}(\boldsymbol{r}) = \sum_{\mu\mu'} (\lambda 1 l|\mu\mu' m) j_\lambda(kr) Y_{\lambda\mu}(\Omega) \boldsymbol{e}_{\mu'}. \tag{5.23}$$

Die Basisvektoren $\boldsymbol{e}_\mu$ werden konventionell so gewählt, daß die Welle in die positive z-Richtung läuft, d. h., daß $\boldsymbol{e}_0$ dieselbe Richtung hat wie $\boldsymbol{k}$.

Die radiale Funktion spielt für die Drehimpulskopplung nur die Rolle eines trivialen Faktors, so daß es nützlich ist, die *Vektorkugelfunktionen* als Zusammenfassung des winkelabhängigen und des vektoriellen Teils dieses Ausdruckes einzuführen:

$$\boldsymbol{Y}_{lm,\lambda}(\Omega) = \sum_{\mu\mu'} (\lambda 1 l|\mu\mu' m) Y_{\lambda\mu}(\Omega) \boldsymbol{e}_{\mu'}. \tag{5.24}$$

$\boldsymbol{Y}_{lm,\lambda}$ behält den Index λ, weil λ in der gekoppelten Basis gute Quantenzahl bleibt. Der andere Drehimpuls in der Kopplung hat immer Betrag 1, so daß man ihn in der Notation wegfallen lassen kann (in manchen Konventionen wird der Index 1 aber angegeben, um diese Funktionen z. B. von den Spinkugelfunktionen zu unterscheiden, in denen die $Y_{\lambda\mu}$ mit Spinoren gekoppelt werden).

Zwei wichtige Eigenschaften der Vektorkugelfunktionen sind:

1. Komplexe Konjugation:

$$\boldsymbol{Y}^*_{lm,\lambda}(\Omega) = (-1)^{m+l+\lambda+1} \boldsymbol{Y}_{l-m,\lambda}(\Omega). \tag{5.25}$$

2. Orthonormalität:

$$\int \boldsymbol{Y}^*_{l'm',\lambda'}(\Omega) \cdot \boldsymbol{Y}_{lm,\lambda}(\Omega)\,\mathrm{d}\Omega = \delta_{ll'}\delta_{\lambda\lambda'}\delta_{mm'}. \tag{5.26}$$

Man beachte, daß hierbei sowohl das Skalarprodukt im Funktionsraum (die Integration über Ω) wie auch das Skalarprodukt der beiden Vektoren genommen werden.

5.1 Aufgabe: Die Vektorkugelfunktion $\mathbf{Y}_{00,1}(\Omega)$

Geben Sie die Vektorkugelfunktion $\boldsymbol{Y}_{00,1}(\Omega)$ an. Zeigt sie die für Gesamtdrehimpuls Null erwartete Symmetrie?

Lösung:

Nach der Definition ist

$$\boldsymbol{Y}_{00,1}(\Omega) = \sum_{\mu} (110|\mu - \mu 0) Y_{1\mu}(\Omega) \boldsymbol{e}_{-\mu}. \tag{1}$$

Einsetzen der Clebsch-Gordan–Koeffizienten ergibt

$$\boldsymbol{Y}_{00,1}(\Omega) = \frac{1}{\sqrt{3}} \sum_{\mu} (-1)^{1-\mu} Y_{1\mu}(\Omega) \boldsymbol{e}_{-\mu}, \qquad \underline{2}$$

und eine weitere Vereinfachung kann nur durch Einsetzen der expliziten Ausdrücke für die Kugelfunktionen erreicht werden:

$$\begin{aligned} \boldsymbol{Y}_{00,1}(\Omega) &= \frac{1}{\sqrt{3}}\Big(-\sqrt{\tfrac{3}{8\pi}} \sin\theta e^{\mathrm{i}\phi} \tfrac{1}{\sqrt{2}}(\boldsymbol{e}_x - \mathrm{i}\boldsymbol{e}_y) - \sqrt{\tfrac{3}{4\pi}} \cos\theta \boldsymbol{e}_z \\ &- \sqrt{\tfrac{3}{8\pi}} \sin\theta e^{-\mathrm{i}\phi} \tfrac{1}{\sqrt{2}}(\boldsymbol{e}_x + \mathrm{i}\boldsymbol{e}_y)\Big) \\ &= -\frac{1}{\sqrt{4\pi}}(\cos\theta \boldsymbol{e}_z + \sin\theta\cos\phi \boldsymbol{e}_x + \sin\theta\sin\phi \boldsymbol{e}_y) \\ &= -\frac{1}{\sqrt{4\pi}} \boldsymbol{e}_r. \end{aligned} \qquad \underline{3}$$

Das Resultat ist also ein sphärisch symmetrisches Vektorfeld, das an jedem Punkt proportional zum Einheitsvektor in radialer Richtung ist. Es kann mit einer beliebigen Funktion von r kombiniert werden, ohne seinen skalaren Charakter (im Sinne des Gesamtdrehimpulses Null) zu verlieren; z. B. ist

$$\boldsymbol{r} = -r\sqrt{4\pi} \boldsymbol{Y}_{00,1}(\Omega). \qquad \underline{4}$$

Interessant ist auch seine Parität. Die Komponenten (x, y, z) des Vektors invertieren ihr Vorzeichen unter Raumspiegelung, aber für das Vektorfeld als Ganzes kommt noch die Inversion am Ursprung hinzu, so daß die gesamte Parität positiv wird. Das paßt auch zum geometrischen Bild.

Eine wichtige Anwendung der Vektorkugelfunktionen stellt die *Gradientenformel* dar, die wir hier ohne Beweis zitieren. Sie erlaubt es, den Gradienten eines Produktes einer Kugelfunktion und einer rein radiusabhängigen Funktion mittels der Vektorkugelfunktionen darzustellen:

$$\begin{aligned} \nabla f(r) Y_{lm}(\Omega) &= \sqrt{\frac{l}{2l+1}} \left(\frac{\mathrm{d}f}{\mathrm{d}r} + \frac{l+1}{r} f \right) \boldsymbol{Y}_{lm,l-1}(\Omega) \\ &- \sqrt{\frac{l+1}{2l+1}} \left(\frac{\mathrm{d}f}{\mathrm{d}r} - \frac{l}{r} f \right) \boldsymbol{Y}_{lm,l+1}(\Omega). \end{aligned} \qquad (5.27)$$

Zurück zur Konstruktion der vektoriellen Lösungen der Helmholtzgleichung. Man erhält sie durch Kopplung der skalaren Lösung $\Phi_{\lambda\mu}(\Omega)$ mit den Polarisationsvektoren $\boldsymbol{e}_\mu$. Bei festem Gesamtdrehimpuls l ergeben die drei Möglichkeiten der Kopplung, d. h. $\lambda = l, l \pm 1$, drei unabhängige Vektorfelder

$$j_l(kr) \boldsymbol{Y}_{lm,l}(\Omega), \quad j_{l-1} \boldsymbol{Y}_{lm,l-1}(\Omega) \text{ und } j_{l+1} \boldsymbol{Y}_{lm,l+1}(\Omega). \qquad (5.28)$$

Das entspricht der dreidimensionalen Basis $\boldsymbol{e}_\mu$. Allerdings beschreibt eine von ihnen keine physikalische Lösung, weil das Feld transversal sein muß, d. h. $\nabla \cdot \boldsymbol{A} = 0$ oder für ebene Wellen $\boldsymbol{k} \cdot \boldsymbol{A} = 0$. Damit bleiben zwei unabhängige Lösungen übrig, die durch die Forderung nach guter Parität weiter festgelegt werden können.

Wenn wir uns an die Diskussion der Parität von Vektorfeldern in Abschnitt 2.5.2 erinnern und die dort eingeführte spezielle Definition verwenden, so ergibt sich die Parität der Vektorkugelfunktion $\boldsymbol{Y}_{lm,\lambda}$ als Produkt aus der Parität des Bahnanteils, der Kugelfunktion $Y_{\lambda\mu}$, also $(-1)^\lambda$, und einer -1 für die polaren Vektoren $\boldsymbol{e}_\mu$, so daß die gesamte Parität zu $(-1)^{\lambda+1}$ wird. Die Felder guter Parität müssen also gemäß

$$\begin{aligned} \boldsymbol{A}_{lm}(\boldsymbol{r};M) &= j_l(kr)\boldsymbol{Y}_{lm,l}(\Omega), \\ &\quad \text{Parität: } (-1)^{l+1}, \\ \boldsymbol{A}_{lm}(\boldsymbol{r};E) &= c_{l-1}j_{l-1}(kr)\boldsymbol{Y}_{lm,l-1}(\Omega) + c_{l+1}j_{l+1}(kr)\boldsymbol{Y}_{lm,l+1}(\Omega), \\ &\quad \text{Parität: } (-1)^l \end{aligned} \tag{5.29}$$

konstruiert werden. Die Notation M bzw. E bezeichnet das *magnetische* bzw. *elektrische* Multipolfeld.

Weil $\boldsymbol{A}_{lm}(\boldsymbol{r};M)$ das einzige Feld mit der gegebenen Parität ist, sollte es von selbst schon transversal sein; das läßt sich durch direktes Nachrechnen überprüfen oder aber der weiter unten angegebenen alternativen Formulierung direkt ansehen. Für das elektrische Multipolfeld bestimmt die Forderung nach Transversalität das Verhältnis der Koeffizienten c_{l+1} und c_{l-1}. Zusätzlich muß es eine zweite davon unabhängige Linearkombination geben, die *longitudinal* ist, d. h. $\nabla \times \boldsymbol{A} = 0$ erfüllt.

Die Bestimmung der Koeffizienten aus der Transversalitätsbedingung

$$\nabla \cdot \boldsymbol{A}_{lm}(\boldsymbol{r};E) = 0 \tag{5.30}$$

ist einfach, aber langwierig: Man setze die Definition der Vektorkugelfunktionen ein, verwende die Gradientenformel und Rekursionsrelationen für die sphärischen Besselfunktionen und setze schließlich noch einmal die Definition der Vektorkugelfunktionen ein. Damit wird alles zu einer Summe über Kugelfunktionen mal Radialfunktionen, der man ansieht, daß sie für die Wahl

$$c_{l-1} = \sqrt{\frac{l+1}{2l+1}}, \quad c_{l+1} = -\sqrt{\frac{l}{2l+1}} \tag{5.31}$$

verschwindet. Analog ergibt sich für das longitudinale Multipolfeld

$$c_{l-1} = \sqrt{\frac{l}{2l+1}}, \quad c_{l+1} = \sqrt{\frac{l+1}{2l+1}}. \tag{5.32}$$

5.3.3 Eigenschaften der Multipolfelder

Zur Zusammenfassung seien die Ausdrücke für die Multipolfelder noch einmal zusammen mit alternativen Formulierungen aufgeführt, die aus vektoriellen Ableitungen der skalaren Lösungen der Helmholtzgleichung bestehen und für viele Anwendungen nützlicher sind. Alle diese Formeln können mit Hilfe der Gradientenformel nachgeprüft werden.

- Das magnetische Multipolfeld:

$$\begin{aligned} \boldsymbol{A}_{lm}(\boldsymbol{r};M) &= j_l(kr)\boldsymbol{Y}_{lm,l}(\Omega) \\ &= \frac{1}{\hbar\sqrt{l(l+1)}}\hat{\boldsymbol{L}}j_l(kr)Y_{lm}(\Omega). \end{aligned} \tag{5.33}$$

  Die zweite Form zeigt sofort, daß das Feld transversal ist, da $\nabla \cdot \hat{\boldsymbol{L}} = 0$.

- Das elektrische Multipolfeld:

$$\begin{aligned} \boldsymbol{A}_{lm}(\boldsymbol{r};E) &= \sqrt{\frac{l+1}{2l+1}}j_{l-1}(kr)\boldsymbol{Y}_{lm,l-1}(\Omega) \\ &\quad -\sqrt{\frac{l}{2l+1}}j_{l+1}(kr)\boldsymbol{Y}_{lm,l+1}(\Omega) \\ &= \frac{-i}{\hbar k\sqrt{l(l+1)}}\nabla \times \left(\hat{\boldsymbol{L}}j_l(kr)Y_{lm}(\Omega)\right) , \end{aligned} \tag{5.34}$$

  wieder mit offensichtlich verschwindender Divergenz.

- Das longitudinale Multipolfeld:

$$\begin{aligned} \boldsymbol{A}_{lm}(\boldsymbol{r};L) &= \sqrt{\frac{l}{2l+1}}j_{l-1}(kr)\boldsymbol{Y}_{lm,l-1}(\Omega) \\ &\quad +\sqrt{\frac{l+1}{2l+1}}j_{l+1}(kr)\boldsymbol{Y}_{lm,l+1}(\Omega) \\ &= \frac{1}{k}\nabla j_l(kr)Y_{lm}(\Omega). \end{aligned} \tag{5.35}$$

  Hier ist sofort klar, daß $\nabla \times \boldsymbol{A}_{lm}(\boldsymbol{r};L) = 0$.

Andere Eigenschaften dieser Felder sind:

1. Alle sind Lösungen der vektoriellen Helmholtzgleichung:

$$(\nabla^2 + k^2)\boldsymbol{A}_{lm}(\boldsymbol{r};R) = 0 \text{ für } R = E, M, L. \tag{5.36}$$

2. Transversalität bzw. Longitudinalität:

$$\nabla \cdot \boldsymbol{A}_{lm}(\boldsymbol{r};E) = \nabla \cdot \boldsymbol{A}_{lm}(\boldsymbol{r};M) = 0, \qquad \nabla \times \boldsymbol{A}_{lm}(\boldsymbol{r};L) = 0. \tag{5.37}$$

3. Die Parität ist $(-1)^l$ für die E- und L- bzw. $(-1)^{l+1}$ für die M-Multipolfelder.

4. Beziehungen zwischen den Funktionen: direkte Manipulation der Definitionen zeigt

$$\nabla \times \boldsymbol{A}_{lm}(\boldsymbol{r};E) = -\mathrm{i}k\boldsymbol{A}_{lm}(\boldsymbol{r};M), \qquad \nabla \times \boldsymbol{A}_{lm}(\boldsymbol{r};M) = \mathrm{i}k\boldsymbol{A}_{lm}(\boldsymbol{r};E). \tag{5.38}$$

5. Namensgebung: Der Ursprung des Namens ist klar für das longitudinale Multipolfeld. Die anderen Namen beziehen sich auf die Eigenschaften des Feldes in der Nahzone, d. h. nahe an der abstrahlenden Quelle. Mit den angegebenen Beziehungen zwischen den Feldern sieht man, daß die elektrischen bzw. magnetischen Multipolfelder selbst gegeben sind durch

$$\begin{aligned} \boldsymbol{E}(\boldsymbol{r};E) &= -\frac{1}{c}\frac{\partial}{\partial t}\boldsymbol{A}(\boldsymbol{r};E) = \mathrm{i}k\boldsymbol{A}(\boldsymbol{r};E) \\ \boldsymbol{E}(\boldsymbol{r};M) &= -\frac{1}{c}\frac{\partial}{\partial t}\boldsymbol{A}(\boldsymbol{r};M) = \mathrm{i}k\boldsymbol{A}(\boldsymbol{r};M) \\ \boldsymbol{H}(\boldsymbol{r};E) &= \nabla\times\boldsymbol{A}(\boldsymbol{r};E) = -\mathrm{i}k\boldsymbol{A}(\boldsymbol{r};M) \\ \boldsymbol{H}(\boldsymbol{r};M) &= \nabla\times\boldsymbol{A}(\boldsymbol{r};M) = \mathrm{i}k\boldsymbol{A}(\boldsymbol{r};E). \end{aligned} \tag{5.39}$$

Nahe der Quelle, wo $kr \ll 1$, können die sphärischen Besselfunktionen $j_l(kr)$ durch $(kr)^l/(2l+1)!!$ angenähert werden, so daß das Feld $\boldsymbol{A}(\boldsymbol{r};E)$, das eine sphärische Besselfunktion mit einem um Eins niedrigeren Index enthält, über das magnetische Multipolfeld dominiert. Die obigen Beziehungen zeigen, daß in dieser Gegend

$$|\boldsymbol{E}(\boldsymbol{r};E)| \gg |\boldsymbol{H}(\boldsymbol{r};E)|, \qquad |\boldsymbol{H}(\boldsymbol{r};M)| \gg |\boldsymbol{E}(\boldsymbol{r};M)| \tag{5.40}$$

ist und bestätigen damit die Namensgebung.

5.3.4 Multipolentwicklung ebener Wellen

In den Experimenten ist das ein- oder auslaufende Photon gewöhnlich in einem Zustand guten Impulses, d. h. einer ebenen Welle. Die Beziehung zu den Zuständen guten Drehimpulses muß durch Entwicklung der ebenen Welle in diesen angegeben werden. Da die Formeln für den Spezialfall einer Welle mit Wellenvektor $\boldsymbol{k}$ in die z-Richtung am einfachsten werden, nehmen wir gewöhnlich diesen Fall an. Der Polarisationsvektor kann dann als einer der sphärischen Basisvektoren $\boldsymbol{e}_\mu$, $\mu = \pm 1$ gewählt werden.

Seien die Entwicklungskoeffizienten für eine in die positive z-Richtung laufende ebene Welle der Amplitude eins über

$$\boldsymbol{e}_\mu e^{\mathrm{i}kz} = \sum_{lm} \left(c_{lm}\boldsymbol{A}_{lm}(\boldsymbol{r};E) + d_{lm}\boldsymbol{A}_{lm}(\boldsymbol{r};M) \right) \tag{5.41}$$

definiert. Um die Koeffizienten auszuwerten, bilde man erst die Rotation auf beiden Seiten. Links erhält man

$$\nabla \times \boldsymbol{e}_\mu e^{\mathrm{i}kz} = \mathrm{i}k\boldsymbol{e}_0 \times \boldsymbol{e}_\mu e^{\mathrm{i}kz} = \mu k \boldsymbol{e}_\mu e^{\mathrm{i}kz}, \tag{5.42}$$

wobei $\boldsymbol{e}_0 \times \boldsymbol{e}_\mu = -\mathrm{i}\mu \boldsymbol{e}_\mu$ verwendet wurde (das läßt sich leicht anhand der Definition der sphärischen Basisvektoren überprüfen). Rechts kann man die Eigenschaft (4) der Multipolfelder verwenden, was zu

$$\nabla \times \sum_{lm} \left(c_{lm} \boldsymbol{A}_{lm}(\boldsymbol{r}; E) + d_{lm} \boldsymbol{A}_{lm}(\boldsymbol{r}; M) \right) = \sum_{lm} \left(-\mathrm{i}k c_{lm} \boldsymbol{A}_{lm}(\boldsymbol{r}; M) + \mathrm{i}k d_{lm} \boldsymbol{A}_{lm}(\boldsymbol{r}; E) \right) \tag{5.43}$$

führt. Ein Vergleich beider Ausdrücke führt zu $c_{lm} = \mathrm{i}\mu d_{lm}$. Damit ist die Entwicklung jetzt

$$\boldsymbol{e}_\mu e^{\mathrm{i}kz} = \sum_{lm} d_{lm} \left(\boldsymbol{A}_{lm}(\boldsymbol{r}; M) + \mathrm{i}\mu \boldsymbol{A}_{lm}(\boldsymbol{r}; E) \right). \tag{5.44}$$

Die restlichen Koeffizienten d_{lm} zu finden verlangt eine etwas längere Rechnung. Wohl der leichteste Weg ist die Verwendung der Entwicklung der skalaren ebenen Welle

$$\begin{aligned} e^{\mathrm{i}kz} &= \sum_l (2l+1)\mathrm{i}^l j_l(kr) P_l(\cos\theta) \\ &= \sqrt{4\pi} \sum_l \sqrt{2l+1}\,\mathrm{i}^l j_l(kr) Y_{l0}(\theta, \phi). \end{aligned} \tag{5.45}$$

Hierin ist θ der Polarwinkel in sphärischen Koordinaten. Man kann aus dem Vektorfeld in (5.44) ein skalares Feld machen, indem man von links skalar mit dem Drehimpulsoperator multipliziert (die einfachere Divergenzbildung eignet sich nicht wegen der Transversalität). Zunächst wird jetzt (5.44) umgeschrieben, dann die Entwicklung nach (5.45) und schließlich die Definition des magnetischen Multipolfeldes aus (5.33) eingesetzt:

$$\hat{\boldsymbol{L}} \cdot \boldsymbol{e}_\mu e^{\mathrm{i}kz} = \sqrt{4\pi} \sum_l \hbar \sqrt{l(l+1)(2l+1)}\,\mathrm{i}^l \boldsymbol{e}_\mu \cdot \boldsymbol{A}_{l0}(\boldsymbol{r}; M). \tag{5.46}$$

Auf der rechten Seite von (5.44) wird wieder das magnetische Multipolfeld durch seine Definition ersetzt, wobei die zwei $\hat{\boldsymbol{L}}$-Operatoren sich zu einem $\hat{L}^2$ vereinen, während im zweiten Term das elektrische Multipolfeld durch die Rotation des magnetischen ausgedrückt wird:

$$\hat{\boldsymbol{L}} \cdot \boldsymbol{e}_\mu e^{\mathrm{i}kz} = \sum_{lm} d_{lm} \left[\frac{\hat{L}^2}{\hbar\sqrt{l(l+1)}} j_l(kr) Y_{lm}(\Omega) + \frac{\mu}{k} \hat{\boldsymbol{L}} \cdot (\nabla \times \boldsymbol{A}_{lm}(\boldsymbol{r}; M)) \right]. \tag{5.47}$$

Im zweiten Term rechts können die Vektorprodukte wie folgt manipuliert werden:

$$\begin{aligned} \hat{\boldsymbol{L}} \cdot (\nabla \times \boldsymbol{A}_{lm}(\boldsymbol{r}; M)) &= -\mathrm{i}\hbar (\boldsymbol{r} \times \nabla) \cdot (\nabla \times \boldsymbol{A}_{lm}(\boldsymbol{r}; M)) \\ &= -\mathrm{i}\hbar \boldsymbol{r} \cdot (\nabla \times (\nabla \times \boldsymbol{A}_{lm}(\boldsymbol{r}; M))) \\ &= -\mathrm{i}\hbar \boldsymbol{r} \cdot (\nabla(\nabla \cdot \boldsymbol{A}_{lm}(\boldsymbol{r}; M)) - \nabla^2 \boldsymbol{A}_{lm}(\boldsymbol{r}; M)) \\ &= -\mathrm{i}\hbar k^2 \boldsymbol{r} \cdot \boldsymbol{A}_{lm}(\boldsymbol{r}; M). \end{aligned} \tag{5.48}$$

Im vorletzten Schritt wurden dabei die Transversalität des Feldes und die Helmholtzgleichung verwendet. Das Endresultat verschwindet aber, wie man aus der Definition in (5.33) sehen kann.

Die Kombination der zwei Zwischenergebnisse liefert

$$\begin{aligned}\sqrt{4\pi} \quad & \sum_l \hbar\sqrt{l(l+1)(2l+1)}\mathrm{i}^l \boldsymbol{e}_\mu \cdot \boldsymbol{A}_{l0}(\boldsymbol{r};M) \\ = \quad & \sum_{lm} d_{lm} \frac{\hat{L}^2}{\hbar\sqrt{l(l+1)}} j_l(kr) Y_{lm}(\Omega),\end{aligned} \tag{5.49}$$

und die Bestimmung der d_{lm} erfordert es noch, die Summen auf beiden Seiten durch dieselbe orthonormale Basis auszudrücken. Links kann man das magnetische Multipolfeld durch Kugelfunktionen ersetzen:

$$\begin{aligned}\boldsymbol{e}_\mu \cdot \boldsymbol{A}_{l0}(\boldsymbol{r};M) &= j_l(kr)\sum_{\mu'}(l1l|\mu' - \mu'0) Y_{l\mu'}(\Omega)\boldsymbol{e}_\mu \cdot \boldsymbol{e}_{-\mu'} \\ &= -j_l(kr)\sum_{\mu}(l1l|\mu{-}\mu 0) Y_{l\mu}(\Omega).\end{aligned} \tag{5.50}$$

Da für die transversalen Felder nur $\mu = \pm 1$ vorkommt, führen die Eigenschaften der sphärischen Basisvektoren (s. Abschnitt 2.3.6) auf

$$\boldsymbol{e}_\mu \cdot \boldsymbol{e}_{-\mu'} = -\boldsymbol{e}_\mu \cdot \boldsymbol{e}^*_{\mu'} = -\delta_{\mu\mu'} \quad \text{für} \quad \mu = \pm 1, \tag{5.51}$$

was auch oben verwendet wurde. Ein Koeffizientenvergleich beider Seiten von (5.49), nachdem $\hat{\boldsymbol{L}}^2$ durch seinen Eigenwert $\hbar^2 l(l+1)$ ersetzt wurde, zeigt daß

$$-\sqrt{4\pi}\hbar\sqrt{l(l+1)(2l+1)}\mathrm{i}^l (l1l|\mu{-}\mu 0)\delta_{m\mu} = d_{lm}\hbar\sqrt{l(l+1)} \tag{5.52}$$

und damit

$$d_{lm} = -\sqrt{4\pi(2l+1)}\mathrm{i}^l (l1l|\mu - \mu 0)\delta_{m\mu}. \tag{5.53}$$

Einsetzen des Clebsch-Gordan–Koeffizienten aus dem Anhang ergibt (man bemerke, daß die dort gegebenen Ausdrücke für den Spezialfall $M = 0$ zu $(l\,1\,l|m - m\,0) = -m/\sqrt{2}$ kombiniert werden können):

$$d_{lm} = -\mu\sqrt{2\pi(2l+1)}\mathrm{i}^l \delta_{m\mu}. \tag{5.54}$$

Dami ist die endgültige Form der Multipolentwicklung der ebenen Welle erreicht:

$$\boldsymbol{e}_\mu e^{\mathrm{i}kz} = -\mu\sqrt{2\pi}\sum_l \sqrt{2l+1}\mathrm{i}^l \left(\boldsymbol{A}_{l\mu}(\boldsymbol{r};M) + \mathrm{i}\mu \boldsymbol{A}_{l\mu}(\boldsymbol{r};E)\right). \tag{5.55}$$

Dieses Resultat kann durch Anwendung einer passenden Rotationsmatrix auf beliebige Richtung des Wellenvektors $\boldsymbol{k}$ verallgemeinert werden. Da dies aber später nur in einer Zwischenrechnung benutzt wird, übergehen wir die Details.

5.4 Kopplung von Strahlung und Materie

5.4.1 Grundlegende Matrixelemente

Die Übergangsrate zwischen einem Anfangszustand $|i\rangle$ und einem Endzustand $|f\rangle$ unter dem Einfluß einer Störung $\hat{H}_{\mathrm{int}}$ ist nach *Fermis goldener Regel*

$$w_{f\leftarrow i} = \frac{2\pi}{\hbar} |\langle f|\hat{H}_{\mathrm{int}}|i\rangle|^2 \rho_f, \tag{5.56}$$

wobei ρ_f die Dichte der Endzustände bezeichnet. Zunächst müssen für alle Terme dieser Formel die für den Fall eines Kernes in Wechselwirkung mit dem elektromagnetischen Feld gültigen Ausdrücke gefunden und eingesetzt werden.

Anfangs- und Endzustand sind im betrachteten Fall jeweils Eigenzustände des Atomkernes gekoppelt mit solchen des Strahlungsfeldes. Im folgenden werden die Kernzustände mit $|\alpha(t)\rangle$ und $|\beta(t)\rangle$ bezeichnet, wobei Details dem benutzten Kernmodell entnommen werden müssen, während das Strahlungsfeld entweder durch den Vakuumzustand $|0\rangle$ oder einen Einphotonzustand mit gegebenem Wellenvektor und Polarisation $|\boldsymbol{k}\mu\rangle$ gegeben ist. Man beachte, daß für das Strahlungsfeld das Heisenbergbild mit der Zeitabhängigkeit in den Operatoren verwendet wird, während der Kern im vertrauteren Schrödingerbild durch zeitabhängige Wellenfunktionen beschrieben wird. Letzteres wurde durch die Schreibung $\alpha(t)$ in den Zustandsvektoren angedeutet. Für die Emission von Strahlung haben wir somit

$$|i\rangle = |\alpha(t), 0\rangle = |\alpha(t)\rangle|0\rangle, \qquad |f\rangle = |\beta t), \boldsymbol{k}\mu\rangle = |\beta(t)\rangle|\boldsymbol{k}\mu\rangle\ , \tag{5.57}$$

und für Absorption braucht man nur Anfangs- und Endzustand zu vertauschen.

Für den Wechselwirkungsoperator zwischen Strahlung und Materie wird der übliche Ausdruck

$$\hat{H}_{\mathrm{int}} = -\frac{1}{c}\int \hat{\boldsymbol{\jmath}}(\boldsymbol{r}) \cdot \hat{\boldsymbol{A}}(\boldsymbol{r}, t)\, \mathrm{d}^3 r \tag{5.58}$$

verwendet. Der Feldoperator $\hat{\boldsymbol{A}}$ ist der Operator im Fockraum, wie er in Abschnitt 5.2 konstruiert wurde. Die Matrixelemente der Operatoren $\hat{\beta}^+_{\boldsymbol{k}\mu}$ und $\hat{\beta}_{\boldsymbol{k}\mu}$ zwischen Vakuum und Einphotonzustand sind eins, so daß insgesamt das Matrixelement zu

$$\langle\beta(t), \boldsymbol{k}\mu|\hat{H}_{\mathrm{int}}|\alpha(t), 0\rangle = \int \sqrt{\frac{2\pi\hbar c^2}{\omega V}}\, \epsilon^*_{\boldsymbol{k}\mu} e^{-\mathrm{i}\boldsymbol{k}\cdot\boldsymbol{r}+\mathrm{i}\omega t} \cdot \langle\beta(t)|\hat{\boldsymbol{\jmath}}(\boldsymbol{r})|\alpha(t)\rangle\, \mathrm{d}^3 r \tag{5.59}$$

für die Emission von Photonen und zu

$$\langle\beta(t), 0|\hat{H}_{\mathrm{int}}|\alpha(t), \boldsymbol{k}\mu\rangle = \int \sqrt{\frac{2\pi\hbar c^2}{\omega V}}\, \epsilon_{\boldsymbol{k}\mu} e^{\mathrm{i}\boldsymbol{k}\cdot\boldsymbol{r}-\mathrm{i}\omega t} \cdot \langle\beta(t)|\hat{\boldsymbol{\jmath}}(\boldsymbol{r})|\alpha(t)\rangle\, \mathrm{d}^3 r \tag{5.60}$$

für die Absorption wird. Die beiden Ausdrücke unterscheiden sich nur im Vorzeichen in der Exponentialfunktion; deshalb genügt es, die folgenden Umformungen nur für den Emissionsfall durchzuführen und durch Vorzeichenwechsel das entsprechende Resultat für die Absorption zu gewinnen.

Das Matrixelement des Operators $\hat{\boldsymbol{\jmath}}(\boldsymbol{r})$, der die Stromverteilung im Kern beschreibt, erhält seine Zeitabhängigkeit durch die Wellenfunktionen. Weil diese stationären Zuständen entsprechen, gilt

$$|\alpha(t)\rangle = |\alpha\rangle e^{-\mathrm{i}E_\alpha t/\hbar}, \qquad |\beta(t)\rangle = |\beta\rangle e^{-\mathrm{i}E_\beta t/\hbar}, \tag{5.61}$$

und

$$\langle\beta(t)|\hat{\boldsymbol{\jmath}}(\boldsymbol{r})|\alpha(t)\rangle = \langle\beta|\hat{\boldsymbol{\jmath}}(\boldsymbol{r})|\alpha\rangle e^{\mathrm{i}(E_\beta - E_\alpha)t/\hbar}. \tag{5.62}$$

Wie üblich für die Fermische goldene Regel muß die resultierende zeitabhängige Phase des Matrixelementes verschwinden, damit Energieerhaltung gewährleistet wird. Eine Kombination der Phasen der Kernzustände mit denen der Photonenoperatoren ergibt damit die Bedingung $E_\beta = E_\alpha + \hbar\omega$ für Absorption und $E_\beta = E_\alpha - \hbar\omega$ für Emission.

In später genauer zu erörternden Spezialfällen kann man den Operator $\hat{\boldsymbol{\jmath}}(\boldsymbol{r})$ auf einfache Art durch den Ladungsdichteoperator $\hat{\rho}(\boldsymbol{r})$ ersetzen: Es muß nämlich für die Operatoren im Heisenbergbild die Kontinuitätsgleichung erfüllt sein, d. h.

$$\frac{\partial}{\partial t}\hat{\rho}(\boldsymbol{r},t) + \nabla \cdot \hat{\boldsymbol{\jmath}}(\boldsymbol{r},t) = 0. \tag{5.63}$$

Bildet man Matrixelemente dieser Gleichung, so erhält man

$$\frac{\partial}{\partial t}\langle\beta|\hat{\rho}(\boldsymbol{r},t)|\alpha\rangle + \nabla \cdot \langle\beta|\hat{\boldsymbol{\jmath}}(\boldsymbol{r},t)|\alpha\rangle = 0, \tag{5.64}$$

weil die Wellenfunktionen in $|\alpha\rangle$ und $|\beta\rangle$ weder von $\boldsymbol{r}$, der festen Position im Raum, an der Strom- und Ladungsdichte ausgewertet werden, noch von der Zeit abhängen. Diese Gleichung kann aber leicht ins Schrödingerbild übersetzt werden:

$$\frac{\partial}{\partial t}\langle\beta(t)|\hat{\rho}(\boldsymbol{r})|\alpha(t)\rangle + \nabla \cdot \langle\beta(t)|\hat{\boldsymbol{\jmath}}(\boldsymbol{r})|\alpha(t)\rangle = 0, \tag{5.65}$$

und nun kann man noch die explizite Zeitabhängigkeit der Wellenfunktionen einsetzen:

$$-\frac{\mathrm{i}}{\hbar}(E_\alpha - E_\beta)\langle\beta|\hat{\rho}(\boldsymbol{r})|\alpha\rangle + \nabla \cdot \langle\beta|\hat{\boldsymbol{\jmath}}(\boldsymbol{r})|\alpha\rangle = 0. \tag{5.66}$$

Auf diese Weise können alle Matrixelemente, in denen die Divergenz von $\hat{\boldsymbol{\jmath}}(\boldsymbol{r})$ auftritt, zu Matrixelementen des Ladungsdichteoperators umgeschrieben werden, die sich normalerweise schon wegen des skalaren Charakters der Dichte wesentlich leichter berechnen lassen.

Die noch fehlende Ingredienz in der Übergangsrate ist die Dichte der Endzustände. Wiederum sind die Fälle von Absorption und Emission getrennt zu behandeln.

- Absorption: Für dieses Buch kommen der Übergang zu einem isolierten Energieniveau oder der zu einer schmalen Resonanz des Kernes in Betracht, wobei in beiden Fällen nur die gesamte Übergangsrate, d. h. integriert über die Linie oder Resonanz interessieren. Man kann annehmen, daß das Matrixelement innerhalb der Resonanz wenig mit der Energie variiert, so daß

$$\int_{\text{Linie}} \frac{2\pi}{\hbar} |\langle f|\hat{H}_{\text{int}}|i\rangle|^2 \rho(E)\,\mathrm{d}E \approx \frac{2\pi}{\hbar} |\langle f|\hat{H}_{\text{int}}|i\rangle|^2_{\text{mitt}} \int \rho(E)\,\mathrm{d}E, \tag{5.67}$$

und das verbleibende Integral über die Breite des Zustandes ergibt eine Eins. Der Absorptionswirkungsquerschnitt ist als Absorptionsrate, dividiert durch die einfallende Stromdichte der Photonen definiert, wobei letztere in unserem Fall einem einzigen Photon entsprechen muß. Man kann sie entweder aus dem Poyntingvektor berechnen; einfacher geht es aber mit der Überlegung, daß im Volumen V ein Photon vorhanden sein muß, so daß die Dichte $1/V$ und die zugehörige Stromdichte c/V wird. Der Wirkungsquerschnitt ist also

$$\sigma_{\text{Absorption}} = \frac{2\pi V}{\hbar c} |\langle f|\hat{H}_{\text{int}}|i\rangle|^2, \tag{5.68}$$

und mit (5.59) wird daraus

$$\sigma_{\text{Absorption}} = \frac{(2\pi)^2 c}{\omega} \left| \int \langle\beta|\hat{\boldsymbol{\jmath}}(\boldsymbol{r})|\alpha\rangle \cdot \epsilon_{\boldsymbol{k}\mu} e^{\mathrm{i}\boldsymbol{k}\cdot\boldsymbol{r}}\,\mathrm{d}^3r \right|^2 . \tag{5.69}$$

- Emission: in diesem Fall ist der Endzustand ein diskreter Kernzustand oder eine schmale Resonanz, kombiniert mit einem Photon fester Energie, aber beliebiger Richtung, so daß die Zahl der zugänglichen Endzustände vom Photon bestimmt wird. Zur Abzählung der Photonzustände nehme man das Volumen V als einen Würfel mit Kantenlänge L an. Wenn man periodische Randbedingungen entlang jeder Koordinatenrichtung annimmt, beschränkt das die drei kartesischen Komponenten des Wellenzahlvektors jeweils auf Vielfache von $2\pi/L$, so daß umgekehrt die Anzahl der Photonzustände durch $L/2\pi$ mal der Wellenzahl gegeben ist. In sphärischen Koordinaten bedeutet das

$$\mathrm{d}^3n = \left(\frac{L}{2\pi}\right)^3 \mathrm{d}^3k = \left(\frac{L}{2\pi}\right)^3 k^2\,\mathrm{d}k\,\mathrm{d}\Omega_k \tag{5.70}$$

mit Ω_k dem Raumwinkel des emittierten Photons. Die Zustandsdichte wird damit zu

$$\rho(E) = \frac{\mathrm{d}^3n}{\mathrm{d}E} = \left(\frac{L}{2\pi}\right)^3 \frac{k^2}{\hbar c} \mathrm{d}\Omega_k, \tag{5.71}$$

wobei $E = \hbar\omega = \hbar ck$ verwendet wurde, und die Übergangsrate nimmt die Form

$$w_{f\leftarrow i} = \frac{V}{(2\pi)^2} \frac{k^2}{\hbar^2 c} |\langle f|\hat{H}_{\text{int}}|i\rangle|^2 \mathrm{d}\Omega_k \tag{5.72}$$

an. Nach Einsetzen von (5.60) wird daraus schließlich

$$w_{f\leftarrow i} = \frac{k}{2\pi\hbar c^2}\left|\int \langle\beta|\hat{\boldsymbol{\jmath}}(\boldsymbol{r})|\alpha\rangle \cdot \epsilon_{\boldsymbol{k}\mu} e^{-\mathrm{i}\boldsymbol{k}\cdot\boldsymbol{r}} d^3r\right|^2 \mathrm{d}\Omega_k. \tag{5.73}$$

5.4.2 Multipolentwicklung der Matrixelemente und Auswahlregeln

Das entscheidende Matrixelement in den Kernzuständen hatte sowohl für Absorption wie für Emission die Form

$$M_{\beta\alpha}(k\mu) = \int \langle\beta|\hat{\boldsymbol{\jmath}}(\boldsymbol{r})|\alpha\rangle \cdot \boldsymbol{e}_\mu e^{\mathrm{i}kr} \mathrm{d}^3r, \tag{5.74}$$

wobei noch angenommen wurde, daß das Photon in Richtung der z-Achse läuft und seine Polarisation einem der sphärischen Einheitsvektoren $\boldsymbol{e}_{\pm 1}$ entspricht, damit die Ergebnisse von Abschnitt 5.3.4 direkt verwendet werden können. Einfügen der Entwicklung der ebenen Welle nach Feldern guten Drehimpulses liefert

$$\begin{aligned} M_{\beta\alpha}(k\mu) = {} & -\mu\sqrt{2\pi}\sum_l \sqrt{2l+1}\,\mathrm{i}^l \\ & \times \int \langle\beta|\hat{\boldsymbol{\jmath}}(\boldsymbol{r})|\alpha\rangle \cdot \left[\boldsymbol{A}_{l\mu}(\boldsymbol{r};M) + \mathrm{i}\mu \boldsymbol{A}_{l\mu}(\boldsymbol{r};E)\right] \mathrm{d}^3r. \end{aligned} \tag{5.75}$$

Dieses Resultat reicht schon aus, um die Auswahlregeln für Drehimpuls und Parität zu diskutieren.

- Drehimpuls: Das Integral in (5.75) verschwindet nur dann nicht, wenn die Terme darin zum Drehimpuls Null gekoppelt werden können (man füge in Gedanken die konstante Funktion $Y_{00}(\Omega)$ ein, die orthogonal zu allen Funktionen nichtverschwindenden Drehimpulses ist und damit den Anteil mit Drehimpuls Null herausprojiziert). Der Vektorcharakter von $\hat{\boldsymbol{\jmath}}$ und $\boldsymbol{A}$ ist für die Integration unerheblich, zumal sie sowieso zu einem Skalar multipliziert sind. Es folgt also, daß J_α, J_β und l die Dreiecksregel erfüllen müssen:

$$|J_\alpha - l| \leq J_\beta \leq J_\alpha + l. \tag{5.76}$$

- Parität: Die Gesamtparität der Felder im Integranden muß positiv sein, weil sich sonst die Beiträge bei $\boldsymbol{r}$ und $-\boldsymbol{r}$ aufheben würden. Das Multipolfeld hat die Parität $(-1)^l$ bzw. $(-1)^{l+1}$, je nachdem, ob es elektrischer oder magnetischer Art ist, während das Vektorfeld $\langle\beta|\hat{\boldsymbol{\jmath}}(\boldsymbol{r})|\alpha\rangle$ seine Parität von den zwei beteiligten Kernzuständen erhält: sie ist $\pi_\alpha\pi_\beta$. Somit wird die Auswahlregel zu

$$\pi_\alpha\pi_\beta = \begin{cases} (-1)^l & \text{für elektrische Übergänge,} \\ (-1)^{l+1} & \text{für magnetische Übergänge.} \end{cases} \tag{5.77}$$

Warum trägt der Vektoroperator $\hat{\boldsymbol{\jmath}}$ nicht ein zusätzliches Minuszeichen zur Gesamtparität des Matrixelementes bei? Die Sachlage ist doch etwas komplizierter, wie häufig bei Fragen der Parität von Vektorfeldern. Um das eben gewonnene Ergebnis zu verstehen, nehme man als Beispiel den Wahrscheinlichkeitsstrom für ein einzelnes Teilchen, der durch

$$\boldsymbol{j}(\boldsymbol{r}) = \hbar(\psi^*(\boldsymbol{r})\nabla\psi(\boldsymbol{r}) - \psi(\boldsymbol{r})\nabla\psi^*(\boldsymbol{r}))/2mi \tag{5.78}$$

gegeben ist. Dies kann gemäß

$$\hat{\boldsymbol{\jmath}}(\boldsymbol{r}) = \frac{\hbar}{2mi}\Big(\delta(\boldsymbol{r}-\boldsymbol{r}')\nabla' - (\delta(\boldsymbol{r}-\boldsymbol{r}')\nabla')^+\Big) \tag{5.79}$$

in einen Operator übersetzt werden, wobei $\boldsymbol{r}'$ die Rolle der Integrationsvariablen in $\langle\psi|\hat{\boldsymbol{\jmath}}(\boldsymbol{r})|\psi\rangle$ spielt. Dieser Ausdruck leistet das Gewünschte, weil

$$\begin{aligned}\langle\psi|\hat{\boldsymbol{\jmath}}(\boldsymbol{r})|\psi\rangle &= \int \mathrm{d}^3r'\psi^*(\boldsymbol{r}')\hat{\boldsymbol{\jmath}}(\boldsymbol{r})\psi(\boldsymbol{r}') \\ &= \frac{\hbar}{2mi}\int \mathrm{d}^3r'\left[\psi^*(\boldsymbol{r}')\delta(\boldsymbol{r}'-\boldsymbol{r})\nabla'\psi(\boldsymbol{r}') - \nabla'\psi^*(\boldsymbol{r}')\delta(\boldsymbol{r}'-\boldsymbol{r})\psi(\boldsymbol{r}')\right] \\ &= \frac{\hbar}{2mi}(\psi^*(\boldsymbol{r})\nabla\psi(\boldsymbol{r}) - \nabla\psi^*(\boldsymbol{r})\psi(\boldsymbol{r})).\end{aligned} \tag{5.80}$$

Die Substitution $\boldsymbol{r} \to -\boldsymbol{r}$ führt auf

$$\begin{aligned}\langle\psi|\hat{\boldsymbol{\jmath}}(-\boldsymbol{r})|\psi\rangle &= \frac{\hbar}{2mi}(-\pi'\pi\psi^*(\boldsymbol{r})\nabla\psi(\boldsymbol{r}) + \pi'\pi\nabla\psi^*(\boldsymbol{r})\psi(\boldsymbol{r})) \\ &= -\frac{\hbar}{2mi}\pi\pi'\langle\psi|\hat{\boldsymbol{\jmath}}(\boldsymbol{r})|\psi\rangle\end{aligned} \tag{5.81}$$

mit π und π' den Paritäten der Wellenfunktionen. Das Minuszeichen resultiert aus

$$\left.\frac{\mathrm{d}f(x)}{\mathrm{d}x}\right|_{x\to-x} = \frac{\mathrm{d}f(-x)}{\mathrm{d}(-x)} = -\frac{\mathrm{d}f(-x)}{\mathrm{d}x} = -\pi\frac{\mathrm{d}f(x)}{\mathrm{d}x} \tag{5.82}$$

und hängt offensichtlich mit der Bahnparität (d. h. der aus der Ortsabhängigkeit kommenden) des Operators zusammen. Ein zusätzliches Vorzeichen wird durch den Vektorcharakter des Operators ∇ verursacht. Daß ∇ effektiv positive Paritäten beiträgt, wird auch durch das Beispiel des skalaren Feldes positiver Parität $\frac{1}{2}r^2$ klar, dessen Ableitung $\nabla\frac{1}{2}r^2 = \boldsymbol{r}$ ein Vektorfeld mit ebenfalls positiver Parität ist.

Die verschiedenen Auswahlregeln für elektrische und magnetische Multipole machen es sinnvoll, ihre Beiträge zu trennen und eine passende Nomenklatur einzuführen:

- *El*-Übergänge: elektrische Multipolübergänge mit Drehimpuls l. Paritätsauswahlregel: $\pi_\alpha\pi_\beta = (-1)^l$. Matrixelement:

$$M_{\beta\alpha}(k\mu; El) = -\sqrt{2\pi}\mathrm{i}^{l+1}\sqrt{2l+1}\int\langle\beta|\hat{\boldsymbol{\jmath}}(\boldsymbol{r})|\alpha\rangle\cdot\boldsymbol{A}_{l\mu}(\boldsymbol{r};E)\,\mathrm{d}^3r. \tag{5.83}$$

- Ml-Übergänge: magnetische Multipolübergänge mit Drehimpuls l. Paritätsauswahlregel: $\pi_\alpha \pi_\beta = (-1)^{l+1}$. Matrixelement:

$$M_{\beta\alpha}(k\mu; Ml) = -\mu\sqrt{2\pi}\mathrm{i}^l\sqrt{2l+1}\int \langle\beta|\hat{\boldsymbol{\jmath}}(\boldsymbol{r})|\alpha\rangle \cdot \boldsymbol{A}_{l\mu}(\boldsymbol{r}; M)\,\mathrm{d}^3r. \tag{5.84}$$

Die Drehimpulsauswahlregel ist in beiden Fällen durch die Dreiecksregel (J_α, J_β, l) gegeben.

Für gegebene Kernzustände erlauben die Paritätsauswahlregeln Übergänge beider Art, aber mit alternierenden Drehimpulsen. Zum Beispiel können die Übergänge zwischen einem 4^+- und einem 6^+-Zustand den Typ $E2$, $M3$, $E4$, $M5$, $E6$, $M7$, $E8$, $M9$ oder $E10$ haben. Die obere und untere Grenze für den Drehimpuls kommt aus der Dreiecksregel. Für einen Übergang zwischen einem 4^- und einem 6^+-Zustand ist dieselbe Serie von Übergängen erlaubt, aber mit M und E vertauscht. Wir werden später sehen, daß in jedem Fall die Übergänge niedrigsten Drehimpulses dominieren. Die obere Begrenzung des Drehimpulses kann einschneidend sein, wenn einer der Drehimpulse klein ist; z. B. erlaubt ein Übergang $0^+ \to J^+$ für gerades J nur EJ und für ungerades nur MJ.

5.4.3 Das Theorem von Siegert

Im Grenzfall niedriger Energie können die Matrixelemente etwas weiter vereinfacht werden. Besonders wichtig ist das für den Fall der elektrischen Übergänge, auf welche das *Siegertsche Theorem* Anwendung findet. Mit „niedriger Energie“ ist dabei die der Strahlung gemeint, d. h., die Wellenlänge soll klein gegenüber der typischen Längenskala des Kerns, dem Kernradius R, sein:

$$kR \ll 1. \tag{5.85}$$

Da Kernradien kleiner als 10 fm sind, kann man abschätzen

$$E = \hbar ck \approx (200\,\mathrm{MeV\,fm})\,k \ll \frac{200\,\mathrm{MeV\,fm}}{10\,\mathrm{fm}} = 20\,\mathrm{MeV}, \tag{5.86}$$

und das ist für praktisch alle in diesem Buch vorkommenden Strahlungsübergänge erfüllt, mit Ausnahme der Riesenresonanzen.

Da die Stromverteilung auf das Volumen des Kerns beschränkt ist, gilt in den Integralen immer $kr \ll 1$, und das kann zur Vereinfachung der Strahlungsfelder benutzt werden. Erinnern wir uns an die Definition der elektrischen und longitudinalen Multipolfelder

$$\begin{aligned}
\boldsymbol{A}_{lm}(\boldsymbol{r}; E) &= \sqrt{\frac{l+1}{2l+1}}j_{l-1}(kr)\boldsymbol{Y}_{lm,l-1}(\Omega) - \sqrt{\frac{l}{2l+1}}j_{l+1}(kr)\boldsymbol{Y}_{lm,l+1}(\Omega) \qquad (5.87)\\
\boldsymbol{A}_{lm}(\boldsymbol{r}; L) &= \sqrt{\frac{l}{2l+1}}j_{l-1}(kr)\boldsymbol{Y}_{lm,l-1}(\Omega) + \sqrt{\frac{l+1}{2l+1}}j_{l+1}(kr)\boldsymbol{Y}_{lm,l+1}(\Omega),
\end{aligned}$$

so bemerken wir, daß sie — von einem trivialen Faktor abgesehen — identisch sind, falls der zweite Term in beiden Fällen vernachlässigt werden darf. Das gilt aber genau im Niederenergiefall, weil

$$j_l(kr) \approx \frac{(kr)^l}{(2l+1)!!} \quad \rightarrow \quad j_{l+1}(kr)/j_{l-1}(kr) \approx \frac{(kr)^2}{(2l+1)(2l+3)} \ll 1. \tag{5.88}$$

Man kann also nähern

$$\boldsymbol{A}_{lm}(\boldsymbol{r};E) \approx \sqrt{\frac{l+1}{l}}\boldsymbol{A}_{lm}(\boldsymbol{r};L) = \sqrt{\frac{l+1}{l}}\frac{1}{k}\nabla(j_l(kr)Y_{lm}(\Omega)). \tag{5.89}$$

Der große Gewinn dieser Umformung ist, daß dieses Feld als Gradient eines Skalars ausgedrückt werden kann und damit eine partielle Integration möglich wird:

$$\begin{aligned} M_{\beta\alpha} \quad & (\boldsymbol{k}\mu; El) \\ \approx \quad & -\frac{\sqrt{2\pi}\mathrm{i}^{l+1}}{k}\sqrt{\frac{(2l+1)(l+1)}{l}}\int \langle\beta|\hat{\boldsymbol{\jmath}}(\boldsymbol{r})|\alpha\rangle \cdot \nabla(j_l(kr)Y_{l\mu}(\Omega))\,\mathrm{d}^3r \\ = \quad & \frac{\sqrt{2\pi}\mathrm{i}^{l+1}}{k}\sqrt{\frac{(2l+1)(l+1)}{l}}\int \nabla\cdot\langle\beta|\hat{\boldsymbol{\jmath}}(\boldsymbol{r})|\alpha\rangle j_l(kr)Y_{l\mu}(\Omega)\,\mathrm{d}^3r. \end{aligned} \tag{5.90}$$

Die Oberflächenbeiträge verschwinden wegen der beschränkten Ausdehnung der Stromverteilung.

Nun kann die Kontinuitätsgleichung in der Form (5.66) angewendet werden,

$$\begin{aligned} M_{\beta\alpha} \quad & (\boldsymbol{k}\mu; El) \\ \approx \quad & \frac{\sqrt{2\pi}\mathrm{i}^{l+1}}{k}\sqrt{\frac{(2l+1)(l+1)}{l}}\int \frac{i}{\hbar}(E_\alpha - E_\beta)\langle\beta|\hat{\rho}(\boldsymbol{r})|\alpha\rangle j_l(kr)Y_{l\mu}(\Omega)\,\mathrm{d}^3r \\ = \quad & \mp\sqrt{2\pi}\mathrm{i}^l c\sqrt{\frac{(2l+1)(l+1)}{l}}\int \langle\beta|\hat{\rho}(\boldsymbol{r})|\alpha\rangle j_l(kr)Y_{l\mu}(\Omega)\,\mathrm{d}^3r, \end{aligned} \tag{5.91}$$

wobei die Energiedifferenz gemäß

$$E_\alpha - E_\beta = \begin{cases} \hbar ck & \text{für Emission} \\ -\hbar ck & \text{für Absorption} \end{cases} \tag{5.92}$$

durch die Photonenergie ausgedrückt wurde. Das obere Vorzeichen in (5.91) gilt also für Emission und das untere für Absorption.

Der Inhalt des Siegertschen Theorems ist gerade die Ersetzung von $\hat{\boldsymbol{\jmath}}(\boldsymbol{r})$ durch $\hat{\rho}(\boldsymbol{r})$ im Matrixelement. Die Dichte ist gewöhnlich viel leichter zu berechnen und weniger sensitiv gegenüber dynamischen Strömen wie dem Pionenaustausch im Kern.

5.4.4 Matrixelemente für die Emission im Niederenergiebereich

An dieser Stelle sollen noch einmal die bisher gewonnenen Ergebnisse zusammengestellt werden und dann die komplizierten Phasenraum- und Drehimpulsfaktoren von den grundlegenden Kernmatrixelementen getrennt werden. Die in Abschnitt 5.4.1 berechnete Übergangsrate war

$$w_{f\leftarrow i} = \frac{k}{2\pi\hbar c^2}\left|\int \langle\beta|\hat{\boldsymbol{\jmath}}(\boldsymbol{r})|\alpha\rangle \cdot \boldsymbol{e}_\mu e^{-\mathrm{i}\boldsymbol{k}_z}\mathrm{d}^3r\right|^2 d\Omega_k. \tag{5.93}$$

Einsetzen der Multipolentwicklung aus Abschnitt 5.4.2 und Einführen der Notation $T_{\beta\alpha}(l\mu;R)$ für die Übergangsrate für eine bestimmte Mode vom Typ R, wobei R entweder E oder M sein kann, je nachdem, ob es sich um einen elektrischen oder magnetischen Übergang handelt, führt zu

$$T_{\beta\alpha}(l\mu;R) = \frac{k}{2\pi\hbar c^2}|M_{\beta\alpha}(k\mu,Rl)|^2\,d\Omega_k \tag{5.94}$$

mit den Matrixelementen

$$M_{\beta\alpha}(k\mu,El) = -\mathrm{i}\sqrt{2\pi(2l+1)}\mathrm{i}^l\int\langle\beta|\hat{\rho}(\boldsymbol{r})|\alpha\rangle\cdot\boldsymbol{A}_{l\mu}(\boldsymbol{r};E)\,\mathrm{d}^3r \tag{5.95}$$

und

$$M_{\beta\alpha}(k\mu,Ml) = -\mu\sqrt{2\pi(2l+1)}\mathrm{i}^l\int\langle\beta|\hat{\boldsymbol{\jmath}}(\boldsymbol{r})|\alpha\rangle\cdot\boldsymbol{A}_{l\mu}(\boldsymbol{r};M)\,\mathrm{d}^3r. \tag{5.96}$$

Für den Grenzfall großer Wellenlängen kann die sphärische Besselfunktion in beiden Fällen mit der nunmehr vertrauten Formel $j_l(kr)\approx(kr)^l/(2l+1)!!$ genähert werden.

Für elektrische Übergänge kann zusätzlich noch das Siegertsche Theorem verwendet werden, was auf

$$M_{\beta\alpha}(k\mu;El) = -\sqrt{2\pi}\mathrm{i}^l c\sqrt{\frac{(2l+1)(l+1)}{l}}\int\langle\beta|\hat{\boldsymbol{\jmath}}(\boldsymbol{r})|\alpha\rangle\frac{(kr)^l}{(2l+1)!!}Y_{l\mu}(\Omega)\mathrm{d}^3r \tag{5.97}$$

und durch Einsetzen in die Übergangsrate zu

$$T_{\beta\alpha}(l\mu;E) = \frac{(2l+1)(l+1)}{l(2l+1)!!^2}\frac{k^{2l+1}}{\hbar}|\langle\beta|\hat{\Omega}_{l\mu}(E)|\alpha\rangle|^2\,d\Omega_k \tag{5.98}$$

führt. Der relativ einfache vom Kernmodell abhängige Anteil wurde als

$$\langle\beta|\hat{\Omega}_{l\mu}(E)|\alpha\rangle = \int\langle\beta|\hat{\rho}(\boldsymbol{r})|\alpha\rangle r^l Y_{l\mu}(\Omega)\,\mathrm{d}^3r \tag{5.99}$$

definiert. Für magnetische Übergänge ist die Entwicklung des Multipolfeldes

$$\boldsymbol{A}_{l\mu}(\boldsymbol{r};M) = \frac{1}{\sqrt{l(l+1)}}\hat{\boldsymbol{L}}j_l(kr)Y_{l\mu}(\Omega) \approx \frac{1}{\sqrt{l(l+1)}}\hat{\boldsymbol{L}}\frac{(kr)^l}{(2l+1)!!}Y_{l\mu(\Omega)}. \tag{5.100}$$

Nach dem Einsetzen in die Übergangsrate kann man dieselben Faktoren abtrennen wie im elektrischen Fall und erhält

$$T_{\beta\alpha}(l\mu;M) = \frac{(2l+1)(l+1)}{l(2l+1)!!^2}\frac{k^{2l+1}}{\hbar}|\langle\beta|\hat{\Omega}_{l\mu}(M)|\alpha\rangle|^2\, d\Omega_k \tag{5.101}$$

mit

$$\langle\beta|\hat{\Omega}_{l\mu}(M)|\alpha\rangle = \frac{-1}{c(l+1)}\int\langle\beta|\hat{\boldsymbol{\jmath}}(\boldsymbol{r})|\alpha\rangle\cdot\hat{\boldsymbol{L}}(r^lY_{l\mu}(\Omega))\,\mathrm{d}^3r. \tag{5.102}$$

Diese Resultate zeigen schon die Trennung in die nuklearen Matrixelemente, in denen alle Information aus den Kernmodellen steckt, und die kinematischen und Strahlungsfeldfaktoren. Im Experiment interessiert man sich aber oft nur für gemittelte Übergangsraten. Zum Beispiel sind oft die Richtung des ausgesandten Photons und seine Polarisation unwichtig. In den bisher abgeleiteten Formeln war immer Emission in die z-Richtung angenommen. Für andere Richtungen kann man die ebene Welle rotieren, was über die Multipolentwicklung auf die Rotation der Multipolfelder führt. Da diese sphärische Tensoren sind, können sie mit Hilfe der Drehmatrizen rotiert werden, wobei $\theta_3 = 0$ ist, da zwei Eulerwinkel zur Auswahl einer Richtung ausreichen:

$$\boldsymbol{A}_{l\mu}(\boldsymbol{r};R) \rightarrow \sum_{\mu'}\mathcal{D}^{(l)}_{\mu\mu'}(\theta_1,\theta_2,0)\boldsymbol{A}_{l\mu'}(\boldsymbol{r};R). \tag{5.103}$$

Welcher Richtung im Raum dies wirklich entspricht, ist irrelevant, weil sowieso gleich darüber gemittelt wird. Man beachte aber, daß der Eulerwinkel θ_1 dem Azimuthalwinkel entspricht (Rotation um die z-Achse), während θ_2 die Rolle des Polarwinkels übernimmt.

Die Rotation stört bei keiner der bisher vorgenommenen Manipulationen, so daß man einfach das Endergebnis für die Matrixelemente rotieren darf:

$$\langle\beta|\hat{\Omega}_{l\mu}(R)|\alpha\rangle \rightarrow \sum_{\mu'}\mathcal{D}^{(l)}_{\mu\mu'}(\phi,\theta,0)\langle\beta|\hat{\Omega}_{l\mu'}(R)|\alpha\rangle, \tag{5.104}$$

es müssen aber die Übergangsraten, nicht die Matrixelemente, rotiert werden. Dazu sind die Matrixelemente zu quadrieren und dann über die beiden Eulerwinkel zu integrieren. Da nur die Drehmatrizen daran teilnehmen, läuft alles auf die Auswertung des Faktors

$$\int\mathcal{D}^{(l)}_{mm'}{}^*(\phi,\theta,0)\mathcal{D}^{(l)}_{\mu\mu'}(\phi,\theta,0)\mathrm{d}\Omega = \frac{4\pi}{2l+1}\delta_{m\mu}\delta_{m'\mu'} \tag{5.105}$$

hinaus, der eine Orthogonalitätsbeziehung für die Drehmatrizen darstellt.

Die Summe über die beiden Polarisationszustände des Photons ergibt einen weiteren Faktor zwei, und wir erhalten

$$T_{\beta\alpha}(l;R) = \frac{8\pi(l+1)}{l(2l+1)!!^2} \frac{k^{2l+1}}{\hbar} |\langle\beta|\hat{\Omega}_{l\mu}(R)|\alpha\rangle|^2, \tag{5.106}$$

worin, wie zuvor, R für E oder M eintritt, um Formeln gleicher Struktur für den elektrischen und magnetischen Fall zusammenfassen.

Schließlich sind die Projektionen M_β und M_α der Kerndrehimpulse irrelevant, falls nicht Experimente mit polarisierten Strahlen und/oder Targets betrachtet werden. In diesem Fall müssen die Übergangsraten über die *Anfangsprojektion M_α gemittelt* und über die *Endprojektion M_β summiert* werden. Das kann in geschlossener Form durch Verwendung des reduzierten Matrixelementes geschehen. Die reduzierte Übergangswahrscheinlichkeit ist als

$$\begin{aligned} B(Rl, J_\alpha \to J_\beta) &= \frac{1}{2J_\alpha+1} \sum_{M_\alpha M_\beta} |\langle\beta|\hat{\Omega}_{l\mu}(R)|\alpha\rangle|^2 \\ &= \frac{1}{2J_\alpha+1} |\langle\beta||\hat{\Omega}_l(R)||\alpha\rangle|^2 \sum_{M_\alpha M_\beta} (J_\alpha l J_\beta | M_\alpha \mu M_\beta)^2 \end{aligned} \tag{5.107}$$

definiert. Die Auswertung der Summe über Clebsch-Gordan–Koeffizienten bereitet keine großen Schwierigkeiten. Die Tatsache, daß die ungekoppelte Basis $|J_\alpha M_\alpha J_\beta M_\beta\rangle$ und die gekoppelte $|l\mu J_\alpha J_\beta\rangle$ beide orthonormal sind, bedeutet daß

$$\begin{aligned} \sum_{M_\alpha M_\beta} \langle l\mu J_\alpha J_\beta | J_\alpha J_\beta M_\alpha M_\beta\rangle \langle J_\alpha J_\beta M_\alpha M_\beta | l'\mu' J_\alpha J_\beta\rangle &= \\ \sum_{M_\alpha M_\beta} (J_\alpha J_\beta l | M_\alpha M_\beta \mu)(J_\alpha J_\beta l' | M_\alpha M_\beta \mu') &= \delta_{ll'}\delta_{\mu\mu'}. \end{aligned} \tag{5.108}$$

Diagonal wird daraus

$$\sum_{M_\alpha M_\beta} (J_\alpha J_\beta l | M_\alpha M_\beta \mu)^2 = 1, \tag{5.109}$$

und man kann daraus das gewünschte Ergebnis durch Verwendung der Symmetrieeigenschaft der Clebsch-Gordan–Koeffizienten

$$(j_1 j_2 J | m_1 m_2 m) = (-1)^{j_1 - m_1} \sqrt{\frac{2J+1}{2j_2+1}} (j_1 J j_2 | m_1 - m - m_2) \tag{5.110}$$

erhalten:

$$\sum_{M_\alpha M_\beta} (J_\alpha l J_\beta | M_\alpha \mu M_\beta)^2 = \frac{2J_\beta+1}{2l+1}. \tag{5.111}$$

Es gibt noch einen wesentlichen Unterschied zwischem dem, was wir brauchen, und dieser Ableitung. Die verlangte Summe lief über alle möglichen Werte von M_α und M_β, wobei μ dann aus der Auswahlregel $M_\alpha + \mu = M_\beta$ folgt. In der Clebsch-Gordan-Summe aber war μ implizit als fest angenommen, so daß nur eine der beiden anderen Projektionen frei variieren konnte. Dafür muß durch eine zusätzliche Summe über μ korrigiert werden, was zu einem Faktor $2l + 1$ führt, der den Nenner aufhebt. Damit wird das Ergebnis für die reduzierte Übergangswahrscheinlichkeit zu

$$B(Rl, J_\alpha \to J_\beta) = \frac{2J_\beta + 1}{2J_\alpha + 1} |\langle \beta || \hat{\Omega}_l(R) || \alpha \rangle|^2, \tag{5.112}$$

womit das Endergebnis erreicht ist.

Fassen wir noch einmal die wesentlichen Ergebnisse dieser langen Entwicklungen zusammen, wobei die Buchstaben α und β durch i und f ersetzt werden, um Anfangs- (i) und Endzustand (f) klarer zu bezeichnen:

- Übergangsrate für die Emission eines Photons

$$T_{fi}(l; R) = \frac{8\pi(l+1)}{l(2l+1)!!^2} \frac{k^{2l+1}}{\hbar} B(Rl, J_i \to J_f), \tag{5.113}$$

  mit R für E oder M.

- Reduzierte Übergangswahrscheinlichkeit für elektrische Multipolstrahlung

$$B(El, J_i \to J_f) = \frac{2J_f + 1}{2J_i + 1} \left| \int \langle f || \hat{\rho}(\boldsymbol{r}) r^l Y_l(\Omega) || i \rangle \mathrm{d}^3 r \right|^2. \tag{5.114}$$

- Reduzierte Übergangswahrscheinlichkeit für magnetische Multipolstrahlung

$$B(Ml, J_i \to J_f) = \frac{2J_f + 1}{2J_i + 1} \frac{1}{c^2(l+1)^2} \left| \int \langle f || \hat{\boldsymbol{\jmath}}(\boldsymbol{r}) \cdot \hat{\boldsymbol{L}} r^l Y_l(\Omega) || i \rangle \mathrm{d}^3 r \right|^2. \tag{5.115}$$

Diese Werte werden meist einfach als $B(El)$- bzw. $B(Ml)$-Werte bezeichnet.

5.4.5 Relative Wichtigkeit der Übergänge und Weißkopf-Abschätzung

Auch unter Berücksichtigung der Auswahlregeln sind oft mehrere Übergangstypen zwischen zwei spezifischen Kernzuständen erlaubt, und es ist wichtig, allgemeine Regeln zu finden, welcher Übergang dann am stärksten sein wird. Betrachten wir zuerst die relative Stärke zweier elektrischer Übergänge. Der $B(El)$-Wert skaliert in etwa wie R^{2l}, wobei R der Kernradius ist, so daß die Übergangsrate gemäß $(kR)^{2l}$ von l abhängt. Da angenommen wurde, daß $kr \ll 1$ ist, dominiert immer der kleinere Drehimpuls. Das gleiche Argument gilt für magnetische Übergänge.

Die relative Stärke von elektrischen zu magnetischen Übergängen abzuschätzen ist etwas schwieriger, weil man dazu im Detail die Stromverteilung im Kern braucht. Stattdessen zitieren wir lieber die Ergebnisse der einfachen *Weißkopf-Abschätzung*, die schon an sich nützlich ist und auch im allgemeinen Fall meist gültige Schlüsse erlaubt.

Die Weißkopf-Abschätzung basiert auf elektromagnetischen Übergängen eines einzigen Nukleons, das durch eine schematische Wellenfunktion mit konstanter Radialfunktion, kombiniert mit einer Kugelfunktion und einem Spinor, beschrieben wird. Wenn man einen Übergang zwischen dem Zustand $l = 0$ und einem beliebigen l bei unveränderter Spinprojektion betrachtet, so erhält man die Übergangswahrscheinlichkeiten

$$T(l;E) = \frac{2(l+1)}{l[(2l+1)!!]^2} \left(\frac{3}{l+3}\right)^2 \frac{e^2}{\hbar c}(kR)^{2l}\omega \tag{5.116}$$

und

$$T(l;M) = \frac{20(l+1)}{l[(2l+1)!!]^2} \left(\frac{3}{l+3}\right)^2 \left(\frac{\hbar}{mcR}\right)^2 \frac{e^2}{\hbar c}(kR)^{2l}\omega . \tag{5.117}$$

Der Faktor $\hbar/mcR$ stammt aus dem nuklearen Magneton, das im magnetischen Moment des Nukleons steht.

Aus dem Vergleich der beiden Formeln ist klar, daß das Verhältnis zwischen magnetischen und elektrischen Übergängen desselben Drehimpulses durch

$$\frac{T(l;M)}{T(l;E)} = 10 \left(\frac{\hbar}{mcR}\right)^2 \approx 0.3\ A^{-2/3} \tag{5.118}$$

gegeben ist, wobei zum Schluß Standardwerte für die Nukleonenmasse von $mc^2 \approx 938$ MeV und für den Kernradius von $R \approx 1.2\ A^{1/3}$ eingesetzt wurden. Folglich sind bei gleichem Drehimpuls die elektrischen Übergänge etwas stärker. Allerdings ist das kein sinnvoller Vergleich, weil die Paritätsauswahlregel verbietet, daß beide gleichzeitig zwischen denselben Kernniveaus auftreten. Von praktischem Interesse ist vielmehr der Fall einer Mischung eines $E(l+1)$-Überganges mit einem $M(l)$. Dafür erhalten wir

$$\frac{T(l+1;E)}{T(l;M)} = \tfrac{1}{10}(kR)^2 \left(\frac{\hbar}{mcR}\right)^{-2} l(l+2) \left(\frac{l+3}{(2l+3)(l+1)(l+4)}\right)^2 . \tag{5.119}$$

Die drehimpulsabhängigen Faktoren produzieren insgesamt einen Faktor nahe bei Eins; wenn man für den Rest Zahlenwerte einsetzt und dabei k für einen Übergang von 1 MeV wählt, erhält man

$$\frac{T(l+1;E)}{T(l;M)} \approx 1.2 \cdot 10^{-4} A^{4/3} \left(\hbar\omega[\mathrm{MeV}]\right)^2 . \tag{5.120}$$

Für Massenzahlen etwa in den seltenen Erden ($A \approx 150$) liegt der Faktor nahe bei 0.1, so daß unter diesen Bedingungen die magnetischen Übergänge dominieren sollten.

Man sollte natürlich nicht vergessen, daß bei diesen Abschätzungen Kernstruktureffekte völlig ignoriert wurden, die die Matrixelemente grundlegend verändern können; auch gelten sie strikt nur im Niederenergiebereich.

Die Weißkopf-Abschätzung hat noch zusätzliche Bedeutung: Weil dabei angenommen wurde, daß nur ein Nukleon am Übergang beteiligt ist, deuten experimentelle Werte, die viel größer sind, darauf hin, daß es sich um einen *kollektiven* Übergang handelt, an dem ein großer Teil der Nukleonen des Kerns beteiligt ist. Solche experimentellen Beobachtungen gaben einen der wesentlichen Hinweise auf die Existenz von Kollektivbewegung in Kernen.

5.2 Aufgabe: Die Weisskopf-Abschätzung

Leiten Sie die Weißkopf-Abschätzung für elektrische Übergänge ab.

Lösung:

Wie im Text erwähnt, sind für die Wellenfunktion des Nukleons ein konstanter radialer Anteil für $r < R$, eine Kugelfunktion und ein Spinor anzunehmen:

$$\psi(\boldsymbol{r}) = N Y_{lm}(\Omega)\chi \quad . \tag{1}$$

Die Konstante N folgt aus der Normierungsbedingung

$$1 = N^2 \int_0^R r^2 \,\mathrm{d}r = N^2 R^3/3 \tag{2}$$

als $N = \sqrt{3/R^3}$.
Nun ist für ein einzelnes Punktteilchen mit Ladung e der Ladungsdichteoperator

$$\hat{\rho}(\boldsymbol{r}) = e\delta(\boldsymbol{r} - \boldsymbol{r}'), \tag{3}$$

wobei $\boldsymbol{r}'$ die Koordinate des Teilchens repräsentiert. Damit erübrigt sich die Integration über $\boldsymbol{r}$ in $B(El)$ und es bleibt nur die im Matrixelement. Für einen Übergang von $l = 0$ nach l kann man sie in ein radiales Integral und ein reduziertes Matrixelement aufspalten:

$$\langle l||\hat{\rho} r^l Y_l||0\rangle = e^2 \frac{3}{R^3} \int_0^R r^{l+2} \mathrm{d}r \times \langle l||Y_l||0\rangle. \tag{4}$$

Die allgemeine Formel für die reduzierten Matrixelemente zwischen Kugelfunktionen aus dem Anhang liefert

$$\langle l||Y_l||0\rangle = \tfrac{1}{\sqrt{4\pi}}(0ll|000) = \tfrac{1}{\sqrt{4\pi}}, \tag{5}$$

während das Radialintegral

$$\frac{3}{R^3} \int_0^R r^{l+2} \mathrm{d}r = \frac{3R^l}{l+3} \tag{6}$$

ergibt und damit der volle $B(El)$-Wert zu

$$B(El; 0 \to l) = \frac{2l+1}{4\pi} \left(\frac{3R^l}{l+3} \right)^2$$ 7

wird. Wenn man diese Resultate in die Formel für die Übergangsrate einsetzt, erhält man die im Text angegebene Formel, außer einem Zusatzfaktor $2l + 1$, der dort fehlt, weil die Weißkopf-Abschätzung nicht über die Polarisation der Strahlung mittelt.

5.4.6 Elektrische Multipolmomente

Der Operator, der in der elektrischen Übergangsrate von (5.114) erscheint, bestimmt auch die elektrischen Multipolmomente. Man definiert den *elektrischen Multipoloperator* als

$$\hat{Q}_{lm} = \int d^3r \, r^l Y_{lm}(\Omega) \hat{\rho}(\boldsymbol{r}). \tag{5.121}$$

Seine diagonalen Matrixelemente ergeben die Multipolmomente, werden aber dazu noch mit konventionellen Faktoren versehen, die auf ursprüngliche Definitionen in kartesischen Koordinaten zurückgehen. So ist z. B. das Quadrupolmoment als

$$\begin{aligned} Q &= \int d^3r \, \langle \Psi | (3z^2 - r^2) \hat{\rho}(\boldsymbol{r}) | \Psi \rangle \\ &= \sqrt{\frac{16\pi}{5}} \int d^3r \, \langle \Psi | r^2 Y_{20}(\Omega) \hat{\rho}(\boldsymbol{r}) | \Psi \rangle \end{aligned} \tag{5.122}$$

definiert und wird konventionell für den Zustand höchster Projektion des Drehimpulses, d. h. $m = j$, ausgewertet.

5.4.7 Effektive Ladungen

Bei naiver Betrachtung würde man erwarten, daß in der Beschreibung der elektromagnetischen Übergänge nur die Protonen eine Rolle spielen, weil sie ja alleine die Ladung im Kern tragen. Das ist aber nicht die ganze Wahrheit. Einerseits kann bei den Wechselwirkungen zwischen den Nukleonen Ladung ausgetauscht werden, was zu den Strömen beiträgt, und andererseits werden Protonen- und Neutronenbewegung durch die Schwerpunktserhaltung gekoppelt. Der erstere dieser beiden Effekte führt über den Rahmen dieses Buches hinaus, der zweite soll uns aber jetzt kurz beschäftigen.

Sei z. B. ein Neutron in seiner Bahnbewegung angeregt. Selbst trägt es keine Ladung, aber weil der Schwerpunkt des Kernes in Ruhe bleibt, muß sich der Rest des Kerns entsprechend gegenbewegen, was ebenfalls zu einer Ladungsverschiebung führt. Formal läßt sich das im Fall des Dipolmomentes leicht einarbeiten, welches durch den Vektor

$$\boldsymbol{D} = \sum_{i=1}^{A} q_i(\boldsymbol{r}_i - \boldsymbol{R}) \tag{5.123}$$

gegeben ist, wobei q_i die Ladung des i-ten Nukleons und $\boldsymbol{R}$ den Schwerpunkt bezeichnet. Heben wir jetzt ein Nukleon hervor, etwa das mit Index 1, das von einer Einteilchenanregung betroffen ist, und nehmen wir an, daß die übrigen $A-1$ Teilchen entsprechend als Gruppe zu einer Position $\boldsymbol{R}'$ verschoben sind. Dann gilt

$$\boldsymbol{D} = q_1(\boldsymbol{r}_1 - \boldsymbol{R}) + (Ze - q_1)(\boldsymbol{R}' - \boldsymbol{R}). \tag{5.124}$$

Der Schwerpunkt ist jetzt

$$\boldsymbol{R} = \frac{\boldsymbol{r}_1 + (A-1)\boldsymbol{R}'}{A} \tag{5.125}$$

und Einsetzen in (5.124) ergibt

$$\boldsymbol{D} = q_1^{\text{eff}} \boldsymbol{r}_1' \tag{5.126}$$

mit $\boldsymbol{r}_1' = \boldsymbol{r}_1 - \boldsymbol{R}'$ dem Relativabstand des einen Teilchens zum Rest;

$$q^{\text{eff}} = \frac{A-1}{A} q - \frac{Ze - q}{A} \tag{5.127}$$

ist die *effektive Ladung* des Nukleons. Dieser Ausdruck wird oft durch die Näherung $A-1 \approx A$ und $Ze - q \approx Ze$ vereinfacht, so daß

$$q^{\text{eff}} = q - \frac{Ze}{A} \tag{5.128}$$

für die effektive Ladung verwendet wird. Man beachte, daß dies die Ladung des Protons reduziert, während das Neutron eine negative Ladung erhält. Für $Z = A$ sind alle effektiven Ladungen gleich $\pm\frac{1}{2}e$, so daß die Korrektur keineswegs vernachlässigbar ist.

Für die höheren Multipole sind die Formeln komplizierter und die Korrekturen werden sehr viel kleiner, so daß in der Praxis dieser Effekt meist ignoriert wird. In diesem Buch werden effektive Ladungen für die Diskussion der Riesenresonanzen in Abschnitt 6.9 benötigt.

Kapitel 6

Kollektivmodelle

6.1 Kernmaterie

6.1.1 Massenformeln

In viele Kernmodelle gehen die Eigenschaften von *Kernmaterie* als Grenzfall ein. Kernmaterie ist eine fiktive Konstruktion: Man kann sie sich als Extrapolation der beinahe homogenen Bedingungen im Inneren von schweren Kernen auf unendliche Ausdehnung vorstellen. „Fiktiv“ heißt, daß diese Vorstellung aus folgenden Gründen unrealistisch ist:

- Es wird ein festes Verhältnis von Protonen zu Neutronen nahe eins angenommen. Dies würde zu einer unendlichen Coulombenergie führen, weshalb die Coulombwechselwirkung nicht berücksichtigt wird. In Wirklichkeit würde sich aufgrund des Beta–Zerfalls ein Gleichgewichtswert für dieses Verhältnis einstellen. Wir weisen darauf hin, daß im Fall von Neutronensternmaterie, der unserem Problem sehr ähnlich ist, die Zahl von Protonen sehr klein ist und das Studium von Kernmaterie sicherlich sehr nützlich für die Theorie von Neutronensternen sein kann.

- Aus demselben Grund ist die Dichte innerhalb schwerer Kerne in Wirklichkeit abgesenkt, so daß bei einer Extrapolation die Effekte der Coulombwechselwirkung ausgeglichen werden müssen.

- Ein homogenes System von Protonen und Neutronen ist nicht immer der energetisch niedrigste Zustand. Bei geringeren Dichten wird es in kleinere Fragmente zerbrechen, während sich die Nukleonen bei sehr großen Dichten auflösen und statt dessen ein Quark–Gluonen–Plasma bilden können.

Obwohl Kernmaterie also kein physikalisch meßbares System ist, liefert es einen extrem nützlichen und einfachen physikalischen Grenzfall, um Theorien zu testen und anhand dessen interessante Parameter definiert werden können.

Der Leser sei darauf hingewiesen, daß wir auf die wichtige und interessante *Theorie der Kernmaterie*, in der versucht wird, die Kernmaterieeigenschaften aus der Nukleon–Nukleon–Wechselwirkung herzuleiten, aus Platzgründen im Rahmen dieses Buches nicht eingehen. Diese Theorie wird in vielen umfangreicheren Abhandlungen über theoretische Kernphysik wie z. B. [Ei72] erläutert.

Grundlegende Informationen über Kernmaterie erhält man aus semiempirischen Massenformeln, in denen die Bindungsenergien von Kernen aus einem Kernmateriebeitrag und verschiedenen Korrekturen für endliche Kerne bestimmt werden. Die älteste und bekannteste von diesen ist die immer noch sehr nützliche *Bethe–Weizsäcker–Massenformel* [We35, Be36]

$$B(A) = a_{\mathrm{Vol}} A + a_{\mathrm{Surf}} A^{2/3} + a_{\mathrm{Coul}} Z^2 A^{-1/3} + a_{\mathrm{Sym}} \frac{(N-Z)^2}{A} \tag{6.1}$$

$$\begin{array}{ll} a_{\mathrm{Vol}} \approx -16\,\mathrm{MeV} & a_{\mathrm{Surf}} \approx 20\,\mathrm{MeV} \\ a_{\mathrm{Coul}} \approx 0.751\,\mathrm{MeV} & a_{\mathrm{Sym}} \approx 21.4\,\mathrm{MeV} \end{array}$$

Der erste Term ist hier die *Volumenenergie*, die der konstanten Bindungsenergie pro Nukleon bei gleicher Protonen- und Neutronendichte Rechnung trägt und deshalb einen der wichtigsten Parameter von Kernmaterie liefert. Der zweite Term ist proportional zum Quadrat des Kernradius und beschreibt die Abnahme der Bindungsenergie aufgrund der schwächeren Bindung der Nukleonen an der Oberfläche — die *Oberflächenenergie*. Der dritte Term steht für die *Coulombenergie*, die bei einer homogen geladenen Kugel proportional zu Z^2/R und damit zu $Z^2/A^{1/3}$ ist. Der letzte Term schließlich ist die *Symmetrieenergie*, an der sich die Abnahme der Bindung bei ungleicher Protonen- und Neutronenzahl zeigt.

Die Oberflächen- und die Coulombenergie werden benutzt, um die Abhängigkeit der Energie von der Kernform zu berechnen, während die Volumen- und die Symmetrieenergie direkt mit den Eigenschaften von Kernmaterie zusammenhängen.

Eine neuere Version der Massenformel wurde von Seeger [Se68] aufgestellt. Sie lautet

$$\begin{aligned} B(A) &= W_0 A - \gamma A^{2/3} \\ &\quad - 0.86\, r_0^{-1} Z^2 A^{-1/3} \left(1 - 0.76361\, Z^{-1/3} - 2.543\, r_0^{-2} A^{-2/3}\right) \\ &\quad - \left(\eta A^{-4/3} - \beta A^{-1}\right)(N-Z)^2 + \delta A^{-1/2}(0, \pm 1) \\ &\quad + 7 \exp\left(-6|N-Z|A^{-1}\right) + 14.33 \cdot 10^{-6}\, Z^{2.39}\ . \end{aligned} \tag{6.2}$$

Auch hier beschreibt der erste Term wieder den Volumenbeitrag und der zweite die Oberflächenenergie, während im dritten die Coulombenergie durch eine Austausch- und eine Korrektur für die Oberflächendicke ergänzt wurde (zweiter und dritter Ausdruck in Klammern). Der vierte Term ist die Symmetrieenergie, nun jedoch mit einer komplizierteren A–Abhängigkeit aufgrund von Oberflächeneffekten. Zusätzlich gibt es einen Paarungsterm (proportional zu δ), bei dem der Ausdruck in Klammern null für ug–Kerne, positiv für gg– und negativ für uu–Kerne ist. Dieser Term repräsentiert die Tatsache, daß Nukleonenpaare stärker gebunden sind; Details hierzu findet man in Abschnitt 7.5. Die beiden letzten Terme haben eine weniger offensichtliche physikalische Bedeutung, verbessern aber die Genauigkeit der Vorhersagen. Die Standardwerte der nicht explizit gegebenen Koeffizienten sind $W_0 = 15.645\,\mathrm{MeV}$, $\gamma = 19.655\,\mathrm{MeV}$, $\beta = 30.586\,\mathrm{MeV}$, $\eta = 53.767\,\mathrm{MeV}$, $\delta = 10.609\,\mathrm{MeV}$ und $r_0 = 1.2025\,\mathrm{fm}$.

Diese Art von Massenformel reicht aus, um die globalen Eigenschaften von Kernen über das gesamte Periodensystem hinweg mit einer Genauigkeit von $\pm 10\,\mathrm{MeV}$ in der Bindungsenergie zu beschreiben, die Lage des *Tals der β–Stabilität* eingeschlossen. Zusätzlich ist sie wegen der physikalischen Motivation der wichtigsten Terme nützlich, um Deformationseigenschaften bis hin zur und einschließlich der Spaltbarriere zu verstehen. Obwohl für eine quantitative Analyse der Spaltung und eine Beschreibung von deformierten Grundzuständen *Schaleneffekte* (siehe Abschnitt 9.2) notwendig sind, sollten wir im Gedächtnis behalten, daß dies jeweils nur kleine Änderungen einer großen Bindungsenergie sind, die recht gut durch eine so einfache Formel beschrieben wird.

Es gibt auch neuere, weiter ergänzte Massenformeln, von denen das *verfeinerte Droplet–Modell* [My76] wohl das wichtigste ist. Es enthält eine große Zahl von Termen und beschreibt die Oberflächenabhängigkeit aller physikalischen Beiträge noch detaillierter — dem Sinn nach ähnlich den dichteabhängigen Formeln, wie sie in Abschnitt 6.1.3 vorgestellt werden.

6.1.2 Das Fermigas–Modell

Ein weiteres, sehr einfaches Modell, das dennoch schon Einblick in eine Reihe wichtiger Kernmaterieeigenschaften gewährt, ist des *Fermigas–Modell.* Im Gegensatz zur Idee, den Kern als Flüssigkeitstropfen zu beschreiben, was dem vorigen Abschnitt zugrunde lag, konzentriert es sich auf die Einteilcheneigenschaften, indem es den Kern als ein Gas nicht wechselwirkender Fermionen mit vorgegebener Protonen- und Neutronendichte behandelt.

Freie Teilchen in einem unendlichen Volumen werden durch Wellenfunktionen und Eigenenergieen der Form

$$\psi_{\boldsymbol{k}}(\boldsymbol{r}) = \sin(\boldsymbol{k}\cdot\boldsymbol{r}) \;, \qquad \epsilon_{\boldsymbol{k}} = \frac{\hbar^2 k^2}{2m} \tag{6.3}$$

beschrieben. Um das Kontinuum von Zuständen zu diskretisieren, betrachten wir die Wellenfunktionen in einem Würfel der Seitenlänge a, d. h. $x, y, z \in [0, a]$. Die Forderung, daß die Wellenfunktionen an beiden Intervallgrenzen verschwinden, führt sofort auf

$$k_x = \frac{\pi}{a} n_x \;, \qquad k_y = \frac{\pi}{a} n_y \;, \qquad k_z = \frac{\pi}{a} n_z \;, \qquad n_x,\; n_y,\; n_z = 1, 2, \ldots \tag{6.4}$$

und auf die Eigenwerte:

$$\epsilon_{n_x n_y n_z} = \frac{\hbar^2}{2m}\frac{\pi^2}{a^2}(n_x^2 + n_y^2 + n_z^2) \;. \tag{6.5}$$

Das folgende Argument ist dem am Ende von Abschnitt 6.4.1 für Photonen gegebenen sehr ähnlich: Im Grenzwert für großes a kann die Anzahl N von Tripeln (n_x, n_y, n_z)

bestimmt werden, indem man im Differential zu sphärischen Koordinaten (n, Ω) übergeht:

$$\mathrm{d}N = \mathrm{d}n_x\,\mathrm{d}n_y\,\mathrm{d}n_z = n^2\mathrm{d}n\,\mathrm{d}\Omega\ . \tag{6.6}$$

Die Integration über Ω können wir unter Verwendung der sphärischen Symmetrie durch einen Faktor $4\pi/8$ ersetzen (die 8 kommt daher, daß nur positive Werte von n erlaubt sind, was einem Achtel des Winkelraumes entspricht), und n ist dann die einzige unabhängige Größe. Andererseits gilt wegen (6.4)

$$\epsilon_n = \frac{\hbar^2}{2m}\frac{\pi^2}{a^2}n^2\ , \tag{6.7}$$

was dazu benutzt werden kann, n auf der rechten Seite von (2.6) zu ersetzen:

$$\mathrm{d}N = \frac{a^3}{\pi^2\sqrt{2}}\left(\frac{m}{\hbar^2}\right)^{3/2}\sqrt{\epsilon_n}\,\mathrm{d}\epsilon_n\ . \tag{6.8}$$

In dieser Herleitung haben wir angenommen, daß alle Zustände in dem zur Energie $\epsilon < \epsilon_n$ gehörigen sphärischen Gebiet besetzt sind. Dieser Ausdruck muß bis zur Fermienergie ϵ_{F} integriert werden, und Division durch das Volumen a^3 liefert die Teilchendichte ρ:

$$\rho = \frac{N}{a^3} = \frac{1}{\pi^2\sqrt{2}}\left(\frac{m}{\hbar^2}\right)^{3/2}\int\limits_0^{\epsilon_{\mathrm{F}}}\sqrt{\epsilon}\,\mathrm{d}\epsilon\ . \tag{6.9}$$

Durch einfache Berechnung des Integrals erhält man das gewünschte Ergebnis

$$\epsilon_{\mathrm{F}} = \frac{\hbar^2}{2m}\sqrt{6\pi^2\rho}\ . \tag{6.10}$$

Bevor wir uns mit Anwendungen dieses Ergebnisses beschäftigen, müssen wir jedoch einen entscheidenden Bestandteil hinzufügen: Entartung. Alle Zustände sind eigentlich zweimal besetzt, so daß die gleiche Anzahl von Zuständen und die gleiche Fermienergie dem Doppelten der Protonen- oder Neutronenzahl entspricht. Man kann auch Protonen und Neutronen gemeinsam behandeln, was eine zusätzliche Besetzungszahl von 2 zur Folge haben würde. Allgemein ist also ein *Entartungsfaktor* g nötig. Es ist nicht schwer, diesen Faktor in die Herleitung einzusetzen, wir müssen im Endergebnis nur die Dichte durch diesen Faktor teilen und erhalten

$$\epsilon_{\mathrm{F}} = \frac{\hbar^2}{2m}\left(\frac{3\pi^2\rho}{g}\right)^{3/2}\ . \tag{6.11}$$

Zusätzliche wichtige Größen im Zusammenhang hiermit sind der *Fermiimpuls*

$$k_{\mathrm{F}} = \sqrt[3]{\frac{3\pi^2\rho}{g}}\ , \tag{6.12}$$

der in der theoretischen Kernphysik oft anstatt der Dichte angegeben wird, und die *gesamte kinetische Energiedichte*

$$\begin{aligned} e &= g\frac{1}{\pi^2\sqrt{2}}\left(\frac{m}{\hbar^2}\right)^{3/2}\int_0^{\epsilon_\mathrm{F}}\epsilon\sqrt{\epsilon}\,\mathrm{d}\epsilon \\ &= \frac{1}{5}\frac{gm^{3/2}\sqrt{2}}{\pi^2\hbar^3}\epsilon_\mathrm{F}^{5/2}\,, \end{aligned} \tag{6.13}$$

also die Summe der Einteilchenenergien aller besetzten Zustände. Sie heißt *kinetische* Energiedichte, weil sie das Bindungspotential in keiner Weise enthält. In diesem Modell bewegen sich die Nukleonen wie freie Teilchen, obwohl sie eigentlich in einem sehr großen homogenen Kastenpotential gebunden sein sollten, das mit einer negativen potentiellen Energie beiträgt, die nicht berücksichtigt wird. Die *mittlere Energie pro Teilchen* ist durch die einfache Beziehung

$$\bar{\epsilon} = \frac{e}{\rho} = \frac{3}{5}\epsilon_\mathrm{F} \tag{6.14}$$

gegeben. Sie wächst mit $\rho^{2/3}$, weshalb sie einen dichteabhängigen Term in der Formel für die Energie von Kernmaterie darstellt.

Beachten Sie, daß die betrachtete Situation nur der niedrigste Zustand des Fermigases war, was Kernmaterie im Grundzustand oder im statistischen Grenzfall der Temperatur null entspricht. Die Energie kommt nur durch das Paulische Ausschließungsprinzip zustande, das uns zwingt, mit wachsender Dichte Zustände mit immer höherer Energie zu besetzen. Dies ist der Fall eines entarteten Gases.

Eine wichtige Konsequenz des Fermigas–Modelles ist eine Erklärung für die Ursache der Symmetrieenergie im Kern. Für unterschiedliche Protonenzahlen Z und Neutronenzahlen N mit $Z + N = A$ können die Protonen- und Neutronendichten ρ_p und ρ_n im betrachteten Volumen verschieden sein, sie müssen sich jedoch immer noch zur Gesamtdichte

$$\rho_\mathrm{p} + \rho_\mathrm{n} = \rho_0 \tag{6.15}$$

addieren. Folglich werden sich die Fermienergien voneinander unterscheiden, und obige Formeln müssen an eine solche Mischung angepaßt werden. Ein Vergleich des Integrals für die gesamte kinetische Energie mit dem für die Teilchenzahl liefert die richtige Mittelung für die mittlere kinetische Energie:

$$\bar{\epsilon} = \frac{3}{5}\frac{N\epsilon_\mathrm{F}^\mathrm{n} + Z\epsilon_\mathrm{F}^\mathrm{p}}{A}\,. \tag{6.16}$$

Die Fermienergien sind entsprechend (6.11) in Abhängigkeit von der Dichte gegeben, so daß nur die Dichten durch Z, N, A und die Gesamtdichte ausgedrückt werden müssen. Wenn wir uns erinnern, wie die Symmetrieenergie von $(Z-N)/A$ abhängt, können wir schreiben:

$$\rho_{\mathrm{p}} = \frac{Z}{A}\rho_0 = \frac{\rho_0}{2}\left(1+\frac{Z-N}{A}\right) \tag{6.17}$$

$$\rho_{\mathrm{n}} = \frac{N}{A}\rho_0 = \frac{\rho_0}{2}\left(1-\frac{Z-N}{A}\right) . \tag{6.18}$$

Setzen wir dies in die Fermienergien und danach in die mittlere kinetische Energie ein und entwickeln wir schließlich die Potenzen, erhalten wir in niedrigster Ordnung in $(Z-N)/A$:

$$\Delta\bar{\epsilon} \approx \bar{t}_N \left(1+\frac{5}{9}\frac{(Z-N)^2}{A^2}\right) , \tag{6.19}$$

wobei der konstante Koeffizient durch

$$\bar{t}_N = \frac{3}{5}\frac{\hbar^2}{2m}\left(\frac{3\pi^2\rho_0}{2}\right)^{2/3} \approx 21\,\mathrm{MeV} \tag{6.20}$$

gegeben ist. Dieses Ergebnis zeigt das richtige Verhalten und kann damit wenigstens einen einfachen Mechanismus erklären, der zu einer Symmetrieenergie führt. Ein quantitativer Vergleich zeigt, daß sie um einen Faktor zwei zu klein ist. Einige Argumente, wie sie durch Potentialenergiebeiträge korrigiert werden kann, findet man in [Ei87].

6.1.3 Dichtefunktional–Modelle

Eine natürliche Verallgemeinerung des Fermigas–Modells stellt die Thomas–Fermi–Theorie dar, in der die richtigen Einteilchenwellenfunktionen lokal durch ebene Wellen ersetzt werden, so daß es an jedem Ort eine Nukleonendichte gibt, die in der richtigen Beziehung mit dem lokalen Fermiimpuls steht. Das Festlegen sowohl des Impulses als auch des Ortes verletzt klar die Regeln der Quantenmechanik, aber diese Methode, die auch *Näherung der lokalen Dichte (local density approximation, LDA)*Thomas–Fermi–Theorie genannt wird, ist trotzdem z. B. in der Atomphysik recht erfolgreich. Um sie für Kerne anwenden zu können, müssen viele Korrekturen und Terme höherer Ordnung hinzugefügt werden, was auf den sogenannten *Energiedichte- Formalismus* führt. Er kann in einem Variationsprinzip zusammengefaßt werden:

$$\delta \int \mathrm{d}^3r\,\{E[\rho(\boldsymbol{r})] - \lambda\rho(\boldsymbol{r})\} = 0 . \tag{6.21}$$

Hierbei ist $\rho(\boldsymbol{r})$ die Dichte innerhalb des Kerns, die variiert wird, bis ein Minimum des Integrals erreicht ist, und $E[\rho]$ ist das Energiefunktional, das die Energie des Kerns in Abhängigkeit von der lokalen Dichte angibt. Der zweite Term im Integral drückt als Nebenbedingung die Konstanz der Nukleonenzahl aus.

Das Hauptproblem in diesem Ansatz ist natürlich, ein geeignetes Funktional $E[\rho]$ zu finden. In der Kernphysik fing die Entwicklung schon im Zusammenhang mit der Bethe–Weizsäcker-Formel [We35, Be36] an, wurde parallel mit einem wachsenden Verständnis der nuklearen Wechselwirkung weiterentwickelt [Sk56, Sk59, Wi58] und führte schließlich auf einen vollkommen ausgereiften Energiedichte–Formalismus [Br68, Be73, Lo73]. In den folgenden Jahren wurden zahlreiche Verfeinerungen hinzugefügt, und die Methode konnte in vielen Bereichen der Kernstruktur und der kollektiven Anregungen erfolgreich Anwendung finden. In diesem Buch werden praktische Beispiele für Dichtefunktionale im Zusammenhang mit den Riesenresonanzen (Abschnitt 6.9) und der Hartree–Fock–Methode mit Skyrmekräften (Abschnitt 7.2.9) auftauchen. In diesem Abschnitt werden wir auf keine weiteren Details eingehen (wir verweisen dazu z. B. auf den Übersichts–Artikel von M. Brack [Br85] und die übrigen Beiträge in diesem Band). Statt dessen behandeln wir nur einige wenige elementaren Definitionen in einem schematischen Modell, wobei wir [Sc68] folgen.

Dieses Dichtefunktional enthält nur die grundlegendsten Bestandteile, es reicht jedoch schon aus, um die Dichteverteilung in Kernen recht gut zu beschreiben. Das Funktional ist gegeben durch

$$\begin{aligned} E[\rho] \;=\; & \int \mathrm{d}^3r\, \rho W(\rho) + \frac{e^2}{2} \int \mathrm{d}^3r' \int \mathrm{d}^3r \frac{\rho_\mathrm{p}(\boldsymbol{r})\rho_\mathrm{p}(\boldsymbol{r}')}{|\boldsymbol{r}-\boldsymbol{r}'|} \\ & + C_\mathrm{ex} \int \mathrm{d}^3r\, \rho_\mathrm{p}^{4/3} + C_\mathrm{sym} \int \mathrm{d}^3r (\rho_\mathrm{p} - \rho_\mathrm{n})^2 \rho^\nu \\ & + \frac{V_0}{4\pi} \int \mathrm{d}^3r' \int \mathrm{d}^3r \rho(\boldsymbol{r}) \frac{\mathrm{e}^{-|\boldsymbol{r}-\boldsymbol{r}'|/\mu}}{|\boldsymbol{r}-\boldsymbol{r}'|} (\rho(\boldsymbol{r}') - \rho(\boldsymbol{r})) \,. \end{aligned} \tag{6.22}$$

Die meisten Terme sind im Zusammenhang mit den Massenformeln leicht zu verstehen. Der erste ist ein Volumenenergiebeitrag mit der Abwandlung, daß eine Dichteabhängigkeit der Volumenenergie pro Nukleon $W(\rho)$ erlaubt ist. In dieser Form wird das Funktional oft *Zustandsgleichung von Kernmaterie* genannt, obwohl die Zustandsgleichung genaugenommen auch die thermischen Eigenschaften beschreiben sollte.

In normalen Kernen befindet sich ein Großteil der Materie nahe der Gleichgewichtsdichte $\rho_0 \approx 0.17\,\mathrm{fm}^{-3}$ mit einer Bindungsenergie von $W_0 = W(\rho_0) \approx -16\,\mathrm{MeV}$. Über ihr Verhalten weit weg vom Gleichgewicht ist sehr wenig bekannt. Abbildung 6.1 gibt einen Anhaltspunkt, wie diese Funktion aussehen könnte. Es existiert ein Minimum bei (ρ_0, W_0) mit einen parabolischen Anstieg auf beiden Seiten. Bei einer Dichte von null sollte als richtiger Grenzwert der Energie ebenfalls null erreicht werden und für sehr kleine Dichten, wenn die Nukleonen noch keine ausreichende Anziehung verspüren, muß die Energie wegen der kinetischen Energie des Fermigases positiv sein. Im Prinzip sollte das Verhalten zwischen diesen beiden Punkten in der Struktur der Kernoberfläche spürbar sein, aber in diesem Bereich stark veränderlicher Dichte ist ein so einfaches Energiefunktional sicherlich nicht gut genug, um verbindliche Schlüsse zu ziehen. In den letzten Jahren hat sich die Aufmerksamkeit mehr und mehr auf die Frage konzentriert, was bei höheren Dichten geschieht, da es bei der Kollision von Kernen mit hohen Energien möglich sein könnte, Kernmaterie mit hoher Dichte und Temperatur zu erzeugen. Viele exotische Effekte, wie ein zweiter,

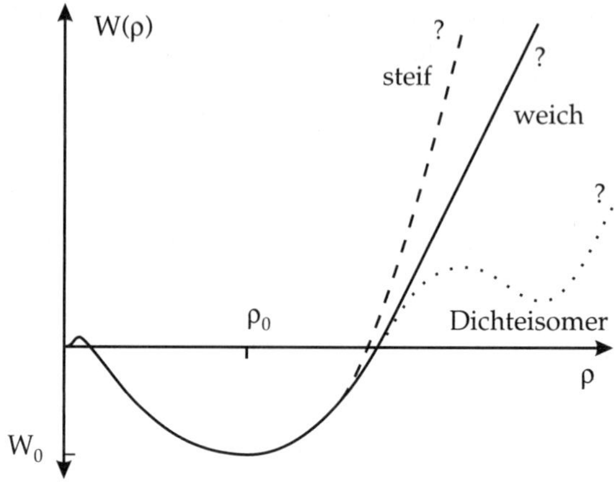

Abb. 6.1: Schematische Darstellung der „Zustandsgleichung von Kernmaterie" $W(\rho)$. Beachten Sie die kleine positive Region aufgrund des Fermigas–Grenzfalls oberhalb der Dichte null. Jenseits der Gleichgewichtsdichte sind nur wenige experimentelle Informationen vorhanden, und es wird über exotische Effekte gemutmaßt: Hier sind zwei Zustandsgleichungen mit verschiedener Steifigkeit und eine mit einem isomeren Minimum gezeigt.

metastabiler Zustand von Kernmaterie, ein *Dichteisomer*, oder der Phasenübergang zu einem Quark–Gluonen–Plasma wurden diskutiert, aber zum gegenwärtigen Zeitpunkt ist die Situation noch nicht geklärt. Da dieses Thema nicht zum Hauptanliegen dieses Buches gehört, verweisen wir den Leser zur Einführung auf Review–Literatur wie [Ma85] oder die Artikel in [Cs91].

Eine wichtige Größe in Kernmodellen ist die *Inkompressibilität* von Kernmaterie, die im Zusammenhang mit der Krümmung von $W(\rho)$ im Minimum steht und die üblicherweise als

$$K = 9\rho_0^2 \left. \frac{\mathrm{d}W}{\mathrm{d}\rho} \right|_{\rho=\rho_0} \tag{6.23}$$

definiert wird. K kann nicht direkt gemessen werden, sondern muß aus Dichteschwingungen, den sogenannten Monopol–Riesenresonanzen abgeleitet werden, die leider ein detailliertes Verständnis des Verhaltens der Oberfläche erfordern. Deshalb kam es auch noch nicht zu einer Übereinkunft, was der richtige Wert für K sei, aber $K \approx 210$MeV [Bl80] scheint weitgehend akzeptiert zu werden. Eine einfache Zustandsgleichung mit der richtigen Inkompressibilität erhält man durch eine parabolische Entwicklung

$$W(\rho) = \frac{K}{18\rho_0^2}(\rho - \rho_0)^2 \ , \tag{6.24}$$

aber beachten Sie, daß diese Gleichung, obwohl sie für kleine Oszillationen um die Gleichgewichtsdichte richtig sein sollte, den Grenzfall kleiner Dichten nicht reproduziert, und es ist nicht offensichtlich, wie weit die parabolische Entwicklung hin zu größeren Dichten extrapoliert werden kann. Verschiedene Parametrisierungen der Zustandsgleichung, die ähnlich einfach sind, werden in Simulationen hochenergetischer Schwerionenkollisionen eingesetzt.

Wir kehren nun zur Diskussion von Gleichung (6.22) zurück. Der zweite Term ist die bekannte Coulombenergie einer durch die Protonen erzeugten Ladungsverteilung $e\rho_{\mathrm{p}}(\boldsymbol{r})$. Dies beinhaltet, daß die Dichten von Protonen und Neutronen verschieden sind und unabhängig voneinander variiert werden müssen, um die Kerndichteverteilung zu bestimmen. Der dritte Term ist eine Näherung für die Coulomb–Austauschenergie [Di30]. Solche Austauscheffekte werden im Zusammenhang mit dem Hartree–Fock–Verfahren in Abschnitt 7.2 diskutiert.

Der nächste Term ist die Symmetrieenergie, die hier als Integral über lokale Abweichungen zwischen Neutronen- und der Protonendichten geschrieben wird. Dies erfolgt im Sinne der Näherung der lokalen Dichte, die an jedem Punkt ein lokales Fermigas–Modell erzeugt und deshalb eine einfache Verallgemeinerung von (6.19) darstellt. Die Potenz ν des zusätzlichen Dichtefaktors ist nicht gut bekannt. Das Fermigas–Modell würde $\nu = -\frac{1}{3}$ liefern, aber wie wir gesehen haben, ist dies quantitativ nicht zuverlässig, so daß man versucht, ν an experimentelle Daten anzupassen. Im allgemeinen funktionieren Werte zwischen -1 und $\frac{1}{3}$ recht gut.

Der letzte Term ist die Oberflächenenergie in der Sprechweise der Dichtefunktionale. Im Prinzip ist es die Energie aufgrund einer Yukawa–Wechselwirkung, jedoch wurde die Energie einer homogenen Verteilung abgezogen (deswegen taucht $\rho(\boldsymbol{r}') - \rho(\boldsymbol{r})$ auf), so daß sie nur an der Oberfläche beiträgt.

6.2 Deformationen der Kernoberfläche

6.2.1 Allgemeine Parametrisierung

Die Anregungsspektren von gg-Kernen im Energiebereich bis 2 MeV zeigen charakteristische Bandenstrukturen, die als Vibrationen und Rotationen der Kernoberfläche im *geometrischen Kollektivmodell* interpretiert werden, das zum ersten Mal von Bohr und Mottelson vorgeschlagen [Bo52, Bo53, Bo54] und von Faessler und Greiner ausgearbeitet wurde [Fa62a, Fa62b, Fa64a, Fa64b, Fa65a, Fa65b, Fa65c]. Das zugrundeliegende physikalische Bild ist das eines Kerns, der aus einem klassischen, geladenen Flüssigkeitstropfen (liquid drop) gebildet wird, womit das zur Bethe–Weizsäcker–Massenformel führende Konzept durch eine dynamische Anregung des Kerns erweitert wird. Bei niedrigen Anregungsenergien ist die Kompression von Kernmaterie unwichtig, und die Dicke der Oberflächenschicht wird ebenfalls vernachlässigt, so daß wir mit dem Modell eines Flüssigkeitstropfens konstanter Dichte mit einer scharfen Oberfläche beginnen. Die innere Struktur, d. h. die Existenz einzelner Nukleonen, wird zugunsten des Bildes einer homogenen, flüssigkeitsähnlichen Kernmaterie vernachlässigt.

Der Vergleich mit dem Experiment wird zeigen, bis zu welchem Grad diese Näherungen gerechtfertigt sind. Trotzdem ist schon klar, daß das Modell eines Flüssigkeitstropfens nur dann anwendbar sein wird, wenn die Größe eines Nukleons im Vergleich mit der Größe des Kerns als Ganzes vernachlässigbar ist. Dies, sowie die Vernachlässigung der Dicke der Oberflächenschicht, wird am ehesten im Fall schwerer Kerne gegeben sein.

Mit diesen Annahmen kann die sich bewegende Kernoberfläche allgemein durch eine Entwicklung in Kugelflächenfunktionen mit zeitabhängigen *Oberflächenparametern* als Koeffizienten beschrieben werden:

$$R(\theta, \phi, t) = R_0 \left(1 + \sum_{\lambda=0}^{\infty} \sum_{\mu=-\lambda}^{\lambda} \alpha^*_{\lambda\mu}(t) Y_{\lambda\mu}(\theta, \phi) \right) , \tag{6.25}$$

wobei $R(\theta, \phi, t)$ den Kernradius in Richtung (θ, ϕ) zur Zeit t bezeichnet und R_0 der Radius des sphärischen Kerns ist, der entsteht, wenn alle $a_{\lambda\mu}$ verschwinden.

In allen nun folgenden Formeln werden sich die Summationen über $\lambda = 0 \ldots \infty$ und $\mu = -\lambda \ldots \lambda$ erstrecken, sofern nichts anderes angegeben ist.

Die zeitabhängigen Amplituden $\alpha_{\lambda\mu}(t)$ beschreiben die Vibrationen des Kerns und dienen damit als *kollektive Koordinaten*. Um die Formulierung des kollektiven Modells zu vervollständigen, muß ein Hamiltonoperator in Abhängigkeit von den $\alpha_{\lambda\mu}$ und ihren auf geeignete Weise definierten konjugierten Impulsen aufgesetzt werden. Bevor wir dies tun, lassen Sie uns jedoch zuerst die physikalische Bedeutung der $\alpha_{\lambda\mu}$ genauer untersuchen.

Aus (6.25) lassen sich leicht einige Eigenschaften der $\alpha_{\lambda\mu}$ ableiten:

1. Komplexe Konjugation: Der Kernradius muß reell sein, d. h. $R(\theta, \phi, t) = R^*(\theta, \phi, t)$. Wendet man dies auf (6.25) an und benutzt man die Eigenschaft

$$Y^*_{\lambda\mu}(\theta, \phi) = (-1)^\mu Y_{\lambda-\mu}(\theta, \phi) \tag{6.26}$$

der Kugelflächenfunktionen, so ist leicht einzusehen, daß die $\alpha_{\lambda\mu}$ die Bedingung

$$\alpha^*_{\lambda\mu} = (-1)^\mu \alpha_{\lambda-\mu} \tag{6.27}$$

erfüllen müssen.

2. Charakter eines sphärischen Tensors: Das Verhalten der $\alpha_{\lambda\mu}$ bei Drehungen folgt aus der Invarianz der Funktion $R(\theta, \phi)$, die ein Skalar unter Rotationen sein muß. Auf den ersten Blick erscheint diese Aussage überraschend, da die beschriebene Kernoberfläche offensichtlich keine Rotationssymmetrie zeigt. Um diesen Punkt zu klären, lassen Sie uns nochmals genau untersuchen, was passiert, wenn wir das System drehen.

Die ursprüngliche Kernoberfläche wird durch die Funktion $R(\theta, \phi)$ beschrieben. Eine Drehung überführt die Richtung (θ, ϕ) in (θ', ϕ'), und wir müssen die Oberfläche durch eine neue Funktion ausdrücken, für die

$$R'(\theta', \phi') = R(\theta, \phi) \tag{6.28}$$

erfüllt (s. dazu die Diskussion am Anfang von Abschnitt 2.2.1). Die Idee besteht nun aus der Forderung von Rotationsinvarianz der Definition der Kernoberfläche in dem Sinne, daß die gedrehte Oberfläche $R'(\theta, \phi)$ *die gleiche funktionale Form haben soll, jedoch mit gedrehten Parametern* $\alpha'_{\lambda\mu}$. Diese können dann aus

$$\sum_{\lambda\mu} \alpha'^{*}_{\lambda\mu} Y'_{\lambda\mu}(\theta, \phi) = \sum_{\lambda\mu} \alpha^{*}_{\lambda\mu} Y_{\lambda\mu}(\theta, \phi) \tag{6.29}$$

bestimmt werden, wobei man $Y'_{\lambda\mu}$ aus $Y_{\lambda\mu}$ durch Anwendung der üblichen Drehmatrizen erhält. Jetzt sieht man leicht, wie die $\alpha_{\lambda\mu}$ sich transformieren müssen; da $\alpha^*_{\lambda\mu} = (-1)^{\mu} \alpha_{\lambda-\mu}$, kann die Summe über μ als Kopplung zum Drehimpuls null ausgedrückt werden:

$$\begin{aligned}
\sum_{\mu} \alpha^*_{\lambda\mu} Y_{\lambda\mu} &= \sum_{\mu} (-1)^{\mu} \alpha_{\lambda-\mu} Y_{\lambda\mu} \\
&= (-1)^{\lambda} \sqrt{2\lambda+1} \sum_{\mu} \frac{(-1)^{\lambda-\mu}}{\sqrt{2\lambda+1}} \alpha_{\lambda-\mu} Y_{\lambda\mu} \\
&= (-1)^{\lambda} \sqrt{2\lambda+1} \sum_{\mu\mu'} (\lambda\lambda 0|\mu\mu' 0) \alpha_{\lambda\mu'} Y_{\lambda\mu} \; .
\end{aligned} \tag{6.30}$$

Damit hat man die gewünschte Invarianz der Definition in (6.25) erreicht, wenn sich der Satz von Parametern $\alpha_{\lambda\mu}$, $\mu = -\lambda \ldots \lambda$ wie ein sphärischer Tensor mit Drehimpuls λ transformiert, oder genauer

$$\alpha'_{\lambda\mu} = \sum_{\mu} \mathcal{D}^{(\lambda)}_{\mu\mu'} \alpha_{\lambda\mu'} \; , \tag{6.31}$$

3. Parität: Dieselben Argumente gelten auch für die Paritätstransformation. Wenn die Kugelflächenfunktionen gespiegelt werden, muß der Tensor $\alpha_{\lambda\mu}$ demselben Vorzeichenwechsel unterliegen, damit die Invarianz der Oberflächendefinition erhalten bleibt. Genau wie die Kugelflächenfunktionen müssen deshalb die $\alpha_{\lambda\mu}$ die Parität $(-1)^{\lambda}$ haben.

6.2.2 Arten von Multipoldeformationen

Die allgemeine Entwicklung der Kernoberfläche in (6.25) erlaubt beliebige Deformationen. In diesem Abschnitt wollen wir die physikalische Bedeutung verschiedener Multipolordnungen und ihre Anwendung untersuchen. Mit wachsendem λ ergeben sich:

1. die Monopolmode $\lambda = 0$. Die Kugelflächenfunktion $Y_{00}(\Omega)$ ist konstant, so daß ein nichtverschwindender Wert von α_{00} einer Änderung des Kugelradius entspricht. Die zugehörige Anregung ist die sogenannte *Atmungsmode* („breathing mode") des Kerns. Wegen der großen Energie, die für eine Kompression von Kernmaterie benötigt wird, hat diese Mode allerdings eine viel zu hohe Energie, um für die hier behandelten niederenergetischen Spektren wichtig zu sein[1]. Der Deformationsparameter α_{00} kann dazu benutzt werden, die Änderung der Gesamtdichte auszugleichen, die als Nebeneffekt aufgrund der übrigen Multipoldeformationen auftritt. Bei der Berechnung des Kernvolumens (s. Aufgabe 6.1) ergibt sich, daß

$$\alpha_{00} = -\frac{1}{\sqrt{4\pi}} \sum_{\lambda\mu} |\alpha_{\lambda\mu}|^2 \tag{6.32}$$

die Volumenerhaltung bis zur zweiten Ordnung sicherstellt.

2. Dipoldeformationen, $\lambda = 1$, führen in niedrigster Ordnung zu keiner Verformung des Kerns, sondern zu einer Verschiebung des Schwerpunktes (s. Aufgabe 6.1). $\lambda = 1$ entspricht also einer Translation des Kerns und sollte für Kernanregungen nicht in Betracht gezogen werden.

3. Quadrupoldeformationen: Die Moden mit $\lambda = 2$ stellen sich als die wichtigsten kollektiven Anregungen des Kerns heraus. Ein Großteil der späteren Diskussion der Kollektivmodelle wird diesem Fall gewidmet sein, so daß eine ausführlichere Behandlung im nächstem Abschnitt durchgeführt wird.

4. Die Oktupoldeformationen $\lambda = 3$ sind die führenden asymmetrischen Moden des Kerns, die mit Banden negativer Parität verknüpft sind. Ein oktupoldeformierter Kern ähnelt in gewisser Weise einer Birne.

5. Hexadekupoldeformationen $\lambda = 4$: in der Theorie des Kerns ist dies der höchste Drehimpuls, der noch wichtig ist. Obwohl es in den Spektren keine Anzeichen für reine Hexadekupolanregungen gibt, scheinen sie eine wichtige Rolle als Beimischung zu Quadrupolanregungen und für die Form des Grundzustandes schwerer Kerne zu spielen.

6. Moden mit höherem Drehimpuls haben keine praktische Bedeutung. Es sollte jedoch erwähnt werden, daß es auch eine fundamentale Beschränkung für λ gibt, da die Ausdehnung der einzelnen „Höcker" auf der Kernoberfläche, die durch die $Y_{\lambda\mu}(\theta, \phi)$ beschrieben werden, mit wachsendem λ immer mehr abnimmt; offensichtlich sollte sie aber nicht kleiner sein als der Durchmesser eines Nukleons. Für eine grobe Abschätzung genügt die Feststellung, daß die Anzahl der Extrema von $Y_{\lambda\mu}(\Omega)$ etwa durch λ^2 gegeben ist (das ist die Anzahl von Nullstellen

[1]Die Kompressionsmode wird experimentell beobachtet und ist wichtig, um die Kompressionseigenschaften von Kernmaterie zu bestimmen. Die Annahme einer scharf begrenzten Oberfläche ist allerdings für eine quantitative Beschreibung nicht gut genug, da ihre Energie sensitiv von Änderungen des Dichteprofils an der Oberfläche während der Vibration abhängt.

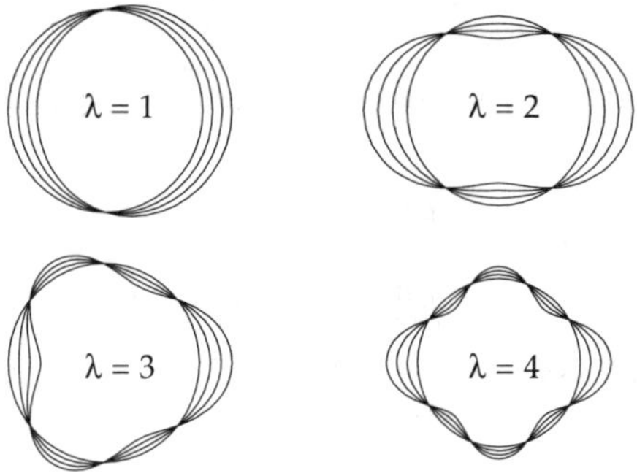

Abb. 6.2: Skizze der Multipoldeformationen für $\lambda = 1 \ldots 4$. Für jeden Fall sind die Formen zu $\alpha_{\lambda 0} = n a_\lambda$ mit $n = 0 \ldots 3$ und $a_1 = 0.15$, $a_2 = 0.25$, $a_3 = a_4 = 0.15$ eingezeichnet. Die Abbildungen sind untereinander nicht korrekt skaliert, und auch das Volumen wurde bei wachsender Deformation nicht konstant gehalten. Beachten Sie die komplizierten Formen bei größeren Deformationen.

der zugeordneten Legendre–Polynome in θ, mal die von $\sin\phi$ oder $\cos\phi$). Da die Zahl von Nukleonen an der Oberfläche $A^{2/3}$ ist, bekommen wir als Schranke den Wert $\lambda < A^{1/3}$. Dies zeigt, daß für $A < 64$ sogar Hexadekupoldeformationen fragwürdig werden.

Für die vier niedrigsten Drehimpulse sind in Abbildung 6.2 die Multipoldeformationen skizziert.

6.1 Aufgabe: Volumen und Schwerpunkt eines deformierten Kerns

Berechnen Sie das Volumen (bis zur zweiten Ordnung in den $\alpha_{2\mu}$) und den Schwerpunktsvektor (in erster Ordnung) für einen deformierten Kern mit der durch (6.25) gegebenen Oberfläche.

Lösung:

Das Volumen des Kerns ist durch

$$V = \int \mathrm{d}\Omega \int_0^{R(\Omega)} r^2 \, \mathrm{d}r \qquad \underline{1}$$

gegeben. Integration über r und Einsetzen von (6.25) liefert

$$\begin{aligned} V &= \tfrac{1}{3} R_0^3 \int \mathrm{d}\Omega \left(1 + \sum_{\lambda\mu} \alpha^*_{\lambda\mu} Y_{\lambda\mu}(\Omega) \right)^3 \\ &\approx \tfrac{1}{3} R_0^3 \int \mathrm{d}\Omega \left(1 + 3 \sum_{\lambda\mu} \alpha^*_{\lambda\mu} Y_{\lambda\mu}(\Omega) + 3 \sum_{\lambda\mu} \sum_{\lambda'\mu'} \alpha^*_{\lambda\mu} \alpha^*_{\lambda'\mu'} Y_{\lambda\mu}(\Omega) Y_{\lambda'\mu'}(\Omega) \right) \\ &= \tfrac{1}{3} R_0^3 \left(4\pi + 3\sqrt{4\pi}\,\alpha_{00} + 3 \sum_{\lambda\mu} |\alpha_{\lambda\mu}|^2 \right) , \end{aligned} \qquad \underline{2}$$

wobei Terme bis zur zweiten Ordnung in den Deformationsparametern mitgenommen und die Orthogonalitätsrelationen der Kugelflächenfunktionen ausgenutzt wurden. Beachten Sie, daß das Integral über eine einzelne dieser Funktionen mit Hilfe von

$$\begin{aligned}\int \mathrm{d}\Omega Y_{\lambda\mu}(\Omega) &= \sqrt{4\pi}\int \mathrm{d}\Omega \frac{1}{\sqrt{4\pi}} Y_{\lambda\mu}(\Omega) \\ &= \sqrt{4\pi}\int \mathrm{d}\Omega Y_{00}(\Omega) Y_{\lambda\mu}(\Omega) = \sqrt{4\pi}\delta_{\lambda 0}\delta_{\mu 0} \qquad \underline{3}\end{aligned}$$

entwickelt werden kann. Der erste Term in Klammern von Gleichung ($\underline{2}$) ist gerade das Volumen des nicht deformierten Kerns. Das Volumen wird also unverändert bleiben, wenn

$$\sqrt{4\pi}\alpha_{00} + \sum_{\lambda\mu} |\alpha_{\lambda\mu}|^2 = 0 \ . \qquad \underline{4}$$

Um den Schwerpunksvektor zu erhalten, müssen wir

$$\boldsymbol{R}_{\mathrm{cm}} = \frac{\int \boldsymbol{r}\rho(\boldsymbol{r})\mathrm{d}^3 r}{\int \rho(\boldsymbol{r})\mathrm{d}^3 r} \qquad \underline{5}$$

berechnen, was sich im Fall einer konstanten Dichte im durch (6.25) gegebenen Volumen und in sphärischer Schreibweise, bei der $r_\mu = \sqrt{\frac{4\pi}{3}} r Y_{1\mu}$ ist, zu

$$R_{\mathrm{cm},\mu} = \frac{1}{V}\sqrt{\frac{4\pi}{3}}\int \mathrm{d}\Omega \int_0^{R(\Omega)} r^2 \mathrm{d}r\, r\, Y_{1\mu} \qquad \underline{6}$$

vereinfacht. Fahren wir auf die gleiche Weise fort wie beim Volumen, erhalten wir

$$\begin{aligned}R_{\mathrm{cm},\mu} &= \frac{1}{V}\sqrt{\frac{4\pi}{3}}\int \mathrm{d}\Omega \frac{R_0^4}{4}\left(1 + \sum_{\lambda\mu}\alpha_{\lambda\mu}Y^*_{\lambda\mu}\right)^4 Y_{1\mu} \\ &\approx \frac{1}{V}\sqrt{\frac{4\pi}{3}}\int \mathrm{d}\Omega \frac{R_0^4}{4}\left(1 + 4\sum_{\lambda\mu}\alpha_{\lambda\mu}Y^*_{\lambda\mu}\right) Y_{1\mu} \\ &= \frac{1}{V}\sqrt{\frac{4\pi}{3}} R_0^4 \alpha_{1\mu} \\ &= \sqrt{\frac{3}{4\pi}} R_0 \alpha_{1\mu} \ . \qquad \underline{7}\end{aligned}$$

6.2.3 Quadrupoldeformationen

Wie schon erwähnt, sind Quadrupoldeformationen die wichtigsten Vibrationsfreiheitsgrade des Kerns, und viele unserer späteren Entwicklungen werden diesem Fall gewidmet sein. In diesem Abschnitt werden wir deshalb einen genaueren Blick auf die Bedeutung der verschiedenen Parameter werfen, die im Quadrupoldeformationstensor $\alpha_{\mu\nu}$ versteckt sind.

Für den Fall einer reinen Quadrupoldeformation ist die Kernoberfläche durch

$$R(\theta,\phi) = R_0 \left(1 + \sum_\mu \alpha^*_{2\mu} Y_{2\mu}(\theta,\phi)\right) \tag{6.33}$$

gegeben. Beachten Sie, daß der volumenerhaltende Term in α_{00} von zweiter Ordnung in $\alpha_{2\mu}$ ist und deshalb unterdrückt werden kann. Die Parameter $\alpha_{2\mu}$ sind nicht unabhängig voneinander, da aus (6.27) $\alpha_{2\mu} = (-1)^\mu \alpha^*_{2-\mu}$ folgt, so daß α_{20} reell ist und uns fünf unabhängige, reelle Freiheitsgrade übrig bleiben: α_{00} und die Real- und Imaginärteile von α_{21} und α_{22}.

Um die wirkliche Form des Kerns zu untersuchen, ist es am besten, diese in kartesischen Koordinaten auszudrücken, indem wir die Kugelflächenfunktionen in Abhängigkeit von den kartesischen Komponenten des Einheitsvektors in Richtung (θ,ϕ),

$$\xi = \sin\theta\cos\phi\ , \qquad \eta = \sin\theta\sin\phi\ , \qquad \zeta = \cos\theta\ , \tag{6.34}$$

schreiben, die die Nebenbedingung $\xi^2+\eta^2+\zeta^2 = 1$ erfüllen:

$$\begin{aligned} Y_{20}(\theta,\phi) &= \sqrt{\frac{5}{16\pi}}(3\cos^2\theta - 1) = \sqrt{\frac{5}{16\pi}}(2\zeta^2 - \xi^2 - \eta^2)\ , \\ Y_{2\pm1}(\theta,\phi) &= \mp\sqrt{\frac{15}{8\pi}}\sin\theta\cos\theta\mathrm{e}^{\pm\mathrm{i}\phi} = \mp\sqrt{\frac{15}{8\pi}}(\xi\zeta \pm \mathrm{i}\eta\zeta)\ , \\ Y_{2\pm2} &= \sqrt{\frac{15}{32\pi}}\sin^2\theta\mathrm{e}^{\pm2\mathrm{i}\phi} = \sqrt{\frac{15}{32\pi}}(\xi^2 - \eta^2 \pm 2\mathrm{i}\xi\eta)\ . \end{aligned} \tag{6.35}$$

Einsetzen in (6.33) liefert einen Ausdruck der Form

$$R(\xi,\eta,\zeta) = R_0(1 + \alpha_{\xi\xi}\xi^2 + \alpha_{\eta\eta}\eta^2 + \alpha_{\zeta\zeta}\zeta^2 + 2\alpha_{\xi\eta}\xi\eta + 2\alpha_{\xi\zeta}\xi\zeta + 2\alpha_{\eta\zeta}\eta\zeta)\ , \tag{6.36}$$

wobei die kartesischen Komponenten der Deformation mit den sphärischen durch

$$\begin{aligned} \alpha_{2\pm2} &= \tfrac{1}{2}\sqrt{\frac{8\pi}{15}}(\alpha_{\xi\xi} - \alpha_{\eta\eta} \pm 2\mathrm{i}\alpha_{\xi\eta})\ , \\ \alpha_{2\pm1} &= \sqrt{\frac{8\pi}{15}}(\alpha_{\xi\zeta} \pm \mathrm{i}\alpha_{\eta\zeta})\ , \\ \alpha_{20} &= \sqrt{\frac{8\pi}{15}}\frac{1}{\sqrt{6}}(2\alpha_{\zeta\zeta} - \alpha_{\xi\xi} - \alpha_{\eta\eta})\ , \end{aligned} \tag{6.37}$$

verknüpft sind. Im Gegensatz zu den fünf in den sphärischen Komponenten enthaltenen Freiheitsgraden scheint es hier sechs unabhängige Komponenten (alle reell) zu geben. Allerdings erfüllt die Funktion $R(\theta,\phi)$

$$\int R(\Omega)\,\mathrm{d}\Omega = 4\pi R_0\ , \tag{6.38}$$

da das Integral über die $Y_{2\mu}(\Omega)$ verschwindet. Die Auswertung desselben Integrals in kartesischen Koordinaten ist leicht: Aus Symmetriegründen tragen die gemischten Komponenten nichts bei, während die diagonalen ebenfalls aus Symmetriegründen

$$\int \xi^2 \, \mathrm{d}\Omega = \int \eta^2 \, \mathrm{d}\Omega = \int \zeta^2 \, \mathrm{d}\Omega \equiv a \tag{6.39}$$

liefern (a braucht nicht ausgewertet zu werden), und es gilt

$$\int R(\Omega) \, \mathrm{d}\Omega = 4\pi R_0 + a(\alpha_{\xi\xi} + \alpha_{\eta\eta} + \alpha_{\zeta\zeta}) \,, \tag{6.40}$$

so daß die kartesischen Komponenten die Nebenbedingung

$$\alpha_{\xi\xi} + \alpha_{\eta\eta} + \alpha_{\zeta\zeta} = 0 \tag{6.41}$$

erfüllen müssen.

Da die kartesischen Deformationen direkt mit der Elongation (oder Kontraktion) des Kerns in einer bestimmten Richtung in Verbindung stehen, können wir daraus ablesen:

- α_{20} beschreibt eine Elongation der z–Achse bezüglich der y– und x–Achse.
- $\alpha_{2\pm2}$ beschreibt die relative Länge der x–Achse, verglichen mit der y–Achse (reeller Teil) sowie eine schräge Deformation in der x–y–Ebene, und
- $\alpha_{2\pm1}$ zeigt eine schräge Deformation an, die nicht in Richtung der z–Achse liegt.

Ein Problem bei diesen Parametern besteht darin, daß die Symmetrieachse des Kerns (falls sie existiert) immer noch eine beliebige Orientierung im Raum haben kann und so die Form des Kerns und seine Orientierung gemischt in den $\alpha_{2\mu}$ auftreten. Die Geometrie der Situation wird klarer, wenn diese Orientierung durch den Übergang in das *Hauptachsensystem* absepariert wird. Bezeichnen wir dieses neue Koordinatensystem durch gestrichene Größen, so muß der kartesische Deformationstensor diagonal sein, so daß gilt

$$R(\xi', \eta', \zeta') = R_0(1 + \alpha'_{\xi\xi}\xi'^2 + \alpha'_{\eta\eta}\eta'^2 + \alpha'_{\zeta\zeta}\zeta'^2) \,, \tag{6.42}$$

und aus der Bedingung $\alpha'_{\xi\eta} = \alpha'_{\xi\zeta} = \alpha'_{\eta\zeta} = 0$ folgt für die spärischen Komponenten

$$\begin{aligned} \alpha'_{2\pm1} &= 0 \,, \\ \alpha'_{2\pm2} &= \sqrt{\frac{2\pi}{15}}(\alpha'_{\xi\xi} - \alpha'_{\eta\eta}) \equiv a_2 \,, \\ \alpha'_{20} &= \sqrt{\frac{8\pi}{15}}\frac{1}{\sqrt{6}}(2\alpha'_{\zeta\zeta} - \alpha'_{\xi\xi} - \alpha'_{\eta\eta}) \equiv a_0 \,. \end{aligned} \tag{6.43}$$

Es existieren noch immer fünf unabhängige reelle Parameter, aber nun mit einer noch klareren geometrischen Bedeutung:

- a_0 ist die Elongation der z'–Achse, verglichen mit der x'– und y'–Achse,
- a_2 legt die Längendifferenz zwischen x'– und y'–Achse fest, und
- die drei Eulerwinkel $\boldsymbol{\theta} = (\theta_1, \theta_2, \theta_3)$ bestimmen die Orientierung des Hauptachsensystems (x', y', z') in bezug auf das laborfeste System (x, y, z).

Der Vorteil des Hauptachsensystems ist, daß Rotationen und Vibrationen der Oberfläche klar voneinander getrennt sind; eine Änderung der Eulerwinkel beschreibt eine reine Drehung des Kerns ohne Veränderung seiner Form, die allein durch a_0 und a_2 bestimmt wird[2]. Beachten Sie auch, daß $a_2 = 0$ eine Kernform beschreibt, deren Achsen in x– und y–Richtung gleich lang sind, d. h. eine Oberfläche, die axialsymmetrisch zur z–Achse ist.

Es gibt noch einen weiteren, von A. Bohr [Bo52, Bo54] eingeführten Satz von Parametern. Er entspricht in etwa Polarkoordinaten im Raum (a_0, a_2) und ist definiert über

$$a_0 = \beta \cos\gamma \ , \qquad a_2 = \frac{1}{\sqrt{2}} \beta \sin\gamma \ . \tag{6.44}$$

Der Faktor $\frac{1}{\sqrt{2}}$ wurde so gewählt, daß

$$\sum_\mu |\alpha_{2\mu}|^2 = \sum_\mu |\alpha'_{2\mu}|^2 = a_0^2 + 2a_2^2 = \beta^2 \ . \tag{6.45}$$

Diese spezielle Summe über die Komponenten von $\alpha_{2\mu}$ ist rotationsinvariant, da

$$\sum_\mu |\alpha_{2\mu}|^2 = \sum_\mu (-1)^\mu \alpha_{2\mu}\alpha_{2-\mu} = \sqrt{5} \sum_{\mu\mu'} (220|\mu\mu'0)\alpha_\mu \alpha_{\mu'} = \sqrt{5}[\alpha_2 \times \alpha_2]^0 \tag{6.46}$$

und damit, wie schon in (6.45) angedeutet, im Labor- und im Hauptachsensystem den gleichen Wert hat.

6.2 Aufgabe: Quadrupoldeformationen

Beschreiben Sie die Kernform im Hauptachsensystem als Funktion von γ bei festgehaltenem β.

Lösung:

Um Aussagen über die Kernform machen zu können, berechnen wir die kartesischen Komponenten in Abhängigkeit von β und γ. Als erstes liefert uns die Bedingung (6.41) für die gestrichenen Komponenten

$$\alpha'_{\zeta\zeta} = -\alpha'_{\xi\xi} - \alpha'_{\eta\eta} \ , \tag{1}$$

[2] Es ist interessant, daß dies nur für Quadrupoldeformationen möglich ist, da sie gerade die richtige Anzahl von Parametern enthalten, um die drei Richtungen der Achsen und ihre relative Länge festzulegen. Im Gegensatz dazu bestimmen Dipoldeformationen nur die Richtung und Länge einer Achse, während es bei Oktupoldeformationen zu viele Parameter sind.

was in die Definition von a_0 in (6.43) eingesetzt wird. Dies führt unter Benutzung von (6.44) auf

$$\alpha'_{\zeta\zeta} = \frac{\sqrt{6}}{3}\sqrt{\frac{15}{8\pi}}a_0 = \sqrt{\frac{5}{4\pi}}\beta\cos\gamma \ ,$$ 2

und aus (6.41) folgt

$$\alpha'_{\xi\xi} - \alpha'_{\eta\eta} = 2\alpha'_{\xi\xi} + \alpha'_{\zeta\zeta} \ .$$ 3

Dies kann in der Definition (6.43) von a_2 benutzt werden:

$$\alpha'_{\xi\xi} = \sqrt{\frac{15}{8\pi}}\left(a_2 - \frac{1}{\sqrt{6}}a_0\right) = \sqrt{\frac{5}{4\pi}}\beta\left(\tfrac{1}{2}\sqrt{3}\sin\gamma - \tfrac{1}{2}\cos\gamma\right) \ .$$ 4

Die Ausdrücke in Klammern können mit Hilfe der Additionstheoreme für den Cosinus zusammengefaßt werden:

$$\alpha'_{\xi\xi} = \sqrt{\frac{5}{4\pi}}\beta\cos(\gamma - 2\pi/3) \ .$$ 5

Auf ähnliche Weise erhält man

$$\alpha'_{\eta\eta} = -\sqrt{\frac{5}{4\pi}}\beta\left(\tfrac{1}{2}\sqrt{3}\sin\gamma + \tfrac{1}{2}\cos\gamma\right) = \sqrt{\frac{5}{4\pi}}\beta\cos(\gamma - 4\pi/3) \ .$$ 6

Die kartesischen Komponenten der Deformationsparameter entsprechen einer Elongation der Kernachse in dieser Richtung. Benutzt man für diese die neue Notation δR_k, wobei $k = 1, 2, 3$ für die x'–, y'– bzw. z'–Richtung steht, kann man die Ergebnisse in einer Gleichung zusammenfassen:

$$\delta R_k = \sqrt{\frac{5}{4\pi}}\beta\cos(\gamma - 2\pi k/3) \ .$$ 7

Mit Hilfe von Abbildung 6.3 lassen sich die Änderungen der drei Achsen mit γ leicht verstehen. Bei $\gamma = 0°$ ist der Kern entlang der z'–Achse auseinandergezogen, aber die x'– und die y'a-Achse sind gleich lang. Diese axialsymmetrische Form erinnert etwas an eine Zigarre und wird *prolat* genannt. Wenn wir γ vergrößern, verlängert sich die x'–Achse auf Kosten der y'– und der z'–Achse und wir durchlaufen ein Gebiet *triaxialer* Formen mit drei unterschiedlich langen Achsen, bis bei $\gamma = 60°$ wieder axiale Symmetrie erreicht ist, aber nun mit mit den gleich langen Achsen z' und x'. Diese sind länger als die y'–Achse: Der Kern hat eine abgeflachte, pfannkuchenartige Form, die *oblat* genannt wird. Dieses Muster wiederholt sich: Jeweils nach 60 Grad ist wieder axiale Symmetrie erreicht und prolate und oblate Formen wechseln sich ab, jedoch mit vertauschten relativen Längen der Achsen.

Die Ergebnisse von Aufgabe 6.2 sind in Abbildung 6.4 noch einmal zusammengefaßt, wo die verschiedenen Kernformen in der (β, γ)–Ebene zu sehen sind und wie sie sich alle 60° wiederholen.

Ein Problem, das in dieser Abbildung ersichtlich wird, ist das wiederholte Auftreten identischer Kernformen in dieser Ebene. Zum Beispiel sind die oblaten, axialsymmetrischen Formen bei 60°, 180° und 300° die gleichen, nur die Bezeichnung der Achsen

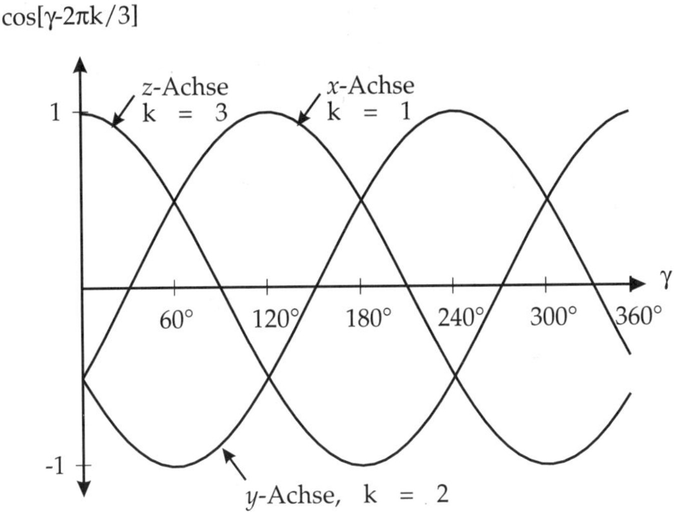

Abb. 6.3: Graph der Funktionen $\beta\cos(\gamma - 2\pi k/3)$ für k=1, 2 und 3, die einer Elongation der Achsen in x–, y– und z–Richtung entsprechen

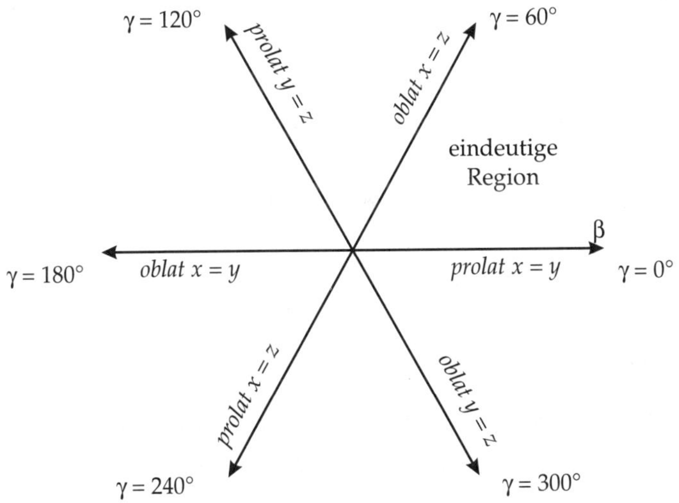

Abb. 6.4: Die (β,γ)–Ebene ist aufgrund von Symmetrien in sechs äquivalente Bereiche aufgeteilt; der Sektor zwischen 0° und 60° enthält alle Formen genau einmal und kann als repräsentativer Sektor genommen werden. Die entlang der Achsen auftretenden Arten von Verformung werden verbal erklärt, z. B. bedeutet *prolat* x=y eine prolate Form mit der z'–Achse als längste Achse und gleich langer x'– und y'–Achse.

ist verschieden. Triaxiale Formen wiederholen sich in der Ebene sogar sechsmal. Dies ist gut in Abbildung 6.2 zu erkennen: Identische Kernformen treten auf beiden Seiten von $\gamma = 60°$ auf und wiederholen sich auf beiden Seiten von $\gamma = 180°$ und $\gamma = 300°$. Weil die Orientierungen der Achsen verschieden sind, weichen auch die entsprechenden Eulerwinkel voneinander ab. Zusammenfassend kann man also sagen, daß *dieselbe physikalische Kernform (einschließlich ihrer Orientierung im Raum) mit Hilfe verschiedener Sätze von Deformationsparametern* (β, γ) *und Eulerwinkeln dargestellt werden kann.*

6.2.4 Symmetrien im kollektiven Raum

Im vorigen Abschnitt wurden zwei verschiedene Ansätze zur Entwicklung eines kollektiven Modells vorgeschlagen: Die Quadrupoldeformation kann entweder durch die sphärischen Tensoren $\alpha_{2\mu}$ im Laborsystem beschrieben werden oder alternativ dazu durch Angabe der Deformation des Kerns bezüglich des Hauptachsensystems mit den Parametern (a_0, a_2) oder (β, γ) und der Eulerwinkel $(\theta_1, \theta_2, \theta_3)$, die die momentane Orientierung dieses körperfesten Systems angeben. Für diese beiden Fälle muß die Rotationssymmetrie unterschiedlich behandelt werden.

Im Laborsystem müssen die kinetische und die potentielle Energie des Kerns eine Funktion der $\alpha_{\lambda\mu}$ und der Geschwindigkeiten $\dot{\alpha}_{\lambda\mu}$ sein. Sie sollten rotationsinvariant sein, was erfüllt werden kann, indem man sie auf eine offensichtlich invariante Weise konstruiert. Ein deformationsabhängiges Potential zum Beispiel darf Potenzen von $\alpha_{\lambda\mu}$ enthalten, die zum Gesamtdrehimpuls null gekoppelt sind:

$$V(\alpha_{\lambda\mu}) = C[\alpha_2 \times \alpha_2]^0 + D[\alpha_2 \times [\alpha_2 \times \alpha_2]^2]^0 + \dots \ , \tag{6.47}$$

aber auch kompliziertere Funktionen von Skalaren wie

$$\sqrt{[\alpha_2 \times \alpha_2]^0} \sim \beta \ . \tag{6.48}$$

Die kinetische Energie sollte in ähnlicher Weise konstruiert werden. Auch die Wellenfunktionen müssen dann als Funktionen mit gutem Drehimpuls $\psi_{IM}(\alpha_{\lambda\mu})$ aufgebaut werden. Wie später im Abschnitt über den harmonischen Quadrupolvibrator gezeigt werden wird, gelingt dies am einfachsten in der zweiten Quantisierung.

Im Hauptachsensystem, das oft auch *intrinsisches System* genannt wird, kann Rotationsinvarianz sogar noch einfacher sichergestellt werden: Die Energie muß unabhängig von den Eulerwinkeln sein. Die Zeitableitungen dieser Winkel können und sollten natürlich in der kinetischen Energie der Rotation auftreten. Die Deformationsenergie hängt allein von β und γ ab. Wir erwarten deshalb einen Ausdruck für die Energie von der Form

$$T(\beta, \gamma, \dot{\beta}, \dot{\gamma}, \dot{\theta}_1, \dot{\theta}_2, \dot{\theta}_3) + V(\beta, \gamma) \ . \tag{6.49}$$

Wie im vorigen Abschnitt gezeigt, treten bei den Wellenfunktionen aber Probleme wegen der Mehrdeutigkeit der Koordinatenwerte auf. Es gibt im allgemeinen sechs verschiedene Punkte in der (β, γ)–Ebene, die dieselbe physikalische Kernform beschreiben, und eine zusätzliche Mehrdeutigkeit bei den Eulerwinkeln. Es ist deshalb notwendig, dieses Problem genauer zu untersuchen.

Überlegen wir, wie viele Möglichkeiten es gibt, ein intrinsisches Koordinatensystem zu wählen, das wir wieder mit gestrichenen Koordinaten bezeichnen und dessen Achsen auf den Hauptachsen des Kerns liegen. Dazu sind drei Schritte nötig:

1. Man wähle die z'–Achse entlang einer der drei Hauptachsen, wobei sie in positive oder negative Richtung dieser Achsen zeigen kann: Dafür gibt es sechs Möglichkeiten.

2. Nun lege man die y'–Achse fest, indem man sie mit positiver oder negativer Orientierung auf eine der beiden übrig gebliebenen Achsen legt: Hierfür ergeben sich vier Möglichkeiten.

3. Die x'–Achse ist nun vollständig dadurch bestimmt, daß wir ein rechtshändiges Koordinatensystem fordern.

Die Gesamtzahl verschiedener Koordinatensysteme ist also 24. Mathematisch können sie systematisch numeriert werden, indem man eines von ihnen als „Standard"–System auszeichnet und die übrigen durch Transformationen konstruiert, die eine geeignete Permutation der Achsen und die entsprechende Transformation der kollektiven Koordinaten bewirken. Man überzeugt sich leicht, daß alle 24 aus drei Grundtransformationen $\hat{R}_k$, $k = 1, 2, 3$ aufgebaut werden können, die üblicherweise folgendermaßen gewählt werden:

$\hat{R}_1$: $\hat{R}_1(x', y', z') = (x', -y', -z')$. Dies entspricht einer Drehung von π um die x'–Achse. Dabei werden β und γ nicht geändert, da die Elongation des Kerns entlang jeder Achse von einer Reflektion der Achsen nicht betroffen ist. Anders die Eulerwinkel: $\hat{R}_1(\theta_1, \theta_2, \theta_3) = (\theta_1 + \pi, \pi - \theta_2, -\theta_3)$. Beachten Sie, daß $\hat{R}_1^2 = 1$.

$\hat{R}_2$: $\hat{R}_2(x', y', z') = (y', -x', z')$. Eine Drehung von $\frac{1}{2}\pi$ um die z'–Achse. Deshalb ist $\hat{R}_2^4 = 1$. Untersucht man die entsprechende Vertauschung der Achsen $x' \leftrightarrow y'$ in Abbildung 6.2, erhält man die Auswirkungen auf die Deformationsparameter: $\hat{R}_2(\beta, \gamma) = (\beta, -\gamma)$. Bei den Eulerwinkeln zeigt sich offensichtlich nur die Drehung um die z'–Achse: $\hat{R}_2(\theta_1, \theta_2, \theta_3) = (\theta_1, \theta_2, \theta_3 + \frac{1}{2}\pi)$.

$\hat{R}_3$: $\hat{R}_3(x', y', z') = (y', z', x')$, d. h. eine zyklische Permutation der Achsen, woraus $\hat{R}_3^3 = 1$ folgt. In Abbildung 6.2 entspricht dies $\hat{R}_3(\beta, \gamma) = (\beta, \gamma + 2\pi/3)$. Wie bei $\hat{R}_1$ ist es wieder nicht ganz so einfach, die Änderung der Eulerwinkel herzuleiten: $\hat{R}_3(\theta_1, \theta_2, \theta_3) = (\theta_1, \theta_2 + \frac{1}{2}\pi, \theta_3 + \frac{1}{2}\pi)$.

Die Existenz dieser Transformationen, die die Mehrdeutigkeit in der Wahl des intrinsischen Systems ausdrücken, hat nun eine wichtige Auswirkung auf die kollektiven Wellenfunktionen: *Eine kollektive Wellenfunktion muß denselben Wert an allen 24 Punkten haben, die durch die 24 Möglichkeiten, das Koordinatensystem zu wählen, zusammenhängen.* Ausgedrückt in den Grundtransformationen muß eine kollektive Wellenfunktion also die Forderungen

$$\begin{aligned}
(\hat{R}_1): &\quad \psi(\beta,\gamma,\theta_1,\theta_2,\theta_3) = \psi(\beta,\gamma,\theta_1+\pi,\pi-\theta_2,-\theta_3)\ ,\\
(\hat{R}_2): &\quad \psi(\beta,\gamma,\theta_1,\theta_2,\theta_3) = \psi(\beta,-\gamma,\theta_1,\theta_2,\theta_3+\tfrac{1}{2}\pi)\ ,\\
(\hat{R}_3): &\quad \psi(\beta,\gamma,\theta_1,\theta_2,\theta_3) = \psi(\beta,\gamma+2\pi/3,\theta_1,\theta_2+\tfrac{1}{2}\pi,\theta_3+\tfrac{1}{2}\pi)
\end{aligned} \tag{6.50}$$

erfüllen. Es ist wichtig zu verstehen, daß dies nichts mit einer physikalischen Symmetrie wie z. B. der Parität zu tun hat. In diesem Fall gäbe es zwei physikalisch unterschiedliche Punkte im Raum, $\boldsymbol{r}$ und $-\boldsymbol{r}$, und wenn der Hamiltonoperator paritätsinvariant ist, können wir die Wellenfunktion so wählen, daß $\psi(\boldsymbol{r}) = \pi\psi(-\boldsymbol{r})$ mit einer Paritätsquantenzahl π gilt.

Im Gegensatz dazu gibt es hier noch nicht einmal für die Transformation $\hat{R}_1$, die mit der Paritätstransformation verwandt ist, da sie auch die Beziehung $\hat{R}_1^2 = 1$ erfüllt, eine der Parität ähnliche Quantenzahl. Der Unterschied ist, daß die 24 verschiedenen Koordinatensätze nicht wie $\boldsymbol{r}$ und $-\boldsymbol{r}$ physikalisch zusammenhängende, aber dennoch verschiedene Situationen beschreiben, sondern *genau die gleiche physikalische Situation.* Die verschiedenen Punkte im kollektiven Koordinatenraum entsprechen nur *einer* physikalischen Konfiguration, und es gibt nur einen eindeutigen Wert der Wellenfunktion, der all diesen Punkten zugeordnet ist. Der Ausdruck „Symmetrie“ wird also hier in einer anderen Bedeutung benutzt: Es tritt keine physikalische Symmetrie im Sinne von Kapitel 2 auf, sondern eine Entartung der Koordinaten.

6.3 Oberflächenschwingungen

6.3.1 Schwingungen eines klassischen Flüssigkeitstropfens

Es ist lehrreich, die Schwingungen eines geladenen Flüssigkeitstropfens in der klassischen Physik zu untersuchen, weil dies grundlegende Einblicke in den Ursprung der dabei wichtigen Kräfte und ihr Gleichgewicht gewährt. Die Gesamtenergie eines geladenen Tropfens mit scharfer begrenzter Oberfläche kann in die kinetische Energie, die Coulombenergie und die Oberflächenenergie aufgeteilt werden:

$$E = T + E_\mathrm{C} + E_\mathrm{S}\ , \tag{6.51}$$

wobei jeder Term von den Deformationsparametern $\alpha_{\lambda\mu}$ abhängen und die kinetische Energie zusätzlich die kollektiven Geschwindigkeiten $\dot{\alpha}_{\lambda\mu}$ enthalten wird. Die Berechnung dieser Ausdrücke in angemessener Komplexität ist im Grenzfall kleiner $\alpha_{\lambda\mu}$ möglich. Da wir als Näherung harmonische Schwingungen erwarten, nehmen wir nur die Terme bis zur zweiten Ordnung mit. Lassen Sie uns nun nacheinander die Beiträge zur Energie herleiten.

Die Coulombenergie einer Protonenladungsverteilung mit der Dichte $\rho(\boldsymbol{r})$ ist im allgemeinen durch

$$E_\mathrm{C} = \tfrac{1}{2} \int \mathrm{d}^3r \int \mathrm{d}^3r' \, \frac{\rho(\boldsymbol{r})\rho(\boldsymbol{r}')}{|\boldsymbol{r}-\boldsymbol{r}'|} \tag{6.52}$$

gegeben. Für einen Kern mit einer konstanten Ladungsdichte von null außerhalb und von ρ_q innerhalb des Kerns kann dies umgeschrieben werden in

$$E_\mathrm{C} = \tfrac{1}{2}\rho_\mathrm{q}^2 \int\limits_V \mathrm{d}^3r \int\limits_V \mathrm{d}^3r' \, \frac{1}{|\boldsymbol{r}-\boldsymbol{r}'|} \, , \tag{6.53}$$

oder in sphärischen Koordinaten

$$E_\mathrm{C} = \tfrac{1}{2}\rho_\mathrm{q}^2 \int \mathrm{d}\Omega \int \mathrm{d}\Omega' \int\limits_0^{R(\Omega)} r^2 \, \mathrm{d}r \int\limits_0^{R(\Omega')} r'^2 \, \mathrm{d}r' \, \frac{1}{|\boldsymbol{r}-\boldsymbol{r}'|} \, . \tag{6.54}$$

Die oberen Grenzen für die radialen Integrationen hängen vom Winkel ab und sind durch $R(\Omega)$ entsprechend (6.54) gegeben.

Es ist nützlich, die Integrale in die Energie einer ungestörten Kugel, die sich durch Integration bis zu einem konstanten Radius R_0 ergibt, und veränderliche Teile aufzuspalten. Formal kann dies erreicht werden, wenn man

$$\int\limits_0^{R(\Omega)} \mathrm{d}r \int\limits_0^{R(\Omega')} \mathrm{d}r' = \Big(\int\limits_0^{R_0} \mathrm{d}r + \int\limits_{R_0}^{R(\Omega)} \mathrm{d}r \Big)\Big(\int\limits_0^{R_0} \mathrm{d}r' + \int\limits_{R_0}^{R(\Omega')} \mathrm{d}r' \Big) \tag{6.55}$$

schreibt, was umgeformt werden kann zu

$$\begin{aligned} &\int\limits_0^{R_0} \mathrm{d}r \int\limits_0^{R_0} \mathrm{d}r' + \int\limits_0^{R_0} \mathrm{d}r \int\limits_{R_0}^{R(\Omega')} \mathrm{d}r' + \int\limits_{R_0}^{R(\Omega)} \mathrm{d}r \int\limits_0^{R_0} \mathrm{d}r' + \int\limits_{R_0}^{R(\Omega)} \mathrm{d}r \int\limits_{R_0}^{R(\Omega')} \mathrm{d}r' = \\ &\quad \int\limits_0^{R_0} \mathrm{d}r \int\limits_0^{R_0} \mathrm{d}r' + 2 \int\limits_{R_0}^{R(\Omega)} \mathrm{d}r \int\limits_0^{R_0} \mathrm{d}r' + \int\limits_{R_0}^{R(\Omega)} \mathrm{d}r \int\limits_{R_0}^{R(\Omega')} \mathrm{d}r' \, , \end{aligned} \tag{6.56}$$

wobei im letzten Schritt die Vertauschbarkeit der Integrationsvariablen r und r' ausgenutzt wurde. Einsetzen in (6.54) liefert

$$\begin{aligned} E_\mathrm{C} &= E_\mathrm{C}^{(0)} + \rho_\mathrm{q}^2 \int \mathrm{d}\Omega \int \mathrm{d}\Omega' \int\limits_{R_0}^{R(\Omega)} r^2 \, \mathrm{d}r \int\limits_0^{R_0} r'^2 \, \mathrm{d}r' \, \frac{1}{|\boldsymbol{r}-\boldsymbol{r}'|} \\ &\quad + \tfrac{1}{2}\rho_\mathrm{q}^2 \int \mathrm{d}\Omega \int \mathrm{d}\Omega' \int\limits_{R_0}^{R(\Omega)} r^2 \, \mathrm{d}r \int\limits_{R_0}^{R(\Omega')} r'^2 \, \mathrm{d}r' \, \frac{1}{|\boldsymbol{r}-\boldsymbol{r}'|} \, . \end{aligned} \tag{6.57}$$

Die Coulombenergie der ungestörten Kugel wurde durch

$$E_{\mathrm{C}}^{(0)} = \tfrac{1}{2}\rho_{\mathrm{q}}^2 \int \mathrm{d}\Omega \int \mathrm{d}\Omega' \int_0^{R_0} r^2\,\mathrm{d}r \int_0^{R_0} r'^2\,\mathrm{d}r' \,\frac{1}{|\boldsymbol{r}-\boldsymbol{r}'|} = \frac{3}{5}\frac{Z^2e^2}{R_0} \tag{6.58}$$

abgekürzt. Z ist die Ladungszahl des Kerns und hängt mit ρ_{q} über

$$Ze = \rho_{\mathrm{q}}\frac{4\pi}{3}R_0^3 \tag{6.59}$$

zusammen. Wir fahren fort, indem wir die Additionstheoreme für Kugelflächenfunktionen anwenden:

$$\frac{1}{|\boldsymbol{r}-\boldsymbol{r}'|} = 4\pi\sum_{\lambda=0}^{\infty}\sum_{\mu=-\lambda}^{\lambda}\frac{1}{2\lambda+1}\frac{r_<^\lambda}{r_>^{\lambda+1}}Y_{\lambda\mu}^*(\theta,\phi)Y_{\lambda\mu}(\theta',\phi')\ . \tag{6.60}$$

Die Ausdrücke $r_<$ und $r_>$ stehen für den kleineren und den größeren der beiden Radien r bzw. r'. Damit wird das erste Vierfachintegral in (6.57) zu

$$4\pi\rho_{\mathrm{q}}^2\sum_{\lambda\mu}\frac{1}{2\lambda+1}\int Y_{\lambda\mu}(\Omega')\,\mathrm{d}\Omega'\int Y_{\lambda\mu}^*(\Omega)\,\mathrm{d}\Omega\int_{R_0}^{R(\Omega)} r^2\,\mathrm{d}r\int_0^{R_0} r'^2\,\mathrm{d}r'\,\frac{1}{r_>}\ . \tag{6.61}$$

Die Integration über Ω' kann wegen $Y_{00}(\Omega) = 1/\sqrt{4\pi}$ und der Orthonormalität der Kugelflächenfunktionen mit Hilfe von

$$\int \mathrm{d}\Omega'\,Y_{\lambda\mu}(\Omega') = \sqrt{4\pi}\int \mathrm{d}\Omega'\,Y_{00}^*(\Omega')Y_{\lambda\mu}(\Omega') = \sqrt{4\pi}\,\delta_{\lambda,0}\delta_{\mu,0} \tag{6.62}$$

ausgeführt werden. Die Summe über λ und μ reduziert sich dann nämlich auf den Term mit $\lambda = 0$, $\mu = 0$ und die verbleibende Funktion $Y_{00}(\Omega)$ liefert nur einen Faktor $1/\sqrt{4\pi}$, so daß sich das Integral zu

$$4\pi\rho_{\mathrm{q}}^2\int \mathrm{d}\Omega\int_{R_0}^{R(\Omega)} r^2\,\mathrm{d}r\int_0^{R_0} r'^2\,\mathrm{d}r'\,\frac{1}{r_>} \tag{6.63}$$

vereinfacht. Um die Integration über r' auszuführen, müssen wir das Integral wegen der Definition von $r_>$ in zwei Teile aufspalten:

$$\int_0^{R_0} r'^2\,\mathrm{d}r'\,\frac{1}{r_>} = \int_0^{r} r'^2\,\mathrm{d}r'\,\frac{1}{r} + \int_r^{R_0} r'^2\,\mathrm{d}r'\,\frac{1}{r'} = \tfrac{1}{3}r^2 + \tfrac{1}{2}R_0^2 - \tfrac{1}{2}r^2 = \tfrac{1}{2}(R_0^2 - \tfrac{1}{3}r^2)\ . \tag{6.64}$$

Die Integration über r ist nun einfach geworden:

$$\int_{R_0}^{R(\Omega)} r^2\,\mathrm{d}r\,\tfrac{1}{2}(R_0^2 - \tfrac{1}{3}r^2) = \frac{1}{6}(R_0^2 R(\Omega)^2 - R_0^5 - \tfrac{1}{5}R(\Omega)^5 - \tfrac{1}{5}R_0^5)\,. \tag{6.65}$$

Entwickelt man die Differenz zwischen R_0 und $R(\Omega)$ bis zur zweiten Ordnung in $\alpha_{\lambda\mu}$, lautet das volle Integral

$$\begin{aligned} &4\pi\rho_\mathrm{q}^2 \int \mathrm{d}\Omega \int_{R_0}^{R(\Omega)} r^2\,\mathrm{d}r \int_0^{R_0} r'^2\,\mathrm{d}r'\,\frac{1}{r_>} \\ \approx\ & \tfrac{2}{3}\pi R_0^5\rho_\mathrm{q}^2 \int \Big(2\sum_{\lambda\mu}\alpha^*_{\lambda\mu}Y_{\lambda\mu}(\Omega) + \sum_{\lambda\mu}\sum_{\lambda'\mu'}\alpha^*_{\lambda\mu}Y_{\lambda\mu}(\Omega)\alpha_{\lambda'\mu'}Y^*_{\lambda'\mu'}(\Omega)\Big)\mathrm{d}\Omega \\ =\ & \tfrac{2}{3}\pi R_0^5\rho_\mathrm{q}^2\Big(2\sqrt{4\pi}\alpha_{00} + \sum_{\lambda\mu}\alpha^*_{\lambda\mu}\alpha_{\lambda\mu}\Big) \\ =\ & -\tfrac{2}{3}\pi R_0^5\rho_\mathrm{q}^2 \sum_{\lambda\mu}|\alpha_{\lambda\mu}|^2\,. \end{aligned} \tag{6.66}$$

Hierbei haben wir als obere Integrationsgrenze (6.25) eingesetzt und dann nochmals die Orthonormalität der Kugelflächenfunktionen benutzt. Zuletzt wurde die in Aufgabe 6.1 hergeleitete Relation $\sqrt{4\pi}\alpha_{00} + \sum_{\lambda\mu}|\alpha_{\lambda\mu}|^2 = 0$ eingesetzt.

Das zweite Integral in (6.57) kann ähnlich ausgeführt werden. Behält man nur Terme bis zur zweiten Ordnung in $\alpha_{\lambda\mu}$, so führt das auf

$$\tfrac{1}{2}\rho_\mathrm{q}^2 \int \mathrm{d}\Omega \int \mathrm{d}\Omega' \int_{R_0}^{R(\Omega)} r^2\,\mathrm{d}r \int_{R_0}^{R(\Omega')} r'^2\,\mathrm{d}r'\,\frac{1}{|\boldsymbol{r}-\boldsymbol{r}'|} = 2\pi R_0^5\rho_\mathrm{q}^2 \sum_{\lambda\mu}\frac{\lambda}{2\lambda+1}|\alpha_{\lambda\mu}|^2\,. \tag{6.67}$$

Fügen wir all diese Terme zusammen, erhalten wir die Coulombenergie in zweiter Ordnung:

$$E_\mathrm{C} = E_\mathrm{C}^{(0)}\Big(1 - \frac{5}{4\pi}\sum_{\lambda\mu}\frac{\lambda-1}{2\lambda+1}|\alpha_{\lambda\mu}|^2\Big)\,. \tag{6.68}$$

Jede kleine Deformation, die von der Kugelform wegführt, verringert also die elektrostatische Energie des Kerns (abgesehen vom trivialen Fall $\lambda = 1$, der in dieser Ordnung einer Translation entspricht und deshalb keinen Einfluß auf die potentielle Energie hat).

Die Oberflächenenergie E_S des Kerns ist durch

$$E_\mathrm{S} = \sigma \int_{\text{Oberfläche}} \mathrm{d}S \tag{6.69}$$

gegeben, wobei σ die Oberflächenspannung und $\mathrm{d}S$ das Oberflächenelement ist, das in sphärischen Koordinaten gleich

$$\mathrm{d}S = \sqrt{1 + \frac{1}{R^2}\left(\frac{\partial R}{\partial \theta}\right)^2 + \frac{1}{R^2 \sin^2\theta}\left(\frac{\partial R}{\partial \phi}\right)^2}\, R^2 \sin\theta \,\mathrm{d}\theta \,\mathrm{d}\phi \tag{6.70}$$

ist. Wenn die Multipolordnung nicht zu groß ist, sollten die Ableitungen ebenfalls klein sein, und man kann in erster Ordnung entwickeln, was

$$\mathrm{d}S \approx \left(R^2 + \frac{1}{2}\left(\frac{\partial R}{\partial \theta}\right)^2 + \frac{1}{2\sin^2\theta}\left(\frac{\partial R}{\partial \phi}\right)^2\right) \sin\theta \,\mathrm{d}\theta \,\mathrm{d}\phi \tag{6.71}$$

liefert. Hier muß wieder die Definition der Kernoberfläche nach (6.25) eingesetzt werden. Um die resultierenden Formeln abzukürzen, benutzen wir die Notation

$$\eta = R_0 \sum_{\lambda\mu} \alpha^*_{\lambda\mu} Y_{\lambda\mu}(\Omega) , \tag{6.72}$$

womit das Oberflächenelement zu

$$\mathrm{d}S = \left[1 + 2\eta + \eta^2 + \tfrac{1}{2}R_0^2\left(\left(\frac{\partial \eta}{\partial \theta}\right)^2 + \frac{1}{\sin^2\theta}\left(\frac{\partial \eta}{\partial \phi}\right)^2\right)\right] \sin\theta \,\mathrm{d}\theta \,\mathrm{d}\phi \tag{6.73}$$

wird. In Analogie zur Coulombenergie separieren wir die Oberflächenenergie

$$E_{\mathrm{S}}^{(0)} = 4\pi\sigma R_0^2 \tag{6.74}$$

der ungestörten Kugel ab und schreiben die Oberflächenenergie um in

$$\begin{aligned} E_{\mathrm{S}} &= E_{\mathrm{S}}^{(0)} + \tfrac{1}{2}\sigma \int \sin\theta \,\mathrm{d}\theta \,\mathrm{d}\phi \left[-2\eta^2 + R_0^2\left(\left(\frac{\partial \eta}{\partial \theta}\right)^2 + \frac{1}{\sin^2\theta}\left(\frac{\partial \eta}{\partial \phi}\right)^2\right)\right] \\ &= E_{\mathrm{S}}^{(0)} + \tfrac{1}{2}\sigma \int \sin\theta \,\mathrm{d}\theta \,\mathrm{d}\phi \\ &\quad \times \left[-2\eta^2 + R_0^2 \sum_{\lambda\mu}\sum_{\lambda'\mu'} \alpha^*_{\lambda\mu}\alpha_{\lambda'\mu'}\left(\frac{\partial Y_{\lambda\mu}}{\partial \theta}\frac{\partial Y^*_{\lambda'\mu'}}{\partial \theta} + \frac{1}{\sin^2\theta}\frac{\partial Y_{\lambda\mu}}{\partial \phi}\frac{\partial Y^*_{\lambda'\mu'}}{\partial \phi}\right)\right] . \end{aligned} \tag{6.75}$$

Dabei haben wir das Argument Ω der Kugelflächenfunktionen der Kürze halber weggelassen.

Unser Ziel ist es nun, die Ableitungen der Kugelflächenfunktionen so umzuschreiben, daß wir eine wohlbekannte Relation ausnutzen können, die den Ausdruck vereinfacht.

Dies läßt sich tatsächlich durch partielle Integration erreichen. Zum Beispiel kann man die θ–Integration im ersten Term umschreiben in

$$\begin{aligned}
&\int_0^\pi \left(\frac{\partial Y_{\lambda\mu}}{\partial\theta}\sin\theta\right)\frac{\partial Y^*_{\lambda'\mu'}}{\partial\theta}\,\mathrm{d}\theta \\
&\quad = -\int_0^\pi \frac{\partial}{\partial\theta}\left(\frac{\partial Y_{\lambda\mu}}{\partial\theta}\sin\theta\right)Y^*_{\lambda'\mu'}\,\mathrm{d}\theta + \left(\frac{\partial Y_{\lambda\mu}}{\partial\theta}\right)^2\sin\theta\Bigg|_0^\pi \\
&\quad = -\int_0^\pi \left(\frac{\partial^2 Y_{\lambda\mu}}{\partial\theta^2}Y^*_{\lambda'\mu'}\sin\theta + \frac{\partial Y_{\lambda\mu}}{\partial\theta}Y^*_{\lambda'\mu'}\cos\theta\right)\mathrm{d}\theta\;. \qquad (6.76)
\end{aligned}$$

Ähnliche Umformungen des Terms, der die ϕ–Ableitungen enthält, führen schließlich auf

$$\begin{aligned}
E_\mathrm{S} = E_\mathrm{S}^{(0)} + \tfrac{1}{2}\sigma R_0^2 \sum_{\lambda\mu}\sum_{\lambda'\mu'} \Bigg[\alpha^*_{\lambda\mu}\alpha_{\lambda'\mu'} \\
\times \int \left(-2Y_{\lambda\mu}Y^*_{\lambda'\mu'} - Y^*_{\lambda'\mu'}\left(\frac{\partial^2}{\partial\theta^2} + \cos\theta\frac{\partial}{\partial\theta} + \frac{1}{\sin^2\theta}\frac{\partial^2}{\partial\phi^2}\right)Y_{\lambda\mu}\right)\mathrm{d}\Omega\Bigg]\;. \qquad (6.77)
\end{aligned}$$

Der in dieser Form auftretende Differentialoperator ist nahezu identisch mit dem Drehimpulsoperator (nur der Faktor $-\hbar^2$ fehlt), so daß wir die Eigenwertgleichung

$$\left(\frac{\partial^2}{\partial\theta^2} + \cos\theta\frac{\partial}{\partial\theta} + \frac{1}{\sin^2\theta}\frac{\partial^2}{\partial\phi^2}\right)Y_{\lambda\mu}(\Omega) = -\lambda(\lambda+1)Y_{\lambda\mu}(\Omega) \qquad (6.78)$$

benutzen können und als Endergebnis für die Oberflächenenergie

$$\begin{aligned}
E_\mathrm{S} &= E_\mathrm{S}^{(0)} + \tfrac{1}{2}\sigma R_0^2 \sum_{\lambda\mu}\sum_{\lambda'\mu'}\left[\alpha^*_{\lambda\mu}\alpha_{\lambda'\mu'}\delta_{\lambda\lambda'}\delta_{\mu\mu'}(\lambda(\lambda+1)-2)\right] \\
&= E_\mathrm{S}^{(0)}\Big(1 + \frac{1}{8\pi}\sum_{\lambda\mu}(\lambda-1)(\lambda+2)|\alpha_{\lambda\mu}|^2\Big) \qquad (6.79)
\end{aligned}$$

erhalten. Die Oberflächenenergie nimmt also quadratisch mit der Deformation zu, und zwar um so stärker, je größer der Drehimpuls ist. Das ist ganz natürlich, da die zahlreichen kleineren Strukturen auf der Oberfläche bei höheren Drehimpulsen zu einer stärkeren Zunahme der Oberfläche führen. Wieder ergibt sich für $\lambda = 1$ wegen der Beschränkung auf reine Translationen keine Änderung der Oberfläche.

Schließlich muß die kinetische Energie bestimmt werden. Dies erfordert einige zusätzliche Annahmen darüber, wie die Bewegung der Kernmaterie mit einer Bewegung der Oberfläche zusammenhängt. Greifen wir auf das Flüssigkeitsmodell zurück und nehmen an, daß es ein lokales Geschwindigkeitsfeld $\boldsymbol{v}(\boldsymbol{r},t)$ der Materie gibt und daß die kinetische Energie des Flusses durch

$$T = \int \mathrm{d}^3r\,\tfrac{1}{2}\rho_\mathrm{m}v^2(\boldsymbol{r},t) \qquad (6.80)$$

gegeben ist. Dabei ist ρ_{m} die *Massendichte* innerhalb des Kerns. Das Geschwindigkeitsfeld muß der Randbedingung genügen, daß es an der Kernoberfläche mit der Geschwindigkeit der Oberfläche übereinstimmen sollte. Unglücklicherweise reicht dies nicht aus, um das Feld festzulegen, so daß einige weitere Annahmen über die Dynamik nötig sind. In der Flüssigkeitsmechanik ist der einfachste Fall der einer idealen, d. h. nichtviskosen Flüssigkeit, für die der Fluß rotationsfrei ist:

$$\nabla \times \boldsymbol{v} = 0 \; . \tag{6.81}$$

Dieses *Modell des rotationsfreien Flusses (irrotational flow)* wird in der Kernphysik oft benutzt. Obwohl es sicherlich quantitativ nicht grechtfertigt ist (die Viskosität von Kernmaterie sollte bei niedrigen Anregungsenergien sogar recht hoch sein und die Schaleneffekte müßten das dynamische Verhalten ebenfalls empfindlich stören), stellt es einen überzeugenden Grenzfall dar, mit dem detailliertere Vorstellungen über die Kerndynamik verglichen werden können.

Für rotationsfreien Fluß kann die Geschwindigkeit durch ein Potential ausgedrückt werden:

$$\boldsymbol{v}(\boldsymbol{r},t) = \nabla\Phi(\boldsymbol{r},t) \; , \tag{6.82}$$

und aus der angenommenen Inkompressibilität von Kernmaterie folgt zusätzlich

$$\nabla\cdot\boldsymbol{v}(\boldsymbol{r},t) = 0 \; . \tag{6.83}$$

Durch Kombination dieser beiden Bedingungen erhalten wir eine Laplace–Gleichung für das Potential:

$$\Delta\Phi(\boldsymbol{r},t) = 0 \; . \tag{6.84}$$

In sphärischen Koordinaten lautet die allgemeine, am Ursprung reguläre Lösung

$$\Phi(r,\theta,\phi,t) = \sum_{\lambda\mu} A_{\lambda\mu}(t) r^{\lambda} Y_{\lambda\mu}(\theta,\phi) \; . \tag{6.85}$$

Die Koeffizienten $A_{\lambda\mu}(t)$ müssen aus der Nebenbedingung

$$\frac{\partial}{\partial t} R(\theta,\phi,t) = v_r\big|_{r=R(\theta,\phi,t)} = \left.\frac{\partial}{\partial r}\Phi(r,\theta,\phi)\right|_{r=R(\theta,\phi,t)} \tag{6.86}$$

bestimmt werden, die die Übereinstimmung der radialen Komponente der Geschwindigkeit auf der Oberfläche mit der Geschwindigkeit der zeitabhängigen Oberfläche selbst ausdrückt (im Prinzip müßten die Komponenten entlang der Oberflächennormalen entwickelt werden, für kleine Vibrationen weichen diese aber nur wenig von der radialen Richtung ab). Setzt man die Definition der Oberfläche (6.25) und die Entwicklung (6.85) ein, erhält man

$$R_0 \sum_{\lambda\mu} \dot{\alpha}^*_{\lambda\mu} Y_{\lambda\mu}(\theta,\phi) = \sum_{\lambda\mu} A_{\lambda\mu} \lambda R^{\lambda-1}(\theta,\phi,t) Y_{\lambda\mu}(\theta,\phi) \,. \tag{6.87}$$

Für kleine Schwingungen dürfen wir auf der rechten Seite $R(\theta,\phi,t)$ durch R_0 ersetzen und nach den Koeffizienten auflösen:

$$A_{\lambda\mu} = \frac{1}{\lambda} R_0^{2-\lambda} \dot{\alpha}^*_{\lambda\mu} \,. \tag{6.88}$$

Diese können nun in die kinetische Energie, die in sphärischen Koordinaten

$$\begin{aligned} T &= \tfrac{1}{2}\rho_\mathrm{m} \int |\nabla\Phi|^2 \, \mathrm{d}^3 r \\ &= \tfrac{1}{2}\rho_\mathrm{m} \int \left[\left(\frac{\partial\Phi}{\partial r}\right)^2 + \frac{1}{r^2}\left(\frac{\partial\Phi}{\partial\theta}\right)^2 + \frac{1}{r^2 \sin^2\theta}\left(\frac{\partial\Phi}{\partial\phi}\right)^2 \right] r^2 \sin\theta \, \mathrm{d}r \, \mathrm{d}\theta \, \mathrm{d}\phi \end{aligned} \tag{6.89}$$

lautet, eingesetzt werden, was

$$\begin{aligned} T &= \tfrac{1}{2}\rho_\mathrm{m} \sum_{\lambda\mu} \sum_{\lambda'\mu'} A_{\lambda\mu} A^*_{\lambda'\mu'} \int_0^{R(\Omega)} r^{\lambda+\lambda'} \, \mathrm{d}r \int \mathrm{d}\Omega \\ &\quad \times \left(\lambda\lambda' Y_{\lambda\mu} Y_{\lambda'\mu'} + \frac{\partial Y^*_{\lambda\mu}}{\partial\theta} \frac{\partial Y_{\lambda'\mu'}}{\partial\theta} + \frac{1}{\sin^2\theta} \frac{\partial Y^*_{\lambda\mu}}{\partial\phi} \frac{\partial Y_{\lambda'\mu'}}{\partial\phi} \right) \end{aligned} \tag{6.90}$$

liefert. Wieder kann, weil die Schwingungen klein sind, die obere Integrationsgrenze gleich R_0 gesetzt werden. Danach wird wie im Fall der Oberflächenenergie partielle Integration angewendet, um die Eigenwertbeziehung für den Drehimpulsoperator zu erhalten. Das Endergebnis ist

$$T = \frac{1}{2}\rho_\mathrm{m} \sum_{\lambda\mu} |A_{\lambda\mu}|^2 \lambda R_0^{2\lambda+1} = \frac{1}{2}\rho_\mathrm{m} R_0^5 \sum_{\lambda\mu} \frac{1}{\lambda} |\dot{\alpha}_{\lambda\mu}|^2 \,. \tag{6.91}$$

Dies kann in der uns vertrauten Form

$$T = \tfrac{1}{2} \sum_{\lambda\mu} B_\lambda |\dot{\alpha}_{\lambda\mu}|^2 \tag{6.92}$$

geschrieben werden, wenn die *kollektiven Massenparameter* B_λ als

$$B_\lambda = \frac{\rho_\mathrm{m} R_0^5}{\lambda} \tag{6.93}$$

definiert werden. Definieren wir darüber hinaus *Steifigkeitskoeffizienten*

$$C_\lambda = (\lambda - 1)\left((\lambda+2) R_0^2 \sigma - \frac{3e^2 Z^2}{2\pi(2\lambda+1) R_0} \right) \tag{6.94}$$

für das Potential, nehmen die kinetische und die potentielle Energie die Form

$$T = \sum_{\lambda\mu} \tfrac{1}{2} B_\lambda |\dot{\alpha}_{\lambda\mu}|^2 = \sum_\lambda \frac{\sqrt{2\lambda+1}}{2} [\dot{\alpha}_\lambda \times \dot{\alpha}_\lambda]^0 \tag{6.95}$$

$$V = \sum_{\lambda\mu} \tfrac{1}{2} C_\lambda |\alpha_{\lambda\mu}|^2 = \sum_\lambda \frac{\sqrt{2\lambda+1}}{2} [\alpha_\lambda \times \alpha_\lambda]^0 \tag{6.96}$$

an. Dieses Ergebnis zeigt, daß sich jede einzelne Mode (charakterisiert durch λ und μ) wie ein harmonischer Oszillator mit vom Drehimpuls abhängigen Massen- und Steifigkeitsparametern verhält. Die jeweils zweite angegebene Form zeigt explizit ihren skalaren Charakter und kann sofort aus $(\lambda\lambda 0|\mu - \mu 0) = (-1)^{\lambda-\mu}/2\lambda + 1$ abgeleitet werden.

Zur Beschreibung von Kernspektren muß nur noch die Quantisierung durchgeführt werden, was wir im nächsten Abschnitt vorführen.

Die vorangegangene Diskussion schließt die erste Aufstellung eines Kernmodells ab und zeigt das Entscheidende an der Vorgehensweise auf. Wir haben physikalische Ideen aus einem anderen Bereich der Physik benutzt, die nicht direkt anwendbar zu sein brauchen, die uns jedoch durch ihre Erfolge und Mängel Einblick in die Physik des Kernes geben. In diesem Fall kann die Annahme eines hydrodynamischen Verhaltens angebracht sein oder nicht, was wir entscheiden können, indem wir die erhaltenen Vorhersagen begutachten. Alle Parameter sind aus der Massenformel des Tröpfchenmodells bekannt. Wie es oft bei solchen Modellvorstellungen geschieht, findet man die vorausgesagten Strukturen tatsächlich in der Natur, wie z. B. die im nächsten Abschnitt konstruierten Anregungsspektren, aber die genauen Werte der Parameter sind nicht richtig. In diesem Fall darf man das Modell noch immer anwenden, jedoch mit aus dem Experiment bestimmten Massen- und Steifigkeitsparametern, in der Hoffnung, daß das Modell immer noch Voraussagen über zusätzliche Daten liefert und hilft, die zugrundeliegende Physik zu verstehen. Letztlich muß jedoch jedes Modell durch eine Herleitung im Rahmen einer fundamentaleren Beschreibung des Kerns gerechtfertigt werden.

6.3.2 Der harmonische Quadrupoloszillator

Der nächsten Schritt bei der Formulierung des Modells der Oberflächenvibrationen ist die Quantisierung. Dies kann in strenger Analogie zum bekannten harmonischen Oszillator geschehen, was kurz skizziert werden soll: Definition von Koordinaten und kanonisch konjugierten Impulsen, Ersetzen dieser Größen durch Operatoren und Postulieren von kanonischen Kommutatorrelationen und schließlich die Einführung von Erzeugungs- und Vernichtungsoperatoren. Der letzte Schritt ist nicht Teil der Quantisierung, sondern vielmehr eine elegante Lösungsmethode.

Beschränken wir die Diskussion wieder auf Quadrupoldeformationen, so beginnen wir mit einer Lagrangefunktion der Form

$$L = T - V = \tfrac{1}{2}\sqrt{5} B_2 [\dot{\alpha}_2 \times \dot{\alpha}_2]^0 - \tfrac{1}{2}\sqrt{5} C_2 [\alpha_2 \times \alpha_2]^0 \ . \tag{6.97}$$

Dem vorgestellten Lösungsweg folgend, leiten wir zuerst die zu $\alpha_{2\mu}$ konjugierten Impulse her:

$$\pi_{2\mu} = \frac{\partial L}{\partial \dot{\alpha}_{2\mu}} = \frac{\partial}{\partial \dot{\alpha}_{2\mu}} \tfrac{1}{2} B_2 \sum_{\mu'=-2}^{2} (-1)^{\mu'} \dot{\alpha}_{2\mu'} \dot{\alpha}_{2-\mu'} = B_2 (-1)^{\mu} \dot{\alpha}_{2-\mu} \, . \tag{6.98}$$

Aus diesem Ausdruck kann man schon die wichtigsten Eigenschaften der konjugierten Impulse erhalten: $\pi_{2\mu}$ bildet keinen sphärischen Tensor, denn obwohl er über den sphärischen Tensor $\alpha_{2\mu}$ definiert ist, sind die Komponenten vertauscht. $\pi^*_{2\mu} = (-1)^{\mu} \pi_{2-\mu} = \alpha_{2\mu}$ jedoch ist ein sphärischer Tensor. Da $\pi_{2\mu}$ sich dann nach der komplex konjugierten Darstellung transformieren muß:

$$\pi'_{2\mu} = \sum_{\mu'} \mathcal{D}^{(2)\,*}_{\mu\mu'}(\boldsymbol{\theta}) \pi_{2\mu'} \, , \tag{6.99}$$

kann die übliche Drehimpulskopplung usw. auf die Impulse übertragen werden, aber wenn man Ausdrücke konstruieren will, die sowohl Impulse als auch Koordinaten enthalten, sollte $\pi^*_{2\mu}$ und nicht $\pi_{2\mu}$ mit $\alpha_{2\mu}$ gekoppelt werden. Die kinetische Energie kann umgeschrieben werden, so daß sie von den Impulsen abhängt:

$$T = \frac{\sqrt{5}}{2B_2} [\pi \times \pi]^0 = \frac{1}{2B_2} \sum_{\mu=-2}^{2} (-1)^{\mu} \pi_{2\mu} \pi_{2-\mu} \, . \tag{6.100}$$

Die Quantisierung ist nun einfach. $\alpha_{2\mu}$ und $\pi_{2\mu}$ werden durch Operatoren $\hat{\alpha}_{2\mu}$ und $\hat{\pi}_{2\mu}$ ersetzt. Diese Operatoren müssen die verallgemeinerte Eigenschaft

$$\hat{\alpha}^*_{2\mu} = (-1)^{\mu} \hat{\alpha}_{2-\mu} \, , \qquad \hat{\pi}^*_{2\mu} = -(-1)^{\mu} \hat{\pi}_{2-\mu} \tag{6.101}$$

mit den sphärischen Tensoren $\alpha_{2\mu}$ und $\pi^*_{2\mu}$ haben.

Beachten Sie, daß *für* $\pi^*_{2\mu}$ *ein zusätzliches Minuszeichen auftaucht*, das mit den Eigenschaften des Impulsoperators unter Zeitumkehr zusammenhängt: Dies ist eine rein quantenmechanische Eigenschaft, die kein Analogon in der klassischen Mechanik hat. Vergleichen Sie dazu auch den Unterschied zwischen dem klassischen Impuls, einer reellen Größe, und dem quantenmechanischen Operator $-\mathrm{i}\hbar\nabla$. Hier hat das zusätzliche Vorzeichen keinen Einfluß auf die Transformationseigenschaften bei Drehungen.

Die Quantisierung kann nun erfolgen, indem wir die Kommutatorbeziehungen

$$\begin{aligned} [\hat{\alpha}_{2\mu}, \hat{\alpha}_{2\mu'}] &= 0 \\ [\hat{\pi}_{2\mu}, \hat{\pi}_{2\mu'}] &= 0 \\ [\hat{\alpha}_{2\mu}, \hat{\pi}_{2\mu'}] &= \mathrm{i}\hbar\delta_{\mu\mu'} \end{aligned} \tag{6.102}$$

fordern. Genau wie im Normalfall von kartesischen Koordinaten können die Kommutatorbeziehungen erfüllt werden, indem man

$$\hat{\pi}_{2\mu} = -\mathrm{i}\hbar \frac{\partial}{\partial \alpha_{2\mu}} \tag{6.103}$$

setzt und Erzeugungs- und Vernichtungsoperatoren $\hat{\beta}^+_{2\mu}$ und $\hat{\beta}_{2\mu}$ einführt:

$$\hat{\beta}^+_{2\mu} = \sqrt{\frac{B_2\omega_2}{2\hbar}}\hat{\alpha}_{2\mu} - \mathrm{i}\sqrt{\frac{1}{2B_2\hbar\omega_2}}(-1)^\mu\hat{\pi}_{2-\mu} \tag{6.104}$$

$$\hat{\beta}_{2\mu} = \sqrt{\frac{B_2\omega_2}{2\hbar}}(-1)^\mu\hat{\alpha}_{2-\mu} + \mathrm{i}\sqrt{\frac{1}{2B_2\hbar\omega_2}}\hat{\pi}_{2\mu} \,. \tag{6.105}$$

Die durch diese Operatoren erzeugten und vernichteten Pseudoteilchen heißen in Analogie zu den Vibrationsquanten in Festkörpern *Phononen.*

Die exakte Form dieser Definitionen bedarf noch einiger Erklärungen. Die Faktoren sind identisch mit dem kartesischen Fall, wenn die Frequenz wie üblich als $\omega_2 = \sqrt{C_2/B_2}$ definiert wird. Neu jedoch ist die besondere Kombination der azimutalen Quantenzahlen und den Faktoren $(-1)^\mu$: Diese sind nötig, um aus den Operatoren sphärische Tensoroperatoren zu machen, so daß z. B. $\hat{\alpha}_{2\mu}$ und $\hat{\pi}_{2-\mu}$ nur auf die gezeigte Weise kombiniert werden können, und gerade diese Kombination macht aus $\hat{\beta}^+_\mu$ einen sphärischen Tensor, der ein Phonon mit der Projektion $+\mu$ erzeugt. Andererseits transformiert sich $\hat{\beta}_{2\mu}$ wie $\pi_{2\mu}$, und seine Form ergibt sich aus der von $\hat{\beta}^+_{2\mu}$ durch hermitesche Konjugation.

Die Vertauschungsrelationen zwischen den Operatoren nehmen die für Bosonen übliche Form an:

$$[\hat{\beta}^+_{2\mu}, \hat{\beta}^+_{2\mu'}] = 0 \qquad [\hat{\beta}_{2\mu}, \hat{\beta}_{2\mu'}] = 0 \qquad [\hat{\beta}_{2\mu}, \hat{\beta}^+_{2\mu'}] = \delta_{\mu\mu'} \ , \tag{6.106}$$

und der Hamiltonoperator wird zu

$$\hat{H} = \hbar\omega_2 \left(\sum_{\mu=-2}^{2} \hat{\beta}^+_{2\mu}\hat{\beta}_{2\mu} + \frac{5}{2} \right) \,. \tag{6.107}$$

Beachten Sie, daß die Operatoren in der Summe effektiv zum Drehimpuls null gekoppelt sind.

Das Ergebnis von Kapitel 3 kann nun direkt angewendet werden. Die Operatoren $\hat{\beta}^+_{2\mu}$ erzeugen *Quadrupolphononen* mit der magnetischen Quantenzahl μ, und wir können sofort die niedrigsten Zustände des Kerns in diesem Modell angeben. Alle Zustände werden wegen der positiven Parität der $\alpha_{2\mu}$ ebenfalls positive Parität haben.

Führt man den Anzahloperator für Phononen

$$\hat{N} = \sum_{\mu=-2}^{2} \hat{\beta}^+_{2\mu}\hat{\beta}_{2\mu} \tag{6.108}$$

mit dem Eigenwert N ein, sind die Energien der Zustände durch

$$E_N = \hbar\omega_2(N + \tfrac{5}{2}) \tag{6.109}$$

gegeben, da wir es entsprechend der verschiedenen magnetischen Quantenzahlen effektiv mit fünf Oszillatoren zu tun haben, die unabhängig voneinander angeregt werden können und von denen jeder eine Nullpunktenergie von $\frac{1}{2}\hbar\omega_2$ hat. N zählt die Gesamtzahl der vorhandenen Quanten.

Weitere auftauchenden Quantenzahlen werden der Drehimpuls λ und seine Projektion μ sein, so daß die Zustände vorläufig mit $|N\lambda\mu\rangle$ bezeichnet werden können. Die am niedrigsten liegenden Zustände sind:

1. Der Kerngrundzustand ist das Phononenvakuum $|N=0, \lambda=0, \mu=0\rangle$. Seine Energie ist die Nullpunktsenergie:

   $$\hat{H}|0\rangle = \tfrac{5}{2}\hbar\omega_2|0\rangle \ . \tag{6.110}$$

2. Der erste angeregte Zustand ist das Multiplett (Einphononenzustand)

   $$|N=1, \lambda=2, \mu\rangle = \hat{\beta}^+_{2\mu}|0\rangle \ , \qquad \mu = -2, \ldots, +2 \tag{6.111}$$

   mit einem Drehimpuls von zwei. Die Anregungsenergie über dem Grundzustand ist $\hbar\omega_2$.

3. Den zweiten Satz angeregter Zustände stellen die Zweiphononenzustände mit einer Anregungsenergie von $2\hbar\omega_2$ dar. Es genügt natürlich nicht, sie mit Hilfe von $\hat{\beta}^+_{2\mu}\hat{\beta}^+_{2\mu'}$ zu konstruieren, denn sie müssen zu gutem Drehimpuls gekoppelt werden. Also lauten diese Zustände

   $$|N=2, \lambda\mu\rangle = \sum_{\mu'\mu''} (22\lambda|\mu'\mu''\mu)\hat{\beta}^+_{2\mu'}\hat{\beta}^+_{2\mu''}|0\rangle \ . \tag{6.112}$$

   Die Auswahlregeln für die Kopplung von Drehimpulsen erlauben Werte von $\lambda = 0, 1, 2, 3, 4$. Es stellt sich aber heraus, daß nicht alle diese Werte möglich sind. Vertauscht man μ' und μ'' im Clebsch–Gordan–Koeffizient und benutzt die Symmetrieeigenschaft

   $$(j_1 j_2 J|m_1 m_2 M) = (-1)^{j_1+j_2-J}(j_2 j_1 J|m_2 m_1 M) \tag{6.113}$$

   dieser Koeffizienten, um den Ausdruck zu symmetrisieren, erhält man

   $$|N=2, \lambda\mu\rangle = \tfrac{1}{2}\sum_{\mu'\mu''}[1+(-1)^\lambda](22\lambda|\mu'\mu''\mu)\hat{\beta}^+_{2\mu'}\hat{\beta}^+_{2\mu''}|0\rangle \ , \tag{6.114}$$

   weil die Operatoren kommutieren. Die Wellenfunktionen für ungerade Werte von λ verschwinden ausnahmslos: solche Zustände existieren nicht. Die Zweiphononenzustände sind also auf die Drehimpulse 0, 2 und 4 beschränkt und bilden das *Zweiphononentriplett.* Dieser Effekt ist ein Beispiel für die Wechselwirkung zwischen Drehimpulskopplung und Symmetrisierung (oder bei Fermionen Antisymmetrisierung), die für kompliziertere Anwendungen formalisiert werden kann, was auf die *cfp-Koeffizienten* (von „coefficient of fractional parentage“) führt. Diese werden aber in diesem Buch nicht benötigt.

Im allgemeinen sind höhere Zustände des sphärischen Vibrators für die Analyse experimenteller Spektren nicht von Interesse. Bei wirklichen Kernen findet man seltener Zustände über dem Triplett, die im Rahmen dieses Modells interpretiert werden könnten. Trotzdem sind sie als mathematische Basiszustände zur Entwicklung von Wellenfunktionen eines komplizierteren Modells nützlich. Eine rein analytische Konstruktion der Eigenzustände wurde von Chacón und Moshinsky [Ch76] durchgeführt, die auch die notwendigen zusätzlichen Quantenzahlen einführten. Die erste systematische Anwendung des Modells, wie wir es hier vorgestellt haben, stammt von Scharff–Goldhaber und Weneser [Sc55].

Das Spektrum und die Eigenschaften schwingender Kerne werden genauer in Abschnitt 6.3.5 untersucht, nachdem wir weitere wichtige, in diesem Modell berechenbare Observable hergeleitet haben.

Interessant ist die *Symmetriegruppe* des harmonischen Oszillatormodells. Diese wird zwar nicht direkt verwendet, aber sie ist vor allem zum Vergleich mit dem in Abschnitt 6.8 besprochenen IBM nützlich. Schreibt man den Hamiltonoperator als

$$\hat{H} = \frac{1}{2B_2} \sum_{\mu=-2}^{2} |\pi_{2\mu}|^2 + \frac{C_2}{2} \sum_{\mu=-2}^{2} |\alpha_{2\mu}|^2 \,, \tag{6.115}$$

so treten beide Terme als Absolutquadrate von fünfdimensionalen komplexen Vektoren auf, und eine solche Größe ist invariant unter unitären Transformationen in fünf Dimensionen, d. h. unter der Gruppe U(5). Dieselbe Gruppe wird beim Vibratorgrenzfall des IBMs auftreten.

6.3.3 Der kollektive Drehimpulsoperator

Die kollektiven Koordinaten $\alpha_{\lambda\mu}$ sind in sehr abstrakter Weise definiert worden. Um geeignete Eigenzustände zum Gesamtdrehimpuls zu konstruieren, brauchen wir auch einen kollektiven Drehimpulsoperator, der auf diese Koordinaten wirkt. Er muß folgende entscheidenden Eigenschaften erfüllen, die sofort aus der allgemeinen Diskussion des Drehimpulses in Kapitel 2 ersichtlich sind:

1. Er sollte ein sphärischer Tensoroperator $\hat{L}_\mu$, $\mu = -1, 0, 1$ erster Stufe sein, bestehend aus $\hat{\alpha}_{2\mu}$ und $\hat{\pi}^*_{2\mu}$.

2. Er muß die üblichen Vertauschungsrelationen des Drehimpulses erfüllen.

3. Genauer muß er bei einer infinitesimalen Drehung in der richtigen Weise auf die kollektiven Koordinatenoperatoren wirken. Wie wir in Abschnitt 2.3.7 gesehen haben, erfordert dies

$$[\hat{L}_z, \hat{T}^k_q] = \hbar q \hat{T}^k_q \,, \qquad [\hat{L}_\pm, \hat{T}^k_q] = \hbar\sqrt{(k \pm q + 1)(k \mp q)}\,\hat{T}^k_{q\pm1} \tag{6.116}$$

für jeden Tensoroperator $\hat{T}^k_q$, der aus der kollektiven Koordinate $\hat{\alpha}_{\lambda\mu}$ und dem Impulsoperator $\hat{\pi}_{\lambda\mu}$ aufgebaut ist. Beachten Sie, daß diese Eigenschaft, wenn sie beim Ersetzen von $\hat{T}^k_q$ durch $\hat{\alpha}_{\lambda\mu}$ und $\hat{\pi}^*_{\lambda\mu}$ gilt, auch für alle aus diesen durch Drehimpulskopplung konstruierten sphärischen Tensoren gelten muß, so daß z. B. die Vertauschungsbeziehungen des Drehimpulses für die $\hat{L}_\mu$ automatisch folgen.

Wir werden die allgemeine Form eines solchen Operators motivieren und die zuletzt genannte Eigenschaft für den sphärischen Fall $\hat{T}_{\lambda\mu} = \hat{\alpha}_{\lambda\mu}$ überprüfen, was ausreicht, um einen generellen Normalisierungsfaktor des Operators festzulegen. Die Berechnung für $\hat{\pi}^*_{\lambda\mu}$ verläuft dann analog.

Im bekannten Fall von kartesischen Koordinaten lautet der Drehimpulsoperator $\hat{\boldsymbol{L}} = \boldsymbol{r} \times \hat{\boldsymbol{p}}$, was auch als Drehimpulskopplung der zwei Tensoroperatoren zu einem resultierenden Drehimpuls eins geschrieben werden kann. Nimmt man für diesen Fall dieselbe Form an, erhält man einen Ausdruck

$$\hat{L}_\mu = C \sum_{\mu'\mu''} (\lambda\lambda 1|\mu'\mu''\mu)\hat{\alpha}_{\lambda\mu'}\hat{\pi}^*_{\lambda\mu''} \tag{6.117}$$

mit einem bisher nicht festgelegten Faktor C. Beachten Sie, daß wir wegen der erwähnten Transformationseigenschaften der konjugierten Impulse π^* verwendet haben.

Setzen wir

$$\hat{\pi}^*_{\lambda\mu''} = -(-1)^{\mu''}\hat{\pi}_{\lambda-\mu''} = \mathrm{i}\hbar(-1)^{\mu''}\frac{\partial}{\partial\alpha_{\lambda-\mu''}} \tag{6.118}$$

in (6.116) ein, erhalten wir für die z–Komponente ($\mu = 0$) des Drehimpulses

$$\begin{aligned} \hbar\mu\alpha_{\lambda\mu} &= [C\sum_{\mu'}(\lambda\lambda 1|\mu' {-}\mu' 0)\mathrm{i}\hbar(-1)^{\mu'}\alpha_{\lambda\mu'}\frac{\partial}{\partial\alpha_{\lambda\mu'}}, \alpha_{\lambda\mu}] \\ &= \mathrm{i}\hbar(-1)^\mu C(\lambda\lambda 1|\mu {-}\mu 0)\alpha_{\lambda\mu}\ , \end{aligned} \tag{6.119}$$

so daß wir fordern sollten:

$$C = -\mathrm{i}(-1)^\mu \frac{\mu}{(\lambda\lambda 1|\mu {-}\mu 0)}\ . \tag{6.120}$$

Um sinnvoll zu sein, muß sich natürlich C als unabhängig von μ herausstellen. Der Wert des speziellen, hier auftretenden Clebsch–Gordan–Koeffizienten ist

$$(\lambda\lambda 1|\mu {-}\mu 0) = \sqrt{3}\,(-1)^{\lambda-\mu}\frac{\mu}{\sqrt{(2\lambda+1)(\lambda+1)\lambda}}\ , \tag{6.121}$$

so daß

$$C = -\mathrm{i}\frac{(-1)^\lambda}{\sqrt{3}}\sqrt{(2\lambda+1)(\lambda+1)\lambda}\ . \tag{6.122}$$

Im besonderen Fall von Quadrupolkoordinaten finden wir $C = -\mathrm{i}\sqrt{10}$, und der Drehimpulsoperator wird zu

$$\hat{L}_\mu = -\mathrm{i}\sqrt{10}[\alpha \times \hat{\pi}^*]^1_\mu \; . \tag{6.123}$$

Daß der Operator die übrigen Bedingungen erfüllt, läßt sich direkt, aber mühsam nachrechnen.

Danach muß dieser Operator nur noch in der zweitquantisierten Form geschrieben werden, was in der folgenden Aufgabe getan werden soll.

6.3 Aufgabe: Drehimpulsoperator für Quadrupolphononen in zweitquantisierter Form

Schreiben Sie den Drehimpulsoperator für Quadrupolphononen in zweitquantisierter Form

Lösung:

Die im vorangegangen Abschnitt gegebene Definition der Erzeugungs- und Vernichtungsoperatoren können wir nacheinander nach den Koordinaten und den Impulsen auflösen:

$$\hat{\alpha}_{2\mu} = \sqrt{\frac{\hbar}{2B_2\omega_2}}\Big(\hat{\beta}^+_{2\mu} + (-1)^\mu \hat{\beta}_{2-\mu}\Big) \; , \tag{1}$$

$$\hat{\pi}_{2\mu} = \mathrm{i}\sqrt{\tfrac{1}{2}\hbar B_2\omega_2}\Big((-1)^\mu \hat{\beta}^+_{2-\mu} - \hat{\beta}_{2\mu}\Big) \; . \tag{2}$$

Der Ausdruck für den Drehimpulsoperator lautet nun:

$$\begin{aligned}\hat{L}_\mu &= -\sqrt{10}\frac{\hbar}{2}\sum_{\mu'\mu''}(221|\mu'\mu''\mu)\Big(\hat{\beta}^+_{2\mu'} + (-1)^{\mu'}\hat{\beta}_{2-\mu'}\Big)\Big(\hat{\beta}^+_{2\mu''} - (-1)^{\mu''}\hat{\beta}_{2-\mu''}\Big) \\ &= -\sqrt{10}\frac{\hbar}{2}\sum_{\mu'\mu''}(221|\mu'\mu''\mu)\Big(\hat{\beta}^+_{2\mu'}\hat{\beta}^+_{2\mu''} - (-1)^{\mu'+\mu''}\hat{\beta}_{2-\mu'}\hat{\beta}_{-\mu''} \\ &\quad + (-1)^{\mu'}\hat{\beta}_{2-\mu'}\hat{\beta}^+_{2\mu''} - (-1)^{\mu''}\hat{\beta}^+_{2\mu'}\hat{\beta}_{2-\mu''}\Big) \; .\end{aligned} \tag{3}$$

Die ersten beiden Terme in Klammern verschwinden, wenn über die Clebsch–Gordan–Koeffizienten summiert wird, weil die Symmetrierelation (6.113) bei Vertauschung der Summationsindizes zu einem Vorzeichenwechsel führt (die Operatoren kommutieren). Andererseits können die beiden letzten Terme unter Verwendung der Vertauschungsrelationen für Bosonen folgendermaßen zusammengesetzt werden:

$$\begin{aligned}\hat{L}_\mu &= -\sqrt{10}\frac{\hbar}{2}\sum_{\mu'\mu''}(221|\mu'\mu''\mu)\Big((-1)^{\mu'}\hat{\beta}^+_{2\mu''}\hat{\beta}_{2-\mu'} - (-1)^{\mu''}\hat{\beta}^+_{2\mu'}\hat{\beta}_{2-\mu''}\Big) \\ &\quad + \sqrt{10}\frac{\hbar}{2}\sum_{\mu'}(-1)^{\mu'}(221|\mu' -\mu' 0) \; .\end{aligned} \tag{4}$$

Der letzte Term verschwindet wieder wegen (6.113), während in den übrigen beiden die Summationsindizes μ' und μ'' unter Benutzung derselben Beziehung vertauscht werden können:

$$\hat{L}_\mu = \sqrt{10}\hbar \sum_{\mu'\mu''} (221|\mu'\mu''\mu)(-1)^{\mu'} \hat{\beta}^+_{2\mu''} \hat{\beta}_{2-\mu'} \ .$$ 5

Ein interessanter Spezialfall ist $\mu = 0$. Der Ausdruck kann dann ausgewertet werden, wobei (6.121) in der Form

$$(221|\mu' {-}\mu' 0) = (-1)^{\mu'} \frac{\mu'}{\sqrt{10}}$$ 6

verwendet wird, und man erhält

$$\hat{L}_0 = \hbar \sum_\mu \mu \hat{\beta}^+_\mu \hat{\beta}_\mu \ .$$ 7

Diese Formel zählt einfach die Phononen in jedem Oszillatorzustand mit der Projektion μ und summiert ihre Beiträge zur Gesamtprojektion auf. Hierbei wird klar, daß der Formalismus insoweit konsistent ist, daß $\hat{\beta}^+_\mu$ ein Phonon mit der Drehimpulsprojektion μ erzeugt.

6.3.4 Der kollektive Quadrupoloperator

Ein weiterer wichtiger Bestandteil des Modells ist der elektrische Quadrupoloperator, ausgedrückt in den Koordinaten $\alpha_{2\mu}$. Einerseits erlaubt er uns, Vorhersagen für die Übergangsraten und die statischen Momente zu berechnen, andererseits wird durch ihn aber auch die Bedeutung der $\alpha_{2\mu}$ klarer. Der Hamiltonoperator und sein Modell sind weitgehend durch Symmetrieargumente festgelegt und würden ähnlich aussehen, wenn die $\alpha_{2\mu}$ irgendwelche anderen Kernanregungs–Freiheitsgrade vom Quadrupoltyp wären, die durch harmonische Schwingungen approximiert werden könnten. In der Tat ließe sich der Hamiltonoperator konstruieren, indem man ausschließlich Symmetrieargumente und keinerlei Bezug zur genauen Natur der betrachteten Deformationen benutzte.

Zum Aufstellen des Quadrupoloperators aber ist es notwendig, die Kernform und die Ladungsverteilung festzulegen. Wir leiten zuerst den klassischen Quadrupoltensor her und ersetzen danach die $\alpha_{2\mu}(t)$ durch Operatoren. Dabei benutzen wir für die Ladungsverteilung natürlicherweise die einfachste Annahme, nämlich eine sich gleichförmig über die durch die $\alpha_{2\mu}(t)$ gegebene zeitabhängige Kernform erstreckende Ladungsverteilung. Der Quadrupoltensor — man erhält ihn mittels der in Aufgabe 6.1 entwickelten Methoden — ist dann gegeben durch

$$Q_{2\mu} = \rho_0 \int_{\text{Kernvolumen}} \mathrm{d}^3r \, r^2 Y_{2\mu}(\Omega)$$

$$
\begin{aligned}
&= \rho_0 \int \mathrm{d}\Omega\, Y_{2\mu}(\Omega) \int_0^{R(\Omega)} \mathrm{d}r\, r^4 = \frac{\rho_0}{5} \int \mathrm{d}\Omega\, Y_{2\mu}(\Omega) R(\Omega)^5 \\
&\approx \frac{\rho_0}{5} R_0^5 \int \mathrm{d}\Omega\, Y_{2\mu}(\Omega) \Big[1 + 5\Big(\alpha_{00} + \sum_{\mu'} \alpha_{2\mu'} Y^*_{2\mu'}(\Omega)\Big) \\
&\qquad + 10 \sum_{\mu'\mu''} \alpha_{2\mu'}\alpha_{2\mu''} Y^*_{2\mu'}(\Omega) Y^*_{2\mu''}(\Omega) \Big] \,. \qquad (6.124)
\end{aligned}
$$

Hierbei wurde die Definition der deformierten Oberfläche (einschließlich α_{00} zur Korrektur des Kernvolumens entsprechend Aufgabe 6.1) eingesetzt und danach die fünfte Potenz des Kernradius bis zur zweiten Ordnung in den Deformationen entwickelt. Laut Aufgabe 6.1 ist α_{00} selbst von zweiter Ordnung in den $\alpha_{2\mu}$, was bei der Unterdrückung von Termen höherer Ordnung in Betracht gezogen wurde. Nun verbleibt uns noch die Auswertung von Integralen über eine bis drei Kugelflächenfunktionen. Das Integral über eine einzige Kugelflächenfunktion wurde in (6.62) bestimmt und das über zwei ist direkt durch die Orthonormalitätsrelation gegeben, so daß (6.124) in

$$
Q_{2\mu} = \frac{\rho_0}{5} R_0^5 \Big[5\alpha_{2\mu} + 10 \sum_{\mu'\mu''} \alpha_{2\mu'}\alpha_{2\mu''} \int \mathrm{d}\Omega\, Y_{2\mu}(\Omega) Y^*_{2\mu'}(\Omega) Y^*_{2\mu''}(\Omega) \Big] \qquad (6.125)
$$

umgeschrieben werden kann. Um fortzufahren, brauchen wir den Ausdruck für ein Integral über drei Kugelflächenfunktionen, den man leicht aus dem im Anhang aufgeführten reduzierten Matrixelement

$$
\begin{aligned}
&\int \mathrm{d}\Omega\, Y_{l_1 m_1}(\Omega) Y_{l_2 m_2}(\Omega) Y^*_{l_3 m_3}(\Omega) \\
&= \langle l_3 || Y_{l_2} || l_1 \rangle (l_1 l_2 l_3 | m_1 m_2 m_3) \\
&= \sqrt{\frac{(2l_1+1)(2l_2+1)}{4\pi(2l_3+1)}} (l_1 l_2 l_3 | m_1 m_2 m_3)(l_1 l_2 l_3 | 000) \qquad (6.126)
\end{aligned}
$$

erhält. Da die rechte Seite eine reelle Zahl ist, dürfen wir auch das komplex Konjugierte dieser Gleichung anwenden:

$$
\int \mathrm{d}\Omega\, Y_{2\mu}(\Omega) Y^*_{2\mu'}(\Omega) Y^*_{2\mu''}(\Omega) = \sqrt{\frac{5}{4\pi}} (222|\mu'\mu''\mu)(222|000) \,. \qquad (6.127)
$$

Der μ–abhängige Clebsch–Gordan–Koeffizient kann dazu benutzt werden, um die $\alpha_{2\mu}$ zum Gesamtdrehimpuls 2 zu koppeln, während die Konstante durch

$$
(222|000) = -\sqrt{\frac{2}{7}} \qquad (6.128)
$$

gegeben ist. Auf diese Weise wird der Quadrupoltensor zu

$$
Q_{2\mu} = \rho_0 R_0^5 \left(\alpha_{2\mu} - \frac{10}{\sqrt{70\pi}} [\alpha \times \alpha]^2{}_{\mu} \right) , \qquad (6.129)
$$

und er kann einfach durch Einsetzen des Operators $\hat{\alpha}_{2\mu}$ für die klassische Deformation quantisiert werden.

Drückt man die Ladungsdichte in Abhängigkeit von der Protonenzahl und dem Kernvolumen aus, lautet der Quadrupoloperator schließlich

$$\hat{Q}_{2\mu} = \frac{3Ze}{4\pi} R_0^2 \left(\hat{\alpha}_{2\mu} - \frac{10}{\sqrt{70\pi}} [\hat{\alpha} \times \hat{\alpha}]^2{}_{\mu} \right) . \tag{6.130}$$

Beim Einsetzen der zweitquantisierten Form dieses Operators stellt sich heraus, daß er eine Änderung der Phononenzahl um eins (Term erster Ordnung in $\alpha_{2\mu}$) oder zwei (Term zweiter Ordnung) erlaubt, also E2–Übergänge typischerweise solche Zustände am stärksten koppeln, die sich um ein Phonon unterscheiden, aber auch Zweiphononenübergänge mit geringerer Wahrscheinlichkeit enthalten.

6.3.5 Das Quadrupol-Vibrationsspektrum

Die Drehimpulse und Anregungsenergien der ersten paar angeregten Zustände sind schon in Abschnitt 6.3.2 angegeben worden und werden in Aufgabe 6.4 demonstriert. Hier werden einige weitere Eigenschaften dieser Zustände abgeleitet und dann ihre Realisierung in der Natur betrachtet. Man erinnere sich daran, daß diese Zustände mit $|N\lambda\mu\rangle$ bezeichnet werden, wobei N die Phononenzahl und λ bzw. μ die Drehimpulsquantenzahlen bezeichnen (diese Klassifizierung reicht nur für die niedrigsten Zustände aus).

Wie schon erwähnt ist das Spektrum allein nicht sehr spezifisch, in dem Sinne, daß jede andere Art harmonischer Bewegung mit Quadrupolcharakter dieselben Strukturen zeigen würde. Deswegen ist es sehr wichtig, die Vorhersagen für Übergangsraten mit einzubeziehen; zunächst aber müssen die Parameter des Modells noch festgelegt werden. Es sind zwei: die Steifigkeit C_2 und der Massenparameter B_2 (auch kollektive Masse genannt). Ihre Kombination $\hbar\omega_2 = \hbar\sqrt{C_2/B_2}$ kann direkt als Abstand des ersten angeregten Zustandes zum Grundzustand abgelesen werden: Dieser sollte ein 2^+-Zustand sein, und exakt im selben Abstand sollte darüber das Triplett $0^+ - 2^+ - 4^+$ folgen. Der Rest des Spektrums ist im Modell auch vollständig festgelegt — es kann entweder zum Modell passen oder nicht, aber nicht durch Parameterwahl weiter angepaßt werden. Die Bestimmung des zweiten unabhängigen Parameters braucht also schon zusätzliche experimentelle Information. Die elektromagnetischen Übergänge enthalten den Kernradius, welcher aber nicht als Parameter zu betrachten ist, sondern durch die gewöhnliche Beziehung $R_0 = r_0\sqrt[3]{A}$ gegeben ist.

Einige leicht zu berechnende Größen sind die folgenden:

1. Die mittlere Deformation

$$\langle \alpha_{2\mu} \rangle = \langle N\lambda'\mu' | \hat{\alpha}_{\lambda\mu} | N\lambda'\mu' \rangle = 0. \tag{6.131}$$

Daß diese Größe verschwinden muß, ist mathematisch dadurch klar, daß der Operator $\hat{\alpha}_{\lambda\mu}$ die Phononenzahl um ± 1 ändert und somit keinen nichtverschwindenden Erwartungswert in einem Zustand fester Phononenzahl haben kann. Anschaulich bedeutet es einfach, daß die Kernoberfläche im Mittel genauso häufig eine Deformation annimmt wie die dazu inverse — ähnlich wie das Verschwinden des Mittelwertes $\langle x \rangle$ für den eindimensionalen Oszillator.

2. Nützlicher ist also die mittlere quadratische Deformation

$$\langle \beta^2 \rangle = \langle N\lambda\mu | \sum_\mu |\alpha_{2\mu}|^2 | N\lambda\mu \rangle . \tag{6.132}$$

Dieser Ausdruck kann natürlich mit den Standardmethoden der zweiten Quantisierung ausgewertet werden; einfacher geht es aber mit dem Virialsatz, der für den klassischen wie den quantenmechanischen harmonischen Oszillator besagt, daß die Mittelwerte der kinetischen und potentiellen Energie gleich sind. Dies gilt auch im hier betrachteten Fall, weil jede μ-Komponente sich wie ein eindimensionaler harmonischer Oszillator benimmt, so daß für den N-Phononen-Zustand

$$E_N = 2\langle V \rangle = \hbar\omega_2 (N + \tfrac{5}{2}) = C_2 \langle N\lambda\mu | \sum_\mu |\alpha_{2\mu}|^2 | N\lambda\mu \rangle = C_2 \langle \beta^2 \rangle \tag{6.133}$$

und damit

$$\langle \beta^2 \rangle = \frac{\hbar}{B_2\omega_2} (N + \tfrac{5}{2}) \tag{6.134}$$

wird. Die Größe $\langle \beta^2 \rangle$ beschreibt die Aufweichung der Kernoberfläche durch die Schwingungen. Obwohl wir bei der Berechnung des Quadrupoloperators die Annahme einer homogenen Ladungsverteilung gemacht hatten, führen die Schwingungen effektiv zu einer diffusen Oberfläche; das sollte aber nicht als „Erklärung" der Oberflächendicke in Kernen ernst genommen werden. Die zugehörige mittlere quadratische Abweichung im Radius ist $\langle \Delta R^2 \rangle = R_0^2 \langle \beta^2 \rangle$. In Aufgabe 6.4 werden hierzu konkrete Zahlen berechnet. Die mittlere quadratische Deformation des Grundzustandes ist ein nützlicher Parameter, so daß man ihm die Bezeichnung

$$\beta_0^2 = \frac{5\hbar}{2B_2\omega_2} \tag{6.135}$$

zuordnet.

3. In enger Beziehung hierzu steht der mittlere quadratische Ladungsradius, der als Mittelwert von r^2 über die Ladungsverteilung definiert wird. In diesem Modell mit homogener Ladungsverteilung, aber zeitabhängiger Oberfläche bedeutet dies

$$\begin{aligned} \langle r^2 \rangle &= \frac{\rho_0 \int r^2 \, \mathrm{d}^3 r}{\rho_0 \int \mathrm{d}^3 r} = \frac{3}{4\pi R_0^3} \int r^4 \, \mathrm{d}r \, \mathrm{d}\Omega \qquad (6.136) \\ &= \frac{3R_0^2}{20\pi} \int \Big(1 + \alpha_{00} Y_{00}(\Omega) + \sum_\mu \alpha_{2\mu} Y_{2\mu}^*(\Omega)\Big)^5 \, \mathrm{d}\Omega . \end{aligned}$$

Das Integral kann mit denselben Methoden wie für den Quadrupoltensor zu

$$\langle r^2 \rangle = \frac{3}{5} R_0^2 + \frac{3}{4\pi} R_0^2 \langle \beta^2 \rangle \tag{6.137}$$

reduziert werden. Experimentell interessant ist hier die Abhängigkeit von der Phononenzahl: Eine Anregung des Kern verändert über die Änderung des Ladungsradius das Coulombfeld für die Elektronen, so daß diese eine geringfügige, aber meßbare Energieverschiebung erfahren können.

4. $B(E2)$-Werte sind relativ leicht zu berechnen, falls der quadratische Term im Quadrupoloperator vernachlässigt wird. In diesem Fall wird

$$\hat{Q}_{2\mu} = \rho_0 R_0^5 \sqrt{\frac{\hbar}{2B_2\omega_2}} (\hat{\beta}_\mu^+ + (-1)^\mu \hat{\beta}_{-\mu}), \tag{6.138}$$

so daß nur Einphononübergänge erlaubt sind. Das Matrixelement des Operators ist trivial für den Fall eines Übergangs vom Grundzustand zum ersten angeregten Zustand $|2_1^+ m\rangle = |N = 1, 2m\rangle = \hat{\beta}_m^+|0\rangle$:

$$\langle 2_1^+ m|\hat{Q}_{2\mu}|0\rangle = \rho_0 R_0^5 \sqrt{\frac{\hbar}{2B_2\omega_2}} \langle 0|\hat{\beta}_m \hat{\beta}_\mu^+|0\rangle = \rho_0 R_0^5 \sqrt{\frac{\hbar}{2B_2\omega_2}} \delta_{m\mu}. \tag{6.139}$$

Nach dem Wigner–Eckart-Theorem ist

$$\langle 2_1^+ m|\hat{Q}_{2\mu}|0\rangle = \langle 2_1^+||\hat{Q}_2||0\rangle (022|0\mu m) = \langle 2_1^+||\hat{Q}_{2\mu}||0\rangle \delta_{m\mu}, \tag{6.140}$$

so daß sich in diesem einfachen Fall das reduzierte Matrixelement vom normalen nur durch ein Kroneckersymbol unterscheidet. Mit $J_i = 0$ und $J_f = 2$ reduziert sich der $B(E2)$-Wert zu

$$\begin{aligned} B(E2, 0_1^+ \to 2_1^+) &= \frac{2J_f + 1}{2J_i + 1} |\langle 2_1^+||\hat{Q}_{2\mu}||0\rangle|^2 \\ &= (\rho_0 R_0^5)^2 \frac{5\hbar}{2B_2\omega_2} \\ &= (\rho_0 R_0^5)^2 \beta_0^2. \end{aligned} \tag{6.141}$$

Dieser $B(E2)$-Wert bestimmt also indirekt die mittlere quadratische Deformation und gemeinsam mit der Übergangsenergie somit alle Parameter des Modells.

5. Das Quadrupolmoment eines angeregten Zustandes ist

$$Q = \sqrt{\frac{16\pi}{5}} \langle N\lambda\mu = \lambda|\hat{Q}_{20}|N\lambda\mu = \lambda\rangle \tag{6.142}$$

(siehe Abschnitt 5.4.6), und in diesem Fall trägt der lineare Term nichts bei, weil auf beiden Seiten dieselbe Phononenzahl steht. Im quadratischen Term braucht man nur die Kombination mit einem Erzeugungs- und einem Vernichtungsoperator zu berücksichtigen, so daß wir substituieren können:

$$\hat{Q}_{20} \rightarrow -\frac{10}{\sqrt{70\pi}}\rho_0 R_0^5 \frac{\hbar}{2B_2\omega_2}\sum_\mu (-1)^\mu (222|\mu{-}\mu 0)\left(\hat{\beta}_\mu^+\hat{\beta}_\mu + \hat{\beta}_\mu\hat{\beta}_\mu^+\right). \tag{6.143}$$

Die Operatoren können gemäß

$$\hat{\beta}_\mu^+\hat{\beta}_\mu + \hat{\beta}_\mu\hat{\beta}_\mu^+ = 2\hat{\beta}_\mu^+\hat{\beta}_\mu + 1 \tag{6.144}$$

vertauscht werden, und der konstante Term fällt heraus wegen

$$\sum_\mu (-1)^\mu (222|\mu{-}\mu 0) = 0 \tag{6.145}$$

(zum Nachweis benutze man wieder die Symmetriebeziehung (6.181)). Es bleibt also

$$\begin{aligned} Q &= -\frac{8}{\sqrt{14}}\rho_0 R_0^5 \frac{\hbar}{B_2\omega_2} \\ &\quad \times \sum_\mu (-1)^\mu (222|\mu{-}\mu 0)\langle N\lambda\mu = \lambda|\hat{\beta}_\mu^+\hat{\beta}_\mu|N\lambda\mu = \lambda\rangle. \end{aligned} \tag{6.146}$$

Die Summe kann nur in speziellen Fällen einfach angegeben werden. Im Grundzustand ist das Matrixelement Null, aber für den ersten angeregten Zustand erhalten wir

$$\langle 2_1^+ m = 2|\hat{\beta}_\mu^+\hat{\beta}_\mu|2_1^+ m = 2\rangle = \delta_{\mu 2}, \tag{6.147}$$

und wegen $(222|2{-}20) = \sqrt{\frac{2}{7}}$ ist das Endergebnis

$$Q = -\frac{12}{35\pi}\beta_0^2 ZeR_0^2. \tag{6.148}$$

In der Übungsaufgabe wird das Modell auf einen spezifischen Kern angewandt. Die Qualität der Ergebnisse ist typisch und man kann die experimentelle Situation wie folgt zuammenfassen:

Spektren, wie die vom sphärischen Vibratormodell vorhergesagten, sind annäherungsweise bei einer kleinen Zahl von Kernen in der Nähe abgeschlossener Schalen zu finden, bei denen man i. allg. von sphärischer Form im Grundzustand ausgeht. Gewöhnlich findet man das vorhergesagte Triplett von 0^+, 2^+ und 4^+-Zuständen etwa bei der doppelten Energie des ersten angeregten 2^+-Zustandes, aber das Triplett ist nicht entartet. Die Quadrupolmomente und $B(E2)$-Werte werden vom Modell nicht wiedergegeben, was leicht zu verstehen ist. Die Nichtentartung weist schon darauf hin, daß es Abweichungen von der harmonischen Bewegung gibt, so daß die Zustände keine gute Phononenzahl mehr haben. Dann trägt aber z. B. für das Quadrupolmoment

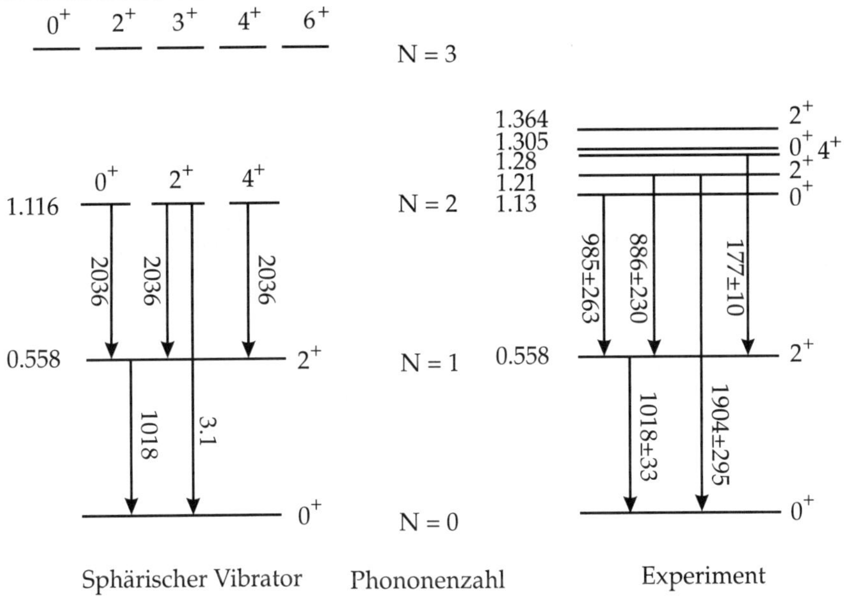

Abb. 6.5: Vergleich des sphärischen Vibratormodells mit experimentellen Daten für ^{114}Cd. Die Energieniveaus sind in MeV und die $B(E2)$-Werte, die neben den Übergangspfeilen angegeben sind, in $e^2\text{fm}^4$. Daten aus Nucl. Data Sheets Vol. **35**, No. 3 (1982).

schon der lineare Term bei, und auch wenn die Beimischungen abweichender Phononenzahl in den Zuständen klein sind, können ihre Beiträge doch vergleichbar zu denen zweiter Ordnung werden und die Resultate vollständig verändern. Der harmonische Oszillator mit seiner hohen Symmetrie ist einfach zu idealisiert, um gegen Störungen robust zu sein; sein Hauptnutzen ist heute, als Ausgangspunkt für bessere Näherungen zu dienen.

6.4 Aufgabe: ^{114}Cd als sphärischer Vibrator

Wenden Sie das Modell des sphärischen Vibrators auf den Kern ^{114}Cd an.

Lösung:

Die experimentellen Daten sind auf der rechten Seite von Abb. 6.5 zusammengefaßt. Zunächst verwenden wir die Anregungsenergie des ersten 2^+-Zustandes und den B(E2)-Wert des Übergangs zum Grundzustand, um die Parameter C_2 und B_2 mittels der Relationen

$$E(2_1^+) = \hbar\sqrt{C_2/B_2} = 0.558\text{MeV} \qquad \underline{1}$$

$$B(E2; 2_1^+ \to 0_1^+) = \left(\frac{3Ze}{4\pi}R_0^2\right)^2 \frac{\hbar}{2\sqrt{C_2 B_2}} = 1018 e^2\text{fm}^4$$

sowie

$$Z = 48, \quad A = 114, \quad R_0 = 1.2\sqrt[3]{A}$$ 2

zu berechnen:

$$C_2 = 41.3\text{MeV}, \quad B_2 = 132\hbar^2/\text{MeV}.$$ 3

Das Spektrum zeigt, daß das Zweiphononen-Triplett (0_2^+, 2_2^+, 4_1^+) fast entartet ist und nahe der erwarteten Energie liegt, aber die Gegenwart eines zusätzlichen 0^+– und eines 2^+–Zustandes in der Nähe weisen auf starke anharmonische Effekte hin, wenn diese Zustände auch als kollektive Oberflächenschwingungen interpretiert werden sollen.

Vergleichen wir jetzt diese Ergebnisse mit dem Tröpfchenmodell (6.93 und 6.94). Die Massenformel des Tröpfchenmodells enthält einen Oberflächenterm $a_s A^{2/3}$ mit $a_s \approx 13$MeV, was zu der Oberflächenspannung

$$\sigma = \frac{a_s A^{2/3}}{4\pi r_0^2 A^{2/3}} \approx 0.72\text{MeV}\,\text{fm}^{-2}$$ 4

führt. Mit $e^2 \approx 1.44$MeV fm ergibt dies

$$C_2^{\text{Tröpfchenmodell}} \approx 42.4\,\text{MeV}, \qquad B_2^{\text{Tröpfchenmodell}} \approx 11.09\hbar^2/\text{MeV}.$$ 5

Man beachte, daß die Dichte ρ_m in (6.93) die Massendichte ist. Der Steifigkeitskoeffizient wird also sehr gut wiedergegeben, während der Massenparameter um eine Größenordnung falsch liegt. Das überrascht nicht, weil in den Massenparameter die wahrscheinlich unrealistische Annahme rotationsfreien Flusses einging.

Die B(E2)-Werte für die Übergänge vom Zweiphononen-Triplett zum Einphononzustand sind

$$B(E2; 0_2^+, 2_2^+, 4_1^+ \to 2_1^+) = 2B(E2; 2_1^+ \to 0_1^+) = 2036e^2\text{fm}^4,$$ 6

während die experimentellen Werte um den Faktor 2–10 kleiner sind. Der Übergang vom Zweiphononen-Zustand 2_2^+ zum Grundzustand sollte sehr schwach sein, weil er ein Effekt zweiter Ordnung ist. In der Tat finden wir

$$B(E2; 2_2^+ \to 0_1^+) = \left(\frac{3Ze}{4\pi} R_0^2 \frac{10}{\sqrt{70\pi}}\right)^2 \frac{\hbar^2}{4C_2 B_2} = 3.1\text{e}^2\text{fm}^4,$$ 7

was im Vergleich zum experimentellen Wert von $1904e^2\text{fm}^4$ viel zu klein ausfällt. Das deutet wieder auf anharmonische Effekte: Wenn die Wellenfunktion Beimischungen anderer Phononenzahlen enthält, kann der erste und viel größere Term im Quadrupoloperator zu diesem Übergang beitragen.

Die mittlere quadratische Deformation des Zustandes 2_1^+ ist

$$\langle\beta^2\rangle(2_1^+) = \frac{\hbar}{\sqrt{C_2 B_2}}(1 + \tfrac{5}{2}) = 0.047,$$ 8

was ebenfalls im Vergleich zum experimentellen Wert von 0.193 nicht gut hinkommt. Das Quadrupolmoment des Zustandes 2_1^+ ist gegeben durch

$$Q(2_1^+) = -\tfrac{15}{7} Ze R_0^2 \hbar^2/(B_2 C_2) = -0.6e^2\text{fm}^4.$$ 9

Man beachte, daß auch hier nur der Term zweiter Ordnung beiträgt, so daß es nicht überrascht, wenn der experimentelle Wert, $-3600e^2\text{fm}^2$, um einen Faktor 10^4 größer ist.

Schließlich kann die Oberflächendicke noch aus der mittleren quadratischen Deformation des Grundzustandes

$$\beta_0^2 = \frac{\hbar}{B_2\omega_2}(N + \tfrac{5}{2}) = 0.034 \qquad \underline{10}$$

zu

$$\sqrt{\langle \Delta R^2 \rangle} = 1.03 \text{ fm} \qquad \underline{11}$$

bestimmt werden, was eher überraschend gut funktioniert.

6.4 Rotierende Kerne

6.4.1 Der starre Rotator

Ein weiteres einfaches Bild des Kernes, das einige Eigenschaften angeregter Zustände recht gut beschreibt, ist das *Modell des starren Rotators* ("rigid rotor"). Wie aus der klassischen Mechanik gut bekannt ist, sind die Freiheitsgrade des starren Körpers durch die Eulerwinkel zu beschreiben, die die Orientierung der körperfesten Achsen gegenüber denen eines raumfesten Koordinatensystems beschreiben (die Freiheitsgrade der Translation können ignoriert werden, weil sie nicht zu inneren Anregungen des Kerns führen können).

Natürlich wird die mathematische Beschreibung am einfachsten ausfallen, wenn man das körperfeste Koordinatensystem an den Hauptträgheitsachsen des Kerns orientiert, weil dann der Trägheitstensor diagonal wird (s. auch die Diskussion in Abschnitt 6.2.4; der hier behandelte Fall entspricht festen Werten von β und γ). Die klassische kinetische Energie eines solchen rotierenden starren Körpers ist

$$E = \sum_{i=1}^{3} \frac{J_i'^2}{2\Theta_i}, \tag{6.149}$$

wobei Θ_i das Trägheitsmoment um die i-te Hauptachse des Kerns bezeichnet. Im allgemeinen sind alle drei Trägheitsmomente verschieden. Während diese Formel einen einfachen Eindruck macht und sich zur Quantisierung mittels der Substitution $J' \to \hat{J}'$ anzubieten scheint, gibt es doch zwei komplizierende Faktoren.

Einer von ihnen ist durch die Striche an den Drehimpulsoperatoren in (6.149) angedeutet. Es kann sich nicht um die üblichen Drehimpulsoperatoren für Drehungen um die raumfesten Achsen handeln, denn auch wenn diese momentan mit den körperfesten Hauptträgheitsachsen übereinstimmten, würde das bei der Drehung sofort verlorengehen. Statt dessen muß man zur Drehung Operatoren benutzen, die den Kern

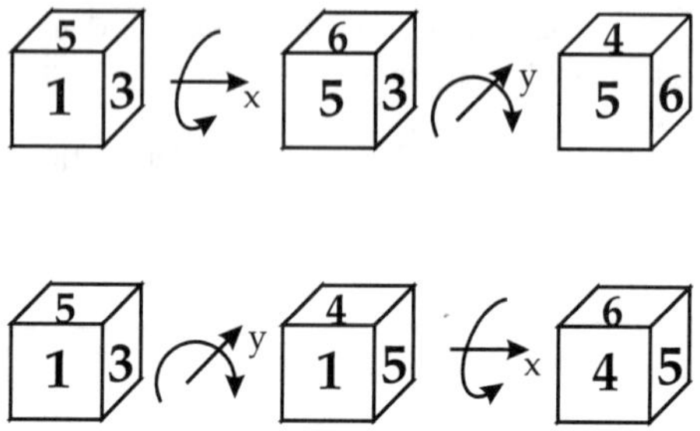

Abb. 6.6: Demonstration der Vertauschung raumfester Drehungen am Beispiel eines Würfels: Oben wird zuerst eine Drehung um die x-Achse ausgeführt, gefolgt von einer um die y-Achse. Im unteren Teil des Bildes sind die beiden Drehungen in der umgekehrten Reihenfolge ausgeführt. Es handelt sich um endliche Drehungen um den Winkel 90°, so daß der Unterschied beider Resultate nicht einfach einer Drehung um die z-Achse entspricht, wie es für infinitesimale Drehungen wäre.

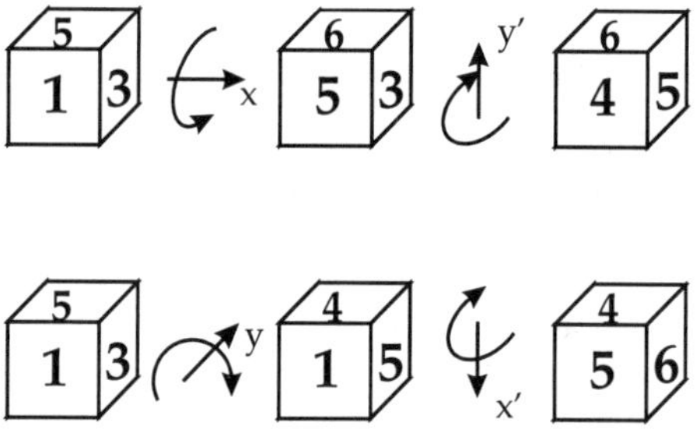

Abb. 6.7: Wie Abb. 6.6, aber in beiden Fällen wird die zweite Drehung um die mitgedrehte neue Achse ausgeführt. Man beachte, daß der Unterschied zwischen den Endkonfigurationen genau umgekehrt zu dem in Abb. 6.6 ist, womit das Vorzeichen in den Vertauschungsregeln plausibel wird.

immer um die instantanen Hauptträgheitsachsen rotieren; dies sind die *körperfesten Drehimpulsoperatoren*, die mit $\hat{J}'_i$ bezeichnet werden.

Ihre Vertauschungsregeln sind fast identisch mit denen der gewöhnlichen Drehimpulsoperatoren, aber mit einer wichtigen Vorzeichenänderung:

$$[\hat{J}'_x, \hat{J}'_y] = -\mathrm{i}\hbar\hat{J}'_z, \quad [\hat{J}'_y, \hat{J}'_z] = -\mathrm{i}\hbar\hat{J}'_x, \quad [\hat{J}'_z, \hat{J}'_x] = -\mathrm{i}\hbar\hat{J}'_y. \tag{6.150}$$

Das kommt durch die verschiedene Art, in der die zweite Rotation ausgeführt wird: Für die raumfesten Operatoren z. B. beschreibt $\hat{J}_x\hat{J}_y$ eine infinitesimale Rotation um die y-Achse, gefolgt von einer um die x-Achse. Im körperfesten Fall hingegen wird die zweite Drehung um die ursprüngliche x-Achse ausgeführt, *nachdem diese durch die erste Drehung in die x'-Achse übergeführt ist.* Dieser Unterschied wird den Abb. 6.6 – 6.7 anschaulich gemacht, während die Konsequenzen für die Matrixelemente in Übung 6.5 betrachtet werden.

6.5 Aufgabe: Drehimpulsoperatoren im intrinsischen System

Leiten Sie die Darstellungen der körperfesten Drehimpulsoperatoren im intrinsischen System ab.

Lösung:

Weil nur das Vorzeichen in den Vertauschungsregeln verschieden ist, können wir eng den Entwicklungen von Abschnitt 2.3.2 folgen und nur die Unterschiede längs des Weges hervorheben. Die Basis wird diagonal in $\hat{J}'^2$ und $\hat{J}'_z$ gewählt,

$$\hat{J}'^2|jm\rangle = \hbar^2\Lambda_j|jm\rangle \quad , \quad \hat{J}'_z|jm\rangle = \hbar m|jm\rangle. \qquad \underline{1}$$

Die Schiebeoperatoren werden wie gewohnt definiert

$$\hat{J}'_+ = \hat{J}'_x + i\hat{J}'_y \quad , \quad \hat{J}'_- = \hat{J}'_x - i\hat{J}'_y \ , \qquad \underline{2}$$

aber ihre Vertauschungsregeln sind jetzt

$$[\hat{J}'_z, \hat{J}'_\pm] = \mp\hbar\hat{J}'_\pm \ , \qquad \underline{3}$$

und wir erhalten den Eigenwert des Zustandes $\hat{J}'_\pm|jm\rangle$ zu

$$\hat{J}'_z(\hat{J}'_\pm|jm\rangle) = \hbar(m \mp 1)\hat{J}'_\pm|jm\rangle \ , \qquad \underline{4}$$

was zeigt, daß die Wirkung der Schiebeoperatoren vertauscht ist. Wenn der größte Eigenwert wieder als μ bezeichnet wird, muß

$$\hat{J}'_-|j\mu\rangle = 0 \qquad \underline{5}$$

gelten, und

$$\hat{J}'^2 = \tfrac{1}{2}(\hat{J}'_+\hat{J}'_- + \hat{J}'_-\hat{J}'_+) + \hat{J}'^2_z \qquad \underline{6}$$

kann jetzt mit Hilfe der Vertauschungsregel

$$[\hat{J}'_+, \hat{J}'_-] = -2\hbar\hat{J}'_z \qquad \underline{7}$$

zu

$$\hat{J}'^2 = \hat{J}'_+\hat{J}'_+ - \hat{J}'^2_z + \hbar\hat{J}'_z \qquad \underline{8}$$

umgeschrieben werden, was mit der alten Formel übereinstimmt, wenn man $\hat{J}'_- \leftrightarrow \hat{J}'_+$ ersetzt, so daß alle weiteren Rechnungen betreffs der Größe von μ identisch verlaufen.

Die nächste Stelle, an der Differenzen auftreten, betrifft die Norm des Zustandes $\hat{J}'_\pm|jm\rangle$, die durch

$$\begin{aligned} \langle jm|\hat{J}'_\mp\hat{J}'_\pm|jm\rangle &= \langle jm|\hat{J}'^2 - \hat{J}'^2_z \pm \hat{J}'_z|jm\rangle \\ &= \hbar^2(j(j+1) - m^2 \pm m) \\ &= \hbar^2(j \mp m + 1)(j \pm m) \end{aligned} \qquad \underline{9}$$

gegeben ist, und die nichtverschwindenden Matrixelemente der Schiebeoperatoren werden zu

$$\langle j, m \mp 1 | \hat{J}'_\pm | jm \rangle = \hbar \sqrt{(j \mp m + 1)(j \pm m)},$$ 10

während die der kartesischen Komponenten sich zu

$$\begin{aligned}
\langle j, m' | \hat{J}'_x | jm \rangle &= \frac{\hbar}{2}\Big(\sqrt{(j+m+1)(j-m)}\delta_{m',m+1} \\
&\quad + \sqrt{(j-m+1)(j+m)}\delta_{m',m-1}\Big) \\
\langle j, m' | \hat{J}'_y | jm \rangle &= -\frac{i\hbar}{2}\Big(\sqrt{(j-m+1)(j+m)}\delta_{m',m-1} \\
&\quad - \sqrt{(j+m+1)(j-m)}\delta_{m',m+1}\Big) \\
\langle jm' | \hat{J}'_z | jm \rangle &= \hbar m \delta_{m'm}
\end{aligned}$$ 11

ergeben. Man beachte, daß das Matrixelement für $\hat{J}'_x$ im Vergleich zum raumfesten Drehimpulsoperator unverändert ist, während das von $\hat{J}'_y$ nur global das umgekehrte Vorzeichen bekommt.

Es sollte noch erwähnt werden, daß

$$\hat{J}^2 = \hat{J}'^2, \tag{6.151}$$

was plausibel ist, da dieser Operator selbst ein Skalar ist und nicht von den speziellen Achsen abhängt, die die Komponenten von $\hat{\boldsymbol{J}}'$ definieren.

Das zweite Problem betrifft, welche Rotationen tatsächlich erlaubt sind. Ein klassischer Rotator kann sich um jede seiner Achsen drehen. In der Quantenmechanik aber gibt es einen Spezialfall, wenn der Kern rotationssymmetrisch ist *und keine innere Struktur besitzt.* Zum Beispiel kann ein sphärischer Kern nicht rotieren, weil jede Rotation die Oberfläche invariant läßt und somit per Definition den quantenmechanischen Zustand unverändert läßt. Das ist vielleicht nicht einfach zu akzeptieren, aber man sollte daran denken, daß es nichts im Kern gibt, das bei dieser Rotation seine Position verändert und auch keine Markierung auf der Oberfläche angebracht werden kann, um die Orientierungen zu unterscheiden. Wir können also folgern:

- ein sphärischer Kern hat überhaupt keine Rotationsanregungen und
- ein axialsymmetrischer Kern kann nicht um seine Symmetrieachse rotieren.

Natürlich muß das Experiment entscheiden, wieweit dies gilt, d. h., ob wirklich keine anderen Freiheitsgrade dabei eine Rolle spielen. Wir werden später sehen, daß Drehungen um die Symmetrieachse durch gleichzeitige Abweichung von der Axialsymmetrie möglich werden.

Der Hamiltonoperator für den starren Rotator hat also zwei Varianten:

$$\hat{H} = \sum_{i=1}^{3} \frac{\hat{J}_i'^2}{2\Theta_i} \tag{6.152}$$

für einen *triaxialen Kern* mit drei verschiedenen Trägheitsmomenten und

$$\hat{H} = \frac{1}{2\Theta}(\hat{J}_x'^2 + \hat{J}_y'^2) \tag{6.153}$$

für Kerne mit Axialsymmetrie um die z-Achse.

Weil die Energie des Kerns nicht von seiner Orientierung im Raum abhängt, erhält man Drehimpulsquantenzahlen durch $\hat{J}^2$ und $\hat{J}_z$. Die zugehörigen Quantenzahlen werden per Konvention mit I und M bezeichnet, so daß die Eigenwerte durch $\hbar^2\, I(I+1)$ und $\hbar M$ gegeben sind. Wenn der Kern zusätzlich axialsymmetrisch um die z-Achse ist, erzeugt auch $\hat{J}_z'$ eine gute Quantenzahl, die man mit K bezeichnet (für den starren Rotator werden wir sehen, daß nur $K = 0$ erlaubt ist).

Vor der Diskussion der Spektren dieser Hamiltonoperatoren werden die Wellenfunktionen abgeleitet. Man könnte im Prinzip so vorgehen, daß man die expliziten Ausdrücke für die körperfesten Drehimpulsoperatoren durch die Eulerwinkel bestimmt und die daraus resultierenden sehr komplizierten Differentialgleichungen löst, aber es gibt einen viel simpleren Weg, der darauf basiert, daß die Wellenfunktionen von denselben Koordinaten abhängen, die auch die Symmetrietransformationen des Systems bestimmen. Um dies zu erläutern, betrachten wir zuerst den einfacheren Fall eines freien Teilchens.

In diesem Fall ist der einzige Freiheitsgrad die x-Koordinate und der Hamiltonoperator

$$\hat{H} = \frac{\hat{p}_x^2}{2m} \tag{6.154}$$

ist translationsinvariant, so daß er mit dem Impulsoperator kommutiert und die Eigenzustände von $\hat{H}$ auch Eigenzustände von $\hat{p}_x$ sind, mit Eigenwert k. Es sei die Eigenfunktion $\psi_k(x)$. Wenn man die Transformation mit dem Translationsoperator von Abschnitt 2.2 anwendet, um vom Punkt x_0 zu $x_0 + x$ zu gehen, so kann man schreiben

$$\psi_k'(x_0) = \psi(x_0 - x) = \exp(-\tfrac{\mathrm{i}}{\hbar} x\, \hat{p}_x)\psi(x_0) = \exp(-\mathrm{i}kx)\psi(x_0). \tag{6.155}$$

Das bedeutet aber, daß wenn $\psi(x_0)$ bekannt ist, damit auch die Wellenfunktion im gesamten Raum bestimmt ist. Mit $x_0 = 0$, der Substitution $x \to -x$ und der Notation $\psi(0) = \psi_0$ erhält man

$$\psi(x) = \psi_0 \exp(ikx), \tag{6.156}$$

also die bekannte ebene Welle, aber hier nur aus Symmetriebetrachtungen und dem allgemeinen Ausdruck für endliche Translationen gewonnen.

Wenden wir jetzt diese Methode auf Drehungen an. Wieder ist bekannt, wie die Transformation der Wellenfunktionen, diesmal unter Drehungen aussieht, und damit werden die Werte bei beliebigen Eulerwinkeln durch die bei einem ganz bestimmten bestimmt. Zunächst für den triaxialen Fall hat die Wellenfunktion die Quantenzahlen I und M. Wenn man sie mit $\phi_{IM}(\boldsymbol{\theta})$ bezeichnet, so sieht die Drehung, die durch einen anderen Satz von Eulerwinkeln $\boldsymbol{\theta}_1$ gegeben ist, so aus:

$$\phi'_{IM}(\boldsymbol{\theta}) = \sum_{M'} \mathcal{D}^{(I)}_{M'M}(\boldsymbol{\theta}_1)\phi_{IM'}(\boldsymbol{\theta}). \tag{6.157}$$

Per Definition ist aber

$$\phi'_{IM}(\boldsymbol{\theta}) = \phi_{IM}(\boldsymbol{\theta}'), \tag{6.158}$$

wobei $\boldsymbol{\theta}'$ die Orientierung ist, die durch die Drehung um $\boldsymbol{\theta}_1$ in $\boldsymbol{\theta}$ übergeführt wird (im Beispiel der Translation entspricht $x_0 \sim \boldsymbol{\theta}$, $x \sim \boldsymbol{\theta}_1$ und $x_0 - x \sim \boldsymbol{\theta}'$). Die Kombination beider Gleichungen liefert

$$\phi_{IM}(\boldsymbol{\theta}') = \sum_{M'} \mathcal{D}^{(I)}_{M'M}(\boldsymbol{\theta}_1)\phi_{IM'}(\boldsymbol{\theta}), \tag{6.159}$$

und wie im Fall der Translation braucht man die Wellenfunktion nur an einem spezifischen Satz von Argumenten, z. B. dem Punkt $\boldsymbol{\theta}' = \mathbf{o}$ (d. h. für verschwindende Eulerwinkel). Dann muß aber $\boldsymbol{\theta} = \boldsymbol{\theta}_1$ gelten, und die Relation (6.159) kann unter Verwendung der Unitarität der Drehmatrizen zu

$$\phi_{IM}(\boldsymbol{\theta}) = \sum_{M'} \mathcal{D}^{(I)*}_{MM'}(\boldsymbol{\theta})\phi_{IM'}(\mathbf{o}) \tag{6.160}$$

umgeschrieben werden. Folglich wird die Wellenfunktion vollständig durch die Werte $\phi_{IM'}(\mathbf{o})$ bestimmt, die natürlich auch normiert werden können.

6.4.2 Der symmetrische Rotator

Für einen axialsymmetrischen Kern kann die Wellenfunktion weiter vereinfacht werden. Ein solcher Kern verändert seine Orientierung nicht bei einer Drehung um θ_3, und wenn man die Zerlegung der Drehmatrizen aus Abschnitt 2.3.3 anschaut, bedeutet das, daß auch M' eine gute Quantenzahl ist, so daß die Summe in (6.160) herausfällt. In der Tat muß ja wegen der Definition von θ_3 als Drehwinkel um die körperfeste z-Achse $\hbar M'$ der Eigenwert von J'_z sein und mit K bezeichnet werden. Die Eigenfunktion für den symmetrischen Rotator ist also im wesentlichen

$$\phi_{IMK}(\boldsymbol{\theta}) = \mathcal{D}^{(I)*}_{MK}(\boldsymbol{\theta}). \tag{6.161}$$

Diese Wellenfunktion ist noch zu normieren, und wir werden auch sehen, daß die in Abschnitt 6.2.4 diskutierten Symmetrien ebenfalls Modifikationen erfordern.

Die Energie des axialsymmetrischen Rotators (6.153) kann jetzt durch die Quantenzahlen ausgedrückt weden:

$$E = \frac{\hbar^2(I(I+1) - K^2)}{2\Theta}, \tag{6.162}$$

wobei $\hat{J}_x'^2 + \hat{J}_y'^2 = \hat{J}^2 - \hat{J}_z'^2$ verwendet wurde.

Die Anwendung der nach Abschnitt 6.2.4 verlangten Symmetrien ist einfach, aber etwas zu modifizieren. In Abschnitt 6.2.4 konnten die körperfesten Achsen beliebig entlang den drei Hauptachsen gewählt werden, die durch die Kernform gegeben sind. Hier dagegen ist die z'-Achse dadurch festgelegt, daß sie die Symmetrieachse des Kerns ist; sie kann aber immer noch in zwei verschiedene Richtungen zeigen. Die x'- und y'-Achsen können beliebig rotiert werden, da die Axialsymmetrie jede Achse senkrecht zur z'-Achse zur Hauptachse macht. Diese zweite Vieldeutigkeit ist ähnlich zur Symmetrie $\hat{R}_2$, aber mit beliebigem Drehwinkel η:

$$\hat{R}_2'(\theta_1, \theta_2, \theta_3) = (\theta_1, \theta_2, \theta_3 + \eta). \tag{6.163}$$

Die halbexplizite Form der Drehmatrizen vom Ende von Abschnitt 2.3.3 reicht aus, zu zeigen, daß

$$\phi_{IMK}(\theta_1, \theta_2, \theta_3 + \eta) = e^{i\eta K}\phi(\theta_1, \theta_2, \theta_3), \tag{6.164}$$

so daß Invarianz nur für $K = 0$ erfüllt ist. Das ist eine formalere Ableitung der vorher erwähnten Unmöglichkeit von Drehungen um eine Symmetrieachse.

Die Symmetrie $\hat{R}_3$ fällt weg, weil sie die z'-Achse verändert, aber die andere anzuwendende Transformation ist die Inversion der z'-Achse entsprechend $\hat{R}_1$ aus Abschnitt 6.2.4. Sie wirkt auf die Eulerwinkel gemäß

$$\hat{R}_1(\theta_1, \theta_2, \theta_3) = (\theta_1 + \pi, \pi - \theta_2, -\theta_3). \tag{6.165}$$

Wegen $K = 0$ verändert der Vorzeichenwechsel von θ_3 die Wellenfunktion nicht, wogegen das Inkrement von θ_1 einen Phasenfaktor $\exp(\mathrm{i}M\pi)$ produziert. Die verbleibende Änderung durch θ_2 kann aus der Symmetriebeziehung

$$d^{(j)}_{mm'}(\theta_2) = (-1)^{j-m} d^{(j)}_{m-m'}(\pi - \theta_2) \tag{6.166}$$

abgeleitet werden. Zusammen ergibt das

$$\hat{R}_1\phi_{IMK}(\boldsymbol{\theta}) = (-1)^I \phi_{IMK}(\boldsymbol{\theta}), \tag{6.167}$$

so daß der Gesamtdrehimpuls gerade sein muß.

Fassen wir die Eigenzustände des symmetrischen Rotators zusammen. Sie sind

$$|IM\rangle, \quad I = 0, 2, 4, \ldots, \quad M = -I, \ldots, +I \tag{6.168}$$

und nur trivial durch die Projektion im Laborsystem M entartet. Die Eigenenergien sind

$$E_I = \frac{\hbar^2 I(I+1)}{2\Theta}. \tag{6.169}$$

Dieses Spektrum ist das einer typischen *Rotationsbande* und ist in Abb. 6.6 dargestellt. Während diese Art von Bande in sehr vielen Kernen zu beobachten ist, ist doch der hier betrachtete Fall einer einzigen solchen Bande unrealistisch, weil jeder andere Freiheitsgrad zu zusätzlichen, auf Anregungen dieses Freiheitsgrades beruhenden Banden führen wird. Ein solches Beispiel, die Ankopplung an Schwingungen in den Koordinaten β und γ, wird uns in Kürze beschäftigen.

Die Eigenzustände sind noch zu normieren. Das Normintegral für die Drehmatrizen ist

$$\int \mathrm{d}^3\theta \, \mathcal{D}^{(I_1)*}_{M_1 K_1}(\boldsymbol{\theta}_1) \mathcal{D}^{(I_2)}_{M_2 K_2}(\boldsymbol{\theta}_2) = \frac{8\pi^2}{2I_1+1} \delta_{I_1 I_2} \delta_{M_1 M_2} \delta_{K_1 K_2}, \tag{6.170}$$

so daß die normierte Wellenfunktion zu

$$\phi_{IMK}(\boldsymbol{\theta}) = \sqrt{\frac{2I+1}{8\pi^2}} \mathcal{D}^{(I)}_{MK}(\boldsymbol{\theta}) \tag{6.171}$$

wird.

Die Berechnung der Übergangswahrscheinlichkeiten wird im allgemeineren Rahmen des Rotations-Vibrations-Modells durchgeführt werden. Hier sei nur das Ergebnis

$$B(E2; I_i \to I_f) = \left(\frac{3ZR_0^2}{4\pi}\right)^2 \beta_0^2 \left(1 + \frac{2}{7}\sqrt{\frac{5}{\pi}}\beta_0\right)^2 \tag{6.172}$$

für die einzigen in diesem Modell vorkommenden elektrischen Übergänge angeführt.

Diese Ergebnis enthält die Deformation β_0 des Kerns und nicht sein Trägheitsmoment, da erstere im Quadrupoloperator steht.

Später (in Abschnitt 6.5.1) werden wir eine Beziehung zwischen dem Trägheitsmoment und der Deformation finden, die aber den (unbekannten) Massenparameter enthält, so daß man genausogut auch einen zweiten unabhängigen Parameter β_0 akzeptieren kann. Offensichtlich wird β_0 direkt durch eine beliebige Übergangswahrscheinlichkeit bestimmt, während ein Niveauabstand das Trägheitsmoment festlegt; das Modell wird also durch diese beiden Daten schon vollständig bestimmt.
In der Realität wird natürlich das Modell nur für die untersten Zustände einigermaßen gelten, während die Abweichungen bei höherem Drehimpuls darauf hinweisen, daß der Kern sich z. B. streckt und dabei sein Trägheitsmoment ändert.

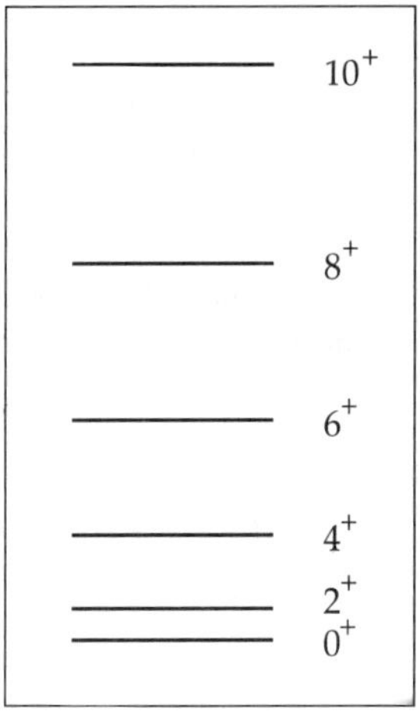

Abb. 6.8: Das Spektrum des starren symmetrischen Rotators mit der typischen $I(I+1)$-Abhängigkeit der Energien. Es kommen nur gerade Drehimpulse vor.

6.4.3 Der asymmetrische Rotator

Ein weitaus interessanteres Spektrum besitzt der asymmetrische Rotator, der zuerst von Davydov und Filippov [Da58] untersucht wurde. In diesem Modell wird ein Rotationshamiltonoperator wie in (6.152) angenommen, aber mit allen drei Trägheitsmomenten verschieden. Die im letzten Abschnitt konstruierten Eigenfunktionen für den Fall axialer Symmetrie besitzen die Quantenzahl K. Ohne diese Symmetrie muß eine allgemeinere Lösung gesucht von der Form (6.160) gesucht werden; es ist aber günstiger, gleich die richtig symmetrisierten Basisfunktionen zu verwenden. Dazu muß man wieder zuerst überlegen, welche der Symmetrien noch anzuwenden sind. Weil jetzt alle drei Achsen mit spezifischen verschiedenen Trägheitsmomenten behaftet sind, sind sie physikalisch unterscheidbar und nur die Symmetrien, die die einzelnen Achsen in sich invertieren, sollten noch betrachtet werden (eine Änderung der Achsenrichtungen kann in diesem Fall eben nicht mehr durch Anpassung der Deformationsparameter kompensiert werden). Von ihrer Definition ist klar, daß eine dieser Operationen $\hat{R}_2^2$ ist, das $(x', y', z') \to (-x', -y', z')$ entspricht und die Eulerwinkel gemäß $(\theta_1, \theta_2, \theta_3 + \pi)$ transformiert. Auf eine Drehmatrix angewandt liefert sie den Faktor $\exp(\mathrm{i}K\pi)$, so daß K gerade sein muß. Die andere Transformation ist wieder $\hat{R}_1$, die $\mathcal{D}_{MK}^{(I)*}(\boldsymbol{\theta})$ in $(-1)^I \mathcal{D}_{M-K}^{(I)*}(\boldsymbol{\theta})$ überführt. Da nun das Ergebnis der Operation eine andere Wellenfunktion ist, die sich nicht nur durch einen Faktor unterscheidet, führt dies nicht wie vorher einfach zu einer Beschränkung der erlaubten Quantenzahlen; statt dessen muß die Symmetrie durch explizite Symmetrisierung der Wellenfunktion erfüllt werden.

Die symmetrisierten Wellenfunktionen, die als Basisfunktionen verwendet werden können, sind also

$$\langle \boldsymbol{\theta} | IMK \rangle = \sqrt{\frac{(2I+1)}{(1+\delta_{K0})16\pi^2}} \left(\mathcal{D}^{(I)*}_{MK}(\boldsymbol{\theta}) + (-1)^I \mathcal{D}^{(I)*}_{M-K}(\boldsymbol{\theta}) \right) , \tag{6.173}$$

so daß positive und negative Werte von K nicht unabhängig sind. Der Faktor $1 + \delta_{K0}$ berücksichtigt den Unterschied in der Normalisierung zwischen $K = 0$ und den anderen Zuständen. Die Eigenfunktion des asymmetrischen Rotators kann nunmehr gemäß

$$|IMi\rangle = \sum_K a^{Ii}_K |IMK\rangle \tag{6.174}$$

entwickelt werden. Der Index i summiert dabei die verschiedenen Eigenzustände bei gleichem I mit Entwicklungskoeffizienten a^{Ii}_K. K läuft über alle nichtnegativen geraden Zahlen $0 \leq K \leq I$.

Man beachte, daß für ungerade I die Funktion mit $K = 0$ verschwindet, so daß $K = 0$ in diesem Fall nicht erlaubt ist. Außerdem sind für $I = 1$ beide Projektionen $K = 0$ und $K = 1$ verboten (die letztere weil ungerade), so daß das Modell keinen Zustand mit $I = 1$ enthält. Für $I = 0$ gibt es nur einen Zustand, der der Grundzustand sein muß. Der dritte Spezialfall ist $I = 3$, für den nur $K = 2$ erlaubt ist, so daß es auch für $I = 3$ nur einen einzigen Zustand geben kann.

Im allgemeinen Fall wird die Wellenfunktion in einen Satz von Basisfunktionen entwickelt und der Hamiltonoperator kann in einen diagonalen Anteil und einen Rest aufgespalten werden, indem man den Mittelwert der Rotationsenergie in x' und y' benutzt:

$$\begin{aligned} \hat{H} &= \frac{1}{4}\left(\frac{1}{\Theta_1} + \frac{1}{\Theta_2}\right)\left(\hat{J}_1'^2 + \hat{J}_2'^2\right) + \frac{\hat{J}_3'^2}{2\Theta_3} \\ &\quad + \frac{1}{4}\left(\frac{1}{\Theta_1} - \frac{1}{\Theta_2}\right)\left(\hat{J}_1'^2 - \hat{J}_2'^2\right) \\ &= \frac{1}{4}\left(\frac{1}{\Theta_1} + \frac{1}{\Theta_2}\right)\left(\hat{J}'^2 - \hat{J}_3'^2\right) + \frac{\hat{J}_3'^2}{2\Theta_3} \\ &\quad + \frac{1}{2}\left(\frac{1}{\Theta_1} - \frac{1}{\Theta_2}\right)\left(\hat{J}_+'^2 + \hat{J}_-'^2\right) \end{aligned} \tag{6.175}$$

Der Rest kann aber nicht explizit auf Diagonalform gebracht werden, so daß keine allgemein nützlichen Formeln abgeleitet werden können. Es gibt aber interessante Spezialfälle für $I = 2$ und $I = 3$. Im letzteren Fall gibt es wie erwähnt nur eine Wellenfunktion $|3M\rangle = |3MK = 2\rangle$, und der Eigenwert kann leicht berechnet werden. Das Resultat ist

$$E(3^+) = 2\hbar^2 \left(\frac{1}{\Theta_1} + \frac{1}{\Theta_2} + \frac{1}{\Theta_3} \right) . \tag{6.176}$$

Für die beiden Zustände mit $I = 2$ ist die Rechnung etwas komplizierter und einer Übungsaufgabe überlassen; es ergibt sich

$$\begin{aligned} E(2^+_{1,2}) &= \hbar^2 \left(\frac{1}{\Theta_1} + \frac{1}{\Theta_2} + \frac{1}{\Theta_3}\right) \\ &\mp \Big[\left(\frac{1}{\Theta_1} + \frac{1}{\Theta_2} + \frac{1}{\Theta_3}\right)^2 - \frac{3(\Theta_1 - \Theta_2)^2}{8\Theta_1^2\Theta_2^2} \\ &-3\left(\frac{1}{\Theta_1\Theta_2} + \frac{1}{\Theta_1\Theta_2} + \frac{1}{\Theta_2\Theta_3}\right)\Big]^{\frac{1}{2}}. \end{aligned} \tag{6.177}$$

Auf den ersten Blick erscheint dieses Ergebnis nicht sehr aufschlußreich, wenn man es aber mit der Energie des 3^+-Zustandes vergleicht, sieht man sofort die interessante Beziehung

$$E(2_1^+) + E(2_2^+) = E(3^+) \ . \tag{6.178}$$

Dies ist eine klare Vorhersage des Modells, die in experimentellen Daten leicht nachzuprüfen ist.

6.6 Aufgabe: Drehimpuls 2 im asymmetrischen Rotatormodell

Geben Sie die Zustände mit Drehimpuls 2 im asymmetrischen Rotatormodell an.

Lösung:

Für Drehimpuls 2 gibt es zwei Basiszustände, nämlich die mit $K = 0$ und $K = 2$, die wir mit $|20\rangle$ bzw. $|22\rangle$ bezeichnen. Der Diagonalteil des Hamiltonoperators (6.175) hat die Matrixelemente

$$\begin{aligned} \langle 20|\hat{H}|20\rangle &= \frac{3\hbar^2}{2}\left(\frac{1}{\Theta_1} + \frac{1}{\Theta_2}\right) \\ \langle 22|\hat{H}|22\rangle &= \frac{\hbar^2}{2}\left(\frac{1}{\Theta_1} + \frac{1}{\Theta_2}\right) + \frac{2\hbar^2}{\Theta_3}. \end{aligned} \tag{1}$$

Für die nichtdiagonalen Matrixelemente sieht man aus denen der Schiebeoperatoren nach Übung 6.5, daß

$$\hat{J}_-'^2|20\rangle = 2\hbar^2\sqrt{6}|22\rangle, \tag{2}$$

und damit

$$\langle 22|\hat{H}|20\rangle = \langle 20|\hat{H}|22\rangle = \hbar^2\sqrt{6}\left(\frac{1}{\Theta_1} - \frac{1}{\Theta_2}\right). \tag{3}$$

Damit ist die 2×2-Matrix vollständig bestimmt und ihre Eigenwerte λ können als Lösungen der Säkulargleichung

$$\det \begin{pmatrix} \frac{3\hbar^2}{2}\left(\frac{1}{\Theta_1} + \frac{1}{\Theta_2}\right) - \lambda & \hbar^2\sqrt{6}\left(\frac{1}{\Theta_1} - \frac{1}{\Theta_2}\right) \\ \hbar^2\sqrt{6}\left(\frac{1}{\Theta_1} - \frac{1}{\Theta_2}\right) & \frac{\hbar^2}{2}\left(\frac{1}{\Theta_1} + \frac{1}{\Theta_2}\right) + \frac{2\hbar^2}{\Theta_3} - \lambda \end{pmatrix} = 0 \tag{4}$$

erhalten werden. Eine längliche aber triviale Rechnung führt auf die Ergebnisse (6.177).

6.5 Das Rotations-Vibrations-Modell

6.5.1 Klassische Energie

Der wichtigste Spezialfall kollektiver Oberflächenbewegungen ist der wohldeformierter Kerne, deren Energie ein tiefes Minimum bei axialer Deformation besitzt, wie beim starren Rotator aus Abschnitt 6.4, aber mit der zusätzlichen Möglichkeit kleiner Schwingungen in den β- und γ-Freiheitsgraden. Da harmonische Schwingungen leichter in kartesischen Koordinaten zu beschreiben sind, wird das Potential als Funktion von (a_0, a_2) statt von (β, γ) angesetzt. Wenn das Minimum bei $a_0 = \beta_0$ und $a_2 = 0$ angenommen wird, kann man Abweichungen von der Gleichgewichtsdeformation gemäß

$$\xi = a_0 - \beta_0, \qquad \eta = a_2 = a_{-2} \tag{6.179}$$

einführen und das Potential nach

$$V(\xi, \eta) = \tfrac{1}{2} C_0 \xi^2 + C_2 \eta^2 \tag{6.180}$$

entwickeln. Man beachte den Zusatzfaktor 2 im η-abhängigen Teil, der berücksichtigt, daß η in Wirklichkeit für die beiden Koordinaten a_2 und a_{-2} steht. Zusätzlich wurde angenommen, daß das Potential im Minimum verschwindet, daß absolute Energiewerte für das Modell bedeutungslos sind.

Die Konstruktion der kinetischen Energie ist wesentlich komplizierter. Der harmonische Ansatz aus dem Vibratormodell

$$T = \tfrac{1}{2} B_2 \sum_\mu |\dot{\alpha}_{2\mu}|^2 \tag{6.181}$$

muß in den neuen Koordinatensatz (ξ, η) und die Orientierungswinkel transformiert und dann quantisiert werden. Wie im Fall des starren Rotators in Abschnitt 6.4.1 sollte die kinetische Energie die Drehimpulsoperatoren im körperfesten System enthalten, weil nur so die Trägheitsmomente während der Bewegung konstant bleiben. Das bedeutet, daß auch für die klassische kinetische Energie die Winkelgeschwindigkeiten ω'_i, $i = 1, 2, 3$ um die körperfesten Achsen verwendet werden sollten.

Weil die kinetische Energie nicht von der Orientierung des Kerns, sondern nur von deren zeitlicher Änderung abhängen kann, können wir sie der Einfachheit halber in einer speziellen Orientierung auswerten, wozu sich die mit gleicher Richtung der raumfesten und der körperfesten Achsen anbietet. In diesem Fall gilt einfach

$$\alpha_0 = \beta_0 + \xi, \quad \alpha_1 = \alpha_{-1} = 0, \quad \alpha_2 = \alpha_{-2} = \eta\ . \tag{6.182}$$

und die gewünschte Koordinatentransformation ist durch die Kettenregel gegeben:

$$\dot{\alpha}_{2\mu} = \sum_k \frac{\partial \alpha_{2\mu}}{\partial \theta'_k} \omega'_k + \frac{\partial \alpha_{2\mu}}{\partial \xi} \dot{\xi} + \frac{\partial \alpha_{2\mu}}{\partial \eta} \dot{\eta}. \tag{6.183}$$

Die einzige nichttriviale Ableitung ist die nach den Drehwinkeln θ'_k um die körperfesten Achsen. Die Ergebnisse von Übung 6.7, in ξ und η umgeschrieben, sind

$$\begin{aligned} \dot{\alpha}_{20} &= \dot{\xi} \\ \dot{\alpha}_{2\pm1} &= -\tfrac{\mathrm{i}}{2}\left(\sqrt{6}(\beta_0+\xi)+2\eta\right)\omega'_1 \pm \tfrac{1}{2}\left(\sqrt{6}(\beta_0+\xi)-2\eta\right)\omega'_2 \\ \dot{\alpha}_{2\pm2} &= \dot{\eta} \mp 2\mathrm{i}\eta\omega'_3 . \end{aligned} \tag{6.184}$$

Einsetzen in (6.181) liefert einen entkoppelten Ausdruck in dem Sinne, daß es keine Mischterme in den Geschwindigkeiten gibt:

$$\begin{aligned} T &= \tfrac{1}{2}B(\dot{\xi}^2+2\dot{\eta}^2)+4B\eta^2\omega_3'^2 \\ &\quad +\frac{B}{4}\left(\sqrt{6}(\beta_0+\xi)+2\eta\right)^2\omega_1'^2 \\ &\quad +\frac{B}{4}\left(\sqrt{6}(\beta_0+\xi)-2\eta\right)^2\omega_2'^2 . \end{aligned} \tag{6.185}$$

Kürzer kann man hierfür

$$T = \tfrac{1}{2}B(\dot{\xi}^2+2\dot{\eta}^2)+\tfrac{1}{2}\sum_{k=1}^{3}\mathcal{J}_k\omega_k'^2 \tag{6.186}$$

schreiben, wobei die Trägheitsmomente durch die folgenden Ausdrücke gegeben sind:

$$\begin{aligned} \mathcal{J}_1 &= \frac{B}{2}\left(\sqrt{6}(\beta_0+\xi)+2\eta\right)^2 = 4B\beta^2\sin^2(\gamma-\tfrac{2}{3}\pi) \\ \mathcal{J}_2 &= \frac{B}{2}\left(\sqrt{6}(\beta_0+\xi)-2\eta\right)^2 = 4B\beta^2\sin^2(\gamma-\tfrac{4}{3}\pi) \\ \mathcal{J}_3 &= 8B\eta^2 = 4B\beta^2\sin^2\gamma\ . \end{aligned} \tag{6.187}$$

Hier wurde gleichzeitig auch die Schreibweise in (β,γ) angegeben, die einfach als

$$\mathcal{J}_k = 4B\beta^2\sin^2(\gamma-\tfrac{2}{3}\pi k) \tag{6.188}$$

zusammengefaßt werden kann. Man beachte, daß hierin $\beta=\beta_0+\xi$ steht.

Die kinetische Energie spaltet also in einen Vibrationsanteil

$$T_{\mathrm{vib}} = \tfrac{1}{2}B(\dot{\xi}^2+2\dot{\eta}^2) \tag{6.189}$$

und einen für die Rotation auf:

$$T_{\mathrm{rot}} = \frac{B}{4}\left(\sqrt{6}(\beta_0+\xi)+2\eta\right)^2\omega_1'^2+\frac{B}{4}\left(\sqrt{6}(\beta_0+\xi)-2\eta\right)^2\omega_2'^2+4B\eta^2\omega_3'^2\ . \tag{6.190}$$

Beide sind dadurch gekoppelt, daß die Trägheitsmomente von den Deformationsparametern abhängen, während andererseits die kinetische Energie der Vibration konstante Massenparameter B für beide Freiheitsgrade enthält. Man beachte noch den auch hier wieder auftretenden Faktor 2 im Beitrag für η.

Ab hier wird alles wesentlich einfacher, wenn man nur die niedrigste Ordnung in ξ und η betrachtet. Das einzige Trägheitsmoment, für das die Abhängigkeit von ξ und η keine kleine Korrektur darstellt, ist $\mathcal{J}_3$, das für $\eta = 0$ verschwindet. Dies gibt die Tatsache wieder, daß für $\eta = 0$ der Kern axialsymmetrisch um die z'-Achse ist und deswegen, wie in Abschnitt 4.2.1 erwähnt, keine Drehungen um diese Achse ausführen kann. Die Abhängigkeit von η macht solche Drehungen aber dynamisch möglich, so daß diese eng mit den durch η beschriebenen Abweichungen von der Axialsymmetrie verknüpft sind.

In den anderen Trägheitsmomenten ist auch die dynamische Änderung bei Änderungen der Deformation enthalten und ergibt eine zusätzliche Kopplung zwischen Drehungen und Schwingungen. Wir werden diese Kopplungen nicht im Detail betrachten, so daß im weiteren die Trägheitsmomente durch die niedrigsten Näherungen

$$\mathcal{J} \equiv \mathcal{J}_1 = \mathcal{J}_2 = 3B\beta_0^2 \equiv \mathcal{J}, \qquad \mathcal{J}_3 = 8B\eta^2, \tag{6.191}$$

gegeben sind und die kinetische Energie damit die Form

$$T = \tfrac{1}{2}B(\dot{\xi}^2 + 2\dot{\eta}^2) + \tfrac{1}{2}\mathcal{J}(\omega_1'^2 + \omega_2'^2) + 4B\eta^2\omega_3'^2 \tag{6.192}$$

annimmt.

Die kinetische Energie eines klassischen starren Rotators hat eine ganz andere Abhängigkeit von der Deformation. Ohne sie auch nur auszurechnen, kann man schon sagen, daß z. B. $\mathcal{J}_3$ stärker von a_0 als von a_2 abhängen muß, weil eine Verringerung von a_0 den mittleren Abstand der Materie von der z'-Achse überall vergrößert, während eine Veränderung von a_2 nur Materie zwischen der x'- und y'-Achse umverteilt und $\mathcal{J}_3$ sehr viel weniger ändern sollte. In den obigen Ergebnissen hängt aber das Trägheitsmoment gar nicht von a_0 ab, solange $a_2 = 0$ gilt, weil der Kern ja unabhängig von der Streckung in Richtung der z'-Achse axialsymmetrisch bleibt und damit auch $\mathcal{J}_3 = 0$ gilt.

Man sollte nicht vergessen, daß dieses Resultat auf der simplen harmonischen kinetischen Energie im Laborsystem beruht und damit vielleicht nur begrenzt anwendbar ist. Obwohl daraus die korrekte Unterdrückung der Drehungen um die Symmetrieachsen resultiert, hat sie den Nachteil, die Drehungen und Schwingungen in gleicher Weise zu behandeln, so daß insbesondere die Vibrationsmassen und die Trägheitsmomente denselben Parameter B enthalten. Das würde nahelegen, daß eine Messung der Trägheitsmomente auch die Vibrationsmassen festlegt. Mikroskopisch ist das keineswegs gerechtfertigt, wie in Abschnitt 9.3 zu sehen sein wird; in praktischen Anwendungen kann diese Problematik aber dahinter verborgen sein, daß die Vibrationsmassen nur zusammen mit den Potentialparametern angepaßt werden. Jedenfalls ist das Modell in der Formulierung von (6.192) äußerst erfolgreich.

6.7 Aufgabe: Die Zeitableitungen der $\alpha_{2\mu}$

Bestimmen Sie die Zeitableitungen der $\alpha_{2\mu}$ mit Hilfe von (6.183).

Lösung:

In dieser Übung können die Rechnungen noch ohne Beschränkung auf kleine Abweichungen von der Grundzustandsdeformation durchgeführt werden, so daß beliebige a_0 und a_2 angenommen werden. Aus der Exponentialdarstellung der kleinen Drehungen folgt

$$\begin{aligned} \frac{\partial \alpha_{2\mu}}{\partial \theta'_k} &= \frac{\partial}{\partial \theta'_k} \exp[-\tfrac{\mathrm{i}\theta'_k}{\hbar}\hat{J}'_k]\alpha_{2\mu} \\ &= -\tfrac{\mathrm{i}}{\hbar}\hat{J}'_k \alpha_{2\mu} \\ &= -\tfrac{\mathrm{i}}{\hbar}\sum_\nu \langle 2\mu|\hat{J}'_k|2\nu\rangle \alpha_{2\nu}, \end{aligned} \qquad \underline{1}$$

worin die Matrixelemente von $\hat{J}'_k$ einzufügen sind. Nach Übung 6.5 sind sie

$$\begin{aligned} \langle j,m'|\hat{J}'_x|jm\rangle &= \tfrac{\hbar}{2}\Big(\sqrt{(j+m+1)(j-m)}\delta_{m',m+1} \\ &\qquad +\sqrt{(j-m+1)(j+m)}\delta_{m',m-1}\Big) \\ \langle j,m'|\hat{J}'_y|jm\rangle &= -\tfrac{i\hbar}{2}\Big(\sqrt{(j-m+1)(j+m)}\delta_{m',m-1} \\ &\qquad -\sqrt{(j+m+1)(j-m)}\delta_{m',m+1}\Big) \\ \langle jm'|\hat{J}'_z|jm\rangle &= \hbar m \delta_{m'm}. \end{aligned} \qquad \underline{2}$$

Für die z'-Komponente $\langle 2\mu|\hat{J}'_3|2\nu\rangle = \hbar\mu\delta_{\mu\nu}$ und unter Verwendung der oben angegebenen Ausdrücke für die $\alpha_{2\mu}$ ergeben sich als einzige nichtverschwindende Terme

$$\frac{\partial \alpha_{2\pm 2}}{\partial \theta'_z} = \mp 2\mathrm{i}a_2. \qquad \underline{3}$$

Für die x'- und y'-Komponente erkennt man sofort, daß ihre Beiträge zu den Ableitungen von α_{20} und $\alpha_{2\pm 2}$ in (6.183) verschwinden, weil die Operatoren diese Komponenten nur mit $\alpha_{2\pm 1}$ koppelt, was verschwindet. Für die restlichen Komponenten ist die Rechnung jetzt trivial:

$$\begin{aligned} \frac{\partial \alpha_{2\pm 1}}{\partial \theta'_x} &= -\tfrac{\mathrm{i}}{2}\left(\sqrt{6}a_0 + 2a_2\right) \\ \frac{\partial \alpha_{2\pm 1}}{\partial \theta'_y} &= \pm\tfrac{1}{2}\left(\sqrt{6}a_0 - 2a_2\right). \end{aligned} \qquad \underline{4}$$

Damit sind alle Ingredienzien versammelt und das Endresultat kann hingeschrieben werden:

$$\begin{aligned} \dot{\alpha}_{20} &= \dot{a}_0 \\ \dot{\alpha}_{2\pm 1} &= -\tfrac{\mathrm{i}}{2}\left(\sqrt{6}a_0 + 2a_2\right)\omega'_1 \pm \tfrac{1}{2}\left(\sqrt{6}a_0 - 2a_2\right)\omega'_2 \\ \dot{\alpha}_{2\pm 2} &= \dot{a}_2 \mp 2\mathrm{i}a_2\omega'_3. \end{aligned} \qquad \underline{5}$$

6.5.2 Der quantisierte Hamiltonoperator

Als nächster Schritt folgt die Quantisierung. Zunächst könnte man daran denken, einfach die Prozedur von Abschnitt 6.3.2 zu wiederholen: die Lagrangefunktion $L = T - V$ aufschreiben, die kanonisch konjugierten Impulse und die Hamiltonfunktion zu bestimmen und schließlich die kanonischen Vertauschungsregeln zwischen den Koordinaten und den Impulsen zu postulieren. Im jetzigen Fall ist das aber nicht so einfach, weil die Koordinaten ξ, η und $\boldsymbol{\theta}'$ ein *krummliniges Koordinatensystem* bilden. Um die Konsequenzen dieser Tatsache zu beurteilen, betrachten wir das einfache Beispiel von ebenen Polarkoordinaten.

In der klassischen Mechanikik wird die Lagrangefunktion in kartesischen Koordinaten

$$L = \tfrac{m}{2}(\dot{x}^2 + \dot{y}^2) - V(x, y) \tag{6.193}$$

in Polarkoordinaten (r, ϕ) transformiert zu

$$L = \tfrac{m}{2}(\dot{r}^2 + r^2\dot{\phi}^2) - V(r, \phi). \tag{6.194}$$

Die konjugierten Impulse sind

$$p_r = \frac{\partial L}{\partial \dot{r}} = m\dot{r}, \qquad p_\phi = \frac{\partial L}{\partial \dot{\phi}} = mr^2\dot{\phi} \tag{6.195}$$

und die klassische Hamiltonfunktion damit

$$H = \tfrac{1}{2m}(p_r^2 + p_\phi^2/r^2) + V(r, \phi). \tag{6.196}$$

Wenn man nun zu Operatoren übergeht und

$$[r, \hat{p}_r] = \mathrm{i}\hbar, \qquad [\phi, \hat{p}_\phi] = \mathrm{i}\hbar \tag{6.197}$$

fordert, erhält man

$$\hat{p}_r = -\mathrm{i}\hbar\frac{\partial}{\partial r}, \qquad \hat{p}_\phi = -\mathrm{i}\hbar\frac{\partial}{\partial \phi}, \tag{6.198}$$

und Einsetzen in (6.196) ergibt den Hamiltonoperator

$$\hat{H}_{\text{wrong}} = -\frac{\hbar^2}{2m}\left(\frac{\partial^2}{\partial r^2} + \frac{\partial^2}{\partial \phi^2}\right) + V(r, \phi), \tag{6.199}$$

der nicht identisch ist mit dem Operator, der aus dem in kartesischen Koordinaten quantisierten durch Transformation auf Polarkoordinaten entsteht:

$$\begin{aligned} \hat{H} &= -\frac{\hbar^2}{2m}\left(\frac{\partial^2}{\partial x^2} + \frac{\partial^2}{\partial y^2}\right) + V(x, y) \\ &= -\frac{\hbar^2}{2m}\left(\frac{1}{r}\frac{\partial}{\partial r}r\frac{\partial}{\partial r} + \frac{1}{r^2}\frac{\partial}{\partial \phi^2}\right) + V(r, \phi). \end{aligned} \tag{6.200}$$

Woher diese Diskrepanz? Im klassischen Ausdruck kann der erste Teil der kinetischen Energie z. B. in der Form p_r^2 oder auch als $\frac{1}{r}p_r r p_r$ geschrieben werden, was klassisch keinen Unterschied bedeutet, aber zwei verschiedene quantisierte Hamiltonoperatoren ergibt, da dann p_r nicht mehr mit r vertauscht. Solche Mehrdeutigkeiten können immer dann auftreten, wenn die kinetische Energie koordinatenabhängige Faktoren enthält, und das ist typisch für krummlinige Koordinatensysteme. An diesem einfachen Beispiel ist zu erkennen, daß die korrekte Version nur durch Quantisierung in einem kartesischen Koordinatensystem erhalten wird. In diesem Zusammenhang ist ein „kartesisches" Koordinatensystem eines, in dem die kinetische Energie eine diagonale, quadratische Form in den Geschwindigkeiten ist ohne koordinatenabhängige Koeffizienten.

Für den allgemeinen Fall, wenn das zugehörige kartesische Koordinatensystem nicht bekannt ist, wurde eine Prozedur von Podolsky [Po28] angegeben. Sie besteht darin, den Formalismus der krummlinigen Koordinatensysteme anzuwenden. In unserem Fall ist der Hamiltonoperator im Laborsystem kartesisch und wurde schon in Abschnitt 6.3.2 quantisiert, so daß wir einfach den Operator der kinetischen Energie

$$\hat{T} = \frac{1}{2B} \sum_{\mu=-2} 2(-1)^\mu \hat{\pi}_{2\mu} \hat{\pi}_{2-\mu} = -\frac{\hbar^2}{2B} \sum_{\mu=-2}^{2} \frac{\partial}{\partial \alpha_{2\mu}} \frac{\partial}{\partial \alpha_{2-\mu}} \tag{6.201}$$

in die neuen Koordinaten $(\xi, \eta, \boldsymbol{\theta}')$ transformieren können.

In diesem Buch wird nur der einfache Fall der kinetischen Energie in niedrigster Ordnung behandelt, d. h. $\xi, \eta \ll \beta_0$ wird angenommen. Die Transformation kann am einfachsten mit Methoden der Differentialgeometrie durchgeführt werden. In krummlinigen Koordinaten x_i ist das Linienelement im allgemeinen durch

$$\mathrm{d}s^2 = \sum_{ij} g_{ij} \mathrm{d}x_i \mathrm{d}x_j \tag{6.202}$$

gegeben, wobei g_{ij} der metrische Tensor ist. Der Laplaceoperator wird in diesen Koordinaten dann zu

$$\Delta = \frac{1}{\sqrt{g}} \sum_{ij} \frac{\partial}{\partial x_i} \left(\sqrt{g} g_i^{-1} j \frac{\partial}{\partial x_j} \right) \tag{6.203}$$

mit g der Determinante des metrischen Tensors und g^{-1} seinem Inversen. Damit wird der Operator der kinetischen Energie zu

$$\hat{T} = -\frac{\hbar^2}{2B} \Delta . \tag{6.204}$$

Das „Linienelement" muß als der Ausdruck angesehen werden, der in der klassischen kinetischen Energie auftritt:

$$T = \tfrac{1}{2} B \frac{\mathrm{d}^2 s}{\mathrm{d}t^2} = \tfrac{1}{2} B \sum_{\mu=-2}^{2} \frac{|\mathrm{d}\alpha_{2\mu}|^2}{\mathrm{d}t^2} , \tag{6.205}$$

woraus man ersieht, daß

$$\mathrm{d}s^2 = \sum_{\mu=-2}^{2} |\mathrm{d}\alpha_{2\mu}|^2 \mathrm{d}\xi^2 + 2\mathrm{d}\eta^2 + \sum_k \frac{\mathcal{J}_k \mathrm{d}\theta_k'^2}{B}. \tag{6.206}$$

Damit ist der metrische Tensor diagonal

$$g_{\xi\xi} = 1, \quad g_{\eta\eta} = 2, \quad g_{\theta_k'\theta_k'} = \mathcal{J}_k/B, \qquad k = 1,2,3, \tag{6.207}$$

und der inverse kann trivial angegeben werden zu

$$g_{\xi\xi}^{-1} = 1, \quad g_{\eta\eta}^{-1} = \tfrac{1}{2}, \quad g_{\theta_k'\theta_k'}^{-1} = B/\mathcal{J}_k. \tag{6.208}$$

Seine Determinante ist

$$g = 2B^{-3}\mathcal{J}^2\mathcal{J}_3. \tag{6.209}$$

Das Einsetzen dieser Ausdrücke in den Laplaceoperator geht recht einfach, da sie nur von η abhängen. In allen Termen fällt der $\sqrt{g}$-Term weg, außer in Kombination mit der Ableitung nach η, wodurch eine erste Ableitung nach η auftaucht:

$$\begin{aligned} \hat{T} &= \frac{-\hbar^2}{2B}\left(\frac{\partial^2}{\partial\xi^2} + \frac{1}{2}\frac{\partial^2}{\partial\eta^2} + \frac{1}{2\sqrt{g}}\frac{\partial\sqrt{g}}{\partial\eta}\frac{\partial}{\partial\eta} + \sum_k \frac{B}{\mathcal{J}_k}\frac{\partial^2}{\partial\theta_k'^2}\right) \\ &= \frac{-\hbar^2}{2B}\left(\frac{\partial^2}{\partial\xi^2} + \frac{1}{2}\frac{\partial^2}{\partial\eta^2} + \frac{1}{2\eta}\frac{\partial}{\partial\eta}\right) + \frac{\hat{J}_1'^2 + \hat{J}_2'^2}{2\mathcal{J}} + \frac{\hat{J}_3'^2}{16B\eta^2}. \end{aligned} \tag{6.210}$$

Ein weiterer wichtiger Punkt betrifft die Bestimmung des *Volumenelementes.* Nach der Differentialgeometrie ist das Volumenelement das Produkt der Differentiale aller Koordinaten multipliziert mit $\sqrt{|g|}$. In unserem Fall führt das auf

$$\mathrm{d}V = 4|\eta|B^{-1}\mathcal{J}\mathrm{d}\xi\mathrm{d}|\eta|\mathrm{d}\theta_1'\mathrm{d}\theta_2'\mathrm{d}\theta_3'. \tag{6.211}$$

Man beachte, daß hier der Absolutbetrag von η erscheint, weil das Volumenelement positiv sein muß. Ein konstanter Faktor in $\mathrm{d}V$ spielt keine Rolle, weil er durch die Normierung der Wellenfunktionen verdeckt wird. Für praktische Rechnungen werden außerdem die Drehwinkel um die körperfesten Achsen θ_k' durch die Eulerwinkel ersetzt werden, da wir ja gesehen hatten, daß diese für globale Überlegungen passender sind; aus der Behandlung des starren Rotators in Abschnitt 6.4 kann man erwarten, daß der winkelabhängige Teil der Wellenfunktionen Rotationsmatrizen mit den Eulerwinkeln als Argumenten enthalten wird. Schreiben wir also den Winkelanteil des Volumenelementes abgekürzt als $\mathrm{d}^3\theta$, so daß insgesamt

$$\mathrm{d}V = \mathrm{d}\xi|\eta|\mathrm{d}\eta\mathrm{d}^3\theta \tag{6.212}$$

wird. Dies bedeutet, daß die Lösungen der *kollektiven Schrödingergleichung*, die die allgemeine Form

$$\hat{H}_1(\xi, \eta, \boldsymbol{\theta})\psi(\xi, \eta, \boldsymbol{\theta}) = E\psi(\xi, \eta, \boldsymbol{\theta}) \tag{6.213}$$

mit

$$\begin{aligned} \hat{H}_1(\xi, \eta, \boldsymbol{\theta}) &= \frac{-\hbar^2}{2B}\left(\frac{\partial^2}{\partial \xi^2} + \frac{1}{2}\frac{\partial^2}{\partial \eta^2} + \frac{1}{2\eta}\frac{\partial}{\partial \eta}\right) \\ &\quad + \frac{\hat{J}_1'^2 + \hat{J}_2'^2}{2\mathcal{J}} + \frac{\hat{J}_3'^2}{16B\eta^2} + \tfrac{1}{2}C_0\xi^2 + C_2\eta^2 \end{aligned} \tag{6.214}$$

annimmt, gemäß

$$\int \mathrm{d}\xi |\eta| \mathrm{d}\eta \mathrm{d}^3\theta \psi^*(\xi, \eta, \boldsymbol{\theta})\psi(\xi, \eta, \boldsymbol{\theta}) = 1 \tag{6.215}$$

normiert werden müssen. Alle Matrixelemente müssen ähnlich integriert werden.

Der Index 1 am Hamiltonoperator soll andeuten, daß es sich um eine vorläufige Form handelt. Es gibt nämlich einen Trick, um das Volumenelement und die Schrödingergleichung zu vereinfachen. Man definiere eine neue Wellenfunktion ϕ über

$$\phi(\xi, \eta, \boldsymbol{\theta}) = \sqrt{|\eta|}\psi(\xi, \eta, \boldsymbol{\theta}). \tag{6.216}$$

Die Matrixelemente vereinfachen sich dann zu

$$\int \mathrm{d}\xi \mathrm{d}\eta \mathrm{d}^3\theta \phi^*(\xi, \eta, \boldsymbol{\theta})\phi(\xi, \eta, \boldsymbol{\theta}) = 1. \tag{6.217}$$

In der Schrödingergleichung führt der Zusatzfaktor zu Änderungen nur in den η-Ableitungen. Im einzelnen ist

$$\begin{aligned} \left(\frac{\partial^2}{\partial \eta^2} + \frac{1}{\eta}\frac{\partial}{\partial \eta}\right)\psi &= \left(\frac{\partial^2}{\partial \eta^2} + \frac{1}{\eta}\frac{\partial}{\partial \eta}\right)\frac{\psi}{\sqrt{|\eta|}} \\ &= \frac{1}{\sqrt{|\eta|}}\left(\frac{\partial^2}{\partial \eta^2} + \frac{1}{4\eta^2}\right)\phi, \end{aligned} \tag{6.218}$$

wobei sich die Absolutwerte wegkombinieren. Folglich erfüllt ϕ eine neue Schrödingergleichung mit nur einer einfachen zweiten Ableitung nach η, dafür aber einem Zusatzpotential, das wegen seiner Abhängigkeit von η^{-2} mit dem $\hat{J}_3^2$-Term kombiniert werden kann:

$$\hat{H}(\xi, \eta, \boldsymbol{\theta})\phi(\xi, \eta, \boldsymbol{\theta}) = E\phi(\xi, \eta, \boldsymbol{\theta}), \tag{6.219}$$

mit

$$\hat{H}(\xi,\eta,\boldsymbol{\theta}) = \frac{-\hbar^2}{2B}\left(\frac{\partial^2}{\partial\xi^2}+\frac{1}{2}\frac{\partial^2}{\partial\eta^2}\right) + \frac{\hat{J}_1'^2+\hat{J}_2'^2}{2\mathcal{J}} + \frac{\hat{J}_3'^2-\hbar^2}{16B\eta^2} + \tfrac{1}{2}C_0\xi^2 + C_2\eta^2. \tag{6.220}$$

Diese Form des Hamiltonoperators des Rotations-Vibrations-Modells wird der Ausgangspunkt für das detaillierte Studium des Modells im nächsten Abschnitt. Aus den vorhergehenden Erörterungen sollte der Leser vor allem beachten, daß Quantisierung in krummlinigen Koordinaten mit Mehrdeutigkeiten behaftet ist und daß insbesondere das Volumenelement durch Änderung der kinetischen Energie und Inkaufnahme eines Zusatzpotentials in seiner Form geändert werden kann. Auf jeden Fall ist darauf zu achten, daß Hamiltonoperator, Wellenfunktionen und Volumenelement konsistent zueinander definiert sind.

Bevor die Schrödingergleichung (6.219) und (6.220) gelöst wird, sollen kurz die allgemeineren Formeln angegeben werden, die für den Fall gelten, daß die Deformationsabhängigkeit der Trägheitsmomente nicht vernachlässigt wird. Die Ableitung verläuft ganz analog zu der hier gegebenen, ist aber natürlich im Detail sehr viel komplizierter. Im Hamiltonoperator tritt ein Zusatzterm auf, die *Rotations-Vibrations-Wechselwirkung*

$$\hat{H}_{\text{vib-rot}} = \frac{\hat{J}'^2-\hat{J}_3'^2}{2\mathcal{J}}\left[\frac{2\eta^2}{\beta_0^2}-\frac{2\xi}{\beta_0}+\frac{3\xi^2}{\beta_0^2}\right] + \frac{\hat{J}_+'^2+\hat{J}_-'^2}{4\mathcal{J}}\left[2\sqrt{6}\frac{\xi\eta}{\beta_0^2}-\frac{2\sqrt{6}}{3}\frac{\eta}{\beta_0}\right]. \tag{6.221}$$

Alle diese Terme enstehen durch die Entwicklung der Deformationsabhängigkeit der Kehrwerte der Trägheitsmomente. Diese Version des Hamiltonoperators wurde zuerst von Faessler und Greiner [Fa62a, Fa62b, Fa64a, Fa64b, Fa65a, Fa65b, Fa65c] vorgeschlagen, die erkannten, daß nur durch die oben angegebene Elimination des Volumenelements eine einfache, analytische Lösung möglich wurde.

Schließlich sei noch die Form des Hamiltonoperators in den Koordinaten β und γ angegeben, wie er zuerst von Bohr [Bo52] aufgestellt wurde:

$$\hat{H} = -\frac{\hbar^2}{2B}\left[\frac{1}{\beta^4}\frac{\partial}{\partial\beta}\beta^4\frac{\partial}{\partial\beta}+\frac{1}{\beta^2}\frac{1}{\sin 3\gamma}\frac{\partial}{\partial\gamma}\sin 3\gamma\frac{\partial}{\partial\gamma}\right] + \sum_{k=1}^{3}\frac{\hat{J}_k'^2}{2\mathcal{J}_k} + V(\beta,\gamma). \tag{6.222}$$

Hierin sind die Trägheitsmomente noch in allgemeiner Form zu schreiben. Diese Form des Hamiltonoperators kann einfach durch Quantisierung in diesem Satz von Variablen erhalten werden. Das zugehörige Volumenelement ist

$$\mathrm{d}V = \beta^4|\sin 3\gamma|\mathrm{d}\beta\,\mathrm{d}\gamma\,\mathrm{d}^3\theta. \tag{6.223}$$

6.5.3 Spektrum und Eigenfunktionen

Nunmehr können die Eigenfunktionen des Rotations–Vibrations–Modells konstruiert werden. Analytisch ist das nur möglich, wenn die Rotations–Vibrations–Wechselwirkung vernachlässigt wird, was dem Hamiltonoperator von (6.220) entspricht. Die Lösung basiert auf der vertrauten Methode der Separation der Variablen: der Term mit η^{-2} ähnelt einem Zentrifugalpotential und kann auf ähnliche Weise wie in bekannten Problemen behandelt werden. Der Anteil der Rotationsenergie im Hamiltonoperator wird auf die Eigenfunktionen des starren Rotators führen, während die ξ- und η-abhängigen Teile offensichtlich abserpariert werden können, was folgenden Ansatz ergibt:

$$\psi(\xi,\eta,\boldsymbol{\theta}) = \mathcal{D}^{(I)*}_{MK}(\boldsymbol{\theta})g(\xi)\chi(\eta). \tag{6.224}$$

Zusätzliche Quantenzahlen werden je nach Bedarf hinzugefügt. Einsetzen in die Schrödingergleichung führt zu

$$\begin{aligned}\Bigg[\frac{\hbar^2}{2\mathcal{J}}(I(I+1)-K^2)+\frac{\hbar^2}{16B}\frac{K^2-1}{\eta^2}-\frac{\hbar^2}{2B}\left(\frac{\partial^2}{\partial\xi^2}+\tfrac{1}{2}\frac{\partial}{\partial\eta^2}\right)\\ +\tfrac{1}{2}C_0\xi^2+C_2\eta^2\Bigg]g(\xi)\chi(\eta)=Eg(\xi)\chi(\eta).\end{aligned} \tag{6.225}$$

Beachte, daß K eine gute Quantenzahl bleibt, da der Kern um die körperfeste z'-Achse symmetrisch ist. Der nächste Schritt besteht darin, die Separation der ξ- und η-abhängigen Teile zu vervollständigen. Mit E_0 als Separationskonstante erhält man

$$\begin{aligned}E_0 g(\xi) &= \left[-\frac{\hbar^2}{2B}\frac{\mathrm{d}^2}{\mathrm{d}\xi^2}+\tfrac{1}{2}C_0\xi^2\right]g(\xi) \\ (E-E_0)\chi(\eta) &= \Bigg[\frac{\hbar^2}{2\mathcal{J}}(I(I+1)-K^2) \\ &\quad +\frac{\hbar^2}{16B}\frac{(K^2-1)}{\eta^2}-\frac{\hbar^2}{4B}\frac{\mathrm{d}^2}{\mathrm{d}\eta^2}+C_2\eta^2\Bigg]\chi(\eta).\end{aligned} \tag{6.226}$$

Die Lösung dieser beiden Differentialgleichungen sollte nicht schwerfallen, da sie aus der elementaren Quantenmechanik bekannt sein dürften. Ofensichtlich handelt es sich um einen reinen harmonischen Oszillator in ξ, dessen Eigenenergien durch

$$E_{0,n_\beta} = \hbar\omega_\beta(n_\beta+\tfrac{1}{2}), \quad n_\beta = 0,1,\ldots, \tag{6.227}$$

mit $\omega_\beta = \sqrt{C_0/B}$ gegeben sind, während die Gleichung für η vom dreidimensionalen harmonischen Oszillator in Kugelkoordinaten bekannt ist. Mit der Substitution $\psi(r,\theta,\phi) = \frac{1}{r}u(r)Y_{lm}(\theta,\phi)$, geht die radiale Gleichung für letzteren in

$$\left[-\frac{\hbar^2}{2m}\frac{\mathrm{d}^2u}{\mathrm{d}r^2}+\frac{\hbar^2 l_K(l_K+1)}{2mr^2}+\tfrac{1}{2}m\omega_\gamma^2r^2\right]u(r)=E(r)u(r) \tag{6.228}$$

über. Der Grund für die Nomenklatur l_K und ω_γ wird bald klar werden. Diese Gleichung hat Eigenwerte, die durch eine radiale Quantenzahl n_γ charakterisiert sind:

$$E_{n_\gamma} = \hbar\omega_\gamma(2n_\gamma + l_K + \tfrac{3}{2}), \quad n_\gamma = 0, 1, \ldots \tag{6.229}$$

Der Vergleich von (6.226) und (6.228) legt folgende Identifizierungen nahe:

$$m \to 2B, \quad l_K(l_K+1) \to \tfrac{1}{4}(K^2-1), \quad \omega_\gamma \to \sqrt{C_2/B}, \tag{6.230}$$
$$E_{n_\gamma} \to E - E_0 - \frac{\hbar^2}{2\mathcal{J}}(I(I+1) - K^2).$$

Die Lösung der quadratischen Gleichung für l_K ergibt

$$l_K = \tfrac{1}{2}(-1 \pm K). \tag{6.231}$$

Die Wahl des Vorzeichens ändert den Wert von $l_K(l_K+1)$ nicht; man wählt $l_K = \frac{1}{2}(|K|-1)$, um einen positiven Wert von l_K in Übereinstimmung mit seiner Analogie zum Drehimpuls zu erhalten.

Bevor wir die zugehörigen Wellenfunktionen bestimmen, bemerken wir noch, daß die Energie jetzt folgende Form hat:

$$E_{n_\beta n_\gamma IK} = \hbar\omega_\beta(n_\beta + \tfrac{1}{2}) + \hbar\omega_\gamma(2n_\gamma + \tfrac{1}{2}|K| + 1) + \frac{\hbar^2}{2\mathcal{J}}(I(I+1) - K^2). \tag{6.232}$$

Für die Eigenfunktionen in der β-Richtung können die Eigenfunktionen des eindimensionalen harmonischen Oszillators unmittelbar verwendet werden; da gewöhnlich die Auswertung von Matrixelementen in der zweitquantisierten Form leichter vonstatten geht, verzichten wir auf Details und schreiben für sie einfach $\langle\xi|n_\beta\rangle$. Für die γ-Richtung lautet das Resultat für den dreidimensionalen harmonischen Oszillator

$$u_{l_K n_\gamma}(\eta) = N_{l_K n_\gamma}\eta^{l_K} e^{-\lambda\eta^2/2} {}_1F_1(-n_\gamma, l_K + \tfrac{3}{2}, \lambda\eta^2), \tag{6.233}$$

wobei $\lambda = 2B\omega_\gamma/\hbar$ dem Faktor $m\omega/\hbar$ im Oszillator entspricht. Mit den Analogien aus (6.232) läßt sich das umschreiben zu

$$\chi_{Kn_\gamma}(\eta) = N_{Kn_\gamma}\sqrt{|\eta|}\eta^{K/2} e^{-\lambda\eta^2/2} {}_1F_1(-n_\gamma, l_K + \tfrac{3}{2}, \lambda\eta^2). \tag{6.234}$$

Der Vollständigkeit halber sei auch der Normierungsfaktor angegeben:

$$N_{Kn_\gamma} = \frac{\sqrt{\lambda^{l_K+3/2}\Gamma(l_K + \frac{3}{2} + n_\gamma)}}{\sqrt{n_\gamma!}\Gamma(l_K + \frac{3}{2})}. \tag{6.235}$$

Überraschend an der Wellenfunktion ist eigentlich nur der Absolutbetrag im Faktor $\sqrt{|\eta|}$. Beim gewöhnlichen harmonischen Oszillator gibt es kein Problem, weil die Radiuskoordinate immer positiv ist; hier dagegen kann η auch negative Werte annehmen, und man muß sich darum kümmern, wenn man die Wellenfunktion symmetrisiert. An dieser Stelle muß ein Absolutbetrag auftreten, weil es einen analogen im Volumenelement nach (6.212) gibt.

Nach Hinzufügen des Rotationsanteils hat die gesamte Wellenfunktion die Struktur

$$\psi(\xi, \eta, \boldsymbol{\theta}) = \mathcal{D}^{(I)*}_{MK}(\boldsymbol{\theta})\chi_{Kn_\gamma}(\eta)\langle\beta|n_\beta\rangle, \tag{6.236}$$

und hierauf sind noch die Symmetrieüberlegungen anzuwenden, die aus der Mehrdeutigkeit der Wahl der körperfesten Achsen resultieren. Von den drei fundamentalen Symmetrieoperationen nach Abschnitt 6.2.4 ist $\hat{R}_3$ nicht anzuwenden, weil die z'-Achse als Symmetrieachse im Grundzustand festgelegt ist und somit eine Permutation der Achsen nicht mehr erlaubt ist (das galt genauso beim beim starren Rotator). $\hat{R}_1$ andererseits verändert nicht die Koordinaten (β, γ) und wirkt auf die Drehmatrizen wie beim starren Rotator:

$$\hat{R}_1\mathcal{D}^{(I)*}_{MK}(\boldsymbol{\theta}) = (-1)^I\mathcal{D}^{(I)*}_{M-K}(\boldsymbol{\theta}). \tag{6.237}$$

Man beachte das $-K$ im Argument, das aus dem $e^{\mathrm{i}K\theta_3}$-Anteil der Funktion stammt (beim Rotator war immer $K = 0$). Schließlich invertiert $\hat{R}_2$ das Vorzeichen von η und addiert $\frac{1}{2}\pi$ zu θ_3, so daß die Rotationswellenfunktion insgesamt mit einem Faktor $e^{\mathrm{i}\pi K/2}$ multipliziert wird. Die Vorzeichenänderung von η bringt schließlich noch einen Faktor $(-1)^{K/2}$ gemäß (6.234), so daß das Endergebnis zu

$$\hat{R}_2\psi(\xi, \eta, \boldsymbol{\theta}) = (-1)^K\psi(\xi, \eta, \boldsymbol{\theta}), \tag{6.238}$$

wird. Hieraus folgt sofort, daß K gerade sein muß, d. h.

$$K = 0, \pm 2, \pm 4, \ldots \tag{6.239}$$

Wie beim starren Rotator schränkt $\hat{R}_1$ nicht einfach die Werte einer Quantenzahl ein. Man kann die korrekte Symmetrie nur erreichen, indem man explizit symmetrisiert: der Rotationsanteil der Wellenfunktion sollte die Form

$$\mathcal{D}^{(I)*}_{MK} + (-1)^I\mathcal{D}^{(I)*}_{M-K} \tag{6.240}$$

annehmen, ohne daß die anderen Teile von der Symmetrisierung betroffen werden, da die η-abhängige Wellenfunktion nur $|K|$ enthält. Man braucht also nur noch positive Werte von K als unabhängig zu betrachten. Bemerkenswert ist, daß für $K = 0$ die symmetrisierte Wellenfunktion bei allen ungeraden K verschwindet, so daß in diesem Fall wieder nur gerade Drehimpulse I erlaubt sind.

Jetzt können die Ergebnisse noch einmal übersichtlich zusammengestellt werden. Unter Hinzunahme des Normierungsfaktors der Drehmatrizen (die Vibrationsfunktionen sind als normiert angenommen) ist die Wellenfunktion

$$\begin{aligned}\langle\xi\eta\boldsymbol{\theta}|IMKn_\beta n_\gamma\rangle &= \psi_{IMKn_\beta n_\gamma}(\xi\eta\boldsymbol{\theta}) = \\ \sqrt{\frac{(2I+1)}{16\pi^2(1+\delta_{K0})}} &\left(\mathcal{D}^{(I)*}_{MK} + (-1)^I\mathcal{D}^{(I)*}_{M-K}\right)\chi_{Kn_\gamma}(\eta)\langle\xi|n_\beta\rangle.\end{aligned} \tag{6.241}$$

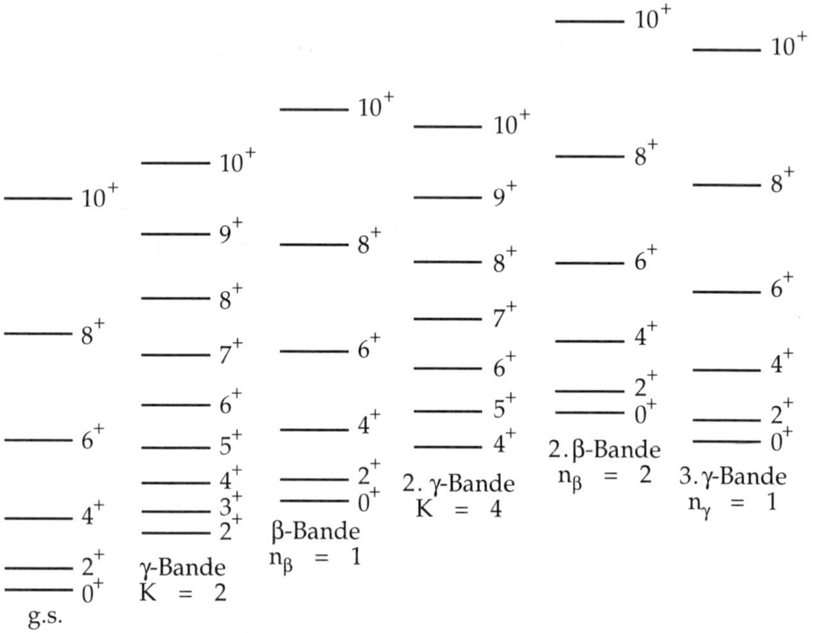

Abb. 6.9: Struktur des Spektrums des Rotations-Vibrations-Modells. Die Namen der Banden und die Quantenzahlen sind unter den Banden angegeben.

Die erlaubten Werte der Quantenzahlen sind auch schon bekannt (man beachte, daß für festes K der Drehimpuls I die Beziehung $I \geq K$ erfüllen muß, weil K seine Projektion ist):

$$
\begin{aligned}
K &= 0,\ 2,\ 4, \ldots \\
I &= \begin{cases} K,\ K+1,\ K+2, \ldots & \text{für } K \neq 0 \\ 0,\ 2,\ 4, \ldots & \text{für } K = 0 \end{cases} \\
M &= -I,\ -I+1, \ldots +I \\
n_\gamma &= 0,\ 1,\ 2, \ldots \\
n_\beta &= 0,\ 1,\ 2, \ldots
\end{aligned}
\tag{6.242}
$$

Zur Vollständigkeit sei die Energieformel noch einmal angeführt:

$$
E_{n_\beta n_\gamma IK} = \hbar\omega_\beta(n_\beta + \tfrac{1}{2}) + \hbar\omega_\gamma(2n_\gamma + \tfrac{1}{2}|K| + 1) + \frac{\hbar^2}{2\mathcal{J}}(I(I+1) - K^2). \tag{6.243}
$$

Die Struktur des Spektrums ist in Abb. 6.9 gezeigt. Die *Banden* werden durch einen festen Satz von Quantenzahlen (K, n_β, n_γ) charakterisiert und folgen der $I(I+1)$-Regel des starren Rotators. Die wichtigsten Banden sind

1. Die *Grundzustandsbande* ("ground state", g. s.) mit den Zuständen $|IM000\rangle$ und I gerade. Die Energien sind $\hbar^2 I(I+1)/2\mathcal{J}$.

2. Die *β-Bande* mit den Zuständen $|IM010\rangle$ und einem Vibrationsquant in der β-Richtung. Sie beginnt im Abstand von $\hbar\omega_\beta$ über der Grundzustandsbande und enthält ebenfalls nur gerade Drehimpulse.

3. Die *γ-Bande* ist nicht, wie der Name anzudeuten scheint, die Bande mit einem Vibrationsquantum in der γ-Richtung. Stattdessen hat sie $K = 2$, so daß die Zustände vom Typ $|IM200\rangle$ sind. In den Spektren ist sie leicht von der β-Bande zu unterscheiden, weil sie mit einem 2^+-Zustand beginnt und auch die ungeraden Drehimpulse enthält. Der Bandenkopf $|2M200\rangle$ hat eine Anregungsenergie von

$$E_\gamma = \frac{\hbar^2}{\mathcal{J}} + \hbar\omega_\gamma \tag{6.244}$$

   und enthält damit offenbar sowohl einen Beitrag von der Rotation wie auch von der γ-Schwingung, wobei der letztere die Namensgebung erklärt.

4. Die nächsthöheren Banden sollten die zusätzlichen γ-Banden mit $K = 4$ und die mit $n_\gamma = 1$ sein.

Wie kommt es, daß die γ-Bande mit $K = 2$ aber $n_\gamma = 0$ einen Energiebeitrag aus einer γ-Schwingung erhält? Das erklärt sich dadurch, daß das Trägheitsmoment um die z'-Achse des Kerns sich wie $8B\eta^2$ verhält und damit einen Term ähnlich dem Zentrifugalpotential im Hamiltonoperator von (6.228) erzeugt. Dies bewirkt eine starke Kopplung zwischen Rotationen und γ-Vibrationen und drückt physikalisch die Tatsache aus, daß Rotationen mit nichtverschwindendem K nur in der Gegenwart dynamischer triaxialer Deformationen möglich werden.

6.5.4 Momente und Übergangswahrscheinlichkeiten

Der kollektive Quadrupoloperator wurde in Abschnitt 6.3.4 berechnet als

$$\hat{Q}_{2\mu} = \frac{3Ze}{4\pi} R_0^2 \left(\hat{\alpha}_{2\mu} - \frac{10}{\sqrt{70\pi}} \left[\hat{\alpha} \times \hat{\alpha}\right]^2{}_\mu \right) . \tag{6.245}$$

Dieser Ausdruck muß in das intrinsische System transformiert werden, was der Übungsaufgabe 6.8 überlassen bleibt. Das Resultat ist

$$\begin{aligned} \hat{Q}_{2\mu} = \frac{3Ze}{4\pi} R_0^2 \Bigg(& \mathcal{D}^{(2)*}_{\mu 0}(\boldsymbol{\theta}) \left(\beta_0 + \xi + \frac{2}{7}\sqrt{\frac{5}{\pi}} \left((\beta_0+\xi)^2 - 2\eta^2 \right) \right) \\ & + \left(\mathcal{D}^{(2)*}_{\mu 2}(\boldsymbol{\theta}) + \mathcal{D}^{(2)*}_{\mu -2}(\boldsymbol{\theta}) \right) \eta \left(1 - \frac{4}{7}\sqrt{\frac{5}{\pi}} (\beta_0 + \xi) \right) \Bigg) . \end{aligned} \tag{6.246}$$

Wenn man sich an die Definition des Quadupolmomentes aus Abschnitt 6.3.5 erinnert, so schreibt sich das für einen Zustand dieses Modells

$$Q_{IKn_\beta n_\gamma} = \sqrt{\frac{16\pi}{5}} \langle IM = I\,Kn_\beta n_\gamma | \hat{Q}_{20} | IM = I\,Kn_\beta n_\gamma \rangle. \tag{6.247}$$

In niedrigster Ordnung, d. h. bei Vernachlässigung der ξ- und η-abhängigen Teile des Quadrupoloperators, wird das Ergebnis in Aufgabe 6.9 berechnet. Es hängt nicht von n_β oder n_γ ab und lautet

$$Q_{IK} = Q_0 \frac{3K^2 - I(I+1)}{(I+1)(2I+3)}(1+\alpha). \tag{6.248}$$

Hier wurde

$$\alpha = \tfrac{2}{7}\sqrt{\tfrac{5}{\pi}}\beta_0 \tag{6.249}$$

zusammen mit dem intrinsischen Quadrupolmoment

$$Q_0 = \frac{3ZeR_0^2}{\sqrt{5\pi}}\beta_0 \tag{6.250}$$

als Abkürzung eingeführt.

Die physikalische Bedeutung dieser Gleichung ist recht interessant. Im betrachteten Grenzfall ist der Kern eine rotierende statisch deformierte Gestalt. Ihr Quadrupolmoment *im körperfesten System* ist gerade Q_0 (der Korrekturfaktor $(1+\alpha)$ ist weggelassen). Was bedeutet der Drehimpulsfaktor? Für den Grundzustand mit $I = K = 0$ wird $Q = 0$, und das drückt nur die Tatsache aus, daß ein Zustand mit gleicher Wahrscheinlichkeit der Orientierung des Kerns in alle Raumrichtungen sphärisch symmetrisch ist und keine erkennbare Deformation zeigt. Für den niedrigsten Anregungszustand mit $I = 2$ und $K = 0$ wird $Q = -2Q_0/7$. Wenn die intrinsische Deformation prolat ist, $Q_0 > 0$, wird das im Labor beobachtete Quadrupolmoment negativ, was anschaulich bedeutet, daß eine rotierende Zigarre im Mittel als oblate Scheibe erscheint.

Wir werden die Matrixelemente des Quadrupoloperators nicht im Detail durchführen, sondern nur einige allgemeine Eigenschaften diskutieren, die schon aus seiner funktionalen Form hervorgehen. Da ξ und η als klein angenommen wurden, nehmen die Übergangswahrscheinlichkeiten rapide ab, wenn sie durch höhere Ordnungen in diesen Größen hervorgerufen werden.

Der dominante Term ist der, der nur β_0 und kein ξ oder η enthält, und kann deswegen keine Zustände mit unterschiedlichen Werten von n_β oder n_γ verknüpfen. Dies muß durch die Terme zweiter Ordnung geschehen. Unglücklicherweise macht es wenig Sinn, diese in der hier vorgestellten Version des Modells auszuwerten, weil die im Hamiltonoperator vernachlässigten Terme von der gleichen Ordnung sind (sie kommen hauptsächlich aus der Deformationsabhängigkeit der Trägheitsmomente). Dennoch geben wir im folgenden wenigstens die Resultate an. Man kann sie geradewegs durch Integrieren der reduzierten Matrixelemente des Quadrupoloperators gewinnen. Im allgemeinen haben wir:

$$B(E2; I_i \to I_f) = \frac{2I_f + 1}{2I_i + 1} |\langle I_f || \hat{Q} || I_i \rangle|^2, \tag{6.251}$$

und eine Rechnung in Übung 6.9 ergibt

$$\begin{aligned}
B(E2; I_i \text{ g.s.} - \text{Bande} \to I_f \text{ g.s.} - \text{Bande}) &= \frac{5Q_0^2}{16\pi}(I_i 2 I_f|000)^2(1+\alpha)^2 \qquad (6.252)\\
B(E2; I_i\ \gamma{-}\text{Bande} \to I_f\ \gamma{-}\text{Bande}) &= \frac{5Q_0^2}{16\pi}(I_i 2 I_f|202)^2(1+\alpha)^2\\
B(E2; I_i\ \beta{-}\text{Bande} \to I_f\ \beta{-}\text{Bande}) &= \frac{5Q_0^2}{16\pi}(I_i 2 I_f|000)^2(1+\alpha)^2\\
B(E2; I_i\ \gamma{-}\text{Bande} \to I_f \text{ g.s.} - \text{Bande}) &= \frac{5Q_0^2}{16\pi}(I_i 2 I_f|220)^2(1-2\alpha)^2 \frac{3\hbar}{\omega_\gamma \mathcal{J}}\\
B(E2; I_i\ \beta{-}\text{Bande} \to I_f \text{ g.s.} - \text{Bande}) &= \frac{5Q_0^2}{16\pi}(I_i 2 I_f|000)^2(1+2\alpha)^2 \frac{3\hbar}{2\omega_\beta \mathcal{J}}.
\end{aligned}$$

Die Messung der Übergangswahrscheinlichkeiten erlaubt die Bestimmung des intrinsischen Quadrupolmomentes und somit der Deformation selbst, während die Energieabstände im Spektrum nur das Trägheitsmoment festlegen.

Eine einfache Konsequenz der Formeln für die Übergangswahrscheinlichkeiten ist erwähnenswert: Wenn man das Verhältnis der $B(E2)$-Werte zwischen Übergängen vom γ-Bandenkopf zum 2^+- bzw. 0^+-Zustand in der Grundzustandsbande berechnet, sieht man sofort, das es nur durch das Verhältnis der Clebsch-Gordan-Koeffizienten gegeben ist:

$$\frac{B(E2; 2_\gamma^+ \to 2_{\text{g.s.}}^+)}{B(E2; 2_\gamma^+ \to 0_{\text{g.s.}}^+)} = \frac{(222|022)^2}{(022|022)^2} = \frac{10}{7}. \tag{6.253}$$

Dies ist eine der *Alaga-Regeln.* Experimentell funktioniert sie nicht gut, es sei denn, die Rotations-Vibrations-Wechselwirkung wird berücksichtigt. Wie im Falle des einfachen harmonischen Oszillators scheint das Rotations-Vibrations-Modell in seiner einfachsten Form auch zuviel Symmetrie zu besitzen, so daß viele Matrixelemente verschwinden und geringfügige Verletzungen der Symmetrie drastische Effekte für die Übergangswahrscheinlichkeiten bewirken. Ein weiterer interessanter Fall ist der der Übergänge zwischen der β- und der γ-Bande, die in diesem Modell aus dem Term zweiter Ordnung des Quadrupoloperators kommen müssen (es wird ein Produkt aus ξ und η gebraucht, um beide Phononenzahlen zu ändern) oder aber aus einem entsprechenden Term im Hamiltonoperator, der in den Wellenfunktionen die β- und γ-Banden mischt. In jedem Fall sollten die Übergänge schwach sein, und das ist ein bemerkenswerter Unterschied zu den Vorhersagen des IBA, wie in Abschnitt 6.8.6 diskutiert werden wird.

6.8 Aufgabe: Transformation des Quadrupoloperators

Transformieren Sie den Quadrupoloperator auf die Koordinaten $\boldsymbol{\theta}$, ξ und η.

Lösung:

Per Definition stellen die Eulerwinkel die Drehung dar, die die Variablen $\alpha_{2\mu}$ in die körperfesten $\alpha'_{2\mu}$ überführen, die $\alpha'_{20} = \beta_0 + \xi$ und $\alpha'_{2\pm 2} = \eta$ als einzige nichtverschwindende Komponenten haben. Die Rücktransformation in das Laborsystem ist

$$\alpha_{2\mu} = \sum_\nu \mathcal{D}^{(2)*}_{\mu\nu}(\boldsymbol{\theta})\alpha'_{2\nu}. \qquad \underline{1}$$

Dies liefert sofort den Term erster Ordnung in (6.228). Für den zweiter Ordnung bemerken wir, daß weil die beiden $\alpha_{2\mu}$ zu einem sphärischen Tensor gekoppelt sind, man nur eine Drehmatrix braucht, um den Term in die körperfesten Koordinaten zu überführen:

$$[\alpha \times \alpha]^2{}_\mu = \sum_\nu \mathcal{D}^{(2)*}_{\mu\nu}(\boldsymbol{\theta})[\alpha' \times \alpha']^2{}_\nu. \qquad \underline{2}$$

Es bleibt die Berechnung der Drehimpulskopplung im körperfesten System. Unter Berücksichtigung der nichtverschwindenden Komponenten berechnet man zunächst

$$\begin{aligned} [\alpha' \times \alpha']^2{}_0 &= \{(222|-220) + (222|2-20)\}\eta^2 + (222|000)(\beta_0+\xi)^2 \\ [\alpha' \times \alpha']^2{}_{\pm 1} &= 0 \\ [\alpha' \times \alpha']^2{}_{\pm 2} &= \{(222|0\pm 2 \pm 2) + (222|\pm 20 \pm 2)\}(\beta_0+\xi)\eta. \end{aligned} \qquad \underline{3}$$

Die Clebsch-Gordan-Koeffizienten sind

$$(222|-220) = (222|0 \pm 2 \pm 2) = (222|\pm 20 \pm 2) = -(222|000) = \sqrt{\frac{2}{7}}. \qquad \underline{4}$$

Einfaches Aufaddieren der Terme führt nun zu dem Ergebnis von (6.252).

6.9 Aufgabe: Ableitung der Gleichung für das Quadrupolmoment

Leiten Sie die Gleichung für das Quadrupolmoment (6.212) und die Matrixelemente für die ersten drei Formeln in (6.252) ab.

Lösung:

Zur Lösung werden zwei allgemeine Formeln aus dem Anhang gebraucht. Die erste liefert alle benötigten Clebsch-Gordan-Koeffizienten:

$$(I2I|M0M) = \frac{3M^2 - I(I+1)}{\sqrt{I(I+1)(2I+3)(2I-1)}}, \qquad \underline{1}$$

während die zweite das Resultat einer Integration über drei Drehmatrizen angibt:

$$\int \mathcal{D}^{(I_3)}_{M_3K_3}(\boldsymbol{\theta}) \quad \mathcal{D}^{(I_2)*}_{M_2K_2}(\boldsymbol{\theta})\mathcal{D}^{(I_1)*}_{M_1K_1}\, \mathrm{d}^3\theta$$
$$= \quad \frac{8\pi^2}{2I_3+1}(I_1I_2I_3|M_1M_2M_3)(I_1I_2I_3|K_1K_2K_3). \qquad \underline{2}$$

Für das Quadrupolmoment muß

$$Q_{IKn_\beta n_\gamma} = \sqrt{\frac{16\pi}{5}}\langle IM = I\,Kn_\beta n_\gamma|\hat{Q}_{20}|IM = I\,Kn_\beta n_\gamma\rangle \qquad \underline{3}$$

ausgewertet werden. Im speziellen Fall, daß die Vibrationsquantenzahlen von Anfangs- und Endzustand gleich sind, tragen die ξ- und η-abhängigen Anteile nichts bei, so daß der Quadrupoloperator auf

$$\hat{Q}_{20} \to \frac{3Ze}{4\pi}R_0^2\mathcal{D}^{(2)*}_{00}\beta_0(1+\alpha), \qquad \underline{4}$$

reduziert werden kann. Einführen des intrinsischen Quadrupolmomentes liefert

$$Q = Q_0(1+\alpha)\langle IM = IKn_\beta n_\gamma|\mathcal{D}^{(2)*}_{00}\rangle IM = IKn_\beta n_\gamma. \qquad \underline{5}$$

Die Vibrationsanteile fallen wegen Normalisierung heraus, so daß nach Einfügung der Rotationswellenfunktion das Matrixelement zu

$$Q \quad = \quad Q_0(1+\alpha)\frac{2I+1}{16\pi^2(1+\delta_{K0})} \qquad \underline{6}$$
$$\times \int \left(\mathcal{D}^{(I)}_{MK} + (-1)^I\mathcal{D}^{(I)}_{MK}\right)\mathcal{D}^{(2)*}_{00}\left(\mathcal{D}^{(I)*}_{MK} + (-1)^I\mathcal{D}^{(I)*}_{MK}\right)\mathrm{d}^3\theta$$

wird. Für $K=0$ wird aus dem Integral

$$4\int \mathcal{D}^{(I)}_{M0}\mathcal{D}^{(2)*}_{00}\mathcal{D}^{(I)*}_{M0}\,\mathrm{d}^3\theta, \qquad \underline{7}$$

während für $K \neq 0$ es vier Terme mit den verschiedenen Kombinationen von K und $-K$ gibt. Bei der Integration verschwinden die Mischterme wegen ($\underline{2}$), und die anderen beiden sind gleich. Unter Berücksichtigung des Faktors mit δ_{K0} ist das Endresultat in beiden Fällen

$$Q = Q_0(1+\alpha)(I2I|I0I)(I2I|K0K). \qquad \underline{8}$$

Schließlich kann man noch die Clebsch-Gordan-Koeffizienten einsetzen:

$$(I2I|I0I)(I2I|K0K) = \frac{[3I^2 - I(I+1)][3K^2 - I(I+1)]}{I(I+1)(2I+3)(2I-1)}, \qquad \underline{9}$$

und Vereinfachung des Ergebnisses führt zum gewünschten Ergebnis.

Nun zu den Übergangswahrscheinlichkeiten. Die Prozedur verläuft ähnlich wie beim Quadrupolmoment. Betrachten wir zunächst wieder nur die Übergänge innerhalb einer Bande, d. h. ignorieren Vibrationsanregungen. Die Rechnung ist dann praktisch identisch der für das Quadrupolmoment, außer daß Anfangs- und Endzustand verschiedene Drehimpulse haben und daß ein reduziertes Matrixelement gebraucht wird:

$$\begin{aligned}\langle I_f||\mathcal{D}_0^{(2)*}||I_i\rangle(I_i 2 I_f|M_i\mu M_f) = & \frac{\sqrt{(2I_i+1)(I_f+1)}}{16\pi^2}(1+\delta_{K0}) \\ & \times \int \left(\mathcal{D}^{(I_f)}_{M_f K} + (-1)^{I_f}\mathcal{D}^{(I_f)}_{M-K}\right)\mathcal{D}^{(2)*}_{\mu 0}\left(\mathcal{D}^{(I_i)*}_{M_i K} + (-1)^{I_i}\mathcal{D}^{(I_i)*}_{M-K}\right)\mathrm{d}^3\theta \\ = & \frac{\sqrt{(2I_i+1)(I_f+1)}}{8\pi^2}\frac{8\pi^2}{2I_f+1}(I_i 2 I_f|K0K)(I_i 2 I_f|M_i\mu M_f).\end{aligned} \quad \underline{10}$$

Der letzte Clebsch-Gordan-Koeffizient hierin fällt im reduzierten Matrixelement weg und Einsetzen in die allgemeine Formel führt sofort zum Ergebnis.

Bei einem Übergang mit einer Änderung von eins in der β-Phononenzahl tragen vom Quadrupoloperator die folgenden Anteile bei:

$$\hat{Q} \to \sqrt{\frac{5}{16\pi}} Q_0 \mathcal{D}^{(2)*}_{\mu 0}\beta_0^{-1}\left(\xi + \frac{4}{7}\sqrt{\frac{5}{\pi}}\xi\beta 0\right) = \sqrt{\frac{5}{16\pi}} Q_0 \beta_0^{-1}\mathcal{D}^{(2)*}_{\mu 0}(1+2\alpha)\xi, \quad \underline{11}$$

und das Integral über die Eulerwinkel geht wie zuvor, nur mit anderen Drehimpulswerten im Resultat. Für den ξ-Schwingungsanteil kann man die Methoden der zweiten Quantisierung verwenden:

$$\xi = \sqrt{\frac{\hbar}{2B\omega_\beta}}(\hat{\beta}^+ + \hat{\beta}). \quad \underline{12}$$

Für den Übergang zwischen der Grundzustandsbande und der β-Bande trägt der Erzeugungsoperator ein Matrixelement von eins bei, so daß im obigen Operator ein Beitrag von

$$\sqrt{\frac{\hbar}{2B\omega_\beta}} = \beta_0\sqrt{\frac{3\hbar}{2\mathcal{J}\omega_\beta}}, \quad \underline{13}$$

entsteht, was zum Endergebnis führt.

Für den Übergang von der γ- zur Grundzustandsbande geht die Rechnung analog. Da die Wellenfunktionen in diesem Fall (6.234) nicht einfach in zweiter Quantisierung ausgedrückt werden können, muß das Integral über die Wellenfunktionen explizit ausgeführt werden. Die Zutaten dazu findet man in Funktionentabellen wie [Ab64] und Integraltafeln wie [Gr65a]. Die Nullpunktswellenfunktion in η ist

$$\chi_{00}(\eta) = \sqrt{\lambda|\eta|}e^{-\lambda\eta^2/2}{}_1F_1(0,1,\lambda\eta^2), \quad \underline{14}$$

und die für den Kopf der γ-Bande

$$\chi_{20}(\eta) = \lambda\sqrt{|\eta|}\eta e^{-\lambda\eta^2/2}{}_1F_1(0,2,\lambda\eta^2). \quad \underline{15}$$

Für die Auswertung von Integralen und Ähnlichem ist die konfluente hypergeometrische Funktion zu allgemein; die Verwendung speziellerer Funktionen macht eine weit größere Anzahl von Integral- und Rekursionsformeln verfügbar. In diesem Fall finden wir als passenden Spezialfall

$$ {}_1F_1(-n,\alpha+1,x) = (-1)^n n! L_n^{(\alpha)}(x) \tag{16} $$

mit $L_n^{(\alpha)}(x)$ einem *Laguerre-Polynom*. Das Integral wird damit zu

$$ \begin{aligned} \int_{-\infty}^{\infty} & \mathrm{d}\eta \chi_{00}(\eta)\eta\chi_{20}(\eta) \\ &= \lambda^{-1/2} \int_0^{\infty} \mathrm{d}x\, x e^{-x} L_0^{(0)}(x) L_0^{(1)}(x). \end{aligned} \tag{17} $$

worin $x = \lambda\eta^2$ substituiert und die Symmetrie des Integrals verwendet wurde. In [Gr65a] findet man das Integral

$$ \int_0^{\infty} \mathrm{d}x\, e^{-x} x^{\alpha+\beta} L_m^{(\alpha)}(x) L_n^{(\beta)}(x) = (-1)^{m+n}(\alpha+\beta)! \binom{\alpha+m}{n}\binom{\beta+n}{m}, \tag{18} $$

das in diesem Fall sich zu eins reduziert und damit zum Endergebnis

$$ \frac{1}{\lambda} = \sqrt{\frac{\hbar}{2B\omega_\gamma}} \tag{19} $$

für das gesamte Integral. Da nun der zu η proportionale Teil des Quadrupoloperators

$$ \hat{Q} \to \sqrt{\frac{5}{16\pi}} Q_0 \beta_0^{-1} \left(\mathcal{D}_{\mu 2}^{(2)*} + \mathcal{D}_{\mu -2}^{(2)*} \right) (1-2\alpha)\eta \tag{20} $$

ist, erhält man das gesuchte Ergebnis nach Einsetzen des Integrals und Hinzufügen eines Faktors 2 für die beiden identischen Beiträge von $\mu = \pm 2$.

6.10 Aufgabe: ^{238}U im Rotations-Vibrations-Modell

Wenden Sie das Rotations-Vibrations-Modell auf den Kern ^{238}U unter Verwendung der in Abb. 6.10 gegebenen experimentellen Werte an.

Lösung:

Zunächst bestimmen wir die Energieparameter aus der Lage der Bandenköpfe. Aus der Energie des ersten 2^+-Zustandes erhält man

$$ \frac{3\hbar^2}{\mathcal{J}} = 0.045\,\mathrm{MeV} \quad \to \quad \mathcal{J} = 865\,\frac{\mathrm{GeV\,fm}^2}{c^2}. \tag{1} $$

Eine anschaulichere Zahl resultiert bei Teilen durch die Gesamtmasse des Kerns:

$$ \frac{\mathcal{J}}{Am} = 3.88\,\mathrm{fm}^2. \tag{2} $$

Man beachte, daß die $I(I+1)$-Regel in diesem Fall bis zum 10^+-Zustand recht gut erfüllt ist, der bei 0.825 MeV statt der gemessenen 0.776 MeV liegen sollte.

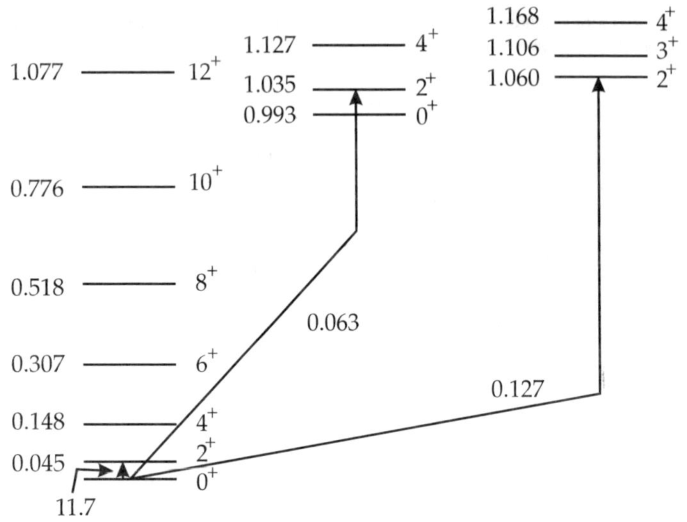

Abb. 6.10: Niedrigste experimentelle Banden für den Kern ^{238}U mit ausgewählten Übergangswahrscheinlichkeiten. Die Energiewerte neben den Niveaus sind in MeV angegeben und die $B(E2)$-Werte an den Übergangspfeilen in $e^2\,\mathrm{b}^2$. Beachte, daß die Pfeile die Übergangsrichtung für die $B(E2)$-Werte angeben.

Um die Bande als Ganzes noch besser zu beschreiben, könnte man die mittlere quadratische Abweichung minimieren.

Die anderen Bandenköpfe liefern die Parameter $\hbar\omega_\beta = 0.993\,\mathrm{MeV}$ (aus dem zweiten 0^+-Zustand) und

$$\hbar\omega_\gamma = E_\gamma - \frac{\hbar^2}{\mathcal{J}} = 1.018\,\mathrm{MeV}, \qquad \underline{3}$$

so daß die β- und γ-Vibrationsfrequenzen vergleichbar sind.

Die Grundzustandsdeformation folgt aus der Übergangswahrscheinlichkeit

$$\mathcal{B} = B(E2; 0^+_{\mathrm{g.s.}} \to 2^+_{\mathrm{g.s.}}) \approx \frac{5Q_0^2}{16\pi}(022|000)^2. \qquad \underline{4}$$

Es ist nicht zu vergessen, daß die Richtung des Überganges wichtig ist: Die $B(E2)$-Werte $I_i \to I_f$ müssen gegenüber denen vom Typ $I_f \to I_i$ mit dem Faktor $(I_f+1)^2/(I_i+1)^2$ multipliziert werden.

Wenn man den Term in α, der nur eine kleine Korrektur bedeutet, wegläßt und $(022|000) = 1$ verwendet (dieser Clebsch-Gordan-Koeffizient ist trivial; er besagt daß ein Tensor vom Drehimpuls 2 trivial mit einem Skalar multipliziert werden kann, ohne seinen Charakter zu ändern), erhält man

$$Q_0 = \sqrt{\frac{16\pi}{5}}\sqrt{\mathcal{B}} = 10.84eb, \qquad \underline{5}$$

und mit der Definition von Q_0

$$\beta_0 = \frac{4\pi}{3ZeR_0^2}\sqrt{\mathcal{B}}. \qquad \underline{6}$$

Einsetzen von $\mathcal{B} = 11.7e^2b^2 = 11.7 \times 10^4 e^2 fm^4$ und $R_0 = 1.2fm\ 238^{1/3}$ führt zu

$$\beta_0 = 0.282. \qquad \underline{7}$$

Das entspricht einer vergleichsweise großen Deformation und rechtfertigt es, diesen Kern als stark deformierten Rotationskern zu betrachten.

Nachdem nunmehr alle Parameter des Modells bestimmt sind, kann man nach den Vorhersagen für die anderen Observablen fragen. Für den Übergang zur β-Bande ist nur ein einfacher Faktor zu berücksichtigen, wenn man die Korrektur in α wieder vernachlässigt:

$$B(E2; 0^+_{\text{g.s.}} \to 2^+_\beta) = B(E2; 0^+_{\text{g.s.}} \to 2^+_{\text{g.s.}})\frac{3\hbar}{2\omega_\beta \mathcal{J}} \approx 0.79\ e^2b^2, \qquad \underline{8}$$

während für den zur γ-Bande auch nur einfache Clebsch-Gordan-Koeffizienten einzusetzen sind:

$$B(E2; 0^+_{\text{g.s.}} \to 2^+_\gamma) = B(E2; 0^+_{\text{g.s.}} \to 2^+_{\text{g.s.}})\frac{3\hbar}{\omega_\gamma \mathcal{J}}\frac{(022|022)^2}{(022|000)^2} \approx 1.58\ e^2b^2. \qquad \underline{9}$$

Beide Übergänge sind etwa um eine Größenordnung zu stark und zeigen damit, daß eine Mischung der Zustände dieses Modells etwa über die Rotations-Vibrations-Kopplung nötig wäre.

Es ist interessant, zu untersuchen wie das aus der Rotationsbande bestimmte Trägheitsmoment mit dem Wert für den klassischen starren Körper übereinstimmt. Für eine Drehung um die körperfeste y-Achse ist das Trägheitsmoment

$$\int_{\text{Volumen}} d^3r\rho_0(x^2 + z^2). \qquad \underline{10}$$

Zu erster Ordnung in β_0 kann das leicht ausgewertet werden, wenn man die Methoden etwa aus Übung 6.1 verwendet; man beachte nur daß

$$x = -\sqrt{\frac{2\pi}{3}}\, r\,(Y_{11}(\Omega) - Y_{1-1}(\Omega)), \qquad z = \sqrt{\frac{4\pi}{3}}\, r\, Y_{20}(\Omega), \qquad \underline{11}$$

obwohl in diesem Fall wohl die Verwendung der expliziten Formed der Kugelfunktionen schneller zum Ziel führt. Das Resultat ist

$$\mathcal{J}_{\text{starrerKörper}} = mAR_0^2\left(\frac{2}{5} + \frac{1}{10}\sqrt{\frac{5}{\pi}}\beta_0\right). \qquad \underline{12}$$

Der erste Term in der Klammer beschreibt das Trägheitsmoment einer Kugel, während der zweite die Zunahme mit der Deformation angibt. Einsetzen der Zahlen für den Spezialfall ^{238}U führt zu

$$\mathcal{J}_{\text{starrerKörper}} \approx mA(15.3 + 1.4). \qquad \underline{13}$$

Die Faktoren in der Klammer zeigen, daß der sphärische Anteil allein schon im Vergleich zu der 3.88 aus dem Experiment viel zu groß ausfällt, während der deformationsabhängige Anteil auch immer um einen Faktor zwei über dem Experiment liegt. Natürlich kann der klassische Wert für die Kugel in diesem Modell nicht zutreffen, weil eine Kugel ja nicht rotieren darf; aber der deformationsabhängige Anteil scheint auch anzudeuten, daß der Kern nicht wie ein starrer Körper rotiert. Es kann nur ein Teil der Materie an der Drehung teilnehmen, und zwar vermutlich in den Teilen des Kerns, die die Abweichung von der Kugelgestalt ausmachen.

6.6 γ-instabile Kerne

Es gibt noch einen anderen Spezialfall, in dem das Kollektivmodell analytische Lösungen besitzt. Dies ist der sogenannte γ-instabile Fall, der von Wilets und Jean[Wi56] entdeckt wurde. In diesem Modell hat die Potentialenergiefläche ein Minimum bei endlichem β, das aber völlig flach entlang der γ-Richtung verläuft und damit effektiv eine ringähnliche Gestalt in der (β, γ)-Ebene besitzt. Kerne, die auf diese Art interpretiert werden können, sind typischerweise in der Region $Z > 52$, $N < 80$ zu finden. Da dieses Modell nicht sehr breit angewandt wurde, geben wir hier nur einen kurzen Abriß. Das Potential wird spezifisch angesetzt als

$$V(\beta,\gamma) = V(\beta) = \frac{1}{8}C\left(\beta^2 + \frac{\beta_0^4}{\beta^2} - 2\beta_0^2\right) - D \tag{6.254}$$

und ist in Abb. 6.11 illustriert.

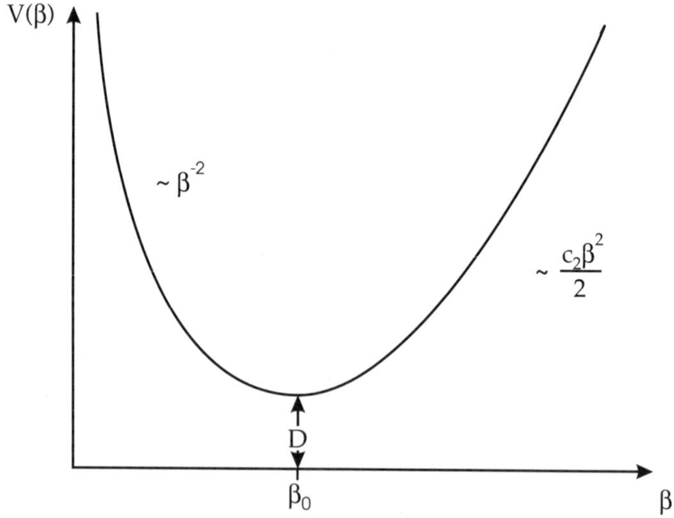

Abb. 6.11: Schnitt durch das Wilets-Jean-Potential entlang der β-Richtung. Das Potential hängt von γ überhaupt nicht ab und besitzt deswegen Axialsymmetrie. Die Potentialparameter sind im Text diskutiert und in ihrer Bedeutung eingezeichnet.

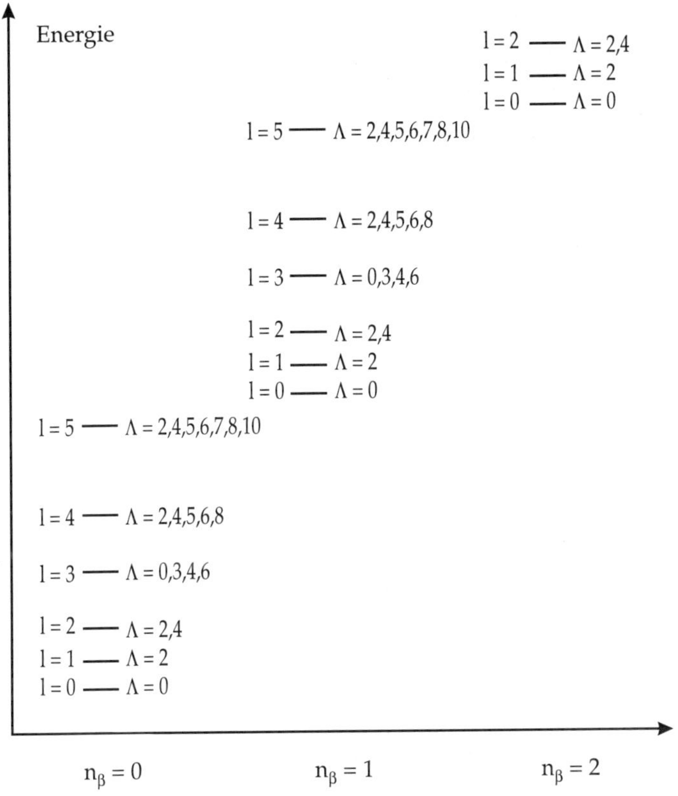

Abb. 6.12: Schematisches Spektrum für das Wilets–Jean-Potential

Die drei Parameter des Potentials sind die Steifigkeit in β-Richtung C im Minimum, die Lage β_0 des Minimums und die Tiefe des Potentials D (der vierte Parameter des Modells ist der Massenparameter, der die übliche Bedeutung hat).

Für dieses Potential kann der Hamiltonoperator im körperfesten System in der Form (s. 6.222)

$$\hat{H}_0 = -\frac{1}{2B\beta^2}\left(\frac{1}{\beta^2}\frac{\partial}{\partial\beta}\beta^4\frac{\partial}{\partial\beta}+\frac{1}{\sin 3\gamma}\frac{\partial}{\partial\gamma}\sin 3\gamma\frac{\partial}{\partial\gamma}-\frac{1}{4}\sum_{k=1}^{3}\frac{I_k'^2}{\sin^2\left(\gamma-\frac{2\pi k}{3}\right)}\right) + V(\beta) \tag{6.255}$$

geschrieben werden. Da es keine Symmetrieachse gibt, sind die Eigenfunktionen als Summen über die K-Werte anzusetzen, analog wie beim asymmetrischen Rotator:

$$\Psi_{n_\beta\lambda IM} = \sqrt{\frac{2I+1}{8\pi^2}}\frac{\phi_{n_\beta\lambda}(\beta)}{\beta^2}\sum_{K=-I}^{I} t_{\lambda IK}(\gamma) D^{I}_{MK}{}^{*}(\vartheta_i), \tag{6.256}$$

und dies führt zu einer Separation der β- und γ-abhängigen Teile.

Die eigentliche Berechnung der Wellenfunktionen ist ziemlich länglich, so daß wir nur die Resultate für das Spektrum angeben. Die Eigenwerte sind

$$\epsilon_{n_\beta \lambda} = \sqrt{\frac{B}{C}} \left(n_\beta + \frac{1}{2} + \frac{1}{2}\alpha_\lambda \right) - \frac{1}{4} C\beta_0^2 - D \tag{6.257}$$

mit

$$\alpha_\lambda = \frac{1}{2}\sqrt{\sqrt{BC}\beta_0^4 + (2\lambda + 3)^2}. \tag{6.258}$$

Die Quantenzahlen sind die *Phononenzahl in β-Richtung* und eine *Senioritätsquantenzahl* λ, wobei beide den Wertebereich $0 \ldots \infty$ haben. Für eine gegebene Kombination von (n_β, λ) ist der Drehimpuls durch 2λ begrenzt und manche Drehimpulswerte treten nicht auf wegen ähnlicher Symmetrieargumente wie beim harmonischen Oszillator (mathematisch gesehen hat der hier betrachtete Hamiltonoperator in der Tat enge Verbindungen zum harmonischen Oszillator; der wesentliche Unterschied ist das Auftreten des zentrifugal-ähnlichen Terms mit β^{-2}). In Abb. 6.12 ist das resultierende Spektrum schematisch illustriert: Über jedem Bandenkopf mit fester β-Phononenzahl gibt es eine Sequenz von Zuständen mit unterschiedlicher Seniorität λ und einem Satz erlaubter Drehimpulse.

6.7 Allgemeinere Kollektivmodelle für Oberflächenschwingungen

6.7.1 Das verallgemeinerte Kollektivmodell

Die Oberflächenbewegungen, die wir bis jetzt betrachtet haben, waren auf drei Grenzfälle beschränkt: die reinen harmonischen Schwingungen um einen sphärischen Gleichgewichtszustand, die Rotationen und Schwingungen eines im Grundzustand wohldeformierten Kerns, und den γ-instabilen Fall.

Obwohl das Rotations-Vibrations-Modell eine große Klasse von Kernen recht gut beschreibt und der sphärische Vibrator wenigstens angenähert bei einigen Kernen nahe magischer Schalenabschlüsse gefunden wird, paßt doch die große Mehrheit der Kerne nicht sehr gut in einen dieser doch recht abstrahierten Grenzfälle hinein. Die meisten Kerne mit sphärischem Grundzustand zeigen nicht die volle Entartung des harmonischen Oszillators, so daß Anharmonizitäten entweder im Potential oder in der kinetischen Energie berücksichtigt werden müssen. Für die deformierten Kerne andererseits ist das Minimum gewöhnlich nicht so tief, daß das Potential durch einen reinen harmonischen Oszillator in ξ und η genähert werden kann. Wenn man noch an die exotischere Möglichkeit denkt, daß Kerne mehr als ein Minimum in der Potentialenergiefläche besitzen könnten, wird vollständig klar, daß es einen Bedarf für eine allgemeinere Version des Hamiltonoperators mit viel flexiblerem Potential gibt.

Ein solches Modell muß eine viel größere Klasse von funktionalen Formen für die Terme im Hamiltonoperator zulassen. Wenn man mit einer unspezifischen Form wie

$$\hat{H} = \hat{H}(\alpha_{2\mu}, \pi_{2\mu}; C_1, C_2, \dots C_N) \tag{6.259}$$

mit N Parametern C_i beginnt, so wird klar, daß es einer sorgfältigen Auswahl der speziellen Formen bedarf, um die Anzahl unvermeidlicher Parameter auf ein Minimum zu reduzieren. In der Kernphysik gibt es meist nicht genügend experimentelle Daten, um eine große Zahl von Parametern festzulegen, und in jedem Falle liefert das Anpassen einer Theorie mit übertrieben vielen freien Parametern an das Experiment Ergebnisse von zweifelhaftem Wert.

Andererseits ist aber auch die Ansicht, daß „mit genügend Parametern alles angefittet werden kann“, etwas vereinfacht. Zum Beispiel besitzt ein Kollektivmodell eine Bandenstruktur, wie wir sie diskutiert haben, und man würde schon eine sehr merkwürdige Potentialfläche benötigen, um eine Niveauabfolge $0^+ - 4^+ - 2^+$ direkt über dem Grundzustand zu erzeugen. Die größere Gefahr ist, daß bei Verwendung zu vieler Parameter nicht alle von den experimentellen Daten wirklich festgelegt werden, und der Theoretiker dann darauf achten muß, keine Vorhersagen zu machen, die in Wirklichkeit nur auf zufälligen Parameterwerten beruhen. Es könnte z. B. sein, daß in der (β, γ)-Ebene ein zweites Minimum erscheint, das aber die Eigenschaften der wirklich im Experiment gesehenen Niveaus und Übergänge, die alle im Grundzustandsminimum liegen, nicht beeinflußt; solch ein zweites Minimum sollte nicht ernstgenommen werden.

Historisch war eine ebenso wichtige Überlegung die, ob man das Modell auch mit den jeweils zur Verfügung stehenden Computern lösen konnte. Jeder allgemeinere Hamiltonoperator kann nur numerisch diagonalisiert werden, wozu wiederum ein passender Satz von Basisfunktionen und eine Methode zur Berechnung der Matrixelemente nötig sind. Diese Notwendigkeiten beschränken die machbaren Modelle erheblich.

Eine zusätzliche, mehr theoretische Frage ist die, ob man die Potentiale im Hauptachsensystem oder im Labor ansetzen sollte. Im ersteren Falle bedeutet die Drehinvarianz einfach, daß das Potential (und die Massenparameter) nicht von den Eulerwinkeln abhängen dürfen, so daß eine ansonsten beliebige Funktion $V(\beta, \gamma)$ verwendet werden kann. Wegen der Symmetrien in der (β, γ)-Ebenen (s. Abschnitt 6.2.4) ist aber klar, daß $V(\beta, \gamma)$ unter den Transformationen

$$\gamma \to -\gamma, \quad \gamma \to \gamma + 2\pi/3 \tag{6.260}$$

invariant sein muß, und dies kann einfach erreicht werden, indem man das Potential von $\cos 3\gamma$ statt von γ selbst abhängen läßt. Eine nützliche Form für das Potential könnte also

$$V(\beta, \gamma) = \sum_{i,j=0}^{\infty} V_{ij} \beta^i \cos^j(3\gamma) \tag{6.261}$$

sein. Der Term mit $i = 0$ muß im Fall $j \neq 0$ ausgeschlossen werden, weil er für $\beta \to 0$ keine definiten Grenzwert hat.

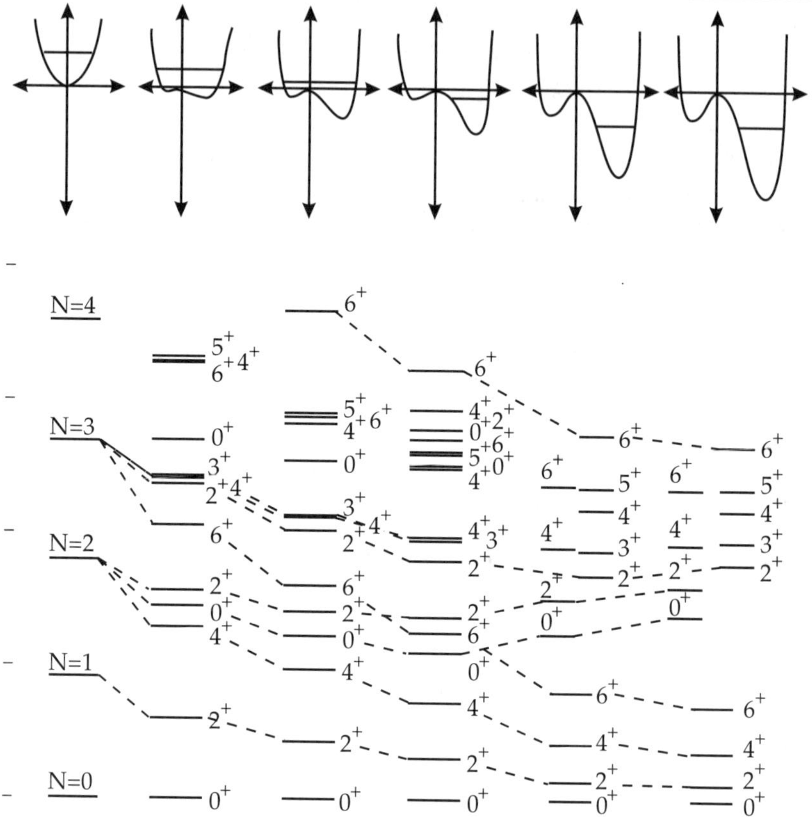

Abb. 6.13: Langsamer Übergang der Potentialfläche vom sphärischen Vibrator (links) zu einem wohldeformierten Kern (rechts). Oben sind Schnitte durch die Potentiale entlang der a_0-Achse gezeigt, während die Spektren unten die Umgruppierung der Niveaus zu neuen Banden demonstrieren. Für einige Niveaus ist mit den gestrichelten Linien angedeutet, wie sie ineinander übergehen.

Im Laborsystem andererseits kann ein skalares Potential durch explizite Kopplung zum Drehimpuls Null konstruiert werden. Gneuss und Greiner [Gn71] benutzten eine Entwicklung bis zur sechsten Ordnung :

$$\begin{aligned} V(\alpha) &= C_2[\alpha\times\alpha]^0 + C_3[\alpha\times[\alpha\times\alpha]^2]^0 + C_4\left([\alpha\times\alpha]^0\right)^2 \\ &\quad + C_5[\alpha\times[\alpha\times\alpha]^2]^0[\alpha\times\alpha]^0 \\ &\quad + C_6\left([\alpha\times[\alpha\times\alpha]^2]^0\right)^2 + D_6\left([\alpha\times\alpha]^0\right)^2 . \end{aligned} \tag{6.262}$$

Zunächst scheint es, daß viele weitere Terme mit anderen intermediären Drehimpulsen in der Kopplung möglich sein müßten, selbst wenn der Gesamtdrehimpuls Null sein soll und die Ordnung in α fest; man kann aber zeigen, daß alle von diesen auf Produkte der zwei Basistensoren $[\alpha\times\alpha]^0$ und $[\alpha\times[\alpha\times\alpha]^2]^\alpha 0$ zurückgeführt werden können[No68].

Beide Ansätze benutzen eine polynomiale Entwicklung. Das beruht nicht auf irgendwelchen fundamentalen Forderungen — eine beliebige Funktion $f(\beta)$ oder $g([\alpha \times \alpha]^0)$ ist ja auch rotationsinvariant —, sondern darauf, daß die Matrixelemente solcher Terme am leichtesten auszuwerten sind. Hess und Mitarbeiter [He80, He81] benutzten die Basisfunktionen des harmonischen Oszillators (von Chacoń und Moshinsky [Ch76, Ch77] angegeben) in der (β, γ)-Darstellung (6.261), während Gneuss und Greiner eine Basis verwendeten, die die Konstruktion im Laborsystem, wie sie in Abschnitt 6.3.2 begonnen wurde, zu höheren Zuständen fortsetzte.

In beiden Fällen ist zu überlegen, wie viele Terme im Potential nötig sind. Hier soll dies kurz für das Gneuss-Greiner-Potential durchgeführt werden. Wenn man dieses Potential in β und γ schreibt,

$$V(\beta, \gamma) = C_2'\beta^2 + C_3'\beta^3 \cos 3\gamma + C_4'\beta^4 + C_5'\beta^5 \cos 3\gamma + C_6'\beta^6 \cos^2 3\gamma + D_6'\beta^6, \quad (6.263)$$

wobei die Konstanten in gestrichene übergeführt wurden, um anzudeuten, daß eine Anzahl Faktoren aus der Drehimpulskopplung in sie eingegangen sind, so kann man diskutieren, wieviel Flexibilität in diesem Ansatz steckt. Um die Eigenschaften eines Minimums im Potential vorzuschreiben (Lage in β und γ, Tiefe und Krümmungen in beide Richtungen) benötigt man fünf Parameter, so daß die sechs Parameter im obigen Ansatz ausreichen, die Eigenschaften eines Minimums anzugeben, man aber bei zwei Minima recht wenig Freiheit bzgl. ihrer Eigenschaften hat. Man sollte also nicht zuviel an Details aus einer solchen Beschreibung erwarten. Dennoch erwies sich dieses Modell sehr nützlich für die Beschreibung von Kernen, die intermediär zwischen sphärischem Vibrator, deformiertem Rotator oder triaxialem Kern liegen, und man kann in der Tat den Übergang zwischen diesen Grenzfällen überzeugend demonstrieren. Abb. 6.13 zeigt ein Beispiel einer solchen Kette, in der die langsame Entwicklung der Rotationsbanden aus dem äquidistanten Spektrum des Vibrators klar verfolgt werden kann.

Bis jetzt haben wir nur die potentielle Energie diskutiert und angenommen, daß die kinetische Energie etwas Triviales wie die des harmonischen Oszillators bleibt. Mikroskopische Theorien zeigen, daß das weit von der Realität sein kann, d. h., daß die kinetische Energie genauso komplizierte Strukturen wie die potentielle haben kann. Das Hinzufügen von Zusatztermen zur kinetischen Energie bringt aber spezielle Probleme mit sich:

1. Eine kompliziertere kinetische Energie erfordert noch mehr Parameter, die dann wiederum nur schwer aus dem Experiment zu extrahieren sind.

2. Es gibt eine gewisse Unbestimmtheit, welche Strukturen in die kinetische und welche in die potentielle Energie zu stecken sind. Zum Beispiel läßt die Transformation $\alpha \leftrightarrow \pi$ das Spektrum des Hamiltonoperators invariant, macht aber aus einem Hamiltonoperator mit simpler kinetischer Energie und kompliziertem Potential einen mit genau den entgegengesetzten Eigenschaften. Man kann kompliziertere kanonische Transformationen erfinden, die Koordinaten und Impulse mischen, aber einen Teil der beobachtbaren Größen unberührt lassen. Die

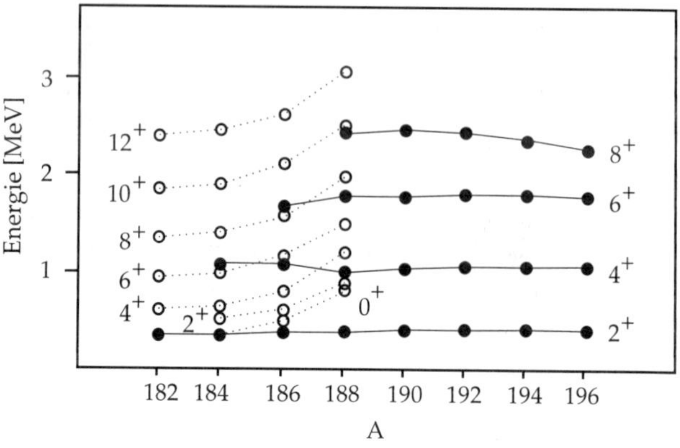

Abb. 6.14: Systematik der tiefliegenden Zustände in den Quecksilber-Isotopen. Die Zustände, die als Mitglieder einer Rotationsbande interpretiert werden, sind mit offenen Kreisen gekennzeichnet, während die Vibrationszustände durch gefüllte Kreise bezeichnet werden. Man beachte, daß die sekundäre Rotationsbande, die auf dem isomeren 0^+-Zustand aufgebaut ist, mit wachsender Neutronenzahl rapide in der Energie steigt[Ha89].

wichtige Größe, die auf diese Art nicht transformiert werden kann, ist der Quadrupoloperator, der immer die wahren Deformationskoordinaten enthalten muß, jedoch reichen $B(E2)$-Werte und Quadrupolmomente oft nicht aus, alle Mehrdeutigkeiten zu eliminieren.

3. Vom praktischen Standpunkt aus gibt das Potential eine anschauliche Beschreibung der Kernstruktur: Minima gehören zum Grundzustand oder zu isomeren Zuständen, Steifigkeitsparameter bestimmen die Vibrationsenergien und Barrieren behindern Übergänge usw., Strukturen in der kinetischen Energie sind in ihrer Wirkung weit weniger anschaulich greifbar.

Aus all diesen Gründen basierten die meisten Studien mit komplizierteren Hamiltonoperatoren auf einer einfachen kinetischen Energie, gewöhnlich einer rein harmonischen, und die komplizierteren Effekte wurden nur dem Potential zugewiesen.

Wie wendet man ein solches Modell nun in der Praxis an? Ein vollständiges Computerprogramm zur Anpassung des Modells an experimentelle Daten ist in [Tr91b] veröffentlicht. Da die verwendete Methode charakteristisch für viele numerische Verfahren in der Kernstrukturtheorie ist, sei hier etwas genauer darauf eingegangen. Das Computerprogramm löst das Problem in den folgenden Schritten:

1. Erzeugen eines Satzes von Basisfunktionen. Als Basis werden in disem Falle die Eigenfunktionen des harmonischen Quadrupoloszillators verwendet. Die Basis wird durch Angabe einer maximalen Phononenzahl beschränkt, was einem Abschneiden der Energie äquivalent ist. Als eine allgemeine Regel kann man davon ausgehen, daß um so mehr Basisfunktionen gebraucht werden, je weniger

das Potential des gegebenen Problems dem harmonischen ähnelt. Das Resultat dieses Schrittes ist ein Satz Basisfunktionen $|i\rangle$, $i = 1, \ldots, M$, wobei i einfach die Basisfunktionen als Computerindex abzählt und den vollständigen Satz von Quantenzahlen $N(i)$ usw. vertritt.

2. Berechne die Matrixelemente des Hamiltonoperators, d. h. $\langle i|\hat{H}|j\rangle$, $i, j = 1, \ldots, M$. Für polynomiale Terme im Hamiltonoperator kann dies mit Hilfe allgemeiner Formeln erfolgen (indem man z. B. die Koordinaten und Impulse in zweiter Quantisierung benutzt), braucht aber viele zusätzliche komplizierte Manipulationen um Symmetrie und Drehimpulseigenschaften der Wellenfunktionen zu berücksichtigen. Es ist wichtig für die praktische numerische Durchführung, daß der Hamiltonoperator skalar ist, so daß die Matrixelemente zwischen Zuständen verschiedenen Drehimpulses oder Projektion verschwinden: dadurch zerfällt die Gesamtmatrix in Teilmatrizen für festen Drehimpuls und für jeden von diesen wiederum braucht nur eine Projektion betrachtet zu werden — in der Praxis arbeitet man lieber mit den reduzierten Matrixelementen. Als Resultat bekommt man für jeden Drehimpuls eine Matrix mit einer Dimension von typischerweise einigen Hundert.

3. Nun wird ein numerischer Algorithmus für die Matrixdiagonalisierung zur Bestimmung der Eigenwerte und Eigenvektoren benutzt. Zu jedem Energieeigenwert E_k gehört ein Vektor aus Koeffizienten a_{ki}, die die Entwicklung des Eigenvektors nach den Basisfunktionen $|i\rangle$ angibt.

4. Damit ist das Spektrum bestimmt, und es bleibt die Berechnung der anderen Observablen, wie z. B. der $B(E2)$-Werte. Dazu braucht man jetzt nur die Matrixelemente des Quadrupoloperators in den Basiszuständen, $\langle i||\hat{Q}||j\rangle$, um dann über die Entwicklungskoeffizienten der Eigenzustände des vollen Hamiltonoperators zu summieren:

$$\langle k||\hat{Q}||k'\rangle = \sum_{ij} a_{ki} a_{k'j} \langle k||\hat{Q}||k'\rangle. \tag{6.264}$$

5. An disem Punkt sind die Ergebnisse des Modells für einen festen Satz von Potentialparametern bekannt, und man sollte sie mit dem Experiment vergleichen, um dann die Parameter in Richtung auf bessere Übereinstimmung zu verändern. Im Computerprogramm von [Tr91b] wird dies mit einem Algorithmus zur Minimierung des χ^2-Abstandes zwischen Theorie und Experiment durchgeführt; die Gewichtung der verschiedenen Daten braucht allerdings genauso wie die Auswahl eines „Startsatzes" von Parametern menschliche Erfahrung und Beurteilung.

Als Beispiel für die Anwendung des Modells zeigen wir den Fit der Energiespektren einiger Quecksilber-Isotope in den Abb. 6.14–6.18. Diese Isotope sind von besonderem Interesse, weil es bei ihnen Hinweise für Shape-Isomerie gibt, d. h. für die Existenz eines zweiten Minimums in der Potentialfläche bei einer anderen Deformation, das

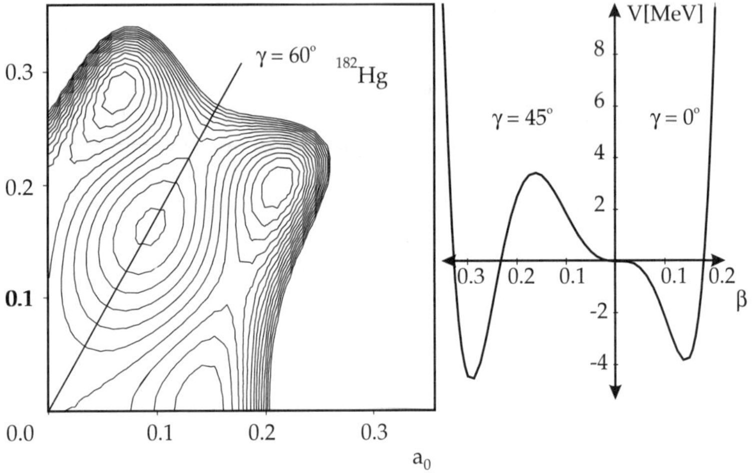

Abb. 6.15: Kollektive Potentialflächen für ^{182}Hg, an die Spektren und Übergangswahrscheinlichkeiten angepaßt [Tr91a]. Links zeigen die Höhenlinien die allgemeine Struktur der Flächen, während Schnitte durch die Flächen bei $\gamma = 0°$ und $\gamma = 45°$ (das entspricht ungefähr der Lage des zweiten Minimums) mehr quantitatives Detail erkennen lassen. Man beachte auch die geforderte Symmetrie um $\gamma = 60°$. In all den hier gezeigten Isoptopen gibt es ein zweites Minimum in der Potentialenergiefläche, das in der triaxialen Ebene liegt und langsam mit der Neutronenzahl ansteigt. Die Übergangswahrscheinlichkeiten von diesem Minimum in das Grundzustandsminimum sind noch nicht gemessen, so daß die präzise Lage der Minima unklar bleibt. Da die schwereren Isotope keine deformierte Bande mehr aufweisen, führt der Fit dort nicht mehr zu einem zweiten Minimum, und die Potentialflächen sind weniger interessant, so daß sie hier nicht gezeigt werden.

zusätzliche Banden erzeugt, die nicht in die Bandenstrukturen passen, die zum Grundzustand gehören. Die Resultate zeigen auch die Grenzen eines solchen phänomenologischen Modells: Die Interpretation der erhaltenen Potentialflächen erfordert äußerste Vorsicht.

Die Lage des isomeren Minimums kann nur dann mit Sicherheit bestimmt werden, wenn in den experimentellen Daten, die mit dem isomeren Zustand zusammenhängen, diese Information enthalten ist. Wenn Übergänge innerhalb einer Bande, die im isomeren Minimum beheimatet ist, gemessen sind, kann man den Absolutwert der Deformation ableiten, aber nicht ihr Vorzeichen; wenn nur das Spektrum bekannt ist, wird die Lage des Minimums sehr unsicher, und nur die Identifizierung eines Vibrations-, Rotations oder γ-instabilen Spektrums kann Hinweise auf die Lage geben. Die Fitprozedur wird in diesen Fällen die Lage des Minimums so anpassen, daß irgendwelche feineren — und wahrscheinlich unwichtigen — Details in den Daten wiedergegeben werden. Man beachte auch, daß in den Fits zweite Minima nur dort auftreten, wo die Daten es verlangen — es gibt keine Extrapolation von einem Isotop zum nächsten,

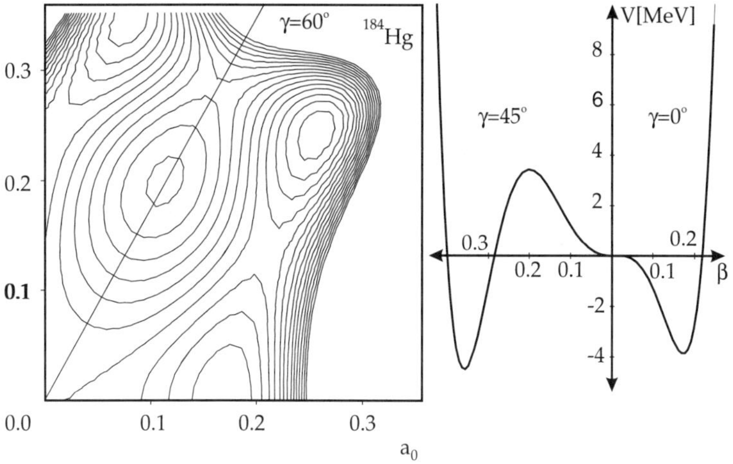

Abb. 6.16: Wie Abb. 6.15, aber für ^{184}Hg

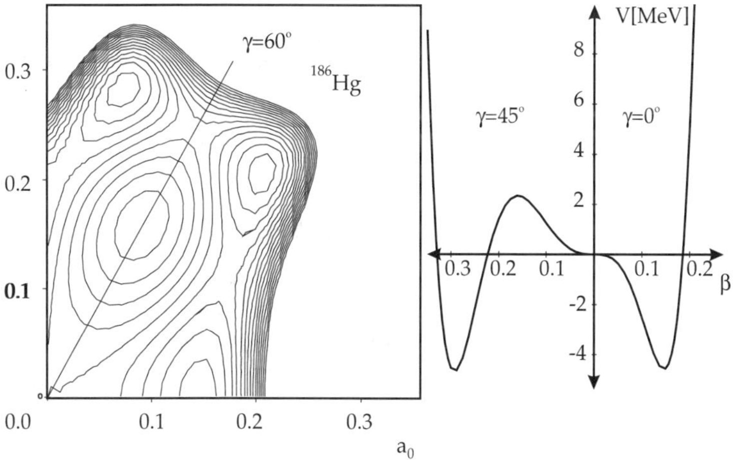

Abb. 6.17: Wie Abb. 6.15, aber für ^{186}Hg

obwohl im Prinzip das Modell so modifiziert werden könnte, daß eine glatte Variation der kollektiven Eigenschaften von Kern zu Nachbarkern sichergestellt ist.

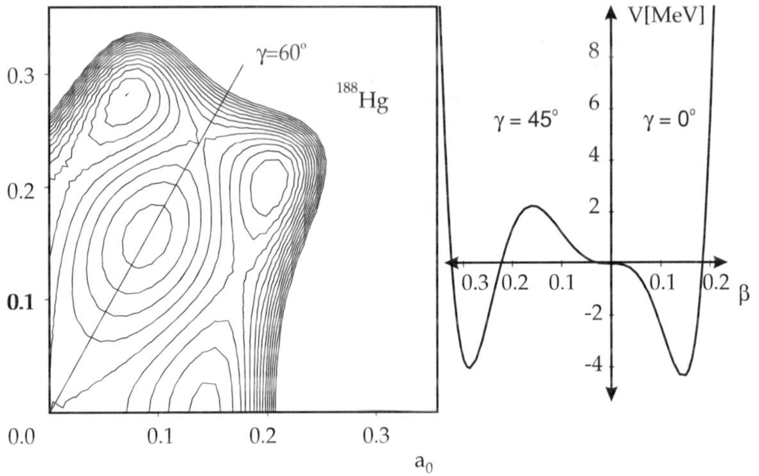

Abb. 6.18: Wie Abb. 6.15, aber für ^{188}Hg

6.7.2 Proton-Neutron-Schwingungen

Kollektive Schwingungen, die einer Relativbewegung von Protonen und Neutronen entsprechen, sind schon lange in Gestalt der *Dipol-Riesenresonanzen* bekannt, die in Abschnitt 6.9 diskutiert werden. Es gibt jedoch auch tieferliegende kollektive Zustände, die man als „Scherschwingung" interpretieren kann, wie sie in Abb. 6.19 illustriert ist.

Der natürliche Weg, das Kollektivmodell zur Behandlung solcher Zustände zu verallgemeinern, besteht in der Einführung getrennter Deformationsvariablen für Protonen und Neutronen, $\alpha^p_{2\mu}$ ünd $\alpha^n_{2\mu}$. Diese müssen stark aneinander gekoppelt sein, weil die Symmetrieenergie zu starker Energiezunahme führt, wenn die beiden Teilchenarten voneinander getrennt werden (eine quantitative Diskussion ist in Abschnitt 6.9 gegeben). Deswegen ist es nützlicher, zu Schwerpunkts- und Relativkoordinaten

$$\alpha_{2\mu} = \frac{1}{A}(Z\alpha^p_{2\mu} + N\alpha^n_{2\mu}), \qquad \xi_{2\mu} = \alpha^p_{2\mu} - \alpha^n_{2\mu} \tag{6.265}$$

überzugehen. Man kann dann davon ausgehen, daß Schwingungen in $\xi_{2\mu}$ von kleiner Amplitude sind und durch einen steifen harmonischen Oszillators beschrieben werden können. Der Hamiltonoperator wird konstruiert als

$$\hat{H} = \hat{H}_{\mathrm{KM}}(\alpha) + \hat{H}_{\mathrm{HO}}(\xi) + \hat{H}_{\mathrm{Kopplung}}(\alpha, \xi). \tag{6.266}$$

Das Spektrum dieses hamiltonoperators wird aufgebaut aus dem Spektrum von $\hat{H}_{\mathrm{KM}}$, das gerade aus den gewöhnlichen Kollektivzuständen besteht, gekoppelt mit dem 0^+-Grundzustand von ξ. Bei der Energie $\hbar\omega_\xi$ darüber wiederholt sich das Spektrum, aber mit reicherer Struktur, die durch die Drehimpulskopplung mit dem ersten angeregten 2^+ in ξ verursacht wird, und so weiter. Eine interessante Eigenschaft des Modells ist, daß es nicht nur die Existenz von Scherschwingungszuständen vorhersagt, sondern auch magnetische Übergänge im Niederenergiespektrum erlaubt, wenn der Kopplungsterm $\hat{H}_{\mathrm{Kopplung}}$ nicht verschwindet. Normalerweise ist das kollektive magnetische Moment des Kerns durch $\hat{\boldsymbol{M}} = (Z/A)g_N\hat{\boldsymbol{L}}$ gegeben, weil diesem Modell die Annahme zugrunde liegt, daß Protonen und Neutronen gemeinsame Bewegung haben und damit das magnetische Moment einfach dem Anteil der Protonen am Gesamtdrehimpuls im Kern mal dem magnetischen Moment des Protons entspricht. Man kann nun zeigen daß die Wechselwirkung zwischen α und ξ zu einem allgemeineren *tensoriellen g-Faktor* führt und dann das magnetische Moment die Form [Ma75]

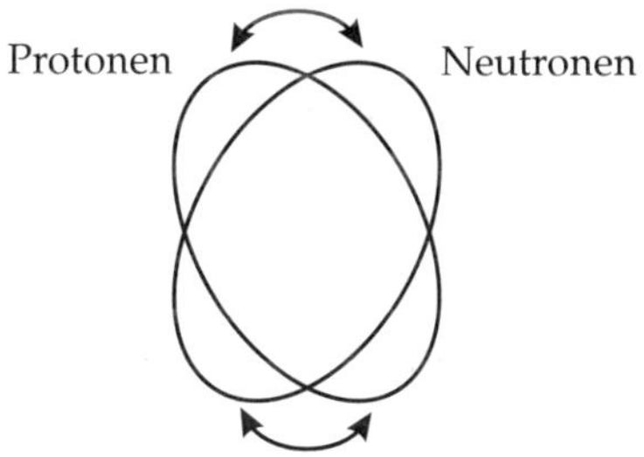

Abb. 6.19: Die Scherschwingung entspricht einer Relativschwingung von Protonen gegen Neutronen, wie sie hier mit weit übertriebener Amplitude dargestellt ist.

$$\hat{M}_{1\mu} = \frac{Z}{A} g_N \hat{\boldsymbol{L}}_{1\mu} + \kappa[\alpha \times \hat{\boldsymbol{L}}]^1{}_\mu \tag{6.267}$$

annimmt. Dies ist nicht mehr diagonal und kann deswegen Übergänge verursachen.

6.7.3 Höhere Multipole

Auf ähnliche Art kann das Modell erweitert werden, indem man eine zusätzliche Oktupoldeformation $\alpha_{3\mu}$ oder gar eine Hexadekupoldeformation $\alpha_{4\mu}$ einführt. Wieder kann der Hamiltonoperator als Summe von Hamiltonoperatoren für jeden einzelnen Multipol angesetzt werden, mit zusätzlichen Kopplungstermen zwischen den einzelnen Multipolen. Mathematisch kann das Modell einfach nur bei sphärischem Grundzustand durchgezogen werden, obwohl selbst da schon die Konstruktion der Eigenzustände für die höheren Multipole sehr viel komplizierter wird. Wenn sich andererseits einen stark deformierten Kern mit zusätzlichen Oktupolschwingungen vorstellt, so muß der Oktupol auch im körperfesten System behandelt werden und führt zur Existenz eines siebendimensionalen Oszillators, der dem üblichen Rotations-Vibrations-Modell beigemischt wird.

Ein Problem bei all diesen Verallgemeinerungen des Modells ist, daß sie notwendigerweise eine große Zahl zusätzlicher Parameter mit sich bringen, so daß die vorhandenen experimentellen Daten leicht gefittet werden können, aber nicht die eindeutige Festlegung der Parameter oder einen strikten Test der Modelle erlauben.

6.8 Das IBA-Modell

6.8.1 Einführung

Das geometrische Kollektivmodell, das die Niederenergieanregungen von Kernen als Oberflächenschwingungen interpretiert, wurde bisher eingehend diskutiert. Es basiert auf dem geometrischen Bild des Kerns als eines Flüssigkeitstropfens und vernachlässigt die innere Struktur, wie sie etwa das Schalenmodell beschreibt.

Außerdem sahen wir in Abschnitt 6.3.2, daß gewisse Typen von kollektiven Anregungsspektren formal durch Erzeugungs- und Vernichtungsoperatoren für Quadrupolphononen beschrieben werden können. Vom Standpunkt des Schalenmodells kann man diese Quadrupolphononen als Produkt einer Projektion des Fermionenraums auf einen kollektiven bosonischen Quasiteilchen-Unterraum auffassen. Zum Beispiel mögen Fermionenpaare sich vorzugsweise zum Gesamtdrehimpuls Null oder zwei koppeln, und diese Paare können in einer gewissen Näherung sich wie Bosonen verhalten. Wenn man dieses Bild als gegeben annimmt, kann man auch phänomenologisch beginnen, Bosonen zu definieren und eine allgemeine Form für den Hamiltonoperator aufzustellen, wobei die Parameter des so erhaltenen Modells solange variiert werden, bis zufriedenstellende Übereinstimmung zwischen berechneten und experimentellen Daten erreicht ist. Diese spätere Stufe der Anwendung des Modells ist ganz analog zum geometrischen Modell, insbesondere in seiner verallgemeinerten Version nach Abschnitt 6.7.1, wenn auch mit interessanten Unterschieden im Detail.

Eine solche bosonische Theorie ist das *Modell der wechselwirkenden Bosonen* (*Interacting Boson Model*, IBM), auch als *Näherung* (*Interacting Boson Approximation*,IBA) bezeichnet, das zuerst von Arima and Iachello [Ar75, Ar76] vorgeschlagen wurde. Ein äquivalentes etwas anders formuliertes Modell war schon vorher von Janssen, Jolos, and Dönau [Ja74] entwickelt worden. Der Leser kann sehr gut lesbare und detaillierte Übersichten vieler Aspekte des Modells und zu allen Fragen, die hier der Kürze wegen nicht behandelt werden konnten, in dem Buch [Ia87] und dem Review [Ca88] finden. Es sollte auch darauf hingewiesen werden, daß für ein volles Verständnis des IBA, insbesondere der mikroskopischen Fundierung, ein Basisverständnis von Kapitel 7 nützlich ist.

Das IBA enthält zwei Arten von Bosonen: solche mit Drehimpuls $L = 0\hbar$ (s–Bosonen) und solche mit $L = 2\hbar$ (d–Bosonen). Die Energie jedes freien Bosons ist ϵ_s bzw. ϵ_d. Durch das Schalenmodell motiviert, werden diese Bosonen als Paare von Valenznukleonen interpretiert, die ab der nächsten abgeschlossenen Schale gerechnet werden; d. h. sie werden für weniger als halb gefüllte Schalen aus Teilchen aufgebaut und — wegen der Äquivalenz von Teilchen und Löchern (s. das Ende von Abschnitt 7.3.2) — aus Löchern für mehr als halbvolle Schalen. Kompliziertere Versionen des IBA unterscheiden z. B. zwischen Paaren von Neutronen oder Protonen ("IBA2", [Ar77, Oh78]) oder enthalten f-Bosonen mit Drehimpuls $L = 3\hbar$ zur Beschreibung von Oktupolfreiheitsgraden ("sdf-IBA", [Sc78]). Eine andere Erweiterung des Modells ist die auf Bosonen mit Drehimpuls vier (g-Bosonen), die von mehreren Autoren angegeben wurde; der Leser sei für Details auf [Ca88] verwiesen. Im Rahmen dieses Buches wird nur die einfachste Version des IBA, jetzt i. a. "IBA1" genannt, ausführlich behandelt und auf die Erweiterungen nur kurz am Ende diese Kapitels eingegangen.

Um die Bedeutung der Bosonen klarer zu machen, seien zwei Beispiele angeführt: man betrachte zunächst den Kern ${}^{110}_{48}\mathrm{Cd}_{62}$. Die nächste abgeschlossene Schale ist 50 für Protonen wie für Neutronen, so daß 12 Neutronen (oder 6 neutronische Bosonen) und zwei Protonenlöcher (1 protonisches Boson) resultieren. Als weiteres Beispiel sei der Kern ${}^{156}_{64}\mathrm{Gd}_{92}$ betrachtet: die nächste abgeschlossene Schale für Protonen (Neutronen) ist 50 (80), so daß insgesamt $14 + 12$ Valenznukleonen vorhanden sind. Dieses Isotop hat also insgesamt 13 Bosonen.

Die Interpretation der Bosonen als Paare von Valenznukleonen ergibt auch einen fundamentalen Unterschied zum geometrischen Kollektivmodell: im IBA ist die Anzahl der Bosonen N fest und durch die mikroskopische Struktur gegeben, wie an den Beispielen zu sehen war. Für die Beschreibung kollektiver Zustände in einem festen Kern sollten nur Eigenzustände mit $n_s + n_d = N$ betrachtet werden. Das eröffnet aber eine interessante neue Möglichkeit für dieses Modell: man kann versuchen, benachbarte Kerne mit demselben Hamiltonoperator zu beschreiben und nur die Bosonenzahl von Kern zu Kern abzuändern. In manchen Fällen war das durchaus erfolgreich. Im geometrischen Modell dagegen gibt es keine direkte Abhängigkeit von den Nukleonenzahlen; stattdessen wird aber oft eine glatte Abhängigkeit der Potentialenergiefläche von ihnen gefunden.

Formal werden die Zustände im IBA in Besetzungszahldarstellung mit Erzeugungsoperatoren $\hat{d}^+_\mu$, $\hat{s}^+$ und Vernichtungsoperatoren $\hat{d}_\mu$, $\hat{s}$ konstruiert, wobei der Index μ die Drehimpulsprojektion ($\mu = -2, \dots 2$) angibt. Die Operatoren erfüllen die üblichen Vertauschungsrelationen

$$[\hat{s}, \hat{s}^+] = 1, \qquad [\hat{d}_\mu, \hat{d}^+_\nu] = \delta_{\mu\nu}, \tag{6.268}$$

mit allen anderen Kommutatoren Null. Der Operator für die gesamte Bosonenzahl ist

$$\hat{N} = \sum_\mu \hat{d}^+_\mu \hat{d}_\mu + \hat{s}^+ \hat{s} = \hat{n}_d + \hat{n}_s. \tag{6.269}$$

Für den Hamiltonoperator wählt man eine allgemeine Form unter Berücksichtigung der Invarianzen und mit einer vernünftigen Begrenzung auf Terme niedrigster Ordnung. Die Invarianzbedingungen sind:

- Erhaltung der Bosonenzahl — die Eigenzustände müssen auch Eigenzustände von $\hat{N}$ sein:

$$\left[\hat{H}_{\mathrm{IBA}}, \hat{N}\right] = 0. \tag{6.270}$$

  In der Praxis erreicht man das dadurch, daß jeder Term im Hamiltonoperator die gleiche Anzahl von Erzeugungs- wie Vernichtungsoperatoren enthält.

- Drehimpulserhaltung

$$\left[\hat{H}_{\mathrm{IBA}}, \hat{L}_{1\mu}\right] = 0. \tag{6.271}$$

Wie im geometrischen Modell verlangt das einfach, daß alle Terme zum Drehimpuls Null gekoppelt sind.

Der Drehimpulsoperator ist identisch mit dem des geometrischen Modells (s. Aufgabe 6.3), wird aber aus Konvention etwas anders geschrieben:

$$\hat{L}_\mu = \sqrt{10}[\hat{d}^+ \times \hat{\tilde{d}}]^1{}_\mu \tag{6.272}$$

mit der Definition $\hat{\tilde{d}}_\mu \equiv (-1)^\mu \hat{d}_{-\mu}$. Dies ist notwendig, weil $\hat{d}_\mu$ kein sphärischer Tensor ist (vgl. die Diskussion für $\alpha_{2\mu}$ und $\hat{\pi}_{2\mu}$ in Abschnitt 6.3.3). Das s-Boson trägt natürlich nicht zum Drehimpuls bei.

Bemerkung: Im IBA ist es üblich, eine gesonderte Schreibweise für das *Skalarprodukt* zweier sphärischer Tensoren desselben Drehimpulses zu verwenden. Es wird als die Kopplung zum Drehimpuls Null, aber ohne den Faktor $\sqrt{2L+1}$ aus den Clebsch-Gordan-Koeffizienten, definiert, so daß

$$\hat{R}^L \cdot \hat{S}^L = \sqrt{2L+1}[R \times S]^0 = \sum_{m=-L}^{L} (-1)^L \hat{R}^L_m \hat{S}^L_{-m}. \tag{6.273}$$

Analog wird das *Quadrat eines Tensoroperators* als

$$(\hat{T}^L)^2 = \hat{T}^L \cdot \hat{T}^L = \sqrt{2L+1}[\hat{T} \times \hat{T}]^0 = \sum_{m=-L}^{L} \hat{T}^{L+}_m \hat{T}^L_m \tag{6.274}$$

definiert. Im letzten Schritt wurde $\hat{T}^{L+}_m = (-1)^m \hat{T}^L_{-m}$ verwendet.

6.8.2 Der Hamiltonoperator

Die Existenz mehrerer sehr verschiedener Formulierungen des Hamiltonoperators im IBA ist für den Neuling vielleicht etwas verwirrend. Die beiden meistverwendeten Formen basieren respektive auf den Multipoloperatoren bzw. der einfachsten Entwicklung in zweiter Quantisierung. Natürlich sind die Terme in beiden Formulierungen nicht äquivalent, sondern über eine lineare Transformation miteinander verbunden: das hat zur Folge, daß die Koeffizienten ebenfalls durch eine lineare Transformation miteinander verknüpft sind.

Die einfachste Form des Hamiltonoperators basiert auf den Phononenzahl erhaltenden und zum Drehimpuls Null gekoppelten Produkten von Erzeugungs- und Vernichtungsoperatoren. Der Einfachheit halber werden nur Ein- und Zweikörperterme mitgenommen, so daß unter diesen Einschränkungen der allgemeinste Hamiltonoperator sich sofort hinschreiben läßt:

$$\begin{aligned}\hat{H}_{\mathrm{IBA}} &= \epsilon_s \hat{n}_s + \epsilon_d \hat{n}_d \\ &+ \sum_{L=0,2,4} \frac{1}{2}\sqrt{2L+1}C_L \left[[\hat{d}^+ \times \hat{d}^+]^L \times [\hat{\tilde{d}} \times \hat{\tilde{d}}]^L\right]^0 \\ &+ \frac{1}{\sqrt{2}}\tilde{V}_2 \left[[\hat{d}^+ \times \hat{d}^+]^2 \times [\hat{\tilde{d}} \times \hat{\tilde{s}}]^2 + [\hat{d}^+ \times \hat{s}^+]^2 \times [\hat{\tilde{d}} \times \hat{\tilde{d}}]^2\right]^0 \\ &+ \frac{1}{2}\tilde{V}_0 \left[[\hat{d}^+ \times \hat{d}^+]^0 \times [\hat{\tilde{s}} \times \hat{\tilde{s}}]^0 + [\hat{s}^+ \times \hat{s}^+]^0 \times [\hat{\tilde{d}} \times \hat{\tilde{d}}]^0\right]^0 \\ &+ U_2 \left[[\hat{d}^+ \times \hat{s}^+]^2 \times [\hat{\tilde{d}} \times \hat{\tilde{s}}]^2\right]^0 \\ &+ \frac{1}{2}U_0 \left(\hat{s}^+\hat{s}^+\hat{\tilde{s}}\hat{\tilde{s}}\right),\end{aligned} \tag{6.275}$$

Man erinnere sich, daß $\hat{\tilde{d}}_\mu$ und nicht d_μ ein sphärischer Tensor ist.Die analoge Definition $\hat{\tilde{s}}$ für das s-Boson wurde nur aus Gründen symmetrischer Schreibweise beider Bosonenarten eingeführt; es gilt ja einfach $\hat{\tilde{s}} = \hat{s}$.

In der Summe der zweiten Zeile kommen nur gerade Drehimpulse vor, weil die anderen Kopplungen verschwinden. Man kann dies mit Hilfe des gleichen Symmetrieargumentes sehen, das zur Nichtexistenz der Zweiphononenzustände mit ungeradem Drehimpuls beim harmonischen Oszillator führte (s. Abschnitt 6.3.2).

Die Anzahl von Parametern in diesem Hamiltonoperator scheint zunächst neun zu sein; man kann sie aber durch Berücksichtigung der Bedingung fester Phononenzahl N reduzieren. Diese bedeutet ja, daß Terme, die von der Anzahl n_s der s-Bosonen abhängen, stattdessen durch die n_d ausgedrückt werden können. Verwendung dieser Bedingung um Umgruppierung der Terme ergibt

$$\begin{aligned}\hat{H}_{\mathrm{IBA}} &= \epsilon_s N + \frac{1}{2}U_0 N(N-1) + \epsilon N_d \\ &+ \sum_{L=0,2,4} \frac{1}{2}\sqrt{2L+1}C'_L \left[[\hat{d}^+ \times \hat{d}^+]^L \times [\hat{\tilde{d}} \times \hat{\tilde{d}}]^L\right]^0 \\ &+ \frac{1}{\sqrt{2}}\tilde{V}_2 \left[[\hat{d}^+ \times \hat{d}^+]^2 \times [\hat{\tilde{d}} \times \hat{\tilde{s}}]^2 + [\hat{d}^+ \times \hat{s}^+]^2 \times [\hat{\tilde{d}} \times \hat{\tilde{d}}]^2\right]^0 \\ &+ \frac{1}{2}\tilde{V}_0 \left[[\hat{d}^+ \times \hat{d}^+]^0 \times [\hat{\tilde{s}} \times \hat{\tilde{s}}]^0 + [\hat{s}^+ \times \hat{s}^+]^0 \times [\hat{\tilde{d}} \times \hat{\tilde{d}}]^0\right]^0,\end{aligned} \tag{6.276}$$

wobei die Definitionen

$$\epsilon = (\epsilon_d - \epsilon_s) + \frac{1}{\sqrt{5}}U_2(N-1) - \frac{1}{2}U_0(2N-1) \tag{6.277}$$

und

$$C'_L = C_L + U_0\delta_{L0} - 2U_2\delta_{L2} \tag{6.278}$$

verwendet wurden. Zur Ableitung dieses Ergebnisses muß man alle Kombinationen $\hat{s}^+\hat{\tilde{s}} = \hat{n}_s$ durch $N - \hat{n}_d$ ersetzen; z. B. kann der letzte Term in (6.275) umgeschrieben werden zu

$$\frac{U_0}{2}\hat{s}^+\hat{s}^+\hat{\tilde{s}}\hat{\tilde{s}} = \frac{U_0}{2}\hat{n}_s(\hat{n}_s - 1) \tag{6.279}$$

was man entweder aus den Vertauschungsrelationen zeigen kann oder indem man einfach feststellt, daß der Teilchenzahloperator vor einem Vernichtungsoperator eine um eins reduzierte Bosonenzahl "sieht". Die weiteren Rechnungen sind länglich, weil die Drehimpulskopplungen explizit ausgeführt werden müssen, um die Terme mit $\hat{n}_d^2$ in die zu C_0 bzw. C_2 proportionalen einzugliedern.

Da wir uns hier nur die Anregungsenergien interessieren, können wir die ersten beiden Terme, die für einen festen Kern nur einen konstanten Beitrag liefern, fallen lassen. Es bleiben also für den IBA-Hamiltonoperator in dieser Form sechs Parameter.

Die letzte Form des Hamiltonoperators, und wahrscheinlich die physikalisch nützlichste, ist die Multipolform. Man definiert einen Satz von Multipoloperatoren als

$$\hat{T}_l = [\hat{d}^+ \times \hat{\tilde{d}}]^l, \qquad l = 0, \dots 4. \tag{6.280}$$

Sie hängen direkt mit der Zahl der d-Bosonen

$$\hat{n}_d = \sqrt{5}\hat{T}_0 \tag{6.281}$$

und dem Drehimpulsoperator

$$\hat{L}_\mu = \sqrt{10}\hat{T}_{1\mu} \tag{6.282}$$

zusammen. Zusätzlich sind ein Quadrupoloperator

$$\hat{Q}_{2\mu} = (\hat{d}_\mu^+\hat{s} + \hat{s}^+\hat{\tilde{d}}_\mu) - \frac{\sqrt{7}}{2}\hat{T}_{2\mu} \tag{6.283}$$

und der sogenannte "Paaroperator"

$$\hat{P} = \tfrac{1}{2}([\hat{\tilde{d}} \times \hat{\tilde{d}}]^0 - \hat{s}\hat{s}) \tag{6.284}$$

in diesem Satz enthalten. Durch die Multipoloperatoren ausgedrückt sieht der Hamiltonoperator so aus:

$$\hat{H} = \epsilon''\hat{n}_d + a_0\hat{P}^+\hat{P} + a_1\hat{L}^2 + a_2\hat{Q}^2 + a_3\hat{T}^2 + a_4\hat{T}_4^2. \tag{6.285}$$

Der neue Satz von Parametern hängt mit denen der beiden anderen Formulierungen wieder linear zusammen. In der Literatur gibt es verschiedene Parametersätze, die sich durch die Bezeichnungen und numerische Faktoren unterscheiden. Details sind in der spezialisierten Literatur, etwa [Ia87] oder [Ca88] zu finden.

6.8.3 Gruppenketten

Der nächste Schritt ist die Bestimmung der Eigenwerte und Eigenfunktionen des Hamiltonoperators, und in diesem Falle erweisen sich gruppentheoretische Methoden als sehr nützlich. Mit der maximalen Symmetriegruppe des IBA-Hamiltonoperators, als die sich $SU(6)$ herausstellen wird, beginnend wird eine Kette von Untergruppen konstruiert, wie es in Abschnitt 4.2 geschildert wurde. Die Eigenwerte der Casimiroperatoren jeder Untergruppe dienen dann zur vollständigen Klassifizierung der Eigenzustände.

Im folgenden werden nicht alle Details der Rechnung angegeben, weil eine Behandlung aller benötigten gruppentheoretischen Methoden den Rahmen dieses Buches sprengen würde. Die Entwicklungen werden also nur im Überblick diskutiert; während man ein tieferes Verständnis der Gruppentheorie braucht, um die einzelnen Casimiroperatoren zu konstruieren, ist es aber relativ leicht, die Gültigkeit der angeführten Formeln zu überprüfen. Beispiele dafür sind in den Übungen 6.11–12 zu finden.

Was ist die maximale Symmetriegruppe des IBA? Die 36 Operatoren $\hat{d}^+_\mu \hat{d}_\nu$, $\hat{d}^+_\mu \hat{s}$, $\hat{s}^+ \hat{d}_\nu$ und $\hat{s}^+ \hat{s}$ sind die grundlegenden Transformationen für die Umbesetzung eines Teilchens im sechsdimensionalen Raum, der vom s-Boson und den fünf Projektionen des d-Bosons aufgespannt wird. Der Vergleich mit der Diskussion in Abschnitt 4.2.1 zeigt, daß sie die 36 Generatoren der Gruppe von Transformationen im sechsdimensionalen Raum, d. h. der $U(6)$ sind. Es ist aber sehr viel nützlicher, statt ihrer die zu gutem Drehimpuls gekoppelten Kombinationen

$$\begin{array}{llll} [\hat{s}^+ \times \hat{\tilde{s}}]^0 & [\hat{d}^+ \times \hat{\tilde{s}}]^2{}_\mu & [\hat{s}^+ \times \hat{\tilde{d}}]^2{}_\mu & [\hat{d}^+ \times \hat{\tilde{d}}]^0 \\ [\hat{d}^+ \times \hat{\tilde{d}}]^1{}_\mu & [\hat{d}^+ \times \hat{\tilde{d}}]^2{}_\mu & [\hat{d}^+ \times \hat{\tilde{d}}]^3{}_\mu & [\hat{d}^+ \times \hat{\tilde{d}}]^4{}_\mu \end{array} \tag{6.286}$$

zu betrachten. Wie man leicht nachzählt, enthält dieser Satz ebenfalls 36 unabhängige Operatoren. Damit ist die Lie-Algebra der $U(6)$ gegeben.

Im folgenden werden, wie in Abschnitt 4.2.1, Drehimpulsoperatoren ohne den Faktor $\hbar$ verwendet.

Die maximale Symmetriegruppe des IBA-Hamiltonoperators ist also $U(6)$ und wir können jetzt nach allen möglichen Ketten von Untergruppen suchen, die mit ihren Casimiroperatoren die vollständige Klassifizierung der Eigenzustände erlauben. Am einfachsten geht das über die Konstruktion von *Unteralgebren* der Lie-Algebra, indem kleinere Sätze von Linearkombinationen der Generatoren gesucht werden, die unter der Kommutation abgeschlossen sind.

In Abschnitt 4.2.1 wurde erwähnt, daß eine physikalisch sinnvolle Gruppenkette die Gruppen $O(3) \supset O(2)$ enthalten sollte, um die Existenz von Drehimpulsquantenzahlen zu gewährleisten (damit ist schon angedeutet, daß $[\hat{d}^+ \times \hat{\tilde{d}}]^1$ in den Unteralgebren enthalten sein sollte). Man kann zeigen, daß nur drei Ketten der Form $U(6) \supset \ldots \supset O(3) \supset O(2)$ möglich sind. Die zugehörigen Algebren kann man wie folgt erhalten:

A: Wenn man die 11 Operatoren entfernt, die das s-Boson enthalten, bleiben 25 Operatoren der Form $[\hat{d}^+ \times \hat{\tilde{d}}]^L{}_M$, die die Algebra der $U(5)$ bilden. Das ist nicht überraschend, weil diese Operatoren ja die Transformationen im fünfdimensionalen Unterraum der d-Bosonen erzeugen. Der resultierende Raum ist analog dem der Phononen im sphärischen Vibratormodell und es liegt auf der Hand, daß damit Vibrationskerne beschrieben werden. Der nächste Schritt ist die Entfernung der symmetrischen Operatorprodukte, d. h. der mit geradem Drehimpuls. Wenn wir diese 15 Operatoren der Form $[\hat{d}^+ \times \hat{\tilde{d}}]^L{}_M$ mit $L = 0, 2, 4$ entfernen, bleiben 10 antisymmetrische Generatoren, die nach Übung 4.3 gerade die Gruppe $O(5)$ erzeugen. Schließlich werden noch die 7 Operatoren der Form $[\hat{d}^+ \times \hat{\tilde{d}}]^3{}_M$ weggelassen und es verbleiben gerade noch die Drehimpulsoperatoren $[\hat{d}^+ \times \hat{\tilde{d}}]^1{}_M$, die die Gruppe $O(3) \supset O(2)$ erzeugen. Damit ist die erste Gruppenkette vollständig:

$$U(6) \supset U(5) \supset O(5) \supset O(3) \supset O(2). \tag{6.287}$$

B: Für die zweite Gruppenkette betrachten wir die $1 + 3 + 5 = 9$ Operatoren vom Monopol-, Dipol- und Quadrupoltyp

$$[\hat{s}^+ \times \hat{s}]^0 + \sqrt{5}[\hat{d}^+ \times \hat{\tilde{d}}]^0, \qquad \hat{L}_\mu, \qquad \text{and} \qquad \hat{Q}_\mu, \tag{6.288}$$

die die Algebra der $U(3)$ erzeugen. Der erste dieser Operatoren gibt nur die Bosonenzahl an (der Faktor $\sqrt{5}$ hebt den inversen aus den Clebsch-Gordan-Koeffizienten auf) und kann weggelassen werden, während die beiden anderen, der Drehimpulsoperator und der Quadrupoloperator aus (6.283) , die $SU(3)$ erzeugen. Wenn man die Gruppenkette mit den Drehgruppen fortsetzt, indem nur der Drehimpuls beibehalten wird, erhält man

$$U(6) \supset SU(3) \supset O(3) \supset O(2). \tag{6.289}$$

C: Schließlich betrachten wir die $3 + 7 + 5 = 15$ Operatoren

$$\hat{L}_\mu, \qquad [\hat{d}^+ \times \hat{\tilde{d}}]^3{}_\mu, \qquad [\hat{d}^+ \times \hat{s}]^2{}_\mu - [\hat{s}^+ \times \hat{d}]^2{}_\mu, \tag{6.290}$$

die die Algebra der $O(6)$ bilden. Weglassen der 5 Operatoren der letzten Zeile läßt die Generatoren der $O(5)$ übrig, und wenn man wieder mit den Drehimpulsoperatoren weitermacht, resultiert die Kette

$$U(6) \supset O(6) \supset O(5) \supset O(3) \supset O(2). \tag{6.291}$$

6.8.4 Die Casimiroperatoren

Die nächste Aufgabe ist es, die Casimiroperatoren für die angegebenen Gruppenketten und dann deren Eigenwerte zu finden. Weil die Darstellung der dazu nötigen gruppentheoretischen Entwicklungen zu weit führen würde, wird hier statt der Ableitung nur die physikalische Bedeutung und die wesentlichen Eigenschaften der Ergebnisse diskutiert.

Der gemeinsame Ausgangspunkt aller Gruppenketten ist die $U(6)$, deren Casimiroperator der Bosonenzahloperator $\hat{N}$ ist (s. Übung 6.11). Sein Eigenwert ist die Gesamtzahl der Bosonen N und, wie diskutiert, für einen festen Kern konstant.

Betrachten wir jetzt zunächst die **Gruppenkette A**: $U(6) \supset U(5) \supset O(5) \supset O(3) \supset O(2)$. In diesem Fall ist der Casimiroperator der Algebra der $U(5)$, die von den 25 Generatoren $[\hat{d}^+ \times \hat{\tilde{d}}]^\lambda{}_\mu$ aufgespannt wird, einfach der Anzahloperator der d-Bosonen

$$\hat{n}_d = \sum_\mu \hat{d}^+_{2\mu} \hat{d}_{2\mu}. \tag{6.292}$$

Dies ist völlig analog zum Fall der $U(6)$. Sein Eigenwert ist n_d mit dem Wertebereich $0 \leq n_d \leq N$. Der Casimiroperator der $O(5)$ ist

$$\hat{\Lambda}^2 = \frac{1}{2} \sum_{\mu,\nu} \hat{\Lambda}_{\mu\nu} \hat{\Lambda}^+_{\mu\nu} \qquad \text{with} \qquad \hat{\Lambda}_{\mu\nu} \equiv \hat{d}^+_\mu \hat{\tilde{d}}_\nu - \hat{d}^+_\nu \hat{\tilde{d}}_\mu \tag{6.293}$$

und besitzt die Eigenwerte $\lambda(\lambda+3)$. Physikalisch bedeutet λ die Anzahl von Bosonen, die *nicht* paarweise zum Drehimpuls Null gekoppelt sind. λ heißt *Seniorität* und hat den Wertebereich

$$\lambda = n_d, n_d - 2, n_d - 4, \ldots, 1 \text{ or } 0. \tag{6.294}$$

Der Begriff der Seniorität wird im Rahmen der Paarkraft wieder auftauchen (s. Abschnitt. 7.3.2).

Die Casimiroperatoren der $O(3)$ und $O(2)$ sind natürlich $\hat{L}^2$ und $\hat{L}_z$ mit den Eigenwerten $L(L+1)$ und M mit $(-L \leq M \leq L)$.

Leider reichen diese fünf Quantenzahlen nicht zur vollständigen Klassifizierung der Zustände aus, weil es mehrere irreduzible Darstellungen ("Irreps") der $O(3)$ für eine feste Irrep der $O(5)$ gibt, oder, mit anderen Worten, mehr als einen Zustand desselben L für feste Quantenzahlen N, n_d, und λ. In diesem Fall sagt man, daß der Schritt von der $O(5)$ zur $O(3)$ nicht vollständig reduzierbar ist; ähnliche Probleme werden in den anderen Gruppenketten auch auftreten. Um diese überzähligen Darstellungen abzuzählen, wird eine neue Quantenzahl n_Δ eingeführt, die physikalisch die Anzahl der Tripletts von Bosonen angibt, die nicht zum Drehimpuls Null gekoppelt sind.

Gruppe	$U(6)$	$U(5)$	$O(5)$	$O(3)$	$O(2)$
Casimiroperator $\hat{N}$	$\hat{n}_d$	$\hat{\Lambda}^2$	$\hat{L}^2$	$\hat{L}_z$	
Eigenwert	N	n_d	$\lambda(\lambda+3)$	$L(L+1)$	M
Quantenzahl	N	n_d	λ	L	M

Die Eigenzustände können somit als $|Nn_d\lambda n_\Delta LM\rangle$ geschrieben werden.

Für **Gruppenkette B** wird der Casimiroperator der Gruppe $SU(3)$ gebraucht. Er stellt sich als

$$\hat{C}^2 = 2\hat{Q}^2 + \frac{3}{4}\hat{L}^2 \tag{6.295}$$

heraus. Die Eigenwerte von $\hat{C}^2$ sind gegeben durch $l^2 + lm + m + 3(l+m)$ mit den Quantenzahlen l und m, deren Wertebereich für festes N

$$\begin{aligned}(l,m) &= (2N,0),(2N-4,2),\ldots,(2N-6,0),(2N-10,2),\ldots, \\ &\quad (2N-12,0),(2N-16,2),\ldots\end{aligned} \tag{6.296}$$

ist. Genauere Einzelheiten zur Gruppe $SU(3)$ sind im Band "Symmetrien" dieser Serie zu finden.

Die Casimiroperatoren der Gruppen $O(3)$ und $O(2)$ sind wieder bekannt aber auch in diesem Fall ist der Schritt von der $SU(3)$ zur $O(3)$ nicht voll reduzierbar. Darum muß wieder eine zusätzliche Quantenzahl eingeführt werden, die i. a. mit K bezeichnet wird und als *Elliotts Quantenzahl* bekannt ist. Ihr Wertebereich ist

$$K = \min(\lambda,\mu), \min(\lambda,\mu) - 2, \ldots, \ 1 \text{ or } 0. \tag{6.297}$$

Für $K = 0$ nimmt der Drehimpuls L die Werte

$$L = \max(\lambda,\mu), \max(\lambda,\mu) - 2, \ldots, \ 1 \text{ oder } 0 \tag{6.298}$$

an, für $K \neq 0$ dagegen

$$L = K, K+1, K+2, \ldots, K + \max(\lambda,\mu). \tag{6.299}$$

Zusammengefaßt sehen diese Resultate so aus:

Gruppe	$U(6)$	$SU(3)$	$O(3)$	$O(2)$
Casimiroperator	$\hat{N}$	$\hat{C}^2$	$\hat{L}^2$	$\hat{L}_z$
Eigenwert	N	l^2+lm+m^2+ $+3(l+m)$	$L(L+1)$	M
Quantenzahl	N	(l,m)	L	M

wobei die Eigenzustände mit $|N(l,m)KLM\rangle$ bezeichnet werden.

Wenden wir uns zuletzt der **Gruppenkette C** zu! Die erste Untergruppe ist die $O(6)$, deren 15 Generatoren $\hat{\bar{\Lambda}}_{\mu\nu}$ zum einen die Generatoren der $O(5)$ enthalten, die in Verbindung mit der Gruppenkette A diskutiert wurden, und zum anderen jene, die ein d-Boson in eine s-Boson oder umgekehrt verwandeln:

$$\hat{\Lambda}_{\mu\mu'}, \qquad \hat{d}_\mu^+ \hat{s} - \hat{s}^+ \hat{\tilde{d}}_{\mu'}. \tag{6.300}$$

Der Casimiroperator ist

$$\hat{\bar{\Lambda}}^2 = \frac{1}{2} \sum_{\mu\nu} \bar{\Lambda}_{\mu\nu} \bar{\Lambda}_{\mu\nu}^+ \tag{6.301}$$

mit den Eigenwerten $\bar{\lambda}(\bar{\lambda}+4)$. Es sei hier angemerkt, daß der Eigenwert eines der Casimiroperatoren der Gruppe $O(n)$ immer $l(l+n-2)$ sein muß; offenbar ist das bei den Gruppen $O(3)$ und $O(5)$ erfüllt.

Offensichtlich ist $\hat{\bar{\Lambda}}^2$ ganz analog zu $\hat{\Lambda}^2$ konstruiert die einzige Verallgemeinerung besteht darin, daß wegen der Erweiterung von der $SO(5)$ auf die $SO(6)$ jetzt das s-Boson mit enthalten ist. Diese Analogie spiegelt sich wieder in der physikalischen Bedeutung von $\bar{\lambda}$, der *verallgemeinerten Seniorität*, die Werte im Bereich

$$\bar{\lambda} = N, N-2, N-4, \ldots, \ 1 \text{ or } 0 \tag{6.302}$$

annimmt. Der Wertebereich der Quantenzahl für die nächste Gruppe in der Kette, die $O(5)$, muß dann durch

$$\lambda = \bar{\lambda}, \bar{\lambda}-1, \ldots, 0 \tag{6.303}$$

gegeben sein, weil hier die s-Bosonen nicht mitgezählt werden.

Wie erwähnt, ist der Übergang von der $O(5)$ zur $O(3)$ nicht vollständig reduzierbar, und es ist eine weitere Quantenzahl, üblicherweise τ genannt, nötig. Zusammen mit den Drehimpulsquantenzahlen können jetzt die Eigenzustände mit $|N\bar{\lambda}\lambda\tau LM\rangle$ bezeichnet werden, und das gruppentheoretische Schema wird wie folgt:

Gruppe	$U(6)$	$O(6)$	$O(5)$	$O(3)$	$O(2)$
Casimiroperator	$\hat{N}$	$\hat{\bar{\Lambda}}^2$	$\hat{\Lambda}^2$	$\hat{L}^2$	$\hat{L}_z$
Eigenwert	N	$\bar{\lambda}(\bar{\lambda}+4)$	$\lambda(\lambda+3)$	$L(L+1)$	M
Quantenzahl	N	$\bar{\lambda}$	λ	L	M

6.11 Aufgabe: Ein Casimiroperator der Algebra $U(N)$

Zeigen Sie, daß der Operator $\hat{C} = \sum_{i=1}^{N} \hat{\beta}_i^+ \hat{\beta}_i$ ein Casimiroperator der Algebra $U(N)$ ist, die von den N^2 Operatoren $\hat{\beta}_i^+ \hat{\beta}_k$ mit $[\hat{\beta}_i, \hat{\beta}_k^+] = \delta_{ik}$ erzeugt wird.

Lösung:

Zum Beweis ist es notwendig und hinreichend zu zeigen, daß $\hat{C}$ mit allen Generatoren kommutiert:

$$\begin{aligned}
\left[\hat{C}, \hat{\beta}_\alpha^+ \hat{\beta}_\beta\right] &= \sum_{i=1}^{N} \left[\hat{b}_i^+ \hat{b}_i, \hat{b}_\alpha^+ \hat{b}_\beta\right] \\
&= \sum_{i=1}^{N} \left(\hat{b}_i^+ \hat{b}_i \hat{b}_\alpha^+ \hat{b}_\beta - \hat{b}_\alpha^+ \hat{b}_\beta \hat{b}_i^+ \hat{b}_i\right) \\
&= \sum_{i=1}^{N} \left(\delta_{i\alpha} \hat{b}_i^+ \hat{b}_\beta - \delta_{i\beta} \hat{b}_\alpha^+ \hat{b}_i\right) \\
&= 0
\end{aligned} \qquad \underline{1}$$

Damit ist der Beweis schon vollständig.

6.8.5 Die dynamischen Symmetrien

Im letzten Abschnitt wurden für die drei Gruppenketten der $SU(6)$ die Quantenzahlen angegeben, die die Eigenzustände charakterisieren. Um eine allgemeine Lösung des IBA zu finden, müssen die Eigenfunktionen von $\hat{H}_{\text{IBA}}$ in einer der drei Basen entwickelt werden und der Hamiltonoperator für einen gegebenen Satz von Parametern diagonalisiert werden. Im allgemeinen Fall ist das nur numerisch möglich.

Alternativ dazu kann man aber analytische Lösungen in Grenzfällen angeben, in denen die Parameter speziellen Bedingungen unterworfen sind, so daß der Hamiltonoperator diagonal in den Eigenfunktionen einer Gruppenkette wird. Zu diesem Zweck betrachtet man für eine gegebene Gruppenkette nur die Terme in $\hat{H}_{\text{IBA}}$, die durch die Casimiroperatoren dieser Gruppenkette ausgedrückt werden können, und setzt alle übrigen Null. In diesem Fall wird der Hamiltonoperator trivial diagonal und die Casimiroperatoren können durch ihre Eigenwerte ersetzt werden, so daß einfache analytische Ausdrücke auch für die Energie resultieren.

Aus den mathematischen Restriktionen ist nicht leicht zu sehen, ob diese Spezialfälle physikalisch interessant sind. Wir werden aber zeigen ,daß die resultierenden Spektren gewissen experimentell vorkommenden Grenzfällen entsprechen. Genauer gesagt: die Energieformeln für die Gruppenketten A, B und C erzeugen die charakteristischen Spektren für Vibrations-, Rotations- bzw. γ-instabile Kerne.

Wenn der Hamiltonoperator $\hat{H}_{\text{IBA}}$ auf die besprochene Weise diagonalisiert werden kann, so sagt man, daß er eine *dynamische Symmetrie* besitzt. Das ist zu unterscheiden von den fundamentalen Symmetrien wie der Rotationssymmetrie, die für beliebige Werte der Parameter erfüllt sein müssen.

Bevor die einzelnen Grenzfälle genauer behandelt werden, ist es nützlich zu zeigen, daß $\hat{H}_{\mathrm{IBA}}$ vollständig durch die Casimiroperatoren $\hat{N}$, $\hat{n}_d$, $\hat{\Lambda}^2$, $\hat{\tilde{\Lambda}}^2$, $\hat{Q}^2$ und $\hat{L}^2$ der drei Gruppenketten ausgedrückt werden kann. Das Resultat ist ähnlich der Multipolform aus (6.285), aber nicht identisch mit ihr. Zu diesem Zweck werden wir jetzt die einzelnen Terme des Hamiltonoperators in seiner allgemeinen Form einen nach dem anderen durch die Casimiroperatoren dargestellen (viele der Rechnungen sind zu länglich, um hier diskutiert zu werden). Diese allgemeine Form war

$$
\begin{aligned}
\hat{H}_{\mathrm{IBA}} \;=\;& \epsilon_s \hat{n}_s + \epsilon_d \hat{n}_d \\
&+ \sum_{L=0,2,4} \frac{1}{2}\sqrt{2L+1}\,C_L \left[[\hat{d}^+ \times \hat{d}^+]^L \times [\hat{\tilde{d}} \times \hat{\tilde{d}}]^L \right]^0 \\
&+ \frac{1}{\sqrt{2}}\tilde{V}_2 \left[[\hat{d}^+ \times \hat{d}^+]^2 \times [\hat{\tilde{d}} \times \hat{\tilde{s}}]^2 + [\hat{d}^+ \times \hat{s}^+]^2 \times [\hat{\tilde{d}} \times \hat{\tilde{d}}]^2 \right]^0 \\
&+ \frac{1}{2}\tilde{V}_0 \left[[\hat{d}^+ \times \hat{d}^+]^0 \times [\hat{\tilde{s}} \times \hat{\tilde{s}}]^0 + [\hat{s}^+ \times \hat{s}^+]^0 \times [\hat{\tilde{d}} \times \hat{\tilde{d}}]^0 \right]^0 \\
&+ U_2 \left[[\hat{d}^+ \times \hat{s}^+]^2 \times [\hat{\tilde{d}} \times \hat{\tilde{s}}]^2 \right]^0 \\
&+ \frac{1}{2}U_0 \left(\hat{s}^+ \hat{s}^+ \hat{\tilde{s}} \hat{\tilde{s}} \right),
\end{aligned}
\tag{6.304}
$$

Der erste Term enthält $\hat{n}_s$ und kann trivial durch

$$
\hat{n}_s = \hat{s}^+ \hat{s} = \hat{N} - \hat{n}_d \tag{6.305}
$$

ersetzt werden. Der nächste, $\hat{n}_d$ ist schon selbst ein Casimiroperator, so daß wir weitergehen zu dem Term in der Summe mit $L = 0$, was

$$
\left[[\hat{d}^+ \times \hat{d}^+]^0 \times [\hat{\tilde{d}} \times \hat{\tilde{d}}]^0 \right]^0 = \frac{1}{5}\hat{P}^+\hat{P} = \frac{1}{5}\left(\hat{n}_d(\hat{n}_d + 3) - \Lambda^2 \right), \tag{6.306}
$$

ergibt, wobei (6.286) verwendet wurde. Für die anderen Drehimpulse muß leider die explizite Drehimpulskopplung eingesetzt werden. Nach längerer Rechnung erhält man für die Terme, die zu C_2 und C_4 proportional sind

$$
\left[[\hat{d}^+ \times \hat{d}^+]^2 \times [\hat{\tilde{d}} \times \hat{\tilde{d}}]^2 \right]^0 = \frac{1}{7\sqrt{5}}\left(2\hat{n}_d(\hat{n}_d - 2) + 2\hat{\Lambda}^2 - \hat{L}^2 \right) \tag{6.307}
$$

bzw.

$$
\left[[\hat{d}^+ \times \hat{d}^+]^4 \times [\hat{\tilde{d}} \times \hat{\tilde{d}}]^4 \right]^0 = \frac{1}{35}\left(6\hat{n}_d(\hat{n}_d - 2) - \hat{\Lambda}^2 + \frac{5}{3}\hat{L}^2 \right). \tag{6.308}
$$

Für den Term in $\tilde{V}_2$ erhält man ähnlich

$$\left[[\hat{d}^+ \times \hat{d}^+]^2 \times [\hat{\tilde{d}} \times \hat{\tilde{s}}]^2 + [\hat{d}^+ \times \hat{s}^+]^2 \times [\hat{\tilde{d}} \times \hat{\tilde{d}}]^2\right]^0 \tag{6.309}$$
$$= \frac{1}{\sqrt{35}}\left(\hat{Q}^2 - \frac{1}{2}\hat{\Lambda}^2 + \hat{\hat{\Lambda}}^2 - \frac{1}{8}\hat{L}^2 + \frac{1}{2}\hat{n}_d(7\hat{n}_d + 11) - \hat{N}(4\hat{n}_d + 10)\right),$$

während für den in $\tilde{V}_0$ die Rechnung wie folgt abläuft:

$$\left[[\hat{d}^+ \times \hat{d}^+]^0 \times [\hat{\tilde{s}} \times \hat{\tilde{s}}]^0 + [\hat{s}^+ \times \hat{s}^+]^0 \times [\hat{\tilde{d}} \times \hat{\tilde{d}}]^0\right]^0 \tag{6.310}$$
$$= [\hat{d}^+ \times \hat{d}^+]^0 \hat{s}\hat{s} + \hat{s}^+\hat{s}^+[\hat{\tilde{d}} \times \hat{\tilde{d}}]^0$$
$$= \frac{1}{\sqrt{5}}\left(\hat{P}^+\hat{s}\hat{s} + \hat{s}^+\hat{s}^+\hat{P}\right)$$
$$= \frac{1}{\sqrt{5}}\left(\Lambda^2 - \hat{\hat{\Lambda}}^2 + \hat{n}_d(\hat{N} - \hat{n}_d + 1) + (\hat{n}_d + 4)(\hat{N} - \hat{n}_d)\right).$$

Der Term in U_2 kann umgeschrieben werden zu

$$\left[[\hat{d}^+ \times \hat{s}^+]^2 \times [\hat{\tilde{d}} \times \hat{\tilde{s}}]^2\right]^0 = [\hat{d}^+ \times \hat{\tilde{d}}]^0 \hat{s}^+\hat{s} = \frac{1}{\sqrt{5}}\hat{n}_d\left(\hat{N} - \hat{n}_d\right). \tag{6.311}$$

Schließlich kommt als letzter Term der in U_0, der einfach umzuschreiben ist:

$$\hat{s}^+\hat{s}^+\hat{\tilde{s}}\hat{\tilde{s}} = (\hat{s}^+\hat{s})(\hat{s}^+\hat{s} - 1) = (\hat{N} - \hat{n}_d)(\hat{N} - \hat{n}_d - 1). \tag{6.312}$$

Für den ersten Schritt wurde wieder die Tatsache benutzt, daß der Teilchenzahloperator $\hat{s}^+\hat{\tilde{s}}$ an seiner Position eine um eins reduzierte s-Bosonenzahl sieht.

Das Endresultat dieser umfangreichen Umformungen ist, daß der Hamiltonoperator des IBA durch die Casimiroperatoren der drei Gruppenketten alleine ausgedrückt werden kann, und zwar als

$$\begin{aligned} \hat{H}_{\mathrm{IBA}} &= \epsilon_N \hat{N} + \epsilon_{n_d}\hat{n}_d + C_{Nn_d}\hat{N}\hat{n}_d + C_{n_d}\hat{n}_d^2 + C_{\bar{\lambda}}\hat{\hat{\Lambda}}^2 \\ &\quad + C_\lambda \hat{\Lambda}^2 + C_L \hat{L}^2 + C_Q \hat{Q}^2. \end{aligned} \tag{6.313}$$

Man beachte, daß die Koeffizienten C_i und ϵ_k durch die Parameter in (6.275) eindeutig bestimmt sind. Es handelt sich nur um eine weiter Form der Parametrisierung des Hamiltonoperators. Da für praktische Anwendungen die Parameter sowieso an das Experiment angepaßt werden, sind die genauen Beziehungen zwischen den Parametrisierungen hier nicht weiter von Interesse und werden nicht im Detail angegeben.

Der Casimiroperator der Gruppe $SU(3)$ wurde gemäß

$$C^2 = 2\hat{Q}^2 + \frac{3}{4}\hat{L}^2 \tag{6.314}$$

aufgespalten, weil der Term $\hat{Q}^2$ sich als Quadrupol-Quadrupol-Wechselwirkung interpretieren läßt und damit eine unmittelbare physikalische Bedeutung hat.

Wie erwähnt interessiert man sich meist nur für die Struktur eines einzigen Kerns, d. h. man hält N fest. Wenn zusätzlich auch nur die Anregungsenergien gebraucht werden, können alle Terme, die nur von N abhängen, weggelassen und man erhält

$$\hat{H}_{\mathrm{IBA}} = \epsilon \hat{n}_d + C_{n_d} \hat{n}_d^2 + C_{\bar{\lambda}} \hat{\bar{\Lambda}}^2 + C_\lambda \hat{\Lambda}^2 + C_L \hat{L}^2 + C_Q \hat{Q}^2 \tag{6.315}$$

mit der Definition

$$\epsilon \equiv \epsilon_{n_d} + N C_{n_d}. \tag{6.316}$$

Der Casimiroperator der $O(2)$, $\hat{L}_z$, darf nicht im Hamiltonoperator auftauchen, weil die Rotationsinvarianz eine Abhängigkeit der Energie von der Ausrichtung des Drehimpulses verbietet.

Nun können wir die verschiedenen Fälle dynamischer Symmetrie betrachten und einen Vergleich mit experimentellen Daten anstreben.

Die Gruppenkette A hat die Casimiroperatoren $\hat{N}$, $\hat{n}_d$, $\hat{\Lambda}^2$, $\hat{L}^2$ und $\hat{L}_z$.Nur die Terme mit diesen Operatoren dürfen also in diesem Falle im Hamiltonoperator stehenbleiben, so daß sich dieser auf

$$\hat{H}_{\mathrm{IBA}}^A = \epsilon \hat{n}_d + C_{n_d} \hat{n}_d^2 + C_\lambda \hat{\Lambda}^2 + C_L \hat{L}^2 \tag{6.317}$$

reduziert. Die Eigenwerte sind damit sofort gegeben:

$$E_{n_d \lambda L} = \epsilon n_d + C_{n_d} n_d^2 + C_\lambda \lambda(\lambda + 3) + C_L L(L+1). \tag{6.318}$$

Im Vergleich zum geometrischen Modell bemerken wir, daß der führende Term identisch mit der Energieformel des harmonischen Oszillators ist. Der wichtige Unterschied besteht darin, daß die Anzahl von (Quadrupol-) Phononen im geometrischen Modell unendlich ist, während sie im IBA auf Werte $\leq N$ beschränkt bleibt. Wegen der Ähnlichkeit der Spektren nennt man diesen Grenzfall des IBA, die dynamische Symmetrie mit Gruppenkette A, den *Vibrationsgrenzfall* ("vibrational limit"). Natürlich enthält das IBA in diesem Fall noch Korrekturterme, die Anharmonizitäten im geometrischen Modell entsprechen.

Es ist anzunehmen, daß der Vibrationsgrenzfall die Spektren sphärischer Vibratoren gut beschreibt. Als ein Beispiel zeigt Abb. 6.20 die Ergebnisse aus einem Fit der Parameter ϵ, C_{n_d}, C_λ und C_L im Vergleich zu experimentellen Daten.

Nun zu Gruppenkette B, deren Eigenzustände $|N(\lambda, \mu) K L M\rangle$ eine diagonale Basis für $\hat{H}_{\mathrm{IBA}}$ bilden, wenn die Beziehungen

$$\epsilon = C_{n_d} = C_{\bar{\lambda}} = C_\lambda = 0 \tag{6.319}$$

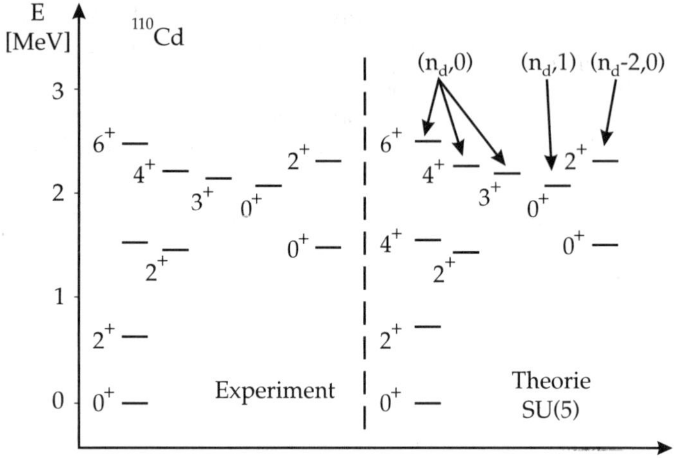

Abb. 6.20: Vergleich von experimentellen und theoretischen (Fit des IBA im Vibrationsgrenzfall) Spektren für den Kern $^{110}_{48}\mathrm{Cd}_{62}$. Für die Theorie sind die Quantenzahlen λ und n_Δ in Klammern über den entsprechenden Niveaus angegeben.

erfüllt sind. Damit redziert sich der allgemeine Hamiltonoperator aus (6.275) zu

$$\hat{H}^B_{\mathrm{IBA}} = C_Q \hat{Q}^2 + C_L \hat{L}^2 = \frac{1}{2} C_Q \hat{C}^2 + (C_L - \frac{3}{8} C_Q)\hat{L}^2. \tag{6.320}$$

Einsetzen der Eigenwerte der Casimiroperatoren führt auf die Energieeigenwerte E_{lmL}

$$E_{lmL} = \frac{C_Q}{2}(l^2 + m^2 + lm + 3(l+m)) + (C_L - \frac{3C_Q}{8})L(L+1), \tag{6.321}$$

die die typische $L(L+1)$-Struktur des starren Rotors enthalten. Deswegen ergibt diese dynamische Symmetrie den *Rotationsgrenzfall* ("rotational limit"). Ein Beispiel für den Vergleich mit dem Experiment ist in Abb. 6.21 gegeben.

Schließlich kommen wir noch zur Gruppenkette C. In diesem Fall vereinfacht sich der Hamiltonoperator zu

$$\hat{H}^C_{\mathrm{IBA}} = C_{\bar{\lambda}} \hat{\bar{\Lambda}}^2 + C_\lambda \hat{\Lambda}^2 + C_L \hat{L}^2, \tag{6.322}$$

weil nur die Casimiroperatoren der Gruppen $O(6)$, $O(5)$ und $O(3)$ zur Verfügung stehen. Für die Energieeigenwerte ist das Resultat

$$E_{\bar{\lambda}\lambda L} = C_{\bar{\lambda}} \bar{\lambda}(\bar{\lambda}+4) + C_\lambda \lambda(\lambda+3) + C_L L(L+1). \tag{6.323}$$

Diese Energieformel ist ähnlich der für γ-instabile Kerne im geometrischen Modell (s. Abschnitt 6.6). Für die Spektren dieser Kerne ist (s. Abb. 6.22) die Reihenfolge

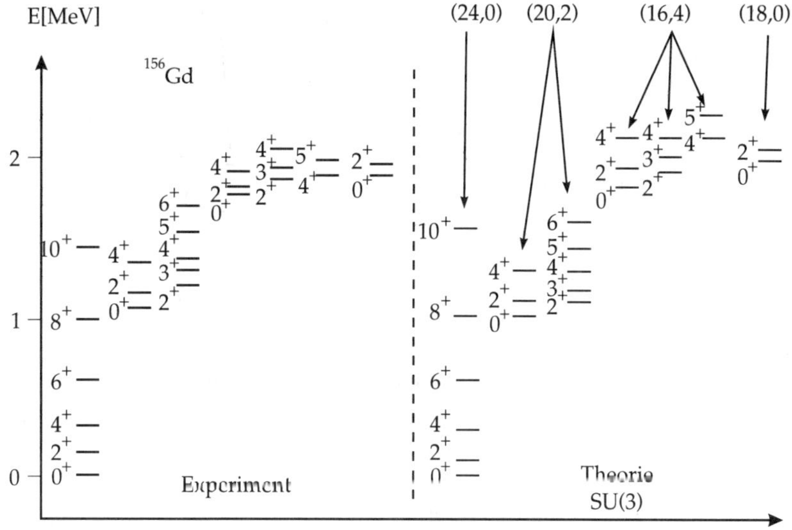

Abb. 6.21: Vergleich experimenteller und theoretischer (Fit des IBA im Rotationsgrenzfall) Spektren für den Kern $^{156}_{64}\mathrm{Gd}_{92}$. Die Quantenzahlen l und m sind in Klammern über den entsprechenden Niveaus angegeben.

der niedrigsten Zustände charakteristisch: über dem Grundzustand 0_1 kommen mit gleichem Abstand der 2_1-Zustand und dann das $(2_2, 4_1)$-Dublett. Verglichen mit dem harmonischen Oszillator ist es wichtig, daß der 0_2-Zustand des 2-Phononen-Tripletts $(0_2, 2_2, 4_1)$ zu höheren Energien verschoben ist. Dieser Grenzfall wird — wieder wegen der Analogie zum geometrischen Modell — der *γ-instabile Grenzfall* genannt. Abb. 6.22 gibt wieder einen Vergleich mit einem experimentellen Spektrum.

Für das IBA ist ein Computerprogramm veröffentlicht [Sc91], das das Modell numerisch an experimentelle Daten anpaßt und zum Sammeln praktischer Erfahrungen mit dem Modell sehr empfohlen werden kann.

6.8.6 Übergangsoperatoren

Zum Abschluß der Diskussion des IBA soll noch angedeutet werden, wie Übergangsoperatoren $\hat{T}^i_{LM}$ (i =elektrisch, magnetisch) angesetzt werden. Dies geschieht wie beim Hamiltonoperator auf rein phänomenologische Art einfach durch Aufschreiben aller passender Drehimpulskopplungen der s- und d-Bosonen und Beschränkung auf eine vernünftige Zahl von Termen niedrigster Ordnung (gewöhnlich nur Einteilchenterme). Die Koeffizienten vor diesen Termen werden dann wieder als freie Parameter betrachtet.

Mit diesem Schema erhalten wir für den elektrischen Monopoloperator

$$\hat{T}^E_{00} = \alpha_0[\hat{s}^+ \times \hat{\tilde{s}}]^0 + \gamma_0[\hat{d}^+ \times \hat{\tilde{d}}]^0, \tag{6.324}$$

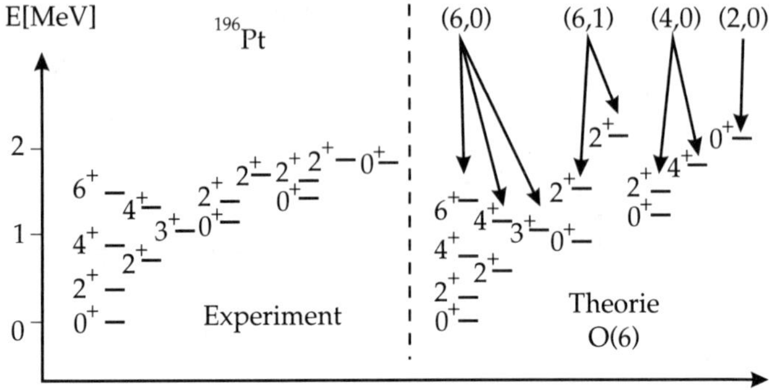

Abb. 6.22: Vergleich von experimentellem und theoretischem (Fit des IBA im γ-instabilen Grenzfall) Spektrum für den Kern $^{196}_{78}\mathrm{Pt}_{118}$. Die Quantenzahlen $\bar{\lambda}$ und τ sind in Klammern über den Niveaus angegeben.

für den elektrischen Quadrupoloperator

$$\hat{T}^E_{2M} = \beta_2 \left([\hat{d}^+ \times \hat{\tilde{s}}]^2{}_M + [\hat{s}^+ \times \hat{\tilde{d}}]^2{}_M \right) + \gamma_2 [\hat{d}^+ \times \hat{\tilde{d}}]^2{}_M \tag{6.325}$$

und für den elektrischen Hexadekupoloperator

$$\hat{T}^E_{4M} = \gamma_4 [\hat{d}^+ \times \hat{\tilde{d}}]^4{}_M . \tag{6.326}$$

Man beachte, daß der Monopoloperator umgeschrieben werden kann zu

$$\hat{T}^E_{00} = \alpha_0 \hat{N} + (\frac{\gamma_0}{\sqrt{5}} - \alpha_0)\hat{n}_d, \tag{6.327}$$

also einfach der d-Bosonenzahl proportional ist. Die Ausdrücke für die magnetischen Operatoren sind ganz analog; man erhält für den magnetischen Dipoloperator

$$\hat{T}^M_{1M} = \gamma_1 [\hat{d}^+ \times \hat{\tilde{d}}]^1{}_M \tag{6.328}$$

und für den magnetischen Oktupoloperator

$$\hat{T}^M_{3M} = \gamma_3 [\hat{d}^+ \times \hat{\tilde{d}}]^3{}_M . \tag{6.329}$$

Da $\hat{T}^M_{1M}$ dem Drehimpulsoperator proportional ist, ist er rein diagonal und verursacht keine Übergänge. Dies ist ähnlich der Lage im geometrischen Modell (s. Abschnitt 6.7.2) und in Konflikt mit dem Experiment, so daß Terme höherer Ordnung der Form

$$\left[[\hat{d}^+ \times \hat{\tilde{s}}]^2 \times [\hat{d}^+ \times \hat{\tilde{d}}]^1 \right]^1_M \quad \text{oder} \quad \left[[\hat{d}^+ \times \hat{\tilde{d}}]^2 \times [\hat{d}^+ \times \hat{\tilde{d}}]^1 \right]^1_M \tag{6.330}$$

hinzugefügt werden müssen. Alternativ dazu kann man bei der ersten Ordnung im Operator bleiben, muß aber dann den Isospinfreiheitsgrad explizit einführen, wie im nächsten Abschnitt behandelt.

Die Berechnung der Übergangsamplituden erfordert zuerst detaillierte gruppentheoretische Untersuchungen zur Bestimmung der Eigenvektoren des Modells. Während die grundsätzlichen Eigenschaften ähnlich denen im geometrischen Modell sind, gibt es doch bemerkenswerte Unterschiede im Detail wie z. B. starke Übergänge zwischen β- und γ-Banden, die sogar über die $\beta \rightarrow$ g. s. sowie starke Abweichungen von den Alaga-Regeln schon in niedrigster Ordnung.

6.8.7 Erweiterte Versionen des IBA

In diesem Kapitel sollen die Hauptideen einiger Erweiterungen des IBA mit besonderer Betonung des IBA2 [Ar77, Oh78] behandelt werden. Das bisher behandelte Modell wird auch mit "IBA1" bezeichnet, um es in klarer in die Hierarchie einzuordnen.

Für das IBA2 ist die Unterscheidung zwischen Protonen und Neutronen charakteristisch. Es gibt jetzt 12 Typen von Bosonen, wobei

$$\hat{d}^+_{\pi\mu}, \quad \hat{d}^+_{\nu\mu}, \quad \hat{s}^+_\pi, \quad \hat{s}^+_\nu \tag{6.331}$$

die entsprechenden Erzeugungsoperatoren bezeichnen (π = Proton, ν =Neutron). Zum Beispiel hat der Kern ${}^{110}_{48}\mathrm{Cd}_{62}$ ein π-Boson und sechs ν-Bosonen, weil für beide Nukleonentypen die nächste abgeschlossene Schale 50 ist.

Diese Unterscheidung kann leicht aus mikroskopischen Erörterungen heraus begründet werden, besonders für mittelschwere und schwere Kerne, bei denen Protonen und Neutronen verschiedene Hauptschalen besetzen, so daß die Korrelationen zwischen Nukleonen derselben Art viel stärker sein sollten.

Die maximale Symmetriegruppe für das IBA2 ist das direkte Produkt $U_\pi(6) \times U_\nu(6)$, was garantiert, daß die Proton- und Neutron-Bosonzahl getrennt erhalten sind. Für den Hamiltonoperator $\hat{H}_{\mathrm{IBA2}}$ bedeutet dies, daß er mit den Anzahloperatoren für beide Bosonensorten getrennt vertauschen muß:

$$\left[\hat{H}_{\mathrm{IBA2}}, \hat{N}_\pi\right] = \left[\hat{H}_{\mathrm{IBA2}}, \hat{N}_\nu\right] = 0. \tag{6.332}$$

Der Operator der Gesamtteilchenzahl ist

$$\hat{N} = \hat{N}_\pi + \hat{N}_\nu = \sum_\mu \hat{d}^+_{\pi\mu}\hat{d}_{\pi\mu} + \hat{s}^+_\pi \hat{s}_\pi + \sum_\mu \hat{d}^+_{\nu\mu}\hat{d}_{\nu\mu} + \hat{s}^+_\nu \hat{s}_\nu \tag{6.333}$$

und der Drehimpuls

$$\hat{L}_{1\mu} = \hat{L}_{\pi\mu} + \hat{L}_{\nu\mu} = \sqrt{10}\left([\hat{d}^+_\pi \times \hat{\tilde{d}}_\pi]^1{}_\mu + [\hat{d}^+_\nu \times \hat{\tilde{d}}_\nu]^1{}_\mu \right). \tag{6.334}$$

Das IBA2 hat den wichtigen Vorteil gegenüber dem IBA1, daß in niedrigster Ordnung der magnetische Dipoloperator zu

$$\hat{M}_{1\mu} = g_\pi \hat{L}_{\pi\mu} + g_\nu \hat{L}_{\nu\mu} \tag{6.335}$$

wird, wobei $g_\pi \neq g_\nu$ freie Parameter sind, womit nichtverschwindende Matrixelemente möglich werden, weil die Drehimpulse nicht getrennt erhalten sind. Ein wichtiger Grund für die kollektiven magnetischen Eigenschaften ist also — ganz analog zum geometrischen Modell – die mangelnde Kolinearität von Drehimpuls und magnetischem Moment.

Nun zur Konstruktion der üblichen Form des Hamiltonoperators für das IBA2. Mit denselben Überlegungen zu Invarianzen und Einfachheit wie bei $\hat{H}_{\mathrm{IBA}}$ wird die allgmeine Form von $\hat{H}_{\mathrm{IBA2}}$ zu

$$\hat{H}_{\mathrm{IBA2}} = \hat{H}^\pi_{\mathrm{IBA}} + \hat{H}^\nu_{\mathrm{IBA}} + \hat{H}^{\nu\pi}_{INT}, \tag{6.336}$$

mit $\hat{H}^{\nu\pi}_{INT}$ einer allgemeinen Wechselwirkung. Mit einem Ansatz dieser Art ist natürlich die Zahl der Parameter sehr groß. Praktische Erfahrung und eine Vergleich mit mikroskopischen Theorien haben aber gezeigt, daß der sehr viel einfachere Ansatz

$$\hat{H}_{\mathrm{IBA2}} = \epsilon_\pi \hat{n}_{\pi d} + \epsilon_\nu \hat{n}_{\nu d} + \hat{V}_{\pi\pi} + \hat{V}_{\nu\nu} + \kappa\sqrt{5}[\hat{Q}_\pi \times \hat{Q}_\nu]^0 + \lambda \hat{M} \tag{6.337}$$

viele wesentliche Aspekte der kollektiven Kernstruktur zufriedenstellend beschreibt. Die Bedeutung der einzelnen Terme wird nun untersucht.

Der erste und zweite Term zählen die Proton- und Neutron-d-Bosonen getrennt und beschreiben also den Effekt der Paarkraft zwischen gleichartigen Nukleonen. Der dritte und vierte Term beschreiben die Wechselwirkung gleichartiger Bosonen:

$$\hat{V}_{ii} = \frac{1}{2} \sum_{L=0,2,4} C_{iL} \left[[\hat{d}_i^+ \times \hat{d}_i^+]^L \times [\hat{\tilde{d}}_i \times \hat{\tilde{d}}_i]^L \right]^0, \tag{6.338}$$

mit $i = \pi, \nu$, und sind durch $\hat{H}_{\mathrm{IBA}}$ motiviert. Praktische Anwendungen diese Hamiltonoperators zeigen aber, daß die experimentellen Daten schon mit einer kleinen Zahl nichtverschwindender Parameter C_{iL} recht gut beschrieben werden können.

Der fünfte Term in $\hat{H}_{\mathrm{IBA2}}$ stellt eine Neutron-Proton Quadrupol-Quadrupol-Wechselwirkung dar. In Analogie zum IBA1 ist $\hat{Q}_{i\mu}$ gegeben durch

$$\hat{Q}_{i\mu} = \hat{d}^+_{i\mu} \hat{\tilde{s}}_i + \hat{s}^+_i \hat{\tilde{d}}_{i\mu} + \chi_i [\hat{d}^+_i \times \hat{\tilde{d}}_i]^2{}_\mu \tag{6.339}$$

mit dem freien Parameter χ_i.

Schließlich kommen wir noch zu dem sogenannten *Majorana–Operator*, der durch

$$\hat{M} = \sqrt{5}\left[(\hat{s}_\nu^+\hat{d}_\pi^+ - \hat{s}_\pi^+\hat{d}_\nu^+)\times(\hat{s}_\nu\hat{\tilde{d}}_\pi - \hat{s}_\pi\hat{\tilde{d}}_\nu)\right]^0 \tag{6.340}$$
$$+2\sum_{L=1,3}\xi_L\sqrt{2L+1}\left[[\hat{d}_\nu^+\times\hat{d}_\pi^+]^L\times[\hat{\tilde{d}}_\nu\times\hat{\tilde{d}}_\pi]^L\right]^0$$

definiert ist, mit freien Parametern λ, ξ_1 und ξ_3. Um die Struktur dieser Proton-Neutron-Wechselwirkung zu verstehen, müssen wir die Resultate des IBA1 mit den im IBA2 erwarteten vergleichen. Wir sahen schon, daß das IBA1 die experimentellen Niederenergiezustände recht gut beschreibt und verlangen deshalb, daß das IBA2 diese Zustände genauso gut wiedergibt, ohne zusätzliche Zustände in diese Energieregion zu bringen. Andererseits müssen offensichtlich diejenigen Zustände des IBA2, die für Proton- und Neutron-Bosonen dieselben Quantenzahlen haben, d. h. symmetrisch im Proton-Neutron-Freiheitsgrad sind, den IBA1-Zuständen entsprechen. An diesem Punkt greift die Majorana-Wechselwirkung ein (vgl. auch Abschnitt 7.1.2), weil sie die zwischen Protonen und Neutronen nicht symmetrischen Zustände energetisch anhebt, während die symmetrischen ungestört bleiben.

Bemerkenswerterweise gibt es experimentelle Hinweise auf die Existenz solcher asymmetrischer oder such gemischt-symmetrischer Zuständen bei etw 3 MeV Anregungsenergie. Im geometrischen Bild werden diese Zustände als Relativschwingungen der Protonen- und Neutronenoberflächen gegeneinander interpretiert (s. Abschnitt 6.7.2).

Schließlich sollen noch kurz einige weitere Erweiterungen des IBA erwähnt werden:

- Das sogenannte *sdg*-IBA führt Hexadekupolbosonen (g-Bosonen) mit Drehimpuls 4 ein. Gewöhnlich wird in diesem Fall die mikroskopische Motivation des IBA fallengelassen und N wird zu einem freien Parameter. Auf diese Weise kann das Modell auf hohe Drehimpulse ausgedehnt werden, im Gegensatz zum IBA1, in dem der Drehimpuls wegen der beschränkten Bosonenzahl auf $L_{\max} = 2N\hbar$ begrenzt ist.

- Im *sdf*-IBA werden Oktupolbosonen (f-Bosonen) mit Drehimpuls 3 eingeführt. Damit können Banden negativer Parität und asymmetrische Grundzustandsdeformationen behandelt werden.

- In Analogie zum Modell von Abschnitt 8.1 kann man ungerade Kerne durch Kopplung einzelner Nukleonen an das IBA beschreiben. Das führt zu den sog. *Interacting Boson-Fermion*-Modellen (IBFM).

6.8.8 Vergleich mit dem geometrischen Modell

Die Diskussion der Lösungen des IBA hat gezeigt, daß es im wesentlichen auf dieselben Phänomene anwendbar ist wie das geometrische Modell. Deshalb ist es nützlich, einige der Unterschiede und jeweiligen Vor- bzw. Nachteile der Modelle noch einaml im Vergleich hervorzuheben.

- Physikalische Interpretation: das IBA bietet die Chance einer unmittelbaren Fundierung auf der mikroskopischen Struktur; bis jetzt waren Arbeiten in dieser Richtung aber von mäßigem Erfolg. Andererseits ist die Begrenzung des Drehimpulses, die ursprünglich als einer der Vorteile des Modells galt, experimentell nirgendwo gefunden worden.

- Praktische Anwendungen: das geometrische Modell in seiner allgemeinen Form (Abschnitt 6.7.1) ist dem IBA mathematisch sehr ähnlich, so daß es nicht überrascht, das Fits an experimentelle Daten mit vergleichbarer Anzahl von Parametern ähnliche Qualität erreichen. Das Iba besitzt den Vorteil, daß benachbarte Kerne durch eine systematische Variation der Gesamtbosonenzahl alleine und mit demselben Hamiltonoperator beschrieben werden können, was in manchen Fällen gut funktionierte. Im geometrischen Modell sollte dem eine glatte Variation der Parameter des Potentials mit der Massenzahl entsprechen, was aber bis jetzt nie systematisch untersucht wurde. Ein anderer Vorteil des IBA ist die Existenz von $\beta \rightarrow \gamma$-Übergängen schon in niedrigster Ordnung verbunden mit Abweichungen von der Alaga-Regel; im geometrischen Modell benötigt man dazu Korrekturen höherer Ordnung.

- Man kann sich auch die Frage stellen, ob man das geometrische Modell nicht nur als mathematisch motivierten Ansatz betrachten könnte, in dem aus Quadrupolphononen ein allgemeiner Hamiltonoperator konstruiert wird, ähnlich wie aber nicht identisch zum IBA. Es trifft zu, daß der Hamiltonoperator in keiner Weise von den geometrischen Annahmen des Modells abhängt; dagegen wurden die Übergangsoperatoren aus spezifischen Annahmen über die geometrische Form der Ladungsverteilung erhalten und ihre Parameter sind im Gegensatz zum IBA vollständig bestimmt. Daß diese Operatoren in den meisten Fällen vernünftige Ergebnisse liefern ist ein klarer Erfolg des geometrischen Modells.

Viele Arbeiten widmeten sich der Frage nach einer Beziehung zwischen dem IBA und einer geometrischen Potentialenergiefläche $V(\beta, \gamma)$. Eine Liste von Referenzen und eine vollständige Diskussion findet man in [Ca88]. Hier sei nur ein allgemeines Ergebnis angeführt, was einen Einblick in diese Möglichkeiten gibt. Nach [Is81] und [Ia87] ist der Hamiltonoperator von (6.276) einer Potentialenergiefläche der Form

$$\begin{aligned} E(N, \beta, \gamma) &= \frac{N\epsilon_d \beta^2}{1+\beta^2} \\ &\quad + \frac{N(N-1)}{(1+\beta^2)^2}(\alpha_1\beta^4 + \alpha_2\beta^3 \cos 3\gamma + \alpha_3\beta^2 + \alpha_4) \end{aligned} \tag{6.341}$$

assoziiert, wobei die αs auf einfache Weise mit den Koeffizienten des Hamiltonoperators zusammenhängen. Man beachte, daß der Operator von der Phononenzahl abhängt. Eine wichtige Eigenschaft dieses Resultates ist, daß γ nur im linearen Term von $\cos 3\gamma$ auftaucht, so daß Minima nur auf der prolaten oder oblaten Achse liegen können und triaxiale Minima im Modell nicht enthalten sind, zumindest was die Standardversion betrifft.

Dieperink et al. [Di80] haben die Potentiale für die drei Fälle dynamischer Symmetrie angegeben. Es sind

- $U(5)$: $E(N,\beta,\gamma) = \epsilon_d N \frac{\beta^2}{1+\beta^2}$
- $SU(3)$: $E(N,\beta,\gamma) = \kappa N(N-1)\frac{1+\frac{3}{4}\beta^4 - \sqrt{2}\beta^3 \cos 3\gamma}{(1+\beta^2)^2}$
- $O(6)$: $E(N,\beta,\gamma) = \kappa' N(N-1)\left(\frac{1-\beta^2}{1+\beta^2}\right)^2$.

Schon die Lage der Minima dieser Potentiale zeigt sehr anschaulich die physikalische Bedeutung dieser Grenzfälle des Modells.

6.9 Riesenresonanzen

6.9.1 Einführung

Eine andere Art kollektiver Bewegung, die sich von den bis jetzt betrachteten Anregungen der Oberfläche unterscheidet, stellen die *Riesenresonanzen* dar, von denen die *Dipol–Riesenresonanz* am längsten bekannt ist und am meisten untersucht wurde. Sie treten beim nuklearen Photoeffekt (d. h. bei der Absorption eines Photons durch einen Kern) als breite Resonanzen auf, deren mittlere Energie systematisch von etwa 22 MeV bei leichten Kernen bis etwa 14 MeV bei schweren Kernen abnimmt. Die Breite der Resonanz liegt zwischen 2 und 7 MeV, und sie spaltet oft in mehrere Peaks auf.

Zur Verdeutlichung zeigt Abb. 6.23 einen typischen Wirkungsquerschnitt für Photoabsorption, der sowohl die durch niedrig liegende Zustände verursachten isolierten Peaks — unter ihnen auch die bis jetzt betrachteten kollektiven Banden — als auch das Einsetzen des Kontinuums bei etwa 8 MeV enthält, das vom Peak der Dipol–Riesenresonanz dominiert wird.

Der in der Dipol–Riesenresonanz enthaltene Anteil der totalen *Dipol–Anregungsstärke* kann unter Benutzung der *Thomas–Reiche–Kuhn–Summenregel* genauer angegeben werden. Diese liefert nebenbei ein einfaches und anschauliches Beispiel für Summenregeln im allgemeinen.

Betrachten wir die Übergangswahrscheinlichkeit für elektrische Dipolübergänge zwischen den Zuständen α und β. Der zugehörige Wirkungsquerschnitt für Absorption ist durch

$$\int_{\text{Linie}} \sigma_{\text{Absorption}}\, \mathrm{d}E_\beta = \frac{4\pi^2(E_\beta - E_\alpha)}{\hbar c}\left|\int \mathrm{d}^3r\, \langle\beta|\hat{\rho}(\boldsymbol{r})|\alpha\rangle z\right|^2 = \frac{2\pi^2\hbar}{mc} f_{\beta\alpha} \qquad (6.342)$$

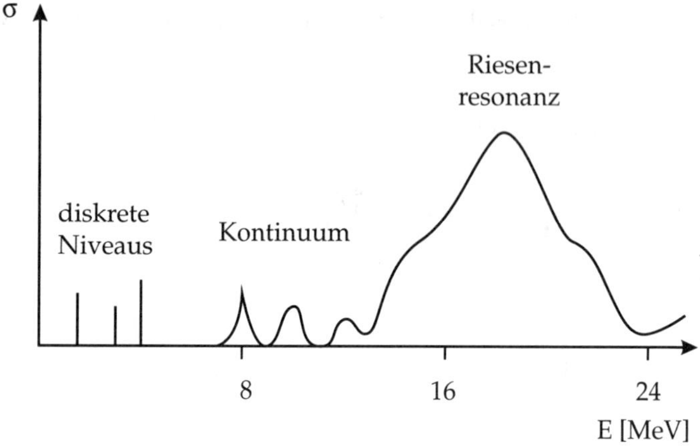

Abb. 6.23: Skizze des Wirkungsquerschnitts der Photoabsorption. Über den isolierten Peaks niedriger Energie setzt das Kontinuum bei etwa 8 MeV ein und geht in die breite Riesenresonanz über.

gegeben, was die *Übergangsstärke* $f_{\beta\alpha}$ definiert. Wir benutzen nun ein Einteilchen–Bild und nehmen vorerst an, daß die Dichte die eines einzelnen Nukleons mit der Ladung q ist, so daß

$$\begin{aligned}\int \mathrm{d}^3r \langle\beta|\hat{\rho}(\boldsymbol{r})|\alpha\rangle z &= \int \mathrm{d}^3r \int \mathrm{d}^3r'\, \psi_\beta^*(\boldsymbol{r}') q\delta(\boldsymbol{r}-\boldsymbol{r}')\psi_\alpha(\boldsymbol{r}')z \\ &= \int \mathrm{d}^3r'\, \psi_\beta^*(\boldsymbol{r}') q z' \psi_\alpha(\boldsymbol{r}') \\ &= q\langle\beta|z|\alpha\rangle\ . \end{aligned} \tag{6.343}$$

Die Energiedifferenz kann durch den Hamiltonoperator des Kerns ausgedrückt werden, der die Zustände α und β als Eigenzustände erzeugt:

$$\begin{aligned} f_{\beta\alpha} &= \frac{2mq^2}{\hbar^2}(E_\beta - E_\alpha)\,|\langle\beta|z|\alpha\rangle|^2 \\ &= \frac{2mq^2}{\hbar^2}\langle\alpha|z|\beta\rangle(E_\beta - E_\alpha)\langle\beta|z|\alpha\rangle \\ &= \frac{mq^2}{\hbar^2}\left(\langle\alpha|z|\beta\rangle\langle\beta|[\hat{H},z]|\alpha\rangle - \langle\alpha|[\hat{H},z]|\beta\rangle\langle\beta|z|\alpha\rangle\right)\ . \end{aligned} \tag{6.344}$$

Der entscheidende Punkt hierbei ist, daß die Summation über alle Endzustände β nun unter Benutzung der Vollständigkeit dieser Zustände ausgeführt werden kann:

$$\sum_\beta f_{\beta\alpha} = \frac{mq^2}{\hbar^2}\langle\alpha|[z,[\hat{H},z]]|\alpha\rangle\ . \tag{6.345}$$

Weiterhin kann der verbleibende Kommutator für einen nützlichen Spezialfall berechnet werden: Wenn der Hamiltonoperator $\hat{H}$ aus der Summe der kinetischen Energien aller Nukleonen und einem rein lokalen Potential besteht, so kommt der einzige Beitrag zum Kommutator von der kinetischen Energie des Teilchens, das den Übergang macht. Wir erhalten also

$$\begin{aligned}[z,[\hat{H},z]] &= \frac{-\hbar^2}{2m}[z,[\partial^2/\partial z^2,z]] \\ &= \frac{-\hbar^2}{2m}[z,2\partial/\partial z] \\ &= \frac{\hbar^2}{m}\,, \end{aligned} \tag{6.346}$$

was $\sum_\beta f_{\beta\alpha} = q^2$ ergibt.

Der totale Wirkungsquerschnitt, über alle Endzustände summiert, ist dann durch

$$\sum_\beta \int \sigma_{\text{Absorption}}\, \mathrm{d}E_\beta = \frac{2\pi^2\hbar}{mc} q^2 \tag{6.347}$$

gegeben, wobei man noch über die Beiträge aller Nukleonen summieren muß. Benutzt man die effektiven Ladungen Ne/A für Protonen und Ze/a für Neutronen erhält man

$$\begin{aligned}\sum_{\text{Nukleonen}} \sum_\beta \int \sigma_{\text{Absorption}}\, \mathrm{d}E_\beta &= \frac{2\pi^2\hbar}{mc} e^2 \left(Z(N/A)^2 + N(Z/A)^2\right) \\ &= \frac{2\pi^2\hbar e^2}{mc}\frac{NZ}{A} \\ &\approx \frac{NZ}{A} \times 60\,\text{MeV}\,\text{mb}\,. \end{aligned} \tag{6.348}$$

Leider ist diese Ableitung für praktische Zwecke noch nicht ausreichend, da die Annahme, daß z mit dem Potential im Hamiltonoperator kommutiert, im Falle des Kerns verletzt ist. Schuld daran sind Wechselwirkungsterme, die einen Ortsaustauch beinhalten. Wir können hier nicht auf quantitative Details eingehen, sondern verweisen auf Aufgabe 6.12, wo dieses Problem näher untersucht wird. Es sei jedoch angemerkt, daß die Korrektur etwa halb so groß ist wie der führende Term in der Thomas–Reiche–Kuhn–Summenregel.

6.12 Aufgabe: Weitere Beiträge zur Thomas–Reiche–Kuhn–Summenregel

Erklären Sie, warum ein Ortsaustauschterm im Hamiltonoperator einen Beitrag zur Thomas–Reiche–Kuhn–Summenregel liefert.

Lösung:

Lassen Sie uns als Beispiel den Fall einer reinen Majorana–Kraft betrachten, die durch

$$\hat{V} = \tfrac{1}{2}\sum_{ij} v(|\boldsymbol{r}_i - \boldsymbol{r}_j|)P^M \tag{1}$$

gegeben ist. Der Kommutator mit der z–Koordinate eines ausgewählten Teilchens verschwindet für jeden Term offensichtlich nur dann nicht, wenn entweder i oder j der Index dieses Teilchens ist; beide Möglichkeiten führen wegen der Symmetrie des Potentials zum gleichen Ergebnis:

$$\begin{aligned}[z,[\hat{V},z]] &= 2\sum_j [z,[v(|\boldsymbol{r}-\boldsymbol{r}_j|)P^M,z]] \\ &= 2zv(|\boldsymbol{r}-\boldsymbol{r}_j|)P^M z - z^2 v(|\boldsymbol{r}-\boldsymbol{r}_j|)P^M - v(|\boldsymbol{r}-\boldsymbol{r}_j|)P^M z^2 \\ &= (2zz_j - z^2 - z_j^2)v(|\boldsymbol{r}-\boldsymbol{r}_j|)P^M \,. \end{aligned}$$ 2

Im letzten Schritt wurde die Tatsache ausgenutzt, daß P^M die Ortskoordinaten der beiden wechselwirkenden Teilchen vertauscht, so daß $P^M z = z_j P^M$.

Man hat experimentell herausgefunden, daß die Dipol–Riesenresonanz etwa 80 - 90% der Summenregel ausschöpft. Damit ist sie bei weitem der dominante zu Dipolstärke führende Anregungsmechanismus.

Die theoretische Idee, die der Interpretation von Dipol–Riesenresonanzen im kollektiven Modell zugrunde liegt, ist die Trennung der Schwerpunkte von Protonen und Neutronen, was zu einem großen Dipolmoment des Kerns führt. Einem Vorschlag von Jensen folgend, formulierten Goldhaber und Teller ein erstes Modell; unabhängig davon entwickelten danach Steinwedel und Jensen ein komplizierteres.

6.9.2 Das Goldhaber–Teller–Modell

Die erste Theorie der Riesenresonanzen stammt von Goldhaber und Teller [Go48]. Sie erkannten bereits, daß eine relative Bewegung der Protonen bezüglich der Neutronen für diese Mode verantwortlich sein muß und schlugen drei grundsätzliche Möglichkeiten vor:

1. Eine Verschiebung zwischen Protonen und Neutronen mit einer rücktreibenden Kraft, die proportional zur Verschiebung und unabhängig von der Größe des Kerns und dem spezifisch betroffenen Proton ist. Dieser Fall kann ausgeschlossen werden, da er zu einer von A unabhängigen Energie der Resonanz führt.

2. Keine Trennung von Protonen und Neutronen auf der Kernoberfläche, sondern unterschiedliche Dichten im Inneren, mit einer rücktreibenden Kraft proportional zum Gradienten der Dichtedifferenz. Dies ist im wesentlichen die Idee des Steinwedel–Jensen–Modells, das im nächsten Abschnitt behandelt wird. Sie wurde jedoch nicht weiterverfolgt, da zu dieser Zeit die beobachtete Variation in der Frequenz der Dipol–Riesenresonanz am besten durch folgende Idee beschrieben wurde:

3. Protonen und Neutronen bilden jeweils sphärische Systeme, die sich durchdringen, aber geringfügig gegeneinander verschoben sind, wie in Abb. 6.24 skizziert. Offensichtlich handelt es sich um eine reine Dipol–Mode. Dies ist die Grundlage von dem, was heute als Goldhaber–Teller–Modell bekannt ist und was wir nun genauer beschreiben wollen.

Wir nennen die Verschiebung zwischen den Schwerpunkten der Protonen- und der Neutronenkugel ξ. Wie ändert diese Verschiebung die Energie des Systems? Von den verschiedenen Termen in der Bethe–Weizsäcker–Formulierung der Tropfenmodellenergie sind die beiden einzigen, die sich ändern könnten, wenn die Neutronen gegen die Protonen verschoben sind, die Symmetrie- und die Coulombenergie. Während man letztere leicht als Integral schreiben kann, das die lokalen Ladungsdichten enthält, ist die Symmetrieenergie nur in einer integrierten Form

$$E_{\mathrm{Sym}} = a_{\mathrm{s}} \frac{(N-Z)^2}{A}\,, \quad a_{\mathrm{s}} \approx 20\,\mathrm{MeV} \tag{6.349}$$

bekannt und muß in ein Integral umgewandelt werden, das von den lokalen Ladungsdichten abhängt. Ein natürlicher Weg dafür ist,

$$E_{\mathrm{Sym}} = a_{\mathrm{s}} \int \mathrm{d}^3 r\, \frac{[\rho_{\mathrm{n}}(\boldsymbol{r},t) - \rho_{\mathrm{p}}(\boldsymbol{r},t)]^2}{\rho_0} \tag{6.350}$$

zu schreiben, und dies wird in der Steinwedel–Jensen–Formulierung tatsächlich benutzt[3]. In ihrer Orginalarbeit haben Goldhaber und Teller diesen Ausdruck für die Symmetrieenergie ebenfalls nicht benutzt. Dies erscheint auch heute noch vernünftig, da sie es mit Raumbereichen zu tun hatten, die *nur* Neutronen oder *nur* Protonen enthalten, so daß eine quadratische Entwicklung um gleichmäßige Dichten beider Arten von Teilchen wirklich nicht anwendbar wäre. Statt dessen nahmen sie eine Energie ϕ an, die man braucht, um ein Proton (oder Neutron) aus der gewöhnlichen Umgebung fast gleicher Protonen- und Neutronendichten zu extrahieren.

Die Änderung der „Symmetrie"energie läßt sich leicht berechnen: Sie ist einfach proportional zum schraffierten Volumen in Abb. 6.24, multipliziert mit den entsprechenden Dichtefaktoren. Direkte Integration liefert für das Volumen $\Delta V = \pi R^2 |\xi|$,

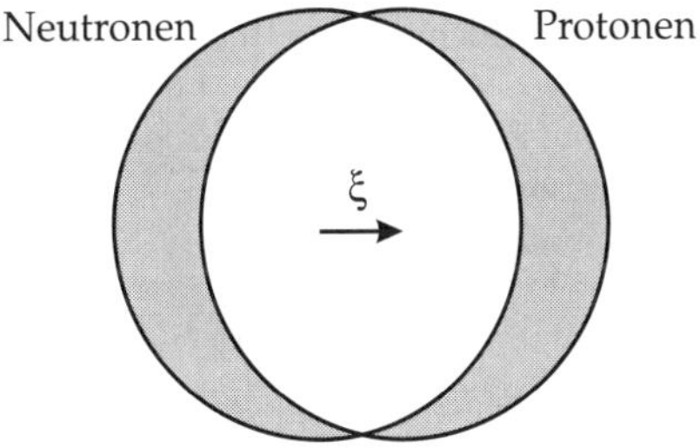

Abb. 6.24: Skizze der geometrischen Annahmen im Goldhaber–Teller–Modell der Dipol–Riesenresonanz mit einem übertriebenen Abstand ξ der Schwerpunkte. In den schraffierten Bereichen sind die Protonen von den Neutronen getrennt.

[3]Der Leser sollte sich der Tatsache bewußt sein, daß diese Wahl nicht eindeutig ist, was unsere Überlegungen zum Glück jedoch nicht beeinflußt. Zum Beispiel liefert das Fermigas–Modell eine $\rho_0^{-1/3}$–Abhängigkeit und nicht ρ_0^{-1} wie hier, und das deutet allgemein an, daß nicht klar ist, wie man den Nenner in diesem Term der Massenformel zu schreiben hat. Während bei dieser Anwendung wegen des konstanten ρ_0 der Nenner als ganzes konstant ist, kann in einer realistischeren Beschreibung der Kernoberfläche durch stetig auf Null abfallende Dichten der Unterschied zwischen den verschiedenen Potenzen entscheidend sein.

und mit obiger Annahme erhält man

$$\begin{aligned}\Delta E &= \phi(\rho_\mathrm{p}+\rho_\mathrm{n})\Delta V \\ &= \phi(Z+N)\frac{\Delta V}{V} \\ &= \tfrac{3}{4}\phi A\frac{|\xi|}{R}\,. \end{aligned} \tag{6.351}$$

Dieser Ausdruck verursacht ein kleines Problem: Da er linear in $|\xi|$ ist anstatt quadratisch, führt er nicht zu harmonischen Oszillationen. Offensichtlich kann dieses Verhalten für sehr kleine Verschiebungen, bei denen die Verschmierung der Kernoberfläche eine Rolle spielen muß, nicht richtig sein. Goldhaber und Teller nahmen deshalb einfach eine quadratische Abhängigkeit $E_\mathrm{Sym} = \frac{1}{2}k\xi^2$ für kleine ξ an, die bei einem bestimmten Wert von ξ, der $\epsilon = 2$ fm gewählt wurde, in die lineare Abhängigkeit übergeht. Diese Übergangsbedingung ergibt

$$k\epsilon = \tfrac{3}{4}\frac{\phi A}{R}\,, \tag{6.352}$$

was k festlegt.

Die Coulombenergie wird vom Mechanismus des Goldhaber–Teller–Modells nicht beeinflußt, da die Ladungsverteilung nur verschoben, sonst aber in keiner Weise verändert wird.

Der noch fehlende Anteil des Modells ist die kinetische Energie, die in diesem Fall $\mu\dot{\xi}^2/2$ mit der reduzierten Masse $\mu = ZNm/A$ des Proton–Neutron–Zweikörpersystems ist. Zusammen mit dem harmonischen Potential erhalten wir die Frequenz der Riesenresonanz zu

$$\begin{aligned}\hbar\omega &= \hbar\sqrt{\frac{3a_s}{4\epsilon m}}\sqrt{\frac{A^2}{ZNR}} \\ &\approx \frac{45\ \mathrm{MeV}}{A^{1/6}}\,. \end{aligned} \tag{6.353}$$

Das numerische Ergebnis wurde der Einfachheit halber für $Z = N$ und mit dem von Goldhaber und Teller benutzten Wert für ϕ von 40 MeV berechnet. Wir werden es mit mit dem des Steinwedel–Jensen–Modells vergleichen.

6.9.3 Das Steinwedel–Jensen–Modell

Wie schon erwähnt, wird die Dipol–Riesenresonanz im Steinwedel–Jensen–Modell [St50] als eine dynamische Polarisation des Kerns beschrieben, die durch eine Änderung des lokalen Verhältnisses von Protonen und Neutronen hervorgerufen wird, während die Gesamtdichte überall konstant bleibt. Die dynamische Behandlung basiert auf der Annahme des *hydrodynamischen rotationsfreien Flusses* für die kinetische und dem Tropfenmodell für die potentielle Energie.

Die wichtigsten enthaltenen physikalischen Größen sind die Protonendichte $\rho_\mathrm{p}(\boldsymbol{r},t)$ und die Neutronendichte $\rho_\mathrm{n}(\boldsymbol{r},t)$, die beide in Zeit und Raum variieren dürfen. Die Gesamtdichte ρ_0 wird innerhalb des Kerns als konstant angenommen:

$$\rho_0 = \rho_\mathrm{p}(\boldsymbol{r},t) + \rho_\mathrm{n}(\boldsymbol{r},t) \ , \tag{6.354}$$

und für den einfachsten Fall eines sphärischen Kerns werden wir weiterhin nur sphärische Formen betrachten, so daß die Dichten für $|\boldsymbol{r}| \leq R_0$ definiert sind und außerhalb stillschweigend Null gesetzt werden.

Für kleine Oszillationen entwickeln wir die sich verändernden Dichten um ihre Gleichgewichtswerte:

$$\rho_\mathrm{p}(\boldsymbol{r},t) = \rho_\mathrm{p}^0 + \eta(\boldsymbol{r},t), \qquad \rho_\mathrm{n}(\boldsymbol{r},t) = \rho_\mathrm{n}^0 - \eta(\boldsymbol{r},t) \tag{6.355}$$

mit $\rho_\mathrm{p}^0 = Z\rho_0/A$ und $\rho_\mathrm{n}^0 = N\rho_0/A$. Die Erhaltung der Anzahl beider Arten von Teilchen wird sichergestellt, indem man

$$\int \mathrm{d}^3r \ \eta(\boldsymbol{r},t) = 0 \tag{6.356}$$

fordert.

Die rücktreibende Kraft wird nun hauptsächlich durch die Symmetrieenergie bestimmt, die in Form der Gl. (6.350) benutzt wird. Die Coulombenergie wird durch eine Umverteilung der Protonen ebenfalls beeinflußt. Dieser Effekt ist jedoch sehr viel kleiner als die Änderung in der Oberflächenenergie, so daß sie im folgenden vernachlässigt wird.

Führt man die kleine Schwankung $\eta(\boldsymbol{r},t)$ ein, so erhält man

$$E_\mathrm{Sym} = a_s \frac{(N-Z)^2}{A} + \frac{4a_s}{2\rho_0} \int \mathrm{d}^3r \ \eta(\boldsymbol{r},t)^2 \ . \tag{6.357}$$

Der erste Term ist die konstante Symmetrieenergie des ungestörten Kerns, die in η linearen Terme verschwinden wegen Gl. (6.356), und folglich ist der zweite Term auf der rechten Seite der einzige, der als potentielle Energie der Dichtevibrationen verwendet werden muß. Übrig bleibt die Konstruktion der kinetischen Energie.

Für die kinetische Energie soll die klassische kinetische Energie einer Flüssigkeit benutzt werden:

$$T = \frac{m}{2} \int \mathrm{d}^3r (\rho_\mathrm{p}\boldsymbol{v}_\mathrm{p}^2 + \rho_\mathrm{n}\boldsymbol{v}_\mathrm{n}^2) \ , \tag{6.358}$$

mit den lokalen Flußgeschwindigkeiten $\boldsymbol{v}_\mathrm{p}(\boldsymbol{r},t)$ und $\boldsymbol{v}_\mathrm{n}(\boldsymbol{r},t)$ der Protonen- bzw. Neutronenflüssigkeit. An diesem Ausdruck sieht man auch, daß *Anzahldichten* und nicht

Massendichten verwendet werden, wodurch der Faktor m nötig wird. Wir transformieren in Relativ- und Schwerpunktsgeschwindigkeit

$$\begin{aligned} \boldsymbol{v}(\boldsymbol{r},t) &= \boldsymbol{v}_{\mathrm{p}}(\boldsymbol{r},t) - \boldsymbol{v}_{\mathrm{n}}(\boldsymbol{r},t) && (6.359) \\ \boldsymbol{V}(\boldsymbol{r},t) &= \left(\rho_{\mathrm{p}}(\boldsymbol{r},t)\boldsymbol{v}_{\mathrm{p}}(\boldsymbol{r},t) + \rho_{\mathrm{n}}(\boldsymbol{r},t)\boldsymbol{v}_{\mathrm{n}}(\boldsymbol{r},t)\right)/\rho_0 \; . && (6.360) \end{aligned}$$

Die kinetische Energie wird dann zu

$$T = \frac{m}{2} \int \mathrm{d}^3 r (\rho_0 V^2 + \rho_{\mathrm{red}} v^2) \; , \tag{6.361}$$

worin die reduzierte Dichte

$$\rho_{\mathrm{red}}(\boldsymbol{r},t) = \frac{\rho_{\mathrm{p}}\rho_{\mathrm{n}}}{\rho_{\mathrm{p}} + \rho_{\mathrm{n}}} = \frac{\rho_{\mathrm{p}}^0 \rho_{\mathrm{n}}^0}{\rho_0} + \frac{\rho_{\mathrm{n}}^0 - \rho_{\mathrm{p}}^0}{\rho_0}\eta - \frac{\eta^2}{\rho_0} \tag{6.362}$$

eingeführt wurde.

Im folgenden werden wir die Rechnung nur in niedrigster Ordnung durchführen und annehmen, daß die mittlere Geschwindigkeit $\boldsymbol{V}$ Null ist, was für einen Kern in Ruhe und im Grundzustand sicher angebracht ist. In der kinetischen Energie muß in diesem Fall nur der erste Term betrachtet werden:

$$T = \frac{m}{2} \frac{ZN}{A^2} \rho_0 \int \mathrm{d}^3 r \, v^2 \; , \tag{6.363}$$

während die potentielle Energie noch immer durch den letzten Term in Gl. (6.357) gegeben ist. Die Lagrangedichte des System lautet daher

$$L = \frac{m}{2} \frac{ZN}{A^2} \rho_0 \int \mathrm{d}^3 r \, v^2 - \frac{4a_s}{\rho_0} \int \mathrm{d}^3 r \, \eta^2 \; . \tag{6.364}$$

Beachten Sie, daß für $\boldsymbol{V} = 0$ die Geschwindigkeiten mit den relativen Geschwindigkeiten durch

$$\boldsymbol{v}_{\mathrm{p}} = \frac{N}{A}\boldsymbol{v}, \qquad \boldsymbol{v}_{\mathrm{n}} = \frac{Z}{A}\boldsymbol{v} \tag{6.365}$$

verknüpft sind.

Bevor wir die Bewegungsgleichungen aus dem Variationsprinzip ableiten, wollen wir einige Eigenschaften von Geschwindigkeitsfeldern betrachten. Zusätzlich müssen diese durch Modellannahmen in verschiedenen Weisen eingeschränkt werden, da eine Änderung der Dichten durch beinahe beliebige Geschwindigkeitsfelder hervorgerufen werden könnten. Eine allgemeingültige Einschränkung liefert nur die Teilchenzahlerhaltung, die sich in Kontinuitätsgleichungen ausdrückt:

$$\frac{\partial \rho_{\mathrm{p,n}}}{\partial t} + \nabla \cdot (\rho_{\mathrm{p,n}} \boldsymbol{v}_{\mathrm{p,n}}) = 0 \tag{6.366}$$

mit der Randbedingung, daß der Fluß durch die Oberfläche verschwindet:

$$\boldsymbol{r} \cdot \boldsymbol{v}_{\mathrm{p,n}}\big|_{|\boldsymbol{r}|=R_0} = 0 \ . \tag{6.367}$$

Bis zur ersten Ordnung betrachtet, lautet die Kontinuitätsgleichung für Protonen:

$$\frac{\partial \rho_{\mathrm{p}}}{\partial t} = \frac{\partial \eta}{\partial t} = -\nabla \cdot \left((\rho_{\mathrm{p}}^0 + \eta)\boldsymbol{v}_{\mathrm{p}}\right) \approx -\rho_{\mathrm{p}}^0 \nabla \cdot \boldsymbol{v}_p = -\frac{ZN}{A^2}\rho_0 \nabla \cdot \boldsymbol{v} \ , \tag{6.368}$$

wobei im letzten Schritt Gl. (6.365) benutzt wurde.

Das Variationsprinzip nimmt folgende Form an:

$$\delta \int \mathrm{d}t \int \mathrm{d}^3 r \left(\frac{m}{2}\frac{ZN}{A^2}\rho_0 \boldsymbol{v}^2 - \frac{4a_s}{\rho_0}\eta^2 \right) = 0 \ . \tag{6.369}$$

Bezüglich welcher Variablen sollen wir nun die Variation ausführen? Die zugrundeliegenden mechanischen Freiheitsgrade sind die zeitabhängigen *Verschiebungen* der Teilchen, die sowohl die Flußgeschwindigkeiten als auch Dichteschwankungen hervorrufen. Die Bewegung jedes Flüssigkeitselements kann durch Angabe seines Ortes $\boldsymbol{s}(\boldsymbol{r},t)$ in Abhängigkeit von der Zeit charakterisiert werden, wenn die anfängliche Position $\boldsymbol{s}(\boldsymbol{r},t=0)$ gegeben ist. Im Prinzip sollten die Verschiebungen für Protonen und Neutronen getrennt definiert sein, aber da diese trivial zusammenhängen, ist es viel eleganter, sie so zu definieren, daß sie der relativen Bewegung folgen, so daß

$$\boldsymbol{v} = \frac{\partial \boldsymbol{s}}{\partial t}, \qquad \delta \boldsymbol{v} = \frac{\partial \delta \boldsymbol{s}}{\partial t} \tag{6.370}$$

und die Variation der Dichteschwankung η durch Gl. (6.368) gegeben ist:

$$\delta\eta = -\frac{ZN}{A^2}\rho_0 \nabla \cdot \delta \boldsymbol{s} \ . \tag{6.371}$$

Wir können nun die Variation ausführen, die beiden vorangegangenen Gleichungen für $\delta\boldsymbol{v}$ und $\delta\eta$ einsetzen und eine erste teilweise Integration (bezüglich der Zeit im ersten und bezüglich des Ortes im zweiten Integranden) durchführen:

$$\begin{aligned} 0 &= \delta \int \mathrm{d}t\, L \\ &= \int \mathrm{d}t \int \mathrm{d}^3 r \left(m\frac{ZN}{A^2}\rho_0 \boldsymbol{v} \cdot \delta\boldsymbol{v} - \frac{8a_s}{\rho_0}\eta\delta\eta \right) \\ &= \int \mathrm{d}t \int \mathrm{d}^3 r \left(m\frac{ZN}{A^2}\rho_0 \frac{\partial \boldsymbol{s}}{\partial t} \cdot \frac{\partial \delta\boldsymbol{s}}{\partial t} + 8a_s\frac{ZN}{A^2}\eta\nabla \cdot \delta\boldsymbol{s} \right) \\ &= \int \mathrm{d}t \int \mathrm{d}^3 r \left(-m\frac{ZN}{A^2}\rho_0 \frac{\partial^2 \boldsymbol{s}}{\partial t^2} - 8a_s\frac{ZN}{A^2}\nabla\eta \right) \cdot \delta\boldsymbol{s} \ . \end{aligned} \tag{6.372}$$

Jetzt kann die Unabhängigkeit der Verschiebungen der verschiedenen Flüssigkeitselemente benutzt werden, was zu einem Wegfall der Integrationen führt:

$$m\frac{ZN}{A^2}\rho_0\frac{\partial \boldsymbol{v}}{\partial t} = -8a_s\frac{ZN}{A^2}\nabla\eta \; . \tag{6.373}$$

Nimmt man die Divergenz dieser Gleichung und die Kontinuitätsgleichung in der Form

$$\frac{\partial \nabla \cdot \boldsymbol{v}}{\partial t} = -\frac{A^2}{ZN\rho_0}\frac{\partial^2 \eta}{\partial t^2} \; , \tag{6.374}$$

erhält man die Bewegungsgleichung für η:

$$m\frac{\partial^2 \eta}{\partial t^2} = 8a_s\frac{ZN}{A^2}\nabla^2\eta \; . \tag{6.375}$$

Dieses einfache Ergebnis zeigt, daß die Dichteschwankungen einer Wellengleichung

$$\frac{1}{u^2}\frac{\partial^2 \eta}{\partial t^2} = \nabla^2\eta \tag{6.376}$$

genügen, mit einer Ausbreitungsgeschwindigkeit der Dichtewellen von

$$u^2 = \frac{ZN}{A^2}\frac{8a_s}{m} \; . \tag{6.377}$$

Mit $a_s \approx 23\,\mathrm{MeV}$ ergibt sich $u \approx c/5$. Mit den Methoden aus Abschnitt 5.3 können wir die Wellengleichung leicht lösen: Nimmt man eine periodische Zeitabhängigkeit $\eta(\boldsymbol{r},t) = \eta(\boldsymbol{r},0)\mathrm{e}^{\mathrm{i}\omega t}$ an, so erhalten wir eine Helmholtz Gleichung

$$\Delta\eta + k^2\eta = 0 \; , \tag{6.378}$$

die mit den bekannten Lösungen zu gutem Drehimpuls erfüllt werden kann:

$$\eta_{klm}(\boldsymbol{r}) = B\, j_l(kr)Y_{lm}(\Omega) \qquad k = \omega/c \; . \tag{6.379}$$

Die Randbedingung ist durch die Stationarität der Kernoberfläche gegeben: die Geschwindigkeit senkrecht zur Oberfläche muß verschwinden. Aus Gl. (6.373) ist ersichtlich, daß dies auf

$$0 = \boldsymbol{e}_r \cdot \nabla\eta\big|_{r=R} = \left.\frac{\partial \eta}{\partial r}\right|_{r=R} \quad \rightarrow \quad j_l'(kR) = 0 \; . \tag{6.380}$$

führt. Die Eigenfrequenzen werden daher durch die Nullstellen der Ableitungen der sphärischen Besselfunktionen festgelegt. Für $l = 1$ tritt die niedrigste Nullstelle bei ≈ 2.08 auf, so daß $k \approx 2.08/R$ und die Energie des Zustandes

$$\begin{aligned}\hbar\omega = \hbar uk \quad &\approx \quad \hbar\sqrt{\frac{ZN}{A^2}\frac{8a_s}{m}}\frac{2.08}{1.2\,\mathrm{fm}\,A^{1/3}} \\ &= \quad \sqrt{\frac{4ZN}{A^2}}\frac{76.5\,\mathrm{MeV}}{A^{1/3}}\end{aligned} \tag{6.381}$$

ist. Der Vorfaktor unter der Wurzel wurde herausgezogen, da er nur schwach von der Massenzahl abhängt und sich für $N = Z$ zu eins reduziert, während die charakteristische $A^{-1/3}$–Abhängigkeit nur im zweiten Faktor auftritt. Die A–Abhängigkeit stimmt recht gut mit der experimentell beobachteten überein.

6.9.4 Anwendungen

Bis jetzt haben wir die Theorie rein klassisch behandelt, aber da wir es in dieser Näherung mit einem harmonischen Oszillator zu tun haben, fällt es nicht schwer, eine quantisierte Version anzugeben: Man führt einfach Erzeugungs- und Vernichtungsoperatoren $\hat{g}_{1\mu}^{+}$ und $\hat{g}_{1\mu}$ mit den korrekten Drehimpulseigenschaften für *Riesenresonanzquanten* ein, durch die der Hamiltonoperator sich als

$$\hat{H} = \hbar\omega \left(\sum_{\mu} \hat{g}_{\mu}^{+} \hat{g}_{\mu} + \tfrac{3}{2} \right) \tag{6.382}$$

ausdrücken läßt. In der Theorie so weit zu gehen ist nur dann sinvoll, wenn Zustände mit mehr als einem Phonon auch beobachtet worden sind; die wirkliche Beobachtung einer solchen Zwei–Phonon–Riesenresonanz ist erst vor Kurzem gelungen (eine Übersicht gibt der Artikel von Mordechai und Moore [Mo93]).

Was passiert, wenn eine Dipol–Riesenresonanz in einem deformierten Kern angeregt wird? Formal wurde dies im Rahmen des *dynamischen Kollektivmodells* [Da64a, Da64b] für die Kopplung der Riesenresonanz–Quanten an die Phononen der Quadrupoloberfläche berechnet, aber das Prinzip ist geometrisch leicht zu verstehen. Da die Riesenresonanz eine viel größere Energie hat als die Oberflächenschwingungen, läuft sie viel schneller ab und man darf — wenigstens als eine erste Näherung — die Riesenresonanz als adiabatisch in einer feststehenden Oberfläche annehmen. Die Energie der Resonanz war über $kR = 2.08$ durch die erste Nullstelle der Ableitung der sphärischen Besselfunktion festgelegt, so daß sie umgekehrt proportional zum Kernradius ist. Wenn nun der Kern deformiert wird, ist der Radius in Richtung der drei Hauptachsen verschieden groß, und die Resonanz kann in drei Peaks aufspalten, deren Abstand in der Energie durch das Verhältnis der Achsen bestimmt wird (die korrekte Formel für die Energie der Peaks ist jedoch nicht gerade einfach). Wenn axiale Symmetrie vorliegt, fallen zwei dieser Moden aufeinander, und einer der Peaks wird höher sein, da er eigentlich der Bewegung entlang zweier Achsen entspricht. Die Situation ist in Abb. 6.25 für die vier verschiedenen Fälle skizziert.

Es gibt auch eine dynamische Kopplung zwischen Riesenresonanzen und den Oberflächenschwingungen. Da jedoch die Energie der Riesenresonanzen etwa zehnmal größer ist als die der üblichen β– und γ–Vibrationen, kann dies vorerst in der adiabatischen Näherung vernachlässigt werden, d. h., die Riesenresonanz wird innerhalb der augenblicklichen Gestalt des Kerns behandelt. Die Korrektur kann als Wechselwirkung zwischen den Riesenresonanzquanten und den Phononen der Oberflächenschwingungen formuliert werden, wobei die Parameter der Kopplungsstärke sogar schon aus dem geometrischen Bild abgeleitet werden können. Das Ergebnis ist in erster Linie eine weitere Aufspaltung der Riesenresonanz, was zu einer komplizierteren Struktur der totalen Anregungsfunktion führt.

Im Experiment stellt sich heraus, daß die Korrelation zwischen Deformation des Kerns und Struktur der Riesenresonanz in vielen Fällen korrekt ist, letztere aber oft noch

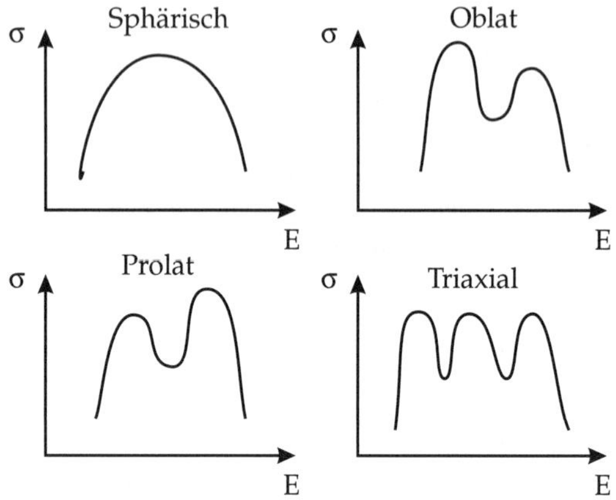

Abb. 6.25: Schema der Aufspaltung der Dipol–Riesenresonanz in Abhängigkeit von der Grundzustandsdeformation

mehr Struktur zeigt als erwartet. Dies könnte entweder auf eine kompliziertere Kopplung an die Oberflächenphononen hinweisen oder auf nichtkollektive Effekte. Wir werden auf die mikroskopische Behandlung der Riesenresonanzen in Abschnitt 8.2 zurückkommen.

Die *Quadrupol–Riesenresonanz* kann im selben Modell abgeleitet werden, indem es einfach für Eigenenergien mit $l = 2$ gelöst wird. Die entsprechende Nullstelle der abgeleiteten sphärischen Besselfunktion ist $k = 3.342$, so daß die Energie der Quadrupol–Riesenresonanz um einen Faktor 1.6 über der der Dipol–Riesenresonanz liegen sollte. Obwohl die Theorie für diese Energie wegen der Instabilität gegen Zwei–Neutronen–Zerfall komplizierter ist, findet sich eine breite qualitative Übereinstimmung mit dem Experiment in bezug auf die Lage der Resonanz.

Ein Hauptproblem bei der kollektiven Behandlung der Riesenresonanzen ist das Fehlen einer theoretischen Vorhersage für die Breite der Resonanz. Die Riesenresonanzen zerfallen relativ schnell, weil ihre Energie die des am schwächsten gebundenen Nukleons übersteigt, was zu einer größen Breite führt. Dies kann leichter in eine mikroskopische Theorie mit einbezogen werden, während man sich bei der kollektiven Behandlung damit zufrieden geben muß, eine bestimmte, meist konstante Breite für jede Eigenmode der Resonanz anzunehmen.

Kapitel 7

Mikroskopische Modelle

7.1 Die Nukleon–Nukleon–Wechselwirkung

7.1.1 Allgemeine Eigenschaften

Alle mikroskopischen Kernmodelle basieren auf einem Modell der zugrunde liegenden Wechselwirkungen zwischen den Nukleonen. Das Wort „Modell" ist nötig, da es gegenwärtig noch keine exakte und verläßliche Theorie gibt, wie sie für die elektromagnetische Wechselwirkung existiert. Versuche, die Nukleon–Nukleon–Wechselwirkung aus dem Quarkmodell abzuleiten, sind noch nicht genügend ausgereift, um in Kernmodellen verwendet werden zu können, so daß es immer noch eine Unmenge von Modellwechselwirkungen gibt, die für verschiedene Zwecke benutzt werden. Eine Klasse von Wechselwirkungen ist ziemlich erfolgreich in der Beschreibung von Nukleon–Nukleon–Streuprozessen, bietet jedoch keine gute Beschreibung der Kerne, die aus einer großen Zahl von Nukleonen bestehen. Im letzteren Fall finden *effektive Wechselwirkungen* Anwendung, die speziell für den Gebrauch in Hartree–Fock und verwandten Rechnungen entwickelt wurden, die jedoch Nukleon–Nukleon–Streuung nicht befriedigend beschreiben. Sie sind darauf ausgelegt, einige der komplizierten Korrelationen, die komplexe Kerne charakterisieren, zu berücksichtigen, indem sie z. B. eine Dichteabhängigkeit einführen.

In diesem Abschnitt diskutieren wir die allgemeinen Eigenschaften, die eine Wechselwirkung aufweisen sollte, um grundlegende Invarianzanforderungen zu befriedigen. Wir beschränken die Diskussion hauptsächlich auf Zweikörperwechselwirkungen; obwohl Dreikörperkräfte in der Theorie der Kerne Anwendung gefunden haben, ist noch nicht klar, in welchem Ausmaß sie nötig sind. Sie spielen eine entscheidende Rolle im Fall effektiver Wechselwirkungen und werden in diesem Zusammenhang entsprechend behandelt.

Das Nukleon–Nukleon–Potential kann von den Orten, Impulsen, Spins und Isospins der zwei beteiligten Nukleonen abhängen:

$$v = v(\boldsymbol{r}, \boldsymbol{r}', \boldsymbol{p}, \boldsymbol{p}', \hat{\boldsymbol{\sigma}}, \hat{\boldsymbol{\sigma}}', \hat{\boldsymbol{\tau}}, \hat{\boldsymbol{\tau}}') \ . \tag{7.1}$$

Die funktionale Form von v ist durch die üblichen Invarianzanforderungen beschränkt, die wir nun im einzelnen untersuchen:

- **Translationsinvarianz:** Die Abhängigkeit von den Orten $\boldsymbol{r}$ und $\boldsymbol{r}'$ darf nur durch den relativen Abstand $\boldsymbol{r} - \boldsymbol{r}'$ gegeben sein. Da die einzelnen Vektoren im weiteren nicht benötigt werden, verwenden wir die Bezeichnung $\boldsymbol{r}$ für diese Relativkoordinate.

- **Galilei–Invarianz:** Das Wechselwirkungspotential sollte unabhängig von jeglichen Transformationen in ein anderes Inertialsystem sein. Dadurch wird verlangt, daß die Wechselwirkung nur vom Relativimpuls $\boldsymbol{p} - \boldsymbol{p}'$ abhängt. Wie bei der relativen räumlichen Koordinate bezeichnen wir diesen Vektor einfach mit $\boldsymbol{p}$.

- **Rotationsinvarianz:** Diese Bedingung kann nicht so einfach zur Einschränkung der Zahl der Variablen dienen; statt dessen bedeutet sie, daß alle Terme des Potentials so konstruiert werden müssen, daß sie den Gesamtdrehimpuls null besitzen.

- **Isospininvarianz:** Die Isospinfreiheitsgrade gehen nur mit den Operatoren $\hat{\boldsymbol{\tau}}$ und $\hat{\boldsymbol{\tau}}'$ ein, so daß Skalare unter Rotation im Isospinraum nur solche Terme sind, die gar keine Isospinabhängigkeit, das Skalarprodukt $\hat{\boldsymbol{\tau}} \cdot \hat{\boldsymbol{\tau}}'$ oder Potenzen davon enthalten. Da stets $\hat{\boldsymbol{\tau}} \cdot \hat{\boldsymbol{\tau}} = 3$ für das Nukleon mit seinem Isospin $\frac{1}{2}$ gilt, sind die Terme, die nur einen der zwei Operatoren enthalten, trivial. Aber sogar die höheren Potenzen von $\hat{\boldsymbol{\tau}} \cdot \hat{\boldsymbol{\tau}}'$ sind nicht unabhängig, wie man aus den Eigenschaften der Paulimatrizen

$$[\hat{\tau}_i, \hat{\tau}_j] = 2i \sum_k \epsilon_{ijk} \hat{\tau}_k, \qquad \{\hat{\tau}_i, \hat{\tau}_j\} = 2\delta_{ij} \tag{7.2}$$

sehen kann. Addieren der zwei Gleichungen liefert

$$\hat{\tau}_i \hat{\tau}_j = \delta_{ij} + i \sum_k \epsilon_{ijk} \hat{\tau}_k \tag{7.3}$$

und weiter

$$\begin{aligned} (\hat{\boldsymbol{\tau}} \cdot \hat{\boldsymbol{\tau}}')^2 &= \sum_{ij} \hat{\tau}_i \hat{\tau}'_i \hat{\tau}_j \hat{\tau}'_j \\ &= \sum_{ij} (\delta_{ij} + i \sum_k \epsilon_{ijk} \hat{\tau}_k)(\delta_{ij} + i \sum_{k'} \epsilon_{ijk'} \hat{\tau}'_{k'}) \ . \end{aligned} \tag{7.4}$$

Durch Entwickeln der rechten Seite erkennt man, daß der Term mit einem ϵ wegen $\delta_{ij}\epsilon_{ijk} = 0$ verschwindet, während der Rest

$$\begin{aligned} (\hat{\boldsymbol{\tau}} \cdot \hat{\boldsymbol{\tau}}')^2 &= \sum_i \delta_{ii} - \sum_{ijkk'} \epsilon_{ijk} \epsilon_{ijk'} \hat{\tau}_k \hat{\tau}'_{k'} \\ &= 3 - 2 \sum_k \hat{\tau}_k \hat{\tau}'_k = 3 - 2 \hat{\boldsymbol{\tau}} \cdot \hat{\boldsymbol{\tau}}' \end{aligned} \tag{7.5}$$

ergibt. Hier kann die Summe über die Produkte mit zwei ϵ vereinfacht werden, weil für ein festes Indexpaar (i, j) der Term nur dann ungleich null ist, wenn k

und k' den gleichen Wert haben, der ja tatsächlich den Bereich $1, 2, 3$ durchläuft; dies tritt jedoch zweimal auf: einmal bei (i, j) und einmal bei (j, i). Das Endergebnis zeigt, daß alle Potenzen von $\hat{\boldsymbol{\tau}} \cdot \hat{\boldsymbol{\tau}}'$ auf das Produkt zurückgeführt werden können, so daß nur dieses berücksichtigt zu werden braucht.

Mit den gewonnenen Ergebnissen kann man das Gesamtpotential in zwei Terme aufspalten:

$$v = v(\boldsymbol{r}, \boldsymbol{p}, \sigma, \sigma') + \tilde{v}(\boldsymbol{r}, \boldsymbol{p}, \sigma, \sigma')\hat{\boldsymbol{\tau}} \cdot \hat{\boldsymbol{\tau}}' \ . \tag{7.6}$$

Diese Separation in zwei Terme gemäß der Isospinabhängigkeit ist nur eine von verschiedenen alternativen Zerlegungen, die alle je nach den Umständen nützlich sein können.

Die erste Alternative gründet sich auf dem Gesamtisospin. Zwei Nukleonen mit Isospin $\frac{1}{2}$ können zu einem Gesamtisospin T von 0 (Singlett) oder 1 (Triplett) koppeln. Das Skalarprodukt der Isospinoperatoren kann dann ausgedrückt werden als

$$\begin{aligned} \hat{\boldsymbol{\tau}} \cdot \hat{\boldsymbol{\tau}}' &= 4\hat{\boldsymbol{t}} \cdot \hat{\boldsymbol{t}}' = 2\left((\hat{\boldsymbol{t}} + \hat{\boldsymbol{t}}')^2 - \hat{\boldsymbol{t}}_1^2 - \hat{\boldsymbol{t}}_2^2\right) \\ &= 2\left(T(T+1) - \tfrac{3}{4} - \tfrac{3}{4}\right) = \begin{cases} -3 & \text{für das Singlett} \\ +1 & \text{für das Triplett .} \end{cases} \end{aligned} \tag{7.7}$$

Dieses Resultat erlaubt die Konstruktion von Projektionsoperatoren auf das Singlett bzw. auf das Triplett einfach als Linearkombinationen, so daß sie, auf den einen der zwei Zustände angewandt, null ergeben und, auf den anderen angewandt, eins:

$$\hat{P}_{T=0} = \tfrac{1}{4}(1 - \hat{\boldsymbol{\tau}} \cdot \hat{\boldsymbol{\tau}}'), \qquad \hat{P}_{T=1} = \tfrac{1}{4}(3 + \hat{\boldsymbol{\tau}} \cdot \hat{\boldsymbol{\tau}}') \ . \tag{7.8}$$

Die Wechselwirkung zwischen den Nukleonen kann nun als eine Summe eines Singlett– und eines Triplettpotentials formuliert werden:

$$v = v_{T=0}(\boldsymbol{r}, \boldsymbol{p}, \sigma, \sigma')\hat{P}_{T=0} + v_{T=1}(\boldsymbol{r}, \boldsymbol{p}, \sigma, \sigma')\hat{P}_{T=1} \ . \tag{7.9}$$

Eine dritte Formulierung basiert auf der Idee des Isospinaustauschs. Die Zweiteilchenwellenfunktion mit gutem Isospin lautet

$$|TT_3\rangle = \sum_{t_3 t_3'} (\tfrac{1}{2}\tfrac{1}{2}T|t_3 t_3' T_3)|\tfrac{1}{2}t_3\rangle|\tfrac{1}{2}t_3'\rangle \ , \tag{7.10}$$

und unter Ausnützung der Symmetrie der Clebsch–Gordan–Koeffizienten

$$(j_1 j_2 J|m_1 m_2 M) = (-1)^{j_1+j_2-J}(j_2 j_1 J|m_2 m_1 M) \ , \tag{7.11}$$

sieht man, daß der Austausch der zwei Isospinprojektionen t_3 und t_3' einem Vorzeichenwechsel für $T = 0$ und keiner Änderung für $T = 1$ entspricht. Wegen (7.7) kann der Isospinaustauschoperator $\hat{P}_\tau$, der das korrekte Vorzeichen erzeugt, ausgedrückt werden als

$$\hat{P}_\tau = \tfrac{1}{2}(1 + \hat{\boldsymbol{\tau}} \cdot \hat{\boldsymbol{\tau}}') , \tag{7.12}$$

und die Isospinabhängigkeit der Nukleon–Nukleon–Wechselwirkung kann so auf eine dritte Art formuliert werden:

$$v = v_1(\boldsymbol{r}, \boldsymbol{p}, \sigma, \sigma') + v_2(\boldsymbol{r}, \boldsymbol{p}, \sigma, \sigma')\hat{P}_\tau . \tag{7.13}$$

Man beachte, daß die Spinabhängigkeit des Potentials, obwohl viele dieser Umformungen auch beim Spin der Nukleonen Anwendungen finden, nicht in diesem Umfang eingeschränkt werden kann, da die Spinoperatoren auch mit Orts– oder Impulsvektoren zum Gesamtdrehimpuls null gekoppelt werden können. Die allgemeine Definition des Spinaustauschoperators kann natürlich in Analogie zu (7.12) gemacht werden und ist so nützlich wie die für den Isospin.

- **Paritätsinvarianz:** Die Forderung für das Potential lautet

$$v(\boldsymbol{r}, \boldsymbol{p}, \hat{\boldsymbol{\sigma}}, \hat{\boldsymbol{\sigma}}', \hat{\boldsymbol{\tau}}, \hat{\boldsymbol{\tau}}') = v(-\boldsymbol{r}, -\boldsymbol{p}, \hat{\boldsymbol{\sigma}}, \hat{\boldsymbol{\sigma}}', \hat{\boldsymbol{\tau}}, \hat{\boldsymbol{\tau}}') , \tag{7.14}$$

  was erfüllt werden kann, indem man nur Terme mit gerader Potenz von $\boldsymbol{r}$ und $\boldsymbol{p}$ zusammen verwendet.

- **Zeitumkehrinvarianz:** Sie erfordert

$$v(\boldsymbol{r}, \boldsymbol{p}, \hat{\boldsymbol{\sigma}}, \hat{\boldsymbol{\sigma}}', \hat{\boldsymbol{\tau}}, \hat{\boldsymbol{\tau}}') = v(\boldsymbol{r}, -\boldsymbol{p}, -\hat{\boldsymbol{\sigma}}, -\hat{\boldsymbol{\sigma}}', \hat{\boldsymbol{\tau}}, \hat{\boldsymbol{\tau}}') , \tag{7.15}$$

  so daß eine gerade Anzahl kombinierter $\boldsymbol{p}$ und $\hat{\boldsymbol{\sigma}}$ in jedem Term erlaubt ist.

Wir können nun die Arten von Termen sammeln, die nach unseren vorherigen Betrachtungen zulässig sind. Immer noch bleibt eine verwirrende Vielzahl solcher Terme, so daß man natürlicherweise mit den niedrigsten Potenzen beginnt, nämlich durch Verwendung der Terme

$$\begin{aligned} &\hat{\boldsymbol{\sigma}} \cdot \hat{\boldsymbol{\sigma}}', \quad (\boldsymbol{r} \cdot \hat{\boldsymbol{\sigma}})(\boldsymbol{r} \cdot \hat{\boldsymbol{\sigma}}'), \\ &\hat{\boldsymbol{L}} \cdot \hat{\boldsymbol{S}} = -i\hbar(\boldsymbol{r} \times \hat{\boldsymbol{p}}) \cdot (\hat{\boldsymbol{\sigma}} + \hat{\boldsymbol{\sigma}}') . \end{aligned} \tag{7.16}$$

Alle diese können mit frei wählbaren Funktionen von r und p kombiniert werden. Während bekannt ist, daß die räumliche Abhängigkeit des Potentials ziemlich ausgeprägt ist, weiß man weniger über die Impulsabhängigkeit. Wechselwirkungen in praktischer Verwendung enthalten höchstens einen $\hat{\boldsymbol{p}}^2$-Term.

7.1.2 Die funktionale Form

Historisch verwendeten die ersten Versuche, eine Nukleon–Nukleon–Wechselwirkung zu formulieren, ein impulsunabhängiges Zentralpotential, aber bald wurden Spin– und Isospinabhängigkeit als wesentlich erkannt. Das Potential hat die allgemeine Gestalt

$$v = v_0(r) + v_\sigma(r)\hat{\boldsymbol{\sigma}} \cdot \hat{\boldsymbol{\sigma}}' + v_\tau(r)\hat{\boldsymbol{\tau}} \cdot \hat{\boldsymbol{\tau}}' + v_{\sigma\tau}(\hat{\boldsymbol{\sigma}} \cdot \hat{\boldsymbol{\sigma}}')(\hat{\boldsymbol{\tau}} \cdot \hat{\boldsymbol{\tau}}') \ , \tag{7.17}$$

oder in der traditionellen Formulierung mit Austauschoperatoren:

$$v = v_W(r) + v_M \hat{P}_r + v_B \hat{P}_\sigma + v_H \hat{P}_r \hat{P}_\sigma \ . \tag{7.18}$$

Die Indizes stehen für **W**igner, **M**ajorana, **B**artlett und **H**eisenberg. Der Isospinaustauschoperator $\hat{P}_\tau$ wurde ursprünglich im letzten Term benutzt, aber das ist eine triviale Ersetzung, da für Fermionen ein Austausch aller Koordinaten einfach das Vorzeichen der Wellenfunktion gemäß $\hat{P}_r\hat{P}_\sigma\hat{P}_\tau = -1$ ändert, so daß $\hat{P}_r\hat{P}_\sigma = -\hat{P}_\tau$ gilt.

Natürlich ist es möglich, die Ausdrücke (7.17) und (7.18) miteinander in Beziehung zu setzen, indem man die Austauschoperatoren in (7.18) durch Spin– und Isospinoperatoren ausdrückt und dann die Koeffizienten vergleicht.

Eine weitere wichtige Zutat zu einer Nukleon–Nukleon–Wechselwirkung, die als notwendig für die Erklärung der Eigenschaften des Deuterons erkannt wurde, ist die *Tensorkraft.* Sie enthält den Term $(\boldsymbol{r} \cdot \hat{\boldsymbol{\sigma}})(\boldsymbol{r} \cdot \hat{\boldsymbol{\sigma}}')$, aber in einer solchen Kombination, daß er bei Mittelung über die Winkel verschwindet. Der volle Ausdruck lautet

$$S_{12} = (v_0(r) + v_1(r)\hat{\boldsymbol{\tau}} \cdot \hat{\boldsymbol{\tau}}') \left\{ \frac{(\boldsymbol{r} \cdot \hat{\boldsymbol{\sigma}})(\boldsymbol{r} \cdot \hat{\boldsymbol{\sigma}}')}{r^2} - \tfrac{1}{3}\hat{\boldsymbol{\sigma}} \cdot \hat{\boldsymbol{\sigma}}' \right\} \ . \tag{7.19}$$

7.1 Aufgabe: Mittelwert der Tensorkraft

Man zeige, daß die Tensorkraft über die Winkel gemittelt verschwindet.

Lösung:

Nach Einsetzen des Vektors $\boldsymbol{r}$ in Kugelkoordinaten,

$$\boldsymbol{r} = r(\sin\theta\cos\phi, \sin\theta\sin\phi, \cos\theta) \ , \qquad \underline{1}$$

wird die Mittelung des Zählers in den eckigen Klammern über die Winkel zu

$$\begin{aligned} I &= \frac{1}{4\pi}\int \mathrm{d}\Omega(\boldsymbol{r} \cdot \hat{\boldsymbol{\sigma}})(\boldsymbol{r} \cdot \hat{\boldsymbol{\sigma}}') \qquad \underline{2} \\ &= \frac{r^2}{4\pi}\int \sin\theta\,\mathrm{d}\theta\,\mathrm{d}\phi(\hat{\sigma}_x \sin\theta\cos\phi + \hat{\sigma}_y\sin\theta\sin\phi + \hat{\sigma}_z\cos\theta) \\ &\quad \times(\hat{\sigma}'_x\sin\theta\cos\phi + \hat{\sigma}'_y\sin\theta\sin\phi + \hat{\sigma}'_z\cos\theta) \ . \end{aligned}$$

Nach Auflösen des Produkts ergibt die Integration über ϕ den Wert π für die Integrale über $\sin^2\phi$ oder $\cos^2\phi$ und null für die gemischten Produkte, so daß übrigbleibt:

$$I = \frac{r^2}{4}\int \sin\theta\, d\theta(\hat{\sigma}_x\hat{\sigma}'_x \sin^2\theta + \hat{\sigma}_y\hat{\sigma}'_y \sin^2\theta + 2\hat{\sigma}_z\hat{\sigma}'_z \cos^2\theta)\ . \qquad \underline{3}$$

Die verbleibenden Integrationen sind leicht durchzuführen. Das Ergebnis ist

$$I = \frac{r^2}{3}\hat{\boldsymbol{\sigma}} \cdot \hat{\boldsymbol{\sigma}}'\ , \qquad \underline{4}$$

und das führt offensichtlich zu einem Wegheben mit dem zweiten Term in den Klammern im Tensorpotential von (7.19).

7.1.3 Wechselwirkungen aus Nukleon–Nukleon–Streuung

Der vorhergehende Abschnitt hat einen Überblick über die möglichen funktionalen Formen gegeben, die für den Aufbau einer Nukleon–Nukleon–Wechselwirkung benutzt werden können. Der natürliche Weg, herauszufinden, welche dieser Terme tatsächlich nötig sind, und die Parameter zu bestimmen, scheint die Untersuchung der Nukleon–Nukleon–Streuung zu sein. Auf diese Weise sind eine große Zahl von Wechselwirkungen konstruiert worden. Während Nukleon–Nukleon–Streuung befriedigend von ihnen beschrieben werden kann, waren sie für Berechnungen zur Kernstruktur nicht so geeignet. Es scheint, daß die Anwesenheit vieler Nukleonen im Kern das Streuverhalten in einem solchen Ausmaß verändert, daß *phänomenologische effektive Wechselwirkungen*, die typischerweise von der lokalen Dichte der Kernmaterie abhängen, angemessener sind. Solche Wechselwirkungen werden im nächsten Abschnitt untersucht. Dagegen konzentrieren wir uns hier auf Erkenntnisse aus Streudaten.

Es folgen einige grundlegende Eigenschaften, die sich für einfache Nukleon–Nukleon–Streuung bei niedrigen Energien ergeben:

- Die Wechselwirkung hat eine kurze Reichweite von etwa 1 fm.
- Innerhalb dieses Bereichs ist sie attraktiv mit einer Tiefe von ungefähr 40 MeV für die größeren Abstände, während
- starke Abstoßung bei kürzeren Abständen ≤ 0.5 fm wirkt.
- Sie hängt sowohl vom Spin als auch vom Isospin der zwei Nukleonen ab.

Die Abstandsabhängigkeit wird schematisch in Fig. 7.1 gezeigt.

Die Idee von Yukawa, daß die Nukleon–Nukleon–Wechselwirkung durch Pionen vermittelt wird, ähnlich wie die Coulomb–Wechselwirkung auf dem Austausch (virtueller) Photonen beruht, führt zum *Ein–Pion–Austauschpotential* (englisch: one–pion

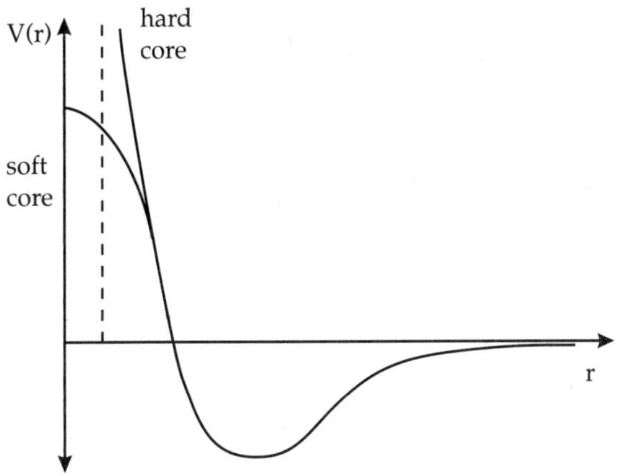

Abb. 7.1: Schematisches Bild der Radialabhängigkeit des Nukleon–Nukleon–Potentials

exchange potential, *OPEP*). Berücksichtigt man die korrekten Invarianzeigenschaften des Pionenfeldes bezüglich Spin, Isospin und Parität und betrachtet das Nukleon als statische Quelle des Pionenfeldes, so erhält man eine Nukleon–Nukleon–Wechselwirkung der Form

$$v_{\mathrm{OPEP}}(\boldsymbol{r}-\boldsymbol{r}',\hat{\boldsymbol{\sigma}},\hat{\boldsymbol{\sigma}}',\hat{\boldsymbol{\tau}},\hat{\boldsymbol{\tau}}') = -\frac{f^2}{4\pi\mu}(\hat{\boldsymbol{\tau}}\cdot\hat{\boldsymbol{\tau}}')(\hat{\boldsymbol{\sigma}}\cdot\nabla)(\hat{\boldsymbol{\sigma}}'\cdot\nabla')\frac{e^{-\mu|\boldsymbol{r}-\boldsymbol{r}'|}}{|\boldsymbol{r}-\boldsymbol{r}'|}\ . \tag{7.20}$$

f ist die Kopplungsstärke und μ die Masse des Pions. Zu diesem Ausdruck kommt man durch Annahme der gewöhnlichen Klein–Gordon–Lagrangedichte für das Pion und Hinzufügen einer Wechselwirkung mit dem Nukleonenfeld ψ gemäß

$$\hat{H}_{\mathrm{int}} = \frac{f}{\mu}\int \mathrm{d}^3 r\,\psi^+(\boldsymbol{r})\hat{\boldsymbol{\tau}}\cdot[\hat{\boldsymbol{\sigma}}\cdot\nabla\boldsymbol{\phi}(\boldsymbol{r})]\psi(\boldsymbol{r})\ . \tag{7.21}$$

Zu beachten ist, daß das Pionenfeld $\boldsymbol{\phi}$ ein Vektor im Isospin ist, der in dieser Formel mit dem Isospinoperator $\hat{\boldsymbol{\tau}}$ des Nukleons ein Skalarprodukt bildet. Einsetzen dieses Ausdrucks in die Wellengleichung des Pions mit einer statischen Punktteilchenverteilung für das Nukleonenfeld ergibt das Pionenfeld eines Nukleons am Ort $\boldsymbol{r}'$ als

$$\boldsymbol{\phi}(\boldsymbol{r}') = -\frac{f}{4\pi\mu}\hat{\boldsymbol{\tau}}(\hat{\boldsymbol{\sigma}}\cdot\nabla)\frac{e^{-\mu|\boldsymbol{r}-\boldsymbol{r}'|}}{|\boldsymbol{r}-\boldsymbol{r}'|}\ . \tag{7.22}$$

Die Energie eines zweiten Nukleons in diesem Feld am Punkt $\boldsymbol{r}$ gewinnt man durch Wiedereinsetzen des Ergebnisses in $\hat{H}_{\mathrm{int}}$, was auf (7.20) führt.

Ausführen der Gradientenoperationen in dieser Gleichung liefert eine längere, aber durchsichtigere Form des OPEP–Potentials:

$$\begin{aligned} v_{\mathrm{OPEP}}\,(r, \hat{\boldsymbol{\sigma}}, \hat{\boldsymbol{\sigma}}', \hat{\boldsymbol{\tau}}, \hat{\boldsymbol{\tau}}') = & \\ & \tfrac{1}{3}\mu c^2 \frac{f^2}{4\pi\hbar c}(\hat{\boldsymbol{\tau}} \cdot \hat{\boldsymbol{\tau}}') \times \left(\hat{\boldsymbol{\sigma}} \cdot \hat{\boldsymbol{\sigma}}' + S_{12}\left[1 + \frac{3}{\mu r} + \frac{3}{\mu^2 r^2}\right]\right) \frac{e^{-\mu r}}{\mu r} \\ & -\frac{4\pi}{3\mu^2}\mu c^2 \frac{f^2}{4\pi\hbar c}(\hat{\boldsymbol{\tau}} \cdot \hat{\boldsymbol{\tau}}')(\hat{\boldsymbol{\sigma}} \cdot \hat{\boldsymbol{\sigma}}')\delta(r) \ , \end{aligned} \tag{7.23}$$

wobei die Abkürzung $r = |\boldsymbol{r} - \boldsymbol{r}'|$ benutzt wurde und S_{12} die Tensorkraft aus (7.19) repräsentiert. Der Term mit der δ-Funktion resultiert aus der Anwendung eines ∇^2 auf das r^{-1}-Potential.

Das OPEP–Potential weist einige, aber nicht alle Züge einer realistischen Nukleon–Nukleon–Wechselwirkung auf:

- Es enthält spin– und isospinabhängige Teile sowie ein Tensorpotential,
- die Radialabhängigkeit wird vom Yukawa–Typ dominiert.

Andere Eigenschaften zeigen jedoch, daß dies nicht genügt:

- Es gibt keine Spin–Bahn–Kopplung, und
- eine kurzreichweitige Abstoßung fehlt.

Schon konzeptuell ist es klar, daß es mit diesem Potential nicht getan sein kann. Die Beiträge aufgrund des Austauschs mehrerer Pionen und anderer Mesonen müssen die Wechselwirkung verändern. Diesem letzten Punkt tragen sogenannte *Ein–Boson–Austauschpotentiale* (englisch: One–boson exchange potentials, *OBEP*) Rechnung, welche Summen über Potentiale der Komplexität von (7.23) entsprechen. Wir geben hier nur einige grobe Züge an. Der Typ des Wechselwirkungsterms, den jedes Boson erzeugt, hängt von seiner Parität und seinem Drehimpuls ab, wie es in folgender Tabelle zusammengestellt ist:

Mesonentyp	Physikalisches Meson	Wechselwirkungsterme
Skalar	„σ-Meson“	1, $\hat{\boldsymbol{L}} \cdot \hat{\boldsymbol{s}}$
Pseudoskalar	π, η, η'	S_{12}
Vektor	ρ, ω, ϕ	1, $\hat{\boldsymbol{\sigma}} \cdot \hat{\boldsymbol{\sigma}}'$, S_{12}, $\hat{\boldsymbol{L}} \cdot \hat{\boldsymbol{s}}$

Bei den isovektoriellen Mesonen π und ρ erscheinen zusätzliche Faktoren $\hat{\boldsymbol{\tau}} \cdot \hat{\boldsymbol{\tau}}'$ in der Wechselwirkung.

Eine wichtige Tatsache ist, daß das σ-Meson, das für eine vernünftige Beschreibung der Streudaten wesentlich ist, im Experiment nicht beobachtet wird. Gewöhnlich wird argumentiert, daß es eine zu breite Resonanz ist oder daß es tatsächlich eine Näherung des dominanten Beitrags im Zwei–Mesonen–Austausch darstellt. Nichtsdestoweniger ist es nützlich, den σ-Mesonenaustausch in solchen Wechselwirkungen einzuführen, und wir werden ihn auch im relativistischen Mean–Field–Modell auftauchen sehen.

Wenn seine Masse und die Kopplungskonstanten für alle Mesonen experimentellen Streudaten angepaßt werden, so können diese Daten mit dem OBEP–Potential ziemlich gut reproduziert werden.

Bevor wir zu effektiven Potentialen übergehen, seien kurz zwei der populärsten, in ausgefeilter Weise parametrisierten Versionen der Nukleon–Nukleon–Wechselwirkungen erwähnt. Diese sind aus den grundlegenden Wechselwirkungstermen mit einer großen Zahl freier Parameter konstruiert und dann an die experimentelle Streuung angepaßt. Ein typisches Beispiel ist das *Hamada–Johnston*–Potential [Ha62], das die allgemeine Gestalt

$$V(r) = V_C(r) + V_T(r)S_{12} + V_{LS}(r)\hat{\boldsymbol{L}} \cdot \hat{\boldsymbol{s}} + V_{LL}(r)L_{12} \tag{7.24}$$

besitzt mit

$$L_{12} = \hat{\boldsymbol{L}}^2(\hat{\boldsymbol{\sigma}} \cdot \hat{\boldsymbol{\sigma}}') - \tfrac{1}{2}[(\hat{\boldsymbol{\sigma}} \cdot \hat{\boldsymbol{L}})(\hat{\boldsymbol{\sigma}}' \cdot \hat{\boldsymbol{L}}) + (\hat{\boldsymbol{\sigma}}' \cdot \hat{\boldsymbol{L}})(\hat{\boldsymbol{\sigma}} \cdot \hat{\boldsymbol{L}})] \ . \tag{7.25}$$

Die funktionale Form der Radialteile ist von Mesonenaustausch–Potentialen inspiriert, z. B.

$$V_C(r) = c_0 \mu c^2 (\hat{\boldsymbol{\tau}} \cdot \hat{\boldsymbol{\tau}}')(\hat{\boldsymbol{\sigma}} \cdot \hat{\boldsymbol{\sigma}}') \frac{e^{-\mu r}}{\mu r} \left[1 + a_\mathrm{c} \frac{e^{-\mu r}}{\mu r} + b_\mathrm{c} \frac{e^{-2\mu r}}{\mu r^2}\right] \tag{7.26}$$

und ähnlich für die anderen Terme. Ein anderer Ansatz ist in den *Reid–soft–core*– und den *Reid–hard–core*–Potentialen [Re68] gewählt. Sie sind für die verschiedenen Spin– und Isospinkombinationen unterschiedlich parametrisiert, z. B.

$$V_{{}^1D}(r) = -\frac{10.6\,\mathrm{MeV}}{\mu r}(e^{-\mu r} + 4.939\,e^{-2\mu r} + 154.7\,e^{-6\mu r}) \ . \tag{7.27}$$

Für jene Kombinationen, bei denen sie beitragen können, sind auch Spin–Bahn– und Tensorbeiträge mit ähnlichem radialen Verhalten eingeschlossen. Bei den Hard–core–Potentialen gibt es einen Radius r_c des „harten Kerns“ (unterschiedlich für jede Spin– und Isospinkombination), innerhalb dessen das Potential auf unendlich gesetzt ist.

7.1.4 Effektive Wechselwirkungen

Während die im vorangehenden Abschnitt besprochenen Wechselwirkungen Nukleon–Nukleon–Streuung äußerst gut beschreiben, werden sie für typische Kernstrukturrechnungen nicht oft benutzt. Zum einen erschwert ihre komplizierte Struktur die notwendige Auswertung von Matrixelementen, und zum anderen sind die Ergebnisse nicht besonders ermutigend. Es scheint, daß die Wechselwirkung im Kern durch komplizierte Vielkörpereffekte in einem solchen Ausmaß verändert ist, daß es günstiger wird, *effektive Wechselwirkungen* zu verwenden, die die Nukleon–Nukleon–Streuung nicht gut beschreiben und dazu gedacht sind, viele der Effekte von Vielteilchenkorrelationen einzuschließen. Sie sollten ausschließlich in Hartree–Fock–Rechnungen und ähnlichen, die

Kernstruktur betreffenden benutzt werden und nicht für Nukleon–Nukleon–Streuung. Prinzipiell können sie nur in einem gewissen Raum von Schalenmodellzuständen gültig sein. Häufig wird die funktionale Form einer solchen Wechselwirkung im Hinblick auf Rechenerleichterung gewählt, wie unten zu sehen sein wird.

Der vermutlich größte Schritt hin zur Berechenbarkeit von Einteilchenmodellen wird getan, wenn man die Wechselwirkungen als *lokal* annimmt, d. h. ihre räumliche Abhängigkeit einen Faktor $\delta(\boldsymbol{r}-\boldsymbol{r}')$ enthält. In diesem Fall wird der Austauschterm der Hartree–Fock–Gleichungen in der mathematischen Gestalt dem direkten Term ähnlich, und die Hartree-Fock–Gleichungen bleiben Differentialgleichungen, statt in Integralgleichungen überzugehen. Unglücklicherweise ist eine einfache Kraft dieses Typs außer für einfache qualitative Berechnungen noch nicht angemessen; der große Schritt zu einer erfolgreichen Wechselwirkung wurde durch Einführung einer Impulsabhängigkeit erreicht. Das Matrixelement eines Potentials im Impulsraum macht den Grund deutlich:

$$\langle \boldsymbol{p}|v|\boldsymbol{p}'\rangle = \frac{1}{(2\pi\hbar)^3}\int \mathrm{d}^3r\; v(\boldsymbol{r})\exp[-i(\boldsymbol{p}-\boldsymbol{p}')\cdot\boldsymbol{r}/\hbar] \tag{7.28}$$

ist eine impulsabhängige Konstante für ein δ-Potential; jedoch führt eine endliche Reichweite auf eine Impulsabhängigkeit, deren Breite umgekehrt proportional zur Reichweite im Ortsraum ist. In niedrigster Ordnung ergibt sich die Impulsabhängigkeit (quadratisch wegen der Zeitumkehrinvarianz) zu

$$v(\boldsymbol{p},\boldsymbol{p}') = v_0 + v_1(\boldsymbol{p}^2+\boldsymbol{p}'^2) + v_2\boldsymbol{p}\cdot\boldsymbol{p}' \; . \tag{7.29}$$

Dies entspricht, ohne Berücksichtigung von Normierungsfaktoren, dem folgenden Ausdruck im Ortsraum:

$$v(\boldsymbol{r}) = v_0\delta(\boldsymbol{r}) + v_1(\hat{\boldsymbol{p}}^2\delta(\boldsymbol{r}) + \delta(\boldsymbol{r})\hat{\boldsymbol{p}}'^2) + v_2\hat{\boldsymbol{p}}\cdot\delta(\boldsymbol{r})\hat{\boldsymbol{p}}' \; , \tag{7.30}$$

worin die Impulsoperatoren nun Ableitungen sind. Das motiviert die typischerweise bei effektiven Wechselwirkungen eingeführte Impulsabhängigkeit.

Nun können wir einen Überblick über einige bekannte effektive Wechselwirkungen geben. Zum ersten gibt es eine Klasse stark vereinfachter, aber nicht notwendigerweise lokaler Potentiale, die nützlich für schematische Rechnungen sind, z. B.

- das Gauß–Potential $v(\boldsymbol{r}) = -V_0\exp[-r^2/r_0^2]$,
- das Hulthén–Potential $v(\boldsymbol{r}) = -V_0\frac{\exp[-r/r_0]}{1-\exp[-r/r_0]}$,
- das Kontakt–Potential $v(\boldsymbol{r}) = -V_0\delta(\boldsymbol{r}/r_0)$.

Üblich sind $V_0 \approx 50\,\mathrm{MeV}$ und $r_0 \approx 1 \dots 2\,\mathrm{fm}$.

Die wahrscheinlich am ausgiebigsten verwendeten Wechselwirkungen in Hartree–Fock–Rechnungen sind Kräfte vom Skyrme–Typ [Sk56, Sk59, Va70, Va72, En75, Be75, Gi80a, Gi80b]. Sie sind durch Hinzunahme einer Dreikörperwechselwirkung ausgezeichnet, d. h., die gesamte Wechselwirkung sieht aus wie

$$\hat{V} = \sum_{i<j} \hat{v}_{ij}^{(2)} + \sum_{i<j<k} \hat{v}_{ijk}^{(3)} \; . \tag{7.31}$$

Die Zweikörperwechselwirkung enthält sowohl impulsabhängige als auch Spinaustausch–Beiträge und eine Spin–Bahn–Kraft:

$$\begin{aligned} \hat{v}_{ij}^{(2)} &= t_0(1 + x_0 \hat{P}_\sigma)\delta(\boldsymbol{r}_i - \boldsymbol{r}_j) \\ &\quad + \tfrac{1}{2} t_1 [\delta(\boldsymbol{r}_i - \boldsymbol{r}_j)\hat{k}^2 + \hat{k}'^2 \delta(\boldsymbol{r}_i - \boldsymbol{r}_j)] + t_2 \hat{\boldsymbol{k}}' \cdot \delta(\boldsymbol{r}_i - \boldsymbol{r}_j)\hat{\boldsymbol{k}} \\ &\quad + i W_0 (\hat{\boldsymbol{\sigma}}_i + \hat{\boldsymbol{\sigma}}_j) \cdot \hat{\boldsymbol{k}}' \times \delta(\boldsymbol{r}_i - \boldsymbol{r}_j)\hat{\boldsymbol{k}} \; . \end{aligned} \tag{7.32}$$

Hier wurden statt des Relativimpulsoperators die verwandten Ausdrücke

$$\hat{\boldsymbol{k}} = (\nabla_i - \nabla_j)/2i, \qquad \hat{\boldsymbol{k}}' = -(\nabla_i - \nabla_j)/2i \tag{7.33}$$

benutzt mit der zusätzlichen Konvention, daß $\hat{\boldsymbol{k}}'$ *auf die Wellenfunktion nach links wirkt.*

Die Dreikörperwechselwirkung ist ein lokales Potential

$$\hat{v}_{ijk}^{(3)} = t_3 \delta(\boldsymbol{r}_i - \boldsymbol{r}_j)\delta(\boldsymbol{r}_j - \boldsymbol{r}_k) \; . \tag{7.34}$$

Die Skyrme–Kräfte enthalten sechs Parameter t_0, t_1, t_2, t_3, x_0 und W_0, die angepaßt sind, um die Eigenschaften endlicher Kerne in einer Hartree–Fock–Rechnung wiederzugeben. Wir werden in Verbindung mit der Hartree–Fock–Methode in Abschnitt 7.2.8 mehr ins Detail gehen; hier soll, um die Definition abzuschließen, nur erwähnt werden, daß die Dreikörperkraft in spinsaturierten Kernen, wie man zeigen kann, auf ein dichteabhängiges Zweikörperpotential führt:

$$\hat{v}_{ij}^{(3)} = \tfrac{1}{6} t_3 (1 + P_\sigma)\delta(\boldsymbol{r}_i - \boldsymbol{r}_j)\rho[\tfrac{1}{2}(\boldsymbol{r}_i + \boldsymbol{r}_j)] \; . \tag{7.35}$$

Eine weitere Klasse von Wechselwirkungen, die der *modifizierten Skyrme–Kräfte*, basiert auf dieser Formulierung der Dreikörperkraft und ersetzt die lineare Abhängigkeit von der Dichte durch eine Potenzabhängigkeit

$$\hat{v}_{ij,\mathrm{modifiziert}}^{(3)} = \tfrac{1}{6} t_3 (1 + P_\sigma)\delta(\boldsymbol{r}_i - \boldsymbol{r}_j)\rho[\tfrac{1}{2}(\boldsymbol{r}_i + \boldsymbol{r}_j)]^\lambda \tag{7.36}$$

mit $\lambda = \frac{1}{3}$ als üblicher Wahl. Diese Modifikation wurde hauptsächlich eingeführt, um die Kompressibilitätseigenschaften von Kernmaterie zu verbessern, die sich bei Standard–Skyrme–Kräften als zu „steif“ gegenüber Kompression erweist[Kö76, Kr80].

Skyrme–Kräfte wurden ausgiebig verwendet, weil sie genügend Physik enthalten, um eine überzeugende qualitative Beschreibung schwerer Kerne zu leisten, während sie mathematisch ausreichend einfach sind, um die Berechnung zu ermöglichen.

Die *Gogny–Kraft* [Go73] hat eine ähnliche Struktur wie die Skyrme–Kräfte, wobei die lokalen Zweikörperkräfte durch Gaußkurven in Verbindung mit Spin– und Isospinaustausch ersetzt werden.

Die nächste Klasse von Kräften ist nicht für volle Hartree–Fock–Rechnungen gedacht, sondern nur zur Berechnung der Wechselwirkung zwischen Teilchen und Löchern, die aus dem Hartree–Fock–Grundzustand angeregt werden. Das bedeutet, daß die Kraft nicht die groben Kerneigenschaften wie Sättigung beschreiben muß, so daß einfachere Ausdrücke angemessen sind. Ein Beispiel sind Kräfte vom *Migdal*–Typ (bekannt aus der Theorie der Fermi–Flüssigkeiten), welche Terme der folgenden Art enthalten:

$$V_0 \delta(\boldsymbol{r}_i - \boldsymbol{r}_j)(f + f' \hat{\boldsymbol{\tau}}_i \cdot \hat{\boldsymbol{\tau}}_j + g \hat{\boldsymbol{\sigma}}_i \cdot \hat{\boldsymbol{\sigma}}_j + g' \hat{\boldsymbol{\sigma}}_i \cdot \hat{\boldsymbol{\sigma}}_j \hat{\boldsymbol{\tau}}_i \cdot \hat{\boldsymbol{\tau}}_j) \ . \tag{7.37}$$

Die *Oberflächen–Deltawechselwirkung* (siehe z. B. [Gr65b]) ist für ähnliche Anwendungen angesetzt mit dem Grundgedanken, daß die Wechselwirkung zwischen Teilchen und Löchern wegen des Pauliprinzips insbesondere nahe der Kernoberfläche große Werte erreicht, was die Ersetzung

$$\delta(\boldsymbol{r}_i - \boldsymbol{r}_j) \rightarrow \delta(\boldsymbol{r}_i - \boldsymbol{r}_j)\delta(r_i - R_0) \tag{7.38}$$

mit R_0 als Kernradius motiviert.

Schließlich gibt es eine Klasse von Wechselwirkungen wie das *Sussex–Potential*, die überhaupt nicht als Potential mit irgendeiner funktionalen Form geschrieben werden; statt dessen benutzt man die Matrixelemente der Wechselwirkung in einer Basis von Oszillator–Wellenfunktionen als Unbekannte in einer Schalenmodellrechnung. Der (sehr große) Satz von Matrixelementen beschreibt dann das effektive Nukleon–Nukleon–Potential numerisch. Solche Wechselwirkungen sollten dann natürlich nur für ähnliche Rechnungen im gleichen Raum von Einteilchenwellenfunktionen verwendet werden.

7.2 Die Hartree–Fock–Näherung

7.2.1 Einführung

Mikroskopische Modelle beschreiben die Struktur der Kerne auf der Grundlage der Freiheitsgrade ihrer mikroskopischen Konstituenten — der Nukleonen. Dazu benötigt man einen mikroskopischen Hamiltonoperator $\hat{H}$, der eine geeignete Form der Nukleon–Nukleon–Wechselwirkung, wie sie in den vorangehenden Kapiteln diskutiert wurde, enthält. Die meisten dieser Modelle gehen von einem nichtrelativistischen

Hamiltonoperator aus, der nur Zweikörperwechselwirkungen enthält. Die allgemeine Form in zweiter Quantisierung ist gegeben durch

$$\hat{H} = \sum_{ij} t_{ij} \hat{a}_i^+ \hat{a}_j + \tfrac{1}{2} \sum_{ijkl} v_{ijkl} \hat{a}_i^+ \hat{a}_j^+ \hat{a}_l \hat{a}_k \ , \tag{7.39}$$

wobei die Indizes i, j, k und l die Einteilchenzustände in einer vollständigen orthonormalen Basis kennzeichnen, und die v_{ijkl} die Matrixelemente der Nukleon–Nukleon–Wechselwirkung darstellen. Sämtliche Indizes laufen über alle möglichen Zustände, d. h. normalerweise von 1 bis ∞. Ein Eigenzustand dieses Hamiltonoperators kann in eine Summe von Zuständen mit derselben totalen Nukleonenzahl entwickelt werden, in der aber die Nukleonen alle möglichen Einteilchenzustände in jeder erlaubten Kombination besetzen. Formal können wir schreiben:

$$|\Psi\rangle = \sum_{i_1, i_2 \ldots i_A} c_{i_1, i_2 \ldots i_A} \hat{a}_{i_1}^+ \hat{a}_{i_2}^+ \ldots \hat{a}_{i_A}^+ |0\rangle \ , \tag{7.40}$$

wobei die Indizes i_n, $n = 1 \ldots A$, dazu dienen, eine Untermenge von A Einteilchenzuständen, die in dem speziellen Term der Summe besetzt sind, aus der unendlichen Zahl möglicher Zustände auszuwählen.

Die Zahl der Zustände in der Summe von Gl. (7.40) ist schwindelerregend hoch. Berücksichtigt man, daß die Anordnung der Indizes unwichtig ist, ergibt sich die Zahl der Terme in der Summe aus der Anzahl der Möglichkeiten, A besetzte Einteilchenzustände aus N_c erlaubten auszuwählen. Das ist einfach

$$\binom{N_\mathrm{c}}{A} \ , \tag{7.41}$$

wenn die Zahl der verfügbaren Zustände bei N_c abgeschnitten wird. Offensichtlich ist das Problem im allgemeinen nicht lösbar. Es gibt zwei Alternativen für das weitere Vorgehen: Entweder man beschränkt die Zahl der Teilchen und Zustände, oder man ersetzt die Gesamtwellenfunktion aus Gl. (7.40) durch eine einfache Näherung. Der erste Zugang wird im *Schalenmodell* benutzt, in welchem angenommen wird, daß nur wenige Nukleonen außerhalb einer abgeschlossenen Schale, beschränkt auf wenige Zustände, die Kerneigenschaften bestimmen. Der bekannteste Fall des zweiten Zugangs ist die *Hartree–Fock–Näherung*, die wir im folgenden entwickeln werden. Im wesentlichen wird hierbei die Summe über alle unterschiedlichen Besetzungen durch einen einzelnen Term ersetzt; die Einteilchenwellenfunktionen können dann nicht mehr willkürlich gewählt werden, sondern werden durch die Methode festgelegt.

7.2.2 Das Variationsprinzip

Die funktionale Form der Wellenfunktion zu beschränken ist ein sehr nützlicher Ansatz, um komplizierte Probleme wie Gl. (7.39) zu lösen. In diesem Fall kann die eingeschränkte Wellenfunktion im allgemeinen nicht länger eine exakte Eigenfunktion sein. Um das formal zu entwickeln, betrachte man das Eigenwertproblem

$$\hat{H}\Psi_k = E_k\Psi_k \ . \tag{7.42}$$

Die unbekannten (aber normierten) Lösungen Ψ_k sollen den Hilbertraum wie üblich aufspannen. Wir suchen die Lösung in der Form einer Wellenfunktion Φ, die so in ihrer funktionalen Form beschränkt ist, daß alle möglichen Φ einen Unterraum des mit den Ψ_k zugänglichen Hilbertraums aufspannen. Jede Funktion Φ — welcher Form auch immer — kann sicherlich in den Ψ_k entwickelt werden, d. h., wir können schreiben:

$$\Phi = \sum_k c_k\Psi_k, \qquad \text{mit } \sum_k |c_k^2| = 1 \ . \tag{7.43}$$

Nehme man nun an, daß der Index k von 0 aufwärts läuft und die Zustände nach ansteigender Energie angeordnet sind, so daß $k = 0$ den Grundzustand des Hamiltonoperators bezeichnet. Dann ergibt sich der Erwartungswert des Hamiltonoperators in Φ zu

$$\langle\Phi|\hat{H}|\Phi\rangle = \sum_k |c_k|^2 E_k = E_0 + \sum_{k>0} |c_k|^2 (E_k - E_0) \ . \tag{7.44}$$

Dieser Wert wird stets größer oder gleich E_0 sein, mit dem Minimum für $c_0 = 1$ und $c_k = 0$ für $k > 0$. Damit wäre die exakte Lösung gegeben, aber wenn $|\Phi\rangle$ eingeschränkt ist, wird es nicht möglich sein, alle Koeffizienten für $k > 0$ verschwinden zu lassen, und man kann die Terme nur minimieren. Jede Beimischung von Zuständen $k > 0$ zu Φ wird die Energie erhöhen. Daher können wir schließen, daß man *eine optimale Näherung an den Grundzustand des Hamiltonoperators $\hat{H}$ für genau die Wellenfunktion Φ erhält, deren Energieerwartungswert minimal ist.* Als Variationsprinzip formuliert läßt sich das schreiben als

$$\delta\langle\Phi|\hat{H}|\Phi\rangle = 0 \ . \tag{7.45}$$

Aus Gl. (7.44) geht hervor, daß in Wahrheit die mittlere Abweichung der Wellenfunktion von der echten Grundzustandswellenfunktion minimiert wird, wobei die Beiträge der verschiedenen Zustände mit ihrer Anregungsenergie gewichtet werden.

In der obigen Herleitung des Variationsprinzips wurde angenommen, daß die Testwellenfunktion Φ normiert ist. Mitunter ist es gebräuchlich, nicht normierte Funktionen zuzulassen, aber dann muß die Normierung als Nebenbedingung zum Variationsprinzip gefordert werden:

$$\delta(\langle\Phi|\hat{H}|\Phi\rangle - E\langle\Phi|\Phi\rangle) = 0 \ . \tag{7.46}$$

Warum man den Variationsparameter mit E bezeichnet, wird sofort klar werden.

Die Variation in Gl. (7.46) kann sowohl nach $|\Phi\rangle$ als auch nach $\langle\Phi|$ erfolgen, da diese — wie eine Zahl und ihre komplex konjugierte — zwei Freiheitsgraden entsprechen. Es genügt, einen der Fälle zu untersuchen, weil die resultierenden Gleichungen zueinander hermitesch konjugiert sind. Variation nach $\langle\Phi|$ führt auf

$$\langle\delta\Phi|\hat{H}|\Phi\rangle - E\langle\delta\Phi|\Phi\rangle = 0 \; . \tag{7.47}$$

Wäre Φ *eine vollständige Wellenfunktion*, dann wäre $\langle\delta\Phi|$ ein beliebiger Vektor, und man könnte schließen, daß

$$\hat{H}|\Phi\rangle - E|\Phi\rangle = 0 \; . \tag{7.48}$$

Dann stünde dieser Vektor nämlich senkrecht auf beliebigen Variationen und müßte verschwinden. So zeigt sich, daß man für vollständige Wellenfunktionen wieder die Schrödingergleichung erhielte, was die Bezeichnung E erklärt. In dem hier betrachteten Fall ist der Schluß natürlich falsch, und Φ ist keine Eigenfunktion von $\hat{H}$. Gl. (7.47) bedeutet nur, daß $\hat{H}|\Phi\rangle - E|\Phi\rangle$ orthogonal zu dem für die Lösung erlaubten Unterraum sein sollte.

7.2.3 Die Slater–Determinanten–Näherung

Die Methode, eine optimale Näherung aus einem eingeschränkten Raum von Wellenfunktionen zu finden, ist nun klar, und nur die Menge zulässiger Wellenfunktionen muß noch ausgewählt werden. Die Wahl, die auf die Hartree–Fock–Näherung führt, ist die einer *einzelnen Slater–Determinante*, d. h. einer Wellenfunktion der Form

$$|\Psi\rangle = \hat{a}_1^+\hat{a}_2^+ \ldots \hat{a}_A^+|0\rangle \tag{7.49}$$

oder knapper

$$|\Psi\rangle = \prod_{i=1}^{A} \hat{a}_i^+|0\rangle \; . \tag{7.50}$$

Hier verweist der Index der Erzeugungsoperatoren auf einen Satz von Einteilchenzuständen mit den entsprechenden Wellenfunktionen $\phi_i(\boldsymbol{r})$, $i = 1 \ldots A$, die durch das Variationsprinzip bestimmt werden.

Bevor man mit der Ableitung der Hartee–Fock–Bedingungen beginnt, lohnt es sich zu untersuchen, was die Näherung bedeutet. Um das Konzept zu verstehen, ignoriere man vorerst die Antisymmetrisierung und betrachte den einfachsten Fall zweier Teilchen. Die Näherung besteht dann in der Verwendung der auf $\psi_1(\boldsymbol{r}_1)\psi_2(\boldsymbol{r}_2)$ beschränkten Wellenfunktion statt einer allgemeineren $\psi(\boldsymbol{r}_1, \boldsymbol{r}_2)$. Die Wahrscheinlichkeitsdichte für das Auffinden des Teilchens Nummer 1 bei $\boldsymbol{r}_1$ *und* des Teilchens Nummer 2 bei $\boldsymbol{r}_2$ (die *Gesamtwahrscheinlichkeit*) ergibt sich zu $|\psi_1(\boldsymbol{r}_1)|^2|\psi_2(\boldsymbol{r}_2)|^2$ und ist das Produkt der einzelnen Wahrscheinlichkeiten, d. h., die für das Auffinden des Teilchens Nummer 1 bei $\boldsymbol{r}_1$ ohne Rücksicht auf den Ort des Teilchens 2, multipliziert mit der für Teilchen 2. Die zwei Teilchen sind *unabhängig* voneinander.

Nicht berücksichtigt wird in dieser Näherung für die Wellenfunktion eine *Korrelation* zwischen den Teilchen. Zum Beispiel würde man für den Fall einer repulsiven Wechselwirkung zwischen ihnen erwarten, daß die Gesamtwahrscheinlichkeit gegenüber dem einfachen Produkt reduziert wird, sobald $|\boldsymbol{r}_1 - \boldsymbol{r}_2|$ vergleichbar dem Wechselwirkungsradius ist. Die Abweichung zwischen der Gesamtwahrscheinlichkeit und dem Produkt der Einzelwahrscheinlichkeiten wird durch die *Korrelationsfunktion* beschrieben.

Die Berücksichtigung der Fermi-Antisymmetrisierung führt zu einer gewissen Abänderung dieses Ergebnisses. Die Produktwellenfunktion muß nun

$$\psi_{12}(\boldsymbol{r}_1, \boldsymbol{r}_2) = \frac{1}{\sqrt{2}} \left(\psi_1(\boldsymbol{r}_1)\psi_2(\boldsymbol{r}_2) - \psi_2(\boldsymbol{r}_1)\psi_1(\boldsymbol{r}_2)\right) \tag{7.51}$$

lauten, so daß sich die Gesamtwahrscheinlichkeit ergibt zu

$$\begin{aligned} |\psi_{12}(\boldsymbol{r}_1, \boldsymbol{r}_2)|^2 &= \tfrac{1}{2}(|\psi_1(\boldsymbol{r}_1)|^2|\psi_2(\boldsymbol{r}_2)|^2 + |\psi_2(\boldsymbol{r}_1)|^2|\psi_1(\boldsymbol{r}_2)|^2 \\ &- \psi_1^*(\boldsymbol{r}_1)\psi_2^*(\boldsymbol{r}_2)\psi_1(\boldsymbol{r}_2)\psi_2(\boldsymbol{r}_1) \\ &- \psi_1^*(\boldsymbol{r}_2)\psi_2^*(\boldsymbol{r}_1)\psi_1(\boldsymbol{r}_1)\psi_2(\boldsymbol{r}_2)) \ . \end{aligned} \tag{7.52}$$

Offensichtlich ist das nicht gleich dem Produkt der Einzelwahrscheinlichkeiten; tatsächlich ist das Ergebnis für $\boldsymbol{r}_1 = \boldsymbol{r}_2 = \boldsymbol{r}$ nicht $|\psi_1(\boldsymbol{r})|^2|\psi_2(\boldsymbol{r})|^2$, sondern null: Die Wahrscheinlichkeit, zwei Fermionen am gleichen Ort zu finden, verschwindet, so daß immer eine starke Korrelation (im klassischen Sinn) zwischen ihnen besteht. Da dieser Effekt für Fermionen immer vorhanden ist und dazu keinerlei Wechselwirkung zwischen den Teilchen nötig ist, betrachtet man die zwei Teilchen trotzdem besser als unkorreliert (oder unabhängig) im quantenmechanischen Sinn und bezeichnet mit Korrelationen nur die Abweichungen von der Gesamtwahrscheinlichkeit, wie sie sich aus antisymmetrisierten Produktwellenfunktionen, d. h. der Slater–Determinanten–Form, ergibt. Die Hartree–Fock–Näherung entspricht also der Näherung *unabhängiger* unkorrelierter Teilchen und wird deshalb auch als „Modell unabhängiger Teilchen“ ("independent particle model") bezeichnet.

7.2.4 Die Hartree–Fock–Gleichungen

Nun sind wir bereit, das Variationsprinzip, angewandt auf den Hamiltonoperator aus Gl. (7.39) mit einer Testwellenfunktion wie in Gl. (7.50), zu untersuchen. Wie kann die Wellenfunktion variiert werden? Es wurde schon betont, daß die zu bestimmenden Objekte die Einteilchenwellenfunktionen $\phi_j(\boldsymbol{r})$ sind. Sie können mit Hilfe einer infinitesimalen Beimischung anderer Wellenfunktionen aus dem vollständigen Satz variiert werden:

$$\delta\phi_j(\boldsymbol{r}) = \sum_{k \neq j} \delta c_{jk} \phi_k(\boldsymbol{r}) \ . \tag{7.53}$$

Dem entspricht die Variation der Erzeugungsoperatoren:

$$\delta\hat{a}_j^+ = \sum_{k\neq j} \delta c_{jk}\hat{a}_k^+ \ . \tag{7.54}$$

Fügen Sie den variierten Operator in die Wellenfunktion von Gl. (7.50) ein. Indem nur diese eine Einteilchenwellenfunktion variiert wird, ergibt sich

$$|\Psi + \delta\Psi_j\rangle = |\Psi\rangle + \sum_{k\neq j} \delta c_{jk}\hat{a}_1^+\hat{a}_2^+ \ldots \hat{a}_{j-1}^+\hat{a}_k^+\hat{a}_{j+1}^+ \ldots \hat{a}_A^+|0\rangle \ . \tag{7.55}$$

Falls nun der Index k der beigemischten Wellenfunktion unter den Indizes der besetzten Zustände $1 \ldots A$ ist, verschwindet die Variation, weil der entsprechende Erzeugungsoperator zweimal im Produkt auftaucht. Dies hat zwei wichtige Konsequenzen:

- Die einzigen nichtverschwindenden Variationen einer einzelnen Slater–Determinante sind Beimischungen unbesetzter Wellenfunktion zu irgendwelchen besetzten.
- Jede Ersetzung besetzter Wellenfunktionen durch Linearkombinationen ihrer selbst läßt die Vielteilchen-Gesamtwellenfunktion invariant.

Die zweite Eigenschaft ist von der Tatsache her vertraut, daß eine Determinante — hier die Slater–Determinante —ihren Wert nicht ändert, wenn eine Spalte durch eine Linearkombination der anderen Spalten ersetzt wird. Dies verdeutlicht, daß *wir vom Variationsprinzip nicht die Bestimmung der Einteilchenzustände selbst erwarten können; nur der gesamte Raum der besetzten Zustände, beziehungsweise jeder linearen Transformation von ihnen, hat physikalische Bedeutung.*

Die Variation der Wellenfunktion gemäß Gl. (7.55) kann auch in konziserer Form durch Verwendung eines Vernichtungsoperators ausgedrückt werden, der die Besetzungszahl des Zustandes j vermindert:

$$|\Psi + \delta\Psi_j\rangle = |\Psi\rangle + \sum_k \sigma c_{jk}\hat{a}_k^+\hat{a}_j|\Psi\rangle, \qquad k > A, \quad j \leq A \ . \tag{7.56}$$

Mit $\sigma = \pm 1$ wird über die Anzahl der Vorzeichenwechsel, die auftreten, wenn der Operator durch Permutation vor alle anderen Operatoren in $|\Psi\rangle$ gezogen wird, buchgeführt. Für die Variation spielt es keine Rolle, ob das Vorzeichen oder die Summe über j und k mitgeführt werden, da alle diese Variationen unabhängig sind. Es genügt, die Stationarität des Erwartungswertes von $\hat{H}$ bezüglich Variationen der Form

$$|\delta\Psi\rangle = \epsilon\hat{a}_k^+\hat{a}_j|\Psi\rangle \tag{7.57}$$

als Funktion des Parameters ϵ zu fordern, wobei dies für *beliebige* Indizes gelten muß, die $k > A$ und $j \leq A$ erfüllen.

Schreibweise: Im gesamten Kapitel wird es nötig sein, drei Arten von Indizes zu unterscheiden: solche, die sich nur auf besetzte bzw. unbesetzte Zustände beziehen, und andere, unbeschränkte. Um die Schreibweise zu vereinfachen, halten wir uns an folgende Konvention:

- Die Indizes i, j und ihre subskribierten Formen i_1, j_2 etc. kennzeichnen nur besetzte Zustände, d. h., sie nehmen ausschließlich Werte von 1 bis A an, wobei A die Zahl der besetzten Zustände darstellt: $i, j = 1 \ldots A$.
- Die Indizes m, n und ihre subskribierten Formen kennzeichnen nur unbesetzte Einteilchenzustände: $m, n = A + 1 \ldots \infty$.
- Die Buchstaben k und l sind reserviert für unbeschränkte Indizes: $k, l = 1 \ldots \infty$.

Wir können nun das Variationsproblem in dieser Notation formulieren. Der Hamiltonoperator lautet

$$\hat{H} = \sum_{k_1 k_2} t_{k_1 k_2} \hat{a}^+_{k_1} \hat{a}_{k_2} + \tfrac{1}{2} \sum_{k_1 k_2 k_3 k_4} v_{k_1 k_2 k_3 k_4} \hat{a}^+_{k_1} \hat{a}^+_{k_2} \hat{a}_{k_4} \hat{a}_{k_3} , \tag{7.58}$$

während die grundlegenden Variationen folgende Form annehmen:

$$|\delta\Psi\rangle = \epsilon \hat{a}^+_m \hat{a}_i |\Psi\rangle . \tag{7.59}$$

Die Variation ändert die Norm der Wellenfunktion in erster Ordnung nicht (klar, wegen $\delta\langle\Phi|\Phi\rangle \approx \langle\delta\Phi|\Phi\rangle + \langle\Phi|\delta\Phi\rangle = 0$), also kann man sie ohne Lagrange-Multiplikator für die Norm durchführen. Üblicherweise wird der Bra-Vektor variiert, so daß wir $|\delta\Phi\rangle$ hermitesch konjugieren müssen:

$$\langle\delta\Psi| = \langle\Psi|\epsilon^* \hat{a}^+_i \hat{a}_m . \tag{7.60}$$

Die Variationsgleichung wird nun zu

$$\begin{aligned} 0 &= \langle\delta\Psi|\hat{H}|\Psi\rangle \\ &= \epsilon^* \langle\Psi|\hat{a}^+_i \hat{a}_m \hat{H}|\Psi\rangle , \end{aligned} \tag{7.61}$$

wobei der Hamiltonoperator aus Gl. (7.58) eingesetzt werden muß. Der willkürliche Faktor ϵ^* kann dann weggelassen werden. Die Berechnung der resultierenden Matrixelemente ist weiter unten als Übung angegeben; das Endergebnis lautet

$$t_{mi} + \tfrac{1}{2} \sum_j (v_{mjij} - v_{mjji} - v_{jmij} + v_{jmji}) = 0 . \tag{7.62}$$

Aus der Definition der Zweiteilchen–Matrixelemente (3.67) geht hervor, daß sie ihren Wert nicht ändern, wenn der erste mit dem zweiten Index vertauscht wird und gleichzeitig der dritte mit dem vierten. Damit vereinfacht sich die Gleichung zu

$$t_{mi} + \sum_j (v_{mjij} - v_{mjji}) = 0 . \tag{7.63}$$

Die Schreibweise wird weiter vereinfacht durch Abkürzung des antisymmetrisierten Matrixelements zu

$$\bar{v}_{k_1 k_2 k_3 k_4} = v_{k_1 k_2 k_3 k_4} - v_{k_1 k_2 k_4 k_3} , \tag{7.64}$$

womit man erhält:

$$t_{mi} + \sum_{j=1}^{A} \bar{v}_{mjij} = 0 \ . \tag{7.65}$$

Um die in dieser Gleichung enthaltene Physik zu verstehen, erinnere man sich an den Bereich, über den die einzelnen Indizes laufen: i bezeichnet einen besetzten Zustand ($i \leq A$), m einen unbesetzten ($m > A$), und mit j wird über alle besetzten Zustände summiert, wie es in Gl. (7.65) auch verdeutlicht wird. Die Gleichung erfordert also eine Wahl der Einteilchenzustände, für die die Matrixelemente

$$h_{kl} = t_{kl} + \sum_{j=1}^{A} \bar{v}_{kjlj} \tag{7.66}$$

zwischen besetzten und unbesetzten Zuständen verschwinden. Lassen wir zu, daß (k, l) eine willkürliche Kombination von Zuständen bezeichnet, dann wird so ein Einteilchenoperator $\hat{h}$ definiert, der üblicherweise *Einteilchen–* oder *Hartree–Fock–Hamiltonoperator* genannt wird. Wie erwartet, charakterisiert die Bedingung (7.65) die Menge der besetzten Zustände und nicht die einzelnen Zustände selbst.

Um diese Bedingungen griffiger zu formulieren und weitere Schritte vorzubereiten, wird der Operator $\hat{h}$ in vier Teile aufgespalten, die den unterschiedlichen Indexbereichen entsprechen: $\hat{h}_{pp}$ (Teilchen–Teilchen, englisch: *particle*) bezeichnet solche Matrixelemente, deren Indizes beide für unbesetzte Einteilchenzustände stehen, in $\hat{h}_{hh}$ (Loch–Loch, englisch: *hole*) sind beide Zustände besetzt, und $\hat{h}_{ph}$ und $\hat{h}_{hp}$ bezeichnen die jeweiligen gemischten Fälle. Formal wird die Matrix also zerlegt in

$$\hat{h} = \begin{pmatrix} \hat{h}_{hh} & \hat{h}_{hp} \\ \hat{h}_{ph} & \hat{h}_{pp} \end{pmatrix} , \tag{7.67}$$

oder, in nachlässiger Schreibweise (die Matrizen müssen bis zur vollen Dimension mit Nullen aufgefüllt werden),

$$\hat{h} = \hat{h}_{pp} + \hat{h}_{hh} + \hat{h}_{ph} + \hat{h}_{hp} \ , \tag{7.68}$$

und die Bedingungen lauten nun

$$\hat{h}_{ph} = 0 \quad \text{and} \quad \hat{h}_{hp} = 0 \ . \tag{7.69}$$

Die Zerlegung in Blockmatrizen macht deutlich, wie diese Bedingungen wirklich erfüllt werden können: Man wähle die Zustände so, daß $\hat{h}$ selbst diagonal wird,

$$h_{kl} = t_{kl} + \sum_{j=1}^{A} \bar{v}_{kjlj} = \epsilon_k \delta_{kl} \tag{7.70}$$

mit *Einteilchenenergien* ϵ_k. Dies definiert eine angepaßte Wahl der Einteilchenzustände $\phi_k(\boldsymbol{r})$ selbst. Im Konfigurationsraum formuliert, wird der physikalische Gehalt der *Hartree-Fock–Gleichungen* (7.70) noch deutlicher:

$$\begin{aligned}\epsilon_k\phi_k(\boldsymbol{r}) &= -\frac{\hbar^2}{2m}\nabla^2\phi_k(\boldsymbol{r}) \\ &\quad + \left(\int v(\boldsymbol{r}'-\boldsymbol{r})\sum_{j=1}^{A}|\phi_j(\boldsymbol{r}')|^2\,\mathrm{d}^3r'\right)\phi_k(\boldsymbol{r}) \\ &\quad - \sum_{j=1}^{A}\phi_j(\boldsymbol{r})\int v(\boldsymbol{r}'-\boldsymbol{r})\phi_j^*(\boldsymbol{r}')\phi_k(\boldsymbol{r}')\,\mathrm{d}^3r'\,.\end{aligned} \tag{7.71}$$

Für jeden der Einteilchenzustände haben diese Gleichungen die Gestalt von Schrödingergleichungen. Der zweite Term der rechten Seite ist das *mittlere Potential*

$$U(\boldsymbol{r}) = \int v(\boldsymbol{r}'-\boldsymbol{r})\sum_{j=1}^{A}|\phi_j(\boldsymbol{r}')|^2\,\mathrm{d}^3r'\,, \tag{7.72}$$

einfach zu interpretieren als das durch die Dichteverteilung der Nukleonen erzeugte Potential. Der letzte Summand ist der *Austauschterm*, der zusammen mit dem mittleren Potential das *mittlere Feld* (englisch: *mean field*) definiert. Die Hartree–Fock–Näherung wird oft auch „Mean–Field–Näherung" genannt.

Natürlich verkompliziert der Austauschterm das Problem ein gutes Stück im Vergleich zur einfachen Einteilchen–Schrödingergleichung. Durch ihn wird aus der Schrödingergleichung eine Integralgleichung, die in der Praxis schwierig zu handhaben ist. Daher werden unterschiedliche Näherungen angewandt. Ein beliebter Ansatz besteht in der Verwendung von Punktwechselwirkungen, also Kräften mit verschwindender Reichweite. Ein Beispiel dafür sind die Skyrme–Kräfte, bei denen, wie wir bald sehen werden, der Austauschterm mit dem direkten in Verbindung gebracht werden kann. Bei Kräften mit endlicher Reichweite — unvermeidlich im Fall der Coulombwechselwirkung — müssen andere Näherungen gemacht werden.

Die Hartree–Fock–Gleichungen beschreiben einen Mechanismus, wonach die Nukleonen selbst ein starkes Zentralkraftfeld im Kern hervorrufen können — ähnlich dem zentralen Coulombfeld im Atom, das jedoch nicht durch die Elektronen erzeugt wird. Wie ist das möglich? Die Annahme der Hartree–Fock–Näherung war gerade die Vernachlässigbarkeit von Korrelationen, nicht durch das mittlere Feld beschriebenen direkten Teilchen–Teilchen–Streuungen. Das ist vernünftig, wenn die Streuung durch das Pauliprinzip verboten ist, so daß für den Prozeß übermäßig viel Energie nötig wäre. Für die angeregten Zustände jedoch sind die Korrelationen wichtig. Das wird Inhalt von Abschnitt 8.2 sein.

Die gesamte Zweikörperwechselwirkung, soweit sie nicht im mittleren Feld eingeschlossen ist, wird *Restwechselwirkung* genannt. Ein wichtiger Teil von ihr wird durch die Paarkraft (Abschnitt 7.5) beschrieben, und andere Beiträge führen, wie erwähnt, zu korrelierten Anregungen.

Die Hartree–Fock–Gleichungen bilden ein *Selbstkonsistenzproblem* in dem Sinn, daß die Wellenfunktionen das mittlere Feld festlegen, während das mittlere Feld wiederum die Wellenfunktionen bestimmt. In der Praxis führt das zu iterativen Lösungsmethoden, bei denen man mit einer versuchsweise geratenen Wellenfunktion wie mit der des harmonischen Oszillators beginnt und das mittlere Feld aus ihr bestimmt. Lösung der Schrödingergleichung führt dann auf einen neuen Satz von Wellenfunktionen, und dieser Vorgang wird so lange wiederholt, bis, hoffentlich, Konvergenz erreicht wird.

7.2 Aufgabe: Matrixelemente der Variationsgleichung

Man berechne die Matrixelemente, die in der Variationsgleichung (7.61) auftreten.

Lösung:

Die im Kapitel über zweite Quantisierung erläuterten Techniken können hier nicht direkt angewandt werden, da es sich nicht um einen Vakuumerwartungswert handelt. Ob der zu einem bestimmten Index gehörende Zustand besetzt ist oder nicht, ist daher entscheidend für die Wirkung eines Operators auf $|\Psi\rangle$.

Der Beitrag der kinetischen Energie ist

$$\sum_{k_1 k_2} t_{k_1 k_2} \langle \Psi | \hat{a}_i^+ \hat{a}_m \hat{a}_{k_1}^+ \hat{a}_{k_2} | \Psi \rangle \ . \tag{1}$$

Das grundlegende Verfahren ist das gleiche wie für Vakuumerwartungswerte. Wir stellen fest, daß sowohl $\hat{a}_i^+$ als auch $\hat{a}_m$ auf $|\Psi\rangle$ angewandt null ergeben, da i einen besetzten Zustand in $|\Psi\rangle$ bezeichnet und m einen unbesetzten. Diese beiden werden daher nach hinten durchkommutiert.

Die Vertauschungen mit $\hat{a}_m$ liefern dabei einen nichtverschwindenden Beitrag einzig für $\hat{a}_{k_1}^+$, so daß das Zwischenergebnis

$$\sum_{k_1 k_2} t_{k_1 k_2} \delta_{m k_1} \langle \Psi | \hat{a}_i^+ \hat{a}_{k_2} | \Psi \rangle \tag{2}$$

lautet. Das verbleibende Matrixelement ist einfach $\delta_{i k_2}$, und, nachdem die Summen zusammenbrechen, bleibt als Ergebnis t_{mi}.

Die Auswertung der Potentialmatrixelemente ist etwas komplizierter. Beginnend mit

$$\frac{1}{2} \sum_{k_1 k_2 k_3 k_4} v_{k_1 k_2 k_3 k_4} \langle \Psi | \hat{a}_i^+ \hat{a}_m \hat{a}_{k_1}^+ \hat{a}_{k_2}^+ \hat{a}_{k_4} \hat{a}_{k_3} | \Psi \rangle \tag{3}$$

ist es klar, daß das Durchschieben von $\hat{a}_i^+$ und $\hat{a}_m$ ans Ende wieder das gewünschte Resultat liefert. Aber nun erzeugt jeder von ihnen einen nichtverschwindenden Kommutator, dem jeweils einer der zwei Operatoren des anderen Typs folgt. Das führt zu folgender Kombination von Kronecker–Symbolen, die das Matrixelement ersetzt:

$$\delta_{m k_1} \delta_{i k_3} - \delta_{m k_1} \delta_{i k_4} - \delta_{m k_2} \delta_{i k_3} + \delta_{m k_2} \delta_{i k_4} \ . \tag{4}$$

Die Vorzeichen lassen sich durch Abzählen der Permutationen bestimmen, die nötig sind, um den Operator direkt vor denjenigen zu bringen, mit dem die Kommutation das Kronecker–Symbol liefert. Setzt man dies in Gl. (3) ein, so lassen sich in jedem Term zwei der Summen mit Hilfe der Kronecker–Symbole eliminieren. Die verbleibenden Summen faßt man günstigerweise durch Umbenennung der Summationsindizes gemäß $k_1, k_2 \to k$ und $k_3, k_4 \to k'$ zusammen. Das ergibt

$$\frac{1}{2}\sum_{kk'}(v_{mkik'} - v_{mkk'i} - v_{kmik'} + v_{kmk'i})\langle\Psi|\hat{a}_k^+\hat{a}_{k'}|\Psi\rangle \ . \qquad \underline{5}$$

Das übrigbleibende Matrixelement kann nur für $k = k'$ nichtverschwindend sein. Da $\hat{a}_k^+\hat{a}_k$ den Teilchenzahloperator darstellt, ist sein Matrixelement eins, falls der Zustand k besetzt ist, und sonst null. Die Summe in Gl. (5) kann daher auf besetzte Zustände beschränkt werden, in der hier verwendeten Schreibweise, indem $k = k'$ in j umbenannt wird:

$$\frac{1}{2}\sum_{j}(v_{mjij} - v_{mjji} - v_{jmij} + v_{jmji}) \ , \qquad \underline{6}$$

was das Endergebnis ist.

7.2.5 Anwendungen

Untersuchen wir nun die Eigenschaften der Zustände des Vielteilchensystems in der Hartree–Fock–Näherung. Der Grundzustand ist natürlich gegeben durch (man erinnere sich daran, daß der Index m nur besetzte Zustände bezeichnet):

$$|\mathrm{HF}\rangle = \prod_m \hat{a}_m^+|0\rangle \ . \qquad (7.73)$$

Seine Energie kann leicht berechnet werden, indem man die oben entwickelten Methoden benutzt:

$$\begin{aligned} E_{\mathrm{HF}} &= \langle\mathrm{HF}|\hat{H}|\mathrm{HF}\rangle \\ &= \sum_m t_{mm} + \frac{1}{2}\sum_{mn}\bar{v}_{mnmn} \\ &= \sum_m \epsilon_m - \frac{1}{2}\sum_{mn}\bar{v}_{mnmn} \ . \end{aligned} \qquad (7.74)$$

Man muß sich darüber im klaren sein, daß die Energie des Hartree–Fock–Grundzustands nicht einfach die Summe der einzelnen Einteilchenenergien ist, sondern einen zusätzlichen Beitrag aufgrund der Potentialwechselwirkung erfährt. Der mathematische Grund ist der, daß der Hamiltonoperator des Vielteilchensystems nicht die Summe der Einteilchen–Hamiltonoperatoren ist, sondern die unterschiedlich gewichteten Wechselwirkungen enthält.

Es erscheint nun als einfache Sache, angeregte Zustände ausgehend vom Hartree–Fock–Grundzustand zu konstruieren: Diese sollten einfach durch Teilchen–Loch–Anregungen verschiedener Ordnung gegeben sein. Eigentlich ist das nicht ganz richtig, weil das mittlere Feld auch von den tatsächlich besetzten Zuständen abhängt, was wiederum den Einteilchen–Hamiltonoperator und die Einteilchenzustände selbst ändert. In der Praxis wird dieses Problem allerdings üblicherweise mit dem Argument übergangen, daß bei einem schweren Kern die Änderung eines einzelnen Einteilchenzustands das mittlere Feld nur in vernachlässigbarer Weise beeinflußt, und die damit verbundene Änderung der Einteilchenzustände ist noch geringer. Daher konstruieren wir angeregte Zustände als Ein–Teilchen–ein–Loch–Anregungen (1p1h)

$$|mi\rangle = \hat{a}_m^+ \hat{a}_i |\mathrm{HF}\rangle \ , \tag{7.75}$$

Zwei–Teilchen–zwei–Loch–Anregungen (2p2h)

$$|mnij\rangle = \hat{a}_m^+ \hat{a}_n^+ \hat{a}_i \hat{a}_j |HF\rangle \ , \tag{7.76}$$

usw., mit unveränderten Einteilchenzuständen. Der Energieerwartungswert solcher Zustände kann leicht berechnet werden. Für die Ein–Teilchen–ein–Loch–Anregung erhält man beispielsweise

$$\begin{aligned} E_{mi} &= \langle mi|\hat{H}|mi\rangle \\ &= E_{\mathrm{HF}} + t_{mm} - t_{ii} + \sum_{\substack{k=1 \\ k\neq i}}^{A} (\bar{v}_{mnmn} - \bar{v}_{inin}) \\ &= E_{\mathrm{HF}} + \epsilon_m - \epsilon_i - \bar{v}_{mimi} \end{aligned} \tag{7.77}$$

einfach durch Hinschreiben der Summe mit der abweichenden Besetzung (man beachte, daß $\bar{v}_{mmmm} = 0$ wegen der Asymmetrie gilt).

Daher erscheint zusätzlich zu dem erwarteten Beitrag der Einteilchenenergien der zwei beteiligten Teilchen ein weiterer aufgrund der Änderung des mittleren Feldes. Unglücklicherweise stellt dieses Ergebnis tatsächlich nur einen Erwartungswert dar, da es auch nichtdiagonale Matrixelemente

$$\langle mi|\hat{H}|nj\rangle = -\bar{v}_{mjni} \tag{7.78}$$

gibt, so daß die Matrizen im Prinzip diagonalisiert werden müßten. In vielen Fällen jedoch ist der Potentialbeitrag vernachlässigbar, und die Teilchen–Loch–Zustaände können näherungsweise als Eigenzustände des Problems behandelt werden.

Eine ähnliche Analyse wirft auch Licht auf die physikalische Bedeutung der Einteilchenenergien ϵ_k. Man vergleiche die Energie des Kerns aus A Nukleonen mit dem aus $A-1$ Nukleonen, dem zum Beispiel ein Teilchen aus dem besetzten Zustand j fehlt. Dieser wird beschrieben durch die Wellenfunktion

$$|j\rangle = \hat{a}_j |\mathrm{HF}\rangle \ , \tag{7.79}$$

und die Differenz zum Grundzustand wird zu

$$\begin{aligned} E_j - E_{\mathrm{HF}} &= -t_{jj} - \tfrac{1}{2}\sum_i \bar{v}_{ijij} - \tfrac{1}{2}\sum_i \bar{v}_{jiji} \\ &= -t_{jj} - \sum_i \bar{v}_{ijij} \\ &= -\epsilon_j \ . \end{aligned} \tag{7.80}$$

Hier wurde die Symmetrie der Matrixelemente $\bar{v}_{ijij} = \bar{v}_{jiji}$ benutzt. Also *zeigt die Einteilchenenergie an, wieviel Energie erforderlich ist, ein Teilchen aus dem Kern zu entfernen.* Das ist der Inhalt von *Koopmans Theorem*, das in [Kö71] und [Ba71] detaillierter diskutiert wird.

Man beachte, daß dieses Argument nicht in rekursiver Weise benutzt werden kann: Angewandt auf das Entfernen eines weiteren Nukleons, würde die Potentialwechselwirkung zwischen den Nukleonen unkorrekt behandelt (sonst müßte die Gesamtenergie des Grundzustands durch $\sum_i \epsilon_i$ gegeben sein, was ja als falsch erkannt wurde).

Die Ergebnisse der Hartree–Fock–Rechnungen können nicht nur dazu verwendet werden, die Grundzustandseigenschaften des Kerns wie Bindungsenergie, mittleren quadratischen Radius, Oberflächendicke usw. vorauszusagen, sondern auch zur Beschreibung angeregter Zustände. Darüber hinaus können die so beschafften Wellenfunktionen als Grundlage für die Behandlung der Paarkraft (Abschnitt 7.5) benutzt werden sowie zur Beschreibung kollektiver Zustände als kohärenter Superpositionen von Teilchen–Loch–Anregungen (Abschnitt 8.2).

7.2.6 Die Dichte–Matrix–Formulierung

Die Hartree–Fock–Gleichungen nehmen eine besonders einfache Form an, wenn sie mit Hilfe der Einteilchendichtematrix ausgedrückt werden. Dieser Formalismus erlaubt sehr elegante formale Umformungen, so daß es sich lohnt, ihn kennenzulernen.

Für einen gegebenen Vielteilchenzustand $|\Phi\rangle$ ist die *Einteilchendichtematrix* definiert als

$$\rho_{kl} = \langle\Phi|\hat{a}_l^+ \hat{a}_k|\Phi\rangle \; , \tag{7.81}$$

wobei k und l über die Zustände der Einteilchenbasis laufen. $|\Phi\rangle$ braucht nicht eine einfache Slater–Determinante zu sein, sondern kann ganz allgemein eine Überlagerung solcher Slater–Determinanten sein. Man beachte, daß die Einteilchendichtematrix sowohl vom Zustand $|\Phi\rangle$ abhängt als auch von der Einteilchenbasis, die die Operatoren $\hat{a}_k^+$ und $\hat{a}_l$ definiert. Es ist üblich, die kürzere Bezeichnung „Dichtematrix“ für die Einteilchendichtematrix zu verwenden, falls keine Verwechslungen mit anderen Arten von Dichtematrizen möglich sind.

Die folgenden elementaren Eigenschaften der Dichtematrix lassen sich leicht herleiten:

- ρ_{kl} ist hermitesch:

$$\rho_{lk} = \langle\Phi|\hat{a}_k^+ \hat{a}_l|\Phi\rangle = \langle\Phi|(\hat{a}_l^+ \hat{a}_k)^+|\Phi\rangle = \rho_{kl}^* \; . \tag{7.82}$$

- Erwartungswerte von Einteilchenoperatoren wie

$$\hat{t} = \sum_{kl} t_{kl} \hat{a}_k^+ \hat{a}_l \tag{7.83}$$

können berechnet werden zu

$$\langle\Phi|\hat{t}|\Phi\rangle = \sum_{kl} t_{kl}\langle\Phi|\hat{a}_k^+\hat{a}_l|\Phi\rangle = \sum_{kl} t_{kl}\rho_{lk} \ , \tag{7.84}$$

was mit Hilfe der Spur einer Matrix umgeschrieben werden kann:

$$\langle\Phi|\hat{t}|\Phi\rangle = \mathrm{Sp}(t\rho) \ . \tag{7.85}$$

Hierbei steht das t in den Klammern für die Matrix t_{kl}, die den Operator $\hat{t}$[1] darstellt.

- Falls der Zustand $|\Phi\rangle$ durch eine einfache Slater–Determinante dargestellt wird, ist die Form der Dichtematrix stark eingeschränkt. Wir betrachten zuerst den Fall, daß $|\Phi\rangle$ aus denselben Einteilchenzuständen aufgebaut ist wie den in der Einteilchenbasis enthaltenen, in der die Dichtematrix definiert ist. Dann muß gelten:

$$\rho_{kl} = \begin{cases} \delta_{kl} & \text{,wenn } k \text{ und } l \text{ in } |\Phi\rangle \text{ besetzt sind} \\ 0 & \text{sonst} \end{cases} \tag{7.86}$$

Also ist ρ in diesem Fall diagonal mit Einsen und Nullen auf der Diagonalen, je nachdem, ob der zugehörige Einteilchenzustand besetzt oder leer ist. Darüber hinaus erfüllt die Matrix die fundamentale Beziehung

$$\rho^2 = \rho \ , \tag{7.87}$$

was direkt aus ihrer speziellen Form folgt. Die Relation gilt jedoch auch im allgemeineren Fall. Wenn die Einteilchenzustände, aus denen $|\Phi\rangle$ gebildet ist, nicht in der ρ definierenden Basis enthalten sind, können sie in jedem Fall mit Hilfe einer geeigneten unitären Matrix U in diese entwickelt werden,

$$\hat{\beta}_k = \sum_{k'} U_{kk'}\hat{a}_{k'} \ . \tag{7.88}$$

Dabei bezeichnet $\hat{\beta}_k$ nun den Operator der zweiten Quantisierung für diese in $|\Phi\rangle$ besetzten Zustände. Die in der Basis der $\hat{\beta}_k$ definierte Dichtematrix $\tilde{\rho}$ ist dann gegeben durch

$$\tilde{\rho} = U\rho U^+ \ , \tag{7.89}$$

so daß umgekehrt $\rho = U^+\tilde{\rho}U$ gilt. Da $\tilde{\rho}$ Gl. (7.86) erfüllt, bekommen wir

$$\rho^2 = U^+\tilde{\rho}UU^+\tilde{\rho}U = U^+\tilde{\rho}^2U = U^+\tilde{\rho}U = \rho \ . \tag{7.90}$$

[1]Die folgende Schreibweise wird verwendet: $\hat{t}$ bezeichnet einen Operator, t die entsprechende Matrix und t_{kl} die Elemente der Matrix.

Gl. (7.86) gilt also für jede Slater–Determinante $|\Phi\rangle$, egal, welche Einteilchenbasis zur Definition von ρ benutzt wurde.[2]

- Im Fall einer Slater–Determinante $|\Phi\rangle$ impliziert Gl. (7.86), daß die Dichtematrix ρ ein Projektionsoperator ist. Aus der speziellen Form, die sie annimmt, wenn sie mit den in $|\Phi\rangle$ enthaltenen Einteilchenzuständen ausgedrückt wird, ist es klar, daß sie auf den Raum der besetzten Einteilchenzustände projiziert.

Die letzte Eigenschaft der Dichtematrix erlaubt eine einfache Formulierung der Zerlegung einer Matrix in Teilchen–Teilchen–, Teilchen–Loch– etc.–Beiträge (bezogen auf eine gegebene Slater–Determinante). Wieder den Hartree–Fock–Fall betrachtend, kann der Loch–Loch–Teil des Hamiltonoperators in Matrixschreibweise sofort geschrieben werden als

$$h_{hh} = \rho h \rho \; . \tag{7.91}$$

Um ähnliche Ausdrücke für die anderen Teile von h zu finden, beachte man, daß die Matrix $\sigma = 1 - \rho$ auf den Raum der leeren Einteilchenzustände projiziert (man überprüfe die Gültigkeit von $\sigma^2 = \sigma$ und finde ihre Bedeutung so, wie für ρ). Das ergibt sofort

$$h_{hp} = \rho h \sigma, \quad h_{ph} = \sigma h \rho, \quad h_{pp} = \sigma h \sigma \; . \tag{7.92}$$

Die Hartree–Fock–Bedingungen lauteten $h_{hp} = h_{ph} = 0$ und können nun umgeschrieben werden zu

$$\sigma h \rho = 0, \qquad \rho h \sigma = 0 \; , \tag{7.93}$$

und nach Einfügen der Definition von σ,

$$h\rho - \rho h \rho = 0, \quad \rho h \rho - \rho h = 0 \; , \tag{7.94}$$

woraus wir schließen können, daß $\rho h = h \rho$ oder

$$[\rho, h] = 0 \; . \tag{7.95}$$

Es ist klar, warum Formulierungen mit Hilfe der Dichtematrix häufig eleganter sind: Bei diesem Ansatz braucht man besetzte und leere Einteilchenzustände nicht zu trennen; diese Unterscheidung wird von der Dichtematrix erledigt. Einfache Matrixmanipulationen können dann unhandliche Summenausdrücke ersetzen, bei denen man als zusätzliches Problem die verschiedenen Indexbereiche auseinanderzuhalten hat.

[2]Man bringe dies nicht mit der analogen Gleichung für eine allgemeine Dichtematrix durcheinander. Eine allgemeine Dichtematrix, die $\rho^2 = \rho$ erfüllt, beschreibt einen *reinen Zustand*. Das hat mit der Hartree–Fock–Theorie nichts zu tun.

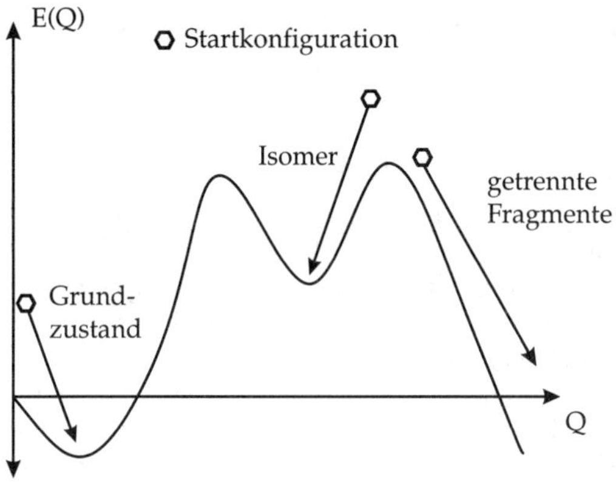

Abb. 7.2: Die Hartree–Fock–Gleichungen konvergieren zu verschiedenen Minima je nach der in der anfänglichen Wellenfunktion enthaltenen Deformation. Dieser Fall führt zu drei verschiedenen Minima, wobei die getrennten Fragmente sich soweit, wie es die numerische Prozedur gestattet, voneinander entfernen.

7.2.7 Hartree–Fock mit Zwangsbedingungen

Die Hartree–Fock–Gleichungen als solche liefern eine Näherungswellenfunktion, die einem Minimum des Energieerwartungswertes entspricht. In der Praxis ist das Ergebnis jedoch nicht eindeutig. Um das zu verstehen, betrachte man zum Beispiel das Problem der Spaltung. Die Energie des Kerns ist minimal im Grundzustand, aber bei schweren Kernen ist die Energie zweier räumlich getrennter Fragmente noch niedriger, außerdem ist bekannt, daß viele Kerne *Form–Isomere* bilden, d. h. ein lokales Minimum der Energie bei relativ großer Deformation.

Welche dieser Lösungen man durch wiederholtes Anwenden der Hartree–Fock–Gleichungen erhält, hängt von der Anfangskonfiguration ab, wie es in Fig. 7.2 dargestellt ist.

Im Gegensatz zu phänomenologischen Einteilchenmodellen mit Parametrisierungen der Kerngestalt kann das Hartree–Fock–Minimum willkürliche Deformationen beinhalten sowie auch Symmetrien verletzen, falls das numerische Verfahren dies zuläßt und falls die Symmetrie nicht schon durch die Anfangskonfiguration erfüllt ist. Zum Beispiel kann ein deformierter Kern eine zusätzliche, oktupolartige Deformation erfahren, sofern die numerische Methode keine Spiegelsymmetrie erzwingt und der Anfangszustand nicht ideal symmetrisch ist: Im letzteren Fall könnte die Iteration unfähig sein zu „entscheiden", in welche Richtung von der Spiegelsymmetrie abzuweichen ist, und in einer symmetrischen Form eingefroren bleiben.

Um die gesamte Kurve in Fig. 7.2 zu bestimmen, muß dem Variationsprinzip eine Zwangsbedingung hinzugefügt werden ("constrained Hartree–Fock"). Bei der Spaltung zum Beispiel ist eine natürliche Zwangsbedingung durch das Quadrupolmoment des Kerns gegeben. Man betrachte also das Variationsproblem

$$\delta\langle \mathrm{HF}|\hat{H} - \lambda\hat{Q}|\mathrm{HF}\rangle = 0 \ . \tag{7.96}$$

Der Operator $\hat{Q}$ ist die Summe der Quadrupolmomente der einzelnen Teilchen.

Bei diesem Verfahren könnte man λ konstant halten und erhielte dann für jeden Wert von λ einen deformierten Zustand; unglücklicherweise ist es dann schwierig, Zustände nahe den Maxima der Energie zu finden, so daß man oft besser einen gegebenen Erwartungswert von $\hat{Q}$ fordert und λ während der Iteration entsprechend variiert. Rechnungen dieser Art sind ausgiebig durchgeführt worden und ergeben ganz vernünftige Spaltpotentiale und deformierte Grundzustände. Diese können nicht direkt mit den in einem Kollektivmodell verwendeten Potentialen verglichen werden, weil die mikroskopischen Wellenfunktionen gewisse Unschärfen im Quadrupolmoment enthalten — letztlich ist nur der *Erwartungswert* festgelegt —, die Nullpunktsoszillationen im kollektiven Grundzustand entsprechen. Daher sollte die Hartree–Fock–Energie immer höher als die kollektive Oberfläche potentieller Energie sein.

Gegenwärtig dauern Hartree–Fock–Rechnungen mit mehr als einer Zwangsbedingung zu lange, so daß zur Untersuchung von Oberflächen potentieller Energie, die von mehreren Deformationsparametern abhängen, phänomenologische Modelle vorzuziehen sind.

7.2.8 Alternative Formulierungen und Dreikörperkräfte

In vielen Anwendungen ist es üblich, das Variationsprinzip selbst zu benutzen, anstelle der Hartree–Fock–Gleichungen, die daraus abgeleitet sind. Das kann aus Gründen der Einfachheit geschehen oder aus folgender praktischer Überlegung: Normalerweise werden die Gleichungen numerisch gelöst, zum Beispiel durch Ausdrücken der Wellenfunktionen als diskretisierte Funktionen auf einem numerischen Gitter, so wie

$$\phi(x) \rightarrow \phi(x_j), \qquad x_j = j\,\Delta x, \quad j = 1, \ldots N_x \ . \tag{7.97}$$

In diesem Fall wird in den Wellenfunktionen eine weitere Näherung gemacht: Wir suchen eine optimale Lösung mit einer Slater–Determinanten, die aus solchen diskretisierten Einteilchenzuständen aufgebaut ist. Anstatt das Eigenwertproblem für den Einteilchenhamiltonoperator aus Gl. (7.70) zu diskretisieren, ist es besser, den Erwartungswert des Hamiltonoperators selbst zu diskretisieren und bezüglich der wahren Unbekannten, der $\phi(x_j)$ zu variieren. Gewöhnlich unterscheiden sich die zwei Methoden nur wenig, die zweite sollte jedoch konzeptuell eine bessere Näherung liefern.

Ein Fall, bei dem diese Methode auch benutzt wird, ist die Anwendung von Hartree–Fock auf Skyrme–Kräfte, die durch ein zusätzliches Dreikörperpotential gekennzeichnet sind. Durch geeignete Verallgemeinerung der Behandlung von Zweikörperpotentialen führt ein solches Potential auf einen zweitquantisierten Operator

$$\frac{1}{6} \sum_{k_1 k_2 k_3 k_4 k_5 k_6} v_{k_1 k_2 k_3 k_4 k_5 k_6} \hat{a}^+_{k_1} \hat{a}^+_{k_2} \hat{a}^+_{k_3} \hat{a}_{k_4} \hat{a}_{k_5} \hat{a}_{k_6} \ , \tag{7.98}$$

und der Erwartungswert eines solchen Terms kann mit exakt den gleichen Methoden wie vorher ausgewertet werden. Er ergibt

$$\frac{1}{6}\sum_{ijk}\bar{v}_{ijkijk}\ , \tag{7.99}$$

wobei $\bar{v}_{ijkijk}$ folgende antisymmetrisierte Kombination darstellt:

$$\begin{aligned}\bar{v}_{ijkijk} &= v_{ijkijk}+v_{ijkjki}+v_{ijkkij}\\ &\quad -v_{ijkjik}-v_{ijkikj}-v_{ijkkji}\ .\end{aligned} \tag{7.100}$$

Im nächsten Unterabschnitt wird dieser Formalismus Anwendung finden mit der interessanten Konsequenz, daß bei einer Kraft mit verschwindender Reichweite der Erwartungswert des Hamiltonoperators als Integral über ein lokales *Energiedichtefunktional* ausgedrückt werden kann.

7.2.9 Hartree–Fock mit Skyrme–Kräften

Die Hauptabsicht der Diskussion von Dreikörperkräften im vorangehenden Unterabschnitt war die Anwendung auf Skyrme–Kräfte. Die Skyrme–Wechselwirkung war als Summe von Zwei– und Dreikörperbeiträgen definiert:

$$\hat{H}=\sum_i\hat{t}_i+\sum_{i<j}v^{(2)}_{ij}+\sum_{i<j<k}v^{(3)}_{ijk}\ . \tag{7.101}$$

Der Zweikörperbeitrag lautete

$$\begin{aligned}v^{(2)}_{12} &= t_0(1+x_0\hat{P}_\sigma)\delta(\boldsymbol{r}_1-\boldsymbol{r}_2)\\ &\quad +\tfrac{1}{2}t_1[\delta(\boldsymbol{r}_1-\boldsymbol{r}_2)\hat{k}^2+\hat{k}'^2\delta(\boldsymbol{r}_1-\boldsymbol{r}_2)]\\ &\quad +t_2\hat{\boldsymbol{k}}^2\cdot\delta(\boldsymbol{r}_1-\boldsymbol{r}_2)\hat{\boldsymbol{k}}+iW_0(\sigma_1+\sigma_2)\cdot\hat{\boldsymbol{k}}'\times\delta(\boldsymbol{r}_1-\boldsymbol{r}_2)\hat{\boldsymbol{k}}\end{aligned} \tag{7.102}$$

und der Dreikörperbeitrag

$$v^{(3)}_{123}=t_3\delta(\boldsymbol{r}_1-\boldsymbol{r}_2)\delta(\boldsymbol{r}_2-\boldsymbol{r}_3)\ . \tag{7.103}$$

Man erinnere sich, daß die Operatoren $\hat{\boldsymbol{k}}$ und $\hat{\boldsymbol{k}}'$ als

$$\hat{\boldsymbol{k}}=(\nabla_1-\nabla_2)/2i,\qquad \hat{\boldsymbol{k}}'=-(\nabla_1-\nabla_2)/2i \tag{7.104}$$

defniert waren und daß $\hat{\boldsymbol{k}}'$ *nach links wirkt.*

Um die Hartree–Fock–Gleichungen zu erhalten, müssen wir den Erwartungswert des Hamiltonoperators bezüglich einer Slater–Determinante $|\mathrm{HF}\rangle$ auswerten. Er ist gegeben durch

$$\begin{aligned}E &= \langle\mathrm{HF}|\hat{H}|\mathrm{HF}\rangle\\ &= \sum_i\langle i|\hat{t}|i\rangle+\tfrac{1}{2}\sum_{ij}\langle ij|\bar{v}^{(2)}|ij\rangle+\tfrac{1}{6}\sum_{ijk}\langle ijk|\bar{v}^{(3)}|ijk\rangle\ .\end{aligned} \tag{7.105}$$

Wir werden sehen, daß er umgeschrieben werden kann in ein räumliches Integral über eine *Hamiltondichte.* Die Hamiltondichte wiederum ist ein Funktional gewisser Dichten, die man durch Summation über die Einteilchenzustände erhält. Wenn wir diese schreiben als

$$\phi_i(\boldsymbol{r}, \sigma, q) \ , \tag{7.106}$$

wobei $\sigma = \pm\frac{1}{2}$ die Spinprojektion bezeichnet, $q = \pm\frac{1}{2}$ den Isospin (die Schreibweise $q = p, n$ wird für feste Werte des Index q ebenso benutzt) und i demnach bloß die verschiedenen Orbitalfunktionen abzählt, so lassen sich folgende Dichten definieren:

1. Anzahldichten für Protonen und Neutronen (abhängig vom Wert q),

$$\rho_q(\boldsymbol{r}) = \sum_{i,\sigma} |\phi_i(\boldsymbol{r}, \sigma, q)|^2 \ , \tag{7.107}$$

2. Dichten der kinetischen Energie für Protonen und Neutronen

$$\tau_q(\boldsymbol{r}) = \sum_{i,\sigma} |\nabla\phi_i(\boldsymbol{r}, \sigma, q)|^2 \tag{7.108}$$

3. sowie Spinstromdichten

$$\boldsymbol{J}_q(\boldsymbol{r}) = -i \sum_{i,\sigma,\sigma'} \phi_i^*(\boldsymbol{r}, \sigma, q)[\nabla\phi_i(\boldsymbol{r}, \sigma', q) \times \langle\sigma|\hat{\boldsymbol{\sigma}}|\sigma'\rangle] \ . \tag{7.109}$$

Man beachte, daß die Dichte der kinetischen Energie nicht den Faktor $\hbar^2/2m$ enthält und auch nicht die gewohnte Kombination $\phi^*\nabla^2\phi$. Die symmetrischere Kombination, die hier verwendet wurde, ist äquivalent im totalen (integrierten) Hamiltonoperator, wie partielle Integration zeigt. Die Spinstromdichten stellen sich ziemlich kompliziert dar. Einsetzen einer einzelnen Wellenfunktion zeigt jedoch, daß der wesentliche Term die Form $\rho\boldsymbol{k} \times \boldsymbol{\sigma}$ besitzt, d. h., das Kreuzprodukt des lokalen Impulses mit dem Spin, gewichtet mit der lokalen Wahrscheinlichkeitsdichte.

Die Summen müssen über alle besetzten Einteilchenzustände gehen. Wir machen nun die Annahme, daß der Raum der besetzten Zustände zeitumkehrinvariant ist. Das ist offensichtlich wahr für die wichtigste Anwendung, nämlich statische Eigenschaften von gg–Kernen. Formal bedeutet die Annahme, daß, falls ein Zustand $\phi_i(\boldsymbol{r}, \sigma, q)$ besetzt ist, der zeitumgekehrte Zustand, den man mit Hilfe des Zeitumkehroperators $\hat{\mathcal{T}}$ erhält, ebenfalls besetzt ist. Wir benutzen nun das Ergebnis von Aufgabe 2.3, daß $\hat{\mathcal{T}} = -i\sigma_y$ für den Spinorteil kombiniert mit komplexer Konjugation für die Ortsraumwellenfunktion gilt, und bekommen

$$\hat{\mathcal{T}}\phi_i(\boldsymbol{r}, \sigma, q) = -i \sum_{\sigma'} \langle\sigma|\sigma_y|\sigma'\rangle \phi_i^*(\boldsymbol{r}, \sigma', q) = -2\sigma\phi_i^*(\boldsymbol{r}, -\sigma, q) \ . \tag{7.110}$$

Als Konsequenz verschwinden die Erwartungswerte, die einen Spinoperator enthalten:

$$\sum_{i\sigma\sigma'} \phi_i^*(\boldsymbol{r},\sigma,q)\langle\sigma|\hat{\boldsymbol{\sigma}}|\sigma'\rangle\phi_i(\boldsymbol{r},\sigma',q) = 0 \ . \tag{7.111}$$

Um das zu sehen, benutze man den Operator $\frac{1}{2}(1+\hat{\mathcal{T}})$ für die Zeitumkehrsymmetrisierung des Ausdrucks

$$\begin{aligned}
\sum_i & \phi_i^*(\boldsymbol{r},\sigma,q)\phi_i(\boldsymbol{r},\sigma',q) \\
&= \frac{1}{2}\sum_i \left[\phi_i^*(\boldsymbol{r},\sigma,q)\phi_i(\boldsymbol{r},\sigma',q) + 4\sigma\sigma'\phi_i(\boldsymbol{r},-\sigma,q)\phi_i^*(\boldsymbol{r},-\sigma',q)\right] \\
&= \frac{1}{2}\delta_{\sigma\sigma'}\sum_i \left[|\phi_i(\boldsymbol{r},\sigma,q)|^2 + |\phi_i(\boldsymbol{r},-\sigma,q)|^2\right] \\
&= \tfrac{1}{2}\delta_{\sigma\sigma'}\rho_q(\boldsymbol{r}) \ .
\end{aligned} \tag{7.112}$$

Nun kann der gewünschte Erwartungswert ausgerechnet werden:

$$\begin{aligned}
\sum_{i\sigma\sigma'} & \phi_i^*(\boldsymbol{r},\sigma,q)\langle\sigma|\hat{\boldsymbol{\sigma}}|\sigma'\rangle\phi_i(\boldsymbol{r},\sigma',q) \\
&= \tfrac{1}{2}\sum_{\sigma\sigma'} \delta_{\sigma\sigma'}\rho_q(\boldsymbol{r})\langle\sigma|\hat{\boldsymbol{\sigma}}|\sigma'\rangle \\
&= \tfrac{1}{2}\rho_q(\boldsymbol{r})\mathrm{Sp}\hat{\boldsymbol{\sigma}} = 0 \ .
\end{aligned} \tag{7.113}$$

Die letzte Gleichung folgt aus der verschwindenden Spur der Paulimatrizen. Diese Rechnung macht auch deutlich, daß der Formalismus sehr viel komplizierter wird, falls die Bedingung nicht erfüllt ist, daß beide durch Zeitumkehr miteinander verbundenen Zustände besetzt sind. Die einfache skalare Dichte müßte dann nämlich durch eine Dichtematrix mit Spin–Indizes ersetzt werden.

Die Ableitung des Energiefunktionals ist in Aufgabe 7.3 in genügendem Detail gegeben, um dem Leser die Erarbeitung des vollständigen Problems, falls erwünscht, zu ermöglichen. Hier fassen wir die Ergebnisse zusammen. Das Endergebnis für die Energiedichte, die kinetische Energie eingeschlossen, lautet dann

$$\begin{aligned}
\hat{\mathcal{H}}(\boldsymbol{r}) = {} & \tfrac{\hbar^2}{2m}\tau + \tfrac{1}{2}t_0[(1+\tfrac{1}{2}x_0)\rho^2 - (x_0+\tfrac{1}{2})(\rho_n^2+\rho_p^2)] \\
& + \tfrac{1}{4}(t_1+t_2)\rho\tau + \tfrac{1}{8}(t_2-t_1)(\rho_n\tau_n + \rho_p\tau_p) \\
& + \tfrac{1}{16}(t_2-3t_1)\rho\nabla^2\rho + \tfrac{1}{32}(3t_1+t_2)(\rho_n\nabla^2\rho_n + \rho_p\nabla^2\rho_p) \\
& + \tfrac{1}{16}(t_1-t_2)(\boldsymbol{J}_n^2 + \boldsymbol{J}_p^2) + \tfrac{1}{4}t_3\rho_n\rho_p\rho \\
& - \tfrac{1}{2}W_0(\rho\nabla\cdot\boldsymbol{J} + \rho_n\nabla\cdot\boldsymbol{J}_n + \rho_p\nabla\cdot\boldsymbol{J}_p) \ .
\end{aligned} \tag{7.114}$$

Coulombeffekte sind in dieser Formel nicht berücksichtigt; die Coulombenergie muß in einer geeigneten Näherung für den Coulombaustausch separat hinzugefügt werden.

Eine viel einfachere Form gilt für Kerne mit $N = Z$, bei denen man unter Vernachlässigung der Coulombeffekte $\rho_p = \rho_n = \frac{1}{2}\rho$ annehmen kann, und ähnliches für die anderen Dichten. Dann bekommen wir

$$\begin{aligned}
\hat{\mathcal{H}}(\boldsymbol{r}) = {} & \tfrac{\hbar^2}{2m}\tau + \tfrac{3}{8}t_0\rho^2 + \tfrac{1}{16}t_3\rho^3 + \tfrac{1}{16}(3t_1+5t_2)\rho\tau \\
& + \tfrac{1}{64}(9t_1-5t_2)(\nabla\rho)^2 - \tfrac{3}{4}W_0\rho\nabla\cdot\boldsymbol{J} + \tfrac{1}{32}(t_1-t_2)J^2 \ .
\end{aligned} \tag{7.115}$$

In beiden Fällen stellt der Energieausdruck den Ausgangspunkt für die Ableitung der Hartree–Fock–Gleichungen durch Variation nach den Einteilchenwellenfunktionen dar. Das führt auf Gleichungen integro–differentieller Form wie im gewöhnlichen Hartree-Fock–Fall.

7.3 AUFGABE: DAS SKYRME–ENERGIEFUNKTIONAL

Man berechne die einer Slater–Determinante zugehörige Energie im Fall der Skyrme–Kraft.

Lösung:

Wir stellen die verwendeten Methoden vor, indem wir einige der einzelnen Beiträge zum Skyrme–Energiefunktional ausrechnen. Den Austauschbeitrag berücksichtigen wir durch Hinzufügen eines Austauschoperators im Matrixelement:

$$\begin{aligned} \bar{v}_{k_1k_2k_3k_4} &= v_{k_1k_2k_3k_4} - v_{k_1k_2k_4k_3} \\ &= \langle k_1k_2|\hat{v}|k_3k_4\rangle - \langle k_1k_2|\hat{v}|k_4k_3\rangle \\ &= \langle k_1k_2|v(1-P_{3\leftrightarrow 4})|k_3k_4\rangle \ , \end{aligned} \qquad \underline{1}$$

wobei $P_{3\leftrightarrow 4}$ die zwei Teilchen im Ket–Vektor austauscht. Der Operator kann als Produkt von räumlichem Austausch $\hat{P}_M$ (Majorana), Spinaustausch $\hat{P}_\sigma$ und Isospinaustausch $\hat{P}_\tau$ ausgedrückt werden. Der zu t_0 proportionale Term ergibt

$$V_0 = \frac{1}{2}\sum_{ij\sigma\sigma'qq'} \langle ij\sigma\sigma'qq'|t_0\delta(\boldsymbol{r}_1-\boldsymbol{r}_2)(1+x_0\hat{P}_\sigma)(1-\hat{P}_M\hat{P}_\sigma\hat{P}_\tau)|ij\sigma\sigma'qq'\rangle \ . \qquad \underline{2}$$

Der Majorana–Austauschoperator $\hat{P}_\sigma$ reduziert sich zu einem Faktor Eins, da die δ-Funktion eine Auswertung der Wellenfunktionen am selben Raumpunkt erzwingt. Für den Isospinaustauschoperator muß man annehmen, daß die Wellenfunktionen reine Isospinzustände darstellen, so daß ein Überlapp mit der anderen Einteilchenwellenfunktion im Isospinraum nur dann möglich ist, wenn der Isospin der gleiche ist: $\hat{P}_\tau \to \delta_{qq'}$. Anwendung des Spinaustauschoperators in der Form $\hat{P}_\sigma = \frac{1}{2}(1+\hat{\boldsymbol{\sigma}}_1\cdot\hat{\boldsymbol{\sigma}}_2)$ führt auf

$$\begin{aligned} V_0 &= \tfrac{1}{2}t_0 \sum_{ij\sigma\sigma'qq'} \langle ij\sigma\sigma'qq'|\delta(\boldsymbol{r}_1-\boldsymbol{r}_2)[1+\tfrac{1}{2}x_0(1+\hat{\boldsymbol{\sigma}}_1\cdot\hat{\boldsymbol{\sigma}}_2)] \\ &\quad \times[1-\tfrac{1}{2}\delta_{qq'}(1+\hat{\boldsymbol{\sigma}}_1\cdot\hat{\boldsymbol{\sigma}}_2)]|ij\sigma\sigma'qq'\rangle \\ &= \tfrac{1}{2}t_0 \sum_{ij\sigma\sigma'qq'} \langle ij\sigma\sigma'qq'|\delta(\boldsymbol{r}_1-\boldsymbol{r}_2) \\ &\quad \times[1+\tfrac{1}{2}x_0-\tfrac{1}{2}\delta_{qq'}-\tfrac{x_0}{4}\delta_{qq'}(1+\hat{\boldsymbol{\sigma}}_1\cdot\hat{\boldsymbol{\sigma}}_2)^2]|ij\sigma\sigma'qq'\rangle \ . \end{aligned} \qquad \underline{3}$$

Im letzten Schritt wurde die Tatsache benutzt, daß die in $\hat{\boldsymbol{\sigma}}_1\cdot\hat{\boldsymbol{\sigma}}_2$ linearen Terme verschwinden (siehe (7.113)), während solche proportional zu $(\hat{\boldsymbol{\sigma}}_1\cdot\hat{\boldsymbol{\sigma}}_2)^2$ einen Faktor 3 liefern. Dies ersieht man leicht aus der Beziehung

$$(\hat{\boldsymbol{\sigma}}\cdot\hat{\boldsymbol{\sigma}}')^2 = 3 - 2\hat{\boldsymbol{\sigma}}\cdot\hat{\boldsymbol{\sigma}}' \ , \qquad \underline{4}$$

die schon in (7.5) abgeleitet wurde, wobei zu beachten ist, daß nur die Konstante 3 beiträgt. Also bekommen wir

$$\begin{aligned} V_0 &= \frac{1}{2}t_0 \sum_{ij\sigma qq'} \int \mathrm{d}^3 r |\phi_i(\boldsymbol{r},\sigma,q)|^2 |\phi_j(\boldsymbol{r},\sigma,q')|^2 [1+\tfrac{1}{2}x_0 - \delta_{qq'}(x_0+\tfrac{1}{2})] \\ &= \frac{1}{2}t_0 \sum_{ij\sigma qq'} \int \mathrm{d}^3 r \rho_q(\boldsymbol{r})\rho_{q'}(\boldsymbol{r})[1+\tfrac{1}{2}x_0 - \delta_{qq'}(x_0+\tfrac{1}{2})] \;, \end{aligned} \tag{5}$$

und das bedeutet, daß der Beitrag zur Energiedichte sich berechnet zu

$$\hat{\mathcal{H}}_0(\boldsymbol{r}) = \tfrac{1}{2}t_0[(1+\tfrac{1}{2}x_0)\rho^2(\boldsymbol{r}) - (x_0+\tfrac{1}{2})(\rho_p^2(\boldsymbol{r})+\rho_n^2(\boldsymbol{r}))] \tag{6}$$

mit der Gesamtdichte $\rho = \rho_p + \rho_n$.

Bei dem zu t_1 proportionalen Term finden die gleichen Argumente für die Austauschoperatoren Anwendung. Weil der zweite Beitrag in diesem Term gerade das hermitesch konjugierte des ersten ist, genügt es, diesen einen im Detail zu untersuchen. Einsetzen der Definition von $\hat{\boldsymbol{k}}$ und Anwendung der obigen Überlegungen auf $(1-\hat{P}_M\hat{P}_\sigma\hat{P}_\tau)$ liefert

$$\begin{aligned} V_1 = -\tfrac{1}{16}t_1 \sum_{ij\sigma\sigma' qq'} \langle ij\sigma\sigma' qq'| \quad & \delta(\boldsymbol{r}_1-\boldsymbol{r}_2)(\nabla_1^2+\nabla_2^2-2\nabla_1\cdot\nabla_2) \\ \times \quad & (1-\tfrac{1}{2}\delta_{qq'} - \tfrac{1}{2}\hat{\boldsymbol{\sigma}}_1\cdot\hat{\boldsymbol{\sigma}}_2\delta_{qq'})|ij\sigma\sigma' qq'\rangle + \text{ h.c.} \end{aligned} \tag{7}$$

Indem wir dieselben Argumente, die auf (7.55) führten, benutzen, können wir sehen, daß einige der Terme, die Paulimatrizen enthalten, nicht beitragen, und der Ausdruck reduziert sich zu

$$\begin{aligned} V_1 &= -\tfrac{1}{16}t_1 \sum_{ij\sigma\sigma' qq'} \langle ij\sigma\sigma' qq'|\delta(\boldsymbol{r}_1-\boldsymbol{r}_2)(\nabla_1^2+\nabla_2^2-2\nabla_1\cdot\nabla_2)|ij\sigma\sigma' qq'\rangle \\ &\quad \times(1-\tfrac{1}{2}\delta_{qq'}) \\ &\quad -\tfrac{1}{16}t_1\sum_{ij}\langle ij\sigma\sigma' qq'|\delta(\boldsymbol{r}_1-\boldsymbol{r}_2)(\nabla_1\cdot\nabla_2)(\hat{\boldsymbol{\sigma}}_1\cdot\hat{\boldsymbol{\sigma}}_2)|ij\sigma\sigma' qq'\rangle\delta_{qq'} + \text{ h.c.} \\ &\equiv V_{11}+V_{12}+\text{ h.c.} \end{aligned} \tag{8}$$

Beim ersten Term dürfen wir Zeitumkehrinvarianz benutzen und erhalten

$$\nabla^2\rho(\boldsymbol{r}) = 2\sum_{i\sigma q}\phi_i^*\nabla^2\phi_i + 2\tau(\boldsymbol{r}) \tag{9}$$

und ähnlich

$$\begin{aligned} \sum_{i\sigma q}\phi_i^*\nabla\phi_i &= \frac{1}{2}\sum_{i\sigma q}[\phi_i^*(\boldsymbol{r},\sigma,q)\nabla\phi_i(\boldsymbol{r},\sigma,q) + \phi_i(\boldsymbol{r},-\sigma,q)\nabla\phi_i^*(\boldsymbol{r},-\sigma,q)] \\ &= \tfrac{1}{2}\nabla\rho \;, \end{aligned} \tag{10}$$

was dann auf

$$\begin{aligned} V_{11} = -\tfrac{1}{16}t_1\int \mathrm{d}^3 r \Big[& \rho\nabla^2\rho - 2\rho\tau - \tfrac{1}{2}(\nabla\rho)^2 \\ & -\tfrac{1}{2}\sum_q\{\rho_q\nabla^2\rho_q - 2\rho_q\tau_q - \tfrac{1}{2}(\nabla\rho_q)^2\}\Big] \end{aligned} \tag{11}$$

führt. Partielle Integration reduziert das zu

$$V_{11} = \tfrac{1}{16}t_1 \int \mathrm{d}^3r[2\rho\tau - \rho_n\tau_n - \rho_p\tau_p - \tfrac{3}{2}\rho\nabla^2\rho + \tfrac{3}{4}\rho_n\nabla^2\rho_n + \tfrac{3}{4}\rho_p\nabla^2\rho_p] \ . \qquad \underline{12}$$

Um V_{12} auszudrücken, kann man folgende Vektoridentität ausnützen:

$$\begin{aligned}(\nabla_1 \cdot \nabla_2)(\hat{\boldsymbol{\sigma}}_1 \cdot \hat{\boldsymbol{\sigma}}_2) &= \tfrac{1}{3}(\nabla_1 \cdot \hat{\boldsymbol{\sigma}}_1)(\nabla_2 \cdot \hat{\boldsymbol{\sigma}}_2) + \tfrac{1}{2}(\nabla_1 \times \hat{\boldsymbol{\sigma}}_1) \cdot (\nabla_2 \times \hat{\boldsymbol{\sigma}}_2) \\ &\quad + \sqrt{5}[[\nabla_1 \times \hat{\boldsymbol{\sigma}}_1]^2 \times [\nabla_2 \times \hat{\boldsymbol{\sigma}}_2]^2]^0 \ .\end{aligned} \qquad \underline{13}$$

Man beachte, daß die eckigen Klammern im letzten Ausdruck für die Drehimpulskopplung stehen. Der Ausdruck kann nur dann weiter vereinfacht werden, wenn zusätzlich Axialsymmetrie angenommen wird, was zum Verschwinden aller Terme bis auf den zweiten führt, weil die anderen sich durch die Integration zu null mitteln. Das Endergebnis lautet

$$\begin{aligned}V_{12} &= -\tfrac{1}{32}t_1 \sum_{ij\sigma\sigma'qq'} \langle ij\sigma\sigma'qq'|\delta(\boldsymbol{r}_1 - \boldsymbol{r}_2)(\nabla_1 \times \hat{\boldsymbol{\sigma}}_1) \cdot (\nabla_2 \times \hat{\boldsymbol{\sigma}}_2)|ij\sigma\sigma'qq'\rangle\delta_{qq'} \\ &= \tfrac{1}{32}t_1 \int \mathrm{d}^3r[\boldsymbol{J}_n^2(\boldsymbol{r}) + \boldsymbol{J}_p^2(\boldsymbol{r})] \ ,\end{aligned} \qquad \underline{14}$$

mit den Protonen- und Neutronenbeiträgen $\boldsymbol{J}_{p,n}$ zur totalen Stromdichte. Der t_1-abhängige Gesamtbeitrag zur Energiedichte, eingeschlossen die hermitesch konjugierten Beiträge, ist nun

$$\begin{aligned}\hat{\mathcal{H}}_1 &= \tfrac{1}{16}[4\rho\tau - 2\rho_n\tau_n - 2\rho_p\tau_p - 3\rho\nabla^2\rho + \tfrac{3}{2}\rho_n\nabla^2\rho_n \\ &\quad + \tfrac{3}{2}\rho_p\nabla^2\rho_p + \boldsymbol{J}_n^2 + \boldsymbol{J}_p^2] \ .\end{aligned} \qquad \underline{15}$$

Diese detaillierten Ableitungen sollten die in der Rechnung verwendeten Methoden in genügender Weise illustrieren. Da zur Bestimmung der anderen Beiträge keine neuen Ideen eingehen, übergehen wir diese Rechnungen und vervollständigen diese Übung durch einen Blick auf den besonders interessanten Fall des Dreikörperterms.

Das Matrixelement

$$V_3 = \frac{1}{6}\sum_{ijk}\langle ijk|\tilde{v}_{123}|ijk\rangle \qquad \underline{16}$$

erfordert die Einfügung eines Operators, der über alle Permutationen der Einteilchenkoordinaten antisymmetrisiert. Die Permutationen von (123) mit positivem Vorzeichen sind (123), (231) und (312), während negative Beiträge von (213), (132) und (321) kommen. Bezeichnet $\hat{P}(12)$ den Operator, der Teilchen 1 und 2 austauscht, so lautet der korrekte Operator

$$[1 + \hat{P}(12)\hat{P}(23) + \hat{P}(13)\hat{P}(23) - \hat{P}(21) - \hat{P}(23) - \hat{P}(31)] \ . \qquad \underline{17}$$

Nun wird jeder der $\hat{P}$-Operatoren durch die Kombination von $\hat{P}_M\hat{P}_\sigma\hat{P}_\tau$ ersetzt. Wegen der δ-Funktionen kann $\hat{P}_M$ weggelassen werden, während z. B. $\hat{P}_\sigma(12)$ auf $\frac{1}{2}(1 + \hat{\boldsymbol{\sigma}}_1 \cdot \hat{\boldsymbol{\sigma}}_2)$ führt, wobei der Term mit den Paulimatrizen aufgrund von (7.113) wie vorher nicht beiträgt. Also bekommen wir

$$V_3 = \frac{1}{6}t_3\sum_{ijk}\int \mathrm{d}^3r|\phi_i|^2|\phi_j|^2|\phi_k|^2(1 + \tfrac{1}{2}\delta_{qq'}\delta_{qq'} - \tfrac{3}{2}\delta_{qq'}) \ . \qquad \underline{18}$$

Umbenennen der Indizes zeigt, daß der zweite und der dritte Term den gleichen Beitrag zur Summe liefern, und das gleiche gilt für die letzten drei Terme. Ebenso ergeben wie zuvor die Isospinaustauschoperatoren Kroneckersymbole, so daß wir

$$V_3 = \frac{1}{6} t_3 \sum_{ijk} \int d^3r |\phi_i|^2 |\phi_j|^2 |\phi_k|^2 (1 + \tfrac{1}{2}\delta_{qq'}\delta_{qq'} - \tfrac{3}{2}\delta_{qq'}) \qquad \underline{19}$$

erhalten. Setzt man die Definition der Dichten ein, so lautet das Endergebnis

$$\begin{aligned} \hat{\mathcal{H}}_3 &= \tfrac{1}{6} t_3 [\rho^3 + \tfrac{1}{2}(\rho_n^3 + \rho_p^3) - \tfrac{3}{2}\rho(\rho_n^2 + \rho_p^2)] \\ &= \tfrac{1}{4} t_3 \rho_n \rho_p \rho \, . \end{aligned} \qquad \underline{20}$$

7.3 Phänomenologische Einteilchenmodelle

7.3.1 Das sphärische Schalenmodell

Historisch wurde die Schalenstruktur des Kerns nicht aufgrund theoretischer *ab-initio*-Betrachtungen, basierend auf der Hartree–Fock–Methode vorausgesagt. Statt dessen führten experimentelle Anzeichen für Schalenabschlüsse in Analogie zu den Edelgasen aus der Atomstruktur zur phänomenologischen Postulierung von Potentialen [Ma48, Fe49, Ha49, Ma49, Ma50, Ma55], die später mit Hilfe selbstkonsistenter Felder erklärt werden konnten. Der grundlegende Unterschied zur Atomstruktur wurde klar erkannt: Es gibt kein dominierendes Feld, das von einer externen Quelle entsprechend dem Coulombfeld des Kerns hervorgerufen wird, welches genügt, um viele Eigenschaften des Atoms ohne Behandlung der viel komplizierteren Effekte von Elektron–Elektron–Wechselwirkungen zu erklären. In Kernen wird das mittlere Feld ausschließlich durch die Nukleon–Nukleon–Wechselwirkung generiert.

Der wichtigste Teil der experimentellen Information über die Schalenstruktur ist die Existenz *magischer Zahlen.* Stimmt die Zahl der Protonen oder Neutronen mit einer magischen Zahl überein, dann ist der Kern besonders stabil; genauer gesagt, ist er charakterisiert durch

- eine größere totale Bindungsenergie des Kerns,
- eine größere aufzubringende Energie, um ein einzelnes Nukleon abzutrennen,
- eine höhere Energie der niedrigsten angeregten Zustände und
- eine große Zahl von Isotopen oder Isotonen mit derselben magischen Zahl für Protonen (Neutronen)

(all dies im Vergleich zu den benachbarten Kernen in der Nuklidkarte). Die niedrigen magischen Zahlen sind gleich für Protonen und Neutronen, nämlich 2, 8, 20, 28, 50 und 82, während die nächste Zahl 126 experimentell nur für Neutronen abgesichert ist. Theoretisch würde mann weitere magische Zahlen nahe 114 für Protonen und 184 für Neutronen erwarten (die exakte Voraussage hängt von der Theorie ab), was zu *superschweren Kernen* [Gr69, Ni69, Fi72, Ra74] führt (für eine ausführliche Behandlung siehe [Ir75, Ku89]). Diese wurden aber noch nicht im Experiment bestätigt, obwohl es Hinweise auf einen Anstieg der Lebenszeiten bei den schwersten bis heute beobachteten Elementen gibt. Diese Frage wird in Abschnitt 9.2 behandelt.

Ein phänomenologisches Schalenmodell basiert nun auf der Schrödingergleichung für die Einteilchenzustände

$$\left(-\frac{\hbar^2}{2m}\nabla^2 + V(\boldsymbol{r})\right)\psi_i(\boldsymbol{r}) = \epsilon_i\psi_i(\boldsymbol{r}) \tag{7.116}$$

mit einem vorgegebenen Potential $V(\boldsymbol{r})$.

Welche Art von Funktion wird für $V(\boldsymbol{r})$ gewählt? Sie sollte im Innern schwerer Kerne relativ konstant sein, um die konstante Dichte zu erklären, zu der man kommt, weil sich der Kernradius wie

$$R = r_0 A^{1/3} \tag{7.117}$$

verhält, aber außerhalb der Kernoberfläche rasch gegen null gehen. Populäre und erfolgreiche Potentiale sind (Kugelsymmetrie vorausgesetzt):

- Das *Woods–Saxon*–Potential [Wo54, Ro68]

  $$V(r) = -\frac{V_0}{1 + \exp[(r-R)/a]} \; . \tag{7.118}$$

  Typische Parameterwerte sind: Tiefe $V_0 \approx 50$ MeV, Radius $R \approx 1.1\ \mathrm{fm}\, A^{1/3}$ und Oberflächendicke $a \approx 0.5$ fm. Während es einer ähnlichen Form wie die experimentellen Dichteverteilungen der Kerne folgt und das oben besprochene allgemeine Verhalten zeigt, hat es in der Praxis den Nachteil, nicht auf analytisch darstellbare Wellenfunktionen zu führen. Daher wird es gewöhnlich in solchen Fällen verwendet, in denen die asymptotische Form der Wellenfunktionen wichtig ist und es der Rechenaufwand nicht verbietet.

- Das Potential des *harmonischen Oszillators*

  $$V(r) = \tfrac{1}{2} m\omega^2 r^2 \tag{7.119}$$

  mit typischerweise $\hbar\omega \approx 41\ \mathrm{MeV}/A^{1/3}$. Dieses ist für die Berechnung sehr angenehm, geht aber für große Abstände gegen unendlich statt gegen null. Es erzeugt bei großen Abständen offensichtlich nicht das korrekte Verhalten der Wellenfunktionen, die wie $\exp(-k^2r^2)$ anstatt wie $\exp(-kr)$ abfallen, und es gibt überhaupt keine Streuzustände. Die $A^{-1/3}$–Abhängigkeit der Oszillatorkonstante bewirkt, daß auf der Kernoberfläche, d. h. für $R = r_0A^{1/3}$, das Potential unabhängig vom Wert A das gleiche ist, wodurch die konstante Tiefe des Potentialtopfs simuliert wird.

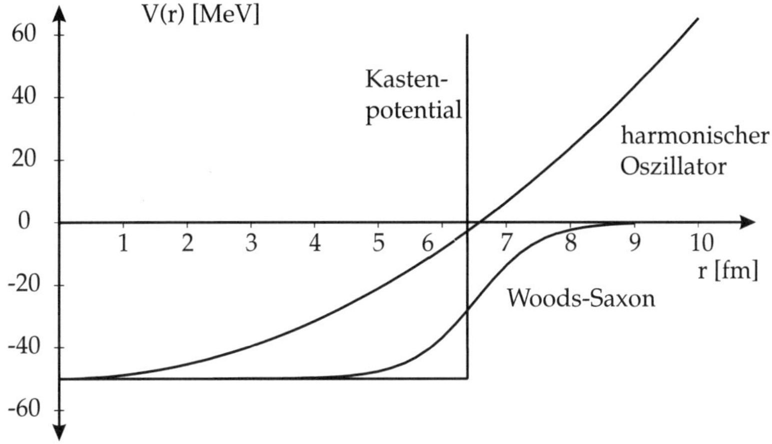

Abb. 7.3: Funktionale Form von drei populären phänomenologischen Schalenmodellpotentialen: Woods–Saxon, harmonischer Oszillator und Kastenpotential. Die Parameter sind an ^{208}Pb angepaßt. Man beachte, daß beim harmonischen Oszillator der Absolutwert der Energie unwichtig ist, da er für große Abstände die natürliche Grenze verschwindender Energie besitzt; in diesem Bild wurde er so eingestellt, daß er in der Mitte des Kerns mit den anderen Potentialen übereinstimmt.

- Schließlich, für einige Anwendungen, gibt es das *Kastenpotential*

$$V(r) = \begin{array}{ll} -V_0 & \text{für } r \leq R \\ \infty & \text{für } r > R\ . \end{array} \tag{7.120}$$

Dieses ist ein Kompromiß, der die endliche Reichweite mit nur moderaten rechnerischen Schwierigkeiten vereint. Man beachte, daß die Wellenfunktionen für $r \geq R$ verschwinden und somit in dieser Region nicht realistisch sind. Obwohl die Wellenfunktionen in diesem Fall auch analytisch angegeben werden können, wird mit der heute üblichen Computerleistung gewöhnlich das Woods–Saxon–Potential dort bevorzugt, wo das Oszillator–Potential nicht ausreicht.

Alle drei Potentiale sind in Abbildung 7.3 skizziert. Da sie alle kugelsymmetrisch sind, enthalten die Wellenfunktionen einen Faktor $Y_{lm}(\Omega)$. Für den harmonischen Oszillator in Kugelkoordinaten sollten die vollständigen Wellenfunktionen aus der elementaren Quantenmechanik vertraut sein; sie sind gegeben durch

$$\psi_{nlm}(r,\Omega) = \sqrt{\frac{2^{n+l+2}}{n!(2n+2l+1)!!\sqrt{\pi}x_0^3}}\,\frac{r^l}{x_0^l}L_n^{l+\frac{1}{2}}(\frac{r^2}{x_0^2})\exp(-\frac{r^2}{2x_0^2})Y_{lm}(\Omega) \tag{7.121}$$

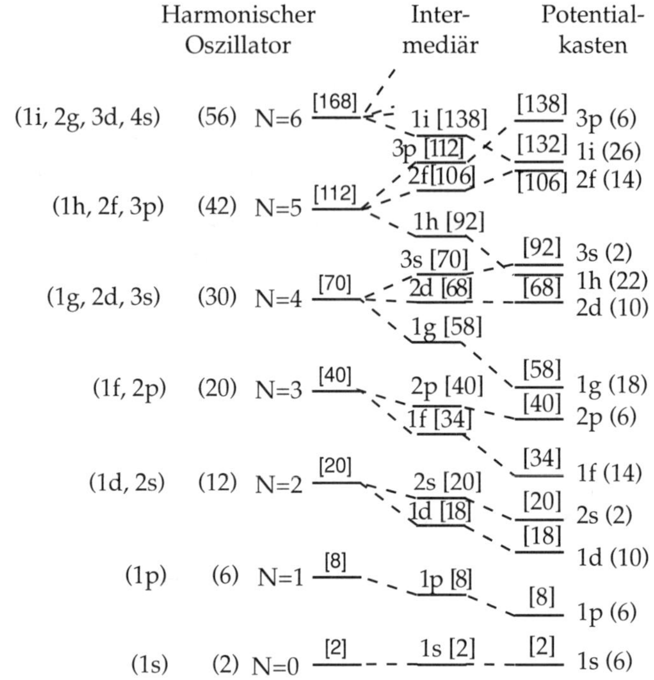

Abb. 7.4: Struktur der Energieniveaus beim harmonischen Oszillator (links), Woods–Saxon– (Mitte) und Kastenpotentialen (rechts). Bei jedem Energieniveau ist die übliche Bezeichnung der Quantenzahlen angegeben, die aus der Hauptquantenzahl und dem Drehimpuls bestehen. Die Zahl der Teilchen in jedem Zustand, einschließlich der zweifachen Spinentartung, ist für das Energieniveau in runden Klammern angezeigt, während die gesamte Besetzung bis zu diesem Niveau in eckigen Klammern gegeben ist.

mit $x_0 = \sqrt{\hbar/m\omega}$. Das Symbol $L_n^m(x)$ steht für die verallgemeinerten Laguerre-Polynome. Die Eigenenergien werden durch die Hauptquantenzahl $N = 2(n-1)+l$ zu

$$E_N = \hbar\omega(N + \tfrac{3}{2}) \tag{7.122}$$

festgelegt und sind $\frac{1}{2}(N+1)(N+2)$–fach entartet. Das zugehörige Spektrum und die Besetzungszahlen (einschließlich dem Spin) sind in Abbildung 7.4 angezeigt. Offensichtlich werden nur die ersten drei magischen Zahlen reproduziert. Eine Eigenschaft des Spektrums, die später wichtig sein wird, ist die, daß die Schalen in diesem Modell nur Zustände gleicher Parität enthalten, die durch $(-1)^l$ gegeben ist. Der Drehimpuls wird mit den Buchstaben s, p, d, f ... wie in der Atomphysik bezeichnet.

Beim Kastenpotential haben die Wellenfunktionen die Form

$$\psi(r) \propto j_l(kr) Y_{lm}(\Omega), \qquad r \leq R\,, \tag{7.123}$$

und die Energien ergeben sich aus der Bedingung $j_l(kR) = 0$, die nur numerisch gelöst werden kann. Das resultierende Spektrum ist auch in Abbildung 7.4 angegeben. Es zeigt weniger Entartung, reproduziert aber immer noch nicht die magischen Zahlen.

Schließlich, beim Woods–Saxon–Potential, kann die Radialwellenfunktion nur numerisch erhalten werden. Die Energien liegen zwischen den Ergebnissen für den harmonischen Oszillator und das Kastenpotential und zeigen ebenfalls keine Übereinstimmung mit dem Experiment.

7.4 Aufgabe: Eigenfunktionen des harmonischen Oszillators

Man bestimme die Eigenfunktionen des harmonischen Oszillators in kartesischen und Zylinderkoordinaten.

Lösung:

In kartesischen Koordinaten lautet die Schrödingergleichung

$$\left[-\frac{\hbar^2}{2m}\left(\frac{\partial^2}{\partial x^2} - \frac{\partial^2}{\partial y^2} - \frac{\partial^2}{\partial z^2}\right) + \tfrac{1}{2}\omega^2(x^2+y^2+z^2)\right]\psi(x,y,z) = E\psi(x,y,z)\ . \qquad \underline{1}$$

Da der Hamiltonoperator in diesem Fall einfach die Summe dreier eindimensionaler Hamiltonoperatoren des harmonischen Oszillators ist, lassen sich die Variablen trivial separieren, und die Lösung ist schlicht ein Produkt von eindimensionalen Wellenfunktionen des harmonischen Oszillators:

$$\phi_n(\xi) = N_n \exp(-\tfrac{1}{2}\xi^2)\,\mathrm{H}_n(\xi), \qquad N_n = (\sqrt{\pi}\,n!\,2^n)^{-1/2}, \qquad \xi = x\sqrt{\frac{m\omega}{\hbar}} \qquad \underline{2}$$

mit den Oszillatorquantenzahlen n_x, n_y und n_z,

$$\psi_{n_x n_y n_z}(x,y,z) = \phi_{n_x}(x)\,\phi_{n_y}(y)\,\phi_{n_z}(z)\ . \qquad \underline{3}$$

Dies entspricht der gegebenen Zahl der Anregungen in der jeweiligen Koordinatenrichtung und einer Energie

$$E_{n_x n_y n_z} = \hbar\omega(n_x + n_y + n_z + \tfrac{3}{2})\ . \qquad \underline{4}$$

Zu beachten ist, daß nun alle Zustände mit einer Hauptquantenzahl $N = n_x + n_y + n_z$ entartet sind.

In Zylinderkoordinaten ist das Problem etwas komplizierter. Die Schrödingergleichung nimmt folgende Form an:

$$\begin{aligned} -\frac{\hbar^2}{2m}\left(\frac{\partial^2}{\partial z^2} + \frac{\partial^2}{\partial \rho^2} + \frac{1}{\rho}\frac{\partial}{\partial \rho} + \frac{\partial^2}{\partial \phi^2}\right)\psi(z,\rho,\phi) & \\ +\tfrac{1}{2}\omega^2(z^2+\rho^2)\psi(z,\rho,\phi) &= E\psi(z,\rho,\phi)\ . \end{aligned} \qquad \underline{5}$$

Die übliche Variablenseparation $\psi(z,\rho,\phi) = \xi(z)\chi(\rho)\eta(\phi)$ führt auf

$$\begin{aligned} 0 &= \left(\frac{\mathrm{d}^2}{\mathrm{d}\phi^2} + \mu^2\right)\eta(\phi) \qquad 6 \\ 0 &= \left(\frac{\mathrm{d}^2}{\mathrm{d}\rho^2} + \frac{1}{\rho}\frac{\mathrm{d}}{\mathrm{d}\rho} - \frac{m^2\omega^2}{\hbar^2}\rho^2 - \frac{\mu^2}{\rho^2} + \frac{2mA}{\hbar^2}\right)\chi(\rho) \\ 0 &= \left(\frac{\mathrm{d}^2}{\mathrm{d}z^2} + -\frac{m\omega^2}{\hbar^2}z^2 + \frac{2m(E-A)}{\hbar^2}\right)\zeta(z)\ . \end{aligned}$$

μ^2 und A sind hierbei Separationskonstanten. Natürlich ist es nicht überraschend, daß aufgrund der Axialsymmetrie die Azimutalquantenzahl $\mu = 0, \pm1, \pm2, \ldots$ im ϕ–abhängigen Teil

$$\eta_m(\phi) = \frac{1}{\sqrt{2\pi}}\exp(\mathrm{i}m\phi) \qquad 7$$

erscheint. Sie wurde mit μ statt mit m bezeichnet, um sie von der Nukleonenmasse zu unterscheiden. Die z–abhängige Gleichung ist wieder die eines eindimensionalen harmonischen Oszillators, so daß wir die Lösung wie oben für den kartesischen Fall mit der Quantenzahl n_z angegeben finden. Die Eigenenergie ergibt sich zu

$$E = \hbar\omega(n_z + \tfrac{1}{2}) + A\ . \qquad 8$$

Um die ρ–abhängige Gleichung zu lösen, kann man verschiedene Methoden anwenden. Das gewöhnlich in Lehrbüchern der Quantenmechanik verfolgte Verfahren besteht darin, das asymptotische Verhalten der Wellenfunktionen nahe dem Ursprung und für unendlich zu betrachten, die passenden funktionalen Faktoren herauszuziehen und dann (hoffentlich) festzustellen, daß der Rest durch ein Polynom gegeben ist, das eine Cutoff–Bedingung erfüllt, damit man eine normierbare Wellenfunktion erhält. In der Praxis, wann immmer die Existenz einer analytischen Lösung zu erwarten ist, kann man einige dieser Schritte abkürzen, indem man mathematische Handbücher befragt.

Für $\rho \to 0$ lautet die Gleichung

$$0 = \left(\frac{\mathrm{d}^2}{\mathrm{d}\rho^2} + \frac{1}{\rho}\frac{\mathrm{d}}{\mathrm{d}\rho} - \frac{\mu^2}{\rho^2}\right)\chi(\rho)\ , \qquad 9$$

und sie kann gelöst werden mit $\chi(\rho) = \rho^\alpha$; Einsetzen ergibt $\alpha = |\mu|$ (das negative Vorzeichen ist zu unterdrücken, da die Wellenfunktion beim Ursprung gegen null gehen muß). Für $\rho \to \infty$ wird aus der Gleichung andererseits

$$0 = \left(\frac{\mathrm{d}^2}{\mathrm{d}\rho^2} + \frac{1}{\rho}\frac{\mathrm{d}}{\mathrm{d}\rho} - \frac{m^2\omega^2}{\hbar^2}\rho^2\right)\chi(\rho)\ , \qquad 10$$

und die Erfahrung mit dem eindimensionalen Oszillator legt einen Versuch mit $\chi(\rho) = \exp(-\beta\rho^2)$ nahe. Substitution führt auf die Bedingung

$$\left(4\beta^2 - \frac{m^2\omega^2}{\hbar^2}\right)\rho^2 - 4\beta = 0\ , \qquad 11$$

so daß man im Grenzübergang $\beta = \frac{m\omega}{2\hbar}$ erhält. Nach Einführen der Abkürzung $k = m\omega/\hbar$ werden wir daher die Zerlegung

$$\chi(\rho) = \exp(-\tfrac{1}{2}k\rho^2)\rho^{|\mu|}L(\rho) \qquad \underline{12}$$

verwenden.

An diesem Punkt kann man einiges abkürzen, indem man ein geeignetes orthogonales Polynom sucht. Statt zu versuchen, eines zu finden, das die nach der Substitution verbleibende Differentialgleichung erfüllt (tatsächlich funktioniert das in diesem Fall nicht, weil das Polynom, wie sich zeigen wird, von $k\rho^2$ und nicht von ρ abhängt), kann man in den Tabellen eines suchen, das die entsprechende Orthogonalitätsbedingung befriedigt. Die physikalische Normierung lautet

$$\int_0^\infty \rho\, \mathrm{d}\rho\, e^{-k\rho^2} \rho^{2\mu} L^2(\rho) = 1\ . \qquad \underline{13}$$

Unter den orthogonalen Polynomen sind nur die Laguerreschen und die Hermiteschen Polynome auf einem unendlichen Intervall definiert; die Orthogonalitätsrelation, die sich als ähnlich erweist, ist die der verallgemeinerten Laguerre–Polynome $L_n^\alpha(x)$, gegeben durch

$$\int_0^\infty \mathrm{d}x\, e^{-x} x^\alpha L_n^\alpha(x)^2 = 1\ . \qquad \underline{14}$$

Dies legt nahe, $x \to k\rho^2$ und $\alpha \to |\mu|$ zu identifizieren, und die versuchsweise angenommene Funktion ergibt sich schließlich zu

$$\chi(\rho) = \exp(-\tfrac{1}{2}k\rho^2)\rho^{|\mu|}L_n^{|\mu|}(k\rho^2)\ . \qquad \underline{15}$$

Einsetzen in die Differentialgleichung und Reduzieren aller Ausdrücke auf die neue Variable x erzeugt

$$x\frac{\mathrm{d}^2}{\mathrm{d}x^2}L_n^{|\mu|}(x) + (|\mu| + 1 - x)\frac{\mathrm{d}}{\mathrm{d}x}L_n^{|\mu|}(x) - \left(\frac{|\mu|+1}{2} + \frac{mA}{2k\hbar^2}\right)L_n^{|\mu|}(x) = 0\ , \qquad \underline{16}$$

was mit der Differentialgleichung für die verallgemeinerten Laguerreschen Polynome

$$x\frac{\mathrm{d}^2}{\mathrm{d}x^2}L_n^\alpha(x) + (\alpha + 1 - x)\frac{\mathrm{d}}{\mathrm{d}x}L_n^\alpha(x) + nL_n^\alpha(x) = 0 \qquad \underline{17}$$

verglichen werden kann. Das ergibt nicht nur die gleiche Identifizierung für α, sondern auch eine Bedingung für A:

$$A = \frac{\hbar^2 k}{m}(2n + |\mu| + 1) = \hbar\omega(2n + |\mu| + 1)\ . \qquad \underline{18}$$

Die neue Quantenzahl n kann Werte von $0\ldots\infty$ annehmen. Um klarzumachen, daß sie mit der ρ–Richtung verbunden ist, bezeichnen wir sie von jetzt an mit n_ρ.

Woran es der Argumentation natürlich mangelt, war der Beweis, daß dies die einzigen normierbaren Lösungen sind; um das zu erkennen, müßte man die Differentialgleichung in eine vom hypergeometrischen Typ umwandeln und dann zeigen, daß die einzige normierbare Lösung durch eine spezielle Wahl von Koeffizienten gegeben ist, die gerade zu den Laguerreschen Polynomen führt.

Die Ergebnisse zusammenfassend, lauten die Eigenfunktionen des harmonischen Oszillators in zylindrischen Koordinaten

$$\psi_{n_z n_\rho \mu}(z,\rho,\phi) = N \exp(-\tfrac{1}{2}k^2(z^2+\rho^2))\, \mathrm{H}_{n_z}(kz)\, \rho^{|\mu|} L_{n_\rho}^{|\mu|}(k\rho^2)\, e^{i\mu\phi} \qquad \underline{19}$$

mit N als einer nicht spezifizierten Normierungskonstanten, die leicht mit Hilfe der angegebenen Integral–Formeln und $k = m\omega/\hbar$ bestimmt werden kann. Die Energie der Zustände ist gegeben durch

$$E = \hbar\omega(n_z + 2n_\rho + |\mu| + \tfrac{3}{2}) \; . \qquad \underline{20}$$

Man beachte, daß die Zahl der „Quanten" n_ρ in der ρ–Richtung bei der Energieformel zweifach zählt, weil sie zwei Oszillator–Richtungen beinhaltet, und daß die Projektion des Drehimpulses zur Energie beiträgt wegen des Zentrifugalpotentials.

Natürlich ist die Entartung der Energieniveaus die gleiche, unabhängig vom verwendeten Koordinatensystem, und die Hauptquantenzahl N kann auf drei Arten aufgespalten werden:

$$N = n_x + n_y + n_z = n_z + 2n_\rho + |\mu| = 2n + l \; . \qquad \underline{21}$$

Die verschiedenen Koordinatensysteme sind in unterschiedlichen Situationen nützlich; wir werden sofort sehen, daß die Basis in Kugelkoordinaten die Spin–Bahn–Kopplung diagonal werden läßt, während deformierte Kerne oft einfacher in der zylindrischen Basis behandelt werden.

Die grundlegende Einsicht, die das phänomenologische Einteilchenmodell zu einem so kraftvollen Werkzeug in der Kernphysik machte, war die Einführung einer starken Spin–Bahn–Kraft durch Goeppert–Mayer und Jensen[Ma55]. Sie koppelt den Spin und den Bahndrehimpuls jedes einzelnen Nukleons und entspricht also dem Grenzwert der jj–Kopplung aus der Atomtheorie. Der Zusatzterm im Einteilchenpotential ist daher

$$C\hat{\boldsymbol{l}} \cdot \hat{\boldsymbol{s}} \; . \qquad (7.124)$$

Im sphärischen Fall ist dieser Term diagonal, und sein Wert kann berechnet werden mit Hilfe von

$$\hat{\boldsymbol{l}} \cdot \hat{\boldsymbol{s}} = \tfrac{1}{2}[(\hat{\boldsymbol{l}} + \hat{\boldsymbol{s}})^2 - \hat{\boldsymbol{l}}^2 - \hat{\boldsymbol{s}}^2] = \tfrac{1}{2}\hbar^2[j(j+1) - l(l+1) - s(s+1)] \; . \qquad (7.125)$$

Von sofortigem Interesse ist die Aufspaltung der zwei Niveaus mit $j = l \pm \frac{1}{2}$. Sie ist gegeben durch

$$E_{j=l+\frac{1}{2}} - E_{j=l-\frac{1}{2}} = C\hbar^2(l + \tfrac{1}{2}) \; . \qquad (7.126)$$

Experimentell findet man, daß der Zustand mit $j = l + \frac{1}{2}$ niedrigere Energie besitzt, so daß der Spin–Bahn–Kopplungsterm negatives Vorzeichen besitzen muß.

Es gibt immer noch die Möglichkeit eines r–abhängigen Koeffizienten C. Beim rein phänomenologischen Zugang bieten die experimentellen Daten nicht genug Information, um eine solche r–Abhängigkeit festzulegen, so daß gewöhnlich eine Konstante angenommen wird. Versuche, die Spin–Bahn–Kopplung aus mikroskopischen Überlegungen abzuleiten, sind nur in der Formulierung eines relativistischen Mesonenfelds erfolgreich (siehe Abschnitt 7.4); die der Dirac–Gleichung inhärente relativistische Spin–Bahn–Kopplung erweist sich als zu gering.

Typische Werte für $|C|$ liegen im Bereich von $0.3 - 0.6\ \mathrm{MeV}/\hbar^2$ (für eine detailliertere Parametrisierung siehe nächsten Abschnitt), und ein Spektrum für den harmonischen Oszillator mit Spin–Bahn–Kopplung ist in Abbildung 7.5 gezeigt. Die Energieniveaus sind mit der radialen Quantenzahl n, dem Bahndrehimpuls l und dem Gesamtdrehimpuls j als nlj gekennzeichnet. Jeder dieser Zustände ist $2j+1$–fach entartet mit den Projektionen $\Omega = -j, \ldots +j$. Die magischen Zahlen werden jetzt korrekt beschrieben!

Kommen wir nun zur Diskussion der Anwendungen dieses Modells und seiner Bestätigung durch experimentelle Daten. Die Eigenschaften der Einteilchenzustände selbst können mit *Pickup*– und *Stripping–Reaktionen* unterrsucht werden, welche die Bestimmung von Bindungsenergie und Drehimpuls der Teilchen nahe der Fermigrenze erlaubt. Die Experimente dieser Art tendieren zur Übereinstimmung mit den Voraussagen des Modells nahe abgeschlossenen Schalen.

Die Grundzustände von Kernen werden konstruiert, indem die Einteilchenzustände bis zur Fermigrenze aufgefüllt werden. Im Prinzip muß das Coulombpotential für die Protonen hinzugenommen werden. Da bei stabilen Kernen die Ferminiveaus für Protonen und Neutronen gleich sein sollten — ansonsten gleicht sie der Betazerfall aus —, hebt es die Einteilchenzustände in der Weise an, daß das Ferminiveau für Protonen auf gleicher Höhe wie das für Neutronen liegt, obwohl diese mehr Teilchen sind. Gewöhnlich wird der Einfluß des Coulombpotentials auf das Spektrum ignoriert, so daß das gleiche Spektrum verwendet und einfach bis zu einem unterschiedlichen Ferminiveau aufgefüllt wird. Jedoch sei bemerkt, daß bei ausgefeilteren Parametrisierungen (siehe nächsten Abschnitt) die Spin–Bahn–Kraft etwas unterschiedlich für die zwei Teilchentypen ist, so daß die Niveauschemata im Detail voneinander abweichen.

Man kann zwei Arten von Schalenabschlüssen unterscheiden. Wenn alle Projektionen Ω, die zu demselben j–Zustand gehören, aufgefüllt sind, nennt man dies eine *abgeschlossene j–Schale.* Wenn es eine größere Lücke im Niveauschema zur nächsten ungefüllten j–Schale gibt, d. h., wenn eine magische Zahl erreicht ist, entspricht dies einem Hauptschalenabschluß. In beiden Fällen sollte der Drehimpuls des Kerns null sein. Um das einzusehen, bedenke man, daß eine gefüllte j–Schale einen verschwindenden Drehimpuls besitzt, weil Anwenden eines beliebigen Drehimpulsoperators nur die Unterzustände mit unterschiedlichen Projektionen untereinander transformiert, wobei der Vielteilchenzustand invariant bleibt.

Die erste Konsequenz ist also die, daß alle Kerne, die aufgefüllten j–Schalen entsprechen, den Drehimpuls $I = 0$ besitzen. Das stimmt völlig mit dem Experiment überein.

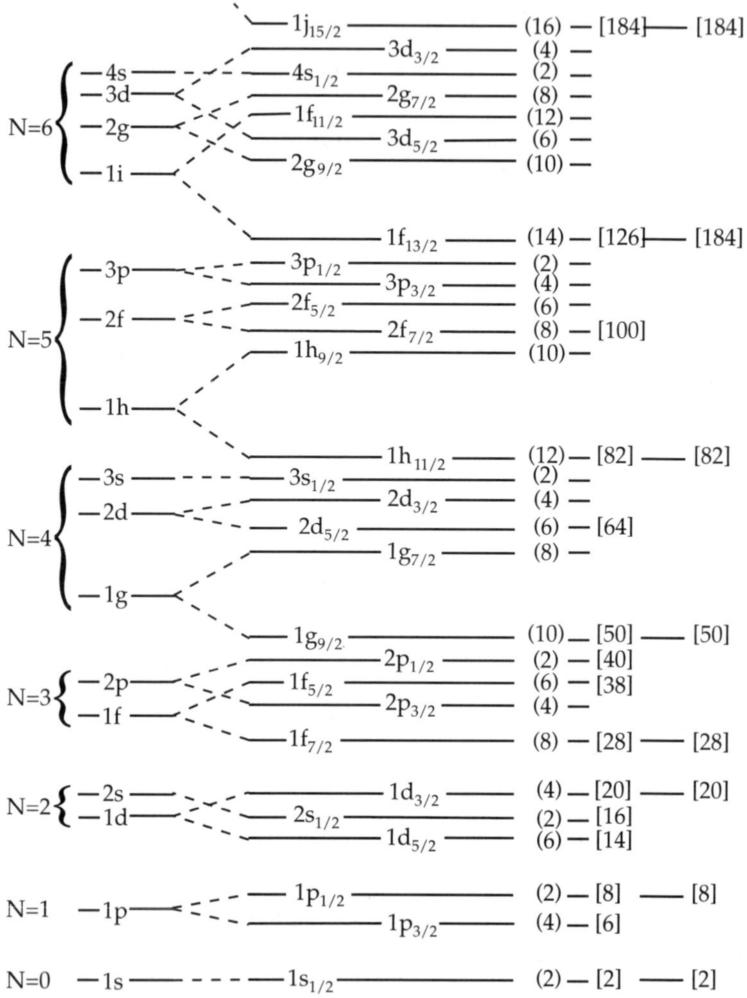

Abb. 7.5: Niveauschema eines harmonischen Oszillators mit Spin–Bahn–Kopplung. Die links eingezeichneten Zustände des reinen harmonischen Oszillators spalten auf, um die Struktur auf der rechten Seite zu bilden. Die Zahl der Teilchen auf jedem Niveau und die Gesamtzahl sind wie in Abbildung 7.4 angegeben. Ganz rechts finden sich die den Hauptschalenabschlüssen entsprechenden magischen Zahlen.

Der nächst einfachste Fall besteht in der Hinzunahme eines einzelnen Nukleons zu einem solchen Kern. Hierbei sollte sich der Drehimpuls des Kerns einzig aus dem Drehimpuls dieses einen Teilchens ergeben. Dies erweist sich *nahe den magischen Zahlen* ebenfalls als wahr. Ähnlich kann der Fall eines Loches in einer j–Schale behandelt werden.

Falls sich mehr als ein Nukleon in einer teilweise gefüllten j–Schale befindet, sagt das Modell Entartung aller Drehimpulskopplungen voraus. Zum Beispiel können zwei Teilchen in einer j–Schale zu einem Kerndrehimpuls von $I = 0, 2, \ldots 2j$ koppeln, und alle diese Möglichkeiten sollten zu einem entarteten Grundzustand führen. Experimentell ist das nicht wahr: Der Grundzustand eines Kerns ist niemals entartet, und dafür muß die Restwechselwirkung verantwortlich sein, welche die Entartung des reinen Einteilchenmodells aufhebt. Man kann bestimmte Regeln dafür angeben (wie die *Nordheim–Regeln*), welcher Drehimpuls bevorzugt wird. Da sie vom Einteilchenmodell überhaupt nicht erfaßt werden, werden die Details hier nicht ausgeführt, und nur ein Beipiel sei angegeben, das später wichtig sein wird: Bei zwei Teilchen mit demselben Isospin in einer j–Schale koppeln die Drehimpulse stets zu null, und in diesem Fall besteht die Restwechselwirkung in einer Art *Paarkraft* (siehe Abschnitt 7.5). Außerdem wird gezeigt werden, daß $I = 0$ für alle gg–Kerne gilt.

Eine weitere interessante Voraussage des phänomenologischen Einteilchenmodells betrifft das magnetische Moment der Kerne. Im Fall eines Nukleons außerhalb einer j–Schale wird erwartet, daß es das gesamte magnetische Moment des Kerns trägt. Da die Details in diesem Zusammenhang nicht allzu interessant sind, sei nur erwähnt, daß die Ergebnisse mit dem Experiment nur nahe den Hauptschalenabschlüssen übereinstimmen.

Momentan von größerem Interesse ist die Frage der Quadrupolmomente. Wiederum sollte es für ein Teilchen außerhalb einer j–Schale nur durch die Wellenfunktion dieses Teilchens bestimmt sein. Das Resultat (siehe Aufgabe 7.5) ist

$$Q_0 = -e\overline{r^2}\,\frac{2j-1}{2j+1}\,. \qquad (7.127)$$

Dies impliziert, daß Q_0 verschwinden sollte, wann immer $j = \frac{1}{2}$ ist, und daß es ansonsten negativ ist. Experimentell stellt man fest, daß bei den meisten Kernen die Werte positiv und viel (bis zu hundertmal) größer sind. Vernünftige Übereinstimmung mit dem Experiment wird nur nahe den Hauptschalenabschlüssen erreicht.

7.5 Aufgabe: Quadrupolmoment eines Kerns

Man berechne das Quadrupolmoment eines Kerns, erzeugt durch ein Teilchen im Zustand n, j, l.

Lösung:

Man schreibt die Wellenfunktion als

$$\psi_{nlj\Omega} = f_n(r)\sum_{ms}(l\tfrac{1}{2}j|ms\Omega)Y_{lm}(\theta,\phi)\chi_s \qquad \underline{1}$$

mit einer nicht weiter bestimmten Radialfunktion $f_n(r)$ und kann sie dann in die Definition des Quadrupolmoments

$$\begin{aligned} Q_0 &= e\sqrt{\frac{16\pi}{5}}\langle njl\Omega = j|r^2 Y_{20}(\theta,\phi)|njl\Omega = j\rangle \\ &= e\sqrt{\frac{16\pi}{5}}\left(\int r^2 f_n^2(r) r^2 \mathrm{d}r\right) \\ &\times \sum_{mm'ss'} (l\tfrac{1}{2}j|msj)(l\tfrac{1}{2}j|m's'j)\chi_s^+\chi_{s'} \int Y_{lm}^* Y_{20} Y_{lm'} \mathrm{d}(\cos\theta)\mathrm{d}\phi \end{aligned} \qquad \underline{2}$$

einsetzen. Die Argumente der Kugelflächenfunktionen sind in jedem Fall (θ, ϕ) und werden hier wie auch im weiteren unterdrückt. Das radiale Integral ist gerade der mittlere quadratische Radius $\overline{r^2}$ der Wellenfunktion, und das Integral über die Winkel kann unter Verwendung von

$$\int Y_{lm}^* Y_{LM} Y_{l'm'} \mathrm{d}(\cos\theta)\mathrm{d}\phi = (l'Ll|m'Mm)\sqrt{\frac{(2l'+1)(2L+1)}{4\pi(2l+1)}}(l'Ll|000) \qquad \underline{3}$$

ausgewertet werden, was in diesem speziellen Fall

$$\begin{aligned} \int Y_{lm}^* Y_{20} Y_{lm'} \mathrm{d}(\cos\theta)\mathrm{d}\phi &= (l2l|m'0m)\sqrt{\frac{5}{4\pi}}(l2l|000) \\ &= \delta_{m'm}(l2l|m0m)(l2l|000)\sqrt{\frac{5}{4\pi}} \end{aligned} \qquad \underline{4}$$

ergibt. Mit der Orthogonalität der Spinoren $\chi_s^+\chi_{s'} = \delta_{ss'}$ erhalten wir das Ergebnis

$$Q_0 = 2e\overline{r^2}\sum_{ms}(l\tfrac{1}{2}j|msj)^2(l2l|m0m)(l2l|000) \qquad \underline{5}$$

und nach Einsetzen der Clebsch–Gordan–Koeffizienten

$$Q_0 = -e\overline{r^2}\frac{2j-1}{2j+1} \qquad \underline{6}$$

für beide Werte $j = l \pm \frac{1}{2}$.

Schließlich führt eine Berechnung der elektromagnetischen Übergangswahrscheinlichkeiten notwendigerweise zu Ergebnissen nahe den Weisskopf–Abschätzungen; wieder neigen die experimentellen Werte dazu, entfernt von den Hauptschalenabschlüssen sehr viel größer zu sein, wie es schon in Verbindung mit dem Kollektivmodell gesehen wurde.

Zusammenfassend kann man sagen, daß das sphärische phänomenologische Einteilchenmodell erfolgreich die magischen Schalenabschlüsse und die Eigenschaften der benachbarten Kerne erklärt, jedoch bei den Kernen zwischen den Hauptschalenabschlüssen versagt. Zurückblickend auf die Diskussion von Rotationszuständen in Abschnitt 6.3-6.4 scheint es, daß das Modell modifiziert werden sollte, um den Kerndeformationen Rechnung zu tragen. Dies wird im nächsten Abschnitt diskutiert.

7.3.2 Das deformierte Schalenmodell

Die Verallgemeinerung des phänomenologischen Schalenmodells auf deformierte Kernformen wurde zuerst von S. G. Nilsson [Ni55] und auch in [Go56, Mo55] angegeben, weshalb man sich auf diese Version oft als das *Nilsson–Modell* bezieht. Die grundlegende Idee besteht darin, die Oszillatorkonstanten in den verschiedenen Raumrichtungen unterschiedlich zu wählen:

$$V(\boldsymbol{r}) = \frac{m}{2}(\omega_x^2 x^2 + \omega_y^2 y^2 + \omega_z^2 z^2) \ . \tag{7.128}$$

Bevor wir eine handlichere Parametrisierung finden, überlege man sich für einen Moment, welche die zugehörige Kerngestalt sein wird. Beim Schalenmodell des sphärischen Oszillators hatten wir erkannt, daß die Kernoberfläche unabhängig von A einen konstanten Wert für das Potential besitzt. Im deformierten Fall sollte die Dichteverteilung dem Potential in gleicher Weise folgen, so daß man eine geometrische Kernoberfläche definieren kann als die Menge aller Punkte (x, y, z) mit

$$\tfrac{1}{2} m \bar{\omega}_0^2 R^2 = \frac{m}{2}(\omega_x^2 x^2 + \omega_y^2 y^2 + \omega_z^2 z^2) \ , \tag{7.129}$$

wobei $\hbar\bar{\omega}_0 = 41\,\mathrm{MeV}/A^{1/3}$ die Oszillatorkonstante des äquivalenten sphärischen Kerns darstellt. So wird ein Ellipsoid mit den Achsen X, Y und Z definiert, das durch

$$\bar{\omega}_0 R = \omega_x X = \omega_y Y = \omega_z Z \tag{7.130}$$

gegeben ist. Die Bedingung der Inkompressibilität von Kernmaterie erfordert, daß das Volumen des Ellipsoids gleich dem der Kugel sein muß. Folglich muß $R^3 = XYZ$ gelten, wodurch eine Bedingung an die Oszillatorfrequenzen gestellt ist:

$$\bar{\omega}_0^3 = \omega_x \omega_y \omega_z \ . \tag{7.131}$$

Man nehme nun Axialsymmetrie bezüglich der z–Achse an, d. h. $\omega_x = \omega_y$, und eine kleine Abweichung von der sphärischen Gestalt, gegeben durch einen kleinen Parameter δ. Wir definieren

$$\omega_x^2 = \omega_y^2 = \omega_0^2(1 + \tfrac{2}{3}\delta), \qquad \omega_z^2 = \omega_0^2(1 - \tfrac{4}{3}\delta) \ , \tag{7.132}$$

wodurch offensichtlich die Forderung nach Volumenerhaltung aus (7.131) in erster Ordnung mit $\omega_0 = \bar{\omega}_0$ erfüllt wird. Volumenerhaltung bis zur zweiten Ordnung kann erreicht werden, indem man

$$\bar{\omega}_0^6 = (1 - \tfrac{4}{3}\delta)(1 + \tfrac{2}{3}\delta)^2 \omega_0^6 \tag{7.133}$$

benützt, was in zweiter Ordnung auf

$$\omega_0 \approx (1 + \tfrac{2}{9}\delta^2)\bar{\omega}_0 \tag{7.134}$$

führt. Unter Verwendung des expliziten Ausdrucks für die Kugelflächenfunktion Y_{20} kann das Potential auch als

$$V(\boldsymbol{r}) = \tfrac{1}{2}m\omega_0^2 r^2 - \beta_0 m\omega_0^2 r^2 Y_{20}(\theta,\phi) \tag{7.135}$$

geschrieben werden, wobei β_0 mit δ über

$$\beta_0 = \frac{4}{3}\sqrt{\frac{4\pi}{5}}\delta \tag{7.136}$$

in Beziehung steht. Es ist wichtig zu erkennen, daß die auf diese Art gewonnenen deformierten Formen verschieden von denen im Kollektivmodell sind, bei dem der Radius, und nicht wie hier das Potential, in Kugelflächenfunktionen entwickelt wurde (siehe Abschnitt 6.1.1). Der Unterschied ist für große Deformationen besonders ausgeprägt, bei denen die Formen des Kollektivmodells einen Hals entwickeln und sich sogar trennen. Bei $\theta = \frac{\pi}{2}$ ergibt sich der größte negative Wert $Y_{20}(\frac{\pi}{2},\phi) = -\frac{1}{2}\sqrt{\frac{5}{4\pi}}$, so daß

$$R(\tfrac{\pi}{2},\phi) = R_0(1 + \alpha_{20}(\tfrac{\pi}{2},\phi)) \tag{7.137}$$

dort null wird für $\alpha_{20} = 2\sqrt{4\pi/5}$ und eine in zwei Fragmente gespaltene Form erzeugt wird. Im Gegensatz dazu bleibt die Gestalt im deformierten Schalenmodell stets ellipsoidal, wenn auch mit beliebig großer Streckung.

Wir können nun den Hamiltonoperator des Modells hinschreiben:

$$\begin{aligned}\hat{H} &= -\frac{\hbar^2}{2m}\nabla^2 + \tfrac{1}{2}m\omega_0^2 r^2 - \beta_0 m\omega_0^2 r^2 Y_{20}(\theta,\phi) \\ &\quad -\hbar\bar{\omega}_0\kappa(2\hat{\boldsymbol{l}}\cdot\hat{\boldsymbol{s}} + \mu\hat{\boldsymbol{l}}^2)\ .\end{aligned} \tag{7.138}$$

Der Spin–Bahn–Term wird gewöhnlich mit einer Konstante κ parametrisiert, und es gibt auch einen durch μ parametrisierten $\hat{\boldsymbol{l}}^2$–Term, der phänomenologisch eingeführt wird, um die Energie der Einteilchenzustände näher an der Kernoberfläche abzusenken. Dies korrigiert den steilen Anstieg des harmonischen Oszillator–Potentials in diesem Bereich. Sowohl κ als auch μ können sich für Protonen und Neutronen unterscheiden und auch von der Nukleonenzahl abhängen. In der Literatur gibt es verschiedene Parametrisierungen, welche eine Variation mit A, $A^{1/3}$ oder mit der Hauptschale annehmen [Gu66, Ni69, Se67]. Die Details sind sehr wichtig, wenn das Modell zu superschweren Kernen extrapoliert wird; hier sei nur erwähnt, daß die Größenordnung der Werte bei 0.05 für κ und 0.3 für μ liegt.

Der Hamiltonoperator kann in der Basis des harmonischen Oszillators diagonalisiert werden, indem man je nach Anwendung Kugel– oder Zylinderkoordinaten benutzt. In Kugelkoordinaten sind Spin–Bahn– und $\hat{\boldsymbol{l}}^2$–Terme diagonal, aber der Y_{20}–Term koppelt Bahndrehimpulse, die sich um ± 2 unterscheiden (diese Kopplung wurde in

Nilssons Originalarbeit der beschränkten Computerzeit wegen vernachlässigt). In Zylinderkoordinaten dagegen ist das deformierte Oszillatorpotential diagonal und die Drehimpulsterme müssen numerisch diagonalisiert werden. In beiden Fällen ergeben sich vermöge moderner Rechenkapazitäten keine echten Probleme.

Es lohnt sich, die aus den verschiedenen Ansätzen resultierenden Quantenzahlen zu untersuchen (für Einzelheiten siehe Aufgabe 7.4). Man betrachte zuerst den sphärischen Oszillator ohne Spineffekte. Die Energieniveaus in der Basis, die sich in Kugelkoordinaten ergibt, sind durch

$$\epsilon = \hbar\omega_0(N + \tfrac{3}{2}) \tag{7.139}$$

mit der Hauptquantenzahl $N = 2(n_r - 1) + l$, der radialen Quantenzahl n_r, der Drehimpulsquantenzahl l und der Projektion m gegeben. In der zylindrischen Basis werden sie ersetzt durch

$$\epsilon = \hbar\omega_z(n_z + \tfrac{1}{2}) + \hbar\omega_\rho(2n_\rho + |m| + 1) \ , \tag{7.140}$$

wobei n_z die Zahl der Quanten in z–Richtung angibt, n_ρ die der radialen Anregungen und m wieder die Drehimpulsprojektion auf die z–Achse. Für die sphärische Gestalt werden die Energieniveaus gemäß der Hauptquantenzahl N geordnet (die Aufspaltung aufgrund der Spin–Bahn–Kraft wird dabei durch den Gesamtdrehimpuls j bestimmt), aber das Verhalten mit Deformation hängt davon ab, wieviel von der gesamten Anregung in z–Richtung auftritt. Bei prolater Deformation wird das Potential in dieser Richtung flacher, und der Energiebeitrag der n_z–Anregungen vermindert sich. Die zylindrischen Quantenzahlen helfen so im Verständnis der Aufspaltung bei kleinen Deformationen.

Auf der anderen Seite wird bei sehr großen Deformationen der Einfluß des Spin–Bahn– und des $\hat{\boldsymbol{l}}^2$–Terms weniger wichtig, und man kann die Energieniveaus nach den zylindrischen Quantenzahlen ordnen. Es hat sich daher eingebürgert, die Einteilchenniveaus mit dem Satz $\Omega^\pi[Nn_zm]$ zu kennzeichnen. Ω, die Projektion des Gesamtdrehimpulses, und die Parität π sind gute Quantenzahlen. N, n_z und m dagegen sind es nur näherungsweise und können für ein gegebenes Energieniveau nur aufgrund ihres Verhaltens nahe dem sphärischen Zustand oder, für m, bei großer Deformation bestimmt werden (in der Praxis wird die Rechnung zeigen, welche die dominierende Basisfunktion in der Entwicklung des diagonalisierten Zustands ist).

Aufgabe 7.6 zeigt, wie die Rechnung in der zylindrischen Basis wirklich durchgeführt wird.

Die Abbildungen 7.6–7.7 zeigen die resultierenden Energieniveaus als Funktion der Deformation. Auf den ersten Blick scheint dieses *Nilsson–Diagramm* eine verwirrende Mischung sich überschneidender Niveaus zu sein, doch kann man eine Reihe interessanter Beobachtungen machen. Die hochentarteten sphärischen Niveaus spalten in die einzelnen Paare von Zuständen auf, die charakterisiert sind durch $\pm\Omega$ und ihre Parität, welche vom Gesamtdrehimpuls im Fall der sphärischen Form bestimmt wird.

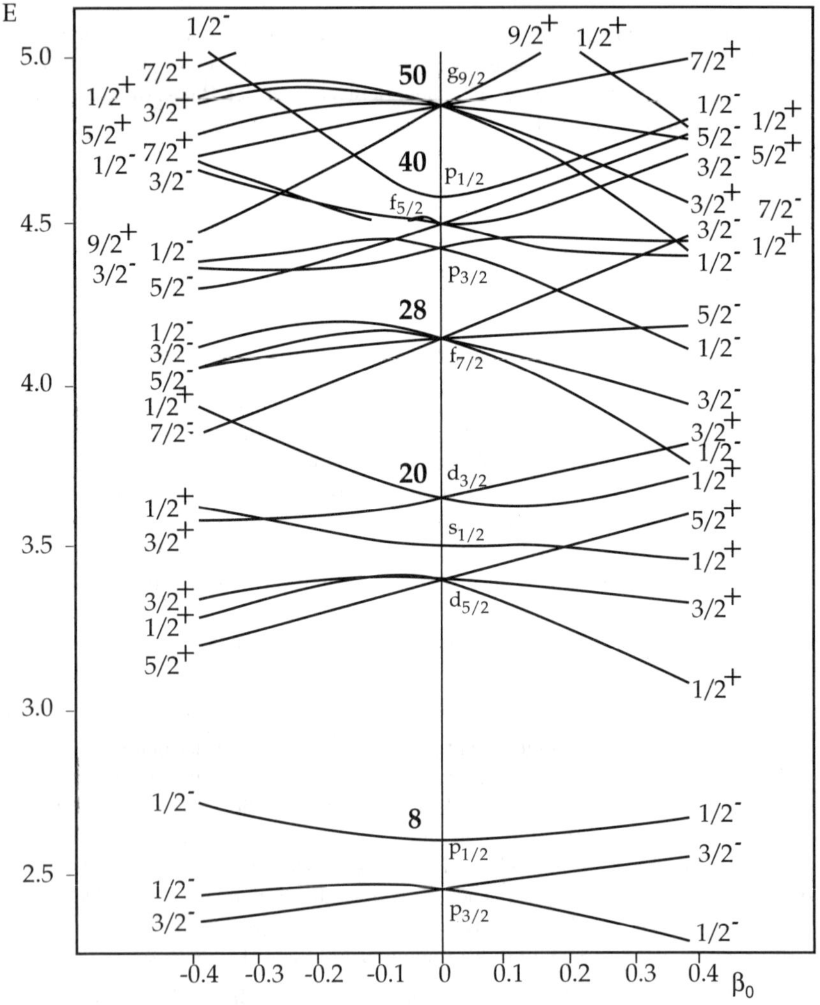

Abb. 7.6: Unterster Teil des Energieniveau–Diagramms (Nilsson–Diagramm) für das deformierte Schalenmodell. Die Einteilchenenergien sind als Funktionen der Deformation eingezeichnet und in Einheiten von $\hbar\bar{\omega}_0$ angegeben. Die Quantenzahlen Ω^π für die einzelnen Niveaus und l_j für die sphärischen sind ebenso wie die magischen Zahlen für die Kugelgestalt eingetragen.

Bei den sphärischen Niveaus sind auch die magischen Zahlen sowie Bahn– und Gesamtdrehimpuls in üblicher Nomenklatur angegeben.

Die Projektion $|\Omega|$ und die Parität sind für alle Energieniveaus, die sich aus den sphärischen Multipletts unterhalb der magischen Zahl 82 ergeben, angezeigt. Die Art und Weise, in der die Niveaus auseinanderstreben, kann ziemlich leicht verstanden werden: Zustände mit größerer Projektion sollten eine kleinere Quantenzahl n_z besitzen, so daß sie bei oblater Deformation, für die die Frequenz in z–Richtung ansteigt, gegenüber den anderen Zuständen erniedrigt werden, und das Gegenteil geschieht bei prolater Deformation.

Das systematische Verhalten der Energieniveaus wird verkompliziert durch *vermiedene Niveaukreuzungen.* Als allgemeine Regel sollten sich Niveaus mit denselben (exakten) Quantenzahlen niemals überkreuzen, wenn sie als Funktionen eines einzelnen Parameters aufgetragen werden. Dies wurde zuerst von von Neumann und Wigner [Ne29] bemerkt, die untersuchten, wie die Zahl der Freiheitsgrade einer allgemeinen hermiteschen Matrix reduziert wird, falls die Matrix auf zwei gleiche Eigenwerte festgelegt ist; sie fanden heraus, daß die Variation eines einzelnen Parameters im allgemeinen nicht genügt, um die Matrix auf diesen Spezialfall zu reduzieren. Also sollte eine Entartung immer durch eine Symmetrie begründet sein, die zur Unterscheidung der Zustände zusätzliche Quantenzahlen erzeugt.

Falls sich zwei Niveaus mit den gleichen Quantenzahlen nähern, werden sie statt dessen voneinander abgestoßen, wie man aus dem Zwei–Niveau–Problem ersieht, das in Aufgabe 7.7 vorgestellt wird. Im Nilsson–Diagramm aus Abbildung 7.6 ist der Effekt deutlich zu erkennen, z. B. beim $1/2^-$–Niveau aus dem sphärischen $f_{5/2}$–Multiplett unterhalb der magischen Zahl 40. Hin zu negativen Deformationen wird es zuerst vom $1/2^-$–Niveau aus dem $p_{1/2}$–Zustand darüber und dann vom $p_{3/2}$–Zustand darunter abgestoßen. Jedoch ist die Kreuzung mit dem von oben kommenden $9/2^+$ nicht verboten.

Um mehr Details erkennen zu lassen, zeigt Abbildung 7.8 einen Auszug aus dem Nilsson–Diagramm oberhalb der Blei–Schale. In dieser Figur sind die Niveaus auch mit den asymptotischen Quantenzahlen in Klammern gemäß $\Omega^\pi[Nn_zm]$ gekennzeichnet, wobei N die sphärische Hauptquantenzahl des Oszillators, n_z die Zahl der Phononen in z–Richtung und m die Projektion des Bahndrehimpulses darstellt. Die letzteren zwei werden im Grenzfall großer Deformation gute Quantenzahlen, was den Effekt abnehmender Frequenz in z–Richtung, der zu einer n_z–abhängigen Verringerung der Energie führt, klar verdeutlicht.

Ein weiterer interessanter Punkt in dieser Abbildung ist die Existenz von Lücken im Niveauschema bei großer Deformation, die in einigen Fällen in der Größe vergleichbar den sphärischen Schalenabständen sind. In diesen Lücken sind auch die passenden „magischen Zahlen“ angezeigt. Mehr zur Bedeutung dieser Schalenstrukturen wird in Kapitel 9 angegeben werden.

Ein in der Praxis problematischer Punkt ist die Existenz unterschiedlicher Deformationsparameter sogar innerhalb dieses einen Modells. Sie spiegeln verschiedene Arten

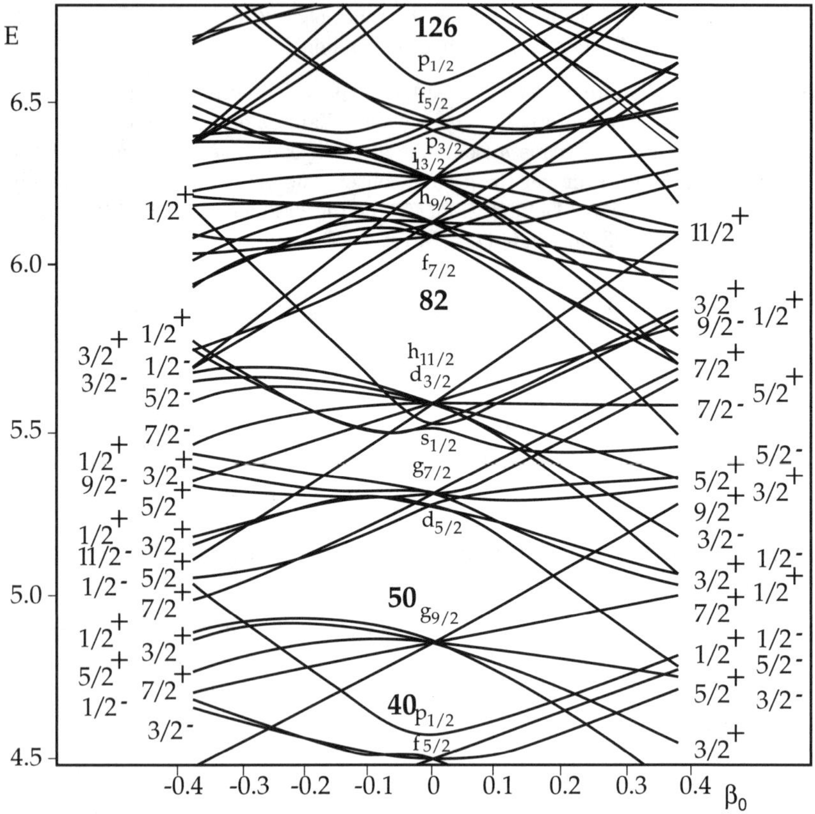

Abb. 7.7: Oberer Teil des Nilsson–Diagramms. Die einzelnen Quantenzahlen sind nur bis zur sphärischen Schale bei der magischen Zahl 82 angegeben.

der Parametrisierung wider, abhängig davon, ob das Potential in Kugelflächenfunktionen entwickelt wird (diese Parameter werden oft ϵ genannt, ϵ_2 wie hier besprochen dem Quadrupol entsprechend und ϵ_4 dem Hexadekupol), oder ob man andererseits mit dem Verhältnis von Achsen oder Frequenzen beginnt (δ, η usw.). Natürlich stehen sie in ziemlich trivialer Weise miteinander in Beziehung. Vermutlich die beste Informationsquelle für all die zahlreichen Parametrisierungen der Kerngestalt — kollektiv oder Ein–Teilchen — ist die von Hasse und Myers [Ha88], die dem Leser zum Nachschlagen bei solchen Problemen empfohlen sei.

Sofort von Bedeutung ist die Frage, wie der oben verwendete Deformationsparameter β_0 mit dem des Kollektivmodells, welcher den gleichen Namen hat, aber α_{20} entspricht, in Verbindung steht. Wie schon bemerkt, weichen die in den zwei Modellen erlaubten Formen deutlich voneinander ab, stimmen aber bei kleinen Deformationen genügend überein, um einen Vergleich zu gestatten.

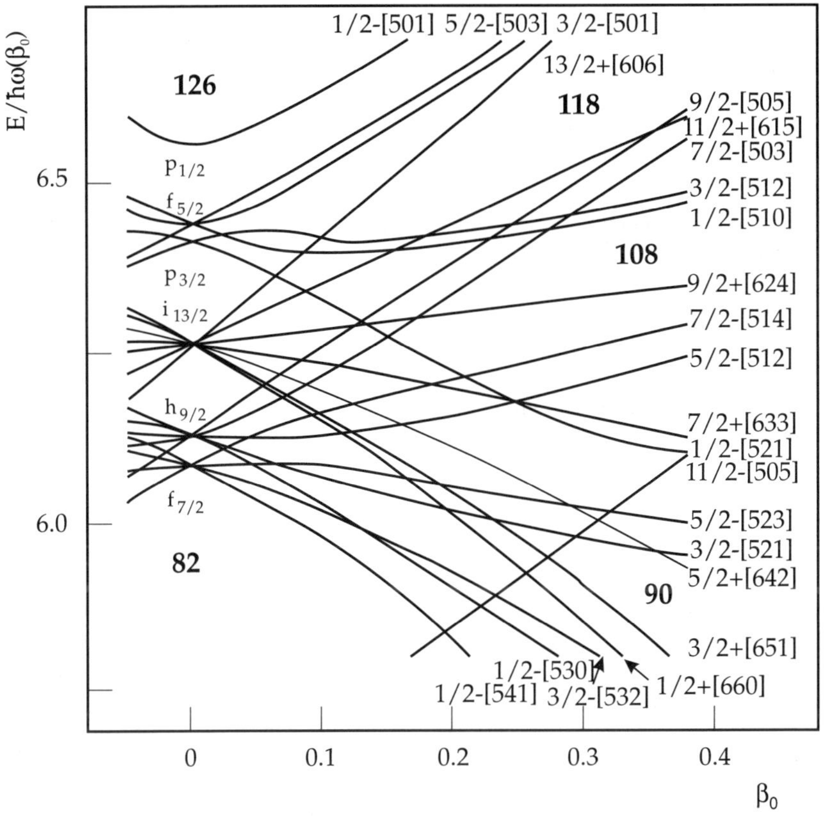

Abb. 7.8: Ein Auszug aus dem Nilsson–Diagramm oberhalb der Blei–Schale in größerem Detail. Die Einteilchenzustände sind zusätzlich zu Ω^π mit den näherungsweisen Quantenzahlen $[Nn_zm]$ gekennzeichnet und die magischen Zahlen sowohl für Kugelgestalt als auch für deformierte Schalenabschlüsse angegeben.

Ein Weg dazu wäre, die Quadrupolmomente der Kernformen auszurechnen und dann die Deformationsparameter, die zu demselben Quadrupolmoment führen, miteinander zu identifizieren. Statt dessen benutzen wir die einfachere Methode, indem die Achsenverhältnisse in den zwei Modellen verglichen werden (in niedrigster Ordnung führt das natürlich zu den gleichen Ergebnissen).

Im Kollektivmodell sind die Achsenlängen R_z und $R_x = R_y$ gegeben durch

$$R_z = R_0\,(1+\alpha_{20}Y_{20}(\theta=0)) = R_0\left(1+\alpha_{20}\sqrt{\frac{5}{4\pi}}\right) \tag{7.141}$$

$$R_x = R_0\,(1+\alpha_{20}Y_{20}(\theta=\pi/2)) = R_0\left(1-\tfrac{1}{2}\alpha_{20}\sqrt{\frac{5}{4\pi}}\right),$$

so daß man als Verhältnis in erster Ordnung

$$\frac{R_z}{R_x} = \frac{1 + \alpha_{20}\sqrt{\frac{5}{4\pi}}}{1 - \frac{1}{2}\alpha_{20}\sqrt{\frac{5}{4\pi}}} \approx 1 + \tfrac{3}{2}\alpha_{20}\sqrt{\frac{5}{4\pi}} \tag{7.142}$$

erhält. Auf der anderen Seite ist das Verhältnis der Achsen im Nilsson–Modell durch die Beziehung

$$\tfrac{1}{2}m\omega_0^2\,(1 - 2\beta_0\,Y_{20}(\theta = 0))\,R_z^2 = \tfrac{1}{2}m\omega_0^2\,(1 - 2\beta_0\,Y_{20}(\theta = \pi/2))\,R_x^2 \tag{7.143}$$

gegeben, woraus — wieder in erster Ordnung — folgt:

$$\frac{R_z^2}{R_x^2} = \frac{1 + \frac{1}{2}\beta_0\sqrt{\frac{5}{\pi}}}{1 - \beta_0\sqrt{\frac{5}{\pi}}} \approx 1 + \tfrac{3}{2}\alpha_{20}\sqrt{\frac{5}{\pi}}\ . \tag{7.144}$$

Die Quadratwurzel fügt einen Faktor $\frac{1}{2}$ zum Term erster Ordnung, so daß die zwei Ausdrücke in erster Ordnung übereinstimmen. Das zeigt, daß die Bezeichnung β_0 angemessen gewählt war, um die Gleichheit in erster Ordnung mit dem β_0 des Kollektivmodells anzuzeigen.

Diese Art von Niveaudiagramm ist wesentlich für das Verständnis vieler Eigenschaften deformierter Kerne. Wir werden zur Bestimmung von Grundzustandsdeformationen in Verbindung mit der modernen Methode der Schalenkorrekturen in Abschnitt 9.2.2 darauf zurückkommen. Ist aber die Grundzustandsdeformation erst bekannt, können einige Schlüsse bezüglich des Drehimpulses und der Parität des Kerns gezogen werden. Bei gg–Kernen läßt die Paarkraft (siehe Abschnitt 7.5) alle Nukleonen sich in den Niveaus als Paare mit $\pm\Omega$ zu einem Gesamtdrehimpuls von null aufaddieren, aber in ungeraden Kernen bestimmen der Drehimpuls und die Parität des vom einzigen ungepaarten Nukleon besetzten Zustands die Eigenschaften des Grundzustands. Daher zählt man bei festgelegter Deformation das Niveauschema für Protonen oder Neutronen bis zum Niveau mit dem ungeraden Teilchen hoch. Idealerweise ist der Spin des Kerns dann durch $I = \Omega$ gegeben und die Parität durch die Parität des Einteilchenzustands. In der Praxis liegen gewöhnlich mehrere Niveaus nahe beieinander bei dieser Deformation: In diesem Fall liefert eines davon die Grundzustandseigenschaften, während die anderen Kombinationen von Quantenzahlen unter den Anregungen niedriger Energie zu finden sein werden.

Zum Abschluß des Kapitels sei bemerkt, daß es natürlich auch Verallgemeinerungen des Woods–Saxon–Potentials und anderer realistischer Potentiale für deformierte Formen gibt. Dieses Thema wird in Abschnitt 9.1 wieder aufgegriffen werden, wenn Kollektivbewegungen großer Amplitude diskutiert werden.

7.6 Aufgabe: Einteilchenenergien des deformierten Oszillators

Man berechne die Einteilchenenergien aus dem Schalenmodell des deformierten Oszillators einschließlich der Spin–Bahn–Kopplung, aber ohne den $\hat{\boldsymbol{l}}^2$–Term.

Lösung:

Dieses Problem kann nicht völlig analytisch gelöst werden; aber da es einige der am häufigsten benutzten Methoden von Kernstrukturrechnungen illustriert, werden wir es soweit wie möglich vorstellen.

Für die Diagonalisierung des Hamiltonoperators gibt es im wesentlichen zwei numerische Ansätze: die Methode der *Basisentwicklung*, in der die unbekannten Wellenfunktionen in einer durch die Eigenzustände eines ähnlichen Hamiltonoperators gegebenen Basis entwickelt werden, oder der rein numerische Zugang, in dem Näherungen mit finiten Differenzen oder gewisse andere allgemeine numerische Methoden wie *Splines* verwendet werden. Charakteristisch für die zweite Methode ist, daß die Entwicklung kaum Verbindung zur physikalischen Situation hat; sie kann gewöhnlich bei ganz beliebigen Problemen angewandt werden. Obwohl infolge wachsender Computerleistung die letzteren Methoden weiter verbreitet wurden, werden wir hier ihres größeren physikalischen Gehalts wegen die Basisentwicklung diskutieren.

Die Wahl einer Basis ist der erste entscheidende Schritt. Beim sphärischen harmonischen Oszillator haben wir drei verschiedene Systeme von Basisfunktionen gesehen, basierend auf kartesischen, zylindrischen und Kugelkoordinaten. Jedes von ihnen hat bestimmte Vor– und Nachteile für das konkrete Problem:

- In kartesischen Koordinaten ist das Oszillatorpotential diagonal, aber der Drehimpuls liefert gar keine Quantenzahl.
- In zylindrischen Koordinaten ist das Oszillatorpotential ebenfalls diagonal, solange die Axialsymmetrie bezüglich der z–Achse beibehalten wird, und die Drehimpulsprojektion μ ist definiert.
- In Kugelkoordinaten ist die Spin–Bahn–Kopplung diagonal, aber nicht das Oszillatorpotential selbst.

Für die Wahl des Basissatzes ist also entscheidend, ob die Spin–Bahn–Kopplung oder die Deformation des Potentials wichtiger ist. In der Praxis hängt das von der Deformation ab: Nahe der sphärischen Form spaltet die Spin–Bahn–Kopplung die Niveaus viel mehr auf als die Deformation, während bei großer Deformation die zylindrische Basis den wahren Zuständen näher ist; das wird in den oben diskutierten „asymptotischen Quantenzahlen“ deutlich.

Die zylindrische Basis, wie sie in Aufgabe 7.4 besprochen wurde, kann in der Dirac–Schreibweise als $|n_z n_\rho \mu s\rangle$ geschrieben werden, wobei die Spinprojektion s hinzugefügt wurde. Da die Wellenfunktionen Produkte von Funktionen der verschiedenen Koordinaten sind, können sie auch zu

$$|n_z n_\rho \mu s\rangle = |n_z\rangle |n_\rho \mu\rangle |\mu\rangle |s\rangle \qquad \underline{1}$$

aufgespalten werden, wobei die Kets auf der rechten Seite die z–, ρ–, ϕ– bzw. spinabhängigen Funktionen bezeichnen.

Der Hamiltonoperator des deformierten Schalenmodells kann in den Teil, der die Basisfunktionen erzeugt, und den Spin–Bahn–Teil aufgespalten werden:

$$\hat{H} = \hat{H}_0 + \hat{H}_{\mathrm{LS}} \qquad \underline{2}$$

mit

$$\begin{aligned}
\hat{H}_0 &= -\frac{\hbar^2}{2m}\left(\frac{\partial^2}{\partial z^2}+\frac{\partial}{\partial\rho^2}+\frac{1}{\rho}\frac{\partial}{\partial\rho}+\frac{1}{\rho^2}\frac{\partial}{\partial\phi^2}\right)+\tfrac{1}{2}m\omega_z^2z^2+\tfrac{1}{2}m\omega_\rho^2\rho^2 \qquad \underline{3}\\
\hat{H}_{\mathrm{LS}} &= -2\hbar\bar{\omega}_0\kappa\hat{\boldsymbol{l}}\cdot\hat{\boldsymbol{s}}\\
&= -2\hbar\bar{\omega}_0\kappa\left(\tfrac{1}{2}(\hat{L}_+\hat{s}_-+\hat{L}_-\hat{s}_+)+\hat{L}_z\hat{s}_z\right)\ .
\end{aligned}$$

Hier wurde der Unterschied der Achsen in der z– und ρ–Richtung durch unterschiedliche Oszillatorfrequenzen ω_z und ω_ρ ausgedrückt; das Spin–Bahn–Potential wurde mit Hilfe von Drehimpuls–Schiebeoperatoren geschrieben, weil sie in einer Basis mit guter Projektion einfachere Matrixelemente besitzen.

Wie versprochen ist der Operator $\hat{H}_0$ in der Basis diagonal:

$$\begin{aligned}
\langle n_z'n_\rho'\mu's'|\hat{H}_0|n_zn_\rho\mu s\rangle &= \left(\hbar\omega_z(n_z+\tfrac{1}{2})+\hbar\omega_\rho(2n_\rho+|\mu|+1)\right) \qquad \underline{4}\\
&\quad\times\delta_{n_z'n_z}\delta_{n_\rho'n_\rho}\delta_{\mu'\mu}\delta_{s's}\ .
\end{aligned}$$

Also ist das nichttriviale Problem die Spin–Bahn–Kopplung. Der erste Schritt besteht in der Transformation der Bahndrehimpulsoperatoren in Zylinderkoordinaten. Eine längere Rechnung ergibt unter Verwendung der üblichen Regeln zur partiellen Differentiation

$$\begin{aligned}
\hat{L}_+ &= -\hbar e^{\mathrm{i}\phi}\left(\rho\frac{\partial}{\partial z}-z\frac{\partial}{\partial\rho}-\mathrm{i}\frac{z}{\rho}\frac{\partial}{\partial\phi}\right) \qquad \underline{5}\\
\hat{L}_- &= \hbar e^{-\mathrm{i}\phi}\left(\rho\frac{\partial}{\partial z}-z\frac{\partial}{\partial\rho}+\mathrm{i}\frac{z}{\rho}\frac{\partial}{\partial\phi}\right)\\
\hat{L}_z &= -\mathrm{i}\hbar\frac{\partial}{\partial\phi}\ .
\end{aligned}$$

Die Spinoperatoren haben die einfachen Matrixelemente

$$\langle s'|\hat{s}_+|s\rangle=\hbar\delta_{s',s+1},\qquad\langle s'|\hat{s}_-|s\rangle=\hbar\delta_{s',s-1},\qquad\langle s'|\hat{s}_z|s\rangle=\hbar s\delta_{s's}\ , \qquad \underline{6}$$

und die erste Zerlegung des Spin–Bahn–Matrixelements liefert

$$\begin{aligned}
\langle n_z'n_\rho'\mu's'|\hat{H}_{\mathrm{LS}}|n_zn_\rho\mu s\rangle &= -\hbar\bar{\omega}_0\kappa\langle n_z'n_\rho'\mu'|\hat{L}_+|n_zn_\rho\mu\rangle\delta_{s',s-1} \qquad \underline{7}\\
&\quad-\hbar\bar{\omega}_0\kappa\langle n_z'n_\rho'\mu'|\hat{L}_-|n_zn_\rho\mu\rangle\delta_{s',s+1}-\hbar\bar{\omega}_0\kappa s\langle n_z'n_\rho'\mu'|\hat{L}_z|n_zn_\rho\mu\rangle\delta_{s's}\ .
\end{aligned}$$

Der Faktor $\hbar$ von den Spinoperatoren wurde weggelassen (wie auch später die in den Bahndrehimpulsen enthaltenen $\hbar$ aufgrund der von Nilsson [Ni55] eingeführten Konvention, diese Faktoren in die Definition von κ einzuschließen).

Das letzte Matrixelement ist trivial, weil $\hat{L}_z$ diagonal ist:

$$\langle n_z'n_\rho'\mu'|\hat{L}_z|n_zn_\rho\mu\rangle=\hbar\mu\delta_{n_z'n_z}\delta_{n_\rho'n_\rho}\delta_{s's}\ , \qquad \underline{8}$$

während die anderen zu Produkten der Matrixelemente

$$\begin{aligned}
&\langle n_z'|z|n_z\rangle,\quad\langle n_z'|\frac{\mathrm{d}}{\mathrm{d}z}|n_z\rangle,\quad\langle n_\rho'\mu\pm1|\rho|n_\rho\mu\rangle, \qquad \underline{9}\\
&\langle n_\rho'\mu\pm1|\frac{\mathrm{d}}{\mathrm{d}\rho}|n_\rho\mu\rangle,\quad\langle n_\rho'\mu\pm1|\frac{1}{\rho}|n_\rho\mu\rangle
\end{aligned}$$

reduziert werden können, die nun berechnet werden müssen. Die für die z–Richtung sind eigentlich ziemlich einfach: Da es sich um einen normalen eindimensionalen harmonischen Oszillator handelt, kann zweite Quantisierung verwendet werden. Ausdrücken von z und $\partial/\partial z$ in der Sprache von Erzeugungs– und Vernichtungsoperatoren führt sofort auf

$$\begin{aligned}\langle n_z'|z|n_z\rangle &= \sqrt{\frac{\hbar}{2m\omega}}\left(\sqrt{n_z}\delta_{n_z',n_z-1}+\sqrt{n_z+1}\delta_{n_z',n_z+1}\right) \\ \langle n_z'|\frac{\mathrm{d}}{\mathrm{d}z}|n_z\rangle &= \sqrt{\frac{m\omega}{2\hbar}}\left(\sqrt{n_z}\delta_{n_z',n_z-1}-\sqrt{n_z+1}\delta_{n_z',n_z+1}\right)\ .\end{aligned} \qquad \underline{10}$$

Für die Radialkoordinate ist die Rechnung etwas verwickelter, und bis jetzt sind die Wellenfunktionen noch nicht einmal normiert! Schreiben wir die normierten Eigenfunktionen als

$$\chi_{n_\rho\mu}(\rho) = N_{n_\rho\mu}^{-1}\exp(-\tfrac{1}{2}k\rho^2)\rho^{|\mu|}L_{n_\rho}^{|\mu|}(k\rho^2)\ . \qquad \underline{11}$$

Nachschlagen in [Gr65a] zeigt, daß wenige Integrale mit Laguerre–Polynomen gegeben sind, und selbst diese lassen sich nur als komplizierte Ausdrücke von Γ–Funktionen, hypergeometrischen Funktionen usw. ausdrücken. Ein alternatives Vorgehen, um die benötigten Integrale zu berechnen, geht folgendermaßen: Sowohl die Matrixelemente als auch das Normierungsintegral können als

$$K_{a,b} = \int_0^\infty \chi_{n_\rho'\mu'}(\rho)\rho^a\frac{\mathrm{d}^b}{\mathrm{d}\rho^b}\chi_{n_\rho\mu}(\rho)\rho\,\mathrm{d}\rho \qquad \underline{12}$$

geschrieben werden. Die Substitution $x = k\rho^2$ und Einsetzen von (11) führt auf

$$\begin{aligned}K_{a,b} &= \frac{2^{b-1}N_{n_\rho'\mu'}^{-1}N_{n_\rho\mu}^{-1}}{k^{(a+|\mu|+|\mu'|-b+2)/2}} \\ &\quad\times\int_0^\infty e^{-x/2}x^{(|m'|+a+b)/2}L_{n_\rho'}^m(x)\frac{\mathrm{d}^b}{\mathrm{d}x^b}\left(e^{-x/2}x^{|\mu|}L_{n_\rho}^m(x)\right)\mathrm{d}x\ .\end{aligned} \qquad \underline{13}$$

Zur Verfügung steht das Orthogonalitätsintegral der Laguerre–Polynome

$$I_{n'n}^m = \int_0^\infty e^{-x}x^m L_{n'}^m(x)\,L_n^m(x)\,\mathrm{d}x = \frac{(n+m)!}{n!}\delta_{n'n} \qquad \underline{14}$$

(man beachte, daß dies für zwei Polynome mit gleichem oberen Index gilt). Das Normierungsintegral kann sofort auf dieses Integral für den Spezialfall $\mu = \mu'$, $n_\rho = n_\rho'$ zurückgeführt werden:

$$1 = K_{0,0} = \frac{N_{n_\rho\mu}^{-2}}{2k^{|m|+1}}I_{n_\rho n_\rho}^{\mu} = \frac{N_{n_\rho\mu}^{-2}}{2k^{|m|+1}}\frac{(n_\rho+|m|)!}{n_\rho!}\ , \qquad \underline{15}$$

aus dem sich als Normierungskonstante

$$N_{n_\rho\mu} = \sqrt{\frac{(n_\rho+|\mu|)!}{2n_\rho!k^{|\mu|+1}}} \qquad \underline{16}$$

ergibt. Die anderen Integrale entsprechen $a = 1$, $b = 0$ beziehungsweise $b = 1$, $a = 0$. Wir geben kurz an, wie man sie berechnet (wir betrachten nur den Fall mit $\mu + 1$ auf der linken Seite des Matrixelements, der andere Fall kann in diesen aufgrund der Symmetrie überführt werden):

1. Das Integral, das ein zusätzliches ρ enthält, kann unter Verwendung der Rekursionsbeziehung

$$L_n^m(x) = L_n^{m+1}(x) - L_{n-1}^{m+1}(x) \tag{17}$$

umgeschrieben werden auf Normierungsintegrale

$$\begin{aligned} &\frac{N^{-1}_{n'_\rho \mu+1} N^{-1}_{n_\rho \mu}}{2k^{m+2}} \int_0^\infty e^{-x} x^{|\mu|+1} L_{n'_\rho}^{|\mu+1|} L_{n_\rho}^{|\mu|}(x)\,\mathrm{d}x \\ &= \delta_{n'_\rho n_\rho} \sqrt{k^{-1}(n_\rho + |\mu| + 1)} - \delta_{n'_\rho, n_\rho - 1} \sqrt{k^{-1} n_\rho}\;. \end{aligned} \tag{18}$$

2. Das Integral mit der Ableitung ist etwas komplizierter, weil die Ableitung nicht nur auf das Laguerre–Polynom wirkt. Durchführen der Differentiation erzeugt eine Summe von drei Termen:

$$\begin{aligned} \langle n'_\rho \mu + 1 | \frac{\mathrm{d}}{\mathrm{d}\rho} | n_\rho \mu \rangle &= -k \langle n'_\rho \mu + 1 | \rho | n_\rho \mu \rangle + |\mu| \langle n'_\rho \mu + 1 | \frac{1}{\rho} | n_\rho \mu \rangle \\ &\quad + \frac{N^{-1}_{n'_\rho \mu+1} N^{-1}_{n_\rho \mu}}{2k^{|\mu|+1}} \int_0^\infty e^{-x} x^{|\mu|+1} L_{n'_\rho}^{|\mu+1|} \frac{\mathrm{d}}{\mathrm{d}x} L_{n_\rho}^{|\mu|}(x)\,\mathrm{d}x\;. \end{aligned} \tag{19}$$

Die ersten zwei Matrixelemente entsprechen Punkt 1. beziehungsweise 2., während sich das letzte Integral mit Hilfe der Formel

$$\frac{\mathrm{d}}{\mathrm{d}x} L_n^m(x) = -L_{n-1}^{m+1}(x) \tag{20}$$

zu $-2\delta_{n'_\rho, n_\rho - 1}\sqrt{k n_\rho}$ reduzieren läßt.

3. Das Integral, das $1/\rho$ enthält, muß überhaupt nicht ausgewertet werden, da es bei der Summation der verschiedenen Teile des Gesamtmatrixelements herausfällt (der explizit auftretende Term hebt sich mit dem aus 2. resultierenden weg).

Zu tun bleibt noch, die Matrixelemente für die verschiedenen Koordinatenrichtungen miteinander zu multiplizieren und dann alle Terme zu addieren. In dieser Rechnung erweist es sich als vorteilhaft, eine neue Quantenzahl $N_\rho = 2n_\rho + |\mu|$ einzuführen. Der Grund liegt darin, daß in den Matrixelementen sowohl $|\mu|$ als auch μ auftreten, und diese neue Bezeichnung erlaubt die Kombination der unterschiedlichen Terme. Das Endergebnis lautet

$$\begin{aligned} \langle n'_z N'_\rho \mu' s' | \hat{L} \cdot \hat{s} | n_z N_\rho \mu s \rangle &= \delta_{\mu', \mu+1} \delta_{s', s-1} \\ &\times \tfrac{1}{2} \Bigg(\delta_{n'_z, n_z - 1} \delta_{N'_\rho, N_\rho + 1} \sqrt{\frac{n_z (N_\rho + \mu + 2)}{2}} \\ &+ \delta_{n'_z, n_z + 1} \delta_{N'_\rho, N_\rho - 1} \sqrt{\frac{(n_z + 1)(N_\rho - \mu)}{2}} \Bigg) \\ &+ \delta_{\mu', \mu - 1} \delta_{s', s+1} \\ &\times \tfrac{1}{2} \Bigg(\delta_{n'_z, n_z - 1} \delta_{N'_\rho, N_\rho + 1} \sqrt{\frac{(n_z)(N_\rho - \mu + 2)}{2}} \end{aligned} \tag{21}$$

$$+ \quad \delta_{n_z',n_z+1}\delta_{N_\rho',N_\rho-1}\sqrt{\frac{(n_z+1)(N_\rho+\mu)}{2}}\Bigg)$$
$$+ \quad s\mu\delta_{n_z' n_z}\delta_{N_\rho' N_\rho}\delta_{\mu'\mu}\delta_{s's} \;.$$

Zu beachten ist, daß trotz dieses längeren Ausdrucks die Auswahlregeln ziemlich restriktiv sind: Jeder Term trägt für eine andere Kombination von Quantenzahlen auf der rechten und linken Seite bei, und die Quantenzahlen dürfen sich in jedem Fall um nicht mehr als eins unterscheiden. Daher ist die Matrix tatsächlich ziemlich dünn besetzt.

An dieser Stelle muß die Rechnung numerisch fortgeführt werden, und es kann hier nur angegeben werden, wie dies zu geschehen hätte. Der erste Schritt besteht in der Aufstellung der Basisfunktionen. Die einzige gute Quantenzahl ist $\Omega = \mu + s$, so daß Zustände mit unterschiedlichem Ω vom Hamiltonoperator nicht miteinander gekoppelt werden (man überprüfe, daß die Auswahlregeln im Spin–Bahn–Term dies bewahren!). Des weiteren sind die Zustände mit $\pm\Omega$ entartet (Kramers–Entartung, siehe Abschnitt 2.6). Wie kann die unendliche Menge von Zuständen abgeschnitten werden? Grundsätzlich gibt es keine vorgeschriebene Methode, man sollte prüfen, wie die Störung die Basiszustände koppelt. Gewöhnlich ist das Abschneiden bei einer bestimmten Energie eine gute Wahl, was im vorliegenden Fall dem Zulassen der gleichen Zahl von Quanten in allen Richtungen entspricht, oder explizit $n_z + n_\rho < N_{\text{cutoff}}$ (das kann für einen stark deformierten Kern eine schlechte Wahl sein).

Stellen wir nun die Basis für $\Omega = \frac{1}{2}$ und $N_{\text{cutoff}} = 5$ auf. Es tragen Zustände mit $\mu = 0$ und $\mu = 1$ bei. In tabellarischer Form sind sie gegeben durch:

No.	$n_z + N_\rho$	n_z	N_ρ	n_ρ	μ	s
1	0	0	0	0	0	+1/2
2	1	1	0	0	0	+1/2
3	2	2	0	0	0	+1/2
4	2	0	2	1	0	+1/2
5	3	3	0	0	0	+1/2
6	3	1	2	1	0	+1/2
7	4	4	0	0	0	+1/2
8	4	2	2	1	0	+1/2
9	4	0	2	1	0	+1/2
10	1	0	1	0	1	−1/2
11	2	1	1	0	1	−1/2
12	3	2	1	0	1	−1/2
13	3	0	3	1	1	−1/2
14	4	3	1	0	1	−1/2
15	1	1	3	1	1	−1/2

Natürlich kann diese Liste leicht mit Computerschleifen erzeugt werden. Die 15–mal–15–Matrix füllt man dann mit Matrixelementen; die Energie entlang der Diagonalen und die Spin–Bahn–Matrixelemente können gemäß der in dieser Übung abgeleiteten Formel mit den Quantenzahlen des linken und rechten Zustands berechnet werden. Schließlich übergibt man die Matrix einem Diagonalisierungsprogramm, das eine Liste der numerischen Eigenenergien ausgibt und, wenn gewünscht, die numerischen Koeffizienten für die Entwicklung des echten Eigenvektors in die 15 Basiszustände. Das gleiche muß dann für die anderen positiven Werte von Ω wiederholt werden.

Um sich der Genauigkeit der Entwicklung zu versichern, sollte die Rechnung mit unterschiedlichen Abschneidegrenzen wiederholt werden, bis Konvergenz erreicht ist; der Wert von N_{cutoff} hängt notwendigerweise von der Deformation und der gewünschten Genauigkeit ab.

7.7 Aufgabe: Kreuzung zweier Energieniveaus

Man betrachte den Fall zweier Energieniveaus, die sich als Funktionen eines Parameters kreuzen. Wie ändern sich die Eigenzustände, wenn eine Wechselwirkung mit konstantem Matrixelement eingeführt wird?

Lösung:

Man nehme an, daß der Parameter t ist und daß das Überkreuzen bei $t = 0$ stattfindet, wenn beide Niveaus die Energie a besitzen. Um die Formeln zu vereinfachen, ohne die Allgemeinheit einzubüßen, betrachte man eine symmetrische Situation mit der gleichen Steigung für beide:

$$E_1^{(0)}(t) = a - bt, \qquad E_2^{(0)}(t) = a + bt \; . \qquad \underline{1}$$

Die Situation ist durch die zwei gestrichelten Linien in Abbildung 7.8 angezeigt. Hinzufügen eines nichtdiagonalen Matrixelments der Größe d führt zum gestörten Hamiltonoperator

$$H' = \begin{pmatrix} a - bt & d \\ d & a + bt \end{pmatrix} . \qquad \underline{2}$$

Die Eigenwerte lassen sich direkt aus der Säkulargleichung berechnen. Die zwei neuen Eigenzustände sind gegeben durch

$$E_1(t) = a + \sqrt{b^2t^2 + d^2}, \qquad E_2(t) = a - \sqrt{b^2t^2 + d^2} \; . \qquad \underline{3}$$

Sie sind als durchgezogene Linien in Abbildung 7.8 gezeichnet und zeigen das typische Verhalten einer vermiedenen Niveaukreuzung. Die gestörten Zustände nähern sich den ungestörten asymptotisch, weit ab von der ursprünglichen Überschneidung, und der Abstand der größten Annäherung ist $2d$, also direkt bestimmt durch das Wechselwirkungsmatrixelement. In den Nilsson-Digrammen der Abbildungen 7.6–7.7 können viele Strukturen dieser Art beobachtet werden, wann immer sich zwei Niveaus mit denselben exakten Quantenzahlen (und daher auch mit einem Wechselwirkungsmatrixelement im vollen Hamiltonoperator) nahekommen.

Ebenfalls interessant ist die Untersuchung der Eigenvektoren, die auch leicht berechnet werden können. Für den normierten Eigenvektor, der dem niedrigeren Eigenwert entspricht, findet man

$$\boldsymbol{v}_1 = \frac{|d|}{\sqrt{\left(bt - \sqrt{b^2t^2 + d^2}\right)^2 + d^2}} \begin{pmatrix} bt - \sqrt{b^2t^2}/d \\ 1 \end{pmatrix} . \qquad \underline{4}$$

Diese Ergebnisse sind in den Abbildungen 7.9–7.10 veranschaulicht. Für $t = 0$, d. h. beim früheren Kreuzungspunkt, hat der neue Zustand gleiche Amplitude in den ungestörten Zuständen. Für $t \to -\infty$ wird er identisch mit dem Zustand

$E_1^{(0)}$, dem gleichen, dessen Energie er sich auch nähert, und für $t \to +\infty$ mit dem anderen. Eine vermiedene Niveaukreuzung entspricht daher einem Austausch der zwei Wellenfunktionen.

In der Dynamik von Kernen hat das sehr bedeutsame Konsequenzen. Man nehme zum Beispiel den Fall eines Quadrupolparameters. Falls der Kern eine Bewegung in der Quadrupolrichtung ausführt, muß der Einteilchenzustand bei jeder vermiedenen Niveaukreuzung in eine neue Wellenfunktion mit möglicherweise einer gänzlich verschiedenen räumlichen Verteilung überführt werden (wenn die Bewegung langsam ist, so daß das Teilchen im niedrigsten vorhandenen Energieniveau bleibt). Dies entspricht einer ausgeprägten Verschiebung von Masse verbunden mit einer kleinen Veränderung des Quadrupolmoments und führt somit zu einer großen kinetischen Energie der Kollektivbewegung.

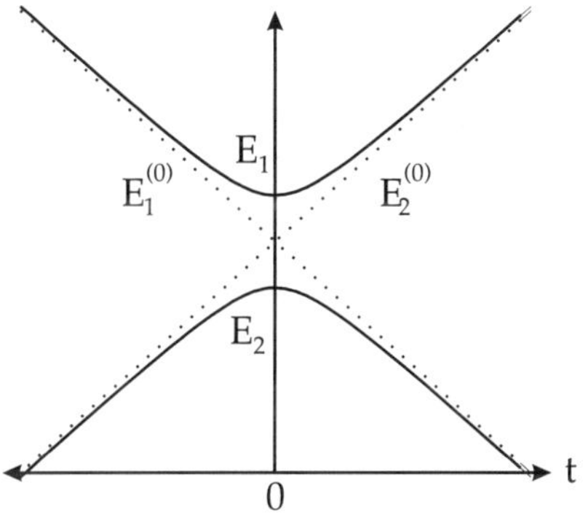

Abb. 7.9: Eine vermiedene Niveaukreuzung. Zwei nichtwechselwirkende Energieniveaus (gestrichelt), die sich als Funktionen des Parameters t überschneiden, werden durch eine Wechselwirkung abgestoßen und bilden die neuen als durchgezogene Linien dargestellten Niveaus.

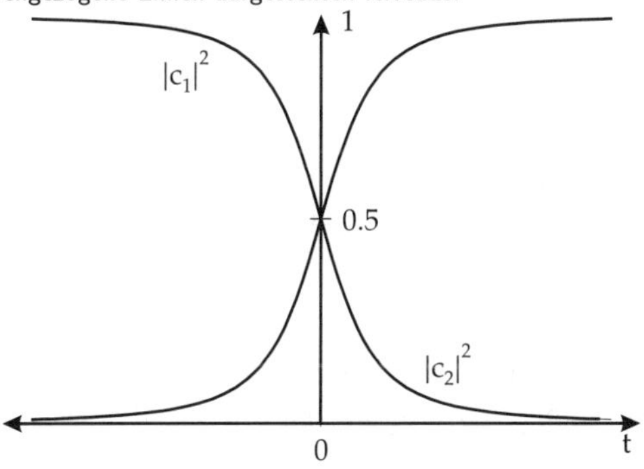

Abb. 7.10: Amplitudenquadrate $|c_i|^2$ des Eigenvektors, der zum niedrigeren gestörten Zustand in Abbildung 7.9 gehört, als Funktionen des Parameters t.

7.4 Das Relativistische Mean–Field–Modell

7.4.1 Einführung

Herkömmlicherweise wird behauptet, daß relativistische Effekte für niederenergetische Probleme der Kernstruktur unwichtig sind. Bedenkt man, daß die größte kinetische Energie des Nukleons im Kern durch den Fermi–Impuls $k_F \approx 1.4\,\mathrm{fm}^{-1}$ bestimmt wird, ergibt dies

$$T_{\max} = \frac{\hbar^2 k_F^2}{2m} \approx 38\,\mathrm{MeV} \ , \tag{7.145}$$

was in der Tat $\gamma = (1 - v^2/c^2)^{-1/2} \approx 1.04$ oder einer Geschwindigkeit von $v \approx 0.29c$ entspricht. Also würde man nur kleinere Abweichungen aufgrund von relativistischer Kinematik erwarten. Relativistische Versionen von Kernstrukturmodellen haben sich trotzdem in den letzten Jahren als wichtig erwiesen, wofür es folgende Gründe gibt:

- Das relativistische Mean–Field–Modell (es wird in den nächsten Abschnitten besprochen) ist genauso erfolgreich in der Beschreibung der Einteilchenstruktur von Kernen wie die Hartree–Fock–Modelle mit Skyrme–Kräften, *und es liefert eine natürliche Erklärung der Spin–Bahn–Kraft* [Du56, Mi72, Wa74].

- Die relativistische Theorie der Kernmaterie hatte einige Erfolge bei der Aufklärung von seit langer Zeit bestehenden Problemen der nichtrelativistischen Theorie [Br84, Te86].

- Man hat die Hoffnung, eine Verbindung zwischen dem Modell von Nukleonen, die über Mesonenfelder wechselwirken, und einer fundamentaleren feldtheoretischen Beschreibung nuklearer Wechselwirkung herzustellen.

- Sie können als Ausgangspunkt für eine Extrapolation hin zu dichter und heißer Materie dienen, wo Relativität sicherlich eine Rolle spielt.

Im Sinne dieses Buches werden wir die Diskussion auf die einfachste Version des Modells beschränken, die sich als etwas herausstellt, was einer relativistischen Abwandlung der Hartree–Fock–Theorie mit Skyrme–Kräften sehr ähnlich ist.

Auf die Behandlung im Rahmen der Feldtheorie werden wir hier nicht eingehen, sondern auf die Spezialliteratur verweisen [Ce86, Se86]. Eine ausführlichere Einführung in die praktischen Anwendungen des Modells findet sich in [Re89].

7.4.2 Die Formulierung des Modells

In einer relativistischen Beschreibung der Wechselwirkung von Teilchen ist das Konzept einer instantanen Kraft, die z. B. durch ein Potential gegeben ist, nicht angebracht. Statt dessen muß die Wechselwirkung durch Felder vermittelt werden, die unabhängige Freiheitsgrade der Bewegung sind. Diese Felder können nach ihrem inneren Drehimpuls, ihrer Parität und ihrem Isospin eingeteilt werden. Die üblicherweise betrachteten Felder sind:

1. das σ–Meson: ein skalares und isoskalares Meson, das eine attraktive Wechselwirkung liefert,

2. das ω–Meson: ein isoskalares Vektormeson, das zu einer repulsiven Wechselwirkung führt,

3. das ρ–Meson: ein isovektorielles Vektormeson, das für eine bessere Beschreibung von isospinabhängigen Effekten in Kernen gebraucht wird und

4. das Photon γ, das die elektromagnetische Wechselwirkung beschreibt.

Ihren ersten Durchbruch hatten diese Modelle, als gezeigt wurde, daß die beiden Mesonen σ und ω bereits genügen, um die Sättigung von Kernmaterie und die Bindungseigenschaften von Kernen recht gut zu beschreiben. Tatsächlich erzeugt die Wahl einer größeren Masse und einer stärkeren Kopplung für das ω–Meson im Vergleich zum σ–Meson die Kombination aus langreichweitiger Anziehung und kurzreichweitiger Abstoßung, die aus normalen Nukleon–Nukleon–Wechselwirkungen bekannt sind. Weitere Verfeinerungen werden später vorgestellt.

Der Ausgangspunkt für ein relativistisches Modell ist eine Lagrangedichte $\mathcal{L}$. Sie sollte die freien Lagrangedichten des Nukleons und der Mesonenfelder (womit immer auch das Photon gemeint sein wird) sowie einen Term beinhalten, der Nukleonen und Mesonen koppelt. Wir können deshalb schreiben

$$\mathcal{L} = \mathcal{L}_{\text{Nukleonen}} + \mathcal{L}_{\text{Mesonen}} + \mathcal{L}_{\text{Kopplung}} \ . \tag{7.146}$$

Die freie Lagrangedichte der Nukleonen ist einfach

$$\mathcal{L}_{\text{Nukleonen}} = \bar{\hat{\psi}}(\mathrm{i}\gamma^\mu\partial_\mu - m_{\mathrm{B}})\hat{\psi} \ . \tag{7.147}$$

Man beachte, daß die Nukleonenmasse in diesem Abschnitt mit m_{B} bezeichnet wird, um sie eindeutig von den verschiedenen anderen auftauchenden Massen zu unterscheiden. Ähnlich kann auch die Lagrangedichte der freien Mesonenfelder leicht hingeschrieben werden:

$$\begin{aligned}\mathcal{L}_{\text{Mesonen}} \;=\; & \tfrac{1}{2}(\partial^\mu\hat{\sigma}\partial_\mu\hat{\sigma} - m_\sigma^2\hat{\sigma}^2) \\ & -\tfrac{1}{2}(\overline{\partial^\nu\hat{\omega}^\mu}\partial_\mu\hat{\omega}_\nu - m_\omega^2\hat{\omega}^\mu\hat{\omega}_\mu) \\ & -\tfrac{1}{2}(\overline{\partial^\nu\hat{\boldsymbol{R}}^\mu} \cdot \partial_\mu\hat{\boldsymbol{R}}_\nu - m_\rho^2\hat{\boldsymbol{R}}^\mu\hat{\boldsymbol{R}}_\mu) \\ & -\tfrac{1}{2}\overline{\partial^\nu\hat{A}^\mu}\partial_\mu\hat{A}_\nu \ .\end{aligned} \tag{7.148}$$

Wir verwenden bei der Behandlung dieses Modells die üblichen relativistischen Einheiten $\hbar = c = 1$. Die Felder $\hat{\sigma}$ und $\hat{\omega}_\mu$ beschreiben die entsprechenden Mesonen; für das ρ–Meson wird die Notation $\hat{\boldsymbol{R}}_\mu$ benutzt, um es von den Dichten zu unterscheiden, und $\hat{A}_\mu$ steht für das Photonenfeld. Auch wurde eine antisymmetrisierte Ableitung

$$\overline{\partial^\nu A^\mu} = \partial^\nu A^\mu - \partial^\mu A^\nu \tag{7.149}$$

definiert. Dieser Ausdruck entspricht einem Feldstärketensor, der im Falle des elektromagnetischen Feldes mit $F_{\mu\nu}$ bezeichnet wird, während die Lagrangedichte durch

$$\mathcal{L} = -\tfrac{1}{4} F_{\mu\nu} F^{\mu\nu} = \tfrac{1}{2} \overline{\partial^\nu A^\mu} \partial_\mu A_\nu \tag{7.150}$$

gegeben ist. Die von uns verwendete Schreibweise vermeidet jedoch die Einführung verschiedener Symbole für die mit den verschiedenen Mesonenfeldern verknüpften Feldstärken. Für die Wechselwirkung ist die natürlichste Wahl die *minimale Kopplung*, ergänzt durch eine nichtlineare Selbstkopplung

$$U(\hat{\sigma}) = \tfrac{1}{3} b_2 \hat{\sigma}^3 + \tfrac{1}{4} b_3 \hat{\sigma}^4 \tag{7.151}$$

für das σ–Meson, die zum ersten Mal von Boguta und Bodmer verwendet wurde [Bo77] und seither weitgehend akzeptiert ist. Dieser Term wurde mit der Absicht hinzugefügt, die Kompressibilität von Kernmaterie im Modell zu verbessern. Als Lagrangedichte wird also üblicherweise

$$\begin{aligned} \mathcal{L}_{\text{Kopplung}} \;=\; & -g_\sigma \hat{\sigma} \hat{\rho}_{\text{s}} - g_\omega \hat{\omega}^\mu \hat{\rho}_\mu - \tfrac{1}{2} g_\rho \vec{R}^\mu \cdot \hat{\vec{\rho}}_\mu \\ & - A^\mu \hat{\rho}_m u^{\text{C}} - U(\hat{\sigma}) \end{aligned} \tag{7.152}$$

angenommen.

In den Kopplungstermen tauchen vier Dichten auf:

- die *skalare Dichte* $\hat{\rho}_{\text{s}} = \bar{\hat{\psi}} \hat{\psi}$, die die Differenz der aus den Wellenfunktionskomponenten positiver und negativer Energie gebildeten Dichten beschreibt,
- die *vektorielle Dichte* $\hat{\rho}_\mu = \bar{\hat{\psi}} \gamma_\mu \hat{\psi}$, die deren Summe ist,
- die *isovektorielle Dichte* $\hat{\boldsymbol{\rho}}_\mu = \bar{\hat{\psi}} \boldsymbol{\tau} \gamma_\mu \hat{\psi}$ und
- die Ladungsdichte $\hat{\rho}_\mu^{\text{C}} = \tfrac{1}{2} e \bar{\hat{\psi}} (1 + \tau_0) \gamma_\mu \hat{\psi}$.

Das Modell, wie es hier vorgestellt wurde, beinhaltet als freie Parameter die Mesonenmassen m_σ, m_ω und m_ρ sowie die Kopplungskonstanten g_σ, g_ω, g_ρ, b_2 und b_3. Für die Nukleonenmasse m_{B} wird meist der freie Wert benutzt.

Für praktische Anwendungen sind eine Reihe von Näherungen notwendig, weil die Lösung des vollen feldtheoretischen Problems schlicht unmöglich ist. Der erste Schritt ist, die Feldoperatoren für die Mesonen und das Photon durch ihre Erwartungswerte zu ersetzen (die *Mean–Field–Näherung* oder *Näherung des mittleren Feldes*), also formal $\hat{\sigma} \rightarrow \sigma = \langle \hat{\sigma} \rangle$ usw. Die Bedeutung der Mesonenfelder reduziert sich dann auf die von Potentialen, die durch die zugehörigen Nukleonendichten erzeugt werden, und die Nukleonen verhalten sich wie nichtwechselwirkende Teilchen, die sich in diesen mittleren Feldern bewegen. Aufgrund dessen können die Operatoren des Nukleonenfeldes in Einteilchenzustände $\phi_\alpha(x^\mu)$ entwickelt werden:

$$\hat{\psi} = \sum_\alpha \phi_\alpha(x^\mu)\hat{a}_\alpha \, , \tag{7.153}$$

während sich die Dichten auf Summen über Dichten der Einteilchenzustände reduzieren:

$$\hat{\rho}_\mathrm{s} \rightarrow \sum_{\alpha<F} \bar{\phi}_\alpha \phi_\alpha - \rho_\mathrm{s}^\mathrm{Vakuum} \tag{7.154}$$

und ähnlich für die anderen Dichten. $\alpha < F$ bezeichnet hier wie üblich die Summation über alle Zustände unterhalb der Fermikante, und $\rho_\mathrm{s}^\mathrm{Vakuum}$ ist die entsprechende Dichte für freie Teilchen bei der Baryonenzahl null. Das Vorhandensein dieses Vakuumterms und die Notwendigkeit, über *alle* Zustände unterhalb der Fermikante einschließlich aller Zustände negativer Energie zu summieren, läßt sich in der relativistischen Theorie nicht vermeiden, macht aber deren Lösung sehr schwierig. Aus diesem Grund muß eine weitere Näherung eingeführt werden, die sogenannte *No–Sea–Näherung* (d. h. Ausschluß der gefüllten, aus Zuständen negativer Energie bestehenden Dirac–See) [Re89], bei der angenommen wird, daß die Summe über alle Zustände negativer Energie im ersten Term von (7.154) und der Vakuumbeitrag sich gegenseitig aufheben. Dies entspricht der Vernachlässigung der Vakuumpolarisation.

Das Ergebnis all dieser Näherungen ist, daß man eine Reihe besetzter Einteilchenorbitale ϕ_α, $\alpha = 1, \ldots \Omega$ hat, die gemäß

$$\rho_\mathrm{s} = \sum_{\alpha=1}^{\Omega} w_\alpha \bar{\phi}_\alpha \phi_\alpha \tag{7.155}$$

die skalare Dichte und analog die Vektordichte usw. bestimmen. Die Gewichtungsfaktoren w_α wurden eingeführt, um ein phänomenologisches Pairingschema (siehe Abschnitt 7.5) berücksichtigen zu können; die Anzahl von Zuständen Ω ist dann größer als die Nukleonenzahl. Die Mesonenfelder sind nun klassische Felder mit diesen Dichten als Quellen, und umgekehrt erscheinen sie auch in den Diracgleichungen für die Einteilchenzustände, so daß man ein selbstkonsistentes Problem ähnlich dem normalen Hartree–Fock–Verfahren erhält. Wir werden jetzt die Feldgleichungen für den statischen Fall mit einigen zusätzlichen Einschränkungen ableiten.

Bei Rechnungen, die die Kernstruktur betreffen, sind wir meistens an stationären Zuständen interessiert. Auch ist es im allgemeinen richtig, daß Protonen- und Neutronenzustände nicht mischen, d. h., die Einteilchenzustände sind Eigenzustände von τ_0. Also werden nur die Komponenten des ρ–Feldes und der isovektoriellen Vektordichte mit der Isospinprojektion null auftreten, nämlich $R_{0\mu}$ und $\rho_{0\mu}$. Stationarität bedeutet, daß alle Zeitableitungen und ebenso die räumlichen Komponenten der Dichten, die Stromdichten beschreiben, verschwinden. Letzteres führt auch zum Verschwinden der Felder selbst, da ihre Quellterme gerade diese Dichten sind. Die einzigen Felder, die übrig bleiben, sind also σ, ω_0, R_{00} und A_0. Desweiteren kann die Zeitabhängigkeit der Wellenfunktionen gemäß

$$\phi_\alpha(x^\mu) = \phi_\alpha(\boldsymbol{r})\mathrm{e}^{\mathrm{i}\epsilon_\alpha t} \tag{7.156}$$

separiert werden, wobei ϵ_α die Einteilchenenergie ist.

Die Bewegungsgleichungen erhält man nun durch Variation der Wirkung $S = \int \mathcal{L}\mathrm{d}^4x$ bezüglich der Felder. Die einfache Rechnung führt auf eine Diracgleichung für die Nukleonenzustände in Gegenwart der Felder:

$$\begin{aligned}\epsilon_\alpha\gamma_0\phi_\alpha &= \Big(-\mathrm{i}\boldsymbol{\gamma}\cdot\nabla + m_\mathrm{B} + g_\sigma\sigma + g_\omega\omega_0\gamma_0 \\ &\quad + \tfrac{1}{2}g_\rho R_{00}\gamma_0\tau_0 + \tfrac{1}{2}eA_0\gamma_0(1+\tau_0)\Big)\phi_\alpha \end{aligned} \tag{7.157}$$

sowie auf Gleichungen, die die Felder beschreiben:

$$(-\Delta + m_\sigma^2)\sigma + U'(\sigma) = -g_\sigma\rho_\mathrm{s} \tag{7.158}$$

$$(-\Delta + m_\omega^2)\omega_0 = g_\omega\rho_0 \tag{7.159}$$

$$(-\Delta + m_\rho^2)R_{00} = \tfrac{1}{2}g_\rho\rho_{00} \tag{7.160}$$

$$-\Delta A_0 = \rho_0^\mathrm{C}\,. \tag{7.161}$$

Dieses System von Gleichungen bildet zusammen mit der Definition der Dichten ein selbstkonsistentes Feldproblem ähnlich dem des nichtrelativistischen Hartree–Fock. Es mußten jedoch sehr restriktive Näherungen gemacht werden, um von einem sehr allgemeinen Ausgangspunkt zu dieser Formulierung zu gelangen. Wie gut sie gerechtfertigt werden können, ist noch nicht geklärt, weshalb dies der Gegenstand weiterer Untersuchungen sein muß. Abgesehen davon kann man jedoch diese Gleichungen immer auch als Definition eines *effektiven Modells* auffassen, in derselben Weise wie es bei der Methode der Skyrmekraft getan wird, und sie hat sicherlich angemessene Erfolge in praktischen Anwendungen erzielt.

Das Mean–Field–Modell stellt eine Näherung dar, bei der sowohl Vielteilchenwechselwirkungen als auch die Beiträge der Antiteilchen vernachlässigt werden. Es wurden aber auch zahlreiche Versuche unternommen, verschiedene Arten höherer Korrekturen bei der Berechnung von Kernmaterie und endlichen Kernen zu berücksichtigen. Zum Beispiel werden in der relativistischen Hartree–Näherung (Dirac–Hartree–Theorie) durch Vakuumfluktuationen hervorgerufene Effekte mitgenommen, die sich als groß herausstellen. Nach der notwendigen Neuanpassung der Parameter sind jedoch die Unterschiede zur Mean–Field–Theorie sowohl bei Kernmaterie [Ch76a][Ch77a] als auch bei endlichen Kernen [Pe86] gering. In anderen Rechnungen wurden Vielteilchenkorrelationen in verschiedenen Näherungen (Dirac–Hartree–Fock [Se86][Bl87], relativistischer Bethe–Brueckner–Goldstone–Formalismus [An83]) oder sogar zusätzlich

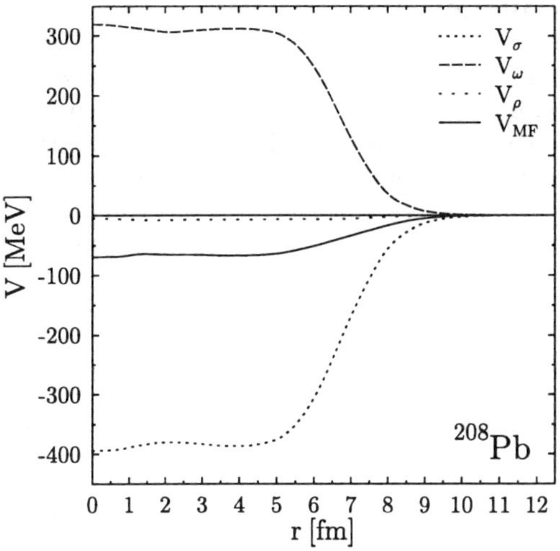

Abb. 7.11: Plot der einzelnen Mesonenpotentiale im Kern ^{208}Pb für einen typischen Parametersatz. V_{MF} ist das Gesamtpotential. Es kommt dadurch zustande, daß sich die σ– und die ω–Terme gegenseitig fast aufheben.

die Effekte der Dirac–See mit einbezogen [Ho87]. Auch diese Korrekturen sind groß, ändern aber nach einer Anpassung der Parameter nur wenig an den Ergebnissen, so daß man davon ausgehen kann, daß sie tatsächlich implizit in der effektiven Lagrangedichte des Mean–Field–Modells enthalten sind.

Neben diesen „One–Loop“–Beiträgen wurden darüber hinaus auch „Two–Loop“–Korrekturen berechnet. Dabei handelt es sich allerdings nicht um eine störungstheoretische Entwicklung, da jede Näherung alle Ordnungen der Kopplungskonstanten enthält. Sowohl die Größe als auch die Art der „Two–Loop“–Korrekturen führt jedoch dazu, daß die Theorie in dieser Näherung keine physikalisch befriedigenden Ergebnissen mehr liefert [Se89]. Sogar in aufwendigen QHD Gitterrechnungen wurden schon Korrekturen zum Mean–Field–Modell bestimmt [Br92]. Eine ausführliche Diskussion verschiedener Näherungen findet sich zum Beispiel in [Re89] und [Se92].

Eine sehr interessante Eigenschaft des Modells wird aus Abbildung 7.11 ersichtlich, in der die Mesonenfelder für den Kern ^{208}Pb eingezeichnet sind. Das σ– und das ω–Feld sind recht stark, ihre Größe ist vergleichbar mit der Nukleonenmasse, aber sie heben sich gegenseitig fast auf, so daß im Ergebnis das normale Kernpotential übrigbleibt (das ρ–Meson dagegen liefert nur eine relativ kleine Korrektur). Das bedeutet, das relativistische Effekte immer dann nicht vernachlässigbar sind, wenn diese Potentiale sich konstruktiv addieren, was z. B. für die Tatsache verantwortlich ist, daß die Spin–Bahn–Kopplung in diesem Modell natürlicherweise die richtige Größe hat, ohne daß zusätzliche Fit–Parameter nötig wären.

7.4.3 Anwendungen

Es ist lehrreich, den Grenzfall symmetrischer Kernmaterie zu untersuchen, wie wir es bei den Skyrmekräften in Abschnitt 7.2.9 getan haben. In diesem Fall verschwindet die Isospindichte, so daß das ρ–Meson keine Rolle spielt. Die Coulombkraft wird für unendliche symmetrische Kernmaterie nie betrachtet, da sie im Prinzip unendlich sein sollte. Die Wellenfunktionen sind ebene Wellen, die mit Hilfe des Impulses $\boldsymbol{k}$ und der Spinrichtung identifiziert werden. Ein wichtiger Unterschied ist, daß in Gleichung (7.157) die *effektive Masse*

$$m_{\mathrm{B}}^* = m_{\mathrm{B}} + g_\sigma \sigma \tag{7.162}$$

mathematisch an der gleichen Stelle auftritt wie die freie Masse m_{B} in der freien Diracgleichung (d. h. in einem Term, der mit keiner γ–Matrix multipliziert wird). In den Lösungen müssen wir also überall dort die effektive Masse verwenden, wo bei den freien Diracspinoren die freie Masse auftritt.

Die Spinoren müssen so normiert werden, daß jede Einteilchenwellenfunktion einen Beitrag von eins zu der Baryonenzahl liefert, die der Dichte ρ_0 entspricht. Die Dichte selbst erhält man dann durch die geläufige Rechnung für ein Fermigas:

$$\rho_0 = \sum_{\mathrm{Isospin}} \sum_{\mathrm{Spin}} \int_0^{k_{\mathrm{F}}} \frac{\mathrm{d}^3 k}{(2\pi)^3} = \frac{2}{3\pi^2} k_{\mathrm{F}}^3 \,, \tag{7.163}$$

während die skalare Dichte sich als

$$\begin{aligned} \rho_{\mathrm{s}} &= \sum_{\mathrm{Isospin}} \sum_{\mathrm{Spin}} \int_0^{k_{\mathrm{F}}} \frac{\mathrm{d}^3 k}{(2\pi)^3} \frac{m_{\mathrm{B}}^*}{\sqrt{k^2 + m_{\mathrm{B}}^{*\,2}}} \\ &= \frac{1}{\pi^2} m_{\mathrm{B}}^* \Big(k_{\mathrm{F}} \sqrt{k_{\mathrm{F}}^2 + m_{\mathrm{B}}^{*\,2}} - m_{\mathrm{B}}^{*\,2} \log \frac{k_{\mathrm{F}} + \sqrt{k_{\mathrm{F}}^2 + m_{\mathrm{B}}^{*\,2}}}{m_{\mathrm{B}}^*} \Big) \end{aligned} \tag{7.164}$$

herausstellt. Die beiden übrigen Mesonenfelder müssen homogen sein und werden aus den Gleichungen

$$\omega_0 = \frac{g_\omega}{m_\omega^2} \rho_0 \,, \qquad m_\sigma^2 \sigma + U'(\sigma) = -g_\sigma \rho_{\mathrm{s}} \tag{7.165}$$

berechnet. Während ω_0 direkt eine Funktion der Nukleonendichte ist, muß σ numerisch aus dieser Gleichung bestimmt werden, nicht nur, weil es in dritter Ordnung vorkommt, sondern auch, weil die skalare Dichte selbst gemäß Gleichung (7.164) über m_{B}^* in komplizierter Weise von σ abhängt (k_{F} erhält man aus der Nukleonendichte über Gleichung (7.163)).

Die Energie pro Nukleon des Systems kann ausgehend von der Lagrangedichte berechnet werden, indem die entsprechende Dichte des Hamiltonoperators bestimmt wird und die bisher gemachten Näherungen eingesetzt werden. Diese Rechnung ist schnell durchgeführt, was folgendes Erghebnis liefert:

$$\begin{aligned}
E/A &= \frac{1}{\rho_0}\Big[\sum_{\substack{\text{Spin}\\ \text{Isospin}}} \int_0^{k_F} \frac{d^3k}{(2\pi)^3}\sqrt{k^2 + m_B^{*\,2}} \\
&\quad - \tfrac{1}{2}(g_\sigma \sigma \rho_s + g_\omega \omega_0 \rho_0) + U(\sigma) - \tfrac{1}{2}\sigma U'(\sigma)\Big] \\
&= \frac{3}{4k_F^3}\Big[k_F\sqrt{k_F^2 + m_B^{*\,2}}(2k_F^2 + m_B^{*\,2}) - m_B^{*\,4}\log\frac{k_F + \sqrt{k_F^2 + m_B^{*\,2}}}{m_B^*}\Big] \\
&\quad -\tfrac{1}{2} g_\sigma \sigma \frac{\rho_s}{\rho_0} - \tfrac{1}{2}\frac{g_\omega^2}{m_\omega^2}\rho_0 + \frac{U(\sigma) - \tfrac{1}{2}\sigma U'(\sigma)}{\rho_0} \,. \qquad (7.166)
\end{aligned}$$

Nimmt man einen bestimmten Wert für die Dichte ρ_0 an, kann mit Hilfe der Gleichungen (7.163) und (7.165) k_F und m_B^* bestimmt und auf diese Weise die Zustandsgleichung von Kernmaterie (bei der Temperatur null) konstruiert werden. Wie bei den Skyrmekräften können dann die Grundzustandsdichte, die Bindungsenergie und die Inkompressibilität von Kernmaterie mit den Parametern des Modells in Beziehung gesetzt werden.

Unter vielen Parametersätzen, die man in der Literatur findet, ist der von Reinhard et al. [Re86] einer der am sorgsamsten abgeleiteten. Dabei wurden die Eigenschaften einer Reihe sphärischer Kerne berechnet und die Parameter des Modells automatisch so angepaßt, daß man beste Übereinstimmung mit experimentellen Daten im Sinne der kleinsten quadratischen Abweichungen erziehlte. Die dabei in Betracht gezogenen Größen waren die Bindungsenergien, die Radien und die Oberflächendicken. In der folgenden Tabelle wird dieser Parametersatz mit dem ursprünglichen von Walecka [Wa74] verglichen. Zusätzlich sind auch die entsprechenden Eigenschaften von Kernmaterie angegeben.

	Walecka	Reinhard et al.
g_σ	9.57371	10.1377
g_ω	11.6724	13.2846
g_ρ	0.0	9.95145
b_2	0.0	−12.1724
b_3	0.0	−36.2646
m_σ	550.00	492.25
m_ω	783.00	795.36
m_ρ	763.00	763.00
E/A	−15.75	−16.42
$\rho_{\text{K.m.}}$	0.194	0.152
K	544.6	211.7
m_B^*/m_B	0.56	0.57

Man beachte, daß die Daten zu schwach von der Masse des ρ–Mesons abhängen, um deren Wert anpassen zu können; statt dessen wurde der experimentelle Wert verwendet.

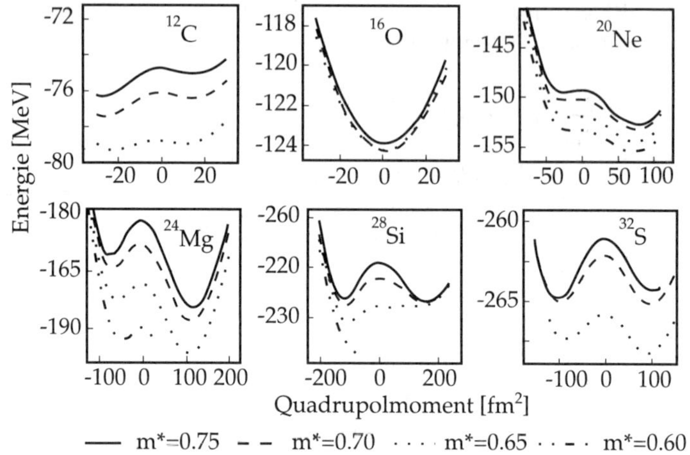

Abb. 7.12: Potentialenergiekurven verschiedener leichter Kerne im relativistischen Mean–Field–Modell, die von Fink et al. [Fi89] auf einem axialsymmetrischen Gitter mit einer Quadrupolzwangsbedingung berechnet wurden. Die verschiedenen Kurven für jeden Kern entsprechen je einem Parametersatz, der durch optimale Anpassung an sphärische Kerne unter der Bedingung gewonnen wurde, daß die effektive Masse einen vorgeschriebenen Wert annimmt. Dieser ist $m_\mathrm{B}^*/m_\mathrm{B} = 0.75$ (durchgezogene Linie), 0.7 (unterbrochene Linie), 0.65 (gepunktete Linie) und 0.6 (strich–gepunktete Linie). Einige Kurven sind für $m_\mathrm{B}^*/m_\mathrm{B} = 0.6$ unvollständig, da das Modell hier instabil wird.

Die Kernmaterieeigenschaften zeigen klar das grundsätzliche Problem der linearen Version des Modells: die Inkompressibilität ist viel zu groß; die nichtlineare Anpassung dagegen kommt nahe an den experimentell abgeschätzten Wert, obwohl diese Größe nicht direkt in der Anpassung verwendet wurde. Das Problem im linearen Modell scheint unumgänglich zu sein.

Die effektive Masse in Kernmaterie erscheint verglichen mit anderen Modellen zu klein. Das stört nicht, solange die Niveaudichte in Kernen korrekt beschrieben wird; andererseits hat die kleine effektive Masse den Nachteil, Instabilitäten im Modell hervorzurufen [Wa74].

Das relativistische Mean–Field–Modell wurde schon für eine Reihe von Anwendungen verwendet, die vergleichbar mit denen von Hartree–Fock–Rechnungen mit Skyrmekräften sind. Die vielleicht interessanteste im Zusammenhang mit unseren Ausführungen sind die Berechnungen quadrupoldeformierter Kerne mit Hilfe einer Zwangsbedingung [Fi89, Bl89, Ga88]. Abbildung 7.12 zeigt die Potentialenergiekurven einer Reihe leichter Kerne mit verschiedenen Parametrisierungen des Modells. Die allgemeine Struktur der Flächen scheint relativ unabhängig von den Details der Parameter zu sein; die Lage des Minimums stimmt recht gut mit den experimentellen Informationen überein, sofern diese verfügbar waren. An den Ergebnissen zeigt sich auch ein Problem des Modells: Bei den Anpassungen tendiert das nichtlineare Potential des σ–Mesons hin zu negativen Werten, was das Modell für große Werte von σ instabil macht. Dies geschieht bei großen Dichten, tritt aber für die kleinste effektive

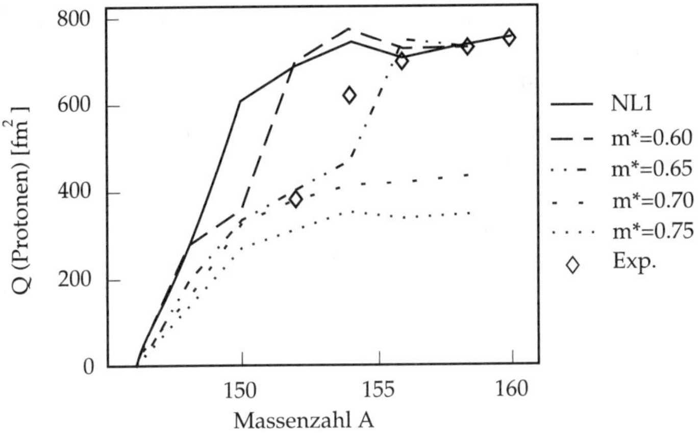

Abb. 7.13: Grundzustandsdeformationen einiger Gadoliniumisotope im relativistischen Mean–Field–Modell, wie sie mit verschiedenen Parametrisierungen von Blum et al. berechnet wurden. Die Bedeutung der Kurven ist eingezeichnet: NL1 ist die beste Anpassung an sphärische Kerne, die übrigen entsprechen Parametersätzen mit dem angegebenen m^* (in Einheiten von m_B). Die experimentellen Daten sind durch Quadrate markiert.

Masse aufgrund von Schalenoszillationen der Dichte sogar innerhalb des Kerns auf. Man kann jedoch darauf hinweisen, daß die spezielle Form dieses Potential im Hinblick auf die Renormierbarkeit des Modells gewählt wurde und daß andere funktionale Formen angebracht sein können, wenn das Modell nicht als feldtheoretisches, sondern als effektives Modell betrachtet wird.

Abbildung 7.13 zeigt die Ergebnisse für einige Gadoliniumisotope. Es gibt eine systematische Abhängigkeit der Deformation vom benutzten Parametersatz und die experimentellen Werte scheinen eine effektive Masse nahe $0.65\, m_\mathrm{B}$ zu bevorzugen. Solche Studien können also bei einer verfeinerten Bestimmung der Parameter helfen, im Gegensatz zu solchen, die nur auf der Betrachtung sphärischer Kerne beruhen.

7.5 Paarkraft

7.5.1 Motivation

Das Einteilchenmodell hat so, wie es bisher besprochen wurde, einige ernsthafte Unzulänglichkeiten. Eines der Probleme wird offensichtlich, wenn man den Gesamtdrehimpuls eines sphärischen Kerns betrachtet. In diesem Fall besitzen die Einteilchenzustände gute Drehimpulsquantenzahlen, und wir können sie z. B. mit ϕ_{njm} bezeichnen, wobei n für alle Nicht–Drehimpulsquantenzahlen steht. Wir nennen nun die Menge der Zustände mit $m = -j \ldots j$ eine j-Schale. Bei jeder j-Schale ist einer der zwei Fälle erfüllt:

- Falls alle Unterzustände mit unterschiedlichem m aufgefüllt sind, ergibt sich der Gesamtdrehimpuls der Nukleonen immer zu null, weil der Raum der besetzten m–Zustände invariant unter jeglicher Rotation ist.
- Falls nur ein Teil der j–Schale besetzt ist, kann der Gesamtdrehimpuls der Nukleonen in Abhängigkeit von der Kopplung verschiedene Werte annehmen. Die Energie jedoch hängt nicht von der Kopplung ab, da sie im Einteilchenmodell einfach durch die Summe der Einteilchenenergien der besetzen Zuständen gegeben ist. Also erhält man Entartung der unterschiedlichen Gesamtdrehimpulse. Jedes Aufheben der Entartung kann nur aufgrund von Restwechselwirkungen geschehen.

Experimentell tritt eine Entartung des Grundzustands mit verschiedenen Drehimpulsen nicht auf; statt dessen lassen sich im Experiment folgende Tatsachen feststellen:

- Bei gg–Kernen besitzt der Grundzustand immer den Gesamtdrehimpuls null, d. h., die Restwechselwirkung erniedrigt diesen speziellen Zustand im Verhältnis zu den anderen Drehimpulskombinationen.
- gg–Kerne sind stärker gebunden als ungerade Kerne.
- In gg–Kernen gibt es eine *Energielücke* von 1-2 MeV zwischen dem Grundzustand und der niedrigsten *Einteilchen*anregung.

Man beachte, daß die letzte Eigenschaft sich nicht auf die zahlreichen kollektiven Zustände bezieht, unter denen zum Beispiel die Grundzustands–Rotationsbande vor allem in schweren Kernen gewöhnlich ziemlich niedrig liegt.

Die Restwechselwirkung muß also die Kopplung zum Drehimpuls null stark begünstigen, und der Paarkraftformalismus stellt eine einfache Modellwechselwirkung dar, die diese Eigenschaft besitzt.

Um eine Vorstellung davon zu bekommen, wie diese Wechselwirkung zu formulieren ist, untersuchen wir die Besonderheiten eines Nukleonenpaars in derselben j–Schale, das zum Drehimpuls null gekoppelt ist (diesem, wie auch dem Rest des Abschnitts, liegt die Diskussion von Mottelson [Mo59] zugrunde). Um das Hauptargument einzusehen, ist es nicht nötig, Spin oder Antisymmetrisierung einzuschließen; daher kann man schreiben:

$$\begin{aligned}\Psi(\boldsymbol{r}_1,\boldsymbol{r}_2) &= \sum_{m_1 m_2} (jj0|m_1 m_2 0)\psi_{m_1}(\vec{r}_1)\psi_{m_2}(\boldsymbol{r}_2) \\ &= \frac{1}{\sqrt{2j+1}}\sum_m (-1)^{j-m}\psi_m(\boldsymbol{r}_1)\psi_{-m}(\boldsymbol{r}_2) \ ,\end{aligned} \tag{7.167}$$

und da wegen der Vernachlässigung des Spins $\psi_m(\boldsymbol{r}) = f(r)Y_{jm}(\Omega)$ gilt (man beachte, daß hier wie im folgenden der Index j unterdrückt wird, weil es stets um einen festen

Wert von j geht),

$$\begin{aligned}\Psi(\boldsymbol{r}_1,\boldsymbol{r}_2) &= \frac{1}{\sqrt{2j+1}} f(r_1)f(r_2)\sum_m (-1)^{j-m} Y_{jm}(\Omega_1)Y_{j-m}(\Omega_2) \\ &= \frac{(-1)^j}{4\pi}\sqrt{2j+1} f(r_1)f(r_2)P_j(\cos\theta_{12}) \ ,\end{aligned} \tag{7.168}$$

wobei θ_{12} der Winkel zwischen den Richtungen Ω_1 und Ω_2 ist. Die Legendre–Polynome haben ein deutliches Maximum nahe dem Argumentwert eins, so daß die Zweiteilchen–Wahrscheinlichkeitsverteilung zwei Nukleonen, die nahe beieinander sind, begünstigt. Dieses Ergebnis ändert sich nicht grundsätzlich, wenn Spin und Antisymmetrie eingeschlossen werden. Man beachte, daß in der Wellenfunktion die Einteilchenzustände mit Projektion m und $-m$, die über Zeitumkehr auseinander hervorgehen und eine ähnliche Wahrscheinlichkeitsverteilung haben, gepaart sind, was wieder das Argument einer geometrischen Korrelation unterstützt.

Die für die Kopplung zum Drehimpuls null verantwortliche Restwechselwirkung muß also attraktiv und kurzreichweitig sein, um die gewünschte Korrelation zu erzeugen. Die Verwendung z. B. einer attraktiven δ-Funktions–Wechselwirkung erzeugt in der Tat ein Spektrum, in dem die Energie vom Gesamtdrehimpuls J abhängt und der Zustand mit $J = 0$ am niedrigsten liegt, doch ist eine solche Wechselwirkung für die meisten Anwendungen zu kompliziert. Praktischer wird sie ersetzt durch ein *idealisiertes Paarkraftpotential*, welches explizit in einer solchen Weise konstruiert wird, daß *nur* der $J = 0$–Zustand erniedrigt wird. Bleibt man beim Zweiteilchenfall, ist dieser Zustand gegeben durch

$$|J=0\rangle = \frac{1}{\sqrt{2j+1}} \sum_{m=-j}^{j} (-1)^{j-m} |jm\rangle |j-m\rangle \ , \tag{7.169}$$

und der Operator der zweiten Quantisierung, der ihn „erzeugt“, durch

$$\hat{A}^+ = \tfrac{1}{2} \sum_{m=-j}^{j} (-1)^{j-m} \hat{a}_m^+ \hat{a}_{-m}^+ \ , \tag{7.170}$$

wobei der Index j in den Operatoren unterdrückt ist (wir bleiben im weiteren innerhalb einer j–Schale). Dieser Operator erzeugt allerdings einen nichtnormierten Zustand aus dem Vakuum. Der Faktor 1/2 vor dem Operator ist im Hinblick auf seine Kommutationseigenschaften gewählt.

Für die weiteren Entwicklungen ist es günstig, den Faktor $(-1)^{j-m}$ durch Neudefinition der Phase der Wellenfunktionen zu eliminieren. Werden die gewöhnlichen Drehimpulseigenzustände mit den Phasen gemäß Condon und Shortley (siehe Abschnitt 2.3.2) mit $|m\rangle_{\mathrm{CS}}$ bezeichnet, können wir neue Zustände $|m\rangle_{\mathrm{BCS}}$ einführen über [Ni61]

$$|m\rangle_{\mathrm{BCS}} = \begin{cases} |m\rangle_{\mathrm{CS}} & \text{, wenn } m > 0, \\ (-1)^{j+m}|m\rangle_{\mathrm{CS}} & \text{, wenn } m < 0. \end{cases} \tag{7.171}$$

Der Name „BCS“ bezieht sich auf die Bardeen–Cooper–Schrieffer–Theorie der Supraleitung [Ba57], die zuerst im Rahmen der Festkörperphysik entwickelt wurde und dann durch Belyaev auf Kerne angewandt wurde [Be59].

Der Operator $\hat{A}^+$ erhält nun die Form

$$\begin{aligned} \hat{A}^+ &= \frac{1}{2}\sum_{m>0}(-1)^{j-m}\left(\hat{a}^+_m\hat{a}^+_{-m}\right)_{\text{CS}} + \frac{1}{2}\sum_{m<0}(-1)^{j-m}\left(\hat{a}^+_m\hat{a}^+_{-m}\right)_{\text{CS}} \\ &= \frac{1}{2}\left(\sum_{m>0}\hat{a}^+_m\hat{a}^+_{-m} + (-1)^{2m}\sum_{m<0}\hat{a}^+_m\hat{a}^+_{-m}\right)_{\text{BCS}} \\ &= \sum_{m>0}(\hat{a}^+_m\hat{a}^+_{-m})_{\text{BCS}} \;. \end{aligned} \tag{7.172}$$

Man beachte, daß $(-1)^{2m} = -1$, da m halbzahlig ist. Im Rest des Abschnitts über die Paarkraft werden die BCS–Phasen benutzt.

Das Paarkraftpotential wird nun versuchsweise als

$$\hat{V}_P = -G\hat{A}^+\hat{A} = -G\sum_{m,m'>0}\hat{a}^+_{m'}\hat{a}^+_{-m'}\hat{a}_{-m}\hat{a}_m \tag{7.173}$$

mit $G > 0$ als Maß für die Stärke konstruiert. Summiert wird ausschließlich über positive m–Werte; andere Definitionen mit der Summation über den gesamten Bereich haben vorn den Faktor $\frac{1}{4}$. Die Definition von $\hat{V}_P$ ist durch den Teilchenzahloperator inspiriert und soll die Paare, die zum Drehimpuls null gekoppelt sind, „zählen“. Da $\hat{A}^+$ nicht ein einfacher Erzeugungsoperator ist, muß gezeigt werden, daß dieser Operator wie gewünscht arbeitet. Um das zu sehen, berechnet man das Spektrum von $\hat{V}_P$ im Raum der antisymmetrisierten Zweiteilchenzustände $|m_1m_2\rangle$. Die Matrixelemente sind

$$\langle m_1'm_2'|\hat{V}_P|m_1m_2\rangle = -G\delta_{m_1',-m_2'}\delta_{m_1,-m_2} \tag{7.174}$$

(tatsächlich stimmt das Vorzeichen in diesem Ergebnis nur, wenn die Zustände positiver und negativer Projektion in gleicher Weise angeordnet sind, d. h. zum Beispiel $m_1, m_1' > 0$ und $m_2, m_2' < 0$). Die Zahl der Zustände $|m_1m_2\rangle$ beträgt $N = \binom{2j+1}{2}$, was gerade der Anzahl der Möglichkeiten entspricht, zwei besetzte Zustände aus den $2j+1$ erlaubten auszuwählen. Unter diesen sind $\Omega = (2j+1)/2$ Zustände von der Form $|m\ -m\rangle$ mit $m > 0$, und $\hat{V}_P$ hat ein Matrixelement von $-G$ zwischen ihnen und ansonsten das Nullmatrixelement. Angenommen, die Zweiteilchenbasis ist so angeordnet, daß die ersten Ω Zustände von der Form $|m\ -m\rangle$ sind. Ein Vektor in diesem Raum mit den Komponenten $(c_1, \ldots c_\Omega, c_{\Omega+1}, \ldots c_N)$ transformiert sich unter der Wirkung von $\hat{V}_P$ gemäß

$$\hat{V}_P \begin{pmatrix} c_1 \\ \vdots \\ c_\Omega \\ c_{\Omega+1} \\ \vdots \\ c_N \end{pmatrix} = -G \begin{pmatrix} C \\ \vdots \\ C \\ 0 \\ \vdots \\ 0 \end{pmatrix} , \tag{7.175}$$

mit $C = \sum_{j=1}^{\Omega} c_j$. Offensichtlich bildet $\hat{V}_P$ jeden Vektor auf einen Vektor mit den ersten Ω Komponenten gleich und sonst null ab, so daß er als Projektionsoperator in diesen eindimensionalen Unterraum wirkt. Das bedeutet, daß er als Eigenwert null für alle Vektoren außerhalb dieses Raumes besitzt, und der einzige Eigenvektor mit nichtverschwindendem Eigenwert ist gegeben durch $c_j = 1$, $j = 1, \ldots, \Omega$ und $c_j = 0$, $j > \Omega$ mit dem Eigenwert $-G\Omega$. Wir haben also das gewünschte Paarkraftpotential konstruiert, das alle Zustände unverändert läßt, bis auf den einen Zustand mit Gesamtdrehimpuls null, der durch $\sum_m |m - m\rangle$ gegeben und um $-G\Omega$ erniedrigt ist.

Als nächster Schritt wird untersucht, was passiert, wenn es mehr als zwei Teilchen in einer j–Schale gibt.

7.5.2 Das Senioritätsmodell

Versuchen wir nun, die Betrachtungen aus dem letzten Abschnitt auf den Fall von N Teilchen in einer j–Schale auszuweiten. Dieses Problem wurde erstmals von Racah untersucht [Ra43]. Wieder werden wir den Operator

$$\hat{A}^+ = \sum_{m>0} \hat{a}_m^+ \hat{a}_{-m}^+ \tag{7.176}$$

verwenden, der zwei Teilchen erzeugt, die zum Gesamtdrehimpuls null koppeln. Durch wiederholtes Anwenden dieses Operators erhält man nicht einfach mehrere solcher Paare; z. B. wird der Operator $(\hat{A}^+)^2$ Beiträge proportional zu $(\hat{a}^+)^2$ enthalten, die aufgrund des Pauliprinzips verschwinden.

Beim Zweiteilchenfall $N = 2$ ist schon bekannt, daß der Zustand $\hat{A}^+|0\rangle$ eine niedrigere Energie besitzt als alle anderen Zweiteilchenzustände, die entartet sind. Die Konstruktion von Zuständen mit einer größeren Anzahl N ist ein gutes Beispiel für Operatoralgebra. Neben $\hat{A}^+$ sind die anderen Operatoren, die eine Rolle spielen können, der Teilchenzahloperator

$$\hat{N} = \sum_{m=-j}^{j} \hat{a}_m^+ \hat{a}_m \tag{7.177}$$

(zu beachten ist, daß sich bei diesem Operator die Summation über beide Vorzeichen von m erstreckt) und das Paarkraftpotential

$$\hat{V}_P = -G\hat{A}^+\hat{A} = -G \sum_{m,m'>0} \hat{a}_{m'}^+ \hat{a}_{-m'}^+ \hat{a}_{-m} \hat{a}_m \; . \tag{7.178}$$

Die Vertauschungsbeziehungen zwischen diesen Operatoren werden benutzt, um die Eigenzustände von $\hat{V}_P$ zu konstruieren. Da $\hat{V}_P$ die Teilchenzahl nicht ändert, ist es klar, daß $[\hat{N}, \hat{V}_P] = 0$. Die übrigen Kommutationsrelationen können ebenfalls leicht ausgerechnet werden:

$$\begin{aligned}
[\hat{A}^+, \hat{N}] &= \sum_{m>0,m'} [\hat{a}_m^+ \hat{a}_{-m}^+, \hat{a}_{m'}^+ \hat{a}_{m'}] \\
&= \sum_{m>0,m'} (\hat{a}_m^+ \hat{a}_{-m}^+ \hat{a}_{m'}^+ \hat{a}_{m'} - \hat{a}_{m'}^+ \hat{a}_{m'} \hat{a}_m^+ \hat{a}_{-m}^+) \\
&= \sum_{m>0,m'} (\hat{a}_{m'}^+ \hat{a}_m^+ \hat{a}_{-m}^+ \hat{a}_{m'} - \hat{a}_{m'}^+ \hat{a}_{m'} \hat{a}_m^+ \hat{a}_{-m}^+) \\
&= \sum_{m>0,m'} (\delta_{m',-m} \hat{a}_{m'}^+ \hat{a}_m^+ - \hat{a}_{m'}^+ \hat{a}_m^+ \hat{a}_{m'} \hat{a}_{-m}^+ - \hat{a}_{m'}^+ \hat{a}_{m'} \hat{a}_m^+ \hat{a}_{-m}^+) \\
&= \sum_{m>0,m'} (\delta_{m',-m} \hat{a}_{m'}^+ \hat{a}_m^+ - \delta_{mm'} \hat{a}_{m'}^+ \hat{a}_{-m}^+) \\
&= \sum_{m>0} \hat{a}_{-m}^+ \hat{a}_m^+ - \sum_{m>0} \hat{a}_m^+ \hat{a}_{-m}^+ \\
&= -2\hat{A}^+ \ .
\end{aligned} \tag{7.179}$$

Dieses Ergebnis drückt die Tatsache aus, daß $\hat{A}^+$ die Teilchenzahl um zwei erhöht:

$$\hat{N}\hat{A}^+ = \hat{A}^+(\hat{N} + 2) \ . \tag{7.180}$$

Bei der zweiten Kommutationsrelation kann man durch sukzessive Permutation ähnlich verfahren, aber unter der Beachtung, daß die Indizes jetzt immer positiv sind, so daß z. B. $\hat{a}_m^+$ mit $\hat{a}_{-n}$ antikommutiert:

$$\begin{aligned}
[\hat{V}_P, \hat{A}^+] &= -G \sum_{mm'n>0} [\hat{a}_m^+ \hat{a}_{-m}^+ \hat{a}_{-m'} \hat{a}_{m'}, \hat{a}_n^+ \hat{a}_{-n}^+] \\
&= -G \sum_{mm'n>0} \Big(\hat{a}_m^+ \hat{a}_{-m}^+ \hat{a}_{-m'} (\delta_{m'n} - \hat{a}_{-n}^+ \\
&\qquad - \hat{a}_m^+ \hat{a}_{-m}^+ \hat{a}_n^+ (\delta_{m'n} - \hat{a}_{-m'}) \hat{a}_{m'} \Big) \\
&= -G \left(- \sum_{m>0} \hat{a}_m^+ \hat{a}_{-m}^+ \sum_n \hat{a}_n^+ \hat{a}_n + \sum_{m>0} \hat{a}_m^+ \hat{a}_{-m}^+ \sum_{m'n>0} \delta_{m'n} \right) \\
&= -G(-\hat{A}^+ \hat{N} + \Omega \hat{A}^+) \\
&= -G(\Omega + 2 - \hat{N})\hat{A}^+ \ ,
\end{aligned} \tag{7.181}$$

wobei Ω wieder die Anzahl der positiven Drehimpulsprojektionen bezeichnet. Dieses Resultat bedeutet, daß $\hat{A}^+$ die Eigenwerte von $\hat{V}_P$ um ein teilchenzahlabhängiges Maß verschiebt. Jetzt kann auch der Kommutator von $\hat{V}_P$ mit Potenzen von $\hat{A}^+$ ausgewertet werden:

$$\begin{aligned}
[\hat{V}_P, (\hat{A}^+)^\nu] &= \hat{V}_P (\hat{A}^+)^\nu - (\hat{A}^+)^\nu \hat{V}_P \\
&= [\hat{V}_P, \hat{A}^+](\hat{A}^+)^{\nu-1} + \hat{A}^+ [\hat{V}_P, \hat{A}^+](\hat{A}^+)^{\nu-2} \\
&\qquad + \ldots + (\hat{A}^+)^{\nu-1} [\hat{V}_P, \hat{A}^+] \\
&= -G \sum_{i=0}^{\nu-1} (\hat{A}^+)^i (\Omega + 2 - \hat{N})(\hat{A}^+)^{\nu-i} \ .
\end{aligned} \tag{7.182}$$

Nun kommutiere man den führenden Operator unter Gebrauch von $(\hat{A}^+)^i\hat{N} = (\hat{N} - 2i)(\hat{A}^+)^i$ nach rechts, um

$$\begin{aligned} [\hat{V}_P, (\hat{A}^+)^\nu] &= -G\sum_{i=0}^{\nu-1}(\Omega + 2 - \hat{N} + 2i)(\hat{A}^+)^\nu \\ &= -G[\nu(\Omega + 2 - \hat{N}) + \nu(\nu - 1)](\hat{A}^+)^\nu \end{aligned} \tag{7.183}$$

zu erhalten. Jetzt können wir weitergehen und die N–Teilchenzustände konstruieren. Man erhält eine Basis für diese Zustände durch Verteilen der Teilchen auf die $2j+1 = 2\Omega$ Einteilchenniveaus; es gibt $d_N = \binom{2\Omega}{N}$ solcher Konfigurationen. Man beachte, daß es z. B. bei $N = 2\Omega$ nur einen solchen Zustand gibt, da alle Niveaus aufgefüllt sind. Die Zahl der Konfigurationen, in denen alle Teilchen in $(m, -m)$–Kombinationen vorliegen, beträgt $p_N = \binom{\Omega}{N/2}$, d. h. die Anzahl der Möglichkeiten, die Paare über die Einteilchenzustände mit positiver Projektion zu verteilen.

Für $N = 2$ ist der gepaarte Zustand $\hat{A}^+|0\rangle$, und seine Energie kann aus

$$\begin{aligned} \hat{V}_P\hat{A}^+|0\rangle &= [\hat{V}_P, \hat{A}^+]|0\rangle = -G(\Omega + 2 - \hat{N})\hat{A}^+|0\rangle \\ &= -G\Omega\hat{A}^+|0\rangle \end{aligned} \tag{7.184}$$

bestimmt werden, so daß man das alte Ergebnis wiedergewinnt. Bei $N = 4$ erwartet man $(\hat{A}^+)^2|0\rangle$ als niedrigsten Zustand. Aus zwei Zuständen mit $J = 0$ aufgebaut, beträgt sein Drehimpuls null, und seine Energie kann wieder leicht aus den Vertauschungsbeziehungen berechnet werden:

$$\begin{aligned} \hat{V}_P(\hat{A}^+)^2|0\rangle &= [\hat{V}_P, (\hat{A}^+)^2]|0\rangle \\ &= -G(2(\Omega + 2 - \hat{N}) + 2)(\hat{A}^+)^2|0\rangle = -2G(\Omega - 1)(\hat{A}^+)^2|0\rangle\ , \end{aligned} \tag{7.185}$$

so daß sich die Energie dieses Zustands zu $E = -2G(\Omega - 1)$ ergibt. Der Effekt des Pauliprinzips reduziert die gewonnene Energie schon auf weniger als das zweifache eines einzelnen Paars.

Was ist mit den anderen möglichen Zuständen? Beim Zweiteilchenfall haben wir bereits gesehen, daß die verbleibenden $d_N - 1$ Zustände die Energie null haben. Bezeichnen wir sie mit $\hat{B}_i^{+(2)}|0\rangle$, $i = 1, \ldots d_N - 1$, so daß

$$\hat{V}_P\hat{B}_i^{+(2)}|0\rangle = 0\ . \tag{7.186}$$

Diese Zustände ermöglichen die Konstruktion einer zweiten Gruppe von Vierteilchenzuständen $\hat{A}^+\hat{B}_i^{+(2)}|0\rangle$, deren Energie durch

$$\begin{aligned} \hat{V}_P\hat{A}^+\hat{B}_i^{+(2)}|0\rangle &= [\hat{V}_P, \hat{A}^+]\hat{B}_i^{+(2)}|0\rangle \\ &= -G(\Omega + 2 - \hat{N})\hat{A}^+\hat{B}_i^{+(2)}|0\rangle = -G(\Omega - 2)\hat{A}^+\hat{B}_i^{+(2)}|0\rangle \end{aligned} \tag{7.187}$$

gegeben ist, wofür die vorhergehende Gleichung benutzt wurde. Bis hierher haben wir d_2 spezielle Vierteilchenzustände konstruiert. Um die Energie der anderen abzuleiten, beachte man zuerst, daß das Potential $\hat{V}_P$ negativ definit ist, denn es gilt für jedes $|\Psi\rangle$

$$\langle\Psi|\hat{V}_P|\Psi\rangle = -G\langle\Psi|\hat{A}^+\hat{A}|\Psi\rangle = -G|\hat{A}|\Psi\rangle|^2 \leq 0 \; . \tag{7.188}$$

Also müssen alle seine Eigenwerte negativ sein, und wir werden zeigen, daß die Summe der bisher abgeleiteten Eigenwerte die Spur von $\hat{V}_P$ erschöpft, so daß nur null für die restlichen Eigenwerte bleibt. Die Summe beträgt

$$-2G(\Omega-1) - G(d_2-1)(\Omega-2) = -G\Omega(2\Omega^2 - 5\Omega + 3) \; . \tag{7.189}$$

Andererseits ist die Spur von $\hat{V}_P$

$$\begin{aligned} \mathrm{Sp}(\hat{V}_P) &= -G\sum_{mm'>0}\sum_i \langle\Psi_i|\hat{a}^+_m\hat{a}^+_{-m}\hat{a}_{m'}\hat{a}_{-m'}|\Psi_i\rangle \\ &= -G\sum_{m>0}\sum_i \langle\Psi_i|\hat{a}^+_m\hat{a}^+_{-m}\hat{a}_{m}\hat{a}_{-m}|\Psi_i\rangle \; . \end{aligned} \tag{7.190}$$

Die Zustände $|\Psi_i\rangle$, $i = 1, \ldots, d_4$ spannen den Vierteilchen–Raum auf. Das Matrixelement zählt ab, wie viele solcher Zustände es gibt, bei denen sowohl m als auch $-m$ aufgefüllt ist. Wenn diese besetzt sind, können die verbleibenden zwei Teilchen auf die übrigen $2\Omega - 2$ Zustände verteilt werden, so daß es $\binom{2\Omega-2}{2}$ Möglichkeiten gibt. Daher lautet die Spur

$$\begin{aligned} \mathrm{Sp}(\hat{V}_P) &= -G\sum_{m>0}\binom{2\Omega-2}{2} \\ &= -G\Omega\binom{2\Omega-2}{2} = -G\Omega(2\Omega^2 - 5\Omega + 3) \end{aligned} \tag{7.191}$$

in Übereinstimmung mit (7.189). Also müssen alle anderen Zustände die Eigenwerte null besitzen, und wir können sie mit $B_i^{+(4)}|0\rangle$, $i = 1, \ldots, d_4 - d_2$ bezeichnen.

Nun kann der allgemeine Fall angegangen werden. Es scheint, daß die Zahl der „Paare", die durch $\hat{A}^+$ erzeugt werden, eine besondere Rolle spielt; daher ist es von Vorteil, eine neue Quantenzahl s, die *Seniorität*, einzuführen, um sie anzugeben. Sie zählt die *nicht in Paaren* enthaltenen Nukleonen. Im bisher besprochenen Fall haben wir

N	s	Zustand(s)
2	0	$\hat{A}^+|0\rangle$
2	2	$\hat{B}_i^{+(2)}|0\rangle$
4	0	$(\hat{A}^+)^2|0\rangle$
4	2	$\hat{A}^+\hat{B}_i^{+(2)}|0\rangle$
4	4	$\hat{B}_i^{+(4)}|0\rangle$

Das kann durch rekursives Anwenden der vorangehenden Konstruktion zuerst auf *gerade* Werte von N verallgemeinert werden. Für einen gegebenen Wert von s erwartet man Zustände der folgenden Form:

$$\begin{array}{llll} s=0: & (\hat{A}^+)^{N/2}|0\rangle & s=2: & (\hat{A}^+)^{(N-2)/2}\hat{B}_i^{(2)}|0\rangle \\ \vdots & & \vdots & \\ s \text{ allgemein} & (\hat{A}^+)^{(N-s)/2}\hat{B}_i^{(s)}|0\rangle. & & \end{array}$$

Auf diese Weise werden die Operatoren $\hat{B}_i^{(s)}$ rekursiv durch die Zustände des größten erlaubten Wertes von s definiert. Da wir im allgemeinen $\hat{V}_P\hat{B}_i^{(s)}|0\rangle = 0$ fordern, kann die Energie dieser Zustände wieder einfach über

$$\begin{aligned} \hat{V}_P(\hat{A}^+)^{(N-s)/2}\hat{B}_i^{(s)}|0\rangle &= [\hat{V}_P,(\hat{A}^+)^{(N-s)/2}]\hat{B}_i^{(s)}|0\rangle \\ &= -G\left(\frac{N-s}{2}(\Omega+2-\hat{N})+\frac{N-s}{4}(N-s-2)\right)(\hat{A}^+)^{(N-s)/2}\hat{B}_i^{(s)}|0\rangle \\ &= -\frac{G}{4}(N-s)(2\Omega+2-\hat{N}-s)(\hat{A}^+)^{(N-s)/2}\hat{B}_i^{(s)}|0\rangle \end{aligned} \tag{7.192}$$

berechnet werden. Also lautet die Energieformel

$$E_s^N = -\frac{G}{4}(N-s)(2\Omega+2-N-s)\ . \tag{7.193}$$

Für *ungerade* Werte von N muß das ungerade Teilchen explizit erzeugt werden, bevor die obige Konstruktion zum Tragen kommen kann. Für $s = 1$, z. B., sollten die Zustände

$$(\hat{A}^+)^{(N-1)/2}\hat{a}_m^+|0\rangle, \qquad m=-j,\ldots,+j \tag{7.194}$$

sein. Dann können wir wie zuvor vorgehen und einfach einen zusätzlichen Operator $\hat{a}_m^+$ überall vor das Vakuum hinzufügen; da offensichtlich $\hat{V}_P\hat{a}_m^+|0\rangle = 0$ gilt, liefert die Berechnung der Energien mit Hilfe der Kommutationsbeziehungen das gleiche Resultat wie (7.194), nur daß N und s die korrekten ungeraden Zahlen widerspiegeln.

Bis jetzt wurde das Problem, was bei größeren Werten von N passiert, stillschweigend übergangen. Die rekursive Konstruktion muß versagen, sobald die Zahl der Zustände nicht weiter mit N anwächst; das geschieht bei $N = \Omega/2$. Aufgrund des Pauliprinzips sind die dann noch durch weiteres Anwenden von $\hat{A}^+$ erzeugten Zustände nicht länger unabhängig. Trotzdem können wir den gleichen Grundgedanken verwenden, wenn wir von einer vollständig gefüllten Schale ausgehen und dann *Löcher* hinzufügen. Definiert man Erzeugungs- und Vernichtungsoperatoren für Löcher als

$$\hat{\beta}_m^+ = \hat{a}_{-m}, \qquad \hat{\beta}_m = \hat{a}_{-m}^+\ , \tag{7.195}$$

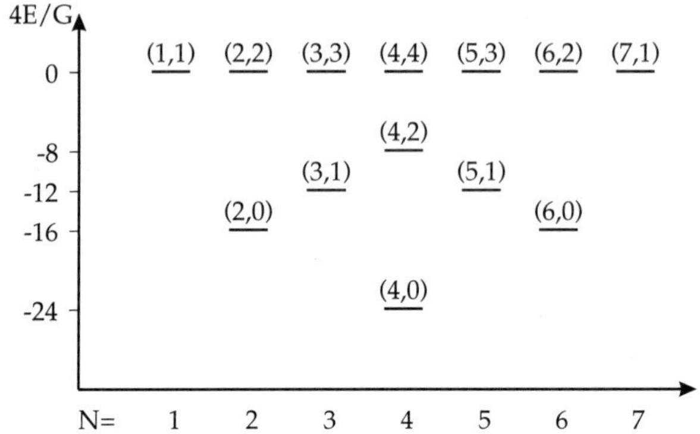

Abb. 7.14: Das Spektrum des Senioritätsmodells in einer $j = 7/2$–Schale. Die einzelnen Zustände sind mit (N, s) gekennzeichnet, und die am höchsten liegenden Zustände für jedes N sind auf Energie null normiert.

kann das Paarkraftpotential durch Kommutation umgeschrieben werden:

$$\begin{aligned}\hat{V}_P &= -G \sum_{mm'>0} \hat{\beta}_{-m}\hat{\beta}_m\hat{\beta}^+_{m'}\hat{\beta}^+_{-m'} \\ &= -G \sum_{mm'>0} [\hat{\beta}^+_{m'}\hat{\beta}^+_{-m'}\hat{\beta}_{-m}\hat{\beta}_m + \delta_{mm'}(\hat{\beta}_{-m}\hat{\beta}^+_{-m'} - \hat{\beta}^+_{m'}\hat{\beta}_m)] \\ &= -G \sum_{mm'>0} \hat{\beta}^+_{m'}\hat{\beta}^+_{-m'}\hat{\beta}_{-m}\hat{\beta}_m - G(\Omega - N) \ .\end{aligned} \tag{7.196}$$

Das Paarkraftpotential für Löcher hat also die gleiche Gestalt, abgesehen von einem nur von N abhängigen Beitrag; da wir die relative Lage der Grundzustände von benachbarten Kernen in diesem Modell sowieso nicht beschreiben können, kann dieser Teil ignoriert werden, und das Niveauschema wird symmetrisch bezüglich $N = \Omega/2$. Zu beachten ist jedoch, daß in der Energieformel N durch die Zahl der Löcher $2\Omega - N$ ersetzt werden muß und daß sich s in den Formeln auf ungepaarte *Löcher* bezieht und $\leq 2\Omega - N$ sein muß.

Die Ergebnisse dieses Abschnitts zusammenfassend sind die Energieniveaus des Kerns, die völlig entartet im Hinblick auf die Drehimpulskopplung im Einteilchenmodell waren, nun aufgrund der Paarkraft–Wechselwirkung aufgespalten, und das Spektrum wird durch die Senioritätsquantenzahl beschrieben. Der niedrigste Zustand ist der mit dem kleinsten Wert von s, d. h. $s = 0$ oder $s = 1$. Den Abstand zum nächsthöheren Zustand findet man als

$$E^N_{s+2} - E^N_s = G(\Omega - s) \ , \tag{7.197}$$

so daß sich insbesondere eine Energielücke von $G\Omega$ zwischen dem Grundzustand ($s = 0$) und dem ersten angeregten Zustand in gg–Kernen ergibt. Da der Grundzustand Seniorität null hat, ist es ebenso klar, daß der Kernspin verschwinden muß. Bei ungeraden Kernen besitzt die Lücke den geringeren Wert $G(\Omega - 1)$.

Im Grenzfall weniger Teilchen in einer großen Schale (d. h. für $\Omega \gg N, s, 1$) wird die Energie näherungsweise zu

$$E_s^N \approx -\frac{G}{2}(N-s)\Omega\ , \tag{7.198}$$

so daß jedes Paar mit $G\Omega$ beiträgt. Für größere Zahlen von Teilchen reduziert das Pauliprinzip den Effekt der Paarkraft.

7.8 Aufgabe: Paarkrafteffekt in einer $j = 7/2$–Schale

Man berechne den Effekt der Paarkraft im Spektrum für Kerne in einer $j = 7/2$–Schale.

Lösung:

Wie oben erwähnt, ist man nicht an der relativen Energie von Kernen mit unterschiedlichem N interessiert, sondern betrachtet nur die Absenkung der Zustände aufgrund der Paarkraft. Die Energieformel (7.193) im Fall $\Omega = 4$ liefert

$$E_s^N = -\frac{G}{4}(N-s)(10-N-s)\ , \tag{1}$$

und das Spektrum ist in Abbildung 7.14 gegeben.

7.5.3 Das Quasispin–Modell

Es gibt eine elegantere Methode, die Resultate des vorangehenden Abschnitts abzuleiten [Ke61]; während die Ergebnisse nicht über die dort vorgestellten hinausgehen, sind die mathematischen Gedanken interessant genug, eine kurze Besprechung zu rechtfertigen. Die Grundidee besteht in der Konstruktion von Operatoren, die die Vertauschungsrelationen eines Drehimpulses erfüllen. Man definiert die Operatoren

$$\begin{aligned} \hat{S}_+ &= \hat{A}^+ = \sum_{m>0} \hat{a}_m^+ \hat{a}_{-m}^+ \\ \hat{S}_- &= \hat{A} = \sum_{m>0} \hat{a}_{-m} \hat{a}_m \\ \hat{S}_0 &= \tfrac{1}{2} \sum_{m>0} (\hat{a}_m^+ \hat{a}_m + \hat{a}_{-m}^+ \hat{a}_{-m} - 1), \end{aligned} \tag{7.199}$$

wobei m von $-j$ bis j läuft. Einfache Überprüfung zeigt, daß diese

$$[\hat{S}_+, \hat{S}_-] = 2\hat{S}_0, \quad [\hat{S}_0, \hat{S}_+] = \hat{S}_+, \quad [\hat{S}_0, \hat{S}_-] = -\hat{S}_- \tag{7.200}$$

erfüllen, d. h. exakt dieselben Kommutationsbeziehungen wie die Drehimpulsoperatoren $\hat{J}_+$, $\hat{J}_-$ und $\hat{J}_0$. Das rechtfertigt die Einführung des Namens „Quasispin“. Nun kann das Paarkraftpotential ausgedrückt werden als

$$\hat{V}_P = -G\hat{A}^+\hat{A} = -G\hat{S}_+\hat{S}_-\ , \tag{7.201}$$

wobei der Operator $\hat{S}_0$ zu

$$\hat{S}_0 = \tfrac{1}{2}\hat{N} - \tfrac{1}{2}\sum_{m>0} 1 = \tfrac{1}{2}(\hat{N} - \Omega) \tag{7.202}$$

umgeschrieben werden kann. Die Eigenwerte von $\hat{V}_P$ können mit denen des Quasispins in Beziehung gesetzt werden, da das Quadrat des „Drehimpuls“-Operators analog als

$$\hat{S}^2 = \hat{S}_+\hat{S}_- - \hat{S}_0 + \hat{S}_0^2 \tag{7.203}$$

definiert werden muß, so daß

$$\hat{V}_P = -G(\hat{S}^2 - \hat{S}_0^2 + \hat{S}_0) \; . \tag{7.204}$$

Also wird das Problem über die bekannten Drehimpulseigenzustände gelöst. Bezeichnet man den Eigenwert von $\hat{S}^2$ mit $\sigma(\sigma+1)$, so folgt unter Verwendung von (7.202)

$$E_\sigma^N = -G[\sigma(\sigma+1) - \tfrac{1}{4}(N-\Omega)^2 + \tfrac{1}{2}(N-\Omega)] \; . \tag{7.205}$$

Formal ist das Problem gelöst, aber die Beziehung zwischen der neuen Quantenzahl σ und der Seniorität s, die sie ersetzt, muß noch gefunden werden. Hier hilft ein Vergleich mit unseren vorherigen Konstruktion. Die Zustände mit festem σ werden unterschieden durch verschiedene Eigenwerte der „Projektion“ $\hat{S}_0$, was einer Differenz von 2 in $\hat{N}$ zwischen benachbarten Projektionen entspricht, aber weil die Operatoren $\hat{S}_\pm$ Paare erzeugen und vernichten, müssen diese alle die gleiche Seniorität besitzen. Also kann σ nur eine Funktion von s und Ω ein. Sie kann abgeleitet werden, indem man den Zustand mit der niedrigsten Projektion $-\sigma = \frac{1}{2}(N-\Omega)$ (aus der Definition von $\hat{S}_0$) untersucht. Der entsprechende Zustand hat die Eigenschaft, daß

$$\hat{S}_-|-\sigma\rangle = \hat{A}|-\sigma\rangle = 0 \; . \tag{7.206}$$

Physikalisch bedeutet das aber, daß es keine Paare in diesem Zustand gibt, d. h. $s = N$. Daher muß σ durch

$$\sigma = \tfrac{1}{2}(\Omega - s) \tag{7.207}$$

gegeben sein. Dies in (7.204) einsetzen liefert (7.191), und mit ähnlichen Argumenten wie denen für σ läßt sich überprüfen, daß der zulässige Bereich für die Quantenzahlen ebenfalls identisch ist.

7.5.4 Das BCS–Modell

Das Senioritäts– und das Quasispin–Modell illustrieren die Wirkung der Paarkraft ziemlich gut, sind jedoch ernsthaft durch die Annahme einer teilweise gefüllten j–Schale beschränkt, wodurch sie nur auf sphärische Kerne anwendbar sind. Der Formalismus basierte auf der Kopplung zweier Nukleonen zum Drehimpuls null durch eine Summe von Paaren von Zuständen $(m, -m)$. Bei deformierten Kernen gibt es keine Entartung der unterschiedlichen Projektionen innerhalb einer j–Schale mehr; aber die Kramers–Entartung sichert immer noch die Existenz von Paaren entarteter, einander zeitumkehrkonjugierter Zustände, die über eine kurzreichweitige Kraft stark koppeln sollten. In einem Festkörper, für welchen Fall die Theorie ursprünglich von Bardeen, Cooper und Schrieffer entwickelt worden war [Ba57], sind dies Impulseigenzustände $(\boldsymbol{k}, -\boldsymbol{k})$, während in einem Kern die Drehimpulsprojektion auf die intrinsische Achse die entscheidende Quantenzahl sein wird. Die Anwendung auf Kerne wurde erstmals von Belyaev [Be59] unternommen. Eine erweiterte Version dieses Methode ist das sogenannte *Lipkin–Nogami*–Paarkraftmodell, das in [Li60, No64, Pr73] diskutiert wird und leicht verstanden werden kann, sobald die in diesem Kapitel vorgestellten Techniken bekannt sind.

Es ist auch dann noch üblich, die zwei Zustände mit k und $-k$ zu bezeichnen, wenn k sich auf die Drehimpulsprojektion Ω bezieht. Im folgenden wird k zur Darstellung aller Quantenzahlen der Einteilchenzustände verwendet; die einzige wichtige Eigenschaft, die benötigt wird, ist die, daß es immer zwei Zustände k und $-k$ gibt, die über Zeitumkehr miteinander verbunden sind und durch die Paarkraft bevorzugt koppeln.

Man kann mit einem Hamiltonoperator starten, der einen reinen Einteilchenteil und eine Restwechselwirkung enthält, die nur auf solche Paare wirkt:

$$\hat{H} = \sum_k \epsilon_k^0 \hat{a}_k^+ \hat{a}_k + \sum_{kk'>0} \langle k, -k|v|k', -k'\rangle \hat{a}_k^+ \hat{a}_{-k}^+ \hat{a}_{-k'} \hat{a}_{k'} \ . \tag{7.208}$$

Die Grundidee ist ähnlich der der Paarkraft, wie sie bisher verwendet wurde, außer, daß die Kopplung zum Drehimpuls null nicht notwendig ist und daß nicht–konstante Matrixelemente des Paarkraftpotentials erlaubt sind. Die Einschränkung $k > 0$ in der zweiten Summe bedeutet wieder, daß nur über positive Projektionen summiert wird. Im einfachsten Fall kann man ein konstantes Matrixelement $-G$ annehmen (wir werden jedoch bald auf den allgemeineren Fall zurückkommen):

$$\hat{H} = \sum_k \epsilon_k^0 \hat{a}_k^+ \hat{a}_k - G \sum_{kk'>0} \hat{a}_k^+ \hat{a}_{-k}^+ \hat{a}_{-k'} \hat{a}_{k'} \ . \tag{7.209}$$

Eine analytische Lösung kann in diesem Fall nicht gefunden werden, aber es gibt eine Näherungslösung, basierend auf dem *BCS–Zustand*

$$|\mathrm{BCS}\rangle = \prod_{k>0}^{\infty} (u_k + v_k \hat{a}_k^+ \hat{a}_{-k}^+)|0\rangle \ . \tag{7.210}$$

In diesem Zustand ist jedes Paar von Einteilchenniveaus $(k, -k)$ mit der Wahrscheinlichkeit $|v_k|^2$ besetzt und der Wahrscheinlichkeit $|u_k|^2$ leer. Die Parameter u_k und v_k werden dann über das Variationsprinzip bestimmt. Wir werden annehmen, daß es reelle Zahlen sind; das wird sich als ausreichend allgemein für zeitunabhängige Probleme erweisen.

Zuerst untersuchen wir einige Eigenschaften des BCS–Zustands.

- Normierung: Die Norm ist gegeben durch

$$\langle \mathrm{BCS}|\mathrm{BCS}\rangle = \langle 0| \prod_{k>0}^{\infty} (u_k + v_k \hat{a}_{-k}\hat{a}_k) \prod_{k'>0}^{\infty} (u_{k'} + v_{k'}\hat{a}_{k'}^{+}\hat{a}_{-k'}^{+})|0\rangle \ . \tag{7.211}$$

Die Terme in Klammern vertauschen alle für unterschiedliche Indizes, so daß nur das Produkt zweier solcher Terme mit demselben Index untersucht zu werden braucht:

$$\begin{aligned}&(u_k + v_k \hat{a}_{-k}\hat{a}_k)(u_k + v_k \hat{a}_k^{+}\hat{a}_{-k}^{+})\\&\quad = u_k^2 + u_k v_k(\hat{a}_k^{+}\hat{a}_{-k}^{+} + \hat{a}_{-k}\hat{a}_k) + v_k^2 \hat{a}_{-k}\hat{a}_k\hat{a}_k^{+}\hat{a}_{-k}^{+} \ .\end{aligned} \tag{7.212}$$

Da die anderen Terme im Produkt auf die Zustände k und $-k$ nicht wirken, ist dieser Ausdruck effektiv vom Vakuum im Matrixelement eingeschlossen, und nur die ersten und letzten Terme tragen bei. Also lautet die Norm

$$\langle \mathrm{BCS}|\mathrm{BCS}\rangle = \prod_{k>0}^{\infty} (u_k^2 + v_k^2) \ , \tag{7.213}$$

und zur Normierung verlangen wir

$$u_k^2 + v_k^2 = 1 \ . \tag{7.214}$$

- Teilchenzahl: Offensichtlich ist dies keine gute Quantenzahl für den BCS–Zustand. Der Erwartungswert ist

$$N = \langle \mathrm{BCS}|\hat{N}|\mathrm{BCS}\rangle = \langle \mathrm{BCS}| \sum_{k>0} (\hat{a}_k^{+}\hat{a}_k + \hat{a}_{-k}^{+}\hat{a}_{-k})|\mathrm{BCS}\rangle \ , \tag{7.215}$$

und er kann leicht ausgerechnet werden, wenn man bemerkt, daß der Operator für jeden Wert von k die zu v_k proportionale Komponente aus dem BCS–Zustand projiziert und sie mit seiner Teilchenzahl von 2 multipliziert, wonach die Projektion auf den linken Zustand wieder nur einen Faktor v_k beitragen wird. Das Ergebnis lautet

$$N = \sum_{k>0} 2v_k^2 \ . \tag{7.216}$$

Das stimmt natürlich genau mit der Interpretation von v_k^2 als der Wahrscheinlichkeit für ein besetztes Paar $(k, -k)$ überein.

- Unbestimmtheit der Teilchenzahl: Die mittlere quadratische Abweichung der Teilchenzahl ist gegeben durch

$$\Delta N^2 = \langle \mathrm{BCS}|\hat{N}^2|\mathrm{BCS}\rangle - \langle \mathrm{BCS}|\hat{N}|\mathrm{BCS}\rangle^2 \ . \tag{7.217}$$

Das Matrixelement von $\hat{N}^2$ folgt einfach aus seiner Entwicklung,

$$\hat{N}^2 = \sum_{kk'>0} (\hat{a}_k^+ \hat{a}_k + \hat{a}_{-k}^+ \hat{a}_{-k})(\hat{a}_{k'}^+ \hat{a}_{k'} + \hat{a}_{-k'}^+ \hat{a}_{-k'}) \ . \tag{7.218}$$

Jeder Term erzeugt einen Faktor von $2v_k^2 \cdot 2v_{k'}^2$ durch Abzählen der Zahl der Nukleonen in den entsprechenden Einteilchenzuständen. Das Resultat ist jedoch nicht richtig für die Diagonalterme $k = k'$, bei denen nur ein Faktor $4v_k^2$ aus der Wellenfunktion erhalten werden kann. Also haben wir

$$\langle \mathrm{BCS}|\hat{N}^2|\mathrm{BCS}\rangle = 4 \sum_{\substack{k \neq k' \\ kk'>0}} v_k^2 v_{k'}^2 + 4 \sum_{k>0} v_k^2 \ . \tag{7.219}$$

Verbindet man dies mit dem vorigen Ergebnis für die Norm und verwendet $u_k^2 = 1 - v_k^2$, führt das auf

$$\Delta N^2 = 4 \sum_{k>0} u_k^2 v_k^2 \ . \tag{7.220}$$

Das letzte Ergebnis zeigt, daß die Unbestimmtheit in der Teilchenzahl durch diejenigen Einteilchenzustände verursacht ist, die gebrochenzahlig besetzt sind, d. h., bei denen weder u_k^2 noch v_k^2 gleich der Eins sind. Da das alleinige Gestatten der Werte null oder eins für die Besetzungswahrscheinlichkeiten ein Zurückgehen zum reinen Einteilchenmodell bedeuten würde, muß der Paarkrafteffekt über diese fraktionale Besetzung hineinkommen. Die Unbestimmtheit in der Teilchenzahl kann man, obwohl das streng genommen nicht korrekt ist, vernachlässigen, solange $\Delta N \ll N$. Das muß für die konkreten Ergebnisse überprüft werden.

Da die Versuchswellenfunktion die Teilchenzahl nicht erhält, muß der gewünschte Erwartungswert über eine Zwangsbedingung mit einem Lagrange–Multiplikator gewonnen werden. So werden wir dazu geführt, die Variationsbedingung

$$\delta \langle \mathrm{BCS}|\hat{H} - \lambda \hat{N}|\mathrm{BCS}\rangle = 0 \tag{7.221}$$

zu betrachten. Mit dem Hamiltonoperator aus (7.209) und berücksichtigend, daß die freien Parameter die v_k sind, lautet das weiter ausgeschrieben

$$\frac{\partial}{\partial v_k} \langle \mathrm{BCS}| \sum_k (\epsilon_k^0 - \lambda) \hat{a}_k^+ \hat{a}_k - G \sum_{kk'>0} \hat{a}_k^+ \hat{a}_{-k}^+ \hat{a}_{-k'} \hat{a}_{k'} |\mathrm{BCS}\rangle = 0 \ . \tag{7.222}$$

Die u_k hängen von den v_k über die Normierung $u_k^2+v_k^2=1$ ab, was auf $u_k \mathrm{d}u_k+v_k \mathrm{d}v_k = 0$ führt und damit auch auf

$$\frac{\partial}{\partial v_k} = \left.\frac{\partial}{\partial v_k}\right|_{u_k} - \frac{v_k}{u_k}\left.\frac{\partial}{\partial u_k}\right|_{v_k} . \tag{7.223}$$

Die Auswertung des Matrixelements ist mit der bisher gewonnenen Erfahrung ziemlich einfach. Untersucht man, welche Teile der Wellenfunktion vom Operator links und rechts herausprojiziert werden, findet man

$$\begin{aligned} \langle \mathrm{BCS}|\hat{a}_k^+\hat{a}_k|\mathrm{BCS}\rangle &= v_k^2 \\ \langle \mathrm{BCS}|\hat{a}_k^+\hat{a}_{-k}^+\hat{a}_{-k'}\hat{a}_{k'}|\mathrm{BCS}\rangle &= \begin{cases} u_k v_k u_{k'} v_{k'} & \text{für } k \neq k' \\ v_k^2 & \text{für } k = k' \end{cases} . \end{aligned} \tag{7.224}$$

Das Paarkraft–Matrixelement schreibt sich nun

$$\begin{aligned} \langle \mathrm{BCS}| - G \sum_{kk'>0} \hat{a}_k^+\hat{a}_{-k}^+\hat{a}_{-k'}\hat{a}_{k'}|\mathrm{BCS}\rangle &= \\ -G \sum_{\substack{kk'>0 \\ k\neq k'}} u_k v_k u_{k'} v_{k'} - G\sum_{k>0} v_k^2 &= -G\left(\sum_{k>0} u_k v_k\right)^2 - G\sum_{k>0} v_k^4 , \end{aligned} \tag{7.225}$$

und der Erwartungswert des Hamiltonoperators wird zu

$$\langle \mathrm{BCS}|\hat{H}-\lambda\hat{N}|\mathrm{BCS}\rangle = 2\sum_{k>0}(\epsilon_k^0-\lambda)v_k^2 - G\left(\sum_{k>0} u_k v_k\right)^2 - G\sum_{k>0} v_k^4 . \tag{7.226}$$

Dies muß gemäß (7.223) differenziert werden, was

$$\begin{aligned} 4(\epsilon_k^0-\lambda)v_k \; &-2G\left(\sum_{k'>0} u_{k'}v_{k'}\right)u_k - 4Gv_k^3 \\ &-\frac{v_k}{u_k}\left[-2G\left(\sum_{k'>0} u_{k'}v_{k'}\right)\right] = 0 \end{aligned} \tag{7.227}$$

ergibt. Alle Gleichungen für die verschiedenen Werte von k sind über den Term

$$\Delta = G\sum_{k'>0} u_{k'}v_{k'} \tag{7.228}$$

gekoppelt. Um fortzufahren nehmen wir erst einmal an, daß Δ bekannt ist, leiten eine explizite Form für v_k und u_k ab und verwenden dann die Definition von Δ als Nebenbedingung. Mit der Abkürzung

$$\epsilon_k = \epsilon_k^0 - \lambda - Gv_k^2 \tag{7.229}$$

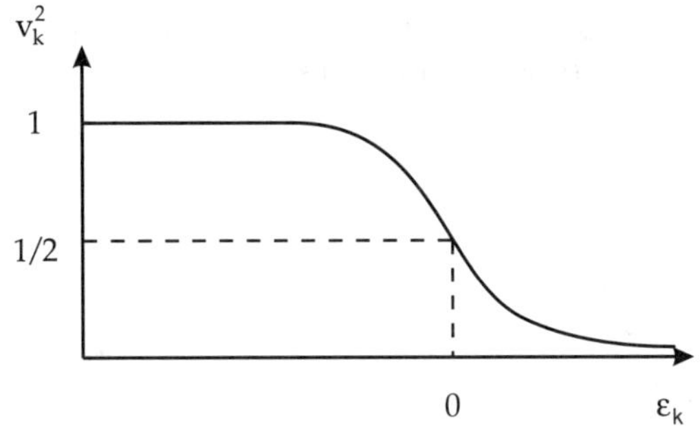

Abb. 7.15: Die Abhängigkeit der Besetzungswahrscheinlichkeiten von der Einteilchenenergie ϵ_k

vereinfacht sich (7.227) zu

$$2\epsilon_k v_k u_k + \Delta(v_k^2 - u_k^2) = 0 \; . \tag{7.230}$$

Quadrieren dieser Gleichung gestattet die Ersetzung von u_k^2 durch v_k^2, und nach dem letzteren kann man auflösen:

$$v_k^2 = \frac{1}{2}\left(1 \pm \sqrt{1 - \frac{\Delta^2}{\epsilon_k^2 + \Delta^2}}\right) = \frac{1}{2}\left(1 \pm \frac{\epsilon_k}{\sqrt{\epsilon_k^2 + \Delta^2}}\right) \; . \tag{7.231}$$

Das zweideutige Vorzeichen ergibt sich aus der Gleichung vierter Ordnung, die während der Rechnung auftaucht; nimmt man die Quadratwurzel von ϵ_k^2, erscheint keine weitere Doppeldeutigkeit. Die Wahl des richtigen Vorzeichens trifft man mit der Feststellung, daß bei sehr großen Einteilchenenergien $\epsilon_k \to \infty$ die Besetzungswahrscheinlichkeiten gegen null gehen müssen; das wird erreicht, wenn man das negative Vorzeichen nimmt. Das Endresultat ist also

$$v_k^2 = \frac{1}{2}\left(1 - \frac{\epsilon_k}{\sqrt{\epsilon_k^2 + \Delta^2}}\right) , \quad u_k^2 = \frac{1}{2}\left(1 + \frac{\epsilon_k}{\sqrt{\epsilon_k^2 + \Delta^2}}\right) \; . \tag{7.232}$$

Unter der Annahme, daß λ und Δ bestimmt worden sind, kann das Verhalten dieser Ausdrücke leicht gesehen werden. Für $\epsilon_k = 0$, d. h., wenn $\epsilon_k^0 - Gv_k^2 = \lambda$, sind sowohl u_k^2 als auch v_k^2 gleich $\frac{1}{2}$. Für große negative Werte von ϵ_k wird man $u_k^2 \approx 0$ und $v_k^2 \approx 1$ haben, und das Gegenteil wird für große positive Werte wahr sein. Die Breite des Übergangs wird durch Δ bestimmt. Dieses Verhalten wird in Abbildung 7.15 veranschaulicht. Zu bemerken ist, daß λ offensichtlich die Rolle einer verallgemeinerten Fermi–Energie spielt.

Der unbekannte Parameter kann jetzt bestimmt werden, indem man die expliziten Formen von u_k und v_k in seine Definition einsetzt, was

$$\begin{aligned}\Delta &= G\sum_{k>0} u_k v_k \\ &= \sum_{k>0}\frac{G}{2}\sqrt{1-\frac{\epsilon_k^2}{\epsilon_k^2+\Delta^2}} \\ &= \frac{G}{2}\sum_{k>0}\frac{\Delta}{\sqrt{\epsilon_k^2+\Delta^2}}\end{aligned} \tag{7.233}$$

ergibt, d. h. die sogenannte *Gap–Gleichung* (*gap*, engl. für Lücke)

$$\boxed{\Delta = \frac{G}{2}\sum_{k>0}\frac{\Delta}{\sqrt{\epsilon_k^2+\Delta^2}}\ .} \tag{7.234}$$

Sie kann iterativ unter Verwendung der bekannten Werte von G und der Einteilchenenergien ϵ_k^0 gelöst werden. Der andere Parameter λ folgt dann aus der gleichzeitig zu erfüllenden Bedingung für die Gesamtteilchenzahl

$$\boxed{\sum_{k>0} 2v_k^2 = N\ .} \tag{7.235}$$

Verfährt man so, dann muß der Term $-Gv_k^2$ in der Definition von ϵ_k aus (7.234) vernachlässigt werden. Das wird gewöhnlich mit dem Argument getan, daß er nur einer Renormierung der Einteilchenenergien entspricht.

Hier sind noch ein paar Hinweise für die praktische Anwendung des BCS–Modells: Die Niveaus mit $\epsilon_k \approx 0$, d. h. solche nahe der Fermienergie, tragen in der Gap–Gleichung am meisten bei. Dadurch motiviert behandelt man Protonen und Neutronen separat, da in allen Kernen bis auf die sehr leichten die Protonen– und Neutronen–Fermienergien ziemlich unterschiedlich sind, was auch zu kleinen Matrixelementen einer kurzreichweitigen Wechselwirkung vom Typ der Paarkraft zwischen den entsprechenden Wellenfunktionen führt. Die Gap–Gleichung wird also getrennt für die Niveauschemata der Protonen und Neutronen geschrieben, und ebenso wird es separate Stärken G_p und G_n, Gap–Parameter Δ_p und Δ_n, sowie Fermienergien λ_p und λ_n geben. Richtwerte für die Stärken sind

$$G_p \approx 17\ \mathrm{MeV}/A, \qquad G_n \approx 25\ \mathrm{MeV}/A\ , \tag{7.236}$$

aber in der Literatur finden sich viele andere Vorschriften. Zahlreiche Autoren verwenden den Gap der Paarkraft als vorgegebenen Parameter, wodurch sich die Rechnungen beträchtlich vereinfachen. Es besteht immer noch eine Kontroverse darüber, ob bei einem deformierten Kern die Stärke oder der Gap der Paarkraft von der Deformation abhängt.

Die Gap–Gleichung (7.234) wird immer trivial durch $\Delta = 0$ gelöst. In den meisten Fällen existiert auch die nichttriviale gepaarte Lösung mit nichtverschwindendem Gap und niedrigerer Energie. Die zwei Lösungen können nicht durch stetige Erhöhung der Paarkraft–Stärke ineinander überführt werden, weswegen man von einem *Phasenübergang* zwischen den gepaarten und ungepaarten Zuständen des Kerns sprechen kann.

7.5.5 Die Bogolyubov–Transformation

Das BCS–Modell kann auf elegantere Weise durch eine Transformation auf neue *Quasiteilchen*–Operatoren formuliert werden, durch die sogenannte *Bogolyubov–Transformation*, entwickelt von Bogolyubov und Valatin [Bo58, Va58, Bo59]. Ein willkommenes Nebenprodukt ist eine einfache Methode, die angeregten Zustände des Kerns als Quasiteilchenanregungen zu konstruieren.

Die grundlegende Idee besteht darin, nach Operatoren $\hat{\alpha}_k$ zu suchen, für die der BCS–Grundzustand das Vakuum darstellt, d. h.,

$$\hat{\alpha}_k |\mathrm{BCS}\rangle = 0 \; . \tag{7.237}$$

Das ist ein analoges — aber allgemeineres — Problem wie das für den Hartree–Fock–Zustand, bei dem die Transformation auf Teilchen und Löcher zu der gewünschten Formulierung

$$\begin{aligned} \hat{\alpha}_k^+ &= \hat{a}_k^+, \quad \hat{\alpha}_k = \hat{a}_k, \quad k > F, \\ \hat{\alpha}_k^+ &= -\hat{a}_{-k}, \quad \hat{\alpha}_k = -\hat{a}_{-k}^+, \quad k < F \end{aligned} \tag{7.238}$$

führt, wobei sich $k < F$ und $k > F$ wieder auf besetzte beziehungsweise unbesetzte Zustände im Hartree–Fock–Zustand bezieht. Man beachte, daß bei den Löchern ($k < F$) die Erzeugung eines Loches k die Vernichtung eines Teilchens mit der Drehimpulsprojektion $-k$ impliziert, so daß dessen Index als $-k$ bezeichnet werden sollte.

Im Fall des BCS–Zustands ist Teilchenzahlerhaltung nicht mehr gewahrt, und es scheint vernünftig zu sein, die allgemeinere Transformation

$$\hat{\alpha}_k = p\hat{a}_k + q\hat{a}_{-k}^+ \tag{7.239}$$

auszuprobieren, bei der aufgrund der obigen Argumente klar ist, warum der Index in den zwei Termen unterschiedliches Vorzeichen besitzt. Anwenden dieses Operators auf den BCS–Zustand und unter Beachtung der Tatsache, daß nur der Index k im Operatorprodukt wichtig sein kann, führt auf die Bedingung

$$\begin{aligned} 0 &= (p\hat{a}_k + q\hat{a}_{-k}^+)(u_k + v_k \hat{a}_k^+ \hat{a}_{-k}^+)|0\rangle \\ &= (qu_k + pv_k)\hat{a}_{-k}^+|0\rangle \; , \end{aligned} \tag{7.240}$$

was $qu_k + pv_k = 0$ liefert. Dies kann durch $p = su_k$, $q = -sv_k$ mit einem noch beliebigen reellen Faktor s gelöst werden. Durchführen derselben Rechnung für $\hat{\alpha}_{-k}$ liefert die zwei Definitionen

$$\begin{aligned} \hat{\alpha}_k &= su_k\hat{a}_k - sv_k\hat{a}^+_{-k} \\ \hat{\alpha}_{-k} &= tu_k\hat{a}_{-k} + tv_k\hat{a}^+_k \end{aligned} \tag{7.241}$$

sowie die entsprechenden Erzeugungsoperatoren durch hermitesche Konjugation:

$$\begin{aligned} \hat{\alpha}^+_k &= su_k\hat{a}^+_k - sv_k\hat{a}_{-k} \\ \hat{\alpha}^+_{-k} &= tu_k\hat{a}^+_{-k} + tv_k\hat{a}_k \ . \end{aligned} \tag{7.242}$$

Es wurde angenommen, daß u_k und v_k wie vorher reell gewählt werden können. Die unbekannten Faktoren s und t kann man durch Forderung der üblichen Kommutationsregeln für Fermionen bestimmen, zum Beispiel

$$\delta_{kk'} = \{\hat{\alpha}_k, \hat{\alpha}^+_{k'}\} = \delta_{kk'}s^2(u_k^2 + v_k^2) \ . \tag{7.243}$$

Sie können alle durch Setzen von $s = t = 1$ und Fordern von $u_k^2 + v_k^2 = 1$ wie zuvor erfüllt werden.

Die endgültige Version der *Bogolyubov–Transformation* besteht also in der folgenden Definition der *Quasiteilchen–Operatoren*:

$$\begin{aligned} \hat{\alpha}_k &= u_k\hat{a}_k - v_k\hat{a}^+_{-k} \qquad & \hat{\alpha}^+_k &= u_k\hat{a}^+_k - v_k\hat{a}_{-k} \\ \hat{\alpha}_{-k} &= u_k\hat{a}_{-k} + v_k\hat{a}^+_k \qquad & \hat{\alpha}^+_{-k} &= u_k\hat{a}^+_{-k} + v_k\hat{a}_k \ . \end{aligned} \tag{7.244}$$

Die inverse Transformation ist gegeben durch

$$\hat{a}_k = u_k\hat{\alpha}_k + v_k\hat{\alpha}^+_{-k} \qquad \hat{a}_{-k} = u_k\hat{\alpha}_{-k} - v_k\hat{\alpha}^+_k \tag{7.245}$$

und das hermitesch Konjugierte für die Erzeugungsoperatoren.

Die nächste Aufgabe besteht nun darin, den Hamiltonoperator

$$\hat{H} = \sum_{k_1k_2} t_{k_1k_2}\hat{a}^+_{k_1}\hat{a}_{k_2} + \frac{1}{2}\sum_{k_1k_2k_3k_4} \bar{v}_{k_1k_2k_3k_4}\hat{a}^+_{k_1}\hat{a}^+_{k_2}\hat{a}_{k_4}\hat{a}_{k_3} \ , \tag{7.246}$$

der aus kinetischer Energie plus Zweikörper–Wechselwirkung besteht, zu transformieren. $\bar{v}_{k_1k_2k_3k_4}$ steht für das antisymmetrisierte Matrixelement nach (7.64). Ersetzt man die Operatoren durch die Quasiteilchenoperatoren über die inverse Bogolyubov–Transformation (7.245), so führt das auf eine Unmenge von Termen; wir diskutieren hier nur einige allgemeine Eigenschaften der einfacheren Terme der kinetischen Energie (man beachte, daß das Matrixelement $t_{k_1k_2}$ nicht von den Vorzeichen von k_1 und k_2 abhängt):

$$\begin{aligned}\sum_{k_1k_2} & t_{k_1k_2}\hat{a}^+_{k_1}\hat{a}_{k_2} \qquad (7.247)\\ &= \sum_{k_1k_2>0} t_{k_1k_2}(u_{k_1}\hat{\alpha}^+_{k_1} + v_{k_1}\hat{\alpha}_{-k_1})(u_{k_2}\hat{\alpha}_{k_2} + v_{k_2}\hat{\alpha}^+_{-k_2})\\ &+ \sum_{k_1k_2>0} t_{k_1k_2}(u_{k_1}\hat{\alpha}^+_{-k_1} - v_{k_1}\hat{\alpha}_{k_1})(u_{k_2}\hat{\alpha}_{k_2} + v_{k_2}\hat{\alpha}^+_{-k_2})\\ &+ \sum_{k_1k_2>0} t_{k_1k_2}(u_{k_1}\hat{\alpha}^+_{k_1} + v_{k_1}\hat{\alpha}_{-k_1})(u_{k_2}\hat{\alpha}_{-k_2} - v_{k_2}\hat{\alpha}^+_{k_2})\\ &+ \sum_{k_1k_2>0} t_{k_1k_2}(u_{k_1}\hat{\alpha}^+_{-k_1} - v_{k_1}\hat{\alpha}_{k_1})(u_{k_2}\hat{\alpha}_{-k_2} - v_{k_2}\hat{\alpha}^+_{k_2})\ .\end{aligned}$$

Man betrachte beispielsweise den Term in $\hat{\alpha}^+_{k_1}\hat{\alpha}_{k_2}$, der

$$t_{k_1k_2}u_{k_1}u_{k_2}\hat{\alpha}^+_{k_1}\hat{\alpha}_{k_2} \qquad (7.248)$$

ist, während man für die Kombination $\hat{\alpha}_{k_1}\hat{\alpha}^+_{k_2}$

$$t_{k_1k_2}v_{k_1}v_{k_2}\hat{\alpha}_{k_1}\hat{\alpha}^+_{k_2} \qquad (7.249)$$

bekommt. In der Summe über k_1 und k_2 können diese zu

$$t_{k_1k_2}[(u_{k_1}u_{k_2} - v_{k_1}v_{k_2})\hat{\alpha}^+_{k_1}\hat{\alpha}_{k_2} + v^2_{k_1}\delta_{k_1k_2}] \qquad (7.250)$$

kombiniert werden. Dieses einfachste Beispiel verdeutlicht die Arten von Termen, die man erwartet: Die Operatorprodukte müssen in *Normalordnung* gebracht werden, d. h. alle Erzeugungsoperatoren links von allen Vernichtungsoperatoren, da sie in diesem Fall nicht im BCS–Grundzustand beitragen. Beim Durchführen der Vertauschung entstehen Terme mit weniger Operatoren wie, im vorherigen Beipiel, einer mit überhaupt keinem.

Die Behandlung aller Terme auf diese Art führt auf eine natürliche Zerlegung des Hamiltonoperators nach der Zahl der Operatoren in den Termen. Zieht man den Term für die Zwangsbedingung der Teilchenzahl ab, kann der Hamiltonoperator generisch als

$$\hat{H} - \lambda\hat{N} = U + \hat{H}_{11} + \hat{H}_{20} + \hat{H}_{40} + \hat{H}_{31} + \hat{H}_{22} \qquad (7.251)$$

geschrieben werden, wobei die zwei Indizes die Zahl der Erzeugungs– bzw. Vernichtungsoperatoren in den Termen, die diesen besonderen Teil des gesamten $\hat{H}$ ausmachen, bezeichnet. Bevor wir in die Details gehen, soll diskutiert werden, was nun erreicht werden soll. Der Term U ist die Energie des BCS–Grundzustands mit null Quasiteilchen. $\hat{H}_{11}$ bezeichnet die Abhängigkeit der Energie von Quasiteilchen–Quasiloch–Anregungen, während $\hat{H}_{20}$ Quasiteilchenzahlerhaltung verletzt und sogar impliziert, daß der BCS–Zustand nicht der wahre Grundzustand ist. Die anderen Terme enthalten Kopplungen höherer Ordnung und können vorerst ignoriert werden. Eine vernünftige Interpretation des BCS–Grundzustands mit Quasiteilchenanregungen erfordert $\hat{H}_{20} = 0$, und wir können dies als Bedingung für die Bestimmung der v_k (und damit auch der u_k) benutzen, die bisher frei wählbar waren. $\hat{H}_{20}$ erweist sich als Summe von Termen in $(\hat{\alpha}_k^+ \hat{\alpha}_{-k'}^+ + \hat{\alpha}_{-k}\hat{\alpha}_{k'})$, und Forderung nach Verschwinden der Koeffizienten führt auf

$$\begin{aligned} 0 &= \Big\{ t_{kk'} - \lambda\delta_{kk'} + \sum_{k''>0} [\bar{v}_{k-k''k'-k''} + \bar{v}_{kk''k'k''}] v_{k''}^2 \Big\} (u_k v_{k'} - u_{k'} v_k) \\ &\quad + \sum_{k''>0} \bar{v}_{k-k'k''-k''} u_{k''} v_{k''} (u_k u_{k'} + v_k v_{k'}) \ . \end{aligned} \tag{7.252}$$

Dieser Satz von Gleichungen ist eine Verallgemeinerung der Hartree–Fock–Gleichungen (7.97), auf die er sich reduziert, wenn die Besetzungszahlen auf eins und null beschränkt sind (der zweite Term verschwindet dann wegen $u_k v_k = 0$, die Klammer $(u_k v_{k'} - u_{k'} v_k)$ verlangt, daß k und k' nicht beide besetzt sind, und $v_{k''}^2$ beschränkt die Summe auf besetzte Zustände). Also ist es gerechtfertigt, den zweiten Term als Paarkraftterm zu betrachten. Es ist praktisch, als Abkürzung für das *Hartree–Fock–Bogolyubov–Potential*

$$\Gamma_{kk'}^{\mathrm{BCS}} = \sum_{k''} \bar{v}_{kk''k'k''} v_{k''}^2 \tag{7.253}$$

einzuführen (man beachte, daß die Summe nun über sowohl positive als auch negative Werte von k'' geht, was die Kombination der zwei Terme in Klammern erlaubt), und für das *Paarkraftpotential*

$$\Delta_{k-k'} = - \sum_{k''>0} \bar{v}_{k-k'k''-k''} u_{k''} v_{k''} \ , \tag{7.254}$$

wodurch die Hartree–Fock–Bogolyubov–Gleichungen folgende Gestalt annehmen:

$$\begin{aligned} 0 &= (t_{kk'} - \lambda\delta_{kk'} + \Gamma_{kk'}^{\mathrm{BCS}})(u_k v_{k'} + u_{k'} v_k) \\ &\quad - \Delta_{k-k'}(u_k u_{k'} - v_k v_{k'}) \ . \end{aligned} \tag{7.255}$$

Es bleibt noch die Angabe der anderen Teile des Hamiltonoperators. Mit den gleichen Abkürzungen bekommt man

$$\begin{aligned} U &= \sum_{k>0} \Big\{ [t_{kk} - \lambda + \tfrac{1}{2}\Gamma_{kk}^{\mathrm{BCS}}]\, 2v_k^2 - \Delta_{k-k} u_k v_k \Big\} \\ \hat{H}_{11} &= \sum_{kk'>0} \Big\{ [t_{kk'} - \lambda\delta_{kk'} + \Gamma_{kk'}^{\mathrm{BCS}}](u_k u_{k'} - v_k v_{k'}) \\ &\quad + \Delta_{k-k'}(u_k v_{k'} + v_k u_{k'}) \Big\} (\hat{\alpha}_k^+ \hat{\alpha}_{k'} + \hat{\alpha}_{-k'}^+ \hat{\alpha}_{-k}) \ . \end{aligned} \tag{7.256}$$

Gewöhnlich vernachlässigt man die Terme mit vier Operatoren, obwohl natürlich nicht allgemein gezeigt werden kann, daß dies angemessen ist.

Die aus der Hartree–Fock–Bogolyubov–Transformation gewonnenen Gleichungen lieferten Ergebnisse, die gewissermaßen allgemeiner sind als die einfache Paarkraftwechselwirkung, wie sie in den vorigen Abschnitten benutzt wurde. Tatsächlich können wir jetzt die Paarkraftwechselwirkung aus der zu Grunde liegenden Zweikörperwechselwirkung berechnen, und man sollte erwarten, daß die Paarkrafttheorie sich daraus nur dann wieder ergibt, wenn die Matrixelemente nahe denen einer einfachen Paarkraft liegen. Da der Fall einer simplen Paarkraft auch am häufigsten in praktischen Anwendungen verwendet wird, werden nun die obigen Gleichungen für die Annahme eines diagonalen Paarkraftpotentials

$$\Delta_{k-k'} = \Delta_k \delta_{kk'} \tag{7.257}$$

reduziert. Auf die gleiche Art wie bei den Hartree–Fock–Gleichungen kann das Problem vereinfacht werden, indem man die Einteilchenzustände als die Eigenzustände eines geeignet ausgesuchten Einteilchen–Hamiltonoperators $\hat{h}$ wählt. In diesem Fall ist die natürliche Wahl

$$h_{kk'} = t_{kk'} - \lambda \delta_{kk'} + \Gamma^{\mathrm{BCS}}_{kk'} = \epsilon_k \delta_{kk'} \ , \tag{7.258}$$

und nach Einsetzen führt dies auf die vereinfachte Form der Hartree–Fock–Bogolyubov–Gleichungen

$$2\epsilon_k u_k v_k - \Delta_k (u_k^2 - v_k^2) = 0 \quad \text{für alle } k \ . \tag{7.259}$$

Falls das Paarkraftpotential nicht diagonal ist, kann man immer noch Eigenfunktionen gemäß (7.258) wählen, aber (7.259) bleibt dann eine Matrixgleichung.

Um die Verbindung zur BCS–Theorie zu sehen, wie sie im vorangehenden Abschnitt entwickelt wurde, vergleiche man (7.259) mit der BCS–Gleichung

$$2\epsilon_k u_k v_k + (v_k^2 - u_k^2) G \sum_{k>0} u_k v_k = 0 \ . \tag{7.260}$$

Diese ist identisch mit (7.259), falls

$$\Delta_k = G \sum_{k>0} u_k v_k \ , \tag{7.261}$$

und das bedeutet, daß das Matrixelement konstant ist:

$$\bar{v}_{k-k'k''\ k''} = -G\delta_{kk'} \tag{7.262}$$

Auflösen von (7.259) nach u_k und v_k ergibt ähnliche Formeln wie bei der BCS–Theorie, nur daß der konstante Gap durch Δ_k ersetzt wurde:

$$u_k^2 = \tfrac{1}{2}\left(1 + \frac{\epsilon_k}{\sqrt{\epsilon_k^2 + \Delta_k^2}}\right) , \quad v_k^2 = \tfrac{1}{2}\left(1 - \frac{\epsilon_k}{\sqrt{\epsilon_k^2 + \Delta_k^2}}\right) \ . \tag{7.263}$$

Ein Analogon zur Gap–Gleichung erhält man durch Einsetzen dieser Ausdrücke in die Version von (7.254) für diagonales Paarkraftpotential, nämlich

$$\Delta_k = -\tfrac{1}{2} \sum_{k''>0} \frac{\bar{v}_{k-kk''-k''}}{\sqrt{\epsilon_{k''}^2 + \Delta_{k''}^2}} \Delta_{k''} \ . \tag{7.264}$$

Das wesentlich Neue an dieser Formulierung im Vergleich zur einfachen BCS–Theorie ist die komlizierte Kopplung der Besetzungszahlen mit dem Selbstkonsistenzproblem. Der Einteilchen–Hamiltonoperator (7.258) hängt von den Besetzungszahlen v_k^2 ab, die bestimmt werden, indem die Gap–Gleichung (7.254) gleichzeitig mit den Iterationen des selbstkonsisten Feldes gelöst wird.

Schließlich kann man die Ergebnisse für die reine Paarkraft in die anderen Teile des Hamiltonoperators einsetzen. Die Grundzustandsenergie wird zu

$$U = \sum_{k>0} \left((t_{kk} + \tfrac{1}{2}\Gamma_{kk}^{\mathrm{BCS}} - \lambda) 2v_k^2 - \Delta_k u_k v_k \right) \ , \tag{7.265}$$

und für den Quasiteilchen–Quasiloch–Teil bekommt man

$$\hat{H}_{11} = \sum_{k>0} \left(\epsilon_k (u_k^2 - v_k^2) + 2\Delta_k u_k v_k \right) (\hat{\alpha}_k^+ \hat{\alpha}_k + \hat{\alpha}_{-k}^+ \hat{\alpha}_{-k}) \ , \tag{7.266}$$

Das kann unter Verwendung von

$$u_k^2 - v_k^2 = \epsilon_k / \sqrt{\epsilon_k^2 + \Delta_k^2}, \qquad u_k v_k = \tfrac{1}{2} \Delta_k / \sqrt{\epsilon_k^2 + \Delta_k^2} \tag{7.267}$$

weiter vereinfacht werden. Das Endresultat lautet

$$\hat{H}_{11} = \sum_{k>0} e_k (\hat{\alpha}_k^+ \hat{\alpha}_k + \hat{\alpha}_{-k}^+ \hat{\alpha}_{-k}) \tag{7.268}$$

mit der *Quasiteilchenenergie*

$$e_k = \sqrt{\epsilon_k^2 + \Delta_k^2} \ . \tag{7.269}$$

Dies hat die Form eines Hamiltonoperators von nichtwechselwirkenden Quasiteilchen. In diesem Sinn ist das Problem der Paarkraft–Korrelationen beträchtlich vereinfacht worden: Der Grundzustand enthält jetzt Korrelationen zwischen den Nukleonen über gebrochene Besetzungszahlen, und die angeregten Zustände können genähert werden, indem man sie ansieht, als bestünden sie aus nichtwechselwirkenden Quasiteilchen, deren Energien mit den zu Grunde liegenden Einteilchen–Hartree–Fock–Eigenenergien über (7.269) verbunden sind.

Nun ist es leicht, die angeregten Zustände zu konstruieren, obwohl noch einige Details, die die Teilchenzahl betreffen, oft nicht berücksichtigt werden. Der Grundzustand enthält Beiträge von unterschiedlicher, aber immer gerader Teilchenzahl und beschreibt also stets einen gg–Kern. Läßt man einen Quasiteilchen–Erzeugungsoperator auf ihn wirken, wird die Gesamtteilchenzahl ungerade, so daß damit ein ungerader Kern beschrieben sein sollte (darauf werden wir gleich zurückkommen). Hinzufügen von zwei Quasiteilchenoperatoren erhält die gerade Gesamtzahl, aber wie soll garantiert werden, daß der Erwartungswert von $\hat{N}$ sich nicht ändert? Im Formalismus wurde ein fester Erwartungswert der Nukleonenzahl nur beim Grundzustand gefordert, nicht für angeregte Zustände. Tatsächlich, falls sich $\hat{\alpha}_k^+$ auf einen Zustand weit oberhalb der Fermienergie bezieht, wird es immer fast gleich $\hat{a}_k^+$ sein (weil $v_k \approx 1$ und $u_k \approx 0$), und der Zustand mit zwei Quasiteilchen wird im Mittel zwei Nukleonen mehr als der Grundzustand enthalten. Weit unterhalb der Fermioberfläche stimmen die Quasiteilchen fast völlig mit den gewöhnlichen Löchern überein. Nur für Zustände nahe der Fermioberfläche erzeugen und vernichten die Operatoren $\hat{\alpha}_k^+$ die Nukleonen mit fast gleicher Wahrscheinlichkeit, so daß im Durchschnitt die Teilchenzahl nicht stark geändert wird, wodurch wir im gleichen Kern bleiben, den wir mit dem Grundzustand beschrieben haben!

Die niedrigsten nichtkollektiven Anregungszustände eines geraden Kerns sollten also die Form

$$\hat{\alpha}_k^+ \hat{\alpha}_{k'}^+ |\mathrm{BCS}\rangle \tag{7.270}$$

annehmen mit der Anregungsenergie

$$e_k + e_{k'} > \Delta_k + \Delta_{k'} \ . \tag{7.271}$$

Es gibt also wieder einen Gap, der durch Δ_k bestimmt ist. Bei ungeraden Kernen wird der Grundzustand, wie oben erläutert,

$$\hat{\alpha}_k^+ |\mathrm{BCS}\rangle \tag{7.272}$$

sein, wobei der Zustand mit der niedrigsten Quasiteilchenenergie e_k gewählt ist. Ein angeregter Zustand kann einfach dadurch erzeugt werden, daß man das Quasiteilchen in einen anderen Zustand, $\hat{\alpha}_{k'}^+|\mathrm{BCS}\rangle$, mit der Anregungsenergie $e_{k'} - e_k$ schiebt. Offensichtlich kann dieser Ausdruck vergleichbar dem Abstand zwischen Einteilchenniveaus ϵ_k sein, und es gibt keinen Gap.

7.5.6 Verallgemeinerte Dichtematrizen

Die Hartree–Fock–Bogolyubov–Gleichungen können in eine ähnlich einfache Form wie die Hartree–Fock–Gleichungen selbst übertragen werden, indem man Dichtematrizen verwendet [Bo59, Va61]. Die Dichtematrix für den BCS–Grundzustand kann leicht berechnet werden:

$$\rho_{lk} = \langle \mathrm{BCS}|\hat{a}_k^+ \hat{a}_l|\mathrm{BCS}\rangle = v_k^2 \delta_{lk} \ . \tag{7.273}$$

Die Hartree–Fock–Bogolyubov–Gleichungen enthalten jedoch auch die Kombination $u_k v_k$, was auf diese Art nicht produziert werden kann. Wir brauchen also eine zusätzliche „anomale“ Dichtematrix

$$\kappa_{lk} = \langle \mathrm{BCS}|\hat{a}_k \hat{a}_l|\mathrm{BCS}\rangle \ . \tag{7.274}$$

Falls $k > 0$ wird das Matrixelement nur dann nicht null, wenn $l = -k$ ist. Die Kombination vernichtet dann das Paar im BCS–Zustand der rechten Seite mit der Amplitude v_k und nimmt einen Faktor u_k über die Amplitude des nichtvorhandenen Paars auf der linken Seite des BCS–Zustands mit. Das Vorzeichen ist positiv, weil das Paar im BCS–Zustand mit Hilfe von $\hat{a}_k^+ \hat{a}_{-k}^+$ erzeugt wurde. Falls $k < 0$ ist, muß wieder $l = -k$ gegeben sein, aber jetzt steht ein Minuszeichen, weil die Operatoren die zwei Nukleonen in der falschen Reihenfolge vernichten. Das allgemeine Resultat lautet

$$\kappa_{lk} = \begin{cases} u_k v_k \delta_{k-l} & \text{für } k > 0 \\ -u_k v_k \delta_{k-l} & \text{für } k < 0 \ . \end{cases} \tag{7.275}$$

Offensichtlich ist κ antisymmetrisch,

$$\kappa^T = -\kappa \ . \tag{7.276}$$

Unsere Diskussion war auf den Fall reeller Koeffizienten u_k und v_k beschränkt. Die Behandlung mit Dichtematrizen wird in der Literatur gewöhnlich für den Fall komplexer Koeffizienten angegeben (was z. B. bei zeitabhängigen Problemen notwendig ist), und wir geben nun die Formeln für diesen allgemeineren Fall an. Die obige Gleichung muß dann ersetzt werden durch

$$\kappa^+ = -\kappa \ , \tag{7.277}$$

was für reelle Matrizen mit dem alten Ergebnis übereinstimmt. Wir werden den komplexen Fall ignorieren und weiter unten die einfacheren Definitionen benutzen; das entspricht dem Auslassen einiger komplexer Konjugationen und der durchgehenden Verwendung von Transposition statt hermitescher Konjugation.

Die Dichtematrix ist nicht mehr idempotent; statt dessen gilt

$$\begin{aligned} (\rho^2 - \rho)_{lk} &= (v_k^4 - v_k^2)\delta_{lk} \\ &= -v_k^2 u_k^2 \delta_{lk} \\ &= -\sum_m \kappa_{lm}\kappa_{km} \end{aligned} \tag{7.278}$$

oder in reiner Matrixnotation

$$\rho^2 - \rho = -\kappa\kappa^T \ . \tag{7.279}$$

Es ist trivial zu zeigen, daß

$$\rho\kappa = \kappa\rho \,. \tag{7.280}$$

Die Matrizen ρ und κ können in einer *verallgemeinerten Dichtematrix*

$$\mathcal{R} = \begin{pmatrix} \rho & \kappa \\ -\kappa & 1-\rho \end{pmatrix} \tag{7.281}$$

kombiniert werden. Die Matrix $\mathcal{R}$ wird so konstruiert, daß sie symmetrisch (hermitesch bei komplexen Werten) und idempotent ist. Die erste dieser Eigenschaften folgt aus der symmetrischen Natur von ρ und (7.276), während die Idempotenz explizit überprüft werden kann:

$$\mathcal{R}^2 = \begin{pmatrix} \rho^2 - \kappa^2 & \rho\kappa + \kappa - \kappa\rho \\ -\kappa\rho + \rho - \rho^2 & -\kappa^2 + (1-\rho)^2 \end{pmatrix} = \mathcal{R} \tag{7.282}$$

In den nichtdiagonalen Elementen führt die Idempotenz von ρ und (7.280) auf das gewünschte Resultat; in den diagonalen Teilen verwende man (7.276) zusammen mit (7.279).

Jetzt ist es eine Sache einfachen Durchrechnens zu zeigen, daß die Definition eines verallgemeinerten Hamiltonoperators gemäß

$$\mathcal{H} = \begin{pmatrix} h & \Delta \\ -\Delta & -h \end{pmatrix} \tag{7.283}$$

es gestattet, die Hartree–Fock–Bogolyubov–Gleichungen in der konzisen Form

$$[\mathcal{H}, \mathcal{R}] = 0 \tag{7.284}$$

zu formulieren, in Anlehnung an die Dichtematrixformulierung der Standard–Hartree–Fock–Theorie und genauso nützlich für formale Manipulationen.

Kapitel 8

Wechselspiel von kollektiver und Einteilchen–Bewegung

8.1 Die Rumpf–plus–Teilchen–Modelle

8.1.1 Grundlegende Überlegungen

Das Kollektivmodell, wie es bisher besprochen wurde, behandelte Kerne, die eine gerade Zahl von Protonen und Neutronen enthalten. Die nächstschwierigere Stufe ist gegeben, falls eine dieser Zahlen ungerade ist, d. h., wenn ein einzelnes Proton oder Neutron einem solchen kollektiven Kern hinzugefügt wird. Man muß dann erwarten, daß Anregungen sowohl kollektiven als auch Einteilchen–Charakters möglich sind, die im allgemeinen miteinander koppeln. Als erste Näherung erscheint es vernünftig, den gg–Kern als *kollektiven Rumpf* anzusehen, dessen innere Struktur von dem sich auf seiner Oberfläche bewegenden Teilchen nicht berührt wird.

Um das zu konkretisieren, betrachten wir den Fall eines kollektiven Rumpfs, der durch ein geometrisches kollektives Modell beschrieben wird. Das Konzept ist also das eines einzelnen Teilchens, das sich in einem vom zeitabhängigen Rumpf erzeugten Potential bewegt. Das Teilchen „spürt“ ein instantanes Potential vom Nilsson–Typ (Abschnitt 7.4.2), und umgekehrt bewirkt sein Vorhandensein eine Kraft auf den Rumpf, welche dessen kollektive Bewegung stört. Die Situation wird in Abbildung 8.1 veranschaulicht, in der auch die später zu besprechende Drehimpulskopplung illustriert wird.

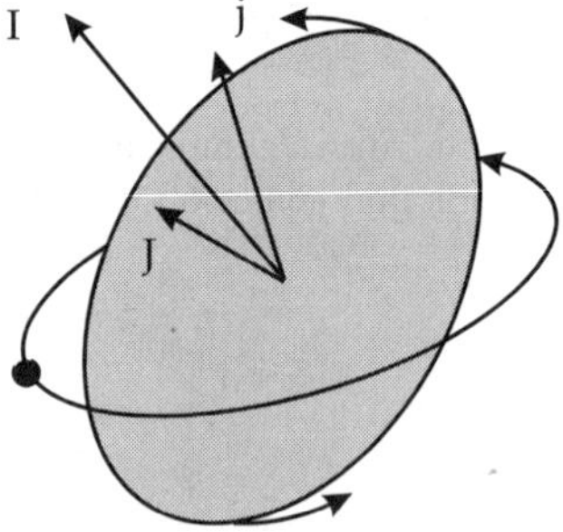

Abb. 8.1: Schematische Darstellung des Rumpf–plus–Teilchen–Modells mit Illustration der Kopplung vom Drehimpuls des Rumpfs J mit dem des ungeraden Teilchens j zum resultierenden Gesamtdrehimpuls I

Eine nützliche Näherung ergibt sich aus einer Betrachtung der relevanten Zeitskalen. Typische Einteilchenenergien nahe dem Ferminiveau sind von der Ordnung 40 MeV, wovon etwa die Hälfte kinetische Energie ist, während die kollektiven Schwingungen einen Niveauabstand von der Ordnung 0.5 MeV besitzen.

Das zeigt, daß die kollektive Bewegung sehr viel langsamer vor sich geht als die der Einzelteilchen, so daß sich die letztere den Bewegungen des Rumpfs anpassen kann, und das mittlere Potential der Kerndeformation folgt. Das ist die *adiabatische Näherung*, die für die ursprüngliche Entwicklung dieses Modells [Bo53, Ke56] maßgeblich war. Wenn die Kernoberfläche in der üblichen Weise als

$$R(\theta,\phi) = R_0\left(1 + \sum_\mu \alpha_{2\mu}^* Y_{2\mu}(\theta,\phi)\right) \tag{8.1}$$

definiert ist, sollte sie einer Äquipotentialfläche entsprechen. Ein Potential, das die korrekte Äquipotentialfläche besitzt, kann in der Form

$$V(\boldsymbol{r};\alpha_{2\mu}) = V_0(r/(1 + \sum_\mu \alpha_{2\mu}^* Y_{2\mu}) \tag{8.2}$$

angesetzt und bis zur ersten Ordnung in den $\alpha_{2\mu}$ entwickelt werden:

$$V(\boldsymbol{r};\alpha_{2\mu}) \approx V(\boldsymbol{r},\alpha_{2\mu}=0) - r\frac{\mathrm{d}V_0}{\mathrm{d}r}\sum_\mu \alpha_{2\mu}^* Y_{2\mu}(\theta,\phi)\ . \tag{8.3}$$

Wenn V_0 ein Oszillatorpotential $V_0(r) = \frac{1}{2}m\omega^2 r^2$ ist, wird dies zu

$$V(\boldsymbol{r};\alpha_{2\mu}) = \tfrac{1}{2}m\omega^2 r^2 - mr^2\omega^2 \sum_\mu \alpha_{2\mu}^* Y_{2\mu}(\theta,\phi) \tag{8.4}$$

und stimmt mit dem Nilsson–Modell–Potential überein. Man beachte, daß die Äquipotentialflächen in dieser Approximation reine Ellipsoide sind und mit den Quadrupol–Formen nur bis zur ersten Ordnung in α übereinstimmen.

Der beste Weg, die Eigenzustände zu bestimmen, hängt von der Stärke des Kopplungspotentials ab. Falls der Rumpf sphärisch ist, wird es, nur von geringen Oszillationen um die Kugelgestalt erzeugt, relativ klein sein. In diesem Fall scheint es ausreichend zu sein, die Lösungen der kombinierten Systeme aus den Wellenfunktionen des sphärischen Oszillators, gekoppelt mit den Einteilchenfunktionen aus dem sphärischen Schalenmodell, zu konstruieren. Das ist der *Grenzfall der schwachen Kopplung.* Falls der Grundzustand stark deformiert ist, berücksichtigt man die Grundzustandsdeformation besser dirket in den Rumpf–Wellenfunktionen durch Verwendung des Rotations–Vibrations–Modells; das einzelne Teilchen wird dann mit Hilfe der Nilsson–Modell–Wellenfunktionen ausgedrückt, und das entspricht dem *Grenzfall der starken Kopplung.*

8.1.2 Der Grenzfall der schwachen Kopplung

Wie erwähnt, beruht der Grenzfall der schwachen Kopplung auf dem sphärischen Vibrator und dem sphärischen Einteilchenmodell. Der Hamiltonoperator kann also zerlegt werden in

$$\hat{H} = \hat{H}_{\text{Koll}} + \hat{H}_{\text{ET}} + \hat{H}_{\text{Kopplung}} \tag{8.5}$$

mit

$$\begin{aligned} \hat{H}_{\text{Koll}} &= \frac{\sqrt{5}}{2B}[\pi \times \pi]^0 + \frac{\sqrt{5}C}{2}[\alpha \times \alpha]^0, \\ \hat{H}_{\text{ET}} &= -\frac{\hbar^2}{2m}\nabla^2 + \tfrac{1}{2}m\omega^2 r^2 + C\hat{\boldsymbol{l}} \cdot \hat{\boldsymbol{s}} + D\hat{\boldsymbol{l}}^2, \\ \hat{H}_{\text{Kopplung}} &= -m\omega^2 r^2 \sum_\mu \alpha^*_{2\mu} Y_{2\mu}(\theta, \phi) \; . \end{aligned} \tag{8.6}$$

Hier ist der volle Einteilchen–Hamiltonoperator, eingeschlossen die Spin–Bahn–Kopplung, angegeben.

Falls er ausreichend schwach ist, kann der Kopplungsterm in Störungstheorie behandelt werden. Unter Verwendung der kollektiven Zustände des sphärischen Oszillators $|NJM_J\rangle$ und der Zustände des sphärischen Einteilchenoszillators $|nljm\rangle$ als Basiszustände sind die Zustände des ungeraden Kerns durch Drehimpulskopplung gegeben mittels

$$|NJnlj; IM\rangle = \sum_{mM_J} (JlI|mM_JM)|NJM_J\rangle|nljm\rangle \; . \tag{8.7}$$

Im Grundzustand muß sich der Rumpf im Phononen–Vakuumzustand $|0\rangle$ mit $N = 0$, $J = 0$ befinden, und das Teilchen im niedrigsten Einteilchenzustand, den das Pauliprinzip erlaubt. Falls dies $|nljm\rangle$ ist, lautet der Grundzustand des ungeraden Kerns

$$|00nlj; jm\rangle = |0\rangle|nljm\rangle \; . \tag{8.8}$$

Damit weist dieser Grundzustand gerade die Drehimpulseigenschaften des Einteilchenzustands auf. Da die Abstände zwischen Einteilchenniveaus gewöhnlich größer sind als die von kollektiven Oszillationen, wird der niedrigste angeregte Zustand aus dem Ein–Phonon–Zustand $|12M_J\rangle = \hat{\beta}^+_{M_J}|0\rangle$ aufgebaut sein, was auf

$$|12nlj; IM\rangle = \sum_{mM_J} (2jI|mM_JM)\hat{\beta}^+_{M_J}|0\rangle|nljm\rangle \tag{8.9}$$

als Zustand des ungeraden Kerns führt. Der Gesamtdrehimpuls variiert von $|j-2|$ bis $j+2$. Diese Konstruktion kann analog zu höheren Phononen–Multipletts fortgeführt werden. Das wird in Abbildung 8.2 dargestellt. Im Moment sind diese Zustände

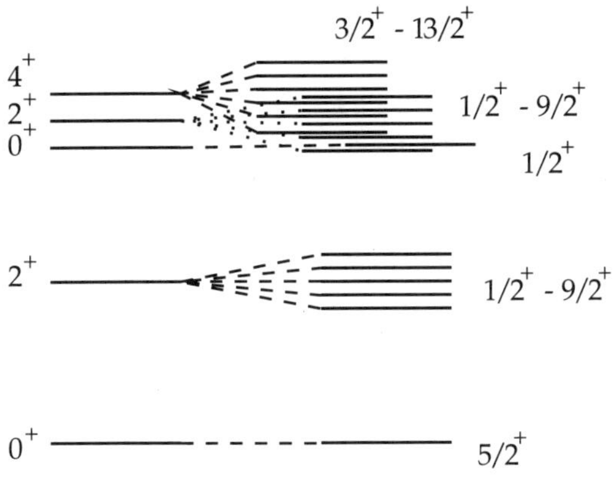

Abb. 8.2: Aufspalten der kollektiven Vibrationszustände unter dem Einfluß der Rumpf–Teilchen–Kopplung.

jedoch entartet, und sie spalten erst unter dem Einfluß der Rumpf–Teilchen–Kopplung auf, was nun behandelt wird.

Der Kopplungsterm $\hat{H}_{\text{Kopplung}}$ aus (8.6) koppelt offensichtlich kollektive Zustände, die sich in der Phononenzahl um eins unterscheiden, und Einteilchenzustände mit bis zu zwei Einheiten Unterschied im Drehimpuls sowie in der radialen Quantenzahl. Zum Beispiel koppelt der Grundzustand des Kerns $|00nlj;jm\rangle$ mit allen Zuständen der Form $|12n'l'j';jm\rangle$ mit demselben resultierenden Drehimpuls j und Projektion m. Zerlegung des Matrixelement in die kollektiven und Einteilchen–Teile ergibt

$$\langle 12n'l'j';jm|\hat{H}_{\text{Kopplung}}|00nlj;jm\rangle = \sqrt{\frac{\hbar}{2B\omega_2}}\langle j'||Y_2||j\rangle\langle n'l'|m\omega^2r^2|nl\rangle \ . \tag{8.10}$$

Hier wurde das Matrixelement des in $\alpha_{2\mu}$ enthaltenen Erzeugungsoperators eingesetzt, das Einteilchen–Matrixelement in winkelabhängige und radiale Teile zerlegt und letztere durch das reduzierte Matrixelement ausgedrückt. Die radialen sind nichttrivial und, wie man ausrechnet, durch

$$\langle n'l'|m\omega^2r^2|nl\rangle = \tag{8.11}$$
$$\hbar\omega \times \begin{cases} l+2n+\frac{3}{2} & \text{für } n'=n,\ l'=l \\ \frac{1}{2}\sqrt{2n(2n+2l+1)} & \text{für } n'=n-1,\ l'=l \\ \frac{1}{2}\sqrt{(2n+2l+1)(2n+2l-1)} & \text{für } n'=n,\ l'=l-2 \\ \sqrt{(2n+2)(2n+2l+1)} & \text{für } n'=n+1,\ l'=l-2 \\ \frac{1}{2}\sqrt{2n(2n-2)} & \text{für } n'=n+1,\ l'=l+2 \end{cases}$$

gegeben. Alle anderen Matrixelemente verschwinden. Also wird der wahre Grundzustand des Systems eine Superposition des ungestörten Grundzustands sein, gemischt mit einer Kombination aus Ein–Phonon–Zustand, wobei dieser wiederum gekoppelt ist mit den tiefliegenden, von den Drehimpulsregeln erlaubten Einteilchenzuständen. Störungstheorie kann dazu verwendet werden, eine relativ einfache Behandlung der Kopplung zu finden.

Im Experiment erweist sich bedauerlicherweise dieses Modell in seiner einfachsten Version als nicht allzu erfolgreich. Obwohl die Drehimpulse und Paritäten der ersten paar angeregten Zustände oft den vorhergesagten Werten entsprechen, können ihre Anordnung und die Energieabstände nicht quantitativ beschrieben werden, und die Kopplung mit anderen Phononen– oder Einteilchenzuständen muß berücksichtigt werden.

8.1.3 Die Näherung der starken Kopplung

Im Modell der schwachen Kopplung wurde angenommen, daß der kollektive Rumpf sphärisch ist und durch die Wellenfunktionen des sphärischen Vibrators beschrieben werden kann. Bei einem deformierten Rumpf könnte man im Prinzip das Modell des sphärischen Vibrators durch einen verallgemeinerten Hamiltonoperator, so wie in Abschnitt 6.6 diskutiert, ersetzen und die Wellenfunktionen des ungeraden Kerns in eine Basis entwickeln, die aus Produkten der mit den sphärischen Einteilchenzuständen gekoppelten kollektiven Wellenfunktionen besteht. Es gibt jedoch bei einem solchen Vorgehen zwei Hindernisse:

1. In diesem Fall erwartet man eine ziemlich starke Wechselwirkung zwischen dem Teilchen und dem Rumpf, da wir aus dem deformierten Schalenmodell Abschnitt 7.3.2 wissen, daß Einteilchenwellenfunktionen von der Kerndeformation stark beeinflußt werden. Konzeptuell sollte die deformierte Einteilchenwellenfunktion vom Rumpf „mitgeschleppt“ werden und dessen Rotationen und Vibrationen eng folgen. Eine Entwicklung in eine sphärische Basis, die der augenblicklichen Orientierung des Rumpfs nicht Rechnung trägt, kann zu einer sehr schlechten ersten Näherung führen.

2. Die Einteilchen–Konfiguration ändert sich mit der Deformation: Unterschiedliche Zustände können abhängig von der momentanen Gestalt des Rumpfs besetzt sein. Da der Rumpf selbst die besetzten Niveaus repräsentiert (außer für das ungerade Teilchen), muß Sorge getragen werden, keine spuriosen Doppelbesetzungen einzuführen, und der Formalismus wird ziemlich kompliziert.

Im Hamiltonoperator der starken Kopplung wird andererseits der Effekt der Rumpfdeformation direkt in der Basis berücksichtigt, indem man die Wellenfunktionen aus dem Rotations–Vibrations–Modell, gekoppelt mit denen des deformierten Schalenmodells verwendet. Das neue Problem, das in diesem Formalismus auftritt, besteht darin, wie die Kopplung der Drehimpulse zu behandeln ist, da die Einteilchenwellenfunktionen im intrinsischen Bezugssystem des Kollektivmodells gegeben sind, das nicht rotationsinvariant ist. Weiter unten werden wir sehen, daß das relativ einfach getan werden kann, und es ist interessant anzumerken, daß ähnliche Konzepte auch auf andere Probleme angewandt worden sind, z. B.bei Oktupolvibrationen eines deformierten Kerns. Während die Kopplung der Drehimpulse von Teilchen und Rumpf zuerst von Bohr und Mottleson [Bo53] sowie Kerman [Ke56] behandelt wurde, konnte die volle Behandlung der Kopplung mit den Vibrationen erstmals von Faessler [Fa64b] angegeben werden.

Die grundlegende Idee ist also die, den Hamiltonoperator und die Wellenfunktionen des ungeraden Teilchens im intrinsischen System des deformierten Rumpfes zu schreiben. Der Einteilchen–Drehimpuls $\hat{\boldsymbol{\jmath}}$ muß mit dem des Rumpfs $\hat{\boldsymbol{M}}$ zum Gesamtdrehimpuls

$$\hat{\boldsymbol{I}} = \hat{\boldsymbol{M}} + \hat{\boldsymbol{\jmath}} \tag{8.12}$$

des Kerns gekoppelt werden. Der Gesamthamiltonoperator des Kerns spaltet sich im Grenzfall der starken Kopplung auf in

$$\hat{H}_{\text{StK}} = \hat{H}_{\text{Koll}} + \hat{H}_{\text{ET}} \ , \tag{8.13}$$

wobei angenommen wurde, daß ein zusätzlicher Kopplungsterm nicht benötigt wird, zumindest in niedrigster Ordnung, da er schon in der Näherung der starken Kopplung selbst enthalten ist. Der kollektive Teil besteht aus

$$\hat{H}_{\text{Koll}} = \hat{H}_{\text{Rot}} + \hat{H}_{\text{Vib}} \tag{8.14}$$

(wie vorher vernachlässigen wir die Rotations–Vibrations–Wechselwirkung) und kann sofort hingeschrieben werden, da man leicht sieht, daß der Drehimpuls des Rumpfs nun durch $\hat{\boldsymbol{M}} = \hat{\boldsymbol{I}} - \hat{\boldsymbol{\jmath}}$ gegeben ist:

$$\begin{aligned} \hat{H}_{\text{Rot}} &= \frac{(\hat{\boldsymbol{I}}' - \hat{\boldsymbol{\jmath}}')^2 - (\hat{I}'_z - \hat{\jmath}'_z)^2}{2\mathcal{J}} + \frac{(\hat{I}'_z - \hat{\jmath}'_z)^2}{16B\eta^2} \\ \hat{H}_{\text{Vib}} &= -\frac{\hbar^2}{2B}\left(\frac{\partial^2}{\partial\xi^2} + \frac{1}{2}\frac{\partial^2}{\partial\eta^2}\right) + \tfrac{1}{2}C_0\xi^2 + C_2\eta^2 - \frac{\hbar^2}{16B\eta^2} \ . \end{aligned} \tag{8.15}$$

Der Einteilchen–Hamiltonoperator ist gerade der des deformierten Schalenmodells, geschrieben in intrinsischen Koordinaten:

$$\begin{aligned} \hat{H}_{\text{ET}} &= \frac{\hat{p}'^2}{2m} + \tfrac{1}{2}m\omega^2 r'^2 + C\hat{\boldsymbol{l}}' \cdot \hat{\boldsymbol{s}}' + D\hat{\boldsymbol{l}}'^2 \\ &\quad -m\omega^2 r'^2 \left[a_0 Y_{20}(\theta', \phi') + a_2(Y_{22}(\theta', \phi') + Y_{2-2}(\theta', \phi')\right] \ . \end{aligned} \tag{8.16}$$

Das deformierte Potential wurde hier ausgedrückt mit Hilfe der intrinsischen Deformationsparameter $a_0 = \beta_0 + \xi$ und $a_2 = \eta$.

Wir gruppieren nun die verschiedenen Teile des Hamiltonoperators $\hat{H}_{\text{StK}}$ um, indem wir die Terme, die diagonal in den Basisfunktionen sind, von denen, die die Wechselwirkung beschreiben, trennen. Im Einteilchen–Hamiltonoperator sind die einzigen nichtdiagonalen Terme solche, in denen ξ und η auftauchen, während aus dem kollektiven Teil die Einteilchen–Drehimpulsterme bis auf die intrinsische z–Projektion eliminiert werden müssen, die auch im deformierten Schalenmodell noch eine gute Quantenzahl darstellt. Die Zerlegung sieht daher so aus:

$$\hat{H}_{\mathrm{StK}} = \hat{H}_{0\mathrm{Koll}} + \hat{H}_{0\mathrm{ET}} + \hat{H}' \tag{8.17}$$

mit

$$\begin{aligned} \hat{H}_{0\mathrm{Koll}} &= \frac{\hat{\boldsymbol{I}}'^2 - (\hat{I}'_z - \hat{\jmath}'_z)^2}{2\mathcal{J}} + \frac{(\hat{I}'_z - \hat{\jmath}'_z)^2 - 1}{16B\eta^2} \\ &\quad -\frac{\hbar^2}{2B}\left(\frac{\partial^2}{\partial\xi^2} + \frac{1}{2}\frac{\partial^2}{\partial\eta^2}\right) + \tfrac{1}{2}C_0\xi^2 + C_2\eta^2 \\ \hat{H}_{\mathrm{ET}} &= \frac{\hat{p}'^2}{2m} + \tfrac{1}{2}m\omega^2 r'^2 + C\hat{\boldsymbol{l}}' \cdot \hat{\boldsymbol{s}}' + D\hat{\boldsymbol{l}}'^2 \\ &\quad -m\omega^2 r'^2 \beta_0 Y_{20}(\theta', \phi') \end{aligned} \tag{8.18}$$

und

$$\begin{aligned} \hat{H}' &= \frac{\hat{\boldsymbol{\jmath}}'^2}{2\mathcal{J}} - \frac{\hat{I}'_+\hat{\jmath}'_- + \hat{I}'_-\hat{\jmath}'_+ + 2\hat{I}'_z\hat{\jmath}'_z}{2\mathcal{J}} \\ &\quad -m\omega^2 r'^2\left[\xi Y'_{20} + \eta(Y'_{22} + Y'_{2-2})\right] \; . \end{aligned} \tag{8.19}$$

Da die Rotations–Vibrations–Wechselwirkung bereits vernachlässigt wurde, wird der Term $\hat{H}'$ auch weiterhin nicht betrachtet werden; wir merken nur an, daß sein erster Teil die Coriolis–Kraft beschreibt, die auf das Teilchen im rotierenden Bezugssystem wirkt, während der zweite Teil die Wechselwirkung zwischen den Vibrationen des Rumpfs und dem ungeraden Teilchen enthält.

Die Lösungen für den Hamiltonoperator ohne Wechselwirkung können ziemlich einfach hingeschrieben werden, indem man ein Produkt von Wellenfunktionen des Rotations–Vibrationsmodell mit denen des deformierten Schalenmodells bildet; jedoch muß die Symmetrisierung aufgrund der Mehrdeutigkeiten in der Wahl des intrinsischen Systems (siehe Abschnitt 6.2.4) gesondert betrachtet werden. Für den kollektiven Teil sind die unsymmetrisierten Wellenfunktionen gegeben durch (siehe Abschnitt 6.4.3)

$$\psi_{\mathrm{Koll}}(\xi, \eta, \boldsymbol{\theta}) = N\mathcal{D}^{(I)*}_{MK}(\boldsymbol{\theta})\chi_{K-\Omega\, n_\gamma}(\eta)\langle\beta|n_\beta\rangle \tag{8.20}$$

mit einem bis jetzt noch nicht spezifizierten Normierungsfaktor N. Ω ist der Eigenwert von $\hat{\jmath}'_z$, d. h. die Projektion des Drehimpulses des ungeraden Teilchens auf die intrinsische z–Achse, und K ist die entsprechende Projektion des Gesamtdrehimpulses. Es ist klar, daß K der richtige Index für die Rotations–Eigenfunktionen ist, aber warum wird er bei den η–Vibrationsfunktionen durch $K - \Omega$ ersetzt? Der Grund ist der, daß das „Zentrifugal–Potential" in $1/\eta^2$ den Ausdruck $\hat{I}'_z - \hat{\jmath}'_z$ enthält, so daß das effektive Potential für die η–Vibrationen $K - \Omega$ enthält, was in die Wellenfunktion übernommen werden muß.

Die Einteilchen–Wellenfunktionen sind solche aus dem deformierten Schalenmodell, für die die einzige exakte Quantenzahl die Projektion Ω ist. Unterscheidet man die verschiedenen Zustände mit demselben Ω durch einen abzählenden Index κ, genügen sie

$$\hat{H}_{0\mathrm{ET}}\phi_{\kappa\Omega} = E_{\kappa\Omega}\phi_{\kappa\Omega} \; . \tag{8.21}$$

Die Eigenfunktionen des Gesamthamiltonoperators $\hat{H}_{\mathrm{StK}}$ lauten nun

$$\Psi_{IK\Omega n_\gamma n_\beta \kappa} = N\mathcal{D}^{(I)*}_{MK}(\boldsymbol{\theta})\chi_{K-\Omega\, n_\gamma}(\eta)\langle\beta|n_\beta\rangle\phi_{\kappa\Omega} \tag{8.22}$$

mit den Eigenenergien als Summe zweier Teile:

$$\begin{aligned} E_{IK\Omega n_\gamma n_\beta \kappa} &= E_{\kappa\Omega} + \frac{\hbar^2}{2\mathcal{J}}(I(I+1) - (K-\Omega)^2) \\ &\quad + (\tfrac{1}{2}|K-\Omega| + 2n_\gamma + 1)\hbar\omega_\gamma + (n_\beta + \tfrac{1}{2})\hbar\omega_\beta \; . \end{aligned} \tag{8.23}$$

Die einzige Anpassung war wiederum die Ersetzung von K durch $K-\Omega$ im Term, der den Beitrag der η–Vibrationen beschreibt.

Die zulässigen Quantenzahlen sind wie gewöhnlich abhängig von den Symmetrieanforderungen. Ähnlich vorgehend wie in Abschnitt 6.4.3 bemerken wir, daß $\hat{R}_3$ keine Anwendung findet wegen der Bevorzugung der z'–Achse. Von den anderen ist $\hat{R}_2$ die einfachere Operation, welche das Vorzeichen von η umdreht und $\pi/2$ zu θ_3 addiert. Wie im reinen Rotations–Vibrations–Modell, nimmt die letztere Operation einen Faktor $e^{i\pi K/2}$ aus der Rotationsmatrix mit, während der Vorzeichenwechsel von η nun einen Faktor $(-1)^{(K-\Omega)/2}$ anstatt $(-1)^{K/2}$ aus der η–Vibrations–Wellenfunktion produziert. Es gibt jedoch einen zusätzlichen Beitrag $(-1)^{-\Omega/2}$, der aus der Einteilchen–Wellenfunktion kommt, die als Eigenfunktion von $\hat{j}'_3$ einen Faktor $e^{-i\Omega\theta_3}$ enthält. Insgesamt ist der Effekt von $\hat{R}_2$ also

$$\begin{aligned} \hat{R}_2\Psi_{IK\Omega n_\gamma n_\beta \kappa} &= (-1)^{K/2}(-1)^{(K-\Omega)/2}(-1)^{-\Omega/2}\Psi_{IK\Omega n_\gamma n_\beta \kappa} \\ &= (-1)^{K-\Omega}\Psi_{IK\Omega n_\gamma n_\beta \kappa} \; . \end{aligned} \tag{8.24}$$

Die Wellenfunktion ist also nur invariant, wenn $K-\Omega$ gerade ist.

Bei $\hat{R}_1$ erinnere man sich, daß das einer Ersetzung der Wahl der Achsen von (x', y', z') durch $(x', -y', -z')$ entspricht. Der Effekt auf die Rotationsmatrix ist auch schon gegeben:

$$\hat{R}_1\mathcal{D}^{(I)*}_{MK}(\boldsymbol{\theta}) = (-1)^{I-2K}\mathcal{D}^{(I)*}_{M-K}(\boldsymbol{\theta}) \; . \tag{8.25}$$

Wir können $2K$ im Exponenten nicht weglassen, da es nun halbzahlig ist. Unglücklicherweise kann die Wirkung von $\hat{R}_1$ auf die Einteilchen–Wellenfunktion nicht so einfach formuliert werden. Da sie nicht auf zusätzliche Auswahlregeln für den allgemeinen Fall führt, geben wir hier keine Details an und schreiben nur die symmetrisierte Wellenfunktion auf:

$$\begin{aligned}\Psi_{IK\Omega n_\gamma n_\beta \kappa} &= \sqrt{\frac{2I+1}{16\pi^2}}\left[\mathcal{D}^{(I)*}_{MK}\phi_{\kappa\Omega} + (-1)^{I-2K}\mathcal{D}^{(I)*}_{M-K}\hat{R}_1\phi_{\kappa\Omega}\right] \\ &\quad \times \chi_{|K-\Omega| n_\gamma}\langle\beta|n_\beta\rangle \; .\end{aligned} \tag{8.26}$$

Die letzte Aufgabe ist es nun, das Spektrum des Modells zu konstruieren. Das wird notwendigerweise viel komplexer sein als das des reinen Rotations–Vibrations–Modells. Der entscheidende Startpunkt besteht in der Kenntnis der Grundzustandsdeformation β_0. Betrachtet man das Spektrum des deformierten Schalenmodells in den Abbildungen 7.6 und 7.7, dann muß man die Zustände auffüllen, bis alle Teilchen außer dem ungeraden eingesetzt sind. Das nächste leere Einteilchen–Energieniveau, bestimmt dann die niedrigste mögliche Funktion $\phi_{\kappa_0\Omega_0}$ für das ungerade Teilchen, woraus sich die darüberliegenden Einteilchenanregungen, die mit $\phi_{\kappa_i\Omega_i}$ bezeichnet sind, ergeben. Es gibt also ein Spektrum von Anregungen mit Energien, für die man $E_{\kappa_i\Omega_i} - E_{\kappa_0\Omega_0}$ erhält.

Auf jede dieser Einteilchenanregungen baut eine Vibrationsbande auf, deren Struktur aus (8.23) ersichtlich ist. Beim Grundzustand gilt zum Beispiel

$$K = \Omega_0, \quad n_\gamma = n_\beta = 0 \; , \tag{8.27}$$

und die Reihe der Drehimpulse muß

$$I = \Omega_0, \; \Omega_0 + 1, \ldots \tag{8.28}$$

lauten. Bei den Banden mit unterschiedlichem K oder bei den auf anderen Einteilchenzuständen aufgebauten ist die Situation ähnlich. Die grundsätzliche Beschränkung ist die wegen $\hat{R}_2$, nämlich, daß $K - \Omega_i$ gerade ist. Die Quantenzahlen laufen also über

$$\begin{aligned} K &= \Omega_i, \; \Omega_i + 2, \ldots \\ I &= |\Omega_i|, \; |\Omega_i| + 1, \ldots \end{aligned} \tag{8.29}$$

Zusätzlich können β– und γ–Vibrationen angeregt werden. Für β–Vibrationen muß nur n_β variiert werden, während γ–Vibrationen natürlich schon im Fall $K > \Omega_i$ wie im Rotations–Vibrations–Modell vorhanden sind, wo die gewöhnliche γ–Bande $K = 2$ entspricht. $n_\gamma > 0$ zu haben ist im Prinzip ebenfalls möglich.

In der Praxis gibt es häufig mehrere Einteilchenniveaus nahe der Fermieenergie, und das Nilsson–Modell ist nicht präzise genug, die exakte Reihenfolge verläßlich wiederzugeben. In diesen Fällen treten gewöhnlich alle Drehimpulse, die man aufgrund des Niveauschemas erwartet und die darauf aufgebauten Banden im experimentellen Spektrum auf.

Am Schluß dieser kurzen Beschreibung des Modells der starken Kopplung bemerken wir, daß die Coriolis–Kopplung oft ziemlich wichtig ist und sogar die Abfolge der Niveaus beträchtlich verändern kann. Eine tiefergehende Behandlung erfordert ausführlichere Rechnungen, so daß wir darauf verzichten. Es lohnt sich jedoch, die ursprüngliche Gestalt des Hamiltonoperators, wie er in [Bo53, Ke56] entwickelt wurde, anzugeben, in dem die Vibrationen nicht berücksichtigt wurden, so daß die Drehimpulskopplung das Wesentliche ausmacht. Dem Standard–Nilsson– und Rotations–Vibrations–Hamiltonoperator hinzugefügt, ergibt sich die Wechselwirkung zu der Form

$$\hat{H}' = \frac{1}{2\mathcal{J}} \left(\hat{I}'_- \hat{\jmath}'_+ + \hat{I}'_+ \hat{\jmath}'_- \right) . \tag{8.30}$$

Eine interessante Eigenschaft dieser Kopplung ist es nun, daß sie aufgrund der Art, wie die Komponenten unterschiedlicher Projektion in (8.26) mischen, nur in Basiszuständen mit $K = \Omega = \frac{1}{2}$ diagonale Matrixelemente besitzt. Wie man ausrechnet, ergeben diese Diagonalelemente

$$-\frac{1}{2\mathcal{J}} \langle I K \Omega n_\gamma n_\beta \kappa | \hat{H}' | I K \Omega n_\gamma n_\beta \kappa \rangle = a(-1)^{I+1/2}(I + \tfrac{1}{2}) , \tag{8.31}$$

wobei a, in dem der Einteilchenteil des Matrixelements enthalten ist, der *Entkopplungsparameter* (*decoupling parameter*) genannt wird. Das gibt nun die interessante Konsequenz einer systematischen Modifikation der $I(I+1)$–Regel für $K = \frac{1}{2}$–Banden:

$$E_K(I) = E_K^{(0)} + \frac{\hbar^2}{2\mathcal{J}} \left[I(I+1) + a(-1)^{I+1/2}(I + \tfrac{1}{2})\delta_{K,1/2} \right] . \tag{8.32}$$

Den Effekt sieht man im Experiment, aber der Theorie gelingt keine gute quantitative Beschreibung des Entkopplungsparameters, was die Grenzen dieses sehr einfachen Hamiltonoperators aufzeigt.

8.1 Aufgabe: Das Spektrum von ^{183}W im Modell der starken Kopplung

Man interpretiere das Spektrum des Kerns ^{183}W im Rahmen des Modells der starken Kopplung.

Lösung:

Die niedrigsten Niveaus dieses Kerns sind in der folgenden Tabelle angegeben:

I^π	Energie (keV)
$1/2^-$	0.0
$3/2^-$	46.5
$5/2^-$	99.1
$7/2^-$	207.0
$3/2^-$	208.8
$5/2^-$	291.7
$9/2^-$	308.9
$9/2^+$	309.5
$7/2^-$	412.1
$7/2^-$	453.1
$9/2^-$	554.2

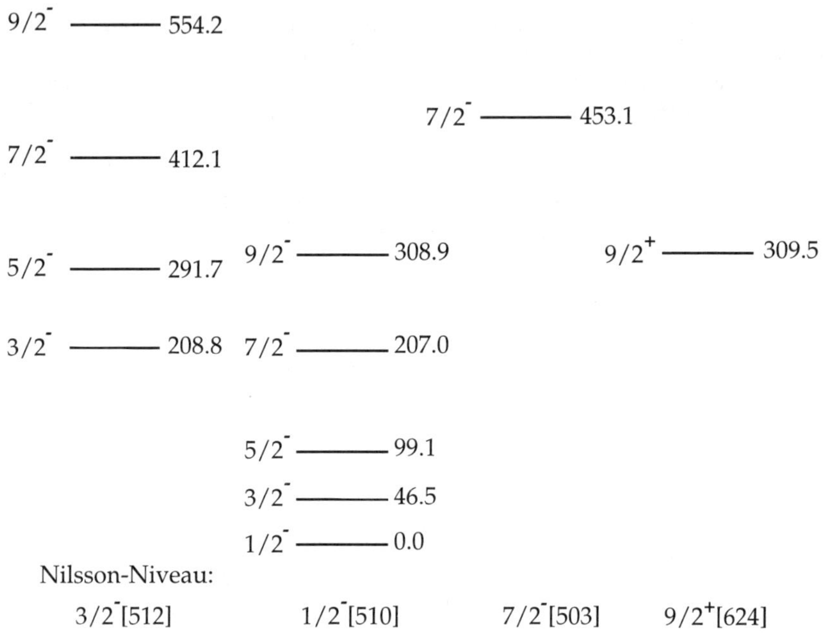

Abb. 8.3: Niedrigliegende Niveaus von ^{183}W, den auf verschiedenen Einteilchenniveaus aufgebauten Banden zugeordnet

Ein weiteres notwendiges Stück Information, das aus der Tabelle nicht ersichtlich ist, besteht in der Deformation des Kerns, welche ungefähr $\beta_0 \approx 0.21$ beträgt.

^{183}W hat 74 Protonen und 109 Neutronen. Das ungerade Teilchen ist also ein Neutron, und wir müssen sein Niveau im Nilsson–Schema aus Abbildung 8.3 finden. Man könnte im Prinzip alle gefüllten Niveaus mit ihrer zweifachen Kramers–Entartung abzählen, aber in der Praxis ist es einfacher festzustellen, welche gefüllten Schalen vollständig unter der Fermienergie bleiben. In diesem Fall bleibt die Schale bei 82 gefüllt, so daß wir unter Vernachlässigung des $h_{11/2}$–Zustands aus dieser tieferen Schale mit dem $9/2^+$–Zustand bei 108 ankommen, wenn bei jedem Niveau um zwei hochgezählt wird. Die nächsten zugänglichen Niveaus für das ungerade Teilchen sind ein $1/2^-$, ein $3/2^-$ und ein $7/2^-$, die sich zu wenig unterscheiden, um eine verläßliche Voraussage zu ermöglichen.

In diesem Fall jedoch stimmt die Reihenfolge, und wir können das Spektrum in Banden auf den passenden Drehimpulsen aufspalten. Zusätzlich gibt es einen $9/2^+$–Zustand, den man als Lochzustand verstehen kann: Ein Neutron springt hoch zum ungeraden Teilchen, so daß der $9/2^+$–Zustand nun einfach besetzt ist und den Drehimpuls sowie die Parität bestimmt.

Die auf diese Weise gewonnene Interpretation des Spektrums ist in Abbildung 8.3 gegeben, in der das Spektrum in die verschiedenen auf den Einteilchenniveaus basierenden Banden zerlegt ist.

8.1.4 Das Wechselwirkende Boson–Fermion–Modell (IBFM)

Das IBM aus Abschnitt 6.8 eignet sich zur Kopplung mit einem zusätzlichen ungeraden Teilchen ebensogut wie das geometrische Kollektivmodell. Dieses kombinierte Modell heißt *Wechselwirkendes Boson–Fermion–Modell (IBFM)* (englisch: *interacting...*) und wurde von Iachello und Scholten eingeführt [Ia79, Ia80].

Die wesentlichen Bestandteile dieses Modells sind einfach und einleuchtend: Zusätzlich zu den s– und d–Bosonen aus dem IBM führt man für das ungerade Teilchen Erzeugungs– und Vernichtungsoperatoren $\hat{a}^+_{jm}$ und $\hat{a}_{jm}$ ein. Der Drehimpuls des ungeraden Teilchens ist bestimmt durch die verfügbaren Orbitale, so daß die Wellenfunktion des ungeraden Teilchens im allgemeinen Beiträge von einer Anzahl verschiedener Einteilchenzustände oberhalb des Ferminiveaus enthält. Diese Behandlung entspricht mehr dem Geist des Modells der schwachen Kopplung, in dem die Drehimpulse des Rumpfs und des Teilchens beide verwendet werden. Der Hamiltonoperator ist zerlegbar in den bosonischen, den fermionischen und den Kopplungsterm:

$$\hat{H} = \hat{H}_{\text{IBM}} + \hat{H}_{\text{Fermion}} + \hat{H}_{\text{Kopplung}} \; . \tag{8.33}$$

Der erste Teil ist der Standard–IBM– oder IBM–2–Hamiltonoperator, und für den fermionischen Teil wird ein allgemeiner Ausdruck nach dem gleichen Prinzip verwendet:

$$\begin{aligned} \hat{H}_{\text{Fermion}} &= \sum_j n_j [\hat{a}^+_j \times \hat{a}_j]^0 \\ &\quad + \sum_\lambda \sum_{j_1 j_2 j_3 j_4} v^{(\lambda)}_{j_1 j_2 j_3 j_4} [[\hat{a}^+_{j_1} \times \hat{a}_{j_2}]^\lambda \times [\hat{a}^+_{j_3} \times \hat{a}_{j_4}]^\lambda]^0 \; . \end{aligned} \tag{8.34}$$

Schließlich wird der Kopplungsteil auf die gleiche Weise konstruiert, als Summe über alle Produkte von $[\hat{a}^+_j \times \hat{a}_{j'}]^\lambda$ mit Kombinationen eines Boson–Erzeugungsoperators und eines Vernichtungsoperators, die zu demselben λ koppeln. Alle diese Terme erhalten Bosonen– und Fermionenzahl getrennt, wie es auch sein sollte.

Die wirkliche Konstruktion der Eigenzustände in diesem Modell führt zu tief in die Gruppentheorie, um hier vorgestellt werden zu können; statt dessen seien einige der angestellten Gedankengänge und erzielten Erfolge erwähnt. Ein Problem ist die große Zahl der Parameter, die wegen der allgemeinen mathematischen Form des Hamiltonoperators auftreten. Im geometrischen Modell war die Situation einfacher aufgrund des klaren Bildes der Bewegung in einem deformierten Potential, welches die Wechselwirkung idealerweise völlig bestimmt. Im IBFM kann man ebenfalls versuchen, die Koeffizienten aus der zugrunde liegenden Physik abzuleiten, und Rechnungen dieser Art sind, z. B., in [Sc82, Br81, Bi82, Cu82] präsentiert.

Eine alternative Methode von weiterreichendem Interesse ist die Verwendung der gruppentheoretischen Zerlegung der kombinierten Symmetriegruppen für den bosonischen und den fermionischen Teil, was am besten im Rahmen der Supersymmetrie getan wird [Ba83, Is84]. Sie weist einigen Erfolg in der Beschreibung von Spektren und Übergangswahrscheinlichkeiten in Isotopenketten auf, ähnlich der Art und Weise, in der das IBM selbst benutzt werden kann, um die systematischen Veränderungen der kollektiven Struktur durch eine solche Kette hindurch zu untersuchen. Da das Modell Zustände von gg–Kernen mit denen von ungeraden verbindet, kann es wohl den Anspruch erfüllen, die erste Anwendung der Supersymmetrie in der Natur zu liefern.

8.2 Kollektive Vibrationen in mikroskopischen Modellen

8.2.1 Die Tamm–Dancoff–Näherung

In Hartree–Fock–Modellen sind die angeregten Zustände des Kerns die Teilchen–Loch–Anregungen. Die tiefstliegenden sind die Ein–Teilchen–ein–Loch–Anregungen mit einer Energie, die dem Unterschied zwischen der Energie des letzten gefüllten Zustands und dem des ersten leeren entspricht.

Wenn der Kern magische Protonen– und Neutronenzahl besitzt, werden diese Anregungen meistens negative Parität haben, da aufeinanderfolgende Schalen in einem harmonischen Oszillator von wechselnder Parität sind; die Spin–Bahn–Kopplung führt nur zu gelegentlichem Auftreten von *„Intruder-Zuständen“* entgegengesetzter Parität. Also würde man eine große Zahl von Zuständen negativer Parität mit der ungefähren Energie des Schalenabstands erwarten, und es scheint auch klar zu sein, daß die Restwechselwirkung die Entartungen aufhebt. Diese Zustände sollten mittels elektromagnetischer Dipolfelder leicht anzuregen sein, da die elektromagnetischen Anregungen durch Einteilchenoperatoren beschrieben werden.

In ^{16}O, z. B., beträgt der Schalenabstand etwa 11.5 MeV. Statt einer Häufung von Zuständen dort mit ungefähr gleicher Anregungswahrscheinlichkeit beobachtet man jedoch eine Konzentration der Anregungswahrscheinlichkeit in zwei Niveaus, einen 3^-–Zustand nahe 6 MeV beziehungsweise zwei Riesenresonanz–1^-–Zustände nahe 22 und 25 MeV. Die anderen Zustände negativer Parität werden nur mit geringer Wahrscheinlichkeit angeregt. Es scheint also, daß die Restwechselwirkung zum Auftreten kollektiver Zustände mit viel höheren elektromagnetischen Anregungswahrscheinlichkeiten führt. In den folgenden Abschnitten werden wir sehen, wie das erklärt werden kann.

Verwendet man wieder die Bezeichnungskonvention, daß die sich Indizes i und j auf Einteilchenzustände *unter* und m und n auf Zustände *über* dem Ferminiveau beziehen, kann der Teilchen–Loch–Zustand geschrieben werden als

$$|mi\rangle = \hat{a}_m^+ \hat{a}_i |\mathrm{HF}\rangle \ . \tag{8.35}$$

Bei Vorhandensein der Restwechselwirkung sind diese natürlich nicht Eigenzustände des Hamiltonoperators, aber sie können als Basis für die Variationsprozedur dienen. Wir untersuchen also das Variationsproblem

$$\delta \langle \Psi | \hat{H} | \Psi \rangle = 0 \ , \tag{8.36}$$

bei der die Variation auf *normierte* Wellenfunktionen der Form

$$|\Psi\rangle = \sum_{mi} c_{mi}|mi\rangle = \sum_{mi} c_{mi}\hat{a}_m^+\hat{a}_i|\mathrm{HF}\rangle \tag{8.37}$$

beschränkt ist, mit dem allgemeinen Zweikörper–Hamiltonoperator

$$\hat{H} = \sum_{k_1k_2} t_{k_1k_2}\hat{a}_{k_1}^+\hat{a}_{k_2} + \frac{1}{2}\sum_{k_1k_2k_3k_4} v_{k_1k_2k_4k_3}\hat{a}_{k_1}^+\hat{a}_{k_2}^+\hat{a}_{k_3}\hat{a}_{k_4} - \langle\mathrm{HF}|\hat{H}|\mathrm{HF}\rangle\ . \tag{8.38}$$

Die Hartree–Fock–Grundzustandsenergie wurde abgezogen, da wir nur an der Anregungsenergie interessiert sind. Unter Berücksichtigung der Normierungsbedingung analog zu Abschnitt 7.2.2 und nach Variation bezüglich c_{mi} erhält man

$$\sum_{nj}\left\{\langle\mathrm{HF}|\hat{a}_i^+\hat{a}_m\hat{H}\hat{a}_n^+\hat{a}_j|\mathrm{HF}\rangle - E\langle\mathrm{HF}|\hat{a}_i^+\hat{a}_m\hat{a}_n^+\hat{a}_j|\mathrm{HF}\rangle\right\}c_{nj} = 0\ . \tag{8.39}$$

Das zweite Matrixelement ist $\delta_{ij}\delta_{mn}$, während das Matrixelement des Hamiltonoperators mit den üblichen Methoden ausgewertet werden kann. Die Potential–Matrixelemente verhalten sich etwas anders in den Diagonaltermen als den nichtdiagonalen:

$$\begin{aligned}\langle mi|\hat{H}|mi\rangle &= t_{mm} - t_{ii} + \sum_j[\langle mj|\bar{v}|mj\rangle - \langle ij|\bar{v}|ij\rangle] + \langle mi|\bar{v}|im\rangle \\ &= \epsilon_m - \epsilon_i + \langle mi|\bar{v}|im\rangle \\ \langle mi|\bar{v}|nj\rangle &= \langle mj|\bar{v}|in\rangle\ .\end{aligned} \tag{8.40}$$

In diesen Ausdrücken wurde die Definition der Hartree–Fock–Einteilchenenergien und die der antisymmetrisierten Matrixelemente aus Abschnitt 7.2 übernommen.

Einsetzen des Resultats in (8.39) führt auf die *Tamm–Dancoff–Gleichungen*

$$\sum_{jn}[(\epsilon_m - \epsilon_i)\delta_{mn}\delta_{ij} + \langle mj|\bar{v}|in\rangle]c_{nj}^\nu = E_\nu c_{mi}^\nu\ , \tag{8.41}$$

wobei der zusätzliche Index ν dazu verwendet wird, die verschiedenen Eigenzustände abzuzählen. Die Energien E_ν sind Anregungsenergien über dem Grundzustand.

Die Tamm–Dancoff–Methode wurde in die Kernphysik in [El57, Br59] eingeführt. Um zu verstehen, wie diese Gleichung kollektive Zustände erklärt, ist es nützlich, das sogenannte *schematische Modell* [Br60, Br61] zu untersuchen. Dieses basiert auf einer Separabilitäts–Näherung für die Potential–Matrixelemente,

$$\langle mj|\bar{v}|in\rangle \approx \lambda D_{mi}D_{nj} \tag{8.42}$$

mit λ als Parameter der Stärke. Man beachte, daß die Größen D_{mi} Einteilchen–Matrixelementen entsprechen und als reell angenommen werden können. Bevor wir die Angemessenheit der Näherung diskutieren, werden wir sie zuerst verwenden, um Eigenschaften der Lösungen abzuleiten. Einsetzen von (8.42) in (8.41) ergibt

$$(E_\nu - \epsilon_m + \epsilon_i)c^\nu_{mi} = \lambda D_{mi} \sum_{nj} D_{nj} c^\nu_{nj} , \tag{8.43}$$

und das kann leicht gelöst werden, da die Summe auf der rechten Seite nur eine allgemeine Konstante repräsentiert, die auch aus der Normierung der Wellenfunktionen $\sum_{mi} |c^\nu_{mi}|^2 = 1$ bestimmt werden kann:

$$c^\nu_{mi} = \frac{D_{mi}}{E_\nu - \epsilon_m + \epsilon_i} \lambda \sum_{nj} D_{nj} c^\nu_{nj} . \tag{8.44}$$

Eine Gleichung für die Energien resultiert aus der Betrachtung des Ausdrucks

$$\sum_{mi} D_{mi} c^\nu_{mi} = \sum_{mi} \frac{D^2_{mi}}{E_\nu - \epsilon_m + \epsilon_i} \left(\lambda \sum_{nj} D_{nj} c^\nu_{nj} \right) , \tag{8.45}$$

woraus man

$$\sum_{mi} \frac{D^2_{mi}}{E_\nu - \epsilon_m + \epsilon_i} = \frac{1}{\lambda} \tag{8.46}$$

erhält. Als eine Funktion von E_ν hat die linke Seite dieser Gleichung Singularitäten bei sämtlichen Teilchen–Loch–Energien $\epsilon_{mi} = \epsilon_m - \epsilon_i$; sie ist positiv oberhalb und negativ unterhalb von diesen. Für $E_\nu \to \pm\infty$ geht sie gegen ± 0. Ihr Verhalten ist in Abbildung 8.4 dargestellt. Die Eigenenergien erhält man durch Auffinden der Schnittpunkte dieser Kurve mit der Konstanten $\frac{1}{\lambda}$, die beide Vorzeichen haben kann. Offensichtlich werden alle Eigenenergien zwischen den Teilchen–Loch–Energien eingeschlossen sein bis auf eine, die sehr stark nach oben (für $\lambda > 0$) oder unten (für $\lambda < 0$) verschoben ist.

Um zu sehen, daß dieser besondere Zustand der kollektive ist, untersuche man den Fall, daß alle Teilchen–Loch–Energien gleich sind, $\epsilon_m - \epsilon_i = \epsilon$. In diesem Fall zeigt die graphische Konstruktion, daß alle Eigenenergien gleich ϵ sind, außer bei dem einen Zustand, der zu einem nichtverschwindenden Nenner führt; seine Energie ist gegeben durch

$$E = \epsilon + \lambda \sum_{mi} D^2_{mi} , \tag{8.47}$$

und die Entwicklungskoeffizienten sind

$$c_{mi} = \frac{D_{mi}}{\sqrt{\sum_{nj} D^2_{nj}}} . \tag{8.48}$$

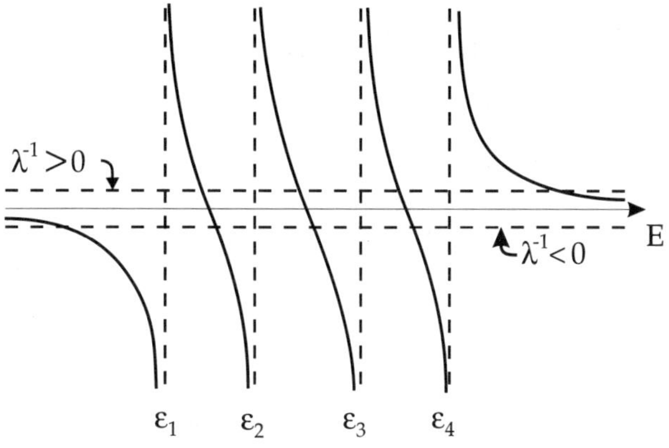

Abb. 8.4: Graphische Darstellung der Lösung von (8.46). Die Funktion auf der linken Seite der Gleichung ist gegen E aufgetragen. Sie hat bei den hier mit ϵ_{1-4} bezeichneten Teilchen–Loch–Energien Singularitäten. Die Schnittpunkte der Kurve mit den waagrechten Geraden sowohl für $\lambda < 0$ als auch $\lambda > 0$ geben die als Punkte markierten Lösungen an, deren Abszissenabschnitte die Eigenenergien E_ν liefern. Man beachte, daß, während die meisten Eigenwerte zwischen den Teilchen–Loch–Energien bleiben, der niedrigste bzw. der höchste weit nach oben oder unten verschoben sind.

Dies zeigt deutlich, daß der kollektive Zustand eine höchst kohärente Anregung von Einzelteilchen ist.

Ob eine separierbare Entwicklung für die Restwechselwirkung sinnvoll ist, hängt natürlich von den genauen Annahmen ab, die man für diese Wechselwirkung anstellt. Oft werden die Matrixelemente D_{mi} durch solche des Dipoloperators ersetzt, weil benachbarte Schalen sich in ihrer Parität unterscheiden, so daß der Dipoloperator der einfachste ist, der diese Zustände verbindet.

In praktischen Anwendungen müssen die Teilchen–Loch–Zustände zu gutem Drehimpuls und, bei leichten Kernen, zu gutem Isospin gekoppelt werden. Man findet, daß bei üblichen Wechselwirkungen die Zustände mit Isospin eins in der Energie nach oben verschoben sind (d. h., sie haben $\lambda > 0$), und die mit $T = 0$ haben $\lambda < 0$.

8.2 Aufgabe: Tamm–Dancoff–Rechnung für ^{16}O

Man erkläre, wie eine Tamm–Dancoff–Rechnung für den Kern ^{16}O durchzuführen ist.

Lösung:

Die Schalenstruktur von ^{16}O ist aus dem Niveauschema des Einteilchenmodells aus Abschnitt 7.4.1 ersichtlich. Die letzte besetzte Schale ist die p–Schale negativer Parität mit den Zuständen $1p_{3/2}$ und $1p_{1/2}$, während die erste leere Schale die sd–

Schale ist, die die Zustände $1d_{5/2}$, $2s_{1/2}$ und $1d_{3/2}$ mit positiver Parität besitzt. Koppeln der Drehimpulse erlaubt also die folgenden Kombinationen:

	$1d_{3/2}$	$2s_{1/2}$	$1d_{5/2}$
$1p_{1/2}$	$1^-,2^-$	$0^-,1^-$	$2^-,3^-$
$1p_{3/2}$	$0^-,1^-,2^-,3^-$	$1^-,2^-$	$1^-,2^-,3^-,4^-$

Da die Kopplung des Isospins davon unabhängig verläuft, ist diese Tabelle die gleiche sowohl für $T = 0$ als auch für $T = 1$. Der Raum, in dem die Wellenfunktionen entwickelt werden, ist von der Dimension 2 für 0^-, 5 für 1^-, 5 für 2^-, 3 für 3^-, und es gibt nur einen Zustand vom Typ 4^-. Die Rechnung vollzieht sich daher in relativ kleinen Räumen (das steigt natürlich bei schweren Systemen schnell an). Die Teilchen–Loch–Anregungsenergien sind in der Größenordnung von $\hbar\omega = 41\text{MeV}\ /A^{1/3}$, d. h. in diesem Fall nahe 16 MeV. Experimentell finden sich drei herausragende kollektive Zustände, ein 3^-, $T = 0$ bei 6 MeV und zwei 1^-, $T = 1$ bei 22.6 MeV und 25.2 MeV. Rechnungen mit einer realistischen Restwechselwirkung können diese Struktur erklären und zeigen, daß die kollektiven Zustände in der Tat Mischungen von Einteilchenzuständen mit einer breiten Verteilung über die darunterliegenden Teilchen–Loch–Zustände entsprechen.

Es gibt einen anderen Weg, die Tamm–Dancoff–Näherung abzuleiten, welche eine bequeme Ausgangsposition für zukünftige Entwicklungen bietet, besonders, da er mit der Art, wie das Kollektivmodell angeregte Zustände als Bosonen behandelt, in Verbindung steht. Der kollektive Zustand, nach dem wir suchen, $|\nu\rangle$, löst die stationäre Schrödingergleichung

$$\hat{H}|\nu\rangle = E_\nu|\nu\rangle \ . \tag{8.49}$$

Wir definieren nun einen Operator $\hat{Q}_\nu^+$, der diesen Zustand aus dem Vakuum „erzeugt" und auch einem Erzeugungsoperator ähnlich ist, indem der assoziierte Vernichtungsoperator, auf das Vakuum angewandt, null ergibt:

$$\hat{Q}_\nu^+|0\rangle = |\nu\rangle, \qquad \hat{Q}_\nu|0\rangle = 0 \ . \tag{8.50}$$

In dieser Forderung liegt keine Näherung; tatsächlich kann ein solcher Operator formal als $\hat{Q}_\nu^+ = |\nu\rangle\langle 0|$ gegeben sein, was beide Bedingungen trivial erfüllt. Die Einführung einer Näherung für den Operator $\hat{Q}_\nu^+$ beruht wie üblich auf einem Variationsprinzip,

$$0 = \delta\langle\nu|\hat{H} - E_\nu|\nu\rangle = \delta\langle 0|\hat{Q}_\nu\hat{H}\hat{Q}_\nu^+ - E_\nu\hat{Q}_\nu\hat{Q}_\nu^+|0\rangle \ . \tag{8.51}$$

Wir fahren wie bei der Standardversion des Variationsprinzips fort und beachten dabei, daß statt der Wellenfunktion und ihrer komplex konjugierten der Operator $\hat{Q}_\nu$ und sein adjungierter unabhängig variiert werden können. Variation von $\hat{Q}_\nu$ führt auf

$$\langle 0|\delta\hat{Q}_\nu\hat{H}\hat{Q}_\nu^+|0\rangle = E\langle 0|\delta\hat{Q}_\nu\hat{Q}_\nu^+|0\rangle \ . \tag{8.52}$$

Beachtet man, daß

$$\hat{H}\hat{Q}_\nu^+|0\rangle = [\hat{H}, \hat{Q}_\nu^+]|0\rangle + E_0\hat{Q}_\nu^+|0\rangle \tag{8.53}$$

gilt, mit E_0 als der Energie des Grundzustands, kann dies umgeschrieben werden zu

$$\langle 0|\delta\hat{Q}_\nu[\hat{H}, \hat{Q}_\nu^+]|0\rangle = (E_\nu - E_0)\langle 0|\delta\hat{Q}_\nu\hat{Q}_\nu^+|0\rangle \ . \tag{8.54}$$

Schließlich kann man alles mit Hilfe von Kommutatoren schreiben:

$$\langle 0|[\delta\hat{Q}_\nu, [\hat{H}, \hat{Q}_\nu^+]]|0\rangle = (E_\nu - E_0)\langle 0|[\delta\hat{Q}_\nu, \hat{Q}_\nu^+]|0\rangle \ . \tag{8.55}$$

Dies kann man unter Verwendung von $\langle 0|\hat{Q}_\nu^+ = \langle 0|\hat{H}\hat{Q}_\nu^+ = 0$ beweisen. (8.55) wird als die Basis dienen, die Random–Phase–Näherung im nächsten Abschnitt abzuleiten; vorher jedoch wird in einer Aufgabe überprüft, ob man die Tamm–Dancoff–Näherung aus dem neuen Formalismus wieder erhalten kann.

8.3 Aufgabe: Eine Ableitung der Tamm–Dancoff–Näherung

Man leite die Tamm–Dancoff–Näherung aus (8.55) ab.

Lösung:

In der Tamm–Dancoff–Näherung ist das Phononenvakuum der Hartree–Fock–Grundzustand $|\mathrm{HF}\rangle$, und die Grundzustandsenergie ist zu null gesetzt. Betrachtet man den Test–Zustand, wie er in der Tamm–Dancoff–Näherung definiert ist, sollte der Operator $\hat{Q}_\nu^+$ als

$$\hat{Q}_\nu^+ = \sum_{mi} c_{mi}^\nu \hat{a}_m^+ \hat{a}_i \tag{1}$$

definiert sein mit den c_{mi}^ν als den Variationsparametern. Dieser Operator erfüllt klar die gewünschte Bedingung $\hat{Q}_\nu|0\rangle = 0$, so daß wir die letzten Argumente umdrehen können, die auf (8.55) führten, und die Kommutatoren weglassen, womit

$$\sum_{mi} \delta c_{mi}^{\nu *} \sum_{nj} \langle \mathrm{HF}|\hat{a}_i^+ \hat{a}_m (\hat{H} - E_\nu)\hat{a}_n^+ \hat{a}_j|\mathrm{HF}\rangle c_{nj}^\nu = 0 \tag{2}$$

resultiert, was identisch mit (8.39) ist, da die Variationen in den c_{mi} unabhängig sind.

8.2.2 Die Random–Phase–Approximation (RPA)

Der am Ende des letzten Abschnitts entwickelte Formalismus erscheint unnötig kompliziert für die Herleitung der Tamm–Dancoff–Näherung. Er ist jedoch sehr gut zur Entwicklung fortgeschrittener Theorien geeignet, wie wir gleich sehen werden.

Der Name „Random–Phase–Approximation“ bezieht sich auf eine in einer der originalen Herleitungen angewandten Näherungen; siehe zum Beispiel die Behandlung in [La64].

Eine ernsthafte Unzulänglichkeit der Tamm–Dancoff–Näherung ist die Verwendung des unmodifizierten Hartree–Fock–Grundzustands. Das Wirken der Restwechselwirkung sollte auch den Grundzustand selbst verändern, und um ihn in Übereinstimmung mit den angeregten Zuständen zu bringen, muß man nur Teilchen–Loch–Beimischungen für die Konstruktion eines neuen Grundzustands $|\mathrm{RPA}\rangle$ zulassen. Der wesentliche Unterschied zum Hartree–Fock–Grundzustand ist der, daß angeregte Zustände nicht nur mit den gewöhnlichen Teilchen–Loch–Erzeugungsoperatoren $\hat{a}_m^+\hat{a}_i$ konstruiert werden können, sondern auch mit solchen Kombinationen wie $\hat{a}_i^+\hat{a}_m$, welche Teilchen–Loch–Anregungen aus dem Grundzustand nehmen (man beachte, daß die stillschweigende Annahme noch gilt, daß sich die Indizes m, n auf Einteilchenzustände oberhalb und i, j auf Zustände unterhalb der Fermienergie beziehen). Unser Operator zur Erzeugung kollektiver Zustände kann also die allgemeinere Form

$$\hat{Q}_\nu^+ = \sum_{mi} x_{mi}^\nu \hat{a}_m^+\hat{a}_i - \sum_{mi} y_{mi}^\nu \hat{a}_i^+\hat{a}_m \tag{8.56}$$

annehmen und sollte die Bedingung

$$\hat{Q}_\nu|\mathrm{RPA}\rangle = 0 \tag{8.57}$$

erfüllen. Die Variation des Operators bedingt entweder eine Variation der Koeffizienten x_{mi}^ν oder der y_{mi}^ν, und (8.55) führt auf zwei Gleichungen, die als Koeffizienten von δx_{mi}^ν bzw. δy_{mi}^ν auftreten:

$$\begin{aligned} \langle\mathrm{RPA}|[\hat{a}_i^+\hat{a}_m,[\hat{H},\hat{Q}_\nu^+]]|\mathrm{RPA}\rangle &= (E_\nu - E_0)\langle\mathrm{RPA}|[\hat{a}_i^+\hat{a}_m,\hat{Q}_\nu^+]|\mathrm{RPA}\rangle \\ \langle\mathrm{RPA}|[\hat{a}_m^+\hat{a}_i,[\hat{H},\hat{Q}_\nu^+]]|\mathrm{RPA}\rangle &= (E_\nu - E_0)\langle\mathrm{RPA}|[\hat{a}_m^+\hat{a}_i,\hat{Q}_\nu^+]|\mathrm{RPA}\rangle\ . \end{aligned} \tag{8.58}$$

Um weiter vorzugehen, muß eigentlich einige Information über den Zustand $|\mathrm{RPA}\rangle$ benutzt werden, aber glücklicherweise kann das umgangen werden. Auf der rechten Seite dieser Gleichung können die Kommutatoren ausgerechnet werden,

$$[\hat{a}_i^+\hat{a}_m,\hat{a}_n^+\hat{a}_j] = \delta_{mn}\delta_{ij} - \delta_{mn}\hat{a}_j\hat{a}_i^+ - \delta_{ij}\hat{a}_n^+\hat{a}_m\ , \tag{8.59}$$

und man benötigt den Erwartungswert dieses Ausdrucks im Zustand $|\mathrm{RPA}\rangle$. Nun sollte der letzte Term so klein wie die Zahl der Teilchen oberhalb der Fermienergie sein. In der gleichen Weise sollte der vorletzte Term klein sein, indem er durch die

Anwesenheit von Löchern im RPA–Zustand erzeugt wird. Dies führt uns auf die Näherung

$$\begin{aligned}&\langle\mathrm{RPA}|[\hat{a}_i^+\hat{a}_m,\hat{a}_n^+\hat{a}_j]|\mathrm{RPA}\rangle \\ &\quad=\delta_{ij}\delta_{mn}-\delta_{mn}\langle\mathrm{RPA}|\hat{a}_j\hat{a}_i^+|\mathrm{RPA}\rangle-\delta_{ij}\langle\mathrm{RPA}|\hat{a}_n^+\hat{a}_m|\mathrm{RPA}\rangle \\ &\quad\approx\delta_{ij}\delta mn \\ &\quad=\langle\mathrm{HF}|[\hat{a}_i^+\hat{a}_m,\hat{a}_n^+\hat{a}_j]|\mathrm{HF}\rangle\ .\end{aligned} \tag{8.60}$$

Eine Konsequenz ist, daß sich die Teilchen–Loch–Erzeugungsoperatoren $\hat{a}_i^+\hat{a}_m$ verhalten, als ob sie die Vertauschungsrelationen für Bosonen, $[\hat{a}_i^+\hat{a}_m,\hat{a}_n^+\hat{a}_j]=\delta_{ij}\delta_{mn}$ erfüllten, und aus diesem Grund ist diese Methode auch als Quasi–Bosonen–Näherung bekannt. Man beachte, daß sie streng genommen das Pauliprinzip verletzt.

Die Näherung wird nun vervollständigt, indem der RPA–Zustand auch auf der linken Seite von (8.58) durch den TDHF–Zustand ersetzt wird. Dies bedeutet aber nicht, daß wir zur Tamm–Dancoff-Näherung zurückkehren, da die Summen immer noch sowohl über x_{nj}^ν als auch über y_{nj}^ν gehen. Die Matrixelemente können dann leicht ausgewertet werden, und wir definieren für sie Abkürzungen:

$$\begin{aligned}A_{mi,nj}&=\langle\mathrm{HF}|[\hat{a}_i^+\hat{a}_m,[\hat{H},\hat{a}_n^+\hat{a}_j]]|\mathrm{HF}\rangle=(\epsilon_m-\epsilon_i)\delta_{mn}\delta_{ij}+\bar{v}_{mjin} \\ B_{mi,nj}&=-\langle\mathrm{HF}|[\hat{a}_i^+\hat{a}_m,[\hat{H},\hat{a}_j^+\hat{a}_n]]|\mathrm{HF}\rangle=\bar{v}_{mnij}\ .\end{aligned} \tag{8.61}$$

Die RPA–Gleichungen nehmen nun die Gestalt

$$\begin{aligned}\sum_{nj}(A_{mi,nj}x_{nj}^\nu+B_{mi,nj}y_{nj}^\nu)&=(E_\nu-E_0)x_{mi}^\nu \\ \sum_{nj}(B_{mi,nj}^*x_{nj}^\nu+A_{mi,nj}^*y_{nj}^\nu)&=-(E_\nu-E_0)y_{mi}^\nu\end{aligned} \tag{8.62}$$

an. Häufig werden sie in Matrixnotation geschrieben, wobei die Indizes in einleuchtender Weise zugewiesen sind,

$$\begin{pmatrix}A & B\\ B^* & A^*\end{pmatrix}\begin{pmatrix}X^\nu\\ Y^\nu\end{pmatrix}=(E_\nu-E_0)\begin{pmatrix}1 & 0\\ 0 & -1\end{pmatrix}\begin{pmatrix}X^\nu\\ Y^\nu\end{pmatrix}\ . \tag{8.63}$$

Die RPA–Näherung wurde erstmals im Zusammenhang mit dem Elektronengas entwickelt [Bo53b] und dann bald in der Kerntheorie angewandt, z. B.[Fe53, Fe57, Ba60].

Das dies wirklich eine Verallgemeinerung der Tamm–Dancoff–Gleichungen darstellt, wird klar, wenn man den Fall verschwindender y betrachtet: Die Gleichungen reduzieren sich dann einfach auf diese.

Die Gesamtnormierung der angeregten Zustände in der RPA erfordert, daß

$$\sum_{mi}(|x_{mi}^\nu|^2+|y_{mi}^\nu|^2)=1 \tag{8.64}$$

gilt.

Nun einige allgemeine Aspekte der RPA. Ein Problem, das aus der Matrixform der Gleichungen (8.63) hervorgeht, ist ihre nichthermitesche Natur. Folglich können die Eigenenergien komplex sein; in der Praxis jedoch tritt das nur unter ungewöhnlichen Umständen auf. Der Grudzustand selbst ist noch nicht explizit angegeben worden. Tatsächlich ist seine Gestalt ziemlich kompliziert; er muß aus der Bedingung, daß $\hat{Q}^\nu|\mathrm{RPA}\rangle = 0$ für alle ν gilt, bestimmt werden.

Ähnlich wie bei der Tamm–Dancoff–Näherung kann man eine erweiterte Version des schematischen Modells für separable Matrixelemente,

$$\bar{v}_{mnij} = \lambda D_{mi} D_{nj} \ , \tag{8.65}$$

studieren. Wenn wir weiter annehmen, daß die Matrizen D_{mi} reell und symmetrisch sind, vereinfachen sich die RPA–Gleichungen auf

$$\begin{aligned} \lambda \sum_{nj} D_{jn} D_{mi} x^\nu_{nj} + \lambda \sum_{nj} D_{mi} D_{nj} y^\nu_{nj} &= (E_\nu - E_0 - \epsilon_m + \epsilon_i) x^\nu_{mi} \\ \lambda \sum_{nj} D_{mi} D_{jn} x^\nu_{nj} + \lambda \sum_{nj} D_{mi} D_{nj} y^\nu_{nj} &= -(E_\nu - E_0 + \epsilon_m - \epsilon_i) y^\nu_{mi} \ . \end{aligned} \tag{8.66}$$

Jetzt funktioniert der gleiche Trick wie beim schematischen Modell. Beachtet man, daß die gleiche Summe

$$S = \sum_{nj} D_{nj} x^\nu_{nj} + \sum_{nj} D_{nj} y^\nu_{nj} \tag{8.67}$$

in beiden Gleichungen auftaucht, können diese sofort nach den unbekannten Koeffizienten aufgelöst werden:

$$\begin{aligned} x^\nu_{mi} &= \frac{\lambda S D_{mi}}{E_\nu - E_0 - \epsilon_m + \epsilon_i} \\ y^\nu_{mi} &= \frac{\lambda S D_{mi}}{-E_\nu + E_0 - \epsilon_m + \epsilon_i} \ . \end{aligned} \tag{8.68}$$

Einsetzen dieser Lösungen in die Definition von S führt auf

$$\begin{aligned} S &= \sum_{mi} \lambda D^2_{mi} S \left(\frac{1}{\epsilon_i - \epsilon_m + E_\nu - E_0} + \frac{1}{\epsilon_i - \epsilon_m - E_\nu + E_0} \right) \\ &= \sum_{mi} \frac{2\lambda D^2_{mi} S (\epsilon_i - \epsilon_m)}{(\epsilon_i - \epsilon_m)^2 - (E_\nu - E_0)^2} \end{aligned} \tag{8.69}$$

oder

$$1 = \sum_{mi} \frac{2\lambda D^2_{mi} (\epsilon_m - \epsilon_i)}{(E_\nu - E_0)^2 - (\epsilon_m - \epsilon_i)^2} \ . \tag{8.70}$$

8.4 Aufgabe: Erweitertes schematisches Modell

Man untersuche die Eigenschaften des erweiterten schematischen Modells im Fall entarteter Teilchen–Loch–Energien. Kann die Energie des kollektiven Zustands unter den des Grundzustands fallen?

Lösung:

Einsetzen des entarteten Falls $\epsilon_m - \epsilon_i \equiv \epsilon$ in (8.70) erzeugt

$$1 = \frac{2\lambda \sum_{mi} D_{mi}^2 \epsilon}{(E_\nu - E_0)^2 - \epsilon^2} \qquad \underline{1}$$

mit der Lösung

$$E_\nu - E_0 = \sqrt{\epsilon^2 + 2\epsilon\lambda \sum_{mi} D_{mi}^2} \qquad \underline{2}$$

für den kollektiven Zustand. Man vergleiche dies mit dem schematischen Modell, verbunden mit der Tamm–Dancoff–Näherung,

$$E_\nu - E_0 = \epsilon + \lambda \sum_{mi} D_{mi}^2 \ , \qquad \underline{3}$$

was gerade die Entwicklung des neuen Ergebnisses in niedrigster Ordnung darstellt. Offensichtlich hängt die Energie des kollektiven Zustands nur vom Parameter $\lambda \sum_{mi} D_{mi}^2$ ab, der die Stärke der Restwechselwirkung charakterisiert. Das funktionale Verhalten ist in Abbildung 8.5 eingezeichnet und zeigt, daß die Energie der kollektiven Anregung in der Tat bei ausreichend großer negativer Wechselwirkungsstärke negativ werden kann. Die physikalische Interpretation eines solchen Zusammenfallens der kollektiven Anregung ist recht einfach: Die Wechselwirkung führt zu einem deformierten Minimum in der Potentialenergieoberfläche, so daß Vibrationsanregungen um die Kugelgestalt nicht mehr stabil sind.

8.2.3 Zeitabhängiges Hartree–Fock und Linear Response

Eine völlig verschiedene und ziemlich erhellende Herleitung der RPA–Näherung ist die sogenannte Linear–Response–Theorie („lineare Antwort“), welche auch die zeitabhängige Form der Hartree–Fock–Gleichungen verwendet [Eh59, Go59, Th61]. Anstatt die stationären Zustände des Hamiltonoperators in einem beschränkten Raum von Teilchen–Loch–Anregungen zu untersuchen, betrachtet man die zeitabhängige Antwort des Kerns auf eine äußere Anregung. Die Ableitung ist auch ziemlich lehrreich durch die elegante Verwendung von Dichtematrix–Methoden.

Man nimmt an, daß die äußere Störung von einem harmonisch zeitabhängigen Einteilchenoperator

$$\hat{F}(t) = \hat{F} e^{-\mathrm{i}\omega t} + \hat{F}^{+} e^{\mathrm{i}\omega t} \qquad (8.71)$$

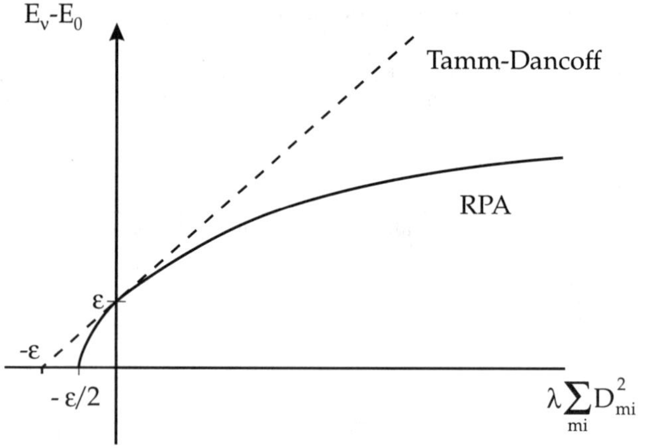

Abb. 8.5: Die Abhängigkeit der kollektiven Anregungsenergie von der Wechselwirkungsstärke, gegeben durch den Parameter $\lambda \sum_{mi} D_{mi}^2$. Beide Kurven beziehen sich auf den Fall eines völlig entarteten Teilchen–Loch–Spektrums im entsprechenden schematischen Modell.

beschrieben wird. Dieser Operator ist aufgrund seiner Konstruktion hermitesch. In zweiter Quantisierung kann er ausgedrückt werden als

$$\hat{F}(t) = \sum_{kl} f_{kl}(t) \hat{a}_k^+ \hat{a}_l \ . \tag{8.72}$$

Später werden wir Störungstheorie anwenden, so daß wir eine kleine Störung annehmen. Wir erwarten, starke Resonanzen in der Antwort des Kerns zu sehen, sobald $\hbar\omega$ nahe der Energie eines kollektiven Zustands ist. Als ein Beispiel für solch eine Störung kann der Dipoloperator dienen, der mit den Riesenresonanzen in Verbindung steht, wie es in Abschnitt 6.8 gezeigt wird.

Unter dem Einfluß einer äußeren, zeitabhängigen Störung wird die Wellenfunktion $|\Phi(t)\rangle$ auch zeitabhängig, und das gilt auch für die entsprechende Einteilchen–Dichtematrix

$$\rho_{kl} = \langle \Phi(t) | \hat{a}_l^+ \hat{a}_k | \Phi(t) \rangle \ . \tag{8.73}$$

Zusätzlich zur Kleinheit der Störung werden wir auch annehmen, daß der Zustand des Kerns immer durch eine Slaterdeterminante gegeben ist, d. h., $\rho^2(t) = \rho(t)$. Die Bewegungsgleichung der Dichtematrix erhält man leicht aus der Schrödingergleichung für $|\Phi(t)\rangle$:

$$\mathrm{i}\hbar \dot{\rho}_{kl}(t) = \langle \Phi(t) | [\hat{a}_l^+ \hat{a}_k, \hat{H}] | \Phi(t) \rangle \ . \tag{8.74}$$

Einsetzen des Standard–Zweiteilchen–Hamiltonoperators

$$\hat{H} = \sum_{ij} t_{ij} \hat{a}_i^+ \hat{a}_j + \tfrac{1}{2} \sum_{ijkl} v_{ijkl} \hat{a}_i^+ \hat{a}_j^+ \hat{a}_l \hat{a}_k \tag{8.75}$$

(mit passend umbenannten Indizes) und Auswerten des Kommutators ergibt

$$i\hbar \dot{\rho}_{kl} = \sum_p (t_{kp}\rho_{pl} - \rho_{kp}t_{pl}) + \tfrac{1}{2} \sum_{prs} (\bar{v}_{kprs}\rho^{(2)}_{rslp} - \bar{v}_{rslp}\rho^{(2)}_{kprs}) \, , \tag{8.76}$$

wobei $\rho^{(2)}$ die Zweiteilchen–Dichtematrix darstellt, definiert durch

$$\rho^{(2)}_{klpq} = \langle \Phi(t) | \hat{a}_p^+ \hat{a}_q^+ \hat{a}_l \hat{a}_k | \Phi(t) \rangle \; . \tag{8.77}$$

Im Prinzip beschreibt die Zweiteilchen–Dichtematrix Zweiteilchenkorrelationen, die in der Gleichung für die Einteilchen–Dichtematrix auftauchen, weil sie die Effekte von Zweikörperstreuungen über die Wechselwirkung v enthält. Unglücklicherweise bedeutet es, daß diese Gleichung nicht vollständig ist. Leitet man die Zeitabhängigkeit der Zweiteilchen–Dichtematrix ab, zeigt sich, daß sie wiederum mit der Dreiteilchen–Dichtematrix gekoppelt ist, und so fort. Man muß daher diese Kette an irgendeiner Stelle abschneiden, und das geschieht durch die obige Annahme, daß $|\Phi(t)\rangle$ eine Slaterdeterminante zu allen Zeiten ist. Bei einer Slaterdeterminante gilt

$$\langle \Phi(t) | \hat{a}_p^+ \hat{a}_q^+ \hat{a}_l \hat{a}_k | \Phi(t) \rangle = \rho_{kp}\rho_{ql} - \rho_{kq}\rho_{lp}, \tag{8.78}$$

wie man in der Diagonaldarstellung sofort sieht, und damit wird die Gleichung für die Einteilchen–Dichtematrix abgeschlossen:

$$i\hbar \dot{\rho} = [t + \Gamma, \rho] = [h(\rho), \rho] \tag{8.79}$$

mit einem mittleren Potential

$$\Gamma_{kl} = \sum_{pq} \bar{v}_{kqlp}\rho_{pq} \tag{8.80}$$

und dem dichteabhängigen Einteilchen–Hamiltonoperator $\hat{h}$, der durch die entsprechende Matrix

$$h(\rho) = t + \Gamma \tag{8.81}$$

repräsentiert wird.

Das sieht jetzt wirklich wie eine zeitabhängige Version des Dichtematrix–Formalismus für Hartree–Fock aus, und aus diesem Grund nennt man die entsprechende Näherung die *zeitabhängige Hartree–Fock–Näherung* (TDHF). Später (Abschnitt 9.4) werden wir sehen, daß die Wellenfunktionen in diesem Fall einfach zeitabhängigen Schrödingergleichungen genügen, wobei das mittlere Feld als Potential auftritt. Hier sind wir jedoch am Grenzfall kleiner Oszillationen interessiert.

Hinzufügen der äußeren Störung zum Einteilchen–Hamiltonoperator erzeugt

$$\mathrm{i}\hbar\dot{\rho} = [h(\rho) + F(t), \rho] \; , \tag{8.82}$$

wobei $F(t)$ die Matrix $\langle k|\hat{F}(t)|l\rangle$ des Störungsoperators in den Einteilchenzuständen bezeichnet. Hat der ungestörte Grundzustand des Kerns eine Dichtematrix ρ_0, dann kann der zeitabhängige entwickelt werden als

$$\rho(t) = \rho_0 + \delta\rho(t) \; . \tag{8.83}$$

Die Bedingung $\rho^2(t) = \rho(t)$ bis zur ersten Ordnung in $\delta\rho(t)$ erfordert

$$\delta\rho(t) = \rho_0\delta\rho(t) + \delta\rho(t)\rho_0 \; , \tag{8.84}$$

und Multiplikation mit ρ_0 von links ergibt sofort

$$\rho_0\delta\rho\rho_0 = 0 \; . \tag{8.85}$$

Das bedeutet, daß $\delta\rho(t)$ verschwindende Matrixelemente zwischen den Einteilchenzuständen besitzt, die im Hartree–Fock–Grundzustand besetzt sind. Ähnlich erhalten wir für den Projektor auf die unbesetzten Zustände $\sigma_0 = 1 - \rho_0$

$$\sigma_0\delta\rho\sigma_0 = 0 \; , \tag{8.86}$$

so daß die entsprechenden Matrixelemente auch verschwinden. In der Schreibweise von Abschnitt 7.2.4 kann man das auch als $(\delta\rho)_{pp} = (\delta\rho)_{hh} = 0$ zusammenfassen.

Um die folgenden Diskussionen zu vereinfachen, werden wir annehmen, daß die Einteilchenzustände gerade die Eigenzustände des Einteilchen–Hamiltonoperators im Grundzustand $h_0 = h_0(\rho_0) = 0$ sind, d. h.

$$(\rho_0)_{ij} = \delta_{ij}, \quad (\rho_0)_{mn} = (\rho_0)_{mi} = (\rho_0)_{im} = 0 \; . \tag{8.87}$$

Hier wurde wieder die Konvention benutzt, daß sich die Indizes i, j auf besetzte, m, n auf unbesetzte und k, l auf beliebige Einteilchenzustände beziehen. Der Einteilchen–Hamiltonoperator ist gegeben durch

$$(h_0)_{kl} = h(\rho_0)_{kl} = \epsilon_k\delta_{kl} \; . \tag{8.88}$$

Man beachte, daß der Einteilchen–Hamiltonoperator h von dem für den Grundzustand h_0 wegen der zeitabhängigen Dichte abweicht.

In erster Ordnung („lineare Antwort“, „linear response“) wird die Bewegungsgleichung der Dichtematrix

$$i\hbar\delta\dot{\rho} = [h_0, \delta\rho] + [\frac{\delta h}{\delta\rho}\delta\rho, \rho_0] + [F, \rho_0] \ . \tag{8.89}$$

Das erfordert eine Erläuterung: Die Dichteabhängigkeit von h wurde in erster Ordnung zu

$$\rho|_{\rho=\rho_0+\delta\rho} \approx \rho_0 + \frac{\delta h}{\delta\rho}\delta\rho \tag{8.90}$$

entwickelt, und die Matrixschreibweise $\frac{\delta h}{\delta\rho}\delta\rho$ steht für

$$\left(\frac{\delta h}{\delta\rho}\delta\rho\right)_{kl} = \sum_{im}\left[\left.\frac{\partial h_{kl}}{\partial\rho_{mi}}\right|_{\rho=\rho_0}\delta\rho_{mi} + \left.\frac{\partial h_{kl}}{\partial\rho_{im}}\right|_{\rho=\rho_0}\delta\rho_{im}\right] \ . \tag{8.91}$$

Die Summation ist so geschrieben, daß nur nichtverschwindende Matrixelemente vom Typ $\delta\rho_{mi}$ und $\delta\rho_{im}$ auftreten.

Eine wichtige Eigenschaft von (8.89) ist, daß die *pp*– und *hh*–Matrixelemente dieser Gleichung verschwinden. Für den zweiten und letzten Term auf der rechten Seite folgt das aus

$$\rho_0[A, \rho_0]\rho_0 = \rho_0 A\rho_0 - \rho_0 A\rho_0 = 0 \ , \tag{8.92}$$

was für jede Matrix A gilt. Für den ersten Term benutze man $[h_0, \rho_0] = 0$ und (8.85); ähnlich auf der linken Seite. Für σ_0 statt ρ_0 können die Argumente auf die gleiche Art angewandt werden.

Die Störung der Dichtematrix sollte die gleiche Zeitabhängigkeit besitzen wie das störende Feld, und wir können sie ausdrücken als

$$\delta\rho(t) = \rho^{(1)}e^{-i\omega t} + \rho^{(1)^+}e^{i\omega t} \tag{8.93}$$

unter Berücksichtigung der Hermitizität. Da die zwei Beiträge linear unabhängig sind, können sie getrennt betrachtet werden. Man untersucht die *ph*–Matrixelemente (Indizes mi), die $e^{i\omega t}$ enthalten, getrennt für die verschiedenen Terme:

$$\begin{aligned} i\hbar(\delta\dot{\rho})_{mi} &= \hbar\omega\rho^{(1)}_{mi}e^{-i\omega t} \\ [h_0, \delta\rho]_{mi} &= \sum_k(\epsilon_m\delta_{mk}\rho^{(1)}_{ki} - \rho^{(1)}_{mk}\epsilon_k\delta_{ki})e^{-i\omega t} \\ &= \sum_{nj}(\epsilon_m - \epsilon_i)\delta_{mn}\delta_{ij}\rho^{(1)}_{nj}e^{-i\omega t} \ . \end{aligned} \tag{8.94}$$

Im letzten Schritt wurden die Summationsindizes umbenannt, um zum Ausdruck zu bringen, daß die Kronecker–Symbole die Summation über k auf oberhalb und die über

l auf unterhalb der Fermienergie beschränken. Beim letzten zu behandelnden Term bemerken wir, daß

$$[\frac{\delta h}{\delta \rho}\delta\rho, \rho_0]_{mi} = \left[\frac{\delta h}{\delta \rho}\delta\rho\right]_{mi} \tag{8.95}$$

gilt, weil der vertauschte Term wegen des führenden ρ_0 keine ph–Matrixelemente besitzt. Weiterhin fällt das nachhängende ρ_0 bei dieser Art Matrixelement heraus. Die Summe in diesem Ausdruck können wir in ph– und hp–Beiträge aufspalten:

$$\sum_{kl} \frac{\partial h_{mi}}{\partial \rho_{kl}}\delta\rho_{kl} = \sum_{nj}\left(\frac{\partial h_{mi}}{\partial \rho_{nj}}\rho_{nj}^{(1)} + \frac{\partial h_{mi}}{\partial \rho_{jn}}\rho_{jn}^{(1)}\right) e^{-\mathrm{i}\omega t} \ . \tag{8.96}$$

Schließlich können die identischen Argumente auf den Störungsterm angewandt werden:

$$[f, \rho_0]_{mi} = f_{mi} \ . \tag{8.97}$$

Fügt man alle diese Ergebnisse zusammen, erhält man die Gleichung

$$\sum_{nj} A_{mi,nj}\rho_{nj}^{(1)} + B_{mi,jn}\rho_{jn}^{(1)} - \hbar\omega\rho_{mi}^{(1)} = -f_{mi} \tag{8.98}$$

mit den Definitionen

$$\begin{aligned} A_{mi,nj} &= (\epsilon_m - \epsilon_i)\delta_{mn}\delta_{ij} + \frac{\partial h_{mi}}{\partial \rho_{nj}} \\ B_{mi,jn} &= \frac{\partial h_{mi}}{\partial \rho_{jn}} \ . \end{aligned} \tag{8.99}$$

Die linke Seite dieser Gleichung ist identisch mit den RPA–Gleichungen, wenn wir annehmen, daß

$$\frac{\partial h_{kl}}{\partial \rho_{k'l'}} = \bar{v}_{kl'lk'} \tag{8.100}$$

gilt. Bei gewöhnlichem Hartree–Fock ist das tatsächlich wahr, weil in diesem Fall

$$\hat{h} = \sum_{kl}\left(t_{kl} + \sum_i \bar{v}_{ikil}\right)\hat{a}_k^+\hat{a}_l \ , \tag{8.101}$$

und das kann mit Hilfe der Dichtematrix und mit Summation über den gesamten Indexbereich als

$$h_{kl} = t_{kl} + \sum_{k'l'} \bar{v}_{k'kl'l}\rho_{k'l'} \tag{8.102}$$

geschrieben werden. Die Eigenmoden des Systems erhält man, indem man die homogene Gleichung ohne Störung löst, was gerade mit der RPA–Gleichung selbst übereinstimmt.

Die vorliegende Gleichung ist jedoch etwas allgemeiner als RPA, weil der Dichteabhängigkeit des Einteilchen–Hamiltonoperators nun auch z. B. eine Dreikörperkraft, wie sie in den Skyrme–Kräften enthalten ist, zugrunde liegen könnte.

Kapitel 9

Kollektivbewegungen großer Amplitude

9.1 Grundlagen

Mit dem Aufkommen von Schwerionenbeschleunigern hat das Studium von Kernformen weit weg vom Grundzustand erhebliches Interesse gefunden. Vorher war der einzige Prozeß, der mit Sicherheit große Abweichungen von der Grundzustandsform des Kerns brachte, die Kernspaltung, und die Schwerionenreaktionen, die in gewissem Sinne einen inversen Prozeß zur Spaltung darstellen, haben die Tür zu einem sehr viel detaillierteren Studium dieser Physik geöffnet. Die Theorien, die in diesem Kapitel präsentiert werden, haben alle mit großen Oberflächendeformationen im Sinne von Abschnitt 6 zu tun; andere Arten, wie der Kern sich weit vom Grundzustand entfernen kann, sind z. B. die Anregung zu hohem Drehimpuls oder hoher Temperatur.

Den Ausgangspunkt bildet die Konstruktion einer Lagrangefunktion, die von irgendeinem Satz kollektiver Parameter und Geschwindigkeiten abhängt, die mit den Vektoren $\boldsymbol{\beta} = \{\beta_i\}$, $i = 1, \ldots, N$ bzw. $\dot{\boldsymbol{\beta}}$ bezeichnet seien. Ein Beispiel einer solchen Oberflächenparametrisierung geben die Zweizentrenmodelle (Abschnitt 9.2.3). Wir nehmen die folgende Form der Lagrangefunktion an:

$$L(\boldsymbol{\beta}, \dot{\boldsymbol{\beta}}) = T(\boldsymbol{\beta}, \dot{\boldsymbol{\beta}}) - V(\boldsymbol{\beta}) \tag{9.1}$$

mit

$$T(\boldsymbol{\beta}, \dot{\boldsymbol{\beta}}) = \tfrac{1}{2}\dot{\boldsymbol{\beta}} \cdot \boldsymbol{B} \cdot \dot{\boldsymbol{\beta}} \tag{9.2}$$

der kinetischen und $V(\boldsymbol{\beta})$ der potentiellen Energie. Das Symbol $\boldsymbol{B}$ bezeichnet einen *symmetrischen* Tensor von *Massenparametern*, der wiederum von den Koordinaten abhängen kann, so daß die kinetische Energie in voller Schreibweise

$$T(\boldsymbol{\beta}, \dot{\boldsymbol{\beta}}) = \tfrac{1}{2} \sum_{i,j=1}^{N} \dot{\beta}_i B_{ij}(\boldsymbol{\beta}) \dot{\beta}_j \tag{9.3}$$

ist. Schon die Annahme einer solchen Lagrangefunktion entspricht einer sehr weitgehenden Näherung, selbst im Rahmen einer klassischen Behandlung. Sie erfordert,

- daß die komplizierte innere Einteilchenstruktur durch die Kollektivkoordinaten eindeutig festgelegt ist, d. h., daß der innere Zustand des Kerns eine Funktion seiner Oberflächengestalt ist. Gewöhnlich nimmt man an, daß für eine gegebene Oberflächenform der niedrigstmögliche Zustand angenommen wird, so daß während der Kollektivbewegung keinerlei innere Anregung stattfindet; das ist die *adiabatische Näherung*, die in Zusammenhang mit dem Kurbelmodell diskutiert werden wird. Ohne diese Annahme wird der innere Zustand des Kerns sicherlich von der vorhergehenden Kollektivbewegung abhängen. Während manche Art der Anregung durch eine klassische Reibungskraft beschrieben werden kann, erfordert dies auch ein temperaturabhängiges Modell der Kernstruktur, um die Änderung der inneren Energie durch die Dissipation zu beschreiben. Die Verwendung einer Reibungskraft macht allerdings die Quantisierung problematisch.

- daß die kinetische Energie die einfache quadratische Form beibehält. Damit sind wiederum Gedächtniseffekte ausgeschlossen, aber auch Korrekturen höherer Ordnung, die zu höheren Potenzen in den Geschwindigkeiten führen könnten. Man beachte, daß die Massenparameter i. allg. von der Deformation abhängen *müssen*; damit wird beschrieben, daß eine zeitliche Änderung der Kollektivkoordinaten je nach Deformation mit verschiedenem Energieaufwand verbunden ist. Ebenso müssen die Massenparameter für die verschiedenen Koordinaten verschieden sein, um die unterschiedlichen Skalen wiederzugeben.

Es ist gefährlich, aber naheliegend und weitverbreitet, das dynamische Verhalten des Kerns allein vom Potential abzulesen und die Massenparameter zu ignorieren. Wenn man sich die klassischen Bewegungsgleichungen ansieht, wird klar, warum:

$$\begin{aligned} 0 &= \frac{d}{dt}\frac{\partial L}{\partial \dot{\beta}_i} - \frac{\partial L}{\partial \beta_i} \\ &= \sum_j B_{ij}\ddot{\beta}_j + \sum_{jk}\left(\frac{\partial B_{ij}}{\partial \beta_k} - \frac{1}{2}\frac{\partial B_{jk}}{\partial \beta_i}\right)\dot{\beta}_j\dot{\beta}_k + \frac{\partial V}{\partial \beta_i}. \end{aligned} \tag{9.4}$$

Offensichtlich können die Zusatzterme in 9.4 die Bewegung erheblich verändern, wenn die Massenparameter stark von den Koordinaten abhängen oder wenn die nichtdiagonalen Massen nicht vernachlässigbar sind.

In den folgenden Abschnitten werden einige der heute gebräuchlichen Methoden, die Potentiale und Massenparameter zu berechnen, behandelt.

9.2 Die makroskopisch-mikroskopische Methode

9.2.1 Das Tropfenmodell

Das Tropfenmodell wurde schon in Abschnitt 6.2.1 benutzt, um die Änderung der Energie des Kernes bei kleinen Deformationen zu untersuchen. Während es nicht in der Lage ist, einige Details wie die Deformation der Grundzustände und die doppelhöckrigen Spaltbarrieren wiederzugeben, wurde es doch von Bohr und Wheeler mit großem Erfolg zur ursprünglichen Erklärung der Spaltung benutzt und ist immer noch die Grundlage vieler Theorien bei großen Deformationen. Wenn man die Coulomb- und Oberflächenenergien des sphärischen Kerns mit E_{c0} bzw. E_{s0} bezeichnet, so ist die Deformationsenergie relativ zum Grundzustand

$$E_{\mathrm{TM}} = E_s(\boldsymbol{\beta}) - E_{s0} + E_c(\boldsymbol{\beta}) - E_{c0}. \tag{9.5}$$

Für kleine Deformationen, wie sie mit den $\alpha_{\lambda\mu}$ beschrieben werden, kann man die Resultate von Abschnitt 6.2.1 einsetzen und erhält die Deformationsenergie in Einheiten der Oberflächenenergie des sphärischen Kerns

$$E_{\mathrm{TM}}/E_{s0} = \frac{1}{2\pi}\sum_{\lambda\mu}\left(\frac{(\lambda-1)(\lambda+2)}{4} - x\frac{5(\lambda-1)}{(2\lambda+1)}\right)|\alpha_{\lambda\mu}|^2. \tag{9.6}$$

Hierin ist x die *Fissilität*

$$x = \frac{E_{c0}}{2E_{s0}} = \frac{Z^2/A}{(Z^2/A)_c} \tag{9.7}$$

mit

$$(Z^2/A)_c = \frac{40\pi\sigma r_0^3}{3e^2} \approx 50. \tag{9.8}$$

Dieses Resultat demonstriert schon das Wechselspiel von Oberflächen- und Coulombeffekten: Während die Oberflächenenergie mit der Deformation anwächst, nimmt die Coulombenergie ab. Für jede Multipolarität hängt das Verhältnis der beiden von der Fissilität ab: Der Tropfen ist am wenigsten stabil für $\lambda = 2$ und wird instabil gegen Quadrupoldeformationen, sobald $x = 1$ wird, d. h., wenn Z^2/A den kritischen Wert von 50 überschreitet.

Für größere Deformationen sind diese Ausdrücke nicht mehr gültig. Wenn der Kern in zwei Fragmente spaltet, nähern sich beide Terme den Grenzwerten, die durch die getrennten Fragmente bestimmt werden. Während die Oberflächenenergie sich nach der Spaltung kaum noch ändert, ist in der Coulombenergie immer noch die langreichweitige Abstoßung enthalten, die nur mit dem Kehrwert des Abstandes abfällt. Für schwere Kerne folgt also nach dem anfänglichen Anstieg der Energie ein tiefer Abfall und zwischen beiden liegt eine Barriere. Für die Uranisotope z. B. ist die Barriere ca. 12 MeV hoch, während die Energie der getrennten Fragmente ca. 180 MeV darunter liegt. Man sollte also bedenken, daß die Spaltbarriere ein relativ kleiner Effekt, verglichen mit dem großen Energiegewinn bei der Spaltung ist. Deswegen können auch die Schalenkorrekturen, die im nächsten Kapitel diskutiert werden, trotz ihrer geringen Größe eine große Rolle für die Spaltbarriere spielen, für Uran z. B. wird die Barriere auf ca. 6 MeV abgesenkt.

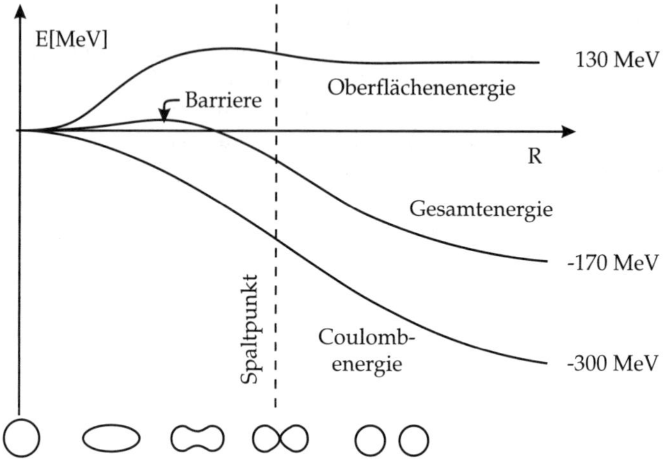

Abb. 9.1: Typisches Spaltpotential im Tropfenmodell, hier gezeichnet als Funktion des Zweizentrenabstandes zusammen mit den Einzelbeiträgen der Oberflächen- und Coulombenergie. Die angegebenen Zahlen sind typisch für die Urangegend, und die Spaltbarriere ist übertrieben groß gezeichnet, um sie gut sichtbar zu machen. Die zugehörigen Kernformen sind unter der Zeichnung angedeutet. Die Oberflächenenergie nahe dem Spaltpunkt ist größer als die der getrennten Fragmente zusammen, weil die sich bildenden Fragmente deformiert sind.

Natürlich kann man für kompliziertere Parametrisierungen die Tropfenmodellenergie nur noch numerisch auswerten. Abb. 9.1 zeigt die Oberflächen-, Coulomb- und Gesamtdeformationsenergie für einen typischen Fall.

Schließlich sei noch bemerkt, daß weiterentwickelte Versionen des Tropfenmodells verfügbar sind, die in Spaltrechnungen verwendet werden. Eines von diesen ist das schon erwähnte Droplet-Modell, das viele Effekte berücksichtigt, die mit der Kernoberfläche zusammenhängen, wie Kompression, Krümmung, usw. [My76]. Eine Reihe von *Dichtefunktionalmodellen* drücken die Energie als Faltungsintegral der Dichteverteilung mit Wechselwirkungspotentialen aus. Ein Beispiel ist das *Yukawa-plus-Exponential*-Modell, das in der Spaltung und für Schwerionen-Wechselwirkungspotentiale weite Verbreitung fand [Kr79].

9.2.2 Die Schalenkorrekturmethode

Obwohl durch das Tropfenmodell die groben Eigenschaften der Spaltung recht gut beschrieben werden, gibt es doch systematische Abweichungen von den glatten Abhängigkeiten von Masse und Ladung, die in diesem Modell resultieren. Eine davon ist die relativ konstante Höhe der Spaltbarrieren in der Actinidenregion, im Vergleich zum vorhergesagten steilen Abfall mit der Ladungszahl; auch stimmen die absoluten Werte nur bis auf etwa einen Faktor zwei. Verantwortlich hierfür sind Schaleneffekte, die, wie wir sehen werden, i. allg. den Grundzustand deformieren und absenken und gleichzeitig die Spaltbarriere modifizieren. Das zweite Problem ist die bevorzugte asymmetrische Massenaufspaltung in vielen spaltenden Kernen, die inzwischen auch durch die Absenkung der Barriere bei asymmetrischen Kernformen wegen der Schaleneffekte erklärt wurde. Außerdem führte die Beobachtung von Spaltisomeren [Po62] zur Entdeckung der doppelhöckrigen Spaltbarrieren, die durch Schalenabschlüsse bei größeren Deformationen verstanden werden konnten.

Man könnte nach diesen Überlegungen annehmen, daß man die potentielle Energie einfach aus einem deformierten phänomenologischen Schalenmodell wie dem Zweizentrenmodell (Abschnitt 9.2.3) berechnen könnte. Die potentielle Energie sollte durch

$$V(\boldsymbol{\beta}) = \tfrac{3}{4} \sum_{i \text{ bes}} \epsilon_i(\boldsymbol{\beta}) \tag{9.9}$$

gegeben sein, wobei der Virialsatz benutzt wurde, um die potentielle Energie, die zur Vermeidung einer Doppelzählung zur Hälfte abgezogen werden muß, durch die Hälfte der gesamten Einteilchenenergie zu ersetzen (das funktioniert nur beim harmonischen Oszillator). Wenn man diese Summe in der Praxis auswertet, bekommt man sehr enttäuschendes Verhalten: Sie variiert als Funktion der Deformation sehr stark mit Schwankungen in der typischen Größenordnung von 100 MeV für schwerere Kerne. Dies stimmt offensichtlich nicht mit den experimentellen Spaltbarrieren überein und wird bei Verwendung höherentwickelter Einteilchenpotentiale auch nicht besser.

Der Grund für dieses unphysikalische Verhalten liegt in den tiefer gebundenen Zuständen im Potential, die ihre Energie sehr stark mit der Deformation ändern. Selbstkonsistente Modelle wie Skyrme-Kraft-Hartree–Fock liegen sehr viel näher beim Tropfenmodell und sind in guter Übereinstimmung mit dem Experiment. Auch heute noch sind diese aber nicht für alle Zwecke anwendbar, da man gerne mehrere kollektive Parameter festhalten möchte und Hartree–Fock mit mehr als einem Constraint immer noch erhebliche Computerressourcen verlangt.

Die von Strutinsky [St67, St68] vorgeschlagene *Schalenkorrekturmethode* bedeutete einen großen Fortschritt und wird bis heute viel angewandt. Ihre Grundidee ist, das Tropfenmodell zu verwenden, um den großen Teil der Bindungseffekte im Kern zu bechreiben, der glatt von Massen- und Ladungszahl abhängt, und die Abweichungen von einer glatten Schalenstruktur *nahe der Fermikante* durch einen Korrekturterm aus dem phänomenologischen Schalenmodell zu berücksichtigen. Die Berechnung einer solchen Korrektur verlangt das Abziehen des „glatt variierenden“ Anteils aus der Summe der Einteilchenenergien, um die Fluktuationen übrigzulassen. Die wahre Verteilung der Einteilchenenergien ist

$$g(\epsilon) = \sum_{i=1}^{\infty} \delta(\epsilon - \epsilon_i), \tag{9.10}$$

und die Summe über die Energien der besetzten Niveaus kann als

$$U = \int_{-\infty}^{\epsilon_F} g(\epsilon)\epsilon \, d\epsilon \tag{9.11}$$

geschrieben werden. Analog ist die Teilchenzahl durch

$$N = \int_{-\infty}^{\epsilon_F} g(\epsilon) d\epsilon \tag{9.12}$$

gegeben. Wie gewöhnlich in den phänomenologischen Modellen werden Protonen und Neutronen vollständig getrennt behandelt, so daß in dieser Gleichung N jeweils für die Anzahl der Teilchen der entsprechenden Sorte steht. Nun konstruiert man eine „geglättete“ Summe der Einteilchenenergien, indem man die δ-Funktionen durch glatte Verteilungen ersetzt:

$$\tilde{g}(\epsilon) = \sum_{i=1}^{\infty} f\left(\frac{\epsilon - \epsilon_i}{\gamma}\right). \tag{9.13}$$

Die Funktion f sollte so etwas wie eine Gaußfunktion sein:

$$f\left(\frac{\epsilon - \epsilon_i}{\gamma}\right) = \frac{1}{\sqrt{2\pi}\gamma} \exp\left(\frac{\epsilon - \epsilon_i}{\gamma}\right)^2, \tag{9.14}$$

normiert auf eins, und γ sollte passend gewählt werden, so daß in der geglätteten Niveauverteilung Fluktuationen nur noch nahe größeren Schalenabschlüssen auftreten, wofür ein Wert in der Größenordnung von $\hbar\omega$ beim Oszillatormodell vernünftig erscheint. In der Tat ist eine typischer Wert aus der Praxis $\gamma \approx 1.2\,\hbar\omega$.

Man beachte, daß bei dieser Prozedur die eigentlich angestrebte Glättung über benachbarte Massen- und Ladungszahlen durch eine über Einteilchenenergien ersetzt wurde. In Angesicht des engen Zusammenhangs zwischen Besetzung und Gesamtteilchenzahl erscheint dies aber vernünftig und naheliegend.

Nach der Definition der geglätteten Niveaudichte ist als nächstes die zugehörige Fermikante $\tilde{\epsilon}_F$ zu bestimmen, für die gelten muß:

$$N = \int_{-\infty}^{\tilde{\epsilon}_F} \tilde{g}(\epsilon) d\epsilon, \tag{9.15}$$

womit dann die geglättete Gesamtenergie zu

$$\tilde{U} = \int_{-\infty}^{\tilde{\epsilon}_F} \tilde{g}(\epsilon) \epsilon \, d\epsilon \tag{9.16}$$

resultiert. Wichtig ist, daß für alle Niveaus, die genügend weit unter der Fermikante liegen, der Beitrag einfach wieder die gesamte Einteilchenenergie ist,

$$\int_{-\infty}^{\epsilon_F} f\left(\frac{\epsilon - \epsilon_i}{\gamma}\right) \epsilon \, d\epsilon \approx \epsilon_i \qquad \text{für} \quad \epsilon_F - \epsilon_i \gg \gamma \,, \tag{9.17}$$

während die weit überhalb praktisch nichts beitragen, so daß die *Schalenkorrektur*

$$\delta U = U - \tilde{U} \tag{9.18}$$

die gewünschte Eigenschaft hat, nur von der Niveauverteilung nahe der Fermikante abzuhängen (die Niveaus weit oberhalb tragen natürlich nichts bei).

Welches Verhalten kann man für die Schalenkorrekturen erwarten? Ihr Wert sollte von der Niveauverteilung innerhalb der typischen Glättungsbreite γ um die Fermikante herum abhängen. Wenn die Niveaus ungefähr gleichmäßig verteilt sind, wird die geglättete Niveaudichte in etwa konstant sein und δU wird nahezu Null sein. Wenn es eine Lücke bei ϵ_F gibt, wie etwa für magische Kerne, dann wird die geglättete Dichte dort ein Minimum haben, und $\tilde{\epsilon}_F$ mitten in die Lücke fallen, so daß in $\tilde{U}$ noch etwas höhere Energien beitragen als in U und damit $\tilde{U} > U$ oder $\delta U < 0$ wird. Umgekehrt wird bei hoher Niveaudichte an der Fermikante die Schalenkorrektur positiv. Diese Überlegungen erfüllen die Erwartung, daß magische Kerne stärker gebunden sein sollten als im Tropfenmodell.

Das Prinzip der Methode ist hiermit klar, und es sollte auch naheliegen, wie δU in der Praxis berechnet wird. Es gibt aber noch einige Details, die kurz erwähnt werden sollten:

1. Eine Gauß-Funktion zu verwenden ist nicht gut genug. Die Glättungsfunktion sollte wenigstens annähernd die Eigenschaft haben, daß nochmaliges Glätten das Resultat kaum noch verändert. Im Prinzip sollte also gelten:

$$\tilde{g}(\epsilon) = \gamma^{-1} \int_{-\infty}^{\infty} \tilde{g}(\epsilon') f\left(\frac{\epsilon' - \epsilon}{\gamma}\right) d\epsilon', \tag{9.19}$$

was offensichtlich für eine Gaußfunktion nicht stimmt, sondern exakt nur mit einer δ-Funktion erfüllt werden könnte. Das wäre aber natürlich auch nicht richtig, weil es gar keiner Glättung entspräche. Die Lösung besteht darin, daß die Bedingung nicht für alle Funktionen $\tilde{g}(\epsilon)$ zu gelten braucht, sondern nur für die, die im Maßstab γ schon glatt sind. Der übliche Weg, f zu konstruieren, benutzt ein Produkt aus Gaußfunktion und Polynom. Das Polynom muß gerade sein, um nicht die Mittelwerte für ein Niveau zu verändern. Das Resultat der Rechnungen ist

$$f(x) = \tfrac{1}{\sqrt{\pi}} \exp(-x^2) \sum_{i=0}^{n} L_i^{\frac{1}{2}}(x^2) \tag{9.20}$$

mit n einem neuen Parameter, der die Ordnung des Polynoms bestimmt, d. h. zum Beispiel sechste Ordnung für $n = 3$.

2. Es bleibt noch die Bestimmung der Parameter n und γ. Idealerweise sollten die Ergebnisse in einem „breiten" Bereich von vernünftigen Parameterwerten nicht von ihnen abhängen. In der Praxis erweist sich $n = 3$ als ausreichend und für Oszillatorpotentiale findet man wirklich einen Bereich von γ-Werten nahe $\gamma = \hbar\omega$ mit einigermaßen konstantem δU. Für Potentiale endlicher Tiefe ist das oft nicht der Fall, und es gibt zusätzlich Probleme wegen der Beiträge der Zustände im Kontinuum, die ja zu den geglätteten Integralen beitragen. Es gibt einige Ideen, wie dies überwunden werden kann, und der interessierte Leser kann eine detaillierte Diskussion wie auch eine sehr viel breitere Abhandlung des Themas in dem bekannten Übersichtsartikel "Funny Hills" [Br72] finden.

In jedem Fall wird die Zuverlässigkeit der berechneten Schalenkorrekturen auf etwa ein halbes MeV geschätzt, wobei $|\delta U|$ unter 10 MeV liegt. Trotz dieser Unsicherheit und der eher schwankenden theoretischen Grundlagen ist die Methode sehr populär wegen ihrer unbestreitbaren Erfolge: Die Diskrepanz zwischen berechneter und experimenteller Bindungsenergie wird von etwa ± 10 MeV für das reine Tropfenmodell auf ± 1 MeV reduziert. Die Grundzustandsdeformationen und Spaltbarrieren werden mit zufriedenstellender Genauigkeit beschrieben, und vermutlich der größte Erfolg des Modells war die Vorhersage starker Schaleneffekte auch für deformierte Kernformen und damit der Spaltisomere. Da auch ein oberflächlicher Blick auf die Deformationsabhängigkeit der Einteilchenspektren stark ausgeprägte Lücken zeigt, ist es heute eher überraschend, daß weitgehend davon ausgegangen wurde, daß die Schaleneffekte als Funktion der Deformation rasch gegen Null gehen. Die gegenwärtige Vorstellung wird durch Abb. 9.2 illustriert, die schematisch die Tropfenmodell- und Gesamtenergie in der Gegend der Actiniden als Funktionen des Zentrenabstandes in einem Zweizentrenmodell zeigt. Offensichtlich produzieren die Schalenkorrekturen sowohl den deformierten Grundzustand wie auch das zweite Minimum in der Nähe der Tropfenmodellbarriere,

Die Schalenkorrektur ist winzig, verglichen mit Oberflächen- und Coulombenergie, die für einen schweren Kern beide bei einigen hundert MeV liegen. Sie ist deswegen so wichtig, weil bei kleinen Deformationen diese beiden großen Beiträge nahezu konstant sind und den kleinen Oszillationen die entscheidende Rolle bei der Bestimmung solch leicht meßbarer Größen wie Barrierenhöhen, Lebensdauern usw. überlassen.

Für eine Berechnung der Lebensdauer gegen Spaltung mit dieser Methode nimmt man normalerweise ein Modell vom Zweizentrentyp mit mehreren Formparametern, berechnet die Deformationsenergie und schließlich die Lebensdauer nach der vom α-Zerfall wohlbekannten WKB-Formel für die Durchdringungswahrscheinlichkeit durch die Barriere, die in der eindimensionalen Version

$$P = \exp\left(-\int\sqrt{2m(V(\beta)-E)/\hbar^2}d\beta\right) \tag{9.21}$$

lautet, wobei das Integral über den Teil des Spaltweges zu erstrecken ist, für den $E < V(\beta)$ ist. Im Fall kollektiver Freiheitsgrade muß diese Formel erstens auf mehrere Dimensionen und zweitens auf ortsabhängige Massen verallgemeinert werden.

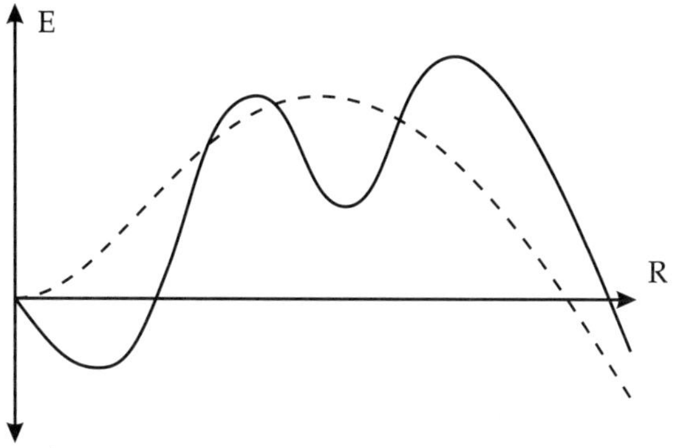

Abb. 9.2: Typische Tropfenmodellenergie (gestrichelt) und Gesamtenergie als Funktionen des Zentrenabstandes in einem Zweizentren-Schalenmodell für einen Actinidenkern. Die oszillierenden Schalenkorrekturen produzieren eine deformiertes Minimum und die doppelhöckrige Spaltbarriere.

Das erstere ist trivial, wenn man sich nur für die Durchdringungswahrscheinlichkeit längs eines gegebenen Weges interessiert und nicht dafür, wie benachbarte Wege interferieren. Was die Massenparameter angeht, so gab es viele Spaltrechnungen, in denen nur eine Relativkoordinate zusammen mit der reduzierten Masse der Fragmente benutzt wurde, aber das ist offensichtlich nicht korrekt. Auf das Problem der Massenparameter wird später genauer eingegangen (Abschnitt 9.3).

9.2.3 Zweizentren-Schalenmodelle

Die Entwicklung der Kernoberfläche nach Kugelfunktionen reicht nicht aus, den gesamten Weg bis zu separaten Tochterkernen in der Spaltung zu beschreiben. Einmal gibt es das fundamentale Problem, daß der Radius keine eindeutige Funktion der Winkel mehr ist, wenn der Hals zwischen den Fragmenten zu eng eingeschnürt ist, aber es ist auch einfach ungünstig, mit einer großen Anzahl von Entwicklungsparametern zu arbeiten. Deswegen wurden eine Reihe spezieller Modelle entwickelt, die für die Beschreibung der Spaltung geeignete Kernformen erlauben.

Eines der verbreitet verwendeten Modelle ist das Zweizentren-Schalenmodell mit doppeltem Oszillatorpotential [Ma72]. Es wird hier beispielhaft dargestellt, weil es relativ einfach ist, aber man sollte nicht vergessen, daß es für die Computermöglichkeiten der siebziger Jahre entwickelt wurde. Dennoch kann es immer noch dazu dienen, die wesentlichen Ingredienzien eines solchen Modells darzustellen.

Die allgemein in diesem Modell enthaltenen Kernformen sind in Abb. 9.3 dargestellt. Die ellipsoidalen Kernformen der Fragmente erlauben verschiedene Deformationen, und der insgesamt vorhandene Volumenunterschied ergibt Fragmente verschiedener Masse, so daß asymmetrische Spaltung möglich wird. Der Zentrenabstand $z_2 - z_1$ spielt natürlich die Rolle der Spaltungskoordinate. Schließlich kann man noch die

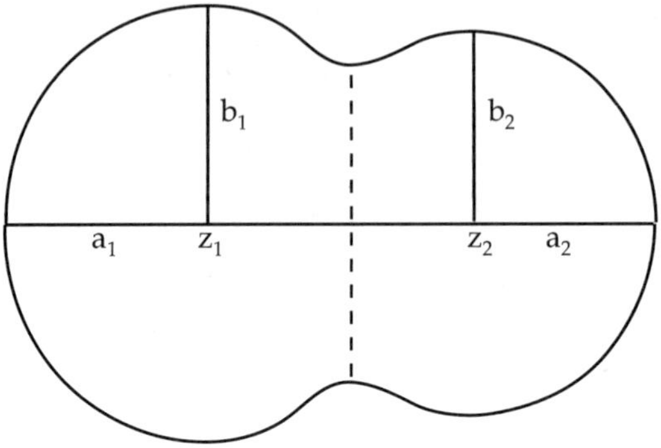

Abb. 9.3: Kernform im Zweizentren-Schalenmodell. Die Fragmente sind Ellipsoide mit Halbachsen $a_{1,2}$ und $b_{1,2}$. Die Zentren der Ellipsoide liegen bei $z_{1,2}$ auf der z-Achse, die auch die Symmetrieachse ist, und die Oberfläche ist am Hals mit einer glatten Kurve interpoliert.

Größe des Halses zwischen den Fragmenten variieren. Damit sind es zusammen fünf Parameter:

1. $\Delta z = z_2 - z_1$, der *Zentrenabstand*,
2. $\xi = (A_1 - A_2)/(A_1 + A_2)$, die *Asymmetrie*, gegeben durch die Fragmentmassen (die einfach aus den Volumina der Ellipsoide abgeschätzt werden),
3. $\beta_1 = a_1/b_1$ und
4. $\beta_2 = a_2/b_2$, die *Fragmentdeformationen*, sowie schließlich
5. ϵ, ein die Halsgröße kontrollierender Parameter, der in der Definition des Einteilchenpotentials auftaucht.

Ein weiterer Parameter ist natürlich die Gesamtmassenzahl $A = A_1 + A_2$, die das totale Volumen der Kernform bestimmt, $V = 4\pi r_0^3 A$.

Der zu dieser Kernform passende Einteilchen-Hamiltonoperator ist im wesentlichen durch das Potential gegeben. Es teilt sich auf gemäß

$$\hat{H} = -\frac{\hbar^2}{2m}\nabla^2 + V(\rho, z) + V_{ls} + V_{l^2}. \tag{9.22}$$

Der wichtige Term für die Geometrie ist das Oszillatorpotential, dessen Definition für verschiedene Stellen auf der z-Achse variiert:

$$V(\rho, z) = \tag{9.23}$$
$$\begin{cases} \frac{1}{2}m\omega_{z1}^2 z'^2 + \frac{1}{2}m\omega_{\rho 1}^2\rho^2 & \text{für } z < z_1 \\ \frac{1}{2}m\omega_{z1}^2 z'^2(1 + c_1 z' + d_1 z'^2) + \frac{1}{2}m\omega_{\rho 1}^2(1 + g_1 z'^2)\rho^2 & \text{für } z_1 < z < 0 \\ \frac{1}{2}m\omega_{z2}^2 z'^2(1 + c_2 z' + d_2 z'^2) + \frac{1}{2}m\omega_{\rho 2}^2(1 + g_2 z'^2)\rho^2 & \text{für } 0 < z < z_2 \\ \frac{1}{2}m\omega_{z2}^2 z'^2 + \frac{1}{2}m\omega_{\rho 2}^2\rho^2 & \text{für } z > z_2, \end{cases}$$

mit

$$z' = \begin{cases} z - z_1 & \text{für } z < 0 \\ z - z_2 & \text{für } z > 0. \end{cases} \tag{9.24}$$

Die Koeffizienten c_i, d_i, und g_i werden so festgelegt, daß es bei $z = 0$ einen glatten Übergang zwischen den beiden Oszillatorpotentialen gibt; Details sind hier nicht weiter wichtig.

Diese Potential wurde so angesetzt, daß es weitgehend analytisch angebbare Matrixelemente ergibt. Interessanter ist vom heutigen Standpunkte noch die Spin-Bahn-Kopplung, deren Definition wie folgt ist:

$$V_{ls} = \begin{cases} -\left\{\frac{\hbar\kappa_1}{m\omega_1}, (\nabla V \times \hat{\boldsymbol{p}}) \cdot \hat{\boldsymbol{s}}\right\} & \text{für } z < 0 \\ -\left\{\frac{\hbar\kappa_2}{m\omega_2}, (\nabla V \times \hat{\boldsymbol{p}}) \cdot \hat{\boldsymbol{s}}\right\} & \text{für } z > 0. \end{cases} \tag{9.25}$$

Dazu gibt es einiges zu bemerken: Der Bahndrehimpulsoperator ist durch einen Ausdruck mit $\nabla V \times \hat{\boldsymbol{p}}$ ersetzt, der für ein sphärisches Potential in $\boldsymbol{r} \times \hat{\boldsymbol{p}}$ übergeht. Das ist notwendig, damit es bei getrennten Fragmenten in das korrekte Spin-Bahn-Potential in jedem der beiden Fragmente übergeht. Alle phänomenologischen Modelle müssen eine solchen oder ähnlichen Ansatz benutzen, während die selbstkonsistenten Modelle automatisch diese Eigenschaft haben. Eine Eigenschaft, die speziell für das Oszillatormodell typisch ist, ist die Verwendung verschiedener Spin-Bahn-Stärke für die beiden Fragmente, die auch noch interpoliert werden muß (der Antikommutator ist nötig, um das Potential hermitisch zu machen). Der l^2-Term ist ähnlich aufgebaut.

Die Parameter des Potentials können aus der gewünschten Kernform bestimmt werden, indem man verlangt, daß die Kernform eine Äquipotentialfläche ist, d. h. $V(\rho, z) = \frac{1}{2} m\omega_0^2 R^2$ mit R dem Radius des äquivalenten sphärischen Kernes. Der Halsparameter ist definiert als Verhältnis des interpolierten Potentials bei $(\rho = 0, z = 0)$ zum reinen Oszillatorpotential $(c_i = d_i = 0)$ und hängt also eher indirekt mit der Kernform zusammen.

Ein charakteristisches Niveaudiagramm für die Spaltung ist in Abb. 9.4 gezeigt. Man erkennt, daß die regelmäßige Schalenstruktur des sphärischen Kerns mit zunehmender Deformation aufspaltet (ähnlich wie beim Nilsson-Modell) und sich dann bei großem Zentrenabstand wieder zu den getrennten Schalenstrukturen der Fragmente sortiert. In diesem Fall sind die Fragmente sphärisch, aber von unterschiedlicher Masse, so daß die Niveaus problemlos dem leichten oder schweren Fragment zugeordnet werden können. Die längs des Weges auftretenden Leerstellen im Spektrum sind wieder für die Schalenkorrekturen verantwortlich, und ihre Abhängigkeit von der Asymmetrie ist für die Bevorzugung der asymmetrischen Spaltung in vielen Kernen verantwortlich [Ma74].

Nun sollen einige interessante Anwendungen dieses Modells untersucht werden. Eine der wichtigsten Eigenheiten der Spaltung, die eine Schlüsselrolle bei der Bestimmung der Lebenszeiten spielt, ist die Bevorzugung asymmetrischer Formen. Dies wurde

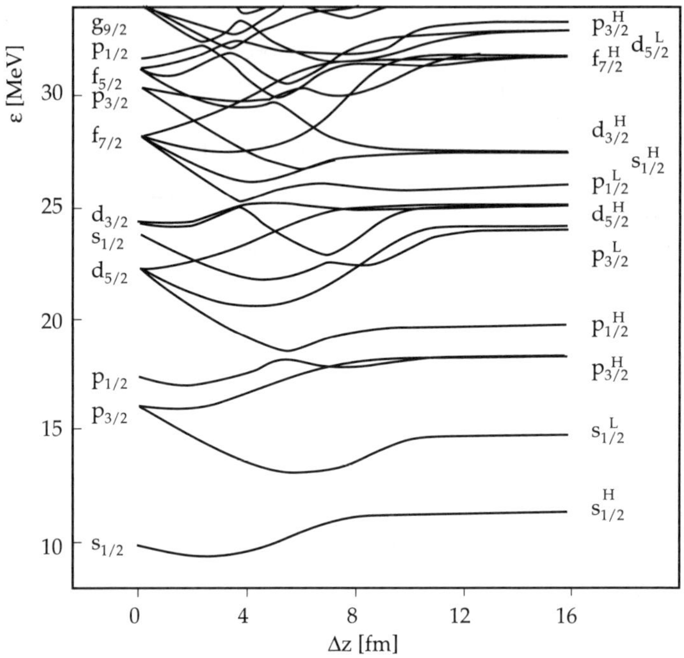

Abb. 9.4: Niveauschema für das Zweizentren-Schalenmodell in Abhängigkeit vom Zentrenabstand Δz. Die Massenasymmetrie nimmt während der Separation auch zu, so daß die Spektren bei großem Asbtand durch verschiedenen Oszillator-Schalenabstand charakterisiert werden; die Niveaus wurden mit einem "H" oder "L" dem schweren bzw. leichten Fragment zugeordnet.

erstmals im Rahmen von asymmetrischen Zweizentrenmodellen als Effekt der Schalenstruktur der entstehenden Fragmente verstanden, die den Potentialtopf schon vor der Separation beeinflussen [Mo71]. Da überschwere Kerne gleich behandelt werden, ist dieser Punkt für den (immer noch) hypothetischen überschweren Kern ${}^{298}_{114}X$ illustriert. Die Abhängigkeit der Potentialfläche vom Zentrenabstand und von der Asymmetrie zeigt Abbildung 9.5. Bewegt sich der Kern in Richtung der Spaltung, erkennt man klar eine Anzahl von Tälern, die die bevorzugten binären Aufteilungen der Masse andeuten; diese sind gewöhnlich durch die Bildung eines Tochterkerns in der Nähe von magischen Zahlen gekennzeichnet. Untersucht man dann die günstigsten Formen nahe der Abtrennung, so erweist sich in der Regel dieses eine Fragment als sphärisch und das andere als stark deformiert. Es gibt jedoch auch kalte Täler aufgrund deformierter Schalenstruktur, wobei diese Täler aber weniger ausgeprägt sind als bei sphärischen Fragmenten [Sa92].

In Abbildung 9.5 gibt es eine Bevorzugung leichter Asymmetrie nahe $\eta \approx \pm 0.1$ und dann ein deutliches Tal wieder nahe $\eta \approx \pm 0.4$. Letzteres hat ein Fragment in der Nähe von doppelt magischem Blei und ist verantwortlich für die starke Asymmetrie in der Spaltung von Actiniden (diese Kerne sind zu leicht um die hier im tiefsten Tal

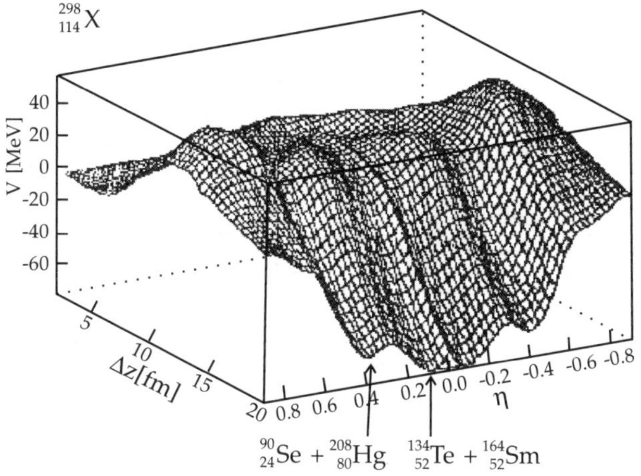

Abb. 9.5: Potentialfläche des hypothetischen überschweren Kerns $^{298}_{114}X$ in Abhängigkeit von Zentrenabstand und Asymmetrie. Die den bevorzugten Asymmetrien entsprechenden Täler sind deutlich erkennbar. Sie bieten auch die Möglichkeit, solche Kerne mit „kalten" Target–Projektil–Kombinationen wie den aufgelisteten zu produzieren. Natürlich muß die Einschußenergie so gewählt werden, daß die Barriere innerhalb eines kalten Tals gerade überwunden wird.

gegebene Kombination zu ermöglichen).

Man beachte auch, daß die Täler eine beinahe konstante Struktur besitzen, wenn Δz näher zur Abtrennung hin anwächst, so daß die Entscheidung für die Massenaufteilung der Fragmente schon nahe der Barriere getroffen zu werden scheint.

Solche Potentialflächen können dazu verwendet werden, die zu erwartenden Massenverteilungen zu berechnen. Zu diesem Zweck kann eine kollektive Schrödingergleichung für den Asymmetrie–Freiheitsgrad aufgestellt und dann für bekannte Sätze von Potentialen und Massen gelöst werden [Li73, Ma74, Fi74]. Falls die Spaltung durch Tunneln erfolgt und falls die Kopplung von Asymmetrie und Relativbewegung unwichtig ist (für eine Diskussion siehe [Ma76b]), sollte die Asymmetrie–Verteilung durch die kollektive Grundzustands–Wellenfunktion gegeben sein. Ein Beispiel einer solchen Rechnung wird in Abb. 9.6 für die Spaltung von ^{256}Fm gezeigt [Lu80]. Für spontane Spaltung werden die experimentellen Daten in vernünftiger Weise reproduziert, und nach Hinzufügen temperaturbedingter Anregung von höheren kollektiven Zuständen wird auch die Verbreiterung der Verteilung bei neutroneninduzierter Spaltung beschrieben.

Eine alternative Methode zur Untersuchung von Lebenszeiten beüglich des Tunnelprozesses und Massenverteilungen bezieht die Durchdringungs–Faktoren des Potentials mit ein. Da das Tunneln in einem vieldimensionalen, kollektiven Raum vor sich geht, sollte das im Prinzip durch Summieren der Beiträge aller möglichen Pfade durch den kollektiven Raum getan werden; praktisch ist das noch nicht durchführbar,

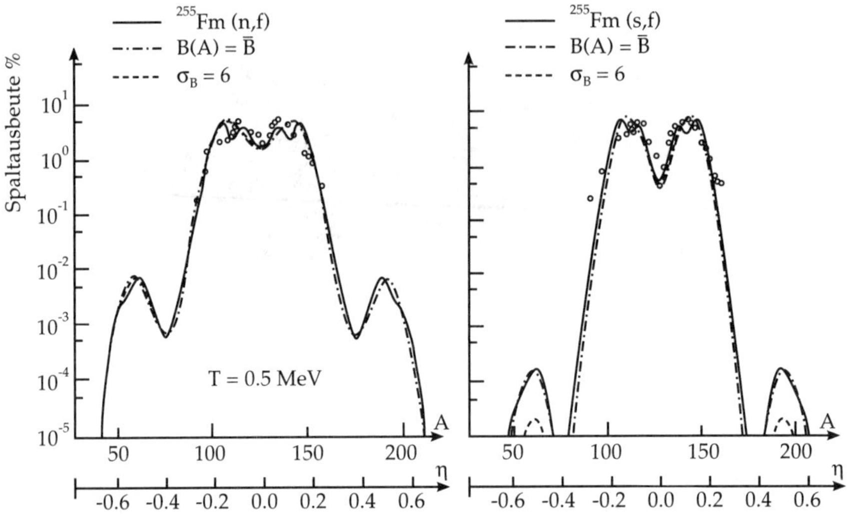

Abb. 9.6: Massenverteilung für die Spaltung von ^{256}Fm. Die durchgezogenen Linien sind im Grundzustand der kollektiven Schrödingergleichung gerechnet, während die gestrichelte Kurve das Ergebnis zeigt, bei dem der deformationsabhängige Massenparameter durch seinen Mittelwert ersetzt wurde. Die experimentellen Werte [Fl72, Fl75] sind als kleine Kreise angegeben. Die rechte Seite zeigt spontane Spaltung, während die linke einer durch Neutronen induzierten Spaltung entspricht, was in der Theorie behandelt wird, indem man eine Temperatur von $T = 0.5$ MeV annimmt und angeregte aysmmetrische Zustände populiert. Aus [Lu80].

so daß gewöhnlich nur der Pfad mit der maximalen Durchlässigkeit betrachtet wird, während die Beiträge anderer Pfade als exponentiell abfallend angenommen werden. Das entspricht der Gleichung

$$G = \frac{2}{\hbar} \int_{t_i}^{t_f} \sqrt{2\left[V(\boldsymbol{q}(t)) - E\right]} \sqrt{\sum_{ij} B_{ij}(\boldsymbol{q}(t)) \dot{q}_i(t) \dot{q}_j(t)} \mathrm{d}t \tag{9.26}$$

für den Gamow–Faktor, wobei $\boldsymbol{q}(t) = \{q_i(t)\}$ die Parametrisierung des Spaltpfades darstellt und die B_{ij} die Massenparameter sind. Ein Beispiel einer solchen Rechnung, das auch die Rolle der deformationsabhängigen Massenparameter ziemlich gut illustriert, wird in Abb. 9.7 gegeben. Man beachte insbesondere, wie der optimale Pfad nicht dem intuitiven Weg durch das Potential folgt, der bei konstanten Massenparametern korrekt wäre. Wieder ist es interssant zu sehen, daß die Lebenszeiten bekannter Kerne ziemlich gut über mehrere Größenordnungen hinweg in einer solchen Rechnung reproduziert werden (siehe Abb. 9.8). All diese Rechnungen sagen nicht nur die gewöhnliche, asymmetrische Spaltung voraus, sondern auch zusätzliche Täler, bezeichnet als „superasymmetrische" Spaltung — entsprechend den Spitzen nahe $\eta = \pm 0.5$ in Abb. 9.6 — und sogar Cluster–Zerfälle, also den Zerfall durch Emission leichter Kerne wie Kohlenstoff oder Neon oder als Grenzfall den α–Zerfall

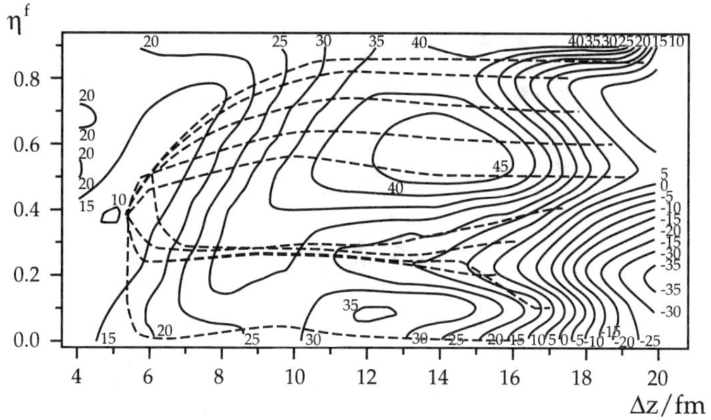

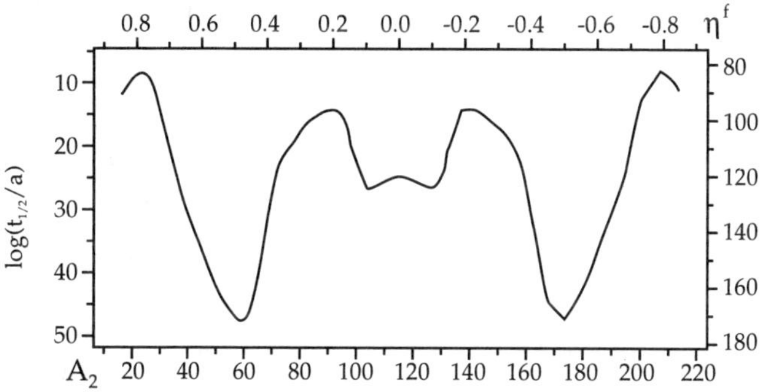

Abb. 9.7: Berechnung der Eigenschaften spontaner Spaltung für den Kern ^{232}U. Der obere Graph zeigt das Potential mit den Pfaden maximaler Durchdringbarkeit als gestrichelten Linien. Man erhält sie durch Festhalten des Startpunktes (nahe dem Grundzustand links) und eines Endpunktes beim Austreten aus der Barriere und mit einer vorgeschriebenen Massenasymmetrie η. Die starke Deformationsabhängigkeit der drei Massenparameter (einer für η, einer für Δz und einer zum Koppeln der beiden) spiegelt sich wider in der Art, wie der Spaltpfad nicht dem intuitiven, klassischen Pfad folgt. Der untere Graph zeigt die erwartete Variation der Lebenszeit mit der Massenasymmetrie, die qualitativ der experimentellen Massenverteilung ähnelt. Die Skala rechts gibt hier den Gamow–Faktor an, während links die Halbwertszeit $t_{1/2}$ angezeigt ist. Aus [Kl91].

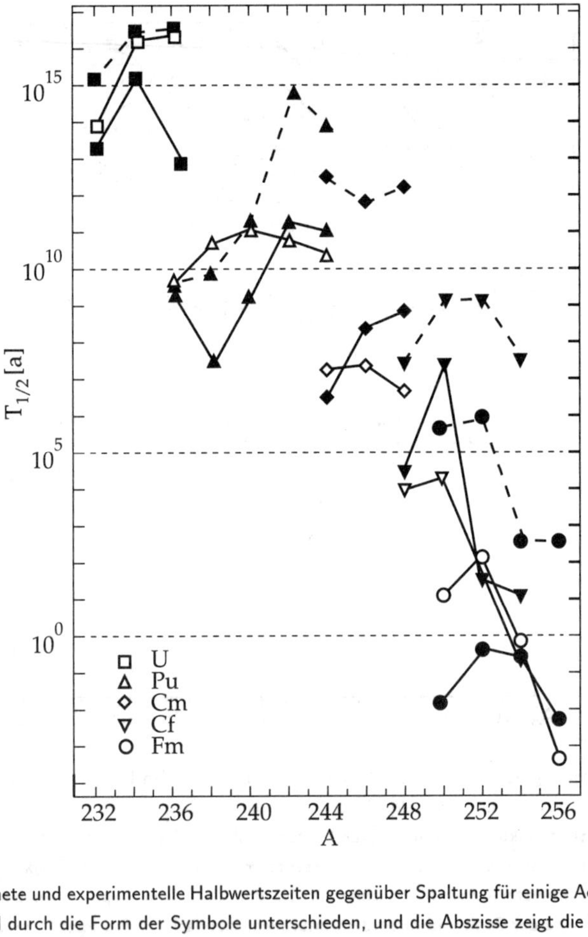

Abb. 9.8: Berechnete und experimentelle Halbwertszeiten gegenüber Spaltung für einige Actiniden–Kerne. Die Elemente sind durch die Form der Symbole unterschieden, und die Abszisse zeigt die Massenzahl an. Die gefüllten Symbole entsprechen der Theorie, die offenen den Messungen. Die durch gestrichelte Linien verbundenen Symbole sind Vorhersagen für den wahrscheinlichsten Cluster–Zerfall (siehe unten).

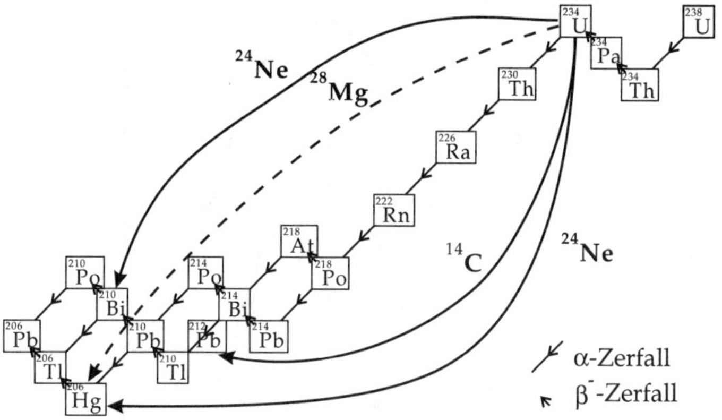

Abb. 9.9: Illustration von Cluster–Zerfällen. In der Zerfallskette von ^{238}U, die normalerweise aus vielen α– und β^-–Zerfällen besteht, wobei sich Z und N höchstens um zwei Einheiten ändern, ergeben sich aus den durch lange Pfeile gekennzeichneten Cluster–Zerfällen riesige Sprünge nach unten für beide Zahlen.

selbst. Cluster–Zerfälle werden in [Gr89, Po89, Sa89] ausführlich behandelt. Abbildung 9.9 veranschaulicht die dramatische Abkürzung in den Zerfallsketten. Obwohl die Voraussagen für den Cluster–Zerfall und hoch asymmetrische Spaltung im Allgemeinen [Lu78, Sa80] ursprünglich nicht ernst genommen wurden, zeigten die folgende experimentelle Entdeckung der Cluster–Zerfälle [Ro84] und einige Anzeichen für superasymmetrische Spaltung (siehe unten), daß die Spaltung eine kontinuierliche Massenverteilung aufweist. Sie erschien nur als aufgeteilt in die zwei getrennten Prozesse Spaltung und α–Zerfall, weil einige dazwischenliegende Massenaufspaltungen von sehr geringer Wahrscheinlichkeit sind. Abb. 9.10 zeigt erste experimentelle Hinweise auf zusätzliche „superasymmetrische“ Schultern in der Massenverteilung [It92].

Berechnungen der Spaltbarrieren sind äußerst wichtig für die Vorhersage von überschweren Elementen. Abb. 9.11 zeigt das Gebiet der bekannten Isotope, von denen die stabilen nur einen kleinen Teil ausmachen, umgeben vom Meer der Instabilität. Während zur Zeit das „Festland“ auf beiden Seiten durch die Erzeugung sehr protonen– oder neutronenreicher Kerne erweitert wird, ist es viel schwieriger, einen Fortschritt in Richtung zunehmender Gesamtmasse zu machen, weil α–Zerfall und spontane Spaltung die Lebensdauer drastisch reduzieren. Dieser Trend kann jedoch teilweise umgekehrt werden durch das Vorhandensein weiterer magischer Zahlen. Die meisten Theorien [Gr69, Ni69, Fi72, Ra74, Ir75] sagen magische Zahlen nahe $(Z, N) = (114, 184)$ voraus und möglicherweise auch für $(164, 318)$, aber die Details weichen voneinander ab: Die günstigste Protonanzahl könnte 110 oder 114 sein, und die vorausgesagten Lebensdauern reichen von einigen Monaten [Gr69] bis zu Milliarden von Jahren [Fi72]. Eine detaillierte Übersicht findet sich in [Ku89]. Einzelheiten der ersten dieser Rechnungen sind in Abb. 9.12 gezeigt. Man sollte jedoch daran denken, daß Lebensdauern für Spaltung von Tunnelwahrscheinlichkeiten abhängen, für die kleine Änderungen in der Höhe oder Breite der Barriere enorme Auswirkungen

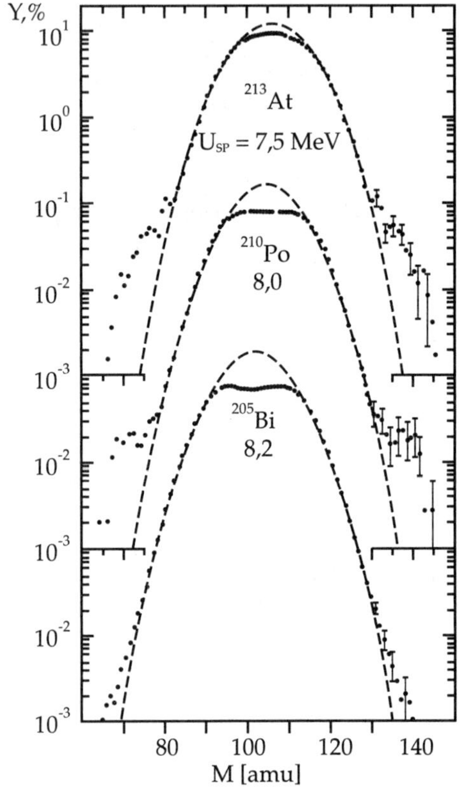

Abb. 9.10: Experimentelle Daten für die Massenverteilungen einiger spaltender Kerne mit Massen nahe 200. In diesem Experiment konnten die exponentiellen Schwänze der Verteilung nach unten zu solch niedrigen Wahrscheinlichkeiten verfolgt werden, daß die Schultern aufgrund der superasymmetrischen Spaltung deutlich sichtbar wurden. Aus [It92].

zeigen können. Die Unsicherheit solcher Vorhersagen bewegt sich daher wahrscheinlich im Bereich einiger Größenordnungen.

Natürlich besteht noch das große praktische Problem, wie man überschwere Elemente erzeugt. Da das Verhältnis von Neutronen zu Protonen mit A zunimmt, kann man nicht einfach Kerne aus dem bekannten Gebiet kombinieren, denn dann würde es dem vereinigten System ernstlich an Neutronen mangeln. Bislang führten Versuche, ein Verbundsystem mit einem Überschuß an Nukleonen zu erzeugen, und zu hoffen, daß die überflüssigen emittiert werden, nicht zum Erfolg. Stattdessen wurden die bis heute schwersten Elemente durch Verwendung sehr neutronenreicher Projektile und Targets in den Kombinationen produziert, die den von der Theorie vorgeschlagenen asymmetrischen Tälern im Potential entsprechen [Sa76, Gu77]. Abb. 9.5 beispielsweise zeigt ${}^{90}_{24}\mathrm{Se}+{}^{208}_{80}\mathrm{Hg}$ und ${}^{134}_{52}\mathrm{Te}+{}^{164}_{52}\mathrm{Sm}$ als geeignete Kombinationen, um ${}^{298}_{114}\mathrm{X}$ zu erzeugen.

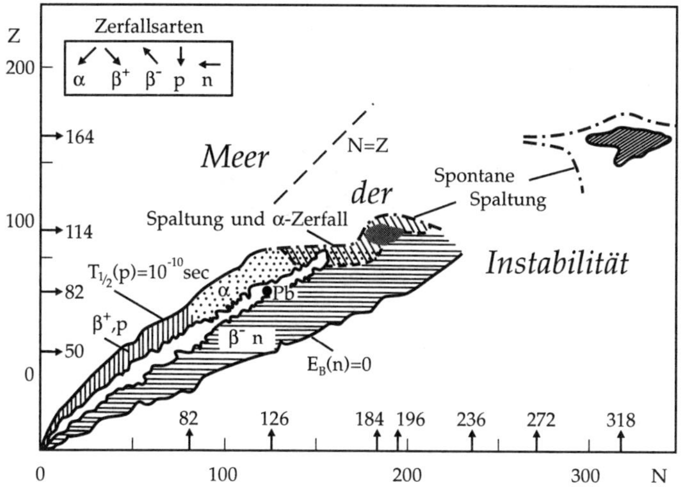

Abb. 9.11: Isotopenlandschaft. Veranschaulicht sind mögliche Inseln der überschweren Elemente. Für die bekannten Isotope sind die vorherrschenden Zerfallsmoden angegeben, die das Gebirge der stabilen Kerne einschließen, welches sich vom Ursprung über Pb in die Region der Actiniden erstreckt. Es ist getrennt von der ersten Insel der superschweren Kerne nahe den magischen Zahlen $(Z, N) \approx (114, 184)$ durch eine Region von α– und spaltungsinstabilen Kernen. Es könnte sogar eine zweite Insel nahe den magischen Zahlen $(Z, N) \approx (164, 318)$ geben. In jeder Region sind die dominanten Zerfallsarten angezeigt. Die "drip lines" geben an, wo ein zusätzliches Proton oder Neutron nicht mehr gebunden werden kann (der genaue Verlauf dieser Grenzlinien ist zur Zeit Gegenstand intensiver Forschungen).

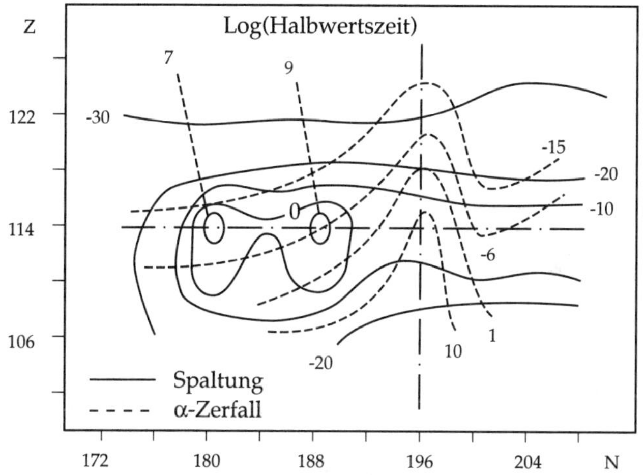

Abb. 9.12: Logarithmus der Halbwertszeiten von Kernen in der ersten superschweren Insel bezüglich spontaner Spaltung und α–Zerfall. Die Zahlen an den Höhenlinien entsprechen $\log(T_{1/2}/1\text{a})$. Aus [Gr69].

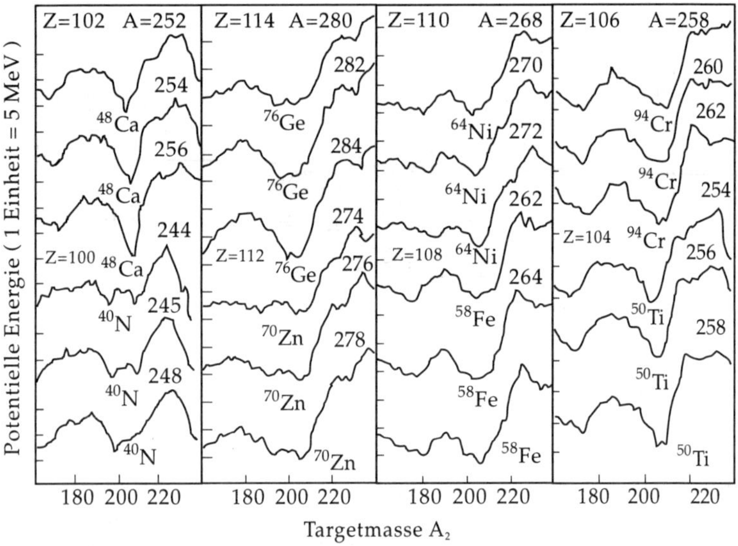

Abb. 9.13: Übersicht der potentiellen Energien als Funktionen der Massenasymmetrie für die Produktion einiger der Elemente am oberen Ende des Periodensystems. In jeder dieser Kurven, die den angegebenen (Z, N)–Kombinationen entsprechen, ist der Projektilkern für das tiefste Tal angezeigt; das passende Target muß gerade die fehlende Massen– und Neutronenzahl besitzen. Aus [Gu77].

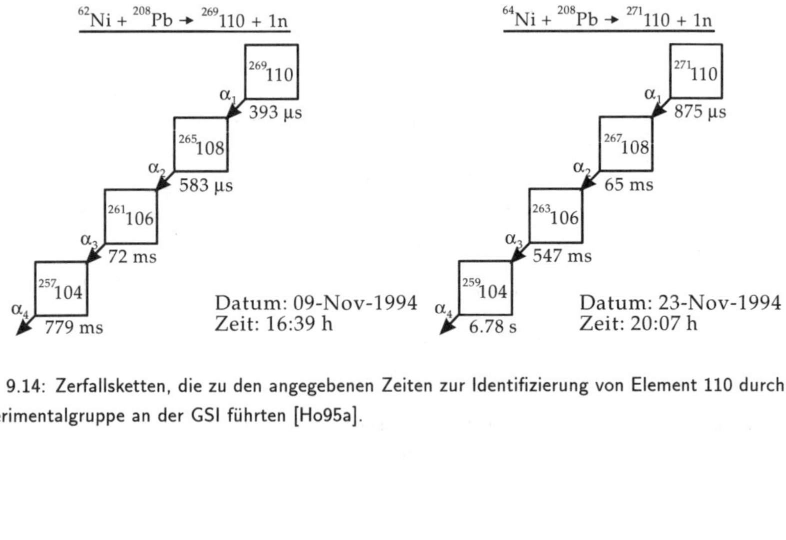

Abb. 9.14: Zerfallsketten, die zu den angegebenen Zeiten zur Identifizierung von Element 110 durch eine Experimentalgruppe an der GSI führten [Ho95a].

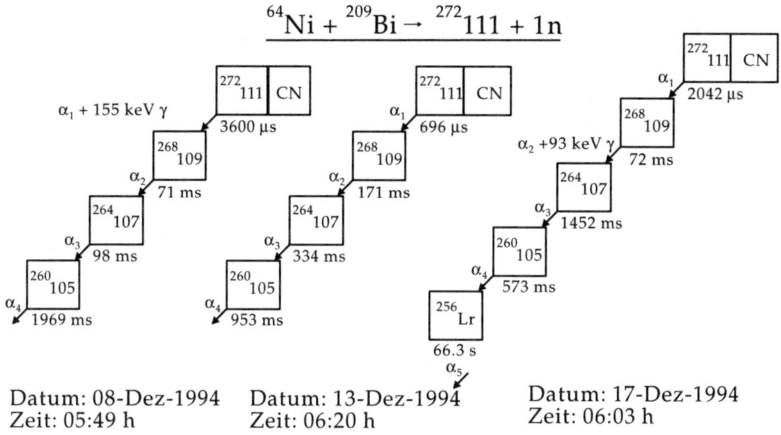

Abb. 9.15: Zerfallsketten für Element 111 [Ho95b].

Ein Überblick über diese „kalten Täler“ für die Produktion von Elementen am oberen Ende des bekannten Periodensystems ist in Abb. 9.13 gegeben. Experimentatoren an der GSI–Forschungsanlage haben unter Verwendung dieser Projektil–Target–Kombinationen die Elemente 107–111 vor kurzer Zeit tatsächlich entdeckt. Sie benutzen die schnelle α–Emission dieser neutronenarmen Kerne, um sie über die Beobachtung der α–Zerfallsketten zu identifizieren (siehe Abb. 9.14 und 9.15). Obwohl diese Kerne nicht so nahe an der Insel der Überschweren sind, wie man erwarten würde, weil sie ziemlich neutronenarm sind, werden so die Hoffnungen genährt, daß die Insel selbst in der nahen Zukunft zugänglich sein wird. Die Abbildungen 9.14-9.15 zeigen die aufregenden experimentellen Beobachtungen, die zur Entdeckung der zwei neuen schwersten Elemente führten [Ho95a, Ho95b]. In beiden Fällen konnte eine Reihe von α–Teilchen (manchmal unvollständig) mit bestimmten Energien und Lebensdauern gemessen werden, so daß eine geringe Anzahl oder sogar ein einzelnes Ereignis ausreichte, um die neuen Elemente nachzuweisen.

9.2.4 Spaltung in selbstkonsistenten Modellen

Selbstkonsistente Modelle bieten eine Alternative zur Berechnung von Spaltpotentialen. Mit den heute verfügbaren Computern ist es gut möglich, auch für schwere Kerne die Potentialenergieflächen mit einem oder zwei Constraints zu berechnen. Verglichen mit den phänomenologischen Modellen ergeben sich dadurch folgende Vorteile:

- Es werden keine Schalenkorrekturen benötigt. Die berechneten Gesamtenergien stimmen recht gut mit der Summe von Tropfenmodellenergie und Schalenkorrekturen für die phänomenologischen Modelle überein.

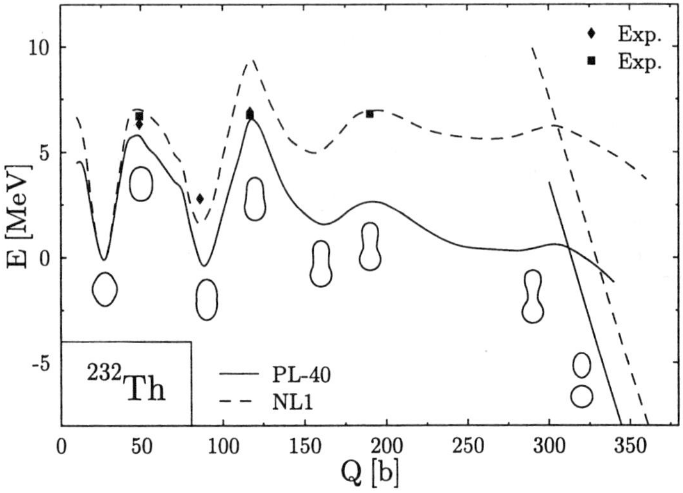

Abb. 9.16: Spaltpotential für den Kern ^{232}Th, berechnet mit dem relativistischen Mean–Field–Modell (siehe Abschnitt 7.4) mit den zwei verschiedenen Parametrisierungen "PL-40" und "NL1". Die Zwangsbedingung ist in diesem Fall das Massen–Quadrupolmoment Q. Beide Rechnungen stimmen qualitativ überein, zeigen aber zunehmend abweichendes Verhalten bei großer Deformation. Das deformierte Grundzustands–Minimum und das Spaltisomer sind deutlich zu sehen; in diesem Fall ist die erste Barriere höher. Es gibt auch noch ein drittes Minimum, das einer sehr elongierten Form entspricht. Die experimentellen Daten [Lo70, Wa77, Bj80, Zh86] sind durch Rauten und Quadrate gekennzeichnet. Die nahe $Q = 300$b beginnenden steilen Kurven gehören zu einem zweiten, durch getrennte Fragmente ausgezeichneten Tal, wie es durch die kleinen Darstellungen der Formen an den Kurven gezeigt wird. Wahrscheinlich wird der spaltende Kern in dieses Tal hinüberwechseln. Wo das jedoch geschieht, hängt von der Barriere zwischen den Tälern ab, was nur mit einer zusätzlichen Nebenbedingung, möglicherweise bezüglich des Hexadekupols, bestimmt werden kann. Einzelheiten zu den Formen werden in der nächsten Abbildung gegeben.

- Für feste Constraints sollten sich die nicht festgehaltenen Freiheitsgrade in der Kernform so einstellen, daß die Energie minimiert wird und es nicht mehr notwendig ist, die optimalen Kernformen vorzugeben. Wenn z. B. die numerische Methode asymmetrische Deformationen erlaubt, so werden sich längs des Spaltweges von selbst asymmetrische Kernformen einstellen, wenn immer dies energetisch vorteilhaft ist.

- Das Potential und die Dichteverteilungen können komplizierter werden: z. B. kann die wachsende Ladung die Protonen aus dem Zentrum des Kerns verdrängen; in einem phänomenologischen Modell können solche Effekte nur durch Verändern des Potentials von Hand erfolgen — gewöhnlich ist das in den Ansätzen nicht enthalten.

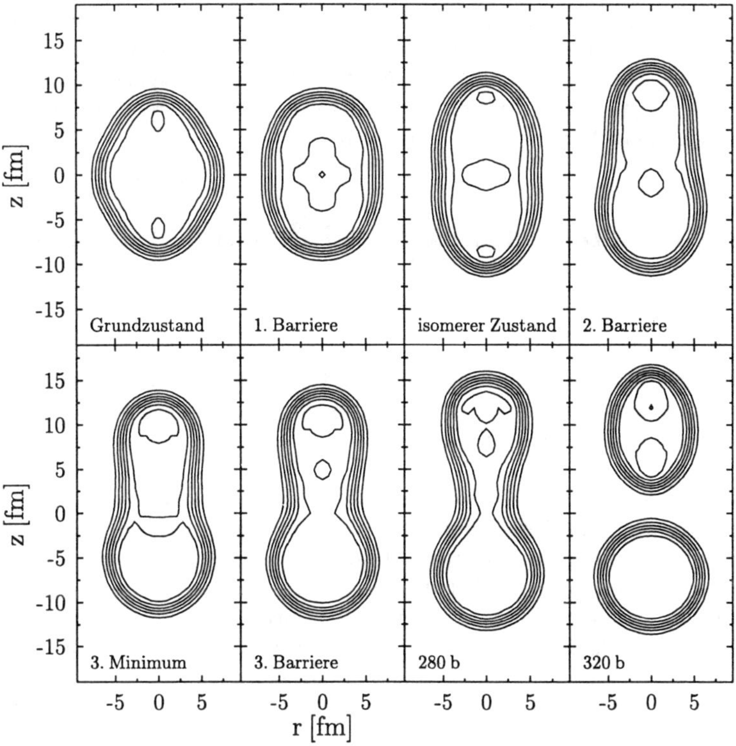

Abb. 9.17: Kernformen, die verschiedenen Punkten entlang des Spaltpfades in Abb. 9.16 entsprechen, gezeichnet als Konturlinien. Die letzte für $Q = 320$b ist aus dem zweiten Tal und hat offenbar schon bei einem kleineren Quadrupolmoment gespalten als die elongierte Form bei $Q = 280$b aus dem ersten Tal. Man bemerke auch, daß in der Nähe des zweiten Tals eine entschiedene Präferenz für eine asymmetrische Konfiguration vorliegt, was bevorzugt zu asymmetrischen Massenaufspaltungen führt. Die Form im dritten Minimum ist extrem langgezogen und stellt daher eine „hyperdeformierte" Konfiguration dar.

- Andererseits erweist sich oft die Notwendigkeit für mehr Constraints. Die weiter unten gezeigten Beispielresultate zeigen, daß es verschiedene Täler in der Potentialenergiefläche geben kann, die durch einen zusätzlichen Formparameter unterschieden werden. Wenn die Täler sich in der Energie kreuzen, dann kann ein Übergang zwischen beiden nur durch Verwendung eines zusätzlichen Constraints beschrieben werden, der erlaubt, die Barriere zwischen den Tälern zu studieren.

Abb. 9.16 zeigt typische Resultate für eine Spaltbarriere in der relativistischen Mesonenfeldtheorie mit einem Quadrupolconstraint. Besonders interessant ist im Lichte der obigen Diskussion das Auftreten zweier getrennter Täler bei großen Deformationen, von denen eines langgestreckten, aber immer noch zusammenhängenden Kernformen entspricht, während das andere zu separierten Fragmenten gehört. Da beide dasselbe Quadrupolmoment haben, erscheinen sie als getrennte Lösungen für diesen einen Constraint, könnten aber durch Einführung eines zweiten kontinuierlich verbunden werden, wobei eine Barriere dazwischen liegen sollte. Die zugehörigen Kernformen in Abb. 9.17 illustrieren diesen Effekt und zeigen auch die Präferenz für asymmetrische Kernformen in der Nähe der zweiten Barriere.

9.3 Massenparameter und das Kurbelmodell

9.3.1 Übersicht

Wie wir sehen werden, ist das Problem der kinetischen Energie in einem weit ungeklärteren Zustand als das der potentiellen. Obwohl es eine Reihe theoretischer Methoden zur Berechnung von Massenparametern gibt, ist keine von ihnen universell akzeptiert und es ist sehr schwierig, ihre Ergebnisse am Experiment zu überprüfen. Kollektivbewegungen großer Amplitude gibt es nur in der Kernspaltung und in Schwerionenreaktionen, und diese Prozesse sind ausreichend kompliziert, daß, wenn die Theorie versagt, es schwierig ist zu entscheiden, ob es an einer unzureichenden Anzahl kollektiver Parameter, an der Reibung oder an einem echten Versagen der zugrundeliegenden Theorien liegt. Gewöhnlich werden natürlich effektive Parameter sowohl in den Massen als auch den Reibungskoeffizienten eingefügt, um auch nur in die Nähe der experimentellen Daten zu kommen. Zunächst wird hier kurz auf zwei weitverbreitete Methoden der Massenberechnung eingegangen: die Methode des wirbelfreien Flusses und das Kurbelmodell.

9.3.2 Das Modell des wirbelfreien Flusses

Das Modell des wirbelfreien Flusses ("irrotational flow model") wurde für kleine Deformationen schon in Abschnitt 6.2.1 eingeführt. Es kann leicht verallgemeinert werden: Eine Zeitabhängigkeit der kollektiven Koordinaten induziert eine lokale Geschwindigkeit der Kernoberfläche, die als Randbedingung zur Bestimmung des Geschwindigkeitsfeldes innerhalb des Kerns unter der Annahme wirbelfreien Flusses benutzt wird. Die Integration der kinetischen Energie der Flüssigkeit ergibt dann eine kinetische Energie, die zweiter Ordnung in den kollektiven Geschwindigkeiten ist, so daß man die Massenparameter direkt ablesen kann. Während das Modell in dieser Weise leicht zu definieren ist, ist es keineswegs einfach, für beliebige Oberflächenformen und -bewegungen die Lösungen tatsächlich zu konstruieren. Eine bekannte Näherungsmethode für zylindersymmetrische Formen ist die Werner–Wheeler-Methode [Ke64, Ni68]. Man beachte aber, daß es für dieses Modell immer noch keine gesicherte Grundlage gibt: Es wird hauptsächlich deshalb weit verwendet, weil es wohldefiniert und berechenbar ist und man glaubt, daß es die Massenparameter für Kollektivkoordinaten verschiedener Art wenigstens von der Größenordnung her richtig ergibt; zudem bringen die anderen Modelle ihre eigenen Probleme mit sich.

9.3.3 Das Kurbelmodell

Eine andere Methode zur Berechnung von Massenparametern ist das *Kurbelmodell* (cranking model) nach Inglis [In54, In56]. Der Name gibt die Idee eines äußeres Einflusses wieder, der das phänomenologische Einteilchenpotential und die Wellenfunktionen zwingt, einer vorgeschriebenen zeitabhängigen Änderung der Formparameter zu folgen. Bei der Berechnung der Deformationsenergie war die wesentliche Annahme die der Adiabasie. Konsistenterweise muß das irgendwie auf den dynamischen Fall übertragen werden. Man kann sich vorstellen, daß die Kollektivkoordinaten sich sehr langsam ändern, so daß der Kern sich an jedem Punkt in seinen adiabatischen Zustand begeben kann. Andererseits geht aber eine Bewegung nicht ohne Veränderung der Wellenfunktionen, und diese Zeitabhängigkeit bringt eine kinetische Energie mit sich, die jetzt untersucht werden soll. Der Kern ist also nicht wirklich in seinem adiabatischen Zustand, sollte aber andererseits keine echten Anregungen erhalten außer dem Minimum, das nötig ist, die Kollektivbewegung möglich zu machen. Wie das erreicht werden kann, wird während der Ableitung klar werden.

Wir beginnen mit dem Hamiltonoperator $\hat{H}(\boldsymbol{r}_1 \ldots \boldsymbol{r}_A; \beta_1 \ldots \beta_M)$, der parametrisch von den Deformationsparametern $\beta_1 \ldots \beta_M$ abhängt. Die assoziierten adiabatischen Eigenzustände hängen von den Parametern ab und erfüllen

$$\begin{aligned} &\hat{H}(\boldsymbol{r}_1 \ldots \boldsymbol{r}_A; \beta_1 \ldots \beta_M)\psi_i(\boldsymbol{r}_1 \ldots \boldsymbol{r}_A; \beta_1 \ldots \beta_M) \\ &\quad = \; E_i(\beta_1 \ldots \beta_M)\psi_i(\boldsymbol{r}_1 \ldots \boldsymbol{r}_A; \beta_1 \ldots \beta_M). \end{aligned} \tag{9.27}$$

Zur Abkürzung werden im folgenden die Teilchenkoordinaten unterdrückt und die Vektorschreibweise $\boldsymbol{\beta}$ verwendet, so daß die Gleichung zu

$$\hat{H}(\boldsymbol{\beta})\psi_i(\boldsymbol{\beta}) = E_i(\boldsymbol{\beta})\psi_i(\boldsymbol{\beta}) \tag{9.28}$$

vereinfacht wird.

Es sei nun eine Zeitabhängigkeit der Koordinaten $\boldsymbol{\beta} = \boldsymbol{\beta}(t)$ borgegeben, die so langsam ist, daß keine Anregungen entstehen. Das bedeutet, daß die charakteristische Zeitskala der Kollektivbewegung sehr lang ist im Vergleich zur Einteilchen-Zeitskala. Hamiltonoperator und Basisfunktionen sind nun zeitabhängig. Die Lösung der zeitabhängigen Schrödingergleichung

$$\mathrm{i}\hbar\frac{\partial}{\partial t}\Psi = \hat{H}(\boldsymbol{\beta}(t))\Psi \tag{9.29}$$

kann nach den adiabatischen Eigenzuständen entwickelt werden:

$$\Psi(\boldsymbol{r}_1 \ldots \boldsymbol{r}_A, t) = \sum_i c_i(t)\psi_i(\boldsymbol{r}_1 \ldots \boldsymbol{r}_A; \boldsymbol{\beta}(t)) \exp(-\tfrac{\mathrm{i}}{\hbar}\int^t E_i(\boldsymbol{\beta}(t'))dt'). \tag{9.30}$$

Der Phasenfaktor ist so angesetzt, daß er die Phase aufhebt, die von den Eigenenergien in der Gleichung herstammt. Einsetzen in die Schrödingergleichung liefert

$$\begin{aligned}\sum_i & \left(\mathrm{i}\hbar\dot{c}_i\psi_i(\boldsymbol{\beta}) + \mathrm{i}\hbar c_i\dot{\boldsymbol{\beta}}\cdot\nabla_{\boldsymbol{\beta}}\psi_i(\boldsymbol{\beta}) + E_i c_i\psi_i(\boldsymbol{\beta})\right)\exp(-\tfrac{\mathrm{i}}{\hbar}\int^t E_i(\boldsymbol{\beta}(t'))dt') \\ &= \sum_i c_i E_i(\boldsymbol{\beta})\psi_i(\boldsymbol{\beta})\exp(-\tfrac{\mathrm{i}}{\hbar}\int^t E_i(\boldsymbol{\beta}(t'))dt').\end{aligned} \tag{9.31}$$

Die Vektornotation für $\boldsymbol{\beta}$ wurde naheliegend auf

$$\dot{\boldsymbol{\beta}}\cdot\nabla_{\boldsymbol{\beta}} = \sum_{k=1}^{M}\dot{\beta}_k\frac{\partial}{\partial\beta_k} \tag{9.32}$$

ausgedehnt. Gleichung 9.31 kann in eine Gleichung für die Entwicklungskoeffizienten überführt werden, indem man mit

$$\int d^3r_1\ldots\int d^3r_A\psi_j^*(\boldsymbol{r}_1\ldots\boldsymbol{r}_A;\boldsymbol{\beta})\times\text{Gl. 9.31} \tag{9.33}$$

Matrixelemente bildet. Wenn man nun noch die Phasenfaktoren soweit wie möglich aufhebt, erhält man

$$\mathrm{i}\hbar\dot{c}_j = -\mathrm{i}\hbar\sum_i c_i\langle\psi_j|\dot{\boldsymbol{\beta}}\cdot\nabla_{\boldsymbol{\beta}}|\psi_i\rangle\exp(-\tfrac{\mathrm{i}}{\hbar}\int^t[E_i(\boldsymbol{\beta}(t')) - E_j(\boldsymbol{\beta}(t'))]\,dt'). \tag{9.34}$$

An dieser Stelle wird die Annahme verschiedener Zeitskalen und der Adiabasie benutzt. Eigentlich interessiert in diesem Rahmen die Lösung nur in der Nähe der Zeit t, weil im adiabatischen Fall der Zustand des Systems zur Zeit t nur an diesem Zeitpunkt bestimmt werden sollte und nicht von der vorherigen Geschichte des Systems abhängt.

Während eines solchen Intervalles ändern sich das Matrixelement und die Eigenenergien im Phasenfaktor sehr wenig, da sie nur die langsame Abhängigkeit von den Kollektivkoordinaten zeigen sollten. Andererseits ist der Phasenfaktor stark zeitabhängig. Adiabasie bedeutet nun, daß der Koeffizient des Grundzustandes bei jeder Deformation $\boldsymbol{\beta}(t)$ immer nahe bei eins liegt, $c_0 \approx 1$, während alle anderen sehr klein bleiben. Also trägt auf der rechten Seite nur $i = 0$ bei, und man erhält

$$\begin{aligned}c_j(t) &= \frac{\langle\psi_j|\dot{\boldsymbol{\beta}}\cdot\nabla_{\boldsymbol{\beta}}|\psi_0\rangle}{E_j - E_0} \\ &\quad\times\exp(-\tfrac{\mathrm{i}}{\hbar}\int^t[E_0(\boldsymbol{\beta}(t')) - E_j(\boldsymbol{\beta}(t'))]\,dt') \qquad \textit{für } j \neq 0,\end{aligned} \tag{9.35}$$

während für $j = 0$ einfach die Normalisierung verwendet werden kann:

$$|c_0|^2 = 1 - \sum_{i\neq 0}|c_i|^2. \tag{9.36}$$

Genauer betrachtet gibt es einen subtilen Punkt an der Gleichung 9.35. Die Integrationskonstante wurde Null gesetzt, so daß bei $t = 0$ nicht der ungestörte Grundzustand $c_0 = 1$, $c_j = 0$ $(j > 0)$ vorliegt. Wenn dies die Anfangsbedingung wäre, dann würde die Lösung eine starke Zeitabhängigkeit der Amplituden enthalten. Eigentlich war auch die Annahme nicht, daß das System sich zur Zeit $t = 0$ im adiabatischen Grundzustand befindet und dann die Kollektivbewegung einsetzt, sondern daß es schon in Bewegung ist und sich daran angepaßt hat.

Die Gleichung 9.35 erreicht genau das: Während die komplexen Koeffizienten rapide oszillieren, hängt ihre Amplitude nur langsam von der Zeit ab. Dies wird auch klar aus der Gesamtenergie, die durch den Erwartungswert des Hamiltonoperators gegeben ist:

$$\langle\Psi(t)|\hat{H}(\boldsymbol{\beta}(t))|\Psi(t)\rangle = \sum_j |c_j(t)|^2 E_j(t) = E_0(\boldsymbol{\beta}(t)) + \tfrac{1}{2}\dot{\boldsymbol{\beta}} \cdot \boldsymbol{B} \cdot \dot{\boldsymbol{\beta}}, \tag{9.37}$$

mit dem Massenparameter

$$B_{kl} = 2\hbar^2 \sum_{j\neq 0} \frac{\langle\psi_0|\partial/\partial\beta_k|\psi_j\rangle\langle\psi_j|\partial/\partial\beta_l|\psi_0\rangle}{E_j - E_0}. \tag{9.38}$$

Das ist die Formel des Kurbelmodells ("cranking formula") von Inglis [In54, In56]. Ihre praktische Auswertung verlangt ein Modell für die Vielteilchenwellenfunktionen ψ_j, man kann aber hier schon einige allgemeine Bemerkungen machen. Die Matrixelemente im Zähler enthalten Informationen darüber, wie sich die Einteilchenzustände mit der Deformation ändern, und es wird zu einer großen Masse führen, wenn die Wellenfunktionen bei einer Deformationsänderung in großem Umfang rearrangiert werden müssen.

Ein weiterer Grund für große Werte der Massenparameter kann die Gegenwart angeregter Zustände nahe beim Grundzustand sein, was den Nenner klein macht. Wenn das an einer vermiedenen Niveaukreuzung liegt, verändern sich die Wellenfunktionen ebenfalls rapide im Bereich der Kreuzung, und ein deutliches Maximum sollte resultieren.

9.3.4 Anwendungen des Kurbelmodells

Für konkrete Rechnungen muß die Bedeutung der kollektiven Koordinaten und der Wellenfunktionen in der Cranking–Formel spezifiziert werden, die dadurch oft auf einfachere Form gebracht werden kann.

Für den Fall *unabhängiger Teilchen* ist der Grundzustand des Kerns eine Slater-Determinante, die aus den niedrigsten Einteilchenzuständen aufgebaut ist. Der Operator $\partial/\partial\beta$ wird in zweiter Quantisierung zu

$$\frac{\partial}{\partial\beta} = \sum_{\mu\nu} \langle\mu|\frac{\partial}{\partial\beta}|\nu\rangle \hat{a}_\mu^+ \hat{a}_\nu \tag{9.39}$$

und verbindet den Grundzustand nur mit den Einteilchen-Einloch-Zuständen. Die Einteilchenzustände werden hier mit griechischen Buchstaben indiziert, um sie von den Vielteilchenzuständen $|j\rangle$ zu unterscheiden. Die Teilchen-Loch-Anregungen sind also die Anregungszustände, über die summiert wird. Der Energienenner ist gerade die Anregungsenergie des Teilchen-Loch-Zustandes

$$E_j - E_0 \to \epsilon_\mu - \epsilon_\nu, \tag{9.40}$$

während das Matrixelement sich auf

$$\langle j|\frac{\partial}{\partial\beta}|0\rangle \to \langle\mu|\frac{\partial}{\partial\beta}|\nu\rangle, \tag{9.41}$$

reduziert und die Cranking-Formel zu

$$B_{kl} = 2\hbar^2 \sum_{\substack{\mu \text{ unbes} \\ \nu \text{ bes}}} \frac{\langle\nu|\partial/\partial\beta_k|\mu\rangle\langle\mu|\partial/\partial\beta_l|\nu\rangle}{\epsilon_\mu - \epsilon_\nu} \tag{9.42}$$

wird. Man beachte, daß dieser Ausdruck immer dann einen Pol hat, wenn es eine Niveaukreuzung an der Fermikante gibt. Das kann nur durch die Hinzunahme der Paarkraft vermieden werden.

Diese Formel spezifiziert immer noch nicht, um welche Kollektivkoordinate es sich handelt. Der einfachste Massenparameter, der sich auch am leichtesten mit dem Experiment vergleichen läßt, ist das *Trägheitsmoment.* In diesem Fall ist die Kollektivkoordinate der Drehwinkel um eine der beiden Nicht-Symmetrieachsen, konventionell die x-Achse. Die Ableitung bzgl. des Winkels kann durch den Drehimpulsoperator $\partial/\partial\beta \to \mathrm{i}J_x/\hbar$, ausgedrückt werden, und das Trägheitsmoment wird damit

$$\Theta = 2\sum_j \frac{|\langle j|J_x|0\rangle|^2}{E_j - E_0}. \tag{9.43}$$

In diese Formel kann man nun wie oben den Fall unabhängiger Teilchen einsetzen. Man kann zeigen, daß unter gewissen Bedingungen das Resultat genau mit dem Trägheitsmoment des starren Körpers übereinstimmt, d. h. dem Trägheitsmoment eines klassischen Festkörpers mit homogener Dichte und einer Form, die der vorgeschriebenen Deformation entspricht.

Ein Vergleich mit dem Experiment zeigt aber, daß dieser Wert gewöhnlich um einen Faktor zwei zu groß ist. Das deutet darauf hin, daß die Materie im Kern nicht vollständig an der kollektiven Rotation beteiligt ist, und wiederum liegt die Lösung in der Einführung der Paarkraft.

9.1 Aufgabe: Die Cranking-Formel für das BCS-Modell

Leiten Sie die Cranking-Formel für das BCS-Modell ab.

Lösung:

In diesem Fall ist der Grundzustand der BCS-Zustand $|0\rangle \longrightarrow |\mathrm{BCS}\rangle$. Der Operator $\partial/\partial\beta$ wirkt nicht nur auf die Einteilchenwellenfunktionen wie in Gl. 9.39, sondern auch auf die BCS-Besetzungswahrscheinlichkeiten u_μ und v_μ, die i. allg. von der Deformation abhängen. Wenn dieser zusätzliche Beitrag mit $\overline{\partial/\partial\beta}$ bezeichnet wird, kann man schreiben

$$\frac{\partial}{\partial\beta} = \overline{\partial/\partial\beta} + \sum_{\mu\nu} \langle\mu|\frac{\partial}{\partial\beta}|\nu\rangle \hat{a}_m^+ u \hat{a}_n u. \qquad \underline{1}$$

Ersetzen der Operatoren durch Quasiteilchenoperatoren gemäß

$$\hat{a}_\mu = u_\mu \hat{\alpha}_\mu + v_\mu \hat{\alpha}_{-\mu}^+ \qquad \underline{2}$$

und der dazu hermitisch konjugierten Gleichung führt auf

$$\begin{aligned} \partial/\partial\beta - \overline{\partial/\partial\beta} &= \sum_{\mu\nu} \langle\mu|\partial/\partial\beta|\nu\rangle \hat{a}_\mu^+ \hat{a}_\nu \qquad \underline{3} \\ &= \sum_{\mu\nu} \langle\mu|\partial/\partial\beta|\nu\rangle (u_\mu \hat{\alpha}_\mu^+ + v_\mu \hat{\alpha}_{-\mu})(u_\nu \hat{\alpha}_\nu + v_\nu \hat{\alpha}_{-\nu}^+) \\ &\rightarrow \sum_{\mu\nu} \langle\mu|\partial/\partial\beta|\nu\rangle u_\mu v_\nu \hat{\alpha}_\mu^+ \hat{\alpha}_{-\nu}. \end{aligned}$$

Die letzte Zeile zeigt nur den Term im Operator, der tatsächlich zum Matrixelement beiträgt. Die anderen Kombinationen liefern Null, weil der angeregte Zustand eine andere Quasiteilchenzahl als der Grundzustand haben muß. Man beachte auch, daß die Summe über beide Vorzeichen von μ und ν läuft, während im BCS-Zustand nur positive Werte erlaubt sind. Um Mißverständnisse auszuschließen, wird der letztere Fall explizit mit $\mu > 0$ usw. bezeichnet.

Die Form des Matrixelementes zeigt, daß nur Zwei-Quasiteilchenzustände betrachtet werden müssen. Das Matrixelement zwischen $|\kappa\lambda\rangle = \hat{\alpha}_\kappa^+ \hat{\alpha}_{-\lambda}^+ |\mathrm{BCS}\rangle$ $(\kappa, \lambda < 0)$ und dem BCS-Grundzustand wird zu

$$\begin{aligned} \langle\kappa\lambda|\frac{\partial}{\partial\beta} - \overline{\frac{\partial}{\partial\beta}}|\mathrm{BCS}\rangle &= \sum_{\mu\nu} \langle\mu|\frac{\partial}{\partial\beta}|\nu\rangle u_\mu v_\nu \langle\mathrm{BCS}|\hat{\alpha}_{-\lambda}\hat{\alpha}_\kappa \hat{\alpha}_\mu^+ \hat{\alpha}_{-\nu}^+|\mathrm{BCS}\rangle \qquad \underline{4} \\ &= \sum_{\mu\nu} \langle\mu|\frac{\partial}{\partial\beta}|\nu\rangle u_\mu v_\nu (\delta_{\mu\kappa}\delta_{\nu\lambda} - \delta_{\mu-\lambda}\delta_{\nu-\kappa}) \\ &= u_\kappa v_\lambda \langle\kappa|\frac{\partial}{\partial\beta}|\lambda\rangle + u_\lambda v_\kappa \langle-\lambda|\frac{\partial}{\partial\beta}|-\kappa\rangle. \end{aligned}$$

Im letzten Schritt wurde $u_\kappa = u_{-\kappa}$ und $v_{-\kappa} = -v_\kappa$ verwendet.

Dieses Ergebnis kann weiter vereinfacht werden, wenn die zwei Matrixelemente aus $\underline{4}$ miteinander in Beziehung stehen. Offensichtlich wird das mit der Zeitumkehr zu tun haben, weil die darin auftretenden Zustände durch Zeitumkehr auseinander hervorgehen. Erinnern wir uns an die Transformation der Matrixelemente eines beliebigen Operators $\hat{O}$ unter Zeitumkehr:

$$\langle A|\hat{O}|B\rangle = \langle \hat{T}A|\hat{T}\hat{O}\hat{T}^{-1}|\hat{T}B\rangle^*. \qquad \underline{5}$$

Wenn man jetzt annimmt, daß $\partial/\partial\beta$ definite Zeitumkehreigenschaften hat:

$$\hat{T}\frac{\partial}{\partial\beta}\hat{T}^{-1} = \pm\frac{\partial}{\partial\beta}, \qquad \underline{6}$$

so wird daraus

$$\begin{aligned}\langle -\lambda|\partial/\partial\beta| -\kappa\rangle &= \langle\lambda| \pm \partial/\partial\beta|\kappa\rangle^* \\ &= \mp\langle\kappa|\partial/\partial\beta|\lambda\rangle.\end{aligned} \qquad \underline{7}$$

Im letzten Schritt wurde benutzt, daß $\partial/\partial\beta$ antihermitisch ist (vgl. den Operator $\partial/\partial x$, der antihermitisch ist, weil $\hat{p}_x = -\mathrm{i}\hbar\partial/\partial x$ hermitisch ist). Aus dem Matrixelement ist jetzt

$$\langle\kappa\lambda|\frac{\partial}{\partial\beta} - \overline{\frac{\partial}{\partial\beta}}|\mathrm{BCS}\rangle = \langle\kappa|\frac{\partial}{\partial\beta}|\lambda\rangle(u_\kappa v_\lambda \mp u_\lambda v_\kappa) \qquad \underline{8}$$

entstanden, wobei das *negative* Vorzeichen für zeitumkehr*gerade* $\partial/\partial\beta$ gilt.

Die letzte Aufgabe besteht darin, die Wirkung der Ableitung auf die Besetzungswahrscheinlichkeiten zu berechnen. Die Definition des BCS-Grundzustandes führt direkt auf

$$\overline{\frac{\partial}{\partial\beta}}|\mathrm{BCS}\rangle = \sum_{\mu>0}\left(\frac{\partial u_\mu}{\partial\beta} + \frac{\partial v_\mu}{\partial\beta}\hat{a}^+_\mu\hat{a}^+_{-\mu}\right)\prod_{\substack{\nu\neq\mu\\ \nu>0}}\left(u_\nu + v_\nu\hat{a}^+_\nu\hat{a}^+_{-\nu}\right)|0\rangle. \qquad \underline{9}$$

Der Überlapp mit dem Zwei-Quasiteilchenzustand $|\kappa\lambda\rangle$ wird nur dann nicht verschwinden, wenn sowohl κ als auch λ in jedem Term in der Summe mit μ übereinstimmen, weil jeder andere Index in Kombination mit dem ungestörten BCS-Faktor im Produkt eine Null ergibt. Weglassen der Produkte mit dem unbetroffenen Index ν sowohl im Zwei-Quasiteilchenzustand und im BCS-Zustand und Ersetzen des einzigen verbleibenden Index durch μ liefert

$$\begin{aligned}\langle\mu\mu|\overline{\frac{\partial}{\partial\beta}}|\mathrm{BCS}\rangle &= \langle 0|(u_\mu + v_\mu\hat{a}_{-\mu}\hat{a}_\mu)\hat{\alpha}_{-\mu}\hat{\alpha}_\mu\left(\frac{\partial u_\mu}{\partial\beta} + \frac{\partial v_\mu}{\partial\beta}\hat{a}^+_\mu\hat{a}^+_{-\mu}\right)|0\rangle \\ &= \frac{\partial u_\mu}{\partial\beta}\langle 0| - u_\mu^2 v_\mu\hat{a}_{-\mu}\hat{a}^+_{-\mu} - v_\mu^3\hat{a}_{-\mu}\hat{a}_\mu\hat{a}^+_\mu\hat{a}^+_{-\mu}|0\rangle \\ &\quad + \frac{\partial v_\mu}{\partial\beta}\langle 0|u_\mu v_\mu^2\hat{a}_{-\mu}\hat{a}_\mu\hat{a}^+_\mu\hat{a}_\mu\hat{a}^+_\mu\hat{a}^+_{-\mu} + u_\mu^3\hat{a}_{-\mu}\hat{a}_\mu\hat{a}^+_\mu\hat{a}^+_{-\mu}|0\rangle \\ &= -\frac{\partial u_\mu}{\partial\beta}(u_\mu^2 v_\mu + v_\mu^3) + \frac{\partial v_\mu}{\partial\beta}(u_\mu v_\mu^2 + u_\mu^3) \\ &= -\frac{\partial u_\mu}{\partial\beta}\left(v_\mu + \frac{u_\mu^2}{v_\mu}\right) = -\frac{1}{v_\mu}\frac{\partial u_\mu}{\partial\beta}.\end{aligned} \qquad \underline{10}$$

Dabei wurden im wesentlichen nur die vertrauten Techniken der zweiten Quantisierung benutzt. Das Ausmultiplizieren der Klammern im zweiten Schritt beachtete, daß nur Terme, die die Gesamtteilchenzahl unverändert lassen, überleben, während im letzten Schritt die Normierung verwendet wurde:

$$u_\mu^2 + v_\mu^2 = 1 \quad \rightarrow \quad v_\mu \frac{\partial v_\mu}{\partial \beta} = -u_\mu \frac{\partial u_\mu}{\partial \beta}. \tag{11}$$

Das gesamte Matrixelement ist jetzt

$$\langle \kappa\lambda | \frac{\partial}{\partial \beta} | \mathrm{BCS} \rangle = \langle \kappa | \frac{\partial}{\partial \beta} | \lambda \rangle (u_\kappa v_\lambda \mp u_\lambda v_\kappa) - \delta_{\kappa\lambda} \frac{1}{v_\kappa} \frac{\partial u_\kappa}{\partial \beta}, \tag{12}$$

und für die Cranking-Formel muß es quadriert und über $\kappa, \lambda > 0$ summiert werden. Die Mischterme tragen nichts bei, weil das erste Matrixelement wegen der Normierung keinen Diagonalbeitrag liefert:

$$\frac{\partial}{\partial \beta} \langle \kappa | \kappa \rangle = 0 \rightarrow \langle \kappa | \frac{\partial}{\partial \beta} | \kappa \rangle = 0. \tag{13}$$

Damit ist die endgültige Formel für das Kurbelmodell mit Paarkraft erreicht:

$$\begin{aligned} B_{kl} &= 2\hbar^2 \sum_{\kappa\lambda} \frac{\langle \kappa | \frac{\partial}{\partial \beta_k} | \lambda \rangle \langle \lambda | \frac{\partial}{\partial \beta_l} | \kappa \rangle}{e_\kappa + e_\lambda} (u_\kappa v_\lambda \mp v_\kappa u_\lambda)^2 \\ &\quad + \hbar^2 \sum_\kappa \frac{1}{u_\kappa^2 e_\kappa} \frac{\partial u_\kappa}{\partial \beta_k} \frac{\partial u_\kappa}{\partial \beta_l}. \end{aligned} \tag{14}$$

Man beachte, daß jetzt im Nenner die Summe der beiden Quasiteilchenenergien steht. Das negative Vorzeichen gilt für zeitumkehrgerades $\partial/\partial\beta$.

Im Falle des Trägheitsmomentes verändert sich die Einteilchen-Niveaustruktur nicht mit der Rotation, so daß der zweite Term der Cranking-Formel verschwindet, während der erste dadurch verkleinert wird, daß die Existenz der Energielücke den Nenner vergrößert. Andererseits dominiert für echte Deformationskoordinaten wie die Quadrupoldeformation der Term mit den Ableitungen der Besetzungswahrscheinlichkeiten gewöhnlich über den ersten.

Eine zusätzliche Konsequenz der Paarkraft ist, daß die Möglichkeit eines verschwindenden Nenners eliminiert wird; er hat mindestens die Größe 2Δ.

Diese Version des Kurbelmodells mit Paarkraft wurde zuerst von Belyaev [Be59, Be61] und Prange [Pr61] angegeben.

9.4 Zeitabhängiges Hartree–Fock

Eine attraktive Möglichkeit zum Studium von Kollektivbewegungen großer Amplitude basiert auf den zeitabhängigen Hartree–Fock–(TDHF–)Gleichungen, die schon in Abschnitt 8.2.2 vorgestellt wurden. Wenn man die Gleichungen in generischer Form aufschreibt:

$$\mathrm{i}\hbar \frac{\partial}{\partial t} \psi_j(\boldsymbol{r}, t) = \hat{H}[\rho] \psi_j(\boldsymbol{r}, t), \quad j = 1, \ldots, A, \tag{9.44}$$

so ist klar, daß die Vorgabe von Anfangsbedingungen für die Einteilchenwellenfunktionen diese für alle Zeiten bestimmt, obwohl der Hamiltonoperator auch, wie angedeutet, von Gesamtdichten abhängt, die durch Summierung über alle Einteilchenzustände entstehen. Die große Zahl von Einteilchenzuständen und die Nichtlinearität erlauben extrem komplizierte Zeitentwicklungen des Systems, ohne die Notwendigkeit für kollektive Parameter, Massen usw.

Da die Behandlung des Tunneleffektes mit einer solchen zeitabhängigen Theorie schwieriger ist, wird TDHF meist auf Schwerionenreaktionen angewendet, was nicht mehr in den Rahmen dieses Buches fällt. Die Entdeckung, daß man die Gleichungen tatsächlich numerisch für viele interessante Fälle von Schwerionenreaktionen lösen kann, stimulierte großes Interesse [Bo76, Ma76, Cu76, Cu78, Sa78, Da78], gefolgt von vielen weiteren Arbeiten in den folgenden Jahren. Da die Methode eng mit anderen Theorien der kollektiven Bewegungen zusammenhängt, die in diesem Buch behandelt werden, sollen noch ein paar Details angegeben werden.

Die meisten praktischen Anwendungen von TDHF basierten auf Skyrmekräften. Der Grund ist derselbe wie bei statischem Hartree–Fock: Der Austauschterm macht keine Probleme, und alles läßt sich mit Hilfe weniger lokaler Dichten formulieren.

Bei *Schwerionenreaktionen* nimmt man an, daß die Anfangswellenfunktionen Lösungen der statischen Hartree–Fock-Gleichungen für die beiden Kerne im Anfangszustand sind. Diese werden in das numerische Raumgitter an der Position des jeweiligen Kerns eingesetzt und dann mit ebenen Wellen multipliziert, um ihnen eine Translationsgeschwindigkeit zu geben. Wenn man also die Nukleonen des Projektils von 1 bis A_1 und die des Targets von $A_1 + 1$ bis $A_1 + A_2$ numeriert, wird

$$\begin{aligned} \psi_j(\boldsymbol{r}, t=0) &= \phi_j(\boldsymbol{r} - \boldsymbol{R}_1)\exp(\mathrm{i}\boldsymbol{k}_1 \cdot \boldsymbol{r}), \quad j = 1, \dots A_1, \\ \psi_j(\boldsymbol{r}, t=0) &= \phi_j(\boldsymbol{r} - \boldsymbol{R}_2)\exp(\mathrm{i}\boldsymbol{k}_2 \cdot \boldsymbol{r}), \quad j = A_1 + 1, \dots A_1 + A_2. \end{aligned} \tag{9.45}$$

Hierbei bezeichnet $\boldsymbol{R}_{1,2}$ die Anfangsposition von Projektil bzw. Target und $\boldsymbol{k}_{1,2}$ den Wellenzahlvektor der Nukleonen, der die gemeinsame Bewegung beschreibt.

Mit fortschreitender Zeit werden die nukleonischen Wellenfunktionen sich mit der Geschwindigkeit $\boldsymbol{v} = \hbar \boldsymbol{k}_{1,2}/m$ bewegen, bis die beiden Kerne überlappen, was dann zu weit komplizierteren Entwicklungen führt.

Wie man leicht sieht, wird die Orthonormalität der Wellenfunktionen durch die Zeitentwicklung nicht verändert (der Einteilchen-Hamiltonoperator ist hermitisch, so daß der Zeitentwicklungsoperator unitär ist). Wie im statischen Hartree–Fock haben die individuellen Wellenfunktionen keine physikalische Bedeutung, sondern nur die Menge der besetzten Zustände insgesamt. Es gibt keinerlei Einschränkungen bzgl. der Zeitentwicklung der Zustände. Wenn man sie in adiabatische Zustände entwickeln könnte, d. h. die statischen Eigenzustände, die zur momentanen Dichteverteilung gehören, würde man finden, daß sie hohen Anregungen entsprechen können, da die Anregung an Niveaukreuzungen exakt behandelt wird und von der Geschwindigkeit der Kollektivbewegung abhängt.

Während all dies die Methode zunächst sehr attraktiv und allgemein erscheinen läßt, gibt es doch beim zweiten Hinsehen auch ernste Probleme. Man fand in vielen Rechnungen heraus, daß die Lösungen von TDHF sich nahezu „klassisch" verhalten in dem Sinne, daß die Verbreiterung der Wahrscheinlichkeitsverteilungen sehr gering ausfällt. Dies zeigt, daß Slaterdeterminanten nur einen kleinen Teil des gesamten Funktionenraums aufspannen, und das folgende einfache Beispiel zeigt, um wieviel reichhaltiger die wahre Vielteilchenwellenfunktion sein kann.

Man stelle sich ein System aus zwei Kernen vor, die miteinander wechselwirken und sich dann nach der Kollision wieder trennen. Die Endfragmente können im Endzustand dann andere Massen haben, z. B. kann die Reaktion ^{16}O + ^{16}O auf ^{12}C + ^{20}Ne oder gar auf ^{4}He + ^{28}Si führen. Die TDHF-Wellenfunktion im Endzustand enthält Beiträge für solche Aufbrüche, aber sie sind alle durch *spuriose Kanalkorrelationen* gekoppelt: Obwohl jedes der Fragmente mit endlicher Wahrscheinlichkeit verschiedene Massenzahlen haben kann, werden diese alle mit *demselben mittleren Potential* propagiert, das sie praktisch aneinanderkoppelt. So kann sich z. B. ein ^{4}He in einem Potentialtopf befinden, der zu einem ^{16}O gehört, und alle diese Fragmente sind auch noch gezwungen, sich mit derselben Geschwindigkeit zu bewegen, unabhängig von ihrer Masse. Da das energetisch völlig unpassend ist besonders für Fragmente mit Massen, die weit vom Mittelwert abweichen, resultiert eine starke Unterdrückung des Massentransfers, d. h. Komponenten mit vom Mittelwert abweichender Masse werden unterdrückt. Eine Slaterdeterminante kann also bestenfalls das mittlere Verhalten bei einer solchen Reaktion beschreiben.

Das bringt eine weitere Gefahr mit sich: Obwohl die TDHF-Gleichungen auch aus dem zeitabhängigen Variationsprinzip

$$\delta\langle\Psi|\hat{H} - \mathrm{i}\hbar\frac{\partial}{\partial t}|\Psi\rangle = 0 \tag{9.46}$$

abgeleitet werden können, wenn $|\Psi\rangle$ wieder auf eine Slaterdeterminante beschränkt wird, garantiert das keineswegs die Qualität der Näherung: Auch wenn die Anfangswellenfunktion eine gute Näherung für den Grundzustand ist, bedeutet das Minimalprinzip doch nur, daß die zeitliche Ableitung optimal genähert wird, was aber nicht sicherstellt, daß die Lösung im Laufe der Zeit nicht beliebig von der wahren Lösung abweichen kann.

Für weitere Informationen über die praktische Lösung der TDHF-Gleichungen sei der Leser auf die Übersichtsartikel [Ne82, Da85] verwiesen; ein Computerprogramm für eindimensionale Rechnungen ist in [Ma93] zu finden.

9.5 Die Generatorkoordinatenmethode

Die Generatorkoordinatenmethode ist eine allgemeine und konzeptuell sehr attraktive Ableitung kollektiver Bewegungen, die ursprünglich von Hill, Wheeler und Griffin

[Hi53, Gr57a, Gr57b] vorgeschlagen wurde. Sie wurde seitdem verbreitet in der Kerntheorie benutzt; eine neuere Übersicht ist in [Re87] zu finden. Die Methode beginnt mit einem Satz mikroskopischer Wellenfunktionen $|\Phi(a)\rangle$, die parametrisch von einem oder mehreren kollektiven Freiheitsgraden a abhängen. Es kann sich z. B. um eine Slaterdeterminante handeln, die aus einem Satz besetzter Einteilchenwellenfunktionen im Nilsson-Modell aufgebaut ist und von der Definition des phänomenologischen Einteilchenpotentials abhängt.

Es wird nun folgender Ansatz für eine Wellenfunktionen mit Kollektivbewegung gemacht:

$$|\Psi\rangle = \int \mathrm{d}a\, f(a)|\Phi(a)\rangle. \tag{9.47}$$

Die *Gewichtsfunktion* $f(a)$ ist noch zu bestimmen. Wichtig ist, daß keine zusätzliche Koordinate eingeführt wird: Die Wellenfunktion $|\Psi\rangle$ hängt immer noch nur von den mikroskopischen Freiheitsgraden ab.

Die Gewichtsfunktion wird aus dem Variationsprinzip

$$\delta\langle\Psi|\hat{H} - E|\Psi\rangle = 0 \tag{9.48}$$

bestimmt, wobei der Lagrange-Multiplikator für die Normierung sorgt. Durchführen der Variation führt auf die *Hill–Wheeler–Griffin–(HWG–)Gleichung*

$$\int \mathrm{d}a'\langle\Phi(a)|\hat{H}|\Phi(a')\rangle f(a') = E \int \mathrm{d}a'\langle\Phi(a)|\Phi(a')\rangle f(a'), \tag{9.49}$$

die formal auch in der kürzeren Form

$$\mathcal{H}f = E\mathcal{N}f \tag{9.50}$$

geschrieben werden kann. Die neuen Symbole stehen für den *Hamiltonkern*

$$\mathcal{H}(a,a') = \langle\Phi(a)|\hat{H}|\Phi(a')\rangle \tag{9.51}$$

und den *Überlappkern*

$$\mathcal{N}(a,a') = \langle\Phi(a)|\Phi(a')\rangle, \tag{9.52}$$

und offensichtlich ist ihre Anwendung auf f als das Faltungsintegral über a' zu definieren.

Wenn a ein diskreter Parameter ist, wird 9.49 eine Eigenwertgleichung, die mit angepaßter Schreibweise

$$\sum_{a'} \mathcal{H}_{aa'} f_{a'} = E \sum_{a'} \mathcal{N}_{aa'} f_{a'} \tag{9.53}$$

lautet. Das ist eine typische Eigenwertgleichung in einer *nichtorthogonalen Basis*, d. h. einer, in der die Basiszustände nicht orthonormal sind, sondern Überlappmatrixelemente $\mathcal{N}_{aa'}$ haben. Physikalisch kommt das daher, daß Slaterdeterminanten für verschiedene Werte von a nicht orthonormal sein brauchen. Es erscheint nun naheliegend, das Problem dadurch zu reduzieren, daß man beide Seiten mit dem Inversen von $\mathcal{N}$ multipliziert:

$$\mathcal{N}^{-1}\mathcal{H}f = EF, \tag{9.54}$$

was zu einem Standard-Eigenwertproblem führt, aber mit der besonderen Eigenschaft, daß die Matrix links nicht hermitisch zu sein braucht.

In der Praxis ist das gewöhnlich nicht möglich, weil $\mathcal{N}$ verschwindende Eigenwerte besitzen kann, da die $|\Phi(a)\rangle$ linear abhängig sein können. Ein besserer Weg ist es also, eine Gram–Schmidt-Orthonormalisierung durchzuführen, d. h., eine neue Basis $u_k(a)$ zu konstruieren, die (wieder mit kontinuierlichem a)

$$\int \mathrm{d}a'\, \mathcal{N}(a,a')u_k(a') = n_k u_k(a) \tag{9.55}$$

mit gewissen Normierungsfaktoren $n_k \geq 0$ erfüllt. Das Problem der Basisfunktionen mit $n_k = 0$ bleibt natürlich noch. Es bedeutet, daß die zugehörige Wellenfunktion $\sum_a u_k|\Phi(a)\rangle$ Null ist, was wiederum die lineare Abhängigkeit der Einteilchenwellenfunktionen klar zeigt. In Wirklichkeit hat der Raum der Einteilchenwellenfunktionen also eine niedrigere Dimension, und solche Basisfunktionen können weggelassen werden. Wir können also für das Weitere annehmen, daß alle n_k ungleich Null sind.

Die übrigen mit den $u_k(a)$ generierten Wellenfunktionen können jetzt normiert werden und bilden die sog. *natürlichen Zustände (natural states)*

$$|k\rangle = \frac{1}{\sqrt{n_k}} \int \mathrm{d}a\, u_k(a)|\Phi(a)\rangle, \tag{9.56}$$

die in dieser Methode den Hilbertraum der kollektiven Zustände aufspannen.

Wenn man den kollektiven Zustand $|\Psi\rangle$ nach den natürlichen Zuständen entwickelt,

$$|\Psi\rangle = \sum_k g_k|k\rangle, \tag{9.57}$$

erhält man jetzt ein Eigenwertproblem der üblichen Form

$$\sum_{k'} H_{kk'}g_{k'} = Eg_k \tag{9.58}$$

mit

$$H_{kk'} = \int \mathrm{d}a \int \mathrm{d}a' \frac{u_k^*(a)\mathcal{H}(a,a')u_k'(a')}{\sqrt{n_k n_{k'}}}. \tag{9.59}$$

Diese Entwicklungen sind natürlich rein formal, und man muß in der Praxis überprüfen, ob die so konstruierten Zustände gute Näherungen für die Eigenzustände des Hamiltonoperators sind, in dem Sinne, daß z. B. ein Integral über Slaterdeterminanten bei benachbarten Deformationsparametern eine wahre kollektive Nullpunktsschwingung oder einen angeregten Schwingungszustand beschreibt.

Wie würde man die HWG-Gleichungen in der Praxis lösen? Eine direkte Diskretisierung ist problematisch. Wenn man die Punkte in a feiner wählt, erhält man eine genauere Entwicklung, aber in Zuständen mit schlechter werdender linearer Unabhängigkeit, da $|\Phi(a)\rangle$ und $|\Phi(a+\Delta a)\rangle$ ja identisch werden, wenn $\Delta a \to 0$. Letztlich stellt sich heraus, daß E und $|\Psi\rangle$ konvergieren, aber nicht die Gewichtsfunktion.

Es gibt einige Fälle, in denen der Überlappkern exakt diagonalisiert werden kann; ein solcher ist in Übung 9.2 angegeben. Die nützlichste Methode zum Weiterkommen ist aber die *Gaußsche Überlappnäherung* (Gaussian Overlap Approximation, GOA), die in Kürze diskutiert wird. Zunächst aber soll erläutert werden, wie man einen kollektiven Hamiltonoperator im Raum der a konstruiert.

9.2 Aufgabe: Generatorkoordinatenmethode

Man löse den harmonischen Oszillator in der Generatorkoordinatenmethode durch eine Entwicklung nach Gaußpaketen, die bei verschiedenen Positionen zentriert sind.

Lösung:

Diese Übung ist nicht nur von mathematischem Interesse, da ja schon gezeigt wurde, daß viele Typen kollektiver Bewegung recht gut durch harmonische Oszillatoren beschrieben werden können. Die Lösung dieser Aufgabe erfordert viele einzelne Schritte, die aber trivial sind, so daß hier nur der Gang der Rechnung im Überblick erläutert werden soll.

Man beginnt mit dem Hamiltonoperator

$$\hat{H} = \frac{\hat{p}^2}{2m} + \frac{m\omega^2 \hat{q}^2}{2} \qquad \underline{1}$$

und benutzt einen Satz normierter Wellenfunktionen der Form

$$\langle q|\Phi(a)\rangle = (\pi s^2)^{-1/4} \exp[-(q-a)^2/2s^2]. \qquad \underline{2}$$

Hierin steht q für den mikroskopischen Freiheitsgrad und a ist der „kollektive Parameter"; $|\Phi(a)\rangle$ ist eine mikroskopische Wellenfunktion, die an der durch den Parameter a angegebenen Stelle zentriert ist. Die Breite s der Pakete ist ein freier Parameter, der durch zusätzliche Überlegungen fixiert werden muß. Jetzt können zunächst die Kerne durch Integrale über Gaußfunktionen ausgewertet werden:

$$\begin{aligned} \mathcal{N}(a,a') &= \exp[-(a-a')^2/4s^2], \qquad \underline{3} \\ \mathcal{H}(a.a') &= \mathcal{N}(a,a')\left\{\frac{\hbar^2}{2m}\left(\frac{1}{2s^2} - \frac{(a-a')^2}{4s^2}\right) + \frac{m\omega^2}{2}\left(\frac{s^2}{2} + \frac{(a+a')^2}{4}\right)\right\}. \end{aligned}$$

Die Aufgabe wird dadurch vereinfacht, daß $\mathcal{N}(a,a')$ nur von $a-a'$ abhängt, d. h., es ist translationsinvariant im a-Raum und die Eigenfunktionen sind ebene Wellen:

$$u_k(a) = \frac{1}{\sqrt{2\pi}} e^{-ika}. \qquad \underline{4}$$

Die Norm dieser natürlichen Zustände ist

$$n_k = \int \mathrm{d}a\, e^{-ika} \mathcal{N}(a,0) = 2\sqrt{\pi s^2} e^{-k^2 s^2}. \qquad \underline{5}$$

Es gibt keine Zustände mit $n_k = 0$, aber Null ist der Grenzwert für $k \to \infty$.

Weil k ein kontinuierlicher Parameter ist, wird der Hamiltonoperator in dieser Basis eine Distribution:

$$H_{kk'} = \frac{\hbar^2 k^2}{2m}\delta(k-k') - \frac{m\omega^2}{2}\delta''(k-k'). \qquad \underline{6}$$

Es ist interessant, daß dies gerade die Impulsraumversion des Hamiltonoperators für den harmonischen Oszillator ist, mit dem wir angefangen haben, und daß in diesem Spezialfall der freie Parameter s verschwunden ist.

Die Schrödingergleichung für die Entwicklungskoeffizienten $g(k)$ ist jetzt

$$\frac{\hbar^2 k^2}{2m} g(k) - \frac{m\omega^2}{2} g''(k) = E g(k), \qquad \underline{7}$$

und ist in der Form fast identisch mit der Version im Koordinatenraum, so daß die Grundzustandslösung leicht hinzuschreiben ist:

$$g_0(k) = \left(\frac{b^2}{\pi}\right)^{1/4} \exp[-\tfrac{1}{2} b^2 k^2], \qquad b = \sqrt{\frac{\hbar}{m\omega}}. \qquad \underline{8}$$

Das entspricht der Gewichtsfunktion

$$\begin{aligned} f_0(a) &= \int \mathrm{d}k\, \frac{g_0(k)}{\sqrt{n_k}} u_k(a) \qquad \underline{9} \\ &= \frac{1}{\sqrt{2\pi}} \frac{1}{\sqrt{b^2-s^2}} \sqrt{\frac{b}{s}} \exp[-a^2/2(b^2-s^2)], \end{aligned}$$

was aber offensichtlich nur für $b > s$ gilt.

Schließlich können wir die „mikroskopische“ Grundzustandswellenfunktion selbst berechnen. Sie ist

$$\langle q|\Psi_0\rangle = \int \mathrm{d}a\, f_0(a) \langle q|\Phi(a)\rangle = (\pi b^2)^{-1/4} \exp[-q^2/2b^2], \qquad \underline{10}$$

und wir haben den exakten Grundzustand des harmonischen Oszillators. Ist das überraschend oder eher trivial? Einerseits wäre es beunruhigend gewesen, eine Theorie zu haben, die noch nicht einmal den harmonischen Oszillator wiedergeben kann, andererseits war das, was hier mathematisch passierte, nicht vollständig trivial. Wir haben die exakte Wellenfunktion mit ihrer Breite b in eine Überlagerung von Gaußfunktionen der anderen Breite s, aber mit allen möglichen Positionen, entwickelt. Also hat das Integral über die Gewichtsfunktion genau diese Entwicklung durchgeführt, und es ist nicht überraschend, daß das nur für $b > s$ funktioniert: Es wäre unmöglich, eine Gaußverteilung in solcher größeren Breite zu entwickeln (in Wirklichkeit kann auch das gemacht werden, aber dann ist $f_0(a)$ eine Distribution und keine normale Wellenfunktion).

Ein wichtiger Vorteil der Generatorkoordinatenmethode besteht darin, daß ein kollektiver Hamiltonoperator relativ leicht deduziert werden kann. Das Ziel ist eine Gleichung der Form

$$\hat{H}_{\text{coll}}\phi(a) = E\phi(a), \tag{9.60}$$

mit $\phi(a)$ der kollektiven Wellenfunktion, die mit der Gewichtsfunktion $f(a)$ in Beziehung stehen sollte. Der hauptsächliche Unterschied ist, daß $\phi(a)$ auf die übliche Art normiert sein sollte:

$$\int \mathrm{d}a\phi^*(a)\phi(a) = 1, \tag{9.61}$$

so daß der Überlappkern eliminiert werden muß. Dies kann formal dadurch geschehen, daß man

$$\phi(a) = \int \mathrm{d}a'\,\mathcal{N}^{1/2}(a,a')f(a') \tag{9.62}$$

schreibt, oder kürzer,

$$\phi = \mathcal{N}^{1/2}f. \tag{9.63}$$

Hierin muß die „Quadratwurzel" von $\mathcal{N}$ die Beziehung

$$\mathcal{N}(a,a') = \int \mathrm{d}a''\,\mathcal{N}^{1/2}(a,a'')\mathcal{N}^{1/2}(a'',a') \tag{9.64}$$

erfüllen. Wenn man die Definition von ϕ in die Hill–Wheeler–Griffin-Gleichung einsetzt, erhält man

$$\mathcal{N}^{1/2}\left[\mathcal{N}^{-1/2}\mathcal{H}\mathcal{N}^{-1/2} - E\right]\phi = 0. \tag{9.65}$$

Wenn $\mathcal{N}$ keine Singularitäten oder verschwindenden Eigenwerte hat, ergibt das einen kollektiven Hamiltonoperator

$$\hat{H}_{\text{coll}} = \mathcal{N}^{-1/2}\mathcal{H}\mathcal{N}^{-1/2}. \tag{9.66}$$

Dieser formale Ausdruck für den kollektiven Hamiltonoperator ist immer noch extrem kompliziert und im allgemeinen ein Integraloperator. Im Rahmen der *Gaußschen Überlappnäherung* (GOA), die von Brink und Weiguny [Br68b] erfunden wurde, kann er in eine vertrautere Form übergeführt werden. Die Annahme ist, daß der Überlappkern sich wie eine Gaußfunktion verhält, d. h. bei wachsendem Unterschied der beiden Kollektivkoordinaten rapide abfällt. Die Rechnungen dazu sind relativ kompliziert, so daß hier eine etwas vereinfachte Version gegeben wird; der allgemeine Fall ist in [Re87] zu finden.

Zunächst wird auf „Schwerpunktskoordinaten“ transformiert über

$$q = \tfrac{1}{2}(a + a'), \qquad \xi = \tfrac{1}{2}(a - a'), \tag{9.67}$$

wobei sich die Ableitungen nach

$$\frac{\partial}{\partial \xi} = \frac{\partial}{\partial a} - \frac{\partial}{\partial a'}, \qquad \frac{\partial}{\partial q} = \frac{\partial}{\partial a} + \frac{\partial}{\partial a'} \tag{9.68}$$

transformieren. Die Gaußsche Überlappnäherung kann nun als

$$\mathcal{N}(q, \xi) = \exp[-\lambda(q)\, \xi^2] \tag{9.69}$$

formuliert werden. Obwohl die Breite λ im allgemeinen von der Position q abhängen kann, sollte man diese Abhängigkeit zumindest für den Fall eines Parameters eliminieren, so daß wir annehmen werden, daß λ konstant ist und $\mathcal{N}(q, \xi) \to \mathcal{N}(\xi)$.

Da nach Annahme die Gaußfunktionen sehr eng sind, kann man Näherungen zweiter Ordnung verwenden, also z. B. für den Hamiltonkern

$$\mathcal{H}(q, \xi) = \left[\mathcal{H}_0(q) - \tfrac{1}{2}\xi^2 \mathcal{H}_2(q)\right] \mathcal{N}(\xi), \tag{9.70}$$

mit

$$\begin{aligned} \mathcal{H}_0(q) &= \mathcal{H}(q, \xi = 0), \\ \mathcal{H}_2(q, \xi) &= -\left.\frac{\partial^2}{\partial \xi^2} \mathcal{H}(q, \xi)\right|_{\xi=0}, \end{aligned} \tag{9.71}$$

und wir werden auch

$$\lambda = -\frac{\partial^2}{\partial \xi^2} \mathcal{N}(\xi) \tag{9.72}$$

benutzen.

Nun muß 9.66 für die GOA umgeschrieben werden. Zunächst schreiben wir diese Gleichung explizit mit den kollektiven Parametern und Integralen aus:

$$\hat{H}_{\text{coll}}(a, a') = \int \mathrm{d}x\, \mathrm{d}x' \mathcal{N}^{-1/2}(a, x) \mathcal{H}(x, x') \mathcal{N}^{-1/2}(x', a'). \tag{9.73}$$

Mit den Definitionen $\bar{q} = \frac{1}{2}(x + x')$ und $\bar{\xi} = \frac{1}{2}(x - x')$ kann die GOA für den Hamiltonkern in der Form

$$\mathcal{H}(x, x') = \left[\mathcal{H}_0(\bar{q}) - \frac{\mathcal{H}_2(\bar{q})}{2\lambda^2} \frac{\partial^2}{\partial \bar{\xi}^2} - \lambda \mathcal{H}_2(\bar{q})\right] \mathcal{N}(\bar{\xi}) \tag{9.74}$$

geschrieben werden. Man beachte, daß die Entwicklung zweiter Ordnung im Vergleich zu 9.70 umgeschrieben wurde, indem die Ableitungen jetzt auf den Überlappkern wirken.

Nach Einsetzen der Entwicklung in den kollektiven Hamiltonoperator 9.73 können die Ableitungen nach x und x' mittels partieller Integration durch Ableitungen nach a und a' ersetzt werden, wenn man noch beachtet, daß

$$\frac{\partial}{\partial a}\mathcal{N} = -\frac{\partial}{\partial a'}\mathcal{N}, \tag{9.75}$$

und analog für die Quadratwurzel des Kerns. Auf diese Art erhalten wir

$$\begin{aligned} \hat{H}_{\text{coll}}(a,a') &= \int \mathrm{d}x\,\mathrm{d}x'\mathcal{N}^{-1/2}(a,x) \\ &\quad \times \left[\mathcal{H}(\bar{q}) - \frac{\mathcal{H}_2(\bar{q})}{2\lambda^2}\frac{\partial^2}{\partial\bar{\xi}^2} - \lambda\mathcal{H}_2(\bar{q})\right]\mathcal{N}(\bar{\xi})\mathcal{N}^{-1/2}(x',a'). \end{aligned} \tag{9.76}$$

Der nächste Schritt ist die Behandlung des $\bar{q}$ in der Integration. Man entwickelt alle Terme konsistent zu zweiter Ordnung um den Punkt q,

$$\begin{aligned} \mathcal{H}_0(\bar{q}) &\approx \mathcal{H}_0(q) + (\bar{q}-q)\frac{\partial\mathcal{H}_0(q)}{\partial q} + \tfrac{1}{2}(\bar{q}-q)^2\frac{\partial^2\mathcal{H}_0(q)}{\partial q^2}, \\ \mathcal{H}_2(\bar{q}) &\approx \mathcal{H}_2(q), \end{aligned} \tag{9.77}$$

so daß nur noch die Auswertung der Integrale über $(\bar{q}-q)$ verbleibt. Das verläuft geradlinig, ist aber aufwendig im Detail. Z. B. kann der lineare Term gemäß

$$\begin{aligned} X &= \int \mathrm{d}x\,\mathrm{d}x'\,\mathcal{N}^{-1/2}(a,x)(\bar{q}-q)\mathcal{H}_0'(q)\mathcal{N}(x,x')\mathcal{N}^{-1/2}(x',a') \\ &= \int \mathrm{d}x\,\mathrm{d}x'\,\mathcal{N}^{-1/2}(a,x)\tfrac{1}{2}(x-a+x'-a')\mathcal{H}_0'(q)\mathcal{N}(x,x')\mathcal{N}^{-1/2}(x',a') \\ &= \int \mathrm{d}x\,\mathrm{d}x'\,\frac{1}{4\lambda}\left[\left(\left(\frac{\partial}{\partial x}-\frac{\partial}{\partial a}\right)\mathcal{N}^{-1/2}(a,x)\right)\mathcal{H}_0'(q)\mathcal{N}(x,x')\mathcal{N}^{-1/2}(x',a')\right. \\ &\quad \left. + \mathcal{N}^{-1/2}(a,x)\mathcal{H}_0'(q)\mathcal{N}(x,x')\left(\left(\frac{\partial}{\partial x'}-\frac{\partial}{\partial a'}\right)\mathcal{N}^{-1/2}(x',a')\right)\right] \\ &= -\frac{1}{4\lambda}\left(\frac{\partial}{\partial a}+\frac{\partial}{\partial a'}\right)\mathcal{H}_0'(q)\int \mathrm{d}x\,\mathrm{d}x'\,\mathcal{N}^{-1/2}(a,x)\mathcal{N}(x,x')\mathcal{N}^{-1/2}(x',a') \\ &\quad + \frac{1}{4\lambda}\mathcal{H}_0'(q)\int \mathrm{d}x\,\mathrm{d}x'\,\mathcal{N}^{-1/2}(a,x)\left(\frac{\partial}{\partial x}+\frac{\partial}{\partial x'}\right)\mathcal{N}(x,x')\mathcal{N}^{-1/2}(x',a') \\ &= -\frac{1}{4\lambda}\left(\frac{\partial}{\partial a}+\frac{\partial}{\partial a'}\right)\mathcal{H}_0'(q)\delta(a-a') \\ &= -\delta(a-a')\frac{1}{4\lambda}\mathcal{H}_0''(q) \end{aligned} \tag{9.78}$$

umgeschrieben werden. Der Term in $(\bar{q}-q)^2$ kann analog behandelt werden, trägt aber in der betrachteten Ordnung nichts bei. Zusammenstellen dieser Resultate ergibt

$$\hat{H}_{\text{coll}}(a,a') = \left[\mathcal{H}_0(q) - \frac{1}{4\lambda}\mathcal{H}''(q) - \lambda\mathcal{H}_2(q) - \frac{\mathcal{H}_2(q)}{2\lambda^2}\frac{\partial^2}{\partial\xi^2}\right]\delta(\xi). \tag{9.79}$$

In der HWG-Gleichung wirkt der Operator als Integraloperator auf die Gewichtsfunktion. In diesem speziellen Fall aber ist er einer δ-Funktion proportional und kann dadurch in einen Differentialoperator umgewandelt werden, daß man die Ableitungen nach a und a', die in ξ verborgen sind, nach links und rechts verschiebt. Das Resultat ist

$$\hat{H}_{\text{coll}} = \mathcal{H}_0(q) - \frac{1}{4\lambda}\mathcal{H}_0''(q) - \lambda\mathcal{H}_2(q) + \left\{\hat{p}, \left\{\frac{\mathcal{H}_2(q)}{8\lambda^2}, \hat{p}\right\}\right\} . \tag{9.80}$$

Hierin ist $\hat{p} = -\mathrm{i}\partial/\partial q$ der kollektive Impulsoperator, und die geschweifen Klammern im letzten Term bezeichnen den Antikommutator.

Dieses interessante Resultat zeigt, daß der kollektive Hamiltonoperator aus einer Anzahl Potentialterme (die ersten drei, die nicht nur den Erwartungswert des mikroskopischen Hamiltonoperators beim Parameterwert q, sondern auch Korrekturen enthalten, die von der Verbreiterung der mikroskopischen Wellenfunktion im q-Raum herrühren) und einer kinetischen Energie besteht, die die übliche zweite Ableitung enthält. Der kollektive Massenparameter ist nach dieser Formel offensichtlich gegeben als

$$\frac{1}{2B} = \frac{\mathcal{H}_2(q)}{8\lambda^2}. \tag{9.81}$$

Dieser Ausdruck ist ähnlich, aber nicht identisch mit dem des sehr viel einfacheren Kurbelmodells.

Somit ist das Ziel dieses Abschnitts erreicht: nachzuweisen, daß eine quantisierte kollektive Bewegungsgleichung im relativ einfachen Rahmen aus der mikroskopischen Theorie erhalten werden kann. Die wesentliche Näherung war die GOA, die dazu diente, die Integralgleichung vom HWG-Typ in eine der Schrödingergleichung ähnliche Differentialgleichung umzuwandeln.

Die Generatorkoordinatenmethode wurde auf viele Probleme der Kollektivbewegung angewandt und war im allgemeinen recht erfolgreich, obwohl die gegebenen Computermöglichkeiten die Anwendungen auf relativ leichte Systeme beschränkt haben. Der leser findet Details und Beispiele in [Re87].

9.6 Hochspinzustände

9.6.1 Übersicht

Das Studium von Kernen bei großem Drehimpuls ist durch Schwerionenkollisionen experimentell möglich geworden. Ein Eindruck vom theoretischen Hintergrund soll hier gegeben werden, und zwar mit dem Schwergewicht auf der Verallgemeinerung bereits behandelter Modelle.

Eine Schwerionenreaktion kann Kernzustände sehr hohen Drehimpulses populieren, die *Hochspinzustände*, wobei Werte bis zu $I \approx 60\hbar$ erreichbar sind. Die Reaktion produziert solche Konfigurationen mit erheblicher innerer Anregung, aber die Emission von ein paar Neutronen reduziert die Anregungsenergie schnell, während sie den Spin kaum verringert. Auf diese Weise fällt der Kern auf die *yrast*-Linie („yrast" ist der Superlativ des schwedischen Wortes „yr", was *wirr* bedeutet), die aus den bei festem Drehimpuls niedrigsten Zuständen besteht. Entlang dieser Linie erwartet man, daß es keine innere Anregung gibt, d. h. so etwas wie den „Grundzustand" für den gegebenen Drehimpuls.

Eine Methode, Hochspinzustände zu beschreiben, ist die konsistente Ausweitung der Hartree–Fock-Methoden [Qu78, Bo87]. Das theoretische Hauptproblem dabei ist die Frage, wie man eine Wellenfunktion guten Drehimpulses aus einer Theorie konstruiert, die die Drehinvarianz verletzt — man denke nur daran, daß der Hartree–Fock-Grundzustand gewöhnlich deformiert ist —, und es wurden eine Reihe von Projektionstechniken zu diesem Zweck entwickelt. Hier betrachten wir statt dessen die eher phänomenologischen Methoden, die auf dem Tropfenmodell und Schalenkorrekturen beruhen. Im nächsten Abschnitt wird das Nilsson-Modell für rotierende Kerne verallgemeinert, aber zunächst sollen noch einige allgemeine Eigenschaften erörtert werden.

Cohen, Plasil, und Swiatecki [Co74] haben zuerst die Eigenschaften eines rotierenden Tropfens berechnet, was durch eine verfeinerte Version von Sierk [Si86] erweitert wurde. Obwohl das Modell nur numerisch behandelt werden kann, ist die Grundidee sehr einfach: Für gegebene Oberflächenform wird die Tropfenmodellenergie auf die übliche Art bestimmt, mit Oberflächen- und Coulombenergie als Hauptbeiträgen. Zu diesen wird eine Rotationsenergie addiert, die mit der Annahme starrer Rotation berechnet wird, d. h., der Kern rotiert mit einem inneren Geschwindigkeitsfeld $\boldsymbol{v} = \boldsymbol{\omega} \times \boldsymbol{r}$ an jedem Punkt $\boldsymbol{r}$ und mit homogener Dichteverteilung. Der Drehimpuls wird aus derselben Annahme berechnet.

Für gegebenen Drehimpuls kann man damit die energetisch günstigste Form des Kernes ausrechnen. Im Grundzustand produziert ein Tropfenmodell natürlich eine sphärische Kernform, die aber dann durch die Zentrifugalkraft bei wachsendem Drehimpuls eine oblate Deformation annimmt, so daß der Kern wie ein Diskus rotiert. Bei noch höherem Drehimpuls wird diese Konfiguration instabil und die Kernform beginnt, entlang einer der Achsen zu elongieren, so daß eine triaxiale Gestalt erreicht wird. Während diese Elongation weitergeht, nähert sich die Kernform einer prolaten Deformation mit Rotation um eine der kürzeren Achsen, und schließlich wird ein Grenzdrehimpuls erreicht, jenseits dessen der Kern spaltet. Es gibt heute Hinweise für sehr große prolate Deformationen — zu sehen in Rotationsbanden mit sehr kleinem Niveauabstand —, der sogenannten *Superdeformation*.

Wie erwähnt gibt es entlang der yrast-Linie keine innere Anregung, so daß Einteilcheneffekte und die Paarkraft ähnlich wie in der Nähe des echten Grundzustandes eine große Rolle spielen können. Wir haben schon gesehen, daß die Paarkraft die Trägheitsmomente bei kleinen Drehimpulsen beeinflußt, und es hat sich herausgestellt, daß die Effekte der Paarkraft sich bei wachsendem Drehimpuls drastisch ändern. Die Corioliskraft neigt dazu, die Nukleonenpaare aufzubrechen, indem sie es für diese energetisch

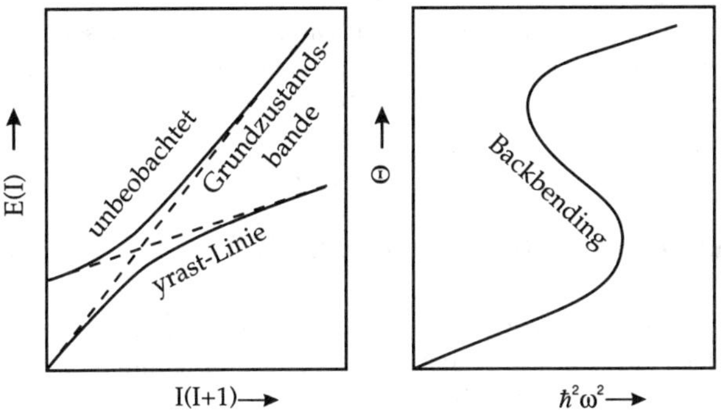

Abb. 9.18: Illustration des backbending-Effektes. Die normale Rotationsbande kreuzt eine Bande mit einem aufgebrochenen Paar und deswegen größerem Trägheitsmoment. Nahe der Kreuzung mischt die übliche Abstoßung die Banden und schiebt sie auseinander, so daß der Übergang allmählich passiert. Die beobachtbaren Zustände auf der yrast-Linie sind die bei jedem Drehimpuls niedrigeren. Rechts ist das Trägheitsmoment als Funktion von $\hbar^2\omega^2$ aufgetragen und zeigt das backbending-Verhalten. Experimentell wird dieser Übergang gewöhnlich bei Drehimpulsen zwischen 10 und 20 gesehen.

vorteilhaft macht, ihre Drehimpulse entlang der kollektiven Drehachse auszurichten, statt sie miteinander zu Null zu koppeln. Ohne auf die detaillierte Mathematik einzugehen, ist leicht einzusehen, was passiert: Immer wenn ein Paar aufgebrochen wird, nimmt das Trägheitsmoment zu, weil bei nahezu gleicher Drehfrequenz der Drehimpuls wächst, so daß die Rotationsbande einen kleineren Niveauabstand bekommt. Wie in Abb. 9.18 gezeigt, bedeutet das eine Kreuzung von Banden, wobei die yrast-Bande immer den niedrigeren Niveaus folgt. Wenn dies auf passend dramatische Art aufgezeichnet wird, resultiert daraus der bekannte *backbending plot.* In diser Art der Auftragung ist die Rotationsfrequenz klassisch aus den gemessenen Energieniveaus $E(I)$ zu

$$\omega = \frac{\mathrm{d}E(I)}{\mathrm{d}J}, \qquad J = \sqrt{I(I+1)} \tag{9.82}$$

berechnet, so daß für diskrete Zustände

$$\omega \approx \frac{E(I) - E(I-2)}{\sqrt{I(I+1)} - \sqrt{(I-1)(I-2)}}. \tag{9.83}$$

Das Trägheitsmoment ist dann

$$\Theta = \frac{J}{\omega} \approx \frac{2I-1}{E(I) - E(I-2)}. \tag{9.84}$$

Bei ausreichend hohem Drehimpuls wird die Paarstruktur vollständig zerstört, und das Trägheitsmoment wird in guter Näherung das des starren Körpers, so daß man die Deformationen sehr einfach bestimmen kann. Selbst in dieser Gegend bleibt die Einteilchenstruktur wichtig, und man kann Schaleneffekte im Rahmen eines rotierenden phänomenologischen Schalenmodells studieren, wie es im nächsten Abschnitt beschrieben ist.

9.6.2 Das rotierende Nilsson-Modell

Das rotierende Nilsson-Modell (cranked Nilsson model) [Be75b, Ne75, Ne76, An76] bietet eine einfache und oft verwendete Möglichkeit, die Veränderung der Einteilchenstruktur bei Rotation zu beschreiben.

Man nimmt an, daß die Teilchen sich wie beim Nilsson-Modell in einem deformierten Oszillatorpotential bewegen, aber das dieses Potential um die x-Achse rotiert. Die Deformation des Core wird wie üblich durch β und γ beschrieben, es stellt sich allerdings heraus, daß nichtaxiale Deformationen in diesem Fall sehr wichtig sind, so daß die gewöhnliche Beschränkung auf $\gamma = 0$ nicht gerechtfertigt ist. Ein Grund dafür ist offensichtlich: Auch wenn der Kern im Grundzustand axialsymmetrisch um die z-Achse ist, sind jetzt x- und y-Achse unterschieden, und die Corioliskraft wird definitiv die Axialsymmetrie verletzen.

Es liegt auf der Hand, ein Koordinatensystem zu verwenden, das mit dem Kern rotiert. Welche Konsequenzen hat das für den Hamiltonoperator? Transformieren wir von raumfesten Koordinaten (x', y', z') auf körperfeste (x, y, z), wobei letztere mit der Winkelgeschwindigkeit ω um die x'=x-Achse rotieren. Die Koordinatentransformation ist

$$\begin{aligned} x &= x' \\ y &= y' \cos\omega t + z' \sin\omega t \\ z &= -y' \sin\omega t + z' \cos\omega t. \end{aligned} \tag{9.85}$$

Die kinetische Energie kann leicht transformiert werden:

$$\begin{aligned} T &= \tfrac{1}{2}m(\dot{x}'^2 + \dot{y}'^2 + \dot{z}'^2) \\ &= \tfrac{1}{2}m(\dot{x}^2 + \dot{y}^2 + \dot{z}^2 + 2\omega(y\dot{z} - z\dot{y}) + \omega^2(y^2 + z^2)). \end{aligned} \tag{9.86}$$

Da das Potential im mitrotierenden System einfach $V(x, y, z)$ ist — es ist im körperfesten System natürlich zeitunabhängig —, ist die Lagrangefunktion standardmäßig durch $L = T - V(x, y, z)$ gegeben, aber die konjugierten Impulse werden etwas komplizierter:

$$\begin{aligned} p_x &= \frac{\partial L}{\partial \dot{x}} = m\dot{x} \\ p_y &= \frac{\partial L}{\partial \dot{y}} = m(\dot{y} - \omega z) \\ p_z &= \frac{\partial L}{\partial \dot{z}} = m(\dot{z} + \omega y). \end{aligned} \tag{9.87}$$

Jetzt kann die Hamiltonfunktion aufgestellt werden und ergibt sich als

$$\begin{aligned} H_\omega &= \dot{x}p_x + \dot{y}p_y + \dot{z}p_z - L \\ &= \frac{1}{2m}(p_x^2 + p_y^2 + p_z^2) - \omega(yp_z - zp_y) + V(x,y,z) \\ &= \frac{1}{2m}(p_x^2 + p_y^2 + p_z^2) + V(x,y,z) - \omega j_x. \end{aligned} \tag{9.88}$$

Hierin ist j_x der Drehimpuls des Teilchens um die x-Achse *im rotierenden Koordinatensystem.* Das entspricht den körperfesten Drehimpulsen (j'_x) im Kollektivmodell (die Notation bzgl. der Striche an den Größen ist hier umgekehrt, um mit der Literatur im Einklang zu bleiben).

Die ersten beiden Terme in (9.88) bilden einfach den Standard-Hamiltonoperator für die Situation ohne Rotation, so daß die Schlußfolgerung ist, daß sich der Operator im rotierenden System davon nur gemäß

$$H_\omega = H_0 - \omega j_x \tag{9.89}$$

unterscheidet.

Diese Ableitung funktioniert genauso für ein Vielteilchensystem; j_x muß dann durch den Gesamtdrehimpuls ersetzt werden; ebenso einfach ist die Quantisierung, die nur zum Ersatz des klassischen Drehimpulses durch den Drehimpulsoperator führt.

Allerdings ist für ein rotierendes Koordinatensystem (und allgemeiner für zeitabhängige Zwangsbedingungen) die Hamiltonfunktion nicht identisch mit der Gesamtenergie, die statt dessen als Erwartungswert des statischen Hamiltonoperators H_0 berechnet werden muß. Dies wird auch klar, wenn man (9.89) anders interpretiert: Die Gleichung entspricht einem Variationsproblem

$$0 = \delta\langle\Psi|\hat{H}_\omega|\Psi\rangle = \delta\langle\Psi|\hat{H}_0 - \omega\hat{j}_x|\Psi\rangle \tag{9.90}$$

mit der Nebenbedingung, daß j_x vorgeschrieben ist (ω spielt die Rolle des Lagrangemultiplikators).

Die Eigenwerte von $\hat{H}_\omega$, die aus

$$\hat{H}_\omega|\chi_i^\omega\rangle = \epsilon_i^\omega|\chi_i^\omega\rangle \tag{9.91}$$

bestimmt werden, unterscheiden sich von den Energien der Einteilchenzustände,

$$e_i^\omega = \langle\chi_i^\omega|\hat{H}_0|\chi_i^\omega\rangle \tag{9.92}$$

Es gibt auch keine Drehimpulsquantenzahlen mehr, und sogar die Projektion auf die x-Achse kann nur als Erwartungswert berechnet werden. Die einzigen verbleibenden Symmetrien sind die Spiegelungssymmetrie, die die Parität als Quantenzahl liefert, und eine Drehung um 180° um die x-Achse. Letztere ergibt die sog. *Signaturquantenzahl* α. Eine Drehung um den Winkel π um die x-Achse produziert einen Faktor

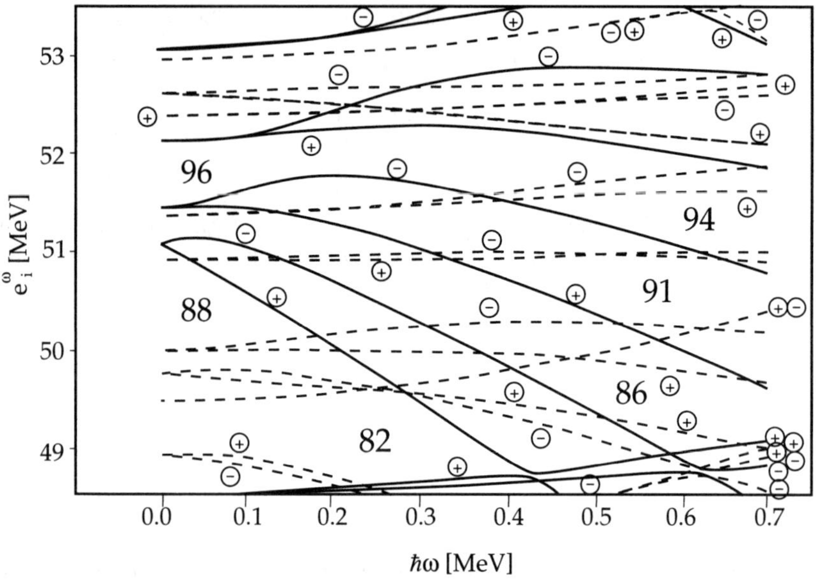

Abb. 9.19: Auszug aus einem Niveauschema im rotierenden Nilssonmodell [Be91]. Dargestellt sind Neutronenniveaus für eine quadrupoldeformierte Kernform mit $\beta = 0.2$, $\gamma = 0$, und ohne Hexadekupoldeformation. Die Parität wird durch den Linientyp angedeutet (gestrichelt: positiv, voll: negativ), während das Vorzeichen der Signatur in den kleinen Kreisen nahe den Linien angegeben ist. In den Lücken sind die neuen magischen Zahlen angegeben. Man beachte, daß wegen der Aufhebung der Kramers-Entartung jedes Niveau nur mit einem Nukleon besetzt werden kann.

$\exp(-\mathrm{i}\pi j_x)$ für eine Wellenfunktion mit gutem j_x. Für halbzahligen Drehimpuls kann man das Resultat in der Form

$$e^{-\mathrm{i}\pi j_x} = e^{-\mathrm{i}\alpha} \text{ wobei } \alpha = \begin{cases} \frac{1}{2} & \text{für } j_x = \frac{1}{2}, \frac{5}{2}, \frac{9}{2}, \dots \\ -\frac{1}{2} & \text{für } j_x = \frac{3}{2}, \frac{7}{2}, \dots \end{cases} \tag{9.93}$$

schreiben. Deswegen ist es günstig, die Eigenfunktionen in einer Basis mit guter Drehimpulsprojektion entlang der x-Achse zu entwickeln, da dann nur die Zustände mit gleichem α gekoppelt werden.

Eine umfassende Rechnung in diesem Modell erfordert eine Reihe von Ingredienzien, von denen die meisten schon diskutiert wurden. Um einen Eindruck davon zu geben, sei ein Umriß eines in [Be91] publizierten Computerprogramms gegeben. Es verwendet ein Nilssonpotential mit axialer Symmetrie, aber unter Einschluß der Hexadekupoldeformation. Für gegebene Deformation und Winkelgeschwindigkeit ω werden die folgenden Schritte durchgeführt:

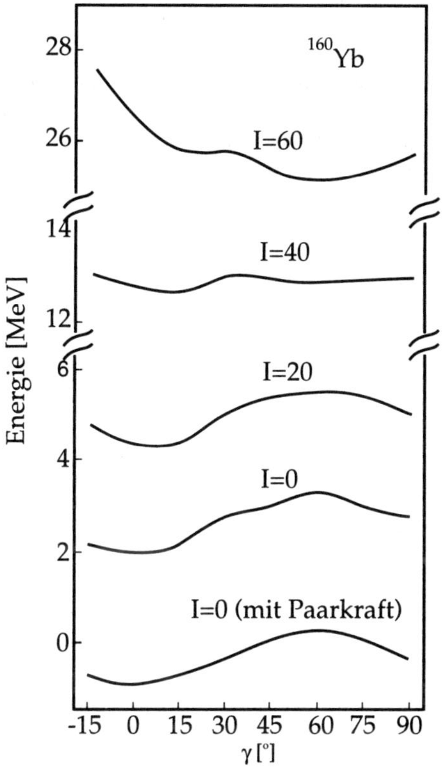

Abb. 9.20: Die Gesamtenergie des Kerns ^{160}Yb als Funktion von γ für verschiedene Drehimpulse, aus [Be91]. Offensichtlich verschiebt sich das Minimum von einer prolaten Kernform ($\gamma = 0$) zu einer oblaten ($\gamma = 60°$). In diesem Falle wurde allerdings die Quadrupoldeformation festgehalten und durfte mit dem Spin nicht zunehmen.

1. Die Einteilchenzustände werden durch Diagonalisierung von $\hat{H}_\omega$ bestimmt.
2. Die Schalenkorrekturen werden nach der Prozedur von Abschnitt 9.2.2 berechnet, aber mit den Energieerwartungswerten e_i^ω.
3. Die Paarkrafteffekte werden im BCS-Modell (Abschnitt 7.5.4) berechnet. Die korrekte Behandlung der Paarkraft bei höheren Drehimpulsen ist komplizierter, so daß sie in diesem Programm nur für $\omega = 0$ verwendet wird.
4. Die Tropfenmodellenergie wird hinzugefügt. Sie enthält wie üblich die Coulomb- und Oberflächenenergien, aber auch zusätzlich die Rotationsenergie nach Abschnitt 9.6.1, die in manchen Arbeiten auch schalenkorrigiert wird.

Das Resultat einer solchen Rechnung ist eine Potentialfläche, die nicht nur von den Deformationsparametern, sondern auch von ω abhängt. Das erlaubt es, die systematische Veränderung der Potentialtöpfe mit dem Spin zu studieren . Ein Beispiel für ein Niveaudiagramm ist in Abb. 9.19 gezeigt und demonstriert klar, daß Schalenabschlüsse für große ω genauso auftreten können wie für den nichtrotierenden Kern. Abb. 9.20 wiederum zeigt, daß die Schalenkorrekturen groß genug sind, um auch im Verein mit der Tropfenmodellenergie zu systematischen Verschiebungen in der Deformation zu führen.

Anhang

Einige Gleichungen aus der Drehimpulstheorie

Symmetrieeigenschaften:

$$\begin{aligned}
(j_1 j_2 J|m_1 m_2 M) &= (-1)^{j_1+j_2-J}(j_2 j_1 J|m_2 m_1 M) \\
&= (-1)^{j_1-m_1}\sqrt{\frac{2J+1}{2j_2+1}}(j_1 J j_2|m_1 - M - m_2) \\
&= (-1)^{j_1-m_1}\sqrt{\frac{2J+1}{2j_2+1}}(J j_1 j_2|M - m_1 m_2) \\
&= (-1)^{j_2+m_2}\sqrt{\frac{2J+1}{2j_1+1}}(J j_2 j_1| - M m_2 - m_1) \\
&= (-1)^{j_2+m_2}\sqrt{\frac{2J+1}{2j_1+1}}(j_2 J j_1| - m_2 M m_1) \\
(j_1 j_2 J|m_1 m_2 M) &= (-1)^{j_1+j_2-J}(j_1 j_2 J| - m_1 - m_2 - M)
\end{aligned} \tag{A.1}$$

Alle Projektionen null:

Koeffizienten vom Typ $(j_1 j_2 J|000)$. Es gibt zwei Fälle:

$$(j_1 j_2 J|000) = 0\ , \ \text{falls } j_1 + j_2 + J \text{ ungerade ist.} \tag{A.2}$$

Ansonsten definiere $g = \frac{1}{2}(j_1 + j_2 + J)$. Dann gilt

$$(j_1 j_2 J|000) = \frac{(-1)^{g-J}\sqrt{2J+1}g!}{(g-j_1)!(g-j_2)!(g-J)!}\sqrt{\frac{(2h-2j_1)!(2g-2j_2)!(2g-2J)!}{(2g+1)!}}\ . \tag{A.3}$$

Kopplung mit und zu null:

$$\begin{aligned}
(j_1 j_2 0|m_1 - m_2 0) &= (-1)^{j_1-m_1}\frac{\delta_{j_1 j_2}\delta_{m_1 m_2}}{\sqrt{2j_1+1}} \\
(j_1 0 j_2|m_1 0 m_2) &= \delta_{j_1 j_2}\delta_{m_1 m_2}
\end{aligned} \tag{A.4}$$

Kopplung mit einem Drehimpuls von eins:

$$
\begin{aligned}
(l-1\,1l|m-1\,1m) &= \sqrt{\frac{(l+m-1)(l+m)}{2l(2l-1)}} \qquad \text{(A.5)}\\
(l-1\,1l|m0m) &= \sqrt{\frac{(l+m)(l-m)}{l(2l-1)}}\\
(l-1\,1l|m+1\ -1m) &= \sqrt{\frac{(l-m-1)(l-m)}{2l(2l-1)}}\\
(l1l|m-1\,1m) &= -\sqrt{\frac{(l-m+1)(l+m)}{2l(l+1)}}\\
(l1l|m0m) &= \frac{m}{\sqrt{l(l+1)}}\\
(l1l|m+1\ -1m) &= \sqrt{\frac{(l+m+1)(l-m)}{2l(l+1)}}\\
(l+1\,1l|m-1\,1m) &= \sqrt{\frac{(l-m+1)(l-m+2)}{(2l+2)(2l+3)}}\\
(l+1\,1l|m0m) &= -\sqrt{\frac{(l+m+1)(l-m+1)}{(l+1)(2l+3)}}\\
(l+1\,1l|m+1\ -1m) &= \sqrt{\frac{(l+m+2)(l+m+1)}{(2l+2)(2l+3)}}
\end{aligned}
$$

Einige spezielle Koeffizienten für Drehimpuls 2:

$$
\begin{aligned}
(222|-220) &= (222|0\pm 2\pm 2) = (222|\pm 20\pm 2) \qquad \text{(A.6)}\\
&= -(222|000) = \sqrt{\frac{2}{7}}\\
(221|m,-m,0) &= (-1)^m \frac{m}{\sqrt{10}}\\
(221|m+1,-m,1) &= \frac{(-1)^{m+1}}{2\sqrt{5}}\sqrt{(2-m)(3+m)}\\
(221|m-1,-m,-1) &= \frac{(-1)^m}{2\sqrt{5}}\sqrt{(2+m)(3-m)}.\\
(l2l|m0m) &= \frac{3m^2-l(l+1)}{\sqrt{l(l+1)(2l+3)(2l-1)}}
\end{aligned}
$$

Rotationsmatrizen:

$$
\int \mathcal{D}^{(l)}_{mm'}{}^{*}(\phi,\theta,0)\mathcal{D}^{(l)}_{\mu\mu'}(\phi,\theta,0)\mathrm{d}\Omega = \frac{4\pi}{2l+1}\delta_{m\mu}\delta_{m'\mu'}\ , \qquad \text{(A.7)}
$$

$$d^{(j)}_{mm'}(\theta_2) = (-1)^{j-m} d^{(j)}_{m-m'}(\pi - \theta_2) \; . \tag{A.8}$$

$$\begin{aligned} &\int \mathcal{D}^{(I_3)}_{M_3K_3}(\vec{\theta}) \; \mathcal{D}^{(I_2)*}_{M_2K_2}(\vec{\theta}) \mathcal{D}^{(I_1)*}_{M_1K_1} \sin\theta_2 \mathrm{d}\theta_1 \mathrm{d}\theta_2 \mathrm{d}\theta_3 \\ &\qquad = \frac{8\pi^2}{2I_3+1} (I_1 I_2 I_3 | M_1 M_2 M_3)(I_1 I_2 I_3 | K_1 K_2 K_3) \; . \end{aligned} \tag{A.9}$$

Matrixelement von Kugelflächenfunktionen:

$$\langle l || Y_L || l' \rangle = \sqrt{\frac{(2l'+1)(2L+1)}{4\pi(2l+1)}} (l' L l | 000) \tag{A.10}$$

Literaturverzeichnis

[Ab64] M. Abramowitz und I. A. Stegun, *Handbook of Mathematical Functions* National Bureau of Standards, Washington, DC, 1964.

[An58] P. W. Anderson, Phys. Rev. **112**, 1900 (1957).

[An76] G. Andersson, S. E. Larsson, G. Leander, P. Möller, S. G. Nilsson, I. Ragnarsson, S. Åberg, R. Bengtsson, J. Dudek, B. Nerlo-Pomorska, K. Pomorski und Z. Szymanski, Nucl. Phys. A**268**, 205 (1976).

[An83] M. R. Anastasio, L. S. Celenza, W. S. Pong, C. M. Shakin, Phys. Rep. **100**, 327 (1983).

[Ar75] A. Arima und F. Iachello, Phys. Rev. Lett. **35** (1975) 1069.

[Ar76] A. Arima und F. Iachello, Ann. Phys. (NY) **99** (1976) 253.

[Ar77] A. Arima, T. Ohtsuka, F. Iachello und I. Talmi, Phys. Lett. B**66**, 205 (1977).

[Ba57] J. Bardeen, L. N. Cooper und J. R. Schrieffer, Phys. Rev. **108**, 1175 (1957).

[Ba60] M. Baranger, Phys. Rev. **120**, 957 (1960).

[Ba71] W. H. Bassichis und M. R. Strayer, Ann. Phys. (N. Y.) **66**, 457 (1971).

[Ba83] A. B. Balantekin, I. Bars und F. Iachello, Phys. Rev. C**27**, 1761 (1983).

[Be36] H. A. Bethe und F. Bacher, Rev. Mod. Phys. **8**, 82 (1936).

[Be59] S. T. Belyaev, Kgl. Danske Videnskab Selskab Mat.-Fys. Medd. **31**, No. 11 (1959).

[Be61] S. T. Belyaev, Nucl. Phys. **24**, 322 (1961).

[Be73] H. A. Bethe, Phys. Rev. **167**, 879 (1973).

[Be75] M. Beiner, H. Flocard, Nguyen Van Giai und P. Quentin, Nucl. Phys. A**238**, 29 (1975).

[Be75b] R. Bengtsson, S. E. Larsson, G. Leander, P. Möller, S. G. Nilsson, S. Åberg und Z. Szymanski, Phys. Lett. **57**B, 301 (1975).

[Be91] T. Bengtsson, I. Ragnarsson und S. Åberg, in: *Computational Nuclear Physics 1 – Nuclear Structure*, ed. K. Langanke, J. A. Maruhn und S. E. Koonin, p. 88 (Springer-Verlag, Berlin und Heidelberg 1991).

[Bi82] R. Bijker und A. E. L. Dieperink, Nucl. Phys. A**379**, 221 (1982).

[Bj80] S. Bjornholm und J. E. Lynn, Rev. Mod. Phys. **52**, 725 (1980).

[Bl80] J. P. Blaizot, Phys. Rep. **64**C, 171 (1980).

[Bl87] P. G. Blunden, M. J. Iqbal, Phys. Lett. B**196**, 295 (1977).

[Bl89] V. Blum, J. Fink, P. G. Reinhard, J. A. Maruhn und W. Greiner, Phys. Lett. **223**B, 123 (1989),

[Bo52] A. Bohr, Kgl. Danske Videnskab Selskab Mat.-Fys. Medd. **26** No. 14 (1953).

[Bo53] A. Bohr und B. Mottelson, Kgl. Danske Videnskab Selskab Mat. Fys. Medd. **27** (16) (1953).

[Bo53b] D. Bohm und D. Pines, Phys. Rev. **92**, 609 (1953).

[Bo54] A. Bohr, *Rotational States in Atomic Nuclei* (Thesis, Copenhagen 1954).

[Bo58] N. N. Bogolyubov, Soviet Phys. JETP **7**, 41 (1958); Nuovo Cimento **7**, 843 (1958).

[Bo59] N. N. Bogolyubov, Soviet Phys. Usp. **2**, 236 (1959); Usp. Fiz. Nauk **67**, 549 (1959).

[Bo76] P. Bonche, S. E. Koonin und J. W. Negele, Phys. Rev. **13**, 1226 (1976).

[Bo77] J. Boguta und A. R. Bodmer, Nucl. Phys. A**292**, 414 (1977).

[Bo87] P. Bonche, H. Flocard und P. H. Heenen, Nucl. Phys. A**467**, 115 (1987).

[Br59] G. E. Brown und M. Bolsterli, Phys. Rev. Lett. **3**, 472 (1959).

[Br60] G. E. Brown und M. Bolsterli, Phys. Rev. Lett. **3**, 472 (1960).

[Br61] G. E. Brown, J. A. Evans und D. J. Thouless, Nucl. Phys. **24**, 1 (1961).

[Br68] K. A. Brückner, J. R. Buchler, S. Jorna und R. L. Lombard, Phys. Rev. **171**, 1188 (1968).

[Br68b] D. M. Brink und A. Weiguny, Nucl. Phys. A**120**, 59 (1968).

[Br68c] D. M. Brink und G. R. Satchler, *Angular Momentum* (Clarendon Press, Oxford 1968).

[Br72] M. Brack, J. Damgaard, A. S. Jensen, H. C. Pauli, V. M. Strutinsky, and C. Y. Wong, Rev. Mod. Phys. **44**, 320 (1972).

[Br81] P. von Brentano, A. Gelberg und U. Kaup, in *Interacting Boson-Fermion Systems in Nuclei*, ed. F. Iachello (Plenum, New York, 1981), p. 303.

[Br84] R. Brockmann und R. Machleidt, Phys. Lett. B**149**, 283 (1984).

[Br85] M. Brack, Proc. of a NATO ASI on Density Functional Methods in Physics (Plenum Press, New York 1985), p. 331.

[Br92] R. Brockmann, J. Frank, Phys. Rev. Lett. **68**, 1830 (1992).

[Ca88] R. F. Casten und D. D. Warner, Rev. Mod. Phys. **60** (1988) 389.

[Ce86] L. S. Celenza und C. S. Shakin, *Relativistic Nuclear Physics Theories of Structure and Scattering* (World Scientific, Singapore 1986.

[Ch76] E. Chacón, M. Moshinsky und R. T. Sharp, J. Math. Phys. **17** (1976) 668.

[Ch76a] S. A. Chin, Phys. Lett. B**62**, 263 (1976).

[Ch77] E. Chacón und M. Moshinsky, J. Math. Phys. **18**, 870 (1977).

[Ch77a] S. A. Chin, Ann. Phys. B**108**, 301 (1977).

[Co74] S. Cohen, F. Plasil und W. J. Swiatecki, Ann. Phys. (N.Y.) **82**, 557 (1974).

[Cs91] L. P. Csernai und D. D. Strottman, eds., "Relativistic Heavy Ion Physics", Int. Rev. Nucl. Phys. **6** (1991).

[Cu76] R. Y. Cusson, R. K. Smith und J. A. Maruhn, hys. Rev. Lett. **36**, 1166 (1976).

[Cu78] R. Y. Cusson, J. A. Maruhn und H. W. Meldner, Phys. Rev. C**18**, 2589 (1978).

[Cu82] M. A. Cunningham, Nucl. Phys. A**385**, 204, 221 (1982).

[Da58] A. S. Davydov und B. F. Fillipov, Nucl. Phys. **8** (1958) 237.

[Da64a] M. Danos und W. Greiner, Phys. Lett. **8** (1964) 113.

[Da64b] M. Danos und W. Greiner, Phys. Rev. **134** (1964) B284.

[Da78] K. T. R. Davies, V. Maruihn-Rezvani, S. E. Koonin und J. W. Negele, Phys. Rev. Lett. **41**, 632 (1978).

[Da85] K. T. R. Davies, K. R. Sandhya Devi, S. E. Koonin und M. R. Strayer, in: Treatise on Heavy-Ion Science, Vol. 3, ed. D. A. Bromley (Plenum Press, New York 1985).

[Di30] P. A. M. Dirac, Proc. Cambridge Phil. Soc. **26**, 376 (1930).

[Di80] A. E. L. Dieperink, O. Scholten und F. Iachello, Phys. Rev. Lett. **44**, 1747 (1980).

[Du56] H. P. Duerr, Phys. Rev. **103**, 469 (1956).

[Ed60] A. R. Edmonds, *Angular Momentum in Quantum Mechanics*, 2nd Ed. (Princeton University Press, 1960).

[Eh59] H. Ehrenreich und M. H. Cohen, Phys. Rev. **115**, 786 (1959).

[Ei72] J. M. Eisenberg und W. Greiner, *Nuclear Theory. Volume 3: Microscopic Theory of the Nucleus* (North Holland, Amsterdam 1973).

[Ei87] J. M. Eisenberg und W. M. Greiner, *Nuclear Theory. Volume 1: Collective Models*, Third Ed. (North Holland, Amsterdam 1987).

[El57] J. P. Elliott und B. H. Flowers, Proc. Royal Soc. (London) **24**, 2A, 57 (1957).

[En75] Y. M. Engel, D. M. Brink, K. Goeke, S. J. Krieger und D. Vautherin, Nucl. Phys. A**249**, 215 (1975).

[Fa62a] A. Faessler und W. Greiner, Z. Physik **168** (1962) 425.

[Fa62b] A. Faessler und W. Greiner, Z. Physik **170** (1962) 105.

[Fa64a] A. Faessler und W. Greiner, Z. Physik **177** (1964) 190.

[Fa64b] A. Faessler und W. Greiner, Nucl. Phys. **59** (1964) 177.

[Fa65a] A. Faessler, W. Greiner und R. K. Sheline, Nucl. Phys. **62** (1965) 241.

[Fa65b] A. Faessler, W. Greiner und R. K. Sheline, Nucl. Phys. **70** (1965) 33.

[Fa65c] A. Faessler, W. Greiner und R. K. Sheline, Nucl. Phys. **80** (1965) 417.

[Fe49] E. Feenberg, Phys. Rev. **75**, 320 (1949).

[Fe53] G. M. Ferentz, M. Gell-Mann und D. Pines, Phys. Rev. **92**, 836 (1953).

[Fe57] R. A. Ferrell, Phys. Rev. **107**, 1631 (1957).

[Fi72] E. O. Fiset und J. R. Nix, Nucl. Phys. A**193**, 647 (1972).

[Fi74] H.-J. Fink, J. Maruhn, W. Scheid und W. Greiner, Z. Physik **268**, 321 (1974).

[Fi89] J. Fink, V. Blum, P.-G. Reinhard, J. A. Maruhn, and W. Greiner, Phys. Lett. **218**B, 277 (1989).

[Fl72] K. F. Flynn et al., Phys. Rev. C**5**, 1725 (1972).

[Fl75] K. F. Flynn et al., Phys. Rev. C**11**, 1676 (1975).

[Ga88] Y. K. Gambhir und P. Ring, Phys. Lett. **202**B, 5 (1988).

[Gi80a] M. J. Giannoni und P. Quentin, Phys. Rev. **C21**, 2060 (1980).

[Gi80b] M. J. Giannoni und P. Quentin, Phys. Rev. **C21**, 2076 (1980).

[Gn71] G. Gneuss und W. Greiner, Nucl. Phys. A**171**, 449 (1971).

[Go48] M. Goldhaber und E. Teller, Phys. Rev. **74** (1948) 1946.

[Go56] K. Gottfried, Phys. Rev. **103**, 1017 (1956).

[Go59] J. Goldstone und K. Gottfried, Nuovo Cimento **13**, 849 (1959).

[Go73] D. Gogny, Proc. of the International Conference on Nuclear Physics, München 1973 (North Holland, Amsterdam 1973).

[Gr57a] J. J. Griffin und J. A. Wheeler, Phys. Rev. **108**, 311 (1957).

[Gr57b] J. J. Griffin, Phys. Rev. **108**, 328 (1957).

[Gr65a] I. S. Gradshteyn und I. W. Ryzhik, *Table of Integrals, Series and Products*, Academic Press, New York 1965.

[Gr65b] I. M. Green und S. A. Moszkowski, Phys. Rev. **139**, B790 (1965).

[Gr69] J. Grumann, U. Mosel, B. Fink und W. Greiner, Z. Phys. **228**, 371 (1969).

[Gr89] W. Greiner, M. Ivaşcu, D. N. Poenaru und A. Săndulescu, in: *Treatise on Heavy Ion Science*, ed. D. A. Bromley (Plenum, New York 1989), Vol. 8, p. 641.

[Gu66] C. Gustafsson, I. L. Lamm, B. Nilsson und S. G. Nilsson, Proc. of the Lysekil Symposium, p. 613 (1966).

[Gu77] R. K. Gupta, C. Părvulescu, A. Săndulescu und W. Greiner, Z. Physik A**283**, 217 (1977).

[Ha49] O. Haxel, J. H. D. Jensen und H. E. Suess, Phys. Rev. **75**, 1766 (1949).

[Ha62] T. Hamada und I. D. Johnston, Nucl. Phys. **34**, 382 (1962).

[Ha88] R. W. Hasse und W. D. Myers, *Geometrical Relationships of Macroscopic Nuclear Physics* (Springer-Verlag, Berlin und Heidelberg, 1988).

[Ha89] J. H. Hamilton, in: *Treatise on Heavy Ion Physics*, ed. D. A. Bromley, Vol. 8, p. 3 (Plenum Press, New York 1989).

[He80] P. O. Hess, M. Seiwert, J. A. Maruhn und W. Greiner, Z. Physik A**296**, 147 (1980).

[He81] P. O. Hess, J. A. Maruhn und W. Greiner, J. Phys. G**7**, 737 (1981).

[Hi53] D. L. Hill und J. A. Wheeler, Phys. Rev. **89**, 1106 (1953).

[Ho87] C. J. Horowitz, B. D. Serot, Nucl. Phys. A**464**, 613 (1987).

[Ho95a] S. Hofmann et al., Z. Physik A**350**, 277 (1995).

[Ho95b] S. Hofmann et al., Preprint GSI-95-05 (1995).

[Ia79] F. Iachello und O. Scholten, Phys. Rev. Lett. **43**, 679 (1979).

[Ia80] F. Iachello, Nucl. Phys. **A347**, 51 (1980).

[Ia87] F. Iachello und A. Arima, *The Interacting Boson Model* (Cambridge University Press, Cambridge 1987).

[In54] D. R. Inglis, Phys. Rev. **96**, 1059 (1954).

[In56] D. R. Inglis, Phys. Rev. **103**, 1786 (1956).

[Ir75] J. M. Irvine, *Heavy Nuclei, Superheavy Nuclei, and Neutron Stars* (Cxford University Press, Oxford 1975).

[Is81] P. van Isacker und J. Q. Chen, Phys. Rev. C**24**, 684 (1981).

[Is84] P. van Isacker, A. Frank und B. Z. Sun, Ann. Phys. (N.Y.) **157**, 183 (1984).

[It92] M. G. Itkis et al., Sov. J. Nucl. Phys. **52**, 601 (1990).

[Ja74] D. Janssen, R. V. Jolos und F. Dönau, Nucl. Phys. A**224**, 93 (1974).

[Ke56] A. K. Kerman, Kgl. Danske Videnskab Selskab Mat.-Fys. Medd. **30** No. 15 (1956).

[Ke61] A. K. Kerman, Ann. Phys. (N.Y.) **12**, 300 (1961).

[Ke64] I. Kelson, Phys. Rev. B**136**, 1667 (1964).

[Kö71] H. S. Köhler und Y. C. Lin, Nucl. Phys. A**167**, 305 (1971).

[Kö76] H. S. Köhler, Nucl. Phys. A**258**, 301 (1976).

[Kl91] H. Klein, D. Schnabel, J. Maruhn und W. Greiner, unveröffentlichte Ergebnisse.

[Kr79] H. J. Krappe, J. R. Nix und A. J. Sierk, Phys. Rev. C**20**, 992 (1979).

[Kr80] H. Krivine, J. Treiner und O. Bohigas, Nucl. Phys. A**336**, 155 (1980).

[Ku61] K. Kumar und R. Bhaduri, Phys. Rev. **122**, 1926 (1961).

[Ku89] K. Kumar, *Superheavy Elements* (Adam Hilger, Bristol und New York, 1989).

[La64] A. M. Lane, *Nuclear Theory* (W. A. Benjamin, New York 1964).

[Li60] H. J. Lipkin, Ann. Phys. (N.Y.) bf 9, 272 (1960).

[Li73] P. Lichtner, D. Drechsel, J. Maruhn und W. Greiner, Phys. Lett. **45**B, 175 (1973).

[Lo70] K. E. G. Löbner, M. Vetter, V. Hönig, Atomic Data and Nuclear Data Tables A**7**, 495 (1970).

[Lo73] R. J. Lombard, Ann. Phys. (N.Y.) **77**, 380 (1973).

[Lu78] A. Săndulescu, H. J. Lustig, J. Hahn und W. Greiner, J. Phys. G**4**, L279 (1978).

[Lu80] H. J. Lustig, J. A. Maruhn und W. Greiner, J. Phys. G**6**, L25 (1980).

[Ma48] M. G. Mayer, Phys. Rev. **74**, 235 (1948).

[Ma49] M. G. Mayer, Phys. Rev. **75**, 1969 (1949).

[Ma50] M. G. Mayer, Phys. Rev. **78**, 22 (1950).

[Ma55] M. G. Mayer und J. H. D. Jensen, *Elementary Theory of Nuclear Shell Structure* (Wiley, New York 1955).

[Ma72] J. Maruhn und W. Greiner, Z. Physik **251**, 431 (1972).

[Ma74] J. Maruhn und W. Greiner, Phys. Rev. Lett. **32**, 548 (1974).

[Ma75] V. Maruhn-Rezwani, W. Greiner und J. A. Maruhn, Phys. Lett. **57B** (1975) 109.

[Ma76] J. A. Maruhn und R. Y. Cusson, Nucl. Phys. A**270**, 471 (1976).

[Ma76b] J. Maruhn und W. Greiner, Phys. Rev. C**13**, 2404 (1976).

[Ma85] J. A. Maruhn und W. Greiner, “Relativistic Heavy-Ion Reactions: Theoretical Models”, in: Treatise on Heavy-Ion Science, Vol. 4, ed. D. A. Bromley (Plenum Press, New York 1985).

[Ma93] J. A. Maruhn und S. E. Koonin, in: *Computational Nuclear Physics 2 – Nuclear Reactions*, ed. K. Langanke, J. A. Maruhn und S. E. Koonin, p. 88 (Springer-Verlag, Berlin und Heidelberg 1993).

[Mi72] L. D. Miller und L. D. S. Green, Phys. Rev. C**5**, 241 (1972).

[My76] W. D. Myers, Atomic Data and Nuclear Data Tables **17**, 411 (1976).

[Mo55] S. A. Moszkowski, Phys. Rev. **99**, 803 (1955).

[Mo59] B. R. Mottelson, Cours de l’Ecole d’Eté de Physique Theéorique des Houches 1958 (Dunod, Paris 1959), p. 283.

[Mo71] U. Mosel, J. A. Maruhn und W. Greiner, Phys. Lett. **43**B, 587 (1971).

[Mo93] S. Mordechai und C. F. Moore, Int. J. Mod. Phys. E**xxx** (1993) xxx (cited in 6.8.4).

[Ne29] J. von Neumann und E. Wigner, Physik. Zeitschrift **XXX**, 467 (1929).

[Ne75] K. Neergård und V. V. Pashkevich, Phys. Lett. **59**B, 218 (1975).

[Ne76] K. Neergård, V. V. Pashkevich und S. Frauendorf, Nucl. Phys. A**262**, 61 (1976).

[Ne82] J. . Negele, Rev. Mod. Phys. **54**, 913 (1982).

[Ni55] S. G. Nilsson, Kgl. Danske Videnskab. Selsk. Mat.-Fys. Medd. **29** (1955).

[Ni61] S. G. Nilsson und O. Prior, Kgl. Danske Videnskab. Selsk. Mat.-Fys. Medd. **32** No. 16 (1961).

[Ni68] J. R. Nix, Los Alamos Report UCRL-17958 (1968).

[Ni69] S. G. Nilsson, C. F. Tsang, A. Sobiczewski, Z. Szymanski, S. Wycech, C. Gustafsson, I. L. Lamm, P. Moller und B. Nilsson, Nucl. Phys. A**131**, 1 (1969).

[No50] L. Nordheim, Phys. Rev. **78**, 294 (1950).

[No64] Y. Nogami, Phys. Rev. **134**, B313 (1964).

[No68] C. C. Noack, Nucl. Phys. A**108**, 493 (1968).

[Oh78] T. Ohtsuka, A. Arima, F. Iachello und I. Talmi, Phys. Lett. B**76**, 139 (1978).

[Pe86] R. J. Perry, Phys. Lett. B**182**, 269 (1986).

[Po28] B. Podolsky, Phys. Rev. **32** (1928) 812.

[Po62] S. M. Polikanov et al., Exp. Theor. Phys. **42**, 1464 (1962).

[Po89] D. N Poenaru, M. Ivaşcu und W. Greiner, in: *Particle Emissions from Nuclei*, ed. D. N. Poenaru and M. Ivaşcu (CRC, Boca Raton, FL, 1989), Vol. III, p. 203.

[Pr61] R. Prange, Nucl. Phys. **22**, 287 (1962).

[Pr73] H. C. Pradhan, Y. Nogami und J. Law, Nucl. Phys. A**201**, 357 (1973).

[Qu78] P. Quentin und H. Flocard, Ann. Rev. Nucl. Part. Sci. **28**, 523 (1978).

[Ra43] G. Racah, Phys. Rev. **63**, 367 (1943).

[Ra74] J. Randrup, S. E. Larsson, P. Moller, A. Sobiczewski und A. Lukasiak, Phys. Scr. **10A**, 60 (1974).

[Re68] R. V. Reid, Ann. Phys. (N.Y.) **50**, 411 (1968).

[Re86] P. G. Reinhard, M. Rufa, J. Maruhn, W. Greiner und J. Friedrich, Z. Physik A**323**, 13 (1986).

[Re87] P.-G. Reinhard und K. Goeke, Rep. Prog. Phys. **50**, 1 (1987).

[Re89] P. G. Reinhard, Rep. Prog. Phys. **52**, 439 (1989)

[Ro57] M. E. Rose, *Elementary Theory of Angular Momentum* (Wiley, New York 1957).

[Ro68] E. Rost, Phys. Lett. **26B**, 184 (1968).

[Ro84] H. J. Rose und G. A. Jones, Nature **307**, 245 (1984).

[Sa76] A. Săndulescu, R. K. Gupta, W. Scheid und W. Greiner, Phys. Lett. **60**B, 225 (1976).

[Sa78] K. R. Sandhya Devi und M. R. Strayer, Phys. Lett. **77**B, 135 (1978).

[Sa80] A. Săndulescu, D. N. Poenaru und W. Greiner, Sov. J. of Particles and Nuclei **11**, 528 (1980).

[Sa89] A. Săndulescu, J. Phys. G**15**, 529 (1989).

[Sa92] A. Săndulescu, R. K. Gupta, W. Greiner, F. Carstoiu und M. Horoi, Int. J. Mod. Phys. E**1**, 379 (1992).

[Sc55] G. Scharff-Goldhaber und J. Weneser, Phys. Rev. **98** (1955) 212.

[Sc68] W. Scheid, R. Ligensa und W. Greiner, Phys. Rev. Lett. **21**, 1479 (1968).

[Sc78] O. Scholten, F. Iachello und A. Arima, Ann. Phys. (NY) **115** (1978) 325.

[Sc82] O. Scholten und N. Blasi, Nucl. Phys. A**380**, 509 (1982).

[Sc91] O. Scholten, in: *Computational Nuclear Physics 1 – Nuclear Structure*, ed. K. Langanke, J. A. Maruhn und S. E. Koonin, p. 88 (Springer-Verlag, Berlin und Heidelberg 1991).

[Se67] P. A. Seeger und R. C. Perisko, Los Alamos Report No. LA-3751 (1967).

[Se68] P. A. Seeger, Los Alamos Report No. LA-DC-8950a (1968).

[Se86] B. D. Serot und J. D. Walecka, *Advances in Nuclear Physics* **16**, (1986).

[Se89] B. D. Serot, 1989. In *Nuclear Matter and Heavy Ion Collisions*, Les Houches, France, Proc. of the NATO Advanced Research Workshop, New York 1989.

[Se92] B. D. Serot, Rep. Prog. Phys. **55**, 1855 (1992).

[Si86] A. J. Sierk, Phys. Rev. C**86**, 2039 (1986).

[Sk56] T. H. R. Skyrme, Phil. Mag. **1**, 1043 (1956).

[Sk59] T. H. R. Skyrme, Nucl. Phys. **9**, 615 (1959).

[St50] H. Steinwedel und J. H. D. Jensen, Z. Naturforschung **5a** (1950) 413.

[St67] V. M. Strutinsky, Nucl. Phys. A**95**, 420 (1967).

[St68] V. M. Strutinsky, Nucl. Phys. A**122**, 1 (1968).

[Te86] B. Ter Haar und B. Malfliet, Phys. Lett. B**172**, 10 (1986); Phys. Rev. Lett. **56**, 1237 (1986).

[Th61] D. J. Thouless, Nucl. Phys. **22**, 78 (1961).

[Tr91a] D. Troltenier, J. A. Maruhn, W. Greiner, V. Velazquez-Aguilar, P. O. Hess und J. H. Hamilton, Z. Physik A**338**, 261 (1991).

[Tr91b] D. Troltenier, J. A. Maruhn und P. O. Hess, in: *Computational Nuclear Physics 1 – Nuclear Structure*, ed. K. Langanke, J. A. Maruhn und S. E. Koonin, p. 105 (Springer-Verlag, Berlin und Heidelberg 1991).

[Va58] J. G. Valatin, Nuovo Cimento **7**, 843 (1958).

[Va61] J. G. Valatin, Phys. Rev. **122**, 1012 (1961).

[Va70] D. Vautherin und D. M. Brink, Phys. Lett. **32B**, 149 (1970).

[Va72] D. Vautherin und D. M. Brink, Phys. Rev. **C5**, 626 (1972).

[Va88] D. A. Varshalovich, A. N. Moskalev und V. K. Khersonskii, *Quantum Theory of Angular Momentum* (World Scientific, Singapore 1988).

[Wa74] J. D. Walecka, Ann. Phys. (N.Y.) **83**, 491 (1974).

[Wa77] A. H. Wapstra et al., At. Data and Nucl. Data Tables **19**, 177 (1977).

[Wa88] B. Waldhauser, J. Maruhn, H. Stöcker und W. Greiner, Phys. Rev. C**38**, 1003 (1988).

[We35] C. F. von Weizsäcker, Z. Physik **96**, 461 (1935).

[Wi56] L. Wilets und M. Jean, Phys. Rev. C**102** (1956) 788.

[Wi58] L. Wilets, Rev. Mod. Phys. **30**, 542 (1958).

[Wo54] R. D. Woods und D. S. Saxon, Phys. Rev. **95**, 577 (1954).

[Zh86] H. X. Zhang, T. R. Yeh, H. Lancman, Phys. Rev. C**34**, 1397 (1986).

Index

Prof. Dr. rer. nat. Dr. h. c. mult. Walter Greiner
geb. Oktober 1935, Promotion 1961 in Freiburg/Brsg., 1962–1964 Ass. Prof. University of Maryland, seit 1964/65 o. Prof. für Theoretische Physik der Universität Frankfurt am Main und Direktor des Instituts für Theoretische Physik. Gastprofessor u. a. an der Florida State University, University of Virginia, Los Alamos Scientific Laboratory, University of California, Berkeley, Oak Ridge National Laboratory, University of Melbourne, Yale University, Vanderbilt University, University of Arizona. Hauptarbeitsgebiete: Theoretische Kernphysik, Theoretische Schwerionenphysik, Feldtheorie (Quantenelektrodynamik, Theorie der Gravitation), Atomphysik. 1974 Empfänger des Max-Born-Preises und der Max-Born-Medaille (Institute of Physics [London] und Deutsche Physikalische Gesellschaft), 1982 des Otto-Hahn-Preises der Stadt Frankfurt am Main und der Ehrendoktorwürde der University of Witwatersrand, Johannesburg. Seit 1989 Ehrenmitglied der Lorand-Eötvös-Gesellschaft (Ungarn), seit 1990 Honorarprofessor der Universität Peking und seit 1991 Doctor of Science honoris causa der Universität Tel Aviv und Doctor honoris causa der Université Louis Pasteur Strasbourg, 1992 Doctor honoris causa der Universität Bukarest, seit 1993 Ehrenmitglied der rumänischen Akademie der Wissenschaften.

Prof. Dr. phil. nat. Joachim A. Maruhn
geb. 15. Mai 1945 in Frankfurt am Main, Promotion 1973 in Frankfurt. 1974–1977 Research Associate, dann Staff Scientist am Oak Ridge National Laboratory, Oak Ridge (Tennessee). Seit 1977 Professor für Theoretische Physik an der Johann-Wolfgang-Goethe-Universität Frankfurt am Main. Gastprofessor unter anderem an der Vanderbilt University (Nashville) und der Michigan State University (Lansing). Hauptarbeitsgebiete: Theoretische Kernphysik, Theoretische Schwerionenphysik, Theorie der Trägheitsfusion (Hydrodynamik und Strahlungstransport), Computational Physics.